Teacher Wraparound Edition

# Glencoe Spanish 3

# ¡Buen viaje!

**Conrad J. Schmitt**
**Protase E. Woodford**

McGraw Hill **Glencoe**

New York, New York    Columbus, Ohio    Chicago, Illinois    Woodland Hills, California

Send all inquiries to:
Glencoe/McGraw-Hill
8787 Orion Place
Columbus, Ohio 43240-4027

ISBN: 978-0-07-879143-7 *(Teacher Wraparound Edition)*
MHID: 0-07-879143-X *(Teacher Wraparound Edition)*
ISBN: 978-0-07-879142-0 *(Student Edition)*
MHID: 0-07-879142-1 *(Student Edition)*

Printed in the United States of America.

1 2 3 4 5 6 7 8 9 10   079/055   13 12 11 10 09 08 07

# From the Authors

Dear Parents,

We are most pleased that your son or daughter has decided to continue with his or her study of Spanish. As a third-year student, he or she will continue to gain confidence in using the language that will hopefully become a most useful lifelong asset.

This year your child will be exposed, in a more in-depth way, to the geography, history, and rich cultures of the vast Spanish-speaking world. He or she will be introduced to higher level up-to-date vocabulary necessary to communicate and function in today's ever-changing world. He or she will read newspaper and magazine articles from Spain and Latin America and will be introduced to the works of some of the major writers of the Spanish-speaking world. At all times, the primary focus will be to increase your child's ability to communicate in Spanish with ease and confidence.

Remind your son or daughter to be diligent in completing assignments on a daily basis. Short, frequent periods of exposure will greatly enhance his or her language ability. Infrequent longer periods of cramming are generally ineffective and will not give the desired results.

Let your child know that he or she should not be inhibited to speak for fear of making an error. It is most natural to make errors when acquiring a new language. One will never become proficient in a language by remaining silent.

Encourage your child to work a bit each day, to speak up and enjoy his or her journey in the acquisition of an exciting, valuable language. ¡Buen viaje!

Atentamente,
**Conrad J. Schmitt** • **Protase E. Woodford**

# Teacher Edition

Glencoe Spanish **3** Teacher Wraparound Edition

¡Buen viaje!

TeacherWorks
All-In-One Planner and Resource Center
www.glencoe.com

# Student Edition

El mundo hispanohablante
The What, Why, and
   How of Reading
Reading and Succeeding
Dinah Zike's Foldables™
Tour of the Student Edition

Glencoe's ¡**Buen viaje!** is a carefully articulated program written by experienced authors. The Scope and Sequence of ¡**Buen viaje!** ensures that students are presented with material in a way that enables them to build the skills they need to become proficient in Spanish. To allow you flexibility in moving through the program there is a review section at the beginning of ¡**Buen viaje!** Level 2. In addition, Chapters 13 and 14 of Level 1 are repeated as Chapters 1 and 2 of Level 2. The subjunctive is presented in Chapter 12 of ¡**Buen viaje!** Level 2 but is presented as brand new material in ¡**Buen viaje!** Level 3.

## LEVEL 1

### Preliminary Lessons

**Topics**
- Greeting people
- Saying good-bye
- Being courteous
- Ordering food
- Days of the week
- Asking the day
- Months of the year
- Asking the date
- Numbers 0–30
- Seasons

**Culture**
- Calendario maya
- Puerto Vallarta, México
- El besito, dar la mano, el abrazo
- Formality
- Salamanca, España
- Guanajuato, México
- Buenos Aires, Argentina
- El Cinco de Mayo

**Functions**
- How to greet people
- How to say good-bye to people
- How to express simple courtesies
- How to find out and tell the days of the week
- How to find out and tell the months of the year
- How to count from 0–30
- How to find out and tell the seasons of the year

### Capítulo 1

**Topics**
- Describing people
- Describing places
- Numbers 0–30

**Culture**
- Francisco de Goya, *Muchachos trepando a un árbol*
- *El Quijote,* the novel
- Miguel de Cervantes Saavedra
- Map of Spain (featuring La Mancha)
- Pablo Picasso, *Don Quijote*
- Alicia Bustelo, student from Venezuela
- Map of Venezuela
- Two Latin American heroes: Simón Bolívar and José de San Martín
- Connections—Geographical terms in Spanish

**Functions**
- How to ask or tell who someone is
- How to ask or tell what something is
- How to describe yourself or someone else
- How to ask or tell where someone is from
- How to ask or tell what someone is like

**Structure**
- Singular forms of definite and indefinite articles—**el, la, un, una**
- Singular forms of adjectives
- Present singular forms of the verb **ser**

### Capítulo 2

**Topics**
- School
- Class subjects
- Numbers 31–99
- Telling time
- Nationalities

**Culture**
- Juan Carlos Liberti, *Concierto barroco*
- Alejandro Chávez and Guadalupe Garza, two Mexican Americans
- Raúl Ugarte and Marta Dávila, two Cuban Americans
- San Antonio, a bilingual city
- The Alamo, San Antonio, Texas
- Coyoacán, México
- The Frida Kahlo Museum
- Connections—Latin American ethnicities
- Diego Rivera, *La almendra del cacao*

**Functions**
- How to describe people and things
- How to talk about more than one person or thing
- How to discuss classes in school
- How to express opinions about classes
- How to tell time
- How to tell at what time an event takes place

**Structure**
- Plural forms of nouns, articles, and adjectives
- Present plural forms of **ser**
- Telling time

# LEVEL 1

## Capítulo 3

### Topics
- School supplies
- Shopping
- Clothing, sizes
- Color
- Numbers 100–1999

### Culture
- Joaquín Torres-García, *Art in Five Tones and Complementaries*
- Julio Torres, a student from Madrid
- Discussing differences between school in the United States and in Spanish-speaking countries
- El Retiro, Madrid, España
- Indigenous clothing in Central and South America
- A famous clothing designer: Oscar de la Renta
- Connections—Computers and technology

### Functions
- How to identify and describe school supplies
- How to describe articles of clothing
- How to ask questions while shopping
- How to state color and size preference
- How to speak to people formally and informally

### Structure
- Singular forms of **-ar** verbs (present tense)
- **Tú** versus **usted**

## Capítulo 4

### Topics
- Going to school
- The school day
- Activities at school
- Numbers 1,000–2,000,000

### Culture
- Diego Rivera, *Alfabetización*
- Paula and Armando, two students from Miraflores, Perú
- Differences between schools in the United States and in Spanish-speaking countries
- Miraflores, Perú
- La Universidad de Santo Domingo
- Chilean poet, Gabriela Mistral
- Connections—Biology terms in Spanish

### Functions
- How to discuss going to school
- How to talk about school activities
- How to greet people and ask how they feel
- How to tell how you feel
- How to describe where you and others go
- How to describe where you and others are

### Structure
- Plural forms of **-ar** verbs (present tense)
- Present of **ir, dar,** and **estar**
- Contractions **al** and **del**

## Capítulo 5

### Topics
- Eating at a café
- Foods and beverages
- Shopping for food

### Culture
- Bernardita Zegers, *Don Diego y doña Patricia*
- A café in Madrid, España
- Meal times in Spanish-speaking countries
- Buenos Aires, Argentina
- Open-air markets and supermarkets in Spanish-speaking countries
- Connections—Math terms in Spanish

### Functions
- How to order food or a beverage at a café
- How to identify some food
- How to shop for food
- How to talk about activities

### Structure
- **-Er** and **-ir** verbs (present tense)

## LEVEL 1

### Capítulo 6

**Topics**
- Family relationships
- Houses and apartments
- Rooms in houses and apartments
- Telling your age, birthdays

**Culture**
- María Izquierdo, *Mis sobrinas*
- The Hispanic family
- La Sagrada Familia, Barcelona, España
- La quinceañera
- Diego Velázquez, *Las Meninas*
- Connections—Great artists from Spain and Latin America
- Frida Kahlo, *Autorretrato*
- Francisco de Goya, *El tres de mayo*
- José Clemente Orozco, *Zapatistas*
- El Greco, *El entierro del Conde de Orgaz*

**Functions**
- How to talk about your family
- How to describe your home
- How to tell your age and find out someone else's age
- How to tell what you have to do
- How to tell what you are going to do
- How to tell what belongs to you and to others

**Structure**
- Present of **tener**
- **Tener que, ir a**
- Possessive adjectives

### Capítulo 7

**Topics**
- El fútbol
- Parts of the body
- Baseball
- Basketball

**Culture**
- Ángel Zarraga, *Futbolistas en el llano*
- El fútbol in Spain
- The World Cup
- Baseball
- Jai alai
- Connections—Archeological terms in Spanish
- Copán, Honduras
- Chichén Itzá, México
- Ponce, Puerto Rico

**Functions**
- How to talk about team sports and other physical activities
- How to tell what you want to, begin to, and prefer to do
- How to talk about people's activities
- How to express what interests, bores, or pleases you

**Structure**
- Stem-changing verbs in the present e → ie
- Stem-changing verbs in the present o → ue
- **Interesar, aburrir,** and **gustar**

### Capítulo 8

**Topics**
- Minor illnesses
- Emotions
- The doctor's office
- More parts of the body
- The pharmacy

**Culture**
- Pablo Picasso, *Head of a Medical Student*
- Visiting the doctor's office
- Differences between pharmacies in the United States and in Spanish-speaking countries
- Cuban American doctor Antonio Gassett
- Connections—Information about nutrition in Spanish

**Functions**
- How to explain a minor illness to a doctor
- How to describe some feelings
- How to have a prescription filled at a pharmacy
- How to describe characteristics and conditions
- How to tell where things are and where they're from
- How to tell where someone or something is now
- How to tell what happens to you or someone else

**Structure**
- **Ser** and **estar**
- **Me, te, nos**

## LEVEL 1

### Capítulo 9

**Topics**
- Summer weather and activities
- Winter weather and activities

**Culture**
- Daniel Hernández, *A Breath of Fresh Air*
- World-class beaches and resorts in Spanish-speaking countries
- Marbella, España
- Cancún, México
- La playa de Varadero, Cuba
- Playa de Guajataca, Puerto Rico
- Pocitos, Uruguay
- Opposite seasons in the northern and southern hemispheres
- Snowboarding in Chile and Argentina
- Connections—Weather and climate in Spanish-speaking countries

**Functions**
- How to describe summer and winter weather
- How to talk about summer activities and sports
- How to talk about winter sports
- How to discuss past actions and events
- How to refer to people and things already mentioned

**Structure**
- Preterite tense of **-ar** verbs
- Pronouns—**lo, la, los, las**
- **Ir** and **ser** in the preterite

### Capítulo 10

**Topics**
- Attending cultural events
- Taking the bus, subway

**Culture**
- Rufino Tamayo, *Músicos*
- Dating in Spanish-speaking countries
- Teatro Colón, Lima, Perú
- La Zarzuela
- El Ballet Folklórico de México
- Connections—Fine Arts in the Spanish-speaking world

**Functions**
- How to discuss movies, museums, and theater
- How to discuss cultural events
- How to relate more past actions or events
- How to tell for whom something is done

**Structure**
- Preterite of **-er** and **-ir** verbs
- Indirect object pronouns—**le, les**

### Capítulo 11

**Topics**
- Air travel

**Culture**
- Alexander Aramburo Maldonado, *San Francisco to New York in One Hour*
- The importance of air travel in South America
- The Andes Mountains
- The Amazon River
- Comparing the flight time from New York to Madrid and the flight time from Caracas to Buenos Aires
- The Nazca lines in Perú
- Connections—Everyday finances in the Spanish-speaking world

**Functions**
- How to check in for a flight
- How to get through the airport after deplaning
- How to tell what you or others are currently doing
- How to tell what you know and whom you know

**Structure**
- Present tense of **hacer, poner, traer,** and **salir**
- Present progressive
- Present tense of **saber** and **conocer**

## LEVEL 1

### Capítulo 12

**Topics**
- Daily routines
- Grooming habits
- Having breakfast
- Camping

**Culture**
- Susana González-Pagliere, *Southern Lake*
- Iván Orama describes a backpacking trip in northern Spain
- El lago Enol en el Parque Nacional de Covadonga, España
- San Sebastián, España
- El Camino de Santiago
- The cathedral in Santiago de Compostela, España
- Galicia, España
- Hostal de los Reyes Católicos, Santiago de Compostela
- Connections—Ecology in the Spanish-speaking world

**Functions**
- How to describe your personal grooming habits
- How to talk about your daily routine
- How to tell some things you do for yourself

**Structure**
- Reflexive verbs
- Stem-changing reflexive verbs

### Capítulo 13

**Topics**
- The train station
- Traveling by train

**Culture**
- Casimiro Castro, *Álbum del ferrocarril mexicano*
- Taking the AVE from Madrid to Sevilla
- Plaza de España, Sevilla
- Torre de Oro, Sevilla
- Taking a train from Cuzco to Machu Picchu
- La Plaza de Armas, Cuzco
- El valle del Urubamba, Perú
- Machu Picchu
- Connections—The 24-hour clock and the metric system

**Functions**
- How to use expressions related to train travel
- How to purchase a train ticket and request information about arrival, departure, etc.
- How to talk about more past events or activities
- How to tell what people say

**Structure**
- Preterite of **hacer, querer,** and **venir**
- Irregular verbs in the preterite
- Present and preterite of **decir**

### Capítulo 14

**Topics**
- Restaurants
- Eating utensils
- Types of food

**Culture**
- Hernán Miranda, *Interiores con mesa*
- Typical Mexican cuisine
- Diego Rivera, *El cultivo del maíz*
- Typical Spanish cuisine
- Typical Caribbean cuisine
- Connections—Regional variations of pronunciation and vocabulary in the Spanish-speaking world

**Functions**
- How to order food or a beverage at a restaurant
- How to identify eating utensils and dishes
- How to identify more foods
- How to make a reservation at a restaurant
- How to talk about present and past events

**Structure**
- Stem-changing verbs in the present e → i
- Stem-changing verbs in the preterite e → i, o → u

## LEVEL 2

### Repaso

The **Repaso** section reviews the material taught in **¡Buen viaje!** Level 1. In addition Chapters 13 and 14 in **¡Buen viaje!** Level 1 are the same as Chapters 1 and 2 in **¡Buen viaje!** Level 2. The **Repaso** section provides the opportunity to review the following functions and structures.

#### Functions
- How to describe the school day
- How to purchase school supplies
- How to describe clothing while shopping
- How to describe another person
- How to talk about family
- How to describe the inside of a house or apartment
- How to shop for food at the market
- How to talk about sports
- How to talk about air travel
- How to talk about daily routines
- How to talk about minor illnesses
- How to talk about the doctor's office
- How to talk about winter and summer activities

#### Structure
- Present tense of **-ar** verbs
- **ir, dar, estar**
- Present tense of **ser**
- Agreement of nouns, articles, and adjectives
- Present tense of **-er** and **-ir** verbs
- **Tener**
- Possessive adjectives
- Stem-changing verbs
- Verbs like **aburrir, interesar,** and **gustar**
- Present of irregular verbs
- **Ser** and **estar**
- Reflexive verbs
- The preterite
- Direct object pronouns

### Capítulo 1

#### Topics
- The train station
- Traveling by train

#### Culture
- Casimiro Castro, *Álbum del ferrocarril mexicano*
- Taking the AVE from Madrid to Sevilla
- Plaza de España, Sevilla
- Torre de Oro, Sevilla
- Taking a train from Cuzco to Machu Picchu
- La Plaza de Armas, Cuzco
- El valle del Urubamba, Perú
- Machu Picchu
- Connections—The 24-hour clock and the metric system

#### Functions
- How to use expressions related to train travel
- How to purchase a train ticket and request information about arrival, departure, etc.
- How to talk about more past events or activities
- How to tell what people say

#### Structure
- Preterite of **hacer, querer,** and **venir**
- Irregular verbs in the preterite
- Present and preterite of **decir**

### Capítulo 2

#### Topics
- Restaurants
- Eating utensils
- Types of food

#### Culture
- Hernán Miranda, *Interiores con mesa*
- Typical Mexican cuisine
- Diego Rivera, *El cultivo del maíz*
- Typical Spanish cuisine
- Typical Caribbean cuisine
- Connections—Regional variations of pronunciation and vocabulary in the Spanish-speaking world

#### Functions
- How to order food or a beverage at a restaurant
- How to identify eating utensils and dishes
- How to identify more foods
- How to make a reservation at a restaurant
- How to talk about present and past events

#### Structure
- Stem-changing verbs in the present e → i
- Stem-changing verbs in the preterite e → i, o → u

## LEVEL 2

# Capítulo 3

## Topics
- Describing the parts of a computer
- Telling how to use a computer
- Telling how to use a fax machine
- Telephones

## Culture
- Ernesto Bertani, *Nueva visión*
- Carmen Tordesillas, engineering student in Madrid
- Madrid, España
- Phone cards in Spain and in the United States
- The use of cell phones in Spanish-speaking countries and in the United States
- Connections—Computers and technology

## Functions
- How to talk about computers, e-mail, faxes, and telephones
- How to talk about past habitual and routine actions
- How to describe people and events in the past
- How to make telephone calls in Spanish

## Structure
- Imperfect of **-ar** verbs
- Imperfect of **-er** and **-ir** verbs
- Imperfect of **ser** and **ir**
- Uses of the imperfect

# Capítulo 4

## Topics
- Men's clothing
- Women's clothing
- Shoes
- Jewelry
- Shopping for food

## Culture
- Pedro de Vega Muñoz, *Market Day, Seville*
- Open-air markets and supermarkets in the Spanish-speaking world
- The market in Chichicastenango, Guatemala
- Indigenous clothing in Guatemala
- Connections—Commerce and marketing

## Functions
- How to shop for apparel and food in Spanish-speaking countries
- How to ask for the quantities and sizes you want
- How to find out prices
- How to talk about different types of past actions
- How to talk in general terms about what is done

## Structure
- The preterite and the imperfect
- Narrating sequence of events
- Expressing feelings in the past
- Passive voice with **se**

# Capítulo 5

## Topics
- Pastimes and hobbies
- The park
- Amusement parks

## Culture
- Gonzalo Cienfuegos, *The Enchanted Crystal*
- Sunday in the park
- Parque de Chapultepec, Ciudad de México
- Palermo, Buenos Aires, Argentina
- Sevilla, España
- Video arcades in Spanish-speaking countries
- Dominoes
- Connections—Literature

## Functions
- How to talk about popular hobbies and games
- How to talk about activities in the park
- How to give details about location
- How to talk about what will happen in the future
- How to compare objects and people
- How to describe your favorite pastime

## Structure
- Future tense of regular verbs
- Comparatives and superlatives

## LEVEL 2

# Capítulo 6

### Topics
- Staying in a hotel
- Hotel rooms

### Culture
- José Agustín Arrieta, *View of the Patio*
- Los paradores
- Youth hostels in Spanish-speaking countries
- Hotels
- Connections—Exercise

### Functions
- How to check into and out of a hotel
- How to ask for things you may need while at a hotel
- How to talk about future events
- How to refer to previously mentioned people

### Structure
- Future tense of irregular verbs
- Using direct and indirect objects in a sentence

# Capítulo 7

### Topics
- Inside an airplane
- At the airport
- Geographic terminology

### Culture
- Susana González-Pagliere, *Village with Volcano*
- The airport in La Paz, Bolivia
- Areas surrounding La Paz
- Latin American aviation hero, Emilio Carranza
- Connections—Geography of Spain

### Functions
- How to talk about air travel
- How to discuss the influence of geography on travel in Latin America
- How to talk about things that would happen under certain conditions

### Structure
- The conditional of regular verbs
- The conditional of irregular verbs
- Changing **le, les** to **se** before direct object pronouns

# Capítulo 8

### Topics
- Parts of the body
- Minor medical problems
- The emergency room
- In the hospital

### Culture
- Manuel Jiménez Prieto, *Hospital Visit*
- Practicantes in rural, Spanish-speaking countries
- The Buena Vista hospital
- Medical problems
- Connections—Medical terminology

### Functions
- How to talk about accidents and medical problems
- How to talk about hospital stays
- How to discuss things that you and others have done recently
- How to compare things with like characteristics

### Structure
- Present perfect
- Irregular past participles
- Comparison of like things

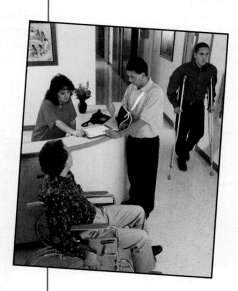

## LEVEL 2

### Capítulo 9

**Topics**
- The city
- Transportation in the city
- The country
- Farm animals

**Culture**
- María Eugenia Terrazas, *Inmensidad cordillerana*
- Buenos Aires, Argentina
- Raising cattle in Argentina
- Lima, Perú
- Santa Fe, New Mexico, United States
- Connections—Demography of Latin America

**Functions**
- How to talk about life in the city
- How to talk about life in the country
- How to describe things that were happening
- How to refer to things already mentioned
- How to indicate where things are located

**Structure**
- Imperfect progressive
- Placement of direct and indirect object pronouns
- Adjectives and demonstrative pronouns

### Capítulo 10

**Topics**
- The kitchen
- Cooking
- Types of food
- Using a recipe

**Culture**
- Manuel Serrano, *A Mexican Kitchen in 1885*
- Recipe for paella
- Valencia, España
- History of the tomato in Spanish-speaking countries and in the United States
- History of corn and potatoes, foods indigenous to Latin America
- Connections—Nutrition and diet

**Functions**
- How to talk about foods and food preparation
- How to give commands
- How to refer to people and things previously mentioned
- How to prepare some regional specialties

**Structure**
- Commands (regular forms)
- Commands (irregular forms)
- Placement of direct object pronouns with a command

### Capítulo 11

**Topics**
- Cars
- Gas stations
- Driving on the highway
- Driving in the city

**Culture**
- Norberto Russo, *De mi Buenos Aires*
- The Pan American highway
- Parking in Spanish-speaking countries
- International traffic signs
- Connections—Ecology and pollution

**Functions**
- How to talk about cars and driving
- How to give directions on the road
- How to tell family and friends what to do and what not to do
- How to talk about highways in the Hispanic world

**Structure**
- **Tú** commands (regular forms)
- **Tú** commands (irregular forms)
- Negative **tú** commands

## LEVEL 2

### Capítulo 12

**Topics**
- The hair salon
- Washing clothes
- Mailing letters and packages
- The bank

**Culture**
- Hernán Miranda, *Metro*
- Students from Madrid visit Andalucía
- Palacio de la Moneda, Santiago de Chile
- Hairstyles in the Spanish-speaking world
- Connections—Finance

**Functions**
- How to talk about going to the hair salon
- How to talk about having your clothes cleaned
- How to talk about using the services of the post office and bank
- How to talk about things that may or may not happen

**Structure**
- The subjunctive
- Expressing wishes and orders with the subjunctive
- Expressing opinions with the subjunctive

### Capítulo 13

**Topics**
- Birthdays
- Weddings
- Christmas
- The New Year
- Three Kings Day
- Hanukkah

**Culture**
- Alfredo Ramos Martínez, *Casamiento indio*
- New Year's Eve in Madrid
- Engagement and marriage in Spanish-speaking countries
- A wedding announcement
- Connections—Spanish painting

**Functions**
- How to describe and talk about parties and weddings
- How to talk about some holidays
- How to give advice and make recommendations
- How to express doubt, uncertainty, or disbelief
- How to express emotional reactions to what others do

**Structure**
- Subjunctive of stem-changing verbs
- Subjunctive of verbs like **pedir** and **aconsejar**
- Expressing doubt with the subjunctive
- Expressing emotion with the subjunctive

### Capítulo 14

**Topics**
- Professions
- Trades
- Looking for a job
- Job applications and interviews

**Culture**
- Antonio Gattorno, *Agricultores*
- Story of an ambassador to Latin America
- The importance of learning foreign languages
- Advertisements for jobs
- Connections—Economics

**Functions**
- How to talk about professions and occupations
- How to interview for a job
- How to state work qualifications
- How to talk about future events
- How to talk about probable events

**Structure**
- Infinitive versus subjunctive
- Subjunctive with **ojalá** and **quizá(s)**
- Subjunctive in relative clauses

## LEVEL 3

### Capítulo 1

**Topics**
- The geography of Spain
- The history of Spain
- Spanish culture

**Culture**
- Trains of the future
- Immigrants in Tarifa

**Functions**
- How to express past actions
- How to refer to specific things
- How to express ownership

**Structure**
- The preterite of regular verbs
- The preterite of stem-changing verbs
- The preterite of irregular verbs
- Nouns that begin with **a-** and **ha-**
- Irregular nouns that end in **-a**
- Demonstrative pronouns
- Possessive pronouns

### Capítulo 2

**Topics**
- The geography of Ecuador, Peru, and Bolivia
- The history of Ecuador, Peru, and Bolivia
- The culture of Ecuador, Peru, and Bolivia

**Culture**
- Tungurahua volcano
- Peruvian woman who celebrates her 110th birthday

**Functions**
- How to describe habitual past actions
- How to talk about past events
- How to express what may or may not take place
- How to express necessity and possibility
- How to express wishes, preferences, and demands

**Structure**
- The imperfect
- The imperfect versus the preterite
- Expressing two past actions in the same sentence
- The subjunctive
- Expressing necessity and possibility with the subjunctive
- Expressing wishes, preferences, and demands with the subjunctive

### Capítulo 3

**Topics**
- The geography of Chile, Argentina, Paraguay, and Uruguay
- The history of Chile, Argentina, Paraguay, and Uruguay
- The culture of Chile, Argentina, Paraguay, and Uruguay

**Culture**
- Summer fashion
- Leaving home to go to college

**Functions**
- How to state location and origin
- How to state characteristics and conditions
- How to express surprise, interest, and annoyance
- How to express likes, dislikes, and needs
- How to express affirmative and negative ideas
- How to express emotions, doubt, or uncertainty

**Structure**
- **Ser** versus **estar** with location and origin
- **Ser** versus **estar** with characteristics and conditions
- Special uses of **ser** and **estar**
- Using verbs with indirect objects to express surprise, interest, and annoyance
- Expressing likes and needs with **gustar** and **faltar**
- Affirmative and negative words
- Using the subjunctive to express emotion
- Using the subjunctive to express doubt or uncertainty
- Using the subjunctive in adverbial clauses

## LEVEL 3

# Capítulo 4

## Topics
- The geography of Central American countries
- The history of Central American countries
- The culture of Central American countries

## Culture
- Public announcements in the newspaper
- Microchip implants in pets for identification

## Functions
- How to express future events
- How to refer to people and things already mentioned
- How to express emotions and possibilities about past events
- How to use time expressions such as **en cuanto** and **hasta que**

## Structure
- The future tense
- The conditional tense
- Direct and indirect object pronouns
- The imperfect subjunctive
- The subjunctive with conjunctions of time

# Capítulo 5

## Topics
- The geography of Mexico
- The history of Mexico
- The culture of Mexico

## Culture
- Windsurfing
- Mexican families

## Functions
- How to express what you have done recently
- How to give commands
- How to describe actions in progress
- How to refer to people and things already mentioned
- How to describe actions completed prior to other actions
- How to express what you would have done and will have done
- How to express indefinite ideas and the known and unknown

## Structure
- The present perfect
- Commands
- The progressive tenses
- Placement of direct and indirect object pronouns
- Direct and indirect object pronouns with commands
- The pluperfect
- The conditional perfect
- The future perfect
- Using the subjunctive with indefinite ideas
- Using the subjunctive in relative clauses

# Capítulo 6

## Topics
- The geography of Cuba, Puerto Rico, and the Dominican Republic
- The history of Cuba, Puerto Rico, and the Dominican Republic
- The culture of Cuba, Puerto Rico, and the Dominican Republic

## Culture
- Synchronized swimming
- Educational programs in prisons in the Dominican Republic

## Functions
- How to express what people do for themselves
- How to express reciprocal actions
- How to make comparisons
- How to express *although* and *perhaps*
- How to express opinions and feelings about what has or had happened
- How to discuss contrary-to-fact situations

## Structure
- Reflexive verbs
- Reciprocal verbs
- Regular forms of comparatives and superlatives
- Irregular forms of comparatives and superlatives
- Stating like qualities
- The subjunctive with **aunque**
- The subjunctive with **ojalá, quizás,** and **tal vez**
- The present perfect subjunctive
- **Si** clauses

## LEVEL 3

# Capítulo 7

## Topics
- The geography of Venezuela and Colombia
- The history of Venezuela and Colombia
- The culture of Venezuela and Colombia

## Culture
- Different kinds of teachers
- Gasoline in Colombia

## Functions
- How to use shortened forms of adjectives
- How to use articles
- How to use prepositional pronouns
- How to use **por** and **para**
- How to express duration of time using **hace** and **hacía**

## Structure
- Shortened forms of adjectives
- Special uses of definite and indefinite articles
- Addressing and referring to people with the definite article
- The definite article with days of the week
- The definite article with clothing and parts of the body
- The indefinite article when telling one's profession
- Pronouns after prepositions
- **Por** versus **para**
- **Por** and **para** with expressions of time
- **Por** and **para** with the infinitive
- Other uses of **por** and **para**
- Expressing duration of time with **hace** and **hacía**

# Capítulo 8

## Topics
- The geography of the United States
- The history of the United States
- The culture of the United States

## Culture
- Growth of the Hispanic population in the United States
- A storm and mudslides in California

## Functions
- How to tell how actions are carried out
- How to express more activities in the present and past
- How to tell what was done or what is done in general

## Structure
- Adverbs ending in -**mente**
- -**uir** verbs in the past and present
- Passive voice
- Passive voice with **se**

# Organization and Leveling

## ORGANIZATION

¡**Buen viaje!** Level 3 contains eight chapters. Each chapter focuses on a specific region of the Spanish-speaking world. The view of each region is supported by literature written by authors from that region as well as cultural video about that region.

| LECCIÓN I<br>**Cultura** | LECCIÓN 2<br>**Conversación** | LECCIÓN 3<br>**Periodismo** |
|---|---|---|
| The first lesson focuses on the culture of the region. **Lección 1** begins with vocabulary instruction that prepares the students to more easily comprehend the reading that follows. The students have an opportunity to practice the vocabulary before they begin the readings. Each of the readings that follows will focus on a different aspect of the culture of the region. A Structure section presents review grammar that the students may have learned in their first two years of Spanish. The teacher may choose to use this grammar review or to skip it. | The second lesson of each chapter prepares the students to participate in real-life conversations that could take place in the region. Essential vocabulary is presented and practiced in the beginning of this lesson to give students the base they need to communicate. Conversations are presented and practiced. A review structure lesson is also presented in **Lección 2.** | The third lesson of each chapter gives students the opportunity to further explore the culture of the region through journalistic selections. As always, the students are prepared to read the selections by first learning the essential vocabulary. The teacher may choose to have the students read all or some of the selections based on level of difficulty or interest. In **Lección 3** there is also a structure section. In this lesson, however, the structure is new material for the students. |

There are features common to all three lessons. These are ¡**Te toca a ti!** and Assessment. The ¡**Te toca a ti!** section provides open-ended speaking and writing activities. Assessment pages allow students to check their own progress.

Each chapter includes Proficiency Tasks. The Proficiency Tasks are preceded by descriptions of different types of speaking and writing and strategies that help prepare students to improve their productive skills.

## LEVELING

The following is an overall leveling of the sections of each chapter of ¡**Buen viaje!** Level 3.

**EASY** Conversación, Estructura • Repaso

**AVERAGE** Cultura, Periodismo, Estructura • Avanzada

**CHALLENGING** Literatura

Most parts of each lesson are also leveled for your convenience.

**E: Easy**

**A: Average**

**C: Challenging**

Please note that the material does not become progressively more difficult. Within each chapter there are easy and challenging sections.

# Analytic Scoring Guide for Rating Speaking Products

## VOCABULARY

**4.** Vocabulary is generally accurate and appropriate to the task; minor errors, hesitations, and circumlocutions may occur.

**3.** Vocabulary is usually accurate; errors, hesitations, and circumlocutions may be frequent.

**2.** Vocabulary is not extensive enough for the task; inaccuracies or repetition may be frequent; may use English words.

**1.** Vocabulary inadequate for most basic aspects of the task.

**0.** No response.

## GRAMMAR

**4.** Grammar may contain some inaccuracies, but these do not negatively affect comprehensibility.

**3.** Some grammatical inaccuracies may affect comprehensibility; some control of major patterns.

**2.** Many grammatical inaccuracies may affect comprehensibility; little control of major patterns.

**1.** Almost all grammatical patterns inaccurate, except for a few memorized patterns.

**0.** No response.

## PRONUNCIATION

**4.** Completely or almost completely comprehensible; pronunciation errors, rhythm and/or intonation problems do not create misunderstandings.

**3.** Generally comprehensible, but pronunciation errors, rhythm and/or intonation problems may create misunderstandings.

**2.** Difficult to comprehend because of numerous pronunciation errors, rhythm, and intonation problems.

**1.** Practically incomprehensible.

**0.** No response.

## MESSAGE CONTENT

**4.** Relevant, informative response to the task. Adequate level of detail and creativity.

**3.** Response to the task is generally informative; may lack some detail and/or creativity.

**2.** Response incomplete; lacks some important information.

**1.** Response not informative; provides little or no information.

**0.** No response.

# Analytic Scoring Guide for Rating Writing Products

## VOCABULARY

**4.** Vocabulary is generally accurate and appropriate to the task; minor errors may occur.

**3.** Vocabulary is usually accurate; occasional inaccuracies may occur.

**2.** Vocabulary is not extensive enough for the task; inaccuracies may be frequent; may use English words.

**1.** Vocabulary inadequate for most basic aspects of the task.

**0.** No response.

## GRAMMAR

**4.** Grammar may contain some inaccuracies, but these do not negatively affect comprehensibility.

**3.** Some grammatical inaccuracies may affect comprehensibility; some control of major patterns.

**2.** Many grammatical inaccuracies may affect comprehensibility; little control of major patterns.

**1.** Almost all grammatical patterns inaccurate, except for a few memorized patterns.

**0.** No response.

## SPELLING

**4.** Good control of the mechanics of Spanish; may contain occasional errors in spelling, diacritics, or punctuation, but these do not affect comprehensibility.

**3.** Some control of the mechanics of Spanish; contains errors in spelling, diacritics, or punctuation that sometimes affect comprehensibility.

**2.** Weak control of the mechanics of Spanish; contains numerous errors in spelling, diacritics, or punctuation that seriously affect comprehensibility.

**1.** Almost no control of the mechanics of Spanish.

**0.** No response.

## MESSAGE CONTENT

**4.** Relevant, informative response to the task. Adequate level of detail and creativity.

**3.** Response to the task is generally informative; may lack some detail and/or creativity.

**2.** Response incomplete; lacks some important information.

**1.** Response not informative; provides little or no information.

**0.** No response.

# How Can I Use the Internet to Teach Foreign Language?

From the Internet to round-the-clock live newscasts, teachers and students have never before had so much information at their fingertips. Yet never before has it been so confusing to determine where to turn for reliable content and what to do with it once you have found it. In today's world, foreign language teachers must not only use the Internet as a source of up-to-the-minute information for students; they must teach students how to find and evaluate sources on their own.

## What's available on the Internet?

✔ **Teacher-Focused Web Sites**
These Web sites provide teaching tips, detailed lesson plans, and links to other sites of interest to teachers and students.

✔ **Cultural Information**
Sites on the Web provide information to help students explore both "Big C" and "Little C" culture. Information about museums, stores, restaurants, schools, holiday celebrations, and customs can be found on Web sites that allow the student to virtually immerse into the culture.

✔ **Geographical Information**
The Web holds a variety of geographical resources, from historical, physical, and political maps; to interactive mapping programs; to information about people and places around the world.

✔ **Statistics**
Government Web sites are rich depositories for statistics of all kinds, including census data and information about climate, education, the economy, and political processes and patterns.

✔ **Reference Sources**
Students can access full-text versions of encyclopedias, dictionaries, atlases, and other reference books. Students have easy access to newspapers written in the target language.

✔ **News**
Traditional media sources, including television, radio, newspapers, and news magazines, sponsor Web sites that provide updates, as well as in-depth news coverage and analysis.

✔ **Topical Information**
Among the most numerous Web sites are those organized around a particular topic or issue. These Internet pages may contain essays, analyses, and other commentaries, as well as primary source documents, maps, photographs, video and audio clips, bibliographies, and links to related online resources.

✔ **Organizations**
Many organizations such as museums post Web pages that provide online exhibits, archives, and other information.

## Glencoe Online

Glencoe provides engaging **WebQuest** activities and **Self-Check Quizzes** for each chapter that let you and your students assess their knowledge. Also available are **Web Explore** enrichment links and **World News Online**.

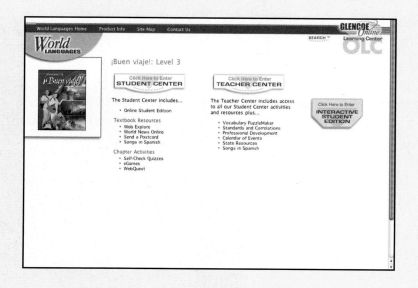

## Finding Things on the Internet

*The greatest asset of the Internet—its vast array of materials—is also its greatest deterrent. Many excellent foreign language-specific sites provide links to relevant content. Using Internet search engines can also help you find what you need.*

✔ A search engine is an Internet search tool. You type in a keyword, name, or phrase, and the search engine lists the URLs for Web sites that match your search. However, a search engine may find things that are not at all related or may miss sites that you would consider of interest. The key is to find ways to define your search.

✔ Not all search engines are the same. Each seeks out information a little bit differently. Different search engines use different criteria to determine what constitutes a "match" for your search topic. The Internet holds numerous articles that compare search engines and offer guidelines for choosing those that best meet your needs.

✔ An advanced search allows you to refine the search by using a phrase or a combination of words. The way to conduct an advanced search varies from search engine to search engine; check the search engine's *Help* feature for information. Encourage students to review this information regularly for each of the search engines they use.

# How do I teach students to evaluate Web sites?

*Anyone can put up a Web site. Web content is easy to change, too, so Webmasters constantly update their Web sites by adding, modifying, and removing content. These characteristics make evaluating Web sites both more challenging and more important than traditional print resources. Teach students to critically evaluate Web resources, using the questions and criteria below.*

**1. Purpose:** *What is the purpose of the Web site or Web page? Is it an informational Web page, a news site, a business site, an advocacy site, or a personal Web page? Many sites serve more than one purpose. For instance, a news site may provide current events accompanied by banner ads that market the products advertisers think readers might want.*

**2. URL:** *What is the URL, or Web address? Where does the site originate? That can sometimes tell you about the group or business behind the Web page. For example, URLs with .edu and .gov domain names indicate that the site is connected to an educational institution or a government agency, respectively. A .com suffix usually means that a commercial or business interest hosts the Web site, but may also indicate a personal Web page. A nonprofit organization's Web address may end with .org.*

**3. Authority:** *Who wrote the material or created the Web site? What qualifications does this person or group have? Who has ultimate responsibility for the site? If the site is sponsored by an organization, are the organization's goals clearly stated?*

**4. Accuracy:** *How reliable is the information? Are sources listed so that they can be verified? Is the Web page free from surface errors in spelling and grammar? How does it compare with other sources you've found on the Web and in print?*

**5. Objectivity:** *If the site presents itself as an informational site, is the material free from bias? If there is advertising, is it easy to tell the difference between the ads and other features? If the site mixes factual information with opinion, can you spot the difference between the ads and other features? If the site advocates an opinion or viewpoint, is the opinion clearly stated and logically defended?*

**6. Currency:** *When was the information first placed on the Web? Is the site updated on a regular basis? When was the last revision? If the information is time-sensitive, are the updates frequent enough?*

**7. Coverage:** *What topics are covered on the Web site? What is the depth of coverage? Are all sides of an issue presented? How does the coverage compare with other Web and print sources?*

# Addressing the Needs of All Students
## How can I help ALL my students learn foreign language?

Today's classroom contains students from a variety of backgrounds and with a variety of learning styles, strengths, and challenges. With careful planning, you can address the needs of all students in the foreign language classroom. The following tips for instruction can assist your efforts to help all students reach their maximum potential.

✔ Survey students to discover their individual differences. Use interest inventories of their unique talents so you can encourage contributions in the classroom.
✔ Model respect of others. Adolescents crave social acceptance. The student with learning differences is especially sensitive to correction and criticism—particularly when it comes from a teacher. Your behavior will set the tone for how students treat one another.
✔ Expand opportunities for success.

✔ Provide a variety of instructional activities that reinforce skills and concepts.
✔ Establish measurable objectives and decide how you can best help students meet them.
✔ Celebrate successes and praise "work in progress."
✔ Keep it simple. Point out problem areas—if doing so can help a student affect change. Avoid overwhelming students with too many goals at one time.
✔ Assign cooperative group projects that challenge all students to contribute to solving a problem or creating a product.

## How do I reach students with learning disabilities?

✔ Provide support and structure. Clearly specify rules, assignments, and responsibilities.
✔ Practice skills frequently. Use games and drills to help maintain student interest.
✔ Incorporate many modalities into the learning process. Provide opportunities to say, hear, write, read, and act out important concepts and information.
✔ Link new skills and concepts to those already mastered.
✔ Allow students to record answers on audiotape.
✔ Allow extra time to complete tests and assignments.
✔ Let students demonstrate proficiency with alternative presentations, including oral reports, role plays, art projects, and with music.
✔ Provide outlines, notes, or recordings of readings.
✔ Pair students with peer helpers, and provide class time for pair interaction.

## How do I reach students with behavioral disorders?

✔ Provide a structured environment with clear-cut schedules, rules, seat assignments, and safety procedures.
✔ Reinforce appropriate behavior and model it for students.
✔ Cue distracted students back to the task through verbal signals and teacher proximity.
✔ Set very small goals that can be achieved in the short term. Work for long-term improvement in the big areas.

## How do I reach students with physical challenges?

✔ Openly discuss with the student any uncertainties you have about when to offer aid.
✔ Ask parents or therapists and students what special devices or procedures are needed, and whether any special safety precautions need to be taken.
✔ Welcome students with physical challenges into all activities, including field trips, special events, and projects.
✔ Provide information to help able-bodied students and adults understand other students' physical challenges.

## How do I reach students with visual impairments?

✔ Facilitate independence. Modify assignments as needed.
✔ Teach classmates how and when to serve as guides.
✔ Limit unnecessary noise in the classroom if it distracts the student with visual impairments.
✔ Provide tactile models whenever possible.
✔ Foster a spirit of inclusion.

✔ Describe people and events as they occur in the classroom. Remind classmates that the student with visual impairments cannot interpret gestures and other forms of nonverbal communication.
✔ Provide taped lectures and reading assignments.
✔ Team the student with a sighted peer for written work.

## How do I reach students with hearing impairments?

✔ Seat students where they can see your lip movements easily and where they can avoid visual distractions.
✔ Avoid standing with your back to the window or light source.
✔ Use an overhead projector to maintain eye contact while writing.
✔ Seat students where they can see speakers.
✔ Write out all assignments on the board, or hand out written instructions.
✔ If the student has a manual interpreter, allow both student and interpreter to select the most favorable seating arrangements.
✔ Teach students to look directly at each other when they speak.

## How do I reach English language learners?

✔ Remember, students' ability to speak English does not reflect their academic abilities.
✔ Try to incorporate the students' cultural experience into your instruction. The help of a bilingual aide may be effective.
✔ Avoid cultural stereotypes.
✔ Pre-teach important vocabulary and concepts.
✔ Be cognizant of difficulties that may arise from learning a new written notation.
✔ Encourage students to make comparisons between their heritage culture and language and the target culture and language.
✔ Encourage students to preview text before they begin reading, noting headings, graphic organizers, photographs, and maps.

## How do I reach gifted students?

✔ Make arrangements for students to take selected subjects early and to work on independent projects.
✔ Ask "what if" questions to develop high-level thinking skills. Establish an environment safe for risk taking.
✔ Call on gifted students to provide more open-ended responses. Use the material as optional for enrichment.
✔ Emphasize concepts, theories, ideas, relationships, and generalizations.
✔ Promote interest in the past by inviting students to make connections to the present.
✔ Let students express themselves in alternate ways, such as creative writing, acting, debate, simulations, drawing, or music.
✔ Provide students with a catalog of helpful resources, listing such things as agencies that provide free and inexpensive materials, appropriate community services and programs.
✔ Assign extension projects that allow students to solve real-life problems related to their communities.

## Hints for Inclusion Classes

**Advice from Diane Russell**
**Delaware City Schools**
**Delaware, Ohio**

In an inclusion setting, all students can respond to and get immediate feedback when using a set of dry-erase boards (cut at the local hardware store from a 4' by 8' laminated panel). For vocabulary review, students can write dictated words or sketch their meanings on the boards. Students can also be asked to draw what they hear from a story read aloud by the teacher to check listening comprehension. When students take turns illustrating different pages of a story, the pictures can be displayed on the chalk ledge as cues for retelling or writing a summary.

# Preview and objectives let you know what to plan for

The **¡Buen viaje!** program provides several ways for you to assess your students' progress each step of the way. Assessment options allow you to accommodate students with different skill levels.

**Spotlight on Culture** gives you facts and information about the photograph on the page. Your students will think you know everything.

References to the National Standards are made for you.

## Capítulo 6

### Preview

In this chapter, students will learn about the geography, history, and culture of the Caribbean area. In the **Conversación** lesson students will learn how to describe good and bad restaurant experiences. They will read newspaper articles about sports and a prison education program in this chapter.

### National Standards

**Communication**
Students will communicate in spoken and written Spanish on the following topics:
- The culture, geography, and history of the Caribbean area
- Restaurants
- Sports
- A special prison education program

**Cultures**
- Students will learn about the geography, history, and culture of the Spanish-speaking countries of the Caribbean or Greater Antilles.

**Connections**
This chapter establishes a connection with the fields of history, geography, sports, and social sciences.

270

## Capítulo 6

### El Caribe
Cuba, Puerto Rico, la República Dominicana

**Spanish Online**
To interact with your online edition of ¡Buen viaje! go to: glencoe.com.

**TeacherWorks**
All-In-One Planner and Resource Center
The TeacherWorks CD-ROM is an all-in-one planner and resource center. You may wish to use several of the following features as you plan and present with the Interactive Teacher Edition, Interactive Lesson Planner with

Chapter 6 material: Interactive Teacher Edition, Interactive Lesson Planner with Calendar, Point and Click Access to Teaching Resources including Hotlinks to the Internet and Correlations to the National Standards.

### Objetivos
In this chapter you will:
- learn about the geography, history, and culture of Cuba, Puerto Rico, and the Dominican Republic
- review how to express what people do for themselves
- review how to express reciprocal actions
- discuss an experience in a restaurant
- review how to make comparisons
- read and discuss newspaper articles about sports and a special education program
- learn to express *although, perhaps,* what has or had happened
- learn to express opinions and feelings about what has or had happened
- learn to discuss contrary-to-fact situations

### Contenido

**Lección 1 Cultura**
Geografía e historia del Caribe
Estructura • Repaso
Verbos reflexivos
Verbos recíprocos
Assessment

**Lección 2 Conversación**
Un restaurante típico
Estructura • Repaso
Comparativo y superlativo
Comparativo de igualdad
Assessment

**Lección 3 Periodismo**
Dos nadadoras isleñas avanzan
Con la mira en pasar a Atenas
Educación llega a la cárcel
Estructura • Avanzada
Subjuntivo con aunque
Subjuntivo con quizás, tal vez y ojalá
Presente perfecto y pluscuamperfecto del subjuntivo
Cláusulas con si
Assessment

**Proficiency Tasks**
**Videotour**
**Literary Companion**

271

## Capítulo 6

### Assessment

**Quizzes:** There is a quiz for every vocabulary presentation, every reading, and every structure point.
**Tests:** To accompany ¡Buen viaje! Level 3 there is a Reading and Writing Test for each of the three lessons that make up a chapter. In addition, at the end of each chapter there are five tests.
- Two Reading and Writing Tests; one easy to intermediate; another intermediate to challenging.
- A Listening Comprehension Test
- A Speaking Test
- A Proficiency Test

### Spotlight on Culture

**La Fortaleza** (Palacio de Santa Carolina) se construyó en 1533 como fortaleza o fuerte. Pero como fortaleza resultó ser demasiado pequeña. Desde entonces ha sido la residencia del gobernador de Puerto Rico. Es el más antiguo de todos los palacios de gobernadores de las Américas.
Para proteger sus galeones llenos de oro y plata en su ruta de las Américas a España, los españoles construyeron una serie de fortalezas en el Caribe. En San Juan levantaron fuertes y enormes muros. Hoy, las calles adoquinadas, los patios, balcones y plazas hacen del viejo San Juan un lugar lleno de encanto.

### LEVELING
The following is an overall leveling of the sections of each chapter of
¡Buen viaje! Level 3.
EASY: Conversación, Estructura • Repaso
AVERAGE: Cultura, Periodismo, Estructura • Avanzada
CHALLENGING: Literatura
Most parts of each lesson are also leveled for your convenience.
E: Easy
A: Average
C: Challenging
Please note that the material does not become progressively more difficult. Within each chapter there are easy and challenging sections.

The **TeacherWorks** CD-ROM is a complete lesson planner and resource center correlated to the National Standards.

**¡Buen viaje!** is written to address learners with different ability levels.

# Step-by-step hints help you through the chapter

Clear, step-by-step instruction guides your presentation of the lesson.

**Resource Manager** lets you know which resources you will need for each part of the chapter.

Online tools help you meet the needs of all your students.

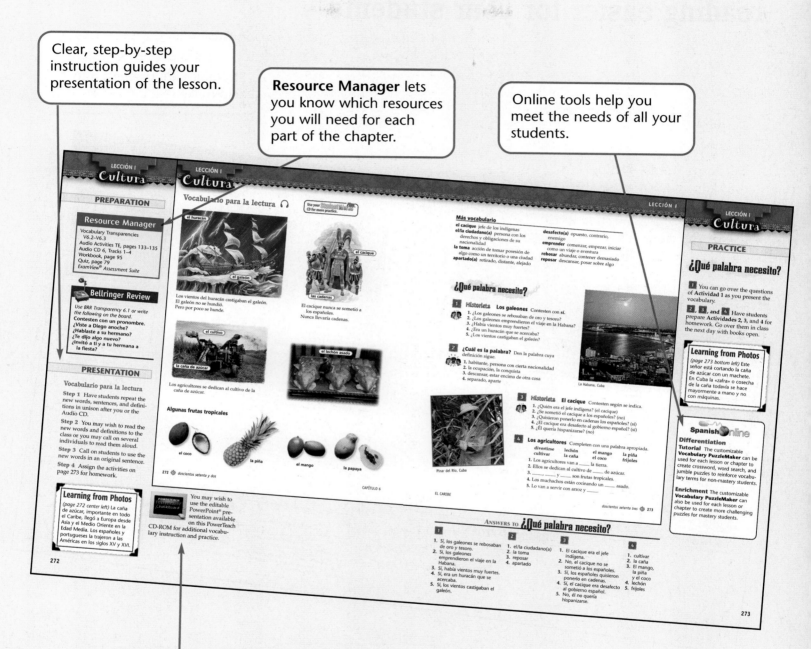

**PowerTeach Interactive Chalkboard** is a customizable PowerPoint® presentation for you to use as you present chapter material. It also features additional practice for students, video clips, and an image bank for creating storyboards.

# Presentation helps you make reading easier for your students

Strategies are presented to help make reading easier.

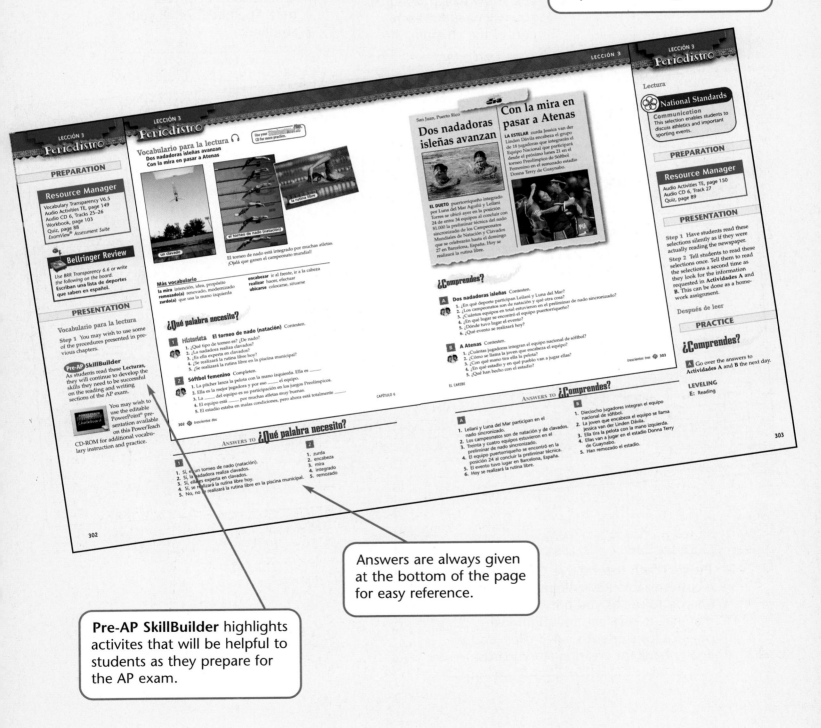

Answers are always given at the bottom of the page for easy reference.

**Pre-AP SkillBuilder** highlights activites that will be helpful to students as they prepare for the AP exam.

# Help your students feel confident about their language skills

Ideas for helping students improve their skills are found throughout the Teacher Wraparound Edition.

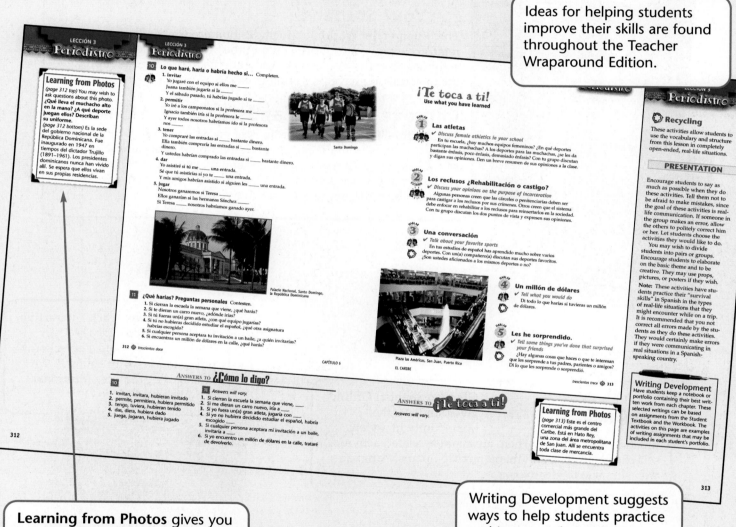

**Learning from Photos** gives you interesting information to make the photos in the text more relevant or provides extra practice to use vocabulary and structures learned in the chapter.

Writing Development suggests ways to help students practice and improve their written communication.

## Build proficiency in all language skills

### Provide Meaningful and Varied Practice for Your Students!

The **¡Buen viaje! Workbook** includes numerous activities to reinforce every concept presented in the Student Edition. Varied activities provide several ways for students to practice and apply the material you have presented in class.

### Improve Listening and Speaking Skills!

The **Audio CDs** provide recordings of vocabulary words, and some of the activities from the Student Edition, some Literature selections as well as new activities to reinforce and expand upon what students have learned. Students may use the Audio Activities sheets to guide them through the **Audio Activities.**

**Glencoe PowerTeach Interactive Chalkboard** provides ready-made, customizable, PowerPoint® presentations with sound, interactive graphics, additional activities, and video.

**Glencoe Spanish Online** gives students the opportunity to review, practice, and explore. There are chapter-related activities, self-check quizzes, and many links to Spanish-language web sites. Go to glencoe.com.

# Have students learn by interacting in Spanish!

***¡Viva el mundo hispano!*** takes students on a
tour through the Spanish-speaking world. Each chapter of the textbook
is accompanied by three video segments. The language provides
comprehensible input and gives the students opportunities to hear
many regionalisms and dialects. **¡Viva el mundo hispano!** is available
on VHS and DVD.

### España
Visita al Viejo Madrid
Invierno en verano
La tradición del café

### Perú
Los fardos funerales
Un viaje por tren
Alfarería andina

### Argentina
Teatro de la comunidad
Fiebre de fútbol
Tango en Buenos Aires

### Costa Rica
Una artesanía costarricense
Soñadores y malabaristas
Una finca de mariposas

### México
La vida del Zócalo
Un carro y sus admiradores
La historia de Teotihuacán

### Puerto Rico
El Viejo San Juan
Las tejedoras
Visita al bosque tropical

### Venezuela
El Libertador
La fábrica de chocolate
Radio Chuspa

### Estados Unidos
Justo Lamas en concierto
Arte e identidad
Espíritu salsero

## Save planning time with ancillaries organized and filed by chapter!

We make your life easier by organizing your written resources by chapter in convenient **FastFile Booklets**. The FastFile booklets include several essential resources.

- **Workbook Teacher Edition**  In your version of the student workbook answers are provided for all activities.
- **Audio Program Teacher Edition**  The Audio Program TE includes the scripts to the audio activities and the answers to the students' activities. The audio activities found on these pages are recorded on the **¡Buen viaje!** Audio Program CDs.
- **Quizzes**  Quizzes are provided to cover every concept taught in each chapter. These quizzes give you immediate feedback about your students' progress.
- **Tests**  There are four kinds of tests with each chapter: Reading and Writing, Listening, Speaking, and Proficiency. The Listening Tests are available on CD. You can be sure that you are assessing your students' proficiency in each of the skill areas. In addition, the Reading and Writing Tests are leveled, meaning that there is a separate test for average students and another more challenging test for more able students.

# Multimedia resources help you diversify your instruction!

## Enhance Your Lessons Visually!

The **Transparencies** give you all the visual support you need to enhance your presentation.

- **Vocabulary** transparencies include the photos and art you see on the Student Edition pages, overlays with the Spanish words, and Spanish/English vocabulary lists for chapter vocabulary.
- **Maps** help you present the Hispanic world.
- **Bellringer Review** transparencies provide a quick review activity to begin each class.
- **Assessment** transparencies replicate the Assessment pages of the student text. Assessment Answer transparencies allow you to easily review the answers with your students in class.
- **Fine Art** transparencies are full-color reproductions of the fine art from the text.

**Passport to Success Notebook** provides notetaking and study strategies to help students organize and internalize new information. Reading strategies give students the skills they need to become more effective readers. Standrdized Test Practice helps students practice their test-taking skills as they further their study of foreign language.

## TECHNOLOGY

**TeacherWorks™** CD-ROM is a complete lesson planner and resource center correlated to the National Standards.

**ExamView® Assessment Suite** allows you to create customized assessments for each chapter's material. A test management system allows you to monitor student performance and to disaggregate data.

**StudentWorks Plus™** CD-ROM includes the Student Edition as well as the Workbook and Audio Activities.

# Spanish Names

The following are some Spanish boys' and girls' names that you may wish to give to your students.

## Chicos

| | |
|---|---|
| Adán | Julio |
| Alberto | Justo |
| Alejandro | Leonardo |
| Alfonso | Luis |
| Álvaro | Manuel |
| Andrés | Marcos |
| Antonio | Mateo |
| Arnulfo | Miguel |
| Arturo | Nicolás |
| Benjamín | Octavio |
| Benito | Omar |
| Camilo | Óscar |
| Carlos | Pablo |
| César | Paco |
| Cristóbal | Patricio |
| Daniel | Pedro |
| David | Rafael |
| Diego | Ramón |
| Eduardo | Raúl |
| Efraím | Ricardo |
| Emilio | Rigoberto |
| Enrique | Roberto |
| Ernesto | Rubén |
| Esteban | Santiago |
| Federico | Teodoro |
| Felipe | Timoteo |
| Fernando | Tomás |
| Francisco | Víctor |
| Gabriel | Wilfredo |
| Gerardo | |
| Gilberto | |
| Guillermo | |
| Gustavo | |
| Héctor | |
| Ignacio | |
| Jaime | |
| Javier | |
| Jorge | |
| José | |
| Juan | |

## Chicas

| | |
|---|---|
| Adela | Margarita |
| Alejandra | María |
| Alicia | Mariana |
| Ana | Marilú |
| Andrea | Marisa |
| Anita | Marisol |
| Bárbara | Marta |
| Beatriz | Mercedes |
| Carlota | Micaela |
| Carmen | Mónica |
| Carolina | Natalia |
| Catalina | Nidia |
| Claudia | Olivia |
| Consuelo | Patricia |
| Cristina | Pilar |
| Diana | Raquel |
| Dolores | Rosa |
| Dulce | Rosalinda |
| Elena | Rosana |
| Elisa | Rosario |
| Emilia | Sandra |
| Estefanía | Sara |
| Estela | Silvia |
| Eva | Sofía |
| Evangelina | Susana |
| Felicia | Teresa |
| Francisca | Verónica |
| Gabriela | Victoria |
| Gloria | Virginia |
| Graciela | Yolanda |
| Guadalupe | |
| Inés | |
| Isabel | |
| Juana | |
| Julia | |
| Laura | |
| Lucía | |
| Luisa | |
| Lupe | |
| Luz | |

# Classroom Expressions

Below is a list of words and expressions frequently used when conducting a Spanish class.

| | |
|---|---|
| el papel | paper |
| la hoja de papel | sheet of paper |
| el cuaderno | notebook, workbook |
| el libro | book |
| el diccionario | dictionary |
| la regla | ruler |
| la cinta | tape |
| el bolígrafo, la pluma | ballpoint pen |
| el lápiz | pencil |
| el sacapuntas | pencil sharpener |
| la goma | eraser |
| la tiza | chalk |
| la pizarra, el pizarrón | chalkboard |
| el borrador | chalkboard eraser |
| el escritorio | desk |
| la silla | chair |
| la fila | row |
| el CD | CD |
| la computadora, el ordenador | computer |
| el DVD | DVD |
| la pantalla | the screen |
| el video | video |

| | | |
|---|---|---|
| Ven. | Vengan. | Come. |
| Ve. | Vayan. | Go. |
| Entra. | Entren. | Enter. |
| Sal. | Salgan. | Leave. |
| Espera. | Esperen. | Wait. |
| Pon. | Pongan. | Put. |
| Dame. | Denme. | Give me. |
| Dime. | Díganme. | Tell me. |
| Repite. | Repitan. | Repeat. |
| Practica. | Practiquen. | Practice. |
| Estudia. | Estudien. | Study. |
| Contesta. | Contesten. | Answer. |
| Aprende. | Aprendan. | Learn. |
| Escoge. | Escojan. | Choose. |
| Prepara. | Preparen. | Prepare. |
| Mira. | Miren. | Look at. |
| Describe. | Describan. | Describe. |
| Empieza. | Empiecen. | Begin. |
| Pronuncia. | Pronuncien. | Pronounce. |
| Escucha. | Escuchen. | Listen. |
| Habla. | Hablen. | Speak. |
| Lee. | Lean. | Read. |
| Escribe. | Escriban. | Write. |
| Pregunta. | Pregunten. | Ask. |
| Sigue el modelo. | Sigan el modelo. | Follow the model. |
| Abre. | Abran. | Open. |
| Cierra. | Cierren. | Close. |
| Continúa. | Continúen. | Continue. |
| Siéntate. | Siéntense. | Sit down. |
| Levántate. | Levántense. | Get up. |
| Cállate. | Cállense. | Be quiet. |
| Presta atención. | Presten atención. | Pay attention. |

| | |
|---|---|
| Atención, por favor. | Your attention, please. |
| Silencio. | Quiet. |
| Otra vez. | Again. |
| Todos juntos. | All together. |
| En voz alta. | Out loud. |
| Más alto, por favor. | Louder, please. |
| En español, por favor. | In Spanish, please. |
| En inglés, por favor. | In English, please. |

# Standards for Foreign Language Learning

 **¡Buen viaje!** has been written to help you meet the Standards for Foreign Language Learning as set forth by ACTFL. The focus of the text is to provide students with the skills they need to create language for communication. Culture is integrated throughout the text, from the basic introduction of vocabulary to the use of fine art and realia. Special attention has been given to meeting the standard of Connections with a reading in Spanish in each chapter about another discipline. Linguistic and cultural comparisons are made throughout the text. Suggestions are made for activities that encourage students to use their language skills in their immediate community and more distant ones. Students who complete the **¡Buen viaje!** series are prepared to participate in the Spanish-speaking world.

Specific correlations to each chapter are provided on the teacher pages preceeding each chapter.

## Communication

| Communicate in Languages Other than English | **Standard 1.1** | Students engage in conversations, provide and obtain information, express feelings and emotions, and exchange opinions. |
| | **Standard 1.2** | Students understand and interpret written and spoken language on a variety of topics. |
| | **Standard 1.3** | Students present information, concepts, and ideas to an audience of listeners or readers on a variety of topics. |

## Cultures

| Gain Knowledge and Understanding of Other Cultures | **Standard 2.1** | Students demonstrate an understanding of the relationship between the practices and perspectives of the culture studied. |
| | **Standard 2.2** | Students demonstrate an understanding of the relationship between the products and perspectives of the culture studied. |

## Connections

| Connect with Other Disciplines and Acquire Information | **Standard 3.1** | Students reinforce and further their knowledge of other disciplines through the foreign language. |
| | **Standard 3.2** | Students acquire information and recognize the distinctive viewpoints that are only available through the foreign language and its cultures. |

## Comparisons

| Develop Insight into the Nature of Language and Culture | **Standard 4.1** | Students demonstrate understanding of the nature of language through comparisons of language studied and their own. |
| | **Standard 4.2** | Students demonstrate understanding of the concept of culture through comparisons of the cultures studied and their own. |

## Communities

| Participate in Multilingual Communities at Home and Around the World | **Standard 5.1** | Students use the language both within and beyond the school setting. |
| | **Standard 5.2** | Students show evidence of becoming life-long learners by using the language for personal enjoyment and enrichment. |

# Glencoe Spanish 3

# ¡Buen viaje!

Conrad J. Schmitt
Protase E. Woodford

Glencoe

New York, New York    Columbus, Ohio    Chicago, Illinois    Woodland Hills, California

**Glencoe**

The *McGraw-Hill* Companies

Send all inquiries to:
Glencoe/McGraw-Hill
8787 Orion Place
Columbus, OH 43240-4027

ISBN: 978-0-07-879142-0
MHID: 0-07-879142-1

Printed in the United States of America.

1 2 3 4 5 6 7 8 9 10   079/055   13 12 11 10 09 08 07

## Conrad J. Schmitt

Conrad J. Schmitt received his B.A. degree magna cum laude from Montclair State College, Upper Montclair, NJ. He received his M.A. from Middlebury College, Middlebury, VT. He did additional graduate work at Seton Hall University and New York University. Mr. Schmitt has taught Spanish and French at the elementary, junior, and senior high school levels, as well as at the undergraduate and graduate levels. In addition, he has traveled extensively throughout Spain, Central and South America, and the Caribbean.

## Protase E. Woodford

Protase "Woody" Woodford has taught Spanish at all levels from elementary through graduate school. At Educational Testing Service in Princeton, NJ, he was Director of Test Development, Director of Language Programs, Director of International Testing Programs, and Director of the Puerto Rico Office. He has served as a consultant to the United Nations Secretariat, UNESCO, the Organization of American States, the U.S. Office of Education, and many ministries of education in Asia, Latin America, and the Middle East.

# For the Parent or Guardian

We are excited that your child continues to study Spanish. Foreign language study provides many benefits for students in addition to the ability to communicate in another language. Students who study another language improve their first language skills. They become more aware of the world around them and they learn to appreciate diversity.

You can help your child be successful in his or her study of Spanish even if you are not familiar with that language. Encourage your child to talk to you about the places where Spanish is spoken. Engage in conversations about current events in those places. The section of their Glencoe Spanish book called **El mundo hispanohablante** on pages xxiii–xxxv may serve as a reference for you and your child. In addition, you will find information about the geography of the Spanish-speaking world and links to foreign newspapers at **glencoe.com**.

The methodology employed in the Glencoe Spanish books is logical and leads students step by step through their study of the language. In this third level book, emphasis on reading in Spanish increases as students advance in their study of the language. Consistent instruction and practice are essential for learning a foreign language. You can help by encouraging your child to review vocabulary each day. As he or she progresses through the text, you may wish to refer to the reading skills chart on pages xxxvi–xxxix to help your child improve his or her reading skills in Spanish. If you have Internet access, encourage your child to practice using the activities, games, and practice quizzes at **glencoe.com**.

*¡Buen viaje!*

# Contenido

## Capítulo 1

### Objetivos

**In this chapter you will:**

- ❖ **learn about the geography, history, and culture of Spain**
- ❖ **review how to express past actions**
- ❖ **discuss taking a trip to Spain**
- ❖ **read and discuss newspaper articles about the metro in Barcelona and immigrants arriving in Spain**
- ❖ **learn to refer to specific things**
- ❖ **learn to express ownership**

## España

# Capítulo 2

## Objetivos

**In this chapter you will:**

❖ learn about the geography, history, and culture of Ecuador, Peru, and Bolivia

❖ review how to describe habitual past actions

❖ discuss a robbery

❖ review how to talk about past events

❖ read and discuss newspaper articles about a volcano eruption in Ecuador and a centenarian in Peru

❖ learn to express what may or may not take place

❖ learn to express necessity and possibility; wishes, preferences, and demands

# Países andinos Ecuador, Perú, Bolivia

## Lección 3 Periodismo

# Contenido

## Capítulo 3

### Objetivos

In this chapter you will:

❖ learn about the geography, history, and culture of Chile, Argentina, Paraguay, and Uruguay

❖ review how to state location and origin; characteristics and conditions

❖ discuss shopping for shoes and clothes

❖ review how to express surprise, interest, annoyance; likes, dislikes, and needs

❖ review how to express affirmative and negative ideas

❖ read and discuss newspaper articles about "acceptable" attire at work and leaving home to go to college

❖ learn to express emotions, doubt, or uncertainty

## El Cono sur Chile, Argentina, Paraguay, Uruguay

## Lección 3 Periodismo

## Literatura de los países del Cono sur

# Contenido

## Capítulo  4   La América Central

## Lección 3  Periodismo

### Literatura centroamericana

# Contenido

## Capítulo 5

### Objetivos

**In this chapter you will:**

- ❖ learn about the geography, history, and culture of Mexico
- ❖ review how to express what you have done recently
- ❖ review how to give commands
- ❖ discuss traveling by car in Mexico
- ❖ review how to describe actions in progress
- ❖ review how to refer to people and things already mentioned
- ❖ read and discuss articles about windsurfing and Mexican families
- ❖ learn to describe actions completed prior to other actions
- ❖ learn to express what you would have done and will have done
- ❖ learn to express indefinite ideas and the known and unknown

# México

Contenido

# Contenido

## Capítulo  6

### El Caribe Cuba, Puerto Rico, la República Dominicana

**Objetivos**

**In this chapter you will:**

❖ **learn about the geography, history, and culture of Cuba, Puerto Rico, and the Dominican Republic**

❖ **review how to express what people do for themselves**

❖ **review how to express reciprocal actions**

❖ **discuss an experience in a restaurant**

❖ **review how to make comparisons**

❖ **read and discuss newspaper articles about sports and a special education program**

❖ **learn to express *although* and *perhaps***

❖ **learn to express opinions and feelings about what has or had happened**

❖ **learn to discuss contrary-to-fact situations**

## Lección 3 Periodismo

## Literatura del Caribe

# Contenido

## Capítulo 7

### Objetivos

**In this chapter you will:**

- ❖ learn about the geography, history, and culture of Venezuela and Colombia
- ❖ review shortened forms of adjectives
- ❖ review uses of articles
- ❖ discuss a museum visit and a show
- ❖ review prepositional pronouns
- ❖ read and discuss newspaper articles about teachers in Colombia and the hazards of gasoline
- ❖ learn the uses of **por** and **para**
- ❖ learn to express duration of time using **hace** and **hacía**

# Venezuela y Colombia

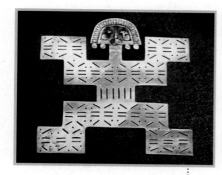

## Lección 3 Periodismo

# Contenido

## Capítulo  8   Estados Unidos

### Objetivos

**In this chapter you will:**

- ❖ **learn about the history and culture of Hispanics or Latinos in the United States**
- ❖ **review how to tell how actions are carried out**
- ❖ **review how to express more activities in the present and past**
- ❖ **discuss the medium of television**
- ❖ **read and discuss newspaper articles about the rise of the Hispanic or Latino population in the United States and about a storm with torrential rains and flooding**
- ❖ **learn to tell what was done or what is done in general**

## Lección 3  Periodismo

## Literatura hispana de Estados Unidos

**Contenido**

# Literary Companion

# Handbook

## Guide to Symbols

Throughout **¡Buen viaje!** you will see these symbols, or icons. They will tell you how to best use the particular part of the chapter or activity they accompany. Following is a key to help you understand these symbols.

 **Audio link** This icon indicates material in the chapter that is recorded on CDs.

 **Recycling** This icon indicates sections that review previously introduced material.

 **Paired Activity** This icon indicates sections that you can practice with a partner.

 **Group Activity** This icon indicates sections that you can practice together in groups.

 **Literary Companion** This icon appears at the end of the chapter to let you know that there are literature selections that accompany each chapter. These selections are reflective of the geographical area you have studied in the particular chapter.

# El mundo hispanohablante

El español es el idioma de más de 350 millones de personas en todo el mundo. La lengua española tuvo su origen en España. A veces se le llama cariñosamente «la lengua de Cervantes», el autor de la novela más famosa del mundo y del renombrado personaje, *Don Quijote*. Los exploradores y conquistadores españoles trajeron su idioma a las Américas en los siglos XV y XVI. El español es la lengua oficial de casi todos los países de Centro y Sudamérica. Es la lengua oficial de México y varias naciones del Caribe. El español es también la lengua de herencia de más de 40 millones de personas en Estados Unidos.

▼ España

▲ México

◄ Perú

▲ Chile

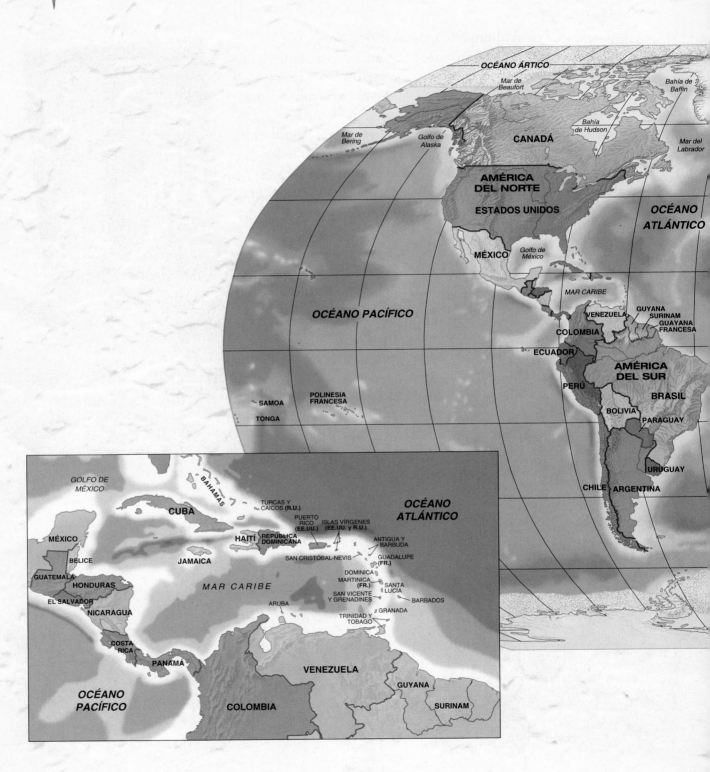

OCÉANO ÁRTICO

Mar de Beaufort

Bahía de Baffin

Mar de Bering

Golfo de Alaska

CANADÁ

Bahía de Hudson

Mar del Labrador

**AMÉRICA DEL NORTE**

**ESTADOS UNIDOS**

*OCÉANO ATLÁNTICO*

MÉXICO

Golfo de México

MAR CARIBE

*OCÉANO PACÍFICO*

VENEZUELA

GUYANA
SURINAM
GUAYANA FRANCESA

COLOMBIA

ECUADOR

**AMÉRICA DEL SUR**

PERÚ

**BRASIL**

SAMOA

POLINESIA FRANCESA

BOLIVIA

PARAGUAY

TONGA

URUGUAY

CHILE  ARGENTINA

---

*GOLFO DE MÉXICO*

BAHAMAS

TURCAS Y CAICOS (R.U.)

*OCÉANO ATLÁNTICO*

CUBA

PUERTO RICO (EE.UU.)

ISLAS VÍRGENES (EE.UU. y R.U.)

MÉXICO

HAITÍ

REPÚBLICA DOMINICANA

ANTIGUA Y BARBUDA

BELICE

JAMAICA

SAN CRISTÓBAL-NEVIS

GUADALUPE (FR.)

GUATEMALA

DOMINICA

HONDURAS

*MAR CARIBE*

MARTINICA (FR.)

SANTA LUCÍA

EL SALVADOR

SAN VICENTE Y GRENADINES

BARBADOS

NICARAGUA

ARUBA

GRANADA

TRINIDAD Y TOBAGO

COSTA RICA

PANAMÁ

VENEZUELA

*OCÉANO PACÍFICO*

GUYANA

COLOMBIA

SURINAM

OCÉANO ÁRTICO

Mar de Groenlandia
Mar de Noruega
Mar de Barents
Mar de Kara
Mar de Láptiev
ISLANDIA

RUSIA
ASIA
Mar de Ojotsk

Mar del Norte
EUROPA
KAZAJSTÁN
MONGOLIA

Mar Negro
GEORGIA
ARMENIA
UZBEKISTÁN
KIRGUIZTÁN
CHINA
COREA DEL NORTE
Mar del Japón
JAPÓN

TURQUÍA
MALILLA
TURKMENISTÁN
TAXIKISTÁN
COREA DEL SUR

MAR MEDITERRÁNEO
LÍBANO
SIRIA
AZERBAIJÁN
OCÉANO PACÍFICO
TÚNEZ
ISRAEL
IRAK
IRÁN
AFGANISTÁN
Mar de la China oriental
UTA
MARRUECOS
JORDANIA
NEPAL
BHUTÁN

KUWAIT
PAKISTÁN
TAIWÁN

ARGELIA
LIBIA
EGIPTO
QATAR
BAHREIN
INDIA

EMIRATOS ÁRABES UNIDOS
ARABIA SAUDITA
BANGLADESH
MYANMAR

MAURITANIA
MALÍ
NÍGER
CHAD
SUDÁN
OMÁN
Golfo de Bengala
LAOS
Mar de la China meridional

BURKINA FASO
ERITREA
YEMEN
TAILANDIA
MARSHALL

GUINEA
NIGERIA
ÁFRICA
DJIBOUTI
VIETNAM
FILIPINAS
MICRONESIA

GHANA
BENIN
ETIOPÍA
SRI LANKA
CAMBOYA
PALAU

TOGO
REPÚBLICA CENTROAFRICANA
BRUNEI
KIRIBATI

FIL
LIBERIA
CAMERÚN
MALAYSIA

TOMÉ E PRÍNCIPE
UGANDA
SOMALIA
SINGAPUR
NAURÚ

GUINEA ECUATORIAL
GABÓN
REP. DEL CONGO
KENYA
MALDIVAS
INDONESIA
PAPÚA-NUEVA GUINEA
SALOMÓN

RUANDA
REP. DEM. DEL CONGO
BURUNDI
SEYCHELLES
OCÉANO ÍNDICO
TUVALU

TANZANIA
WALLIS Y FUTUNA
VANUATU

ANGOLA
MALAWI
ISLAS COMORES
Mar del Coral
ISLAS FIJI

ZAMBIA
MOZAMBIQUE
MADAGASCAR
MAURICIO

OCÉANO ATLÁNTICO
NAMIBIA
ZIMBABWE
REUNIÓN
NUEVA CALEDONIA

BOTSWANA
AUSTRALIA

SUDÁFRICA
SWAZILANDIA
LESOTHO
Mar de Tasmania

ANTÁRTIDA
NUEVA ZELANDIA

NORUEGA
FINLANDIA
SUECIA

IRLANDA
REINO UNIDO
DINAMARCA
ESTONIA
LETONIA
LITUANIA
RUSIA
RUSIA

PAÍSES BAJOS
BELARÚS

BÉLGICA
ALEMANIA
POLONIA

OCÉANO ATLÁNTICO
LUXEMBURGO
UCRANIA

FRANCIA
REPÚBLICA CHECA
ESLOVAQUIA
MOLDOVA

SUIZA
AUSTRIA
HUNGRÍA

ANDORRA
ESLOVENIA
RUMANIA

PORTUGAL
MÓNACO
CROACIA
BOSNIA HERZOGOVINA
YUGOSLAVIA (Fed. Rep.)
BULGARIA
GEORGIA
Mar Negro

ESPAÑA
ITALIA
MELILLA
ALBANIA
MACEDONIA

CEUTA
Mar Mediterráneo
GRECIA
TURQUÍA

ÁFRICA
MALTA
CHIPRE
LÍBANO
SIRIA

XXV

## España

Madrid

**CAPITAL**
Madrid

**POBLACIÓN**
40.217.000

NOTAS NOTABLES

Las verdes colinas de Galicia, los dorados campos de Castilla y los pueblos blancos de Andalucía tanto como las áreas industriales de Cataluña y el País Vasco pertenecen todos a la bella España. En diferentes épocas, tierra de íberos, cartagineses, romanos, celtas y moros, España es la cuna de la lengua española, lengua de naciones en los cinco continentes. Madrid, en pleno centro del país es un importante centro cultural de Europa.

## México

Ciudad de México

**CAPITAL**
México, Distrito Federal (D.F.)

**POBLACIÓN**
104.908.000

NOTAS NOTABLES

Precioso México comparte la frontera con Estados Unidos. Esta magnífica nación de herencia azteca, maya y española es un país de contrastes: ciudades cosmopolitas como la Ciudad de México; centros industriales como Monterrey; pintorescos pueblos como Taxco y San Miguel de Allende; famosísimas playas como Acapulco y Cancún e impresionantes vestigios de civilizaciones precolombinas en Chichén Itzá y Tulum.

## Estados Unidos

Washington, D.C.

**CAPITAL**
Washington, DC

**POBLACIÓN**
290.343.000

NOTAS NOTABLES

La influencia española y mexicana ha sido notable en el sudoeste de Estados Unidos desde hace generaciones. Más reciente ha sido la difusión de las culturas hispanas a todas las áreas del país. Los que han llegado recientemente del Caribe, Centro y Sudamérica traen consigo su lengua, sus tradiciones, música y cocina, agregándolas a la riquísima diversidad de este país multicultural. Hoy se oye hablar español en Nueva York, Chicago, Denver y Minneapolis igual que en Miami, El Paso, Santa Fe y Los Ángeles.

## Guatemala

**CAPITAL**
*Guatemala*

**POBLACIÓN**
*13.909.000*

### NOTAS NOTABLES
*Guatemala, país de verdor con una gran población indígena—descendientes de los mayas. Las ruinas de magníficas ciudades cubiertas de hierbas nos hablan de una civilización que duró unos dos mil años y cuya decadencia todavía no se explica. Guatemala es hermosa con sus volcanes, montañas, selvas y pintorescos pueblos y aldeas como Antigua, Panajachel y Chichicastenango.*

## El Salvador

**CAPITAL**
*San Salvador*

**POBLACIÓN**
*6.470.000*

### NOTAS NOTABLES
*El Salvador es la más pequeña y la más densamente poblada de las repúblicas centroamericanas. También es la única sin costa en el Atlántico. Dos cordilleras atraviesan el país con numerosos picos volcánicos.*

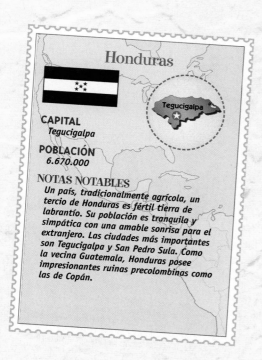

## Honduras

**CAPITAL**
*Tegucigalpa*

**POBLACIÓN**
*6.670.000*

### NOTAS NOTABLES
*Un país, tradicionalmente agrícola, un tercio de Honduras es fértil tierra de labrantío. Su población es tranquila y simpática con una amable sonrisa para el extranjero. Las ciudades más importantes son Tegucigalpa y San Pedro Sula. Como la vecina Guatemala, Honduras posee impresionantes ruinas precolombinas como las de Copán.*

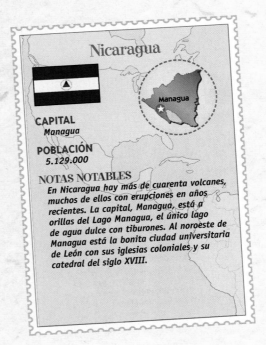

## Nicaragua

**CAPITAL**
*Managua*

**POBLACIÓN**
*5.129.000*

### NOTAS NOTABLES
*En Nicaragua hay más de cuarenta volcanes, muchos de ellos con erupciones en años recientes. La capital, Managua, está a orillas del Lago Managua, el único lago de agua dulce con tiburones. Al noroeste de Managua está la bonita ciudad universitaria de León con sus iglesias coloniales y su catedral del siglo XVIII.*

## Costa Rica

**CAPITAL**
San José

**POBLACIÓN**
3.896.000

**NOTAS NOTABLES**
Para muchos, Costa Rica es un lugar muy especial. Los «ticos» son serenos, atentos y amistosos. Costa Rica no tiene ejército y se enorgullece de tener más profesores que policías. Tiene soleadas playas en el Pacífico, selvas tropicales en la costa del Caribe, ciudades cosmopolitas como San José, montañas altas y bellos valles. Costa Rica es un paraíso para el turista y hogar para muchos expatriados norteamericanos.

## Panamá

**CAPITAL**
Panamá

**POBLACIÓN**
2.961.000

**NOTAS NOTABLES**
Panamá es un país de variedades—variedad de razas, costumbres y bellezas naturales. Es un país de bosques tropicales, montañas, preciosas playas, excelente pesca, lagos pintorescos, ríos y dos océanos, y una maravilla de ingeniería—el Canal de Panamá. Panamá es también el mayor centro financiero de Latinoamérica. ¡Todo esto en sólo 77.432 kilómetros cuadrados!

## Cuba

**CAPITAL**
La Habana

**POBLACIÓN**
11.263.000

**NOTAS NOTABLES**
La Habana, la capital de Cuba, es famosa por su bellísima arquitectura colonial. Esta exuberante isla, cerca de la Florida, es uno de los mayores productores de caña de azúcar en el mundo. El gobierno de Fidel Castro ha estado en poder desde el derrocamiento del dictador Fulgencio Batista en 1959.

## La República Dominicana

**CAPITAL**
Santo Domingo

**POBLACIÓN**
8.716.000

**NOTAS NOTABLES**
La República Dominicana comparte la isla de La Española con Haití. La universidad más antigua de nuestro hemisferio es la Universidad de Santo Domingo, fundada en la ciudad de Santo Domingo. Los dominicanos son apasionados fanáticos del béisbol. Este relativamente pequeño país ha contribuido gran número de estrellas de las Grandes Ligas.

## Puerto Rico

**CAPITAL**
San Juan

**POBLACIÓN**
3.886.000

**NOTAS NOTABLES**
Los puertorriqueños con gran afecto llaman su isla «La isla del encanto». Estado Libre Asociado de Estados Unidos, Puerto Rico es una isla de profusa vegetación tropical con playas en las costas del Atlántico y el Caribe, preciosas montañas en el interior, y bosques tropicales. Sólo en Puerto Rico vive el querido coquí—una ranita muy tímida que no deja que nadie la vea.

## Venezuela

**CAPITAL**
*Caracas*

**POBLACIÓN**
*24.655.000*

**NOTAS NOTABLES**
*Venezuela es el nombre que los exploradores españoles le dieron al país en 1499 cuando encontraron pueblos construidos sobre las aguas y donde los indígenas comerciaban en canoas. Estos canales y vías fluviales les recordaban a Venecia, Italia. Caracas es una gran ciudad cosmopolita de rascacielos rodeada de montañas y metida en un angosto valle de nueve millas de largo. El Salto del Ángel en el sur del país es el salto más alto del mundo a una altura de 3.212 pies con una caída ininterrumpida de 2.638 pies.*

## Colombia

**CAPITAL**
*Bogotá*

**POBLACIÓN**
*41.662.000*

**NOTAS NOTABLES**
*Colombia cubre un territorio de montañas, selvas y llanuras de más de 440.000 millas cuadradas. En el centro del país, en un valle andino, está Bogotá a 8.640 pies sobre el nivel del mar. En la costa caribeña en el norte hay preciosas playas; en el sur se encuentran selvas y el puerto de Leticia que queda en el río Amazonas.*

## Ecuador

**CAPITAL**
*Quito*

**POBLACIÓN**
*13.710.000*

**NOTAS NOTABLES**
*Ecuador deriva su nombre del ecuador, la línea ecuatorial que atraviesa el país. Pasando por el centro hay dos cordilleras andinas con magníficos volcanes. Entre las cordilleras está el valle central donde reside la mitad de la población. Y allí está la capital, Quito, bella ciudad colonial. Las islas Galápagos con su increíble fauna, pertenecen a Ecuador.*

## Perú

**CAPITAL**
*Lima*

**POBLACIÓN**
*28.410.000*

**NOTAS NOTABLES**
*Perú, igual que Ecuador, se divide en tres áreas geográficas—una estrecha franja costal desértica en el Pacífico, el altiplano andino donde vive la mitad de la población y la selva amazónica al este. Lima está en la costa, y durante unos nueve meses del año está cubierta de una neblina llamada la garúa. Perú es famoso por su herencia incaica. Hay poco que se puede comparar con la vista de Machu Picchu que se le presenta al visitante. Es una ciudad inca, un impresionante complejo arquitectónico en las alturas de los Andes.*

## Bolivia

**CAPITAL**
*La Paz*

**POBLACIÓN**
*8.568.000*

**NOTAS NOTABLES**
*Bolivia es uno de los dos países sudamericanos sin costa. Las montañas dominan su paisaje. La Paz es la ciudad de mayor altura en el mundo a unos 12.500 pies sobre el nivel del mar. En Bolivia también está el lago Titicaca rodeado de pintorescos pueblos de los indios aymara. No hay lago navegable en el mundo a mayor altura.*

## Chile

**CAPITAL**
*Santiago*

**POBLACIÓN**
*15.665.000*

**NOTAS NOTABLES**
*Chile, largo y angosto, nunca con más de 111 millas de ancho, se extiende unas 2.666 millas de norte a sur a lo largo del Pacífico. Los imponentes Andes lo separan de Bolivia y Argentina. En el norte del país lo característico es el aridísimo desierto de Atacama; en el sur los inhóspitos glaciares y los fiordos de la Patagonia. Más de la tercera parte de la población reside en el área de Santiago.*

## Argentina

**CAPITAL**
*Buenos Aires*

**POBLACIÓN**
*38.741.000*

**NOTAS NOTABLES**
*Muchos consideran a Argentina la más europea de las naciones sudamericanas. Buenos Aires es una bella ciudad de parques, boutiques, restaurantes y anchas avenidas. Argentina es famosa por su carne, el bife que viene del ganado que pace en las enormes estancias de la Pampa. Más al sur en la frontera con Chile está la preciosa área de los lagos con sus pintorescos pueblos cerca de Bariloche. Al extremo sur está la Patagonia con su rocoso terreno donde pacen las ovejas de los galeses.*

## Paraguay

**CAPITAL**
*Asunción*

**POBLACIÓN**
*6.037.000*

**NOTAS NOTABLES**
*Paraguay, como Bolivia, no tiene costa. Asunción, ubicada sobre siete colinas a la orilla este del río Paraguay, es donde vive la quinta parte de la población. Casi en pleno centro de Sudamérica, esta pintoresca ciudad queda casi equidistante entre el Atlántico y los Andes. Al oeste del río Paraguay se encuentra el Chaco—un área de matorrales, seca, calurosa y azotada por los vientos.*

## Uruguay

**CAPITAL**
*Montevideo*

**POBLACIÓN**
*3.413.000*

**NOTAS NOTABLES**
*Uruguay es el país más pequeño de Sudamérica. Casi todo el terreno se dedica al ganado, vacuno y ovejuno. Montevideo, ubicado donde el río de la Plata desemboca en el Atlántico, es una ciudad tranquila cuyos suburbios se parecen más a bonitos balnearios. Las playas del Atlántico uruguayo, especialmente Punta del Este, atrae a muchos brasileños y argentinos.*

## Ceuta y Melilla

**POBLACIÓN**
72.200

**NOTAS NOTABLES**
Ceuta y Melilla, en la costa norte de África, constituyen una comunidad autónoma de España. Ambas ciudades modernas son puertos libres y presentan una bella mezcla de culturas: cristiana, islámica, hebrea e hindú.

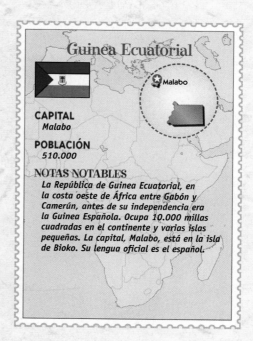

## Guinea Ecuatorial

**CAPITAL**
Malabo

**POBLACIÓN**
510.000

**NOTAS NOTABLES**
La República de Guinea Ecuatorial, en la costa oeste de África entre Gabón y Camerún, antes de su independencia era la Guinea Española. Ocupa 10.000 millas cuadradas en el continente y varias islas pequeñas. La capital, Malabo, está en la isla de Bioko. Su lengua oficial es el español.

## Las Islas Filipinas

**CAPITAL**
Manila

**POBLACIÓN**
84.620.000

**NOTAS NOTABLES**
La República de las Filipinas es un archipiélago del Pacífico sur. La lengua oficial del país es el filipino, que antes se llamaba tagalo, un idioma con muchos préstamos del español. La influencia española fue enorme en los siglos XVII, XVIII y XIX cuando las Filipinas eran una colonia española. Muchos filipinos tienen nombres españoles y muchos todavía hablan español.

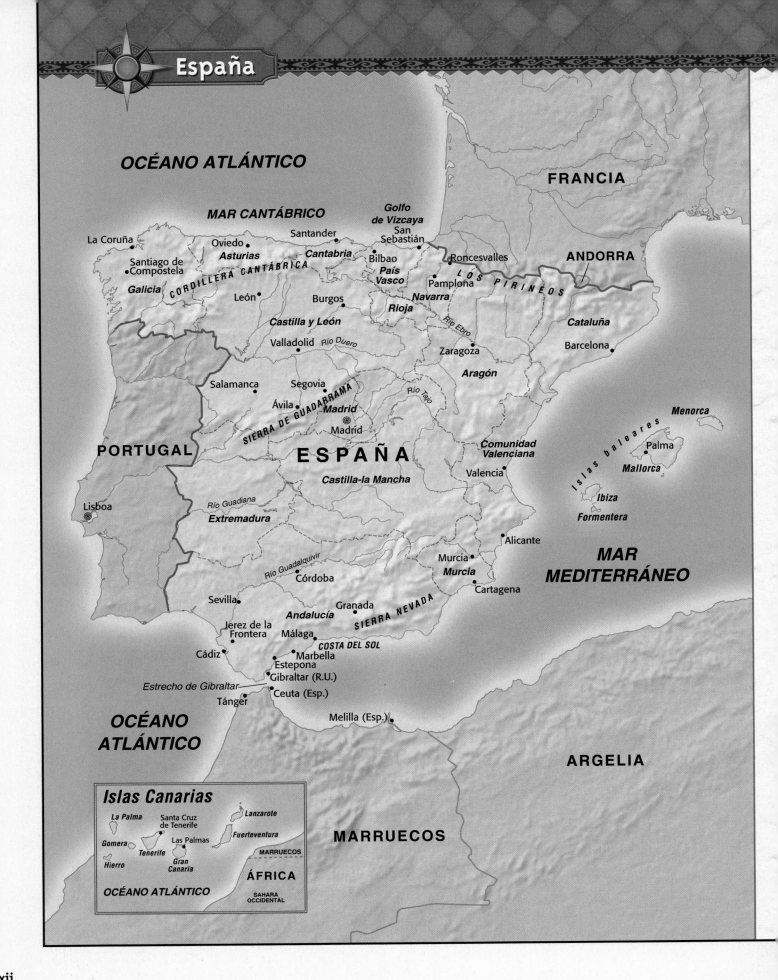

# España

OCÉANO ATLÁNTICO

FRANCIA

MAR CANTÁBRICO

Golfo de Vizcaya

ANDORRA

La Coruña

Santander

San Sebastián

Oviedo

Asturias

Cantabria

Roncesvalles

Santiago de Compostela

CORDILLERA CANTÁBRICA

Bilbao

País Vasco

LOS PIRINEOS

Galicia

Pamplona

Navarra

León

Burgos

Rioja

Río Ebro

Cataluña

Castilla y León

Zaragoza

Barcelona

Valladolid

Río Duero

Aragón

Salamanca

Segovia

Río Tajo

PORTUGAL

Ávila

SIERRA DE GUADARRAMA

Madrid

Comunidad Valenciana

Islas Baleares

Menorca

Palma

Madrid

ESPAÑA

Mallorca

Castilla-la Mancha

Valencia

Río Guadiana

Lisboa

Extremadura

Ibiza

Formentera

Alicante

Murcia

Río Guadalquivir

Córdoba

Murcia

MAR MEDITERRÁNEO

Cartagena

Sevilla

Granada

Andalucía

SIERRA NEVADA

Jerez de la Frontera

Málaga

Cádiz

COSTA DEL SOL

Marbella

Estepona

Estrecho de Gibraltar

Gibraltar (R.U.)

Ceuta (Esp.)

Tánger

Melilla (Esp.)

OCÉANO ATLÁNTICO

ARGELIA

### Islas Canarias

La Palma

Santa Cruz de Tenerife

Lanzarote

Gomera

Fuerteventura

Tenerife

Las Palmas

Hierro

Gran Canaria

MARRUECOS

ÁFRICA

OCÉANO ATLÁNTICO

SAHARA OCCIDENTAL

MARRUECOS

# La América del Sur

MAR CARIBE

OCÉANO ATLÁNTICO

Barranquilla
Cartagena
Maracaibo
Caracas
Lago de Maracaibo
Río Orinoco
VENEZUELA
Medellín
Santa Fé de Bogotá
GUYANA
SURINAM
GUAYANA FRANCESA
Cali
COLOMBIA

Ecuador
Otavalo
Quito
ECUADOR
Islas Galápagos (Ecuador)
Guayaquil
Cuenca
Río Amazonas

PERÚ
El Callao
Lima
Cuzco
Lago Titicaca
BOLIVIA
La Paz
Cochabamba
Santa Cruz
Sucre
BRASIL
Brasília

CORDILLERA DE LOS ANDES

Trópico de Capricornio

PARAGUAY
Asunción

CHILE
Vicuña
Córdoba
Río Paraná
Valparaíso
Santiago
Rosario
Buenos Aires
URUGUAY
Montevideo
La Plata
Río de la Plata
ARGENTINA
Mar del Plata

OCÉANO PACÍFICO

OCÉANO ATLÁNTICO

Puerto Montt

PATAGONIA

Estrecho de Magallanes
Islas Malvinas (R.U.)
Tierra del Fuego
Punta Arenas
Cabo de Hornos

xxxiii

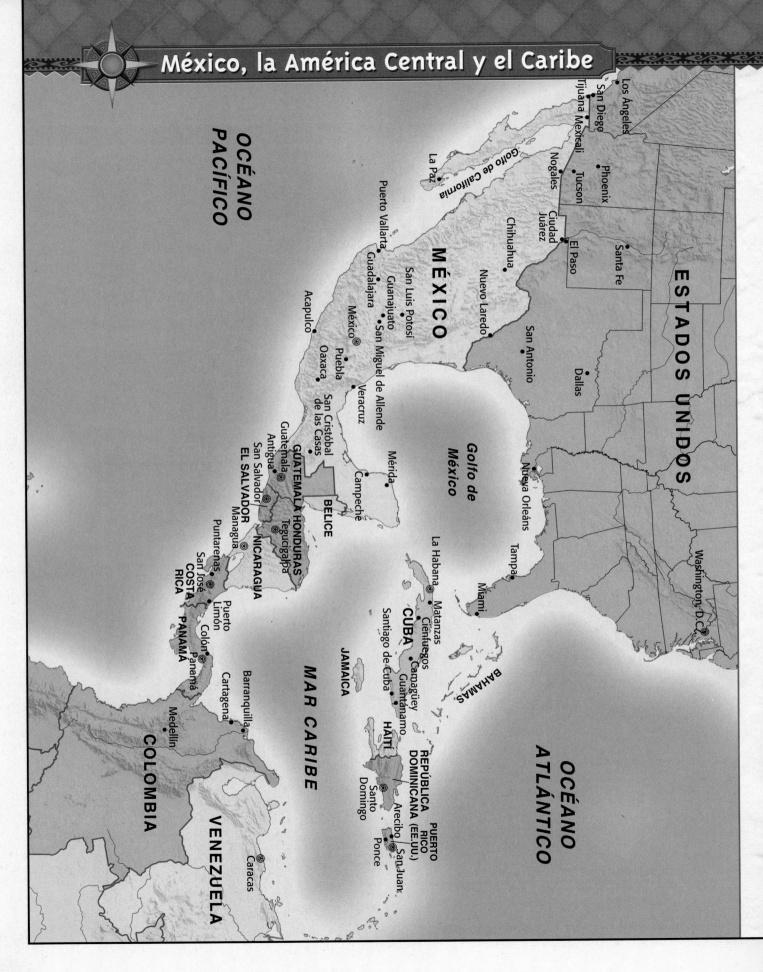

OCÉANO PACÍFICO

OCÉANO ATLÁNTICO

ESTADOS UNIDOS

MÉXICO

Golfo de México

Golfo de California

MAR CARIBE

COLOMBIA

VENEZUELA

GUATEMALA

HONDURAS

BELICE

EL SALVADOR

NICARAGUA

COSTA RICA

PANAMÁ

CUBA

JAMAICA

HAITÍ

REPÚBLICA DOMINICANA

PUERTO RICO (EE.UU.)

BAHAMAS

Los Ángeles
San Diego
Tijuana
Mexicali
Nogales
Tucson
Phoenix
Santa Fe
Ciudad Juárez
El Paso
La Paz
Chihuahua
Nuevo Laredo
San Antonio
Dallas
Puerto Vallarta
Guadalajara
Guanajuato
San Luis Potosí
San Miguel de Allende
México
Acapulco
Oaxaca
Puebla
Veracruz
San Cristóbal de las Casas
Mérida
Campeche
Nueva Orleáns
Tampa
Miami
Guatemala
Antigua
San Salvador
Managua
Tegucigalpa
Puntarenas
San José
Puerto Limón
Colón
Panamá
Barranquilla
Cartagena
Medellín
Caracas
La Habana
Matanzas
Cienfuegos
Camagüey
Santiago de Cuba
Guantánamo
Santo Domingo
Arecibo
Ponce
San Juan
Washington, D.C.

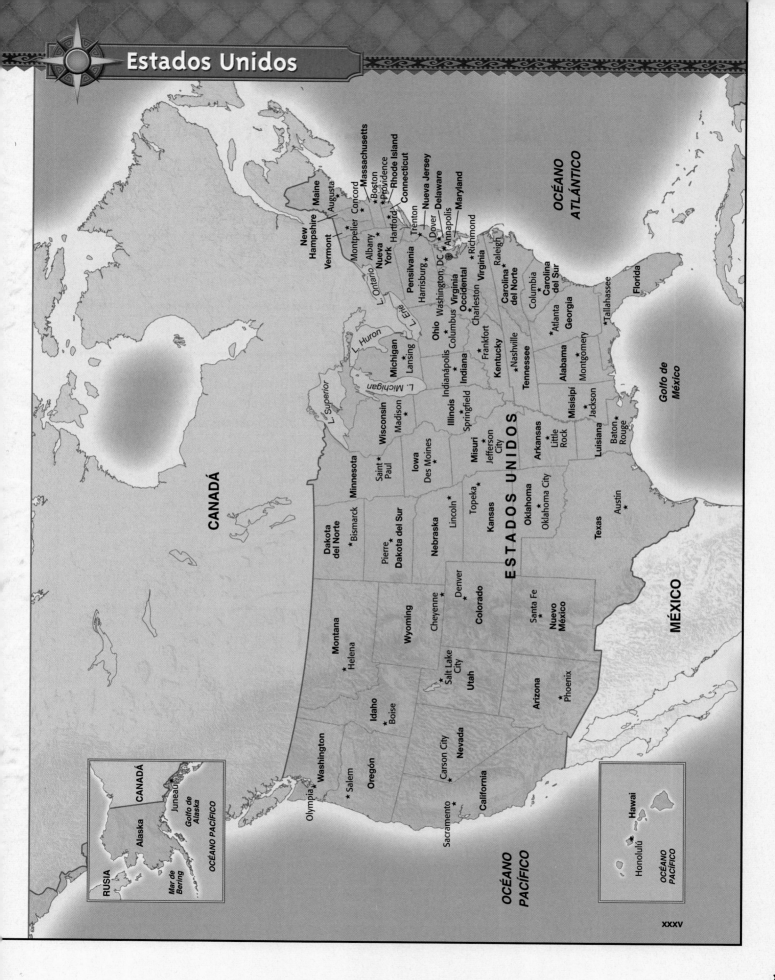

OCÉANO ATLÁNTICO

OCÉANO PACÍFICO

Golfo de México

CANADÁ

MÉXICO

ESTADOS UNIDOS

Maine
Augusta
Massachusetts
Boston
Providence
Rhode Island
Connecticut
Nueva Jersey
Delaware
Maryland
New Hampshire
Concord
Vermont
Montpelier
Albany
Nueva York
Hartford
Trenton
Dover
Annapolis
Richmond
L. Ontario
L. Erie
Pensilvania
Harrisburg
Ohio
Columbus
Washington, DC
Virginia Occidental
Charleston
Virginia
Carolina del Norte
Raleigh
Carolina del Sur
Columbia
Florida
Tallahassee
L. Huron
L. Superior
L. Michigan
Michigan
Lansing
Illinois
Indianápolis
Indiana
Springfield
Frankfort
Kentucky
Nashville
Tennessee
Atlanta
Georgia
Alabama
Montgomery
Wisconsin
Madison
Iowa
Des Moines
Misuri
Jefferson City
Arkansas
Little Rock
Misisipi
Jackson
Luisiana
Baton Rouge
Minnesota
Saint Paul
Dakota del Norte
Bismarck
Dakota del Sur
Pierre
Nebraska
Lincoln
Kansas
Topeka
Oklahoma
Oklahoma City
Texas
Austin
Denver
Colorado
Cheyenne
Wyoming
Santa Fe
Nuevo México
Montana
Helena
Salt Lake City
Utah
Arizona
Phoenix
Idaho
Boise
Washington
Olympia
Salem
Oregón
Carson City
Nevada
Sacramento
California

Alaska
Juneau
CANADÁ
Golfo de Alaska
RUSIA
Mar de Bering
OCÉANO PACÍFICO

Hawai
Honolulú
OCÉANO PACÍFICO

XXXV

# The What, Why, and How of Reading

Reading is a learned process. You have been reading in your first language for a long time and now your challenge is to transfer what you know to enable you to read fluently in Spanish. Reading will help you improve your vocabulary, cultural knowledge, and productive skills in Spanish. The strategies in the chart are reading strategies you are probably familiar with. Review them and apply them as you continue to improve your Spanish reading skills.

## Skill/Strategy

| What Is It? | Why It's Important | How To Do It |
|---|---|---|
| **Preview**<br><br>Previewing is looking over a selection before you read. | Previewing lets you begin to see what you already know and what you'll need to know. It helps you set a purpose for reading. | Look at the title, illustrations, headings, captions, and graphics.<br><br>Look at how ideas are organized.<br><br>Ask questions about the text. |
| **Skim**<br><br>Skimming is looking over an entire selection quickly to get a general idea of what the piece is about. | Skimming will tell you what a selection is about. If the selection you skim isn't what you're looking for, you won't need to read the entire piece. | Read the title of the selection and quickly look over the entire piece. Read headings and captions and maybe part of the first paragraph to get a general idea of the selection's content. |
| **Scan**<br><br>Scanning is glancing quickly over a selection in order to find specific information. | Scanning helps you pinpoint information quickly. It saves you time when you have a number of selections to look at. | As you move your eyes quickly over the lines of text, look for key words or phrases that will help you locate the information you're looking for. |
| **Predict**<br><br>Predicting is taking an educated guess about what will happen in a selection. | Predicting gives you a reason to read. You want to find out if your prediction and the selection events match, don't you? As you read, adjust or change your prediction if it doesn't fit what you learn. | Combine what you already know about an author or subject with what you learned in your preview to guess what will be included in the text. |
| **Summarize**<br><br>Summarizing is stating the main ideas of a selection in your own words and in a logical sequence. | Summarizing shows whether you've understood something. It teaches you to rethink what you've read and to separate main ideas from supporting information. | Ask yourself: What is this selection about?<br><br>Answer *who, what, where, when, why,* and *how?* Put that information in a logical order. |

| What Is It? | Why It's Important | How To Do It |
| --- | --- | --- |
| **Clarify**<br>Clarifying is looking at difficult sections of text in order to clear up what is confusing. | Authors will often build ideas one on another. If you don't clear up a confusing passage, you may not understand main ideas or information that comes later. | Go back and reread a confusing section more slowly. Look up words you don't know.<br>Ask questions about what you don't understand. Sometimes you may want to read on to see if further information helps you. |
| **Question**<br>Questioning is asking yourself whether information in a selection is important. Questioning is also regularly asking yourself whether you've understood what you've read. | When you ask questions as you read, you're reading strategically. As you answer your questions, you're making sure that you'll get the gist of a text. | Have a running conversation with yourself as you read. Keep asking yourself: Is this idea important? Why? Do I understand what this is about? Might this information be on a test later? |
| **Visualize**<br>Visualizing is picturing a writer's ideas or descriptions in your mind's eye. | Visualizing is one of the best ways to understand and remember information in fiction, nonfiction, and informational text. | Carefully read how a writer describes a person, place, or thing. Then ask yourself: What would this look like? Can I see how the steps in this process would work? |

| What Is It? | Why It's Important | How To Do It |
|---|---|---|
| **Monitor Comprehension**<br><br>Monitoring your comprehension means thinking about whether you're understanding what you're reading. | The whole point of reading is to understand a piece of text. When you don't understand a selection, you're not really reading it. | Keep asking yourself questions about main ideas, characters, and events. When you can't answer a question, review, read more slowly, or ask someone to help you. |
| **Identify Sequence**<br><br>Identifying sequence is finding the logical order of ideas or events. | In a work of fiction, events usually happen in chronological order. With nonfiction, understanding the logical sequence of ideas in a piece helps you follow a writer's train of thought. You'll remember ideas better when you know the logical order a writer uses. | Think about what the author is trying to do. Tell a story? Explain how something works? Present information? Look for clues or signal words that might point to time order, steps in a process, or order of importance. |
| **Determine the Main Idea**<br><br>Determining an author's main idea is finding the most important thought in a paragraph or selection. | Finding main ideas gets you ready to summarize. You also discover an author's purpose for writing when you find the main ideas in a selection. | Think about what you know about the author and the topic. Look for how the author organizes ideas. Then look for the one idea that all of the sentences in a paragraph or all the paragraphs in a selection are about. |
| **Respond**<br><br>Responding is telling what you like, dislike, find surprising or interesting in a selection. | When you react in a personal way to what you read, you'll enjoy a selection more and remember it better. | As you read, think about how you feel about story elements or ideas in a selection. What's your reaction to the characters in a story? What grabs your attention as you read? |
| **Connect**<br><br>Connecting means linking what you read to events in your own life or to other selections you've read. | You'll "get into" your reading and recall information and ideas better by connecting events, emotions, and characters to your own life. | Ask yourself: Do I know someone like this? Have I ever felt this way? What else have I read that is like this selection? |
| **Review**<br><br>Reviewing is going back over what you've read to remember what's important and to organize ideas so you'll recall them later. | Reviewing is especially important when you have new ideas and a lot of information to remember. | Filling in a graphic organizer, such as a chart or diagram, as you read helps you organize information. These study aids will help you review later. |
| **Interpret**<br><br>Interpreting is using your own understanding of the world to decide what the events or ideas in a selection mean. | Every reader constructs meaning on the basis of what he or she understands about the world. Finding meaning as you read is all about interacting with the text. | Think about what you already know about yourself and the world. Ask yourself: What is the author really trying to say here? What larger idea might these events be about? |

| What Is It? | Why It's Important | How To Do It |
|---|---|---|
| **Infer**<br><br>Inferring is using your reason and experience to guess what an author does not come right out and say. | Making inferences is a large part of finding meaning in a selection. Inferring helps you look more deeply at characters and points you toward the theme or message in a selection. | Look for clues the author provides. Notice descriptions, dialogue, events, and relationships that might tell you something the author wants you to know. |
| **Draw Conclusions**<br><br>Drawing conclusions is using a number of pieces of information to make a general statement about people, places, events, and ideas. | Drawing conclusions helps you find connections between ideas and events. It's another tool to help you see the larger picture. | Notice details about characters, ideas, and events. Then make a general statement on the basis of these details. For example, a character's actions might lead you to conclude that he is kind. |
| **Analyze**<br><br>Analyzing is looking at separate parts of a selection in order to understand the entire selection. | Analyzing helps you look critically at a piece of writing. When you analyze a selection, you'll discover its theme or message, and you'll learn the author's purpose for writing. | To analyze a story, think about what the author is saying through the characters, setting, and plot. To analyze nonfiction, look at the organization and main ideas. What do they suggest? |
| **Synthesize**<br><br>Synthesizing is combining ideas to create something new. You may synthesize to reach a new understanding or you may actually create a new ending to a story. | Synthesizing helps you move to a higher level of thinking. Creating something new of your own goes beyond remembering what you learned from someone else. | Think about the ideas or information you've learned in a selection. Ask yourself: Do I understand something more than the main ideas here? Can I create something else from what I now know? |
| **Evaluate**<br><br>Evaluating is making a judgment or forming an opinion about something you read. You can evaluate a character, an author's craft, or the value of the information in a text. | Evaluating helps you become a wise reader. For example, when you judge whether an author is qualified to speak about a topic or whether the author's points make sense, you can avoid being misled by what you read. | As you read, ask yourself questions such as: Is this character realistic and believable?<br>Is this author qualified to write on this subject? Is this author biased? Does this author present opinions as facts? |

# READING IN A NEW LANGUAGE

Following are skills and strategies that can help you understand what you read as you continue to learn a language. *Reading and Succeeding* will help you build skills and strategies that will make it easier to understand what you are reading in your exciting new language.

The strategies you use frequently depend on the purpose of your reading. You do not read a textbook or standardized testing questions the same way you read a novel or a magazine article. You read a textbook for information. You read a novel or magazine article for fun.

While learning a second language your vocabulary is limited in comparison to the vast number of words you already know in English. The material presented to you to read must accommodate this reality. Your lack of fluency does not have to deter you from enjoying what you are reading. Most of what you read, however, will come from your textbook, since original novels and magazine articles are not written for people who have limited exposure to the language.

## Readings

As you continue to learn Spanish and develop more proficiency in the language you will be able to increase the amount of material you can read in Spanish. In this level of **¡Buen viaje!** you will encounter three types of reading material: text material dealing with many aspects of the cultures of the Spanish-speaking world; articles taken from newspapers and magazines published in Spanish; and literary works of authors from Spain and Latin America.

The cultural readings have been carefully controlled, using only language that you have already learned. You should find these readings easy and enjoyable. These informative readings present to you the fascinating cultures of the Spanish-speaking world.

It is unrealistic to assume that you will never encounter new words or structures as you branch out and read material on your own. For this reason, the newspaper and magazine articles you will read this year appear exactly as they did in the original periodical. In order to help you read them with relative ease, each article is preceded by a vocabulary section that introduces you to key words that appear in the section but that may be unfamiliar to you.

The literary selections represent all genres: short story, novel (fragments), poetry, drama, and legend. As with the newspaper and magazine articles, the language in the literary selections is original and will therefore be the most challenging for you. In order to assist you, the introductory vocabulary section presents key words from the literary selection. In addition, less important words that you do not know but need for comprehension are sidenoted.

In this *Reading and Succeeding* section, you will learn to develop many skills that will enable you to read all types of material with relative ease. It is also important to pay particular attention to the strategies that accompany many of the reading selections.

## USE *READING AND SUCCEEDING* TO HELP YOU:

- adjust the way you read to fit the type of material you are reading
- identify new words and build your vocabulary
- use specific reading strategies to better understand what you read
- improve your ability to speak by developing strategies that enable you to retell orally what you have read
- use critical thinking strategies to think more deeply about what you read

## Identifying New Words and Building Vocabulary

What do you do when you come across a word you do not know as you read? Do you skip the word and keep reading? You might if you are reading for fun. If it hinders your ability to understand, however, you might miss something important. When you come to a word you don't know, try the following strategies to figure out what the word means.

### • Reading Aloud

In the early stages of learning a second language a good strategy is to sit by yourself and read the selection aloud. This can help you understand the reading because you once again hear words that you have already practiced orally in class. Hearing them as you read them can help reinforce meaning.

### • Identifying Cognates

As you read you will come across many cognates. Cognates are words that look alike in both English and Spanish. Not only do they look alike but they mean the same thing. Recognizing cognates is a great reading strategy. Examples of cognates are:

| | | | | | |
|---|---|---|---|---|---|
| cómico | nacionalidad | entra | popular | secundaria | clase |
| cubano | matemática | prepara | video | blusa | televisión |

### • Identifying Roots and Base Words

The main part of a word is called its root. From a root, many new words can be formed. When you see a new word, identify its root. It can help you pronounce the word and figure out its meaning.

For example, if you know the word **importante,** there is no problem determining the meaning of **importancia.** The verb **importar** becomes a bit more problematic, but with some intelligent guessing you can get its meaning. You know it has something to do with importance so it means *it is important,* and by extension it can even carry the meaning *it matters.*

### • Prefixes

A prefix is a word part added to the beginning of a root or base word. Spanish as well as English has prefixes. Prefixes can change, or even reverse, the meaning of a word. For example, the prefixes **in-, im-,** and **des-** mean *not.*

estable/inestable        posible/imposible        honesto/deshonesto

# Reading and Succeeding

## Using Syntax

Like all languages, Spanish has rules for the way words are arranged in sentences. The way a sentence is organized is called its syntax. Spanish syntax, however, is a bit more flexible than English. In a simple English sentence someone or something (its subject) does something (the predicate or verb) to or with another person or thing (the object). This word order can vary in Spanish and does not always follow the subject/verb/object order.

## READING PRACTICE

English always states: *John speaks to me.*

Spanish can state: *John to me speaks.*

or *To me speaks John.*

The latter leaves the subject to the end of the sentence and emphasizes that it is John who speaks to me.

Taking into account that Spanish and English syntax vary is one of the many important reasons why, when you read, you should think in Spanish and not try to translate what you are reading into English. Reading in Spanish will then have a natural flow and follow exactly the way you learned it. Trying to translate it into English confuses the matter and serves no purpose.

## Using Context Clues

This is a very important reading strategy in a second language. You can often figure out the meaning of an unfamiliar word by looking at it in context (the words and sentences that surround it). Let's look at the following example.

## READING PRACTICE

*The glump ate it all up and flew away.*

You have no idea what a *glump* is. Right? But from the rest of the sentence you can figure out that it's a bird. Why? Because it flew away and you know that birds fly. In this way you guessed at the meaning of an unknown word using context. Although you know it is a bird, you cannot determine the specific meaning such as a robin, a wren, or a sparrow. In many cases it does not matter because that degree of specificity is not necessary for comprehension. Let's look at another example:

*The glump ate it all up and phlumped.*

In this case you do not know the meaning of two key words in the same sentence—*glump* and *phlumped*. This makes it impossible to guess the meaning and this is what can happen when you try to read something in a second language that is beyond your proficiency level. This makes reading a frustrating experience. For this reason all the readings in your textbook control the language to keep it within your reach. Remember, if you have studied the vocabulary in your book, this will not happen.

## Understanding What You Read

Try using some of the following strategies before, during, and after reading to understand and remember what you read.

### Previewing

When you preview a piece of writing, you are looking for a general idea of what to expect from it. Before you read, try the following.
- Look at the title and any illustrations that are included.
- Read the headings, subheadings, and anything in bold letters.
- Skim over the passage to see how it is organized. Is it divided into many parts? Is it a long poem or short story?
- Look at the graphics—pictures, maps, or diagrams.
- Set a purpose for your reading. Are you reading to learn something new? Are you reading to find specific information?

### Using What You Know

Believe it or not, you already know quite a bit about what you are going to read. Your own knowledge and personal experience can help you create meaning in what you read. There is, however, a big difference in reading the information in your Spanish textbook. You already have some knowledge about what you are reading from a United States oriented base. What you will be reading about takes place in a Spanish-speaking environment and thus you will be adding an exciting new dimension to what you already know. Comparing and contrasting are important critical skills to put to use when reading material about a culture other than your own. This skill will be discussed later.

### Visualizing

Creating pictures in your mind about what you are reading—called visualizing—will help you understand and remember what you read. With the assistance of the many accompanying photos, try to visualize the people, streets, cities, homes, etc., you are reading about.

### Identifying Sequence

When you discover the logical order of events or ideas, you are identifying sequence. Look for clues and signal words that will help you find how information is organized. Some signal words are **primero, al principio, antes, después, luego, entonces, más tarde, por fin, finalmente.**

### Determining the Main Idea

When you look for the main idea of a selection, you look for the most important idea. The examples, reasons, and details that further explain the main idea are called supporting details.

## Reviewing

When you review in school, you go over what you learned the day before so that the information is clear in your mind. Reviewing when you read does the same thing. Take time now and then to pause and review what you have read. Think about the main ideas and organize them for yourself so you can recall them later. Filling in study aids such as graphic organizers can help you review.

## Monitoring Your Comprehension

As you read, check your understanding by summarizing. Pause from time to time and state the main ideas of what you have just read. Answer the questions: **¿Quién?** *(Who?)* **¿Qué?** *(What?)* **¿Dónde?** *(Where?)* **¿Cuándo?** *(When?)* **¿Cómo?** *(How?)* **¿Por qué?** *(Why?)*. Summarizing tests your comprehension because you state key points in your own words. Remember something you read earlier: reading in Spanish empowers your ability to speak by developing strategies that enable you to retell orally what you have read.

## Thinking About Your Reading

Sometimes it is important to think more deeply about what you read so you can get the most out of what the author says. These critical thinking skills will help you go beyond what the words say and understand the meaning of your reading.

### Compare and Contrast

To compare and contrast shows the similarities and differences among people, things, and ideas. Your reading experience in Spanish will show you many things that are similar and many others that are different depending upon the culture groups and social mores.

As you go over these culturally oriented readings, try to visualize what you are reading. Then think about the information. Think about what you know about the topic and then determine if the information you are reading is similar, somewhat different, or very different from what you know.

Continue to think about it. In this case you may have to think about it in English. Determine if you find the similarities or the differences interesting. Would you like to experience what you are reading about? Analyzing the information in this way will most certainly help you remember what you have read.

- Signal words and phrases that indicate similarity are **similar, semejante, parecido, igual.**
- Signal words and phrases that indicate differences are **diferente, distinto, al contrario, contrariamente, sin embargo.**

### Cause and Effect

Just about everything that happens in life is the cause or the effect of some other event or action. Writers use cause-and-effect structure to explore the reasons for something happening and to examine the results of previous events. This structure helps answer the question that everybody is always asking: Why? Cause-and-effect structure is about explaining things.

- Signal words and phrases are **así, porque, por consiguiente, resulta que.**

### Using Reference Materials

Even in the intermediate stages of second-language learning you will not be able to use certain types of reference materials that are helpful to you in English. For example, it would still be problematic for you to look up a word in a Spanish dictionary as you would not be able to understand many of the words used in the definition.

You can, however, make use of the dictionary that appears at the end of your textbook. The dictionary at the end of **¡Buen viaje!** also includes the vocabulary you learned in the previous levels. You are provided with a Spanish-English list and an English-Spanish list. If you use a bilingual dictionary other than the one in your textbook, you should use it with caution since many entries are followed by more than one translation and it is difficult to discern the precise word you are looking for. This is not the case with the dictionary in your book.

Enjoy reading as you take **un buen viaje.**

Dear Student,

Foldables are interactive study organizers that you can make yourself. They are a wonderful resource to help you organize and retain information. Foldables have many purposes. You can use them to remember vocabulary words or to organize more in-depth information on any given topic, such as keeping track of what you know about a particular country.

You can write general information, such as titles, vocabulary words, concepts, questions, main ideas, and dates, on the front tabs of your Foldables. You view this general information every time you look at a Foldable. This helps you focus on and remember key points without the distraction of additional text. You can write specific information—supporting ideas, thoughts, answers to questions, research information, empirical data, class notes, observations, and definitions—under the tabs. Think of different ways in which Foldables can be used. Soon you will find that you can make your own Foldables for study guides and projects. Foldables with flaps or tabs create study guides that you can use to check what you know about the general information on the front of tabs. Use Foldables without tabs for projects that require information to be presented for others to view quickly. The more you make and use graphic organizers, the faster you will become able to produce them.

To store your Foldables, turn one-gallon freezer bags into student portfolios which can be collected and stored in the classroom. You can also carry your portfolios in your notebooks if you place strips of two-inch clear tape along one side and punch three holes through the taped edge. Write your name along the top of the plastic portfolio with a permanent marker and cover the writing with two-inch clear tape to keep it from wearing off. Cut the bottom corners off the bag so it won't hold air and will stack and store easily. The following figures illustrate the basic folds that are referred to throughout the following section of this book.

Good luck!

*Dinah Zike*

Dinah Zike

www.dinah.com

# Pocket Book

**La geografía** Use this *pocket book* organizer in your ongoing study of all the countries in the Spanish-speaking world.

**Step 1** **Fold** a sheet of paper (8½" x 11") in half like a *hamburger*.

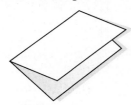

**Step 2** **Open** the folded paper and fold one of the long sides up two inches to form a pocket. Refold the *hamburger* fold so that the newly formed pockets are on the inside.

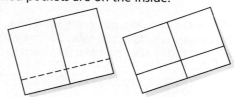

**Step 3** **Glue** the outer edges of the two-inch fold with a small amount of glue.

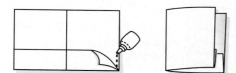

**Step 4** **Make a multipaged booklet** by gluing six pockets side-by-side. Glue a cover around the multipaged *pocket book*.

**Step 5** **Label** five pockets with the following geographical areas: **Europa, la América del Norte, la América del Sur, la América Central,** and **Islas del Caribe.** Use index cards inside the pockets to record information each time you learn something new about a specific country. Be sure to include the name of the country (in Spanish, of course) and its capital.

## OTHER SUGGESTIONS FOR A *POCKET BOOK* FOLDABLE

You may wish to use a *pocket book* foldable to help you use different past tenses correctly. Label two pockets, one for the imperfect and the other for the **preterite.** Then write sentences using each tense on index cards and file them in the correct pocket. You may also wish to make a pocket for sentences that use both tenses correctly.

# Vocabulary Book

**Sinónimos y antónimos**  Use this *vocabulary book* to practice your vocabulary through the use of synonyms and antonyms.

**Step 1** **Fold** a sheet of notebook paper in half like a *hot dog*.

**Step 2** On one side, **cut** every third line. This usually results in ten tabs. Do this with two sheets of paper to make two books.

**Step 3** **Label** the tops of the *vocabulary books* with the word **Sinónimos** on one and **Antónimos** on the other. As you learn new vocabulary in each unit, try to categorize words in this manner. Remember also to think of words you have previously learned to fill in your books.

## OTHER SUGGESTIONS FOR A *VOCABULARY BOOK* FOLDABLE

You can use a *vocabulary book* foldable to help remember any verb conjugation in Spanish. Write the infinitive at the top. If you know several tenses of a verb, you should also write what tense or tenses are being practiced. On the outside of the foldable, write the pronouns, and on the inside, write the corresponding verb form. You can use this as a quick study and review tool for any verb. At a more advanced level, you may wish to write many verbs down the outside and entire conjugations on the inside.

# Tab Book

**Preguntas** Use this *tab book* to practice asking and answering questions.

**Step 1** **Fold** a sheet of paper (8½" x 11") like a *hot dog* but fold it so that one side is one inch longer than the other.

**Step 2** On the shorter side only, **cut** five equal tabs. On the front of each tab, **write** a question word you have learned. For example, you may wish to write the following.

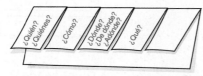

**Step 3** On the bottom edge, **write** any sentence you would like.

**Step 4** Under each flap, **write** the word from your sentence that answers the question on the front of the flap.

## OTHER SUGGESTIONS FOR A *TAB BOOK* FOLDABLE

You may also use a *tab book* foldable to practice verb conjugations. You would need to make six tabs instead of five. Write a verb and a tense on the bottom edge and write the pronouns on the front of each tab. Under each flap, write the corresponding verb form.

You may wish to use a *tab book* foldable to practice new vocabulary words. Leave extra space on the bottom edge. Choose five or six vocabulary words and write each one on a tab. You may also make multiple *tab book* foldables to practice more words. Under each flap, write a definition or translation of the word. If you can, write an original definition in Spanish. Use the bottom edge to write one or more original sentences using all of the words on the tabs.

# Miniature Matchbook

**Descripciones** Use this *miniature matchbook* to help you communicate in an interesting and more descriptive way.

**Step 1** **Fold** a sheet of paper (8½" x 11") in half like a *hot dog*.

**Step 2** **Cut** the sheet in half along the fold line.

**Step 3** **Fold** the two long strips in half like *hot dogs,* leaving one side ½" shorter than the other side.

**Step 4** **Fold** the ½" tab over the shorter side on each strip.

**Step 5** **Cut** each of the two strips in half forming four halves. Then cut each half into thirds, making twelve miniature matchbooks.

**Step 6** **Glue** the twelve small matchbooks inside a *hamburger* fold (three rows of four each).

**Step 7** On the front of each matchbook, **write** a subject you are going to tell or write about, for example, **la escuela.** Open up the tab and list any words you think you could use to make your discussion more interesting. You can add topics and words as you continue with your study of Spanish. If you glue several sections together, this foldable will "grow."

## OTHER SUGGESTIONS FOR A *MINIATURE MATCHBOOK* FOLDABLE

You may use a *miniature matchbook* foldable to test each other on your knowledge of the vocabulary. Work in pairs with each partner making a blank *miniature matchbook* foldable. Each partner writes a topic related to the subjects you have just studied on the front of each matchbook. You may use categories of vocabulary, verbs you have recently learned to conjugate, or the subject of a reading. Your partner then writes as much as he or she can about that topic under the flap. This can alert you if you need to go back and review a topic.

A *miniature matchbook* foldable may help you organize and remember information you have read. After doing a cultural or literary reading, write down a concept presented in the reading on the front of each matchbook. Open up each tab and write down supporting details that support the idea.

# Minibook

**Mi autobiografía** Use this *minibook* organizer to write and illustrate your autobiography. Before you begin to write, think about the many things concerning yourself that you have the ability to write about in Spanish. On the left pages, draw the events of your life in chronological order. On the right, write about your drawings.

**Step 1** **Fold** a sheet of paper (8½" x 11") in half like a *hot dog*.

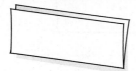

**Step 2** **Fold** it in half again like a *hamburger*.

**Step 3** Then **fold** in half again, forming eights.

**Step 4** **Open** the fold and **cut** the eight sections apart.

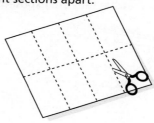

**Step 5** **Place** all eight sections in a stack and fold in half like a hamburger.

**Step 6** **Staple** along the center fold line. **Glue** the front and back sheets into a construction paper cover.

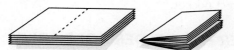

## OTHER SUGGESTIONS FOR A *MINIBOOK* FOLDABLE

Work in small groups and use *minibook* foldables to practice the subjunctive. Each person writes the beginnings of sentences that take the subjunctive on the left pages. Then pass your *minibook* to the next group member, who, on the right page, completes each sentence. That group member will pass the *minibook* on to a third group member, who will write an alternate completion for each sentence under the first one. This may be repeated until all group members have written a completion for all sentences.

# Paper File Folder

**Las emociones** Use this *paper file folder* organizer to keep track of happenings or events that cause you to feel a certain way.

**Step 1** **Fold** four sheets of paper (8½" x 11") in half like a *hamburger.* Leave one side one inch longer than the other side.

**Step 2** On each sheet, **fold** the one-inch tab over the short side, forming an envelope-like fold.

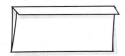

**Step 3** **Place** the four sheets side-by-side, then move each fold so that the tabs are exposed.

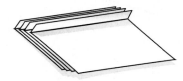

**Step 4** Moving left to right, **cut** staggered tabs in each fold, 2⅛" wide. Fold the tabs upward.

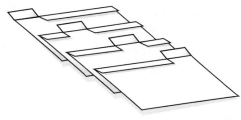

**Step 5** **Glue** the ends of the folders together. On each tab, write an emotion you sometimes feel. Pay attention to when it is that you feel happy, sad, nervous, etc. Describe the situation in Spanish and file it in the correct pocket.

## OTHER SUGGESTIONS FOR A *PAPER FILE FOLDER* FOLDABLE

You may use a *paper file folder* organizer to keep track of verbs and verb forms. You should make a folder for each type of regular verb and for each type of irregular verb. Write the conjugations for some important verbs in each category and file them in the *paper file folder* organizer. Add new tenses to the existing cards and new verbs as you learn them.

A *paper file folder* organizer can be useful for keeping notes on the cultural information that you will learn. You may wish to make categories for different types of cultural information and add index cards to them as you learn new facts and concepts about the target cultures.

# Large Sentence Strips

**El presente y el pasado**  Use these *large sentence strips* to help you compare and contrast activities in the past and in the present.

**Step 1** Take two sheets of paper (8½" x 11") and **fold** into *hamburgers*. Cut along the fold lines, making four half sheets. (Use as many half sheets as necessary for additional pages to your book.)

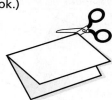

**Step 2** **Fold** each half sheet in half like a *hot dog*.

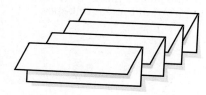

**Step 3** Place the folds side-by-side and **staple** them together on the left side.

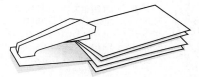

**Step 4** About one inch from the stapled edge, **cut** the front page of each folded section up to the mountain top. These cuts form flaps that can be raised and lowered.

**Step 5** To make a half-cover, use a sheet of construction paper one inch longer than the book. **Glue** the back of the last sheet to the construction paper strip, leaving one inch on the left side to fold over and cover the original staples. Staple this half-cover in place.

**Step 6** With a friend, **write** sentences on the front of the flap, either in the present tense or in the past tense. Then switch your books of sentence strips and write the opposite tense inside under the flaps.

## OTHER SUGGESTIONS FOR A *LARGE SENTENCE STRIPS* FOLDABLE

You may work in pairs to use *large sentence strips* to practice using direct and/or indirect object pronouns. On the front of each flap, write full sentences which have direct or indirect objects or both. Then trade sentence strips. You and your partner will each write sentences under the flaps replacing the direct or indirect objects with object pronouns.

You may use *large sentence strips* to practice using verbs that can be used reflexively and nonreflexively. Write a sentence using a reflexive verb on the outside of each flap. Under the flap, write a sentence using the same verb nonreflexively.

# Project Board With Tabs

**Diversiones favoritas** Use this *project board with tabs* to display a visual about your favorite movie or video. Be sure to make it as attractive as possible to help convince others to see it.

**Step 1** **Draw** a large illustration, a series of small illustrations, or write on the front of a sheet of paper.

**Step 2** **Pinch** and slightly fold the sheet of paper at the point where a tab is desired on the illustrated piece of paper. Cut into the paper on the fold. Cut straight in, then cut up to form an "L." When the paper is unfolded, it will form a tab with the illustration on the front.

**Step 3** After all tabs have been cut, **glue** this front sheet onto a second sheet of paper. Place glue around all four edges and in the middle, away from tabs.

**Step 4** **Write** or draw under the tabs. If the project is made as a bulletin board using butcher paper, tape or glue smaller sheets of paper under the tabs.

Think of favorite scenes from a movie or cultural event that you enjoyed and draw them on the front of the tabs. Underneath the tabs write a description of the scene or tell why you liked that part of the movie. It might be fun to not put a title on the project board and just hang it up and let classmates guess the name of the movie you are describing.

## OTHER SUGGESTIONS FOR A *PROJECT BOARD WITH TABS* FOLDABLE

You may wish to use a *project board with tabs* to practice the use of object pronouns. Draw a series of scenes involving two or more people on the outside of the tabs. Write sentences using object pronouns describing the people's conversations or interactions under the tabs.

You can also use a *project board with tabs* to practice the future tense. Illustrate what you plan to do in college or in your career on the outside of the tabs. Under each tab, write one or more sentences in the future about your plans.

# Sentence Strip Holder

**Para practicar más** Use this *sentence strip holder* to practice your vocabulary, your verbs, or anything else you might feel you need extra help with.

**Step 1** **Fold** a sheet of paper (8½" x 11") in half like a *hamburger*.

**Step 2** **Open** the *hamburger* and fold the two outer edges toward the valley. This forms a shutter fold.

**Step 3** **Fold** one of the inside edges of the shutter back to the outside fold. This fold forms a floppy L.

**Step 4** **Glue** the floppy L tab down to the base so that it forms a strong straight L tab.

**Step 5** **Glue** the other shutter side to the front of this L tab. This forms a tent that is the backboard for the flashcards or student work to be displayed.

**Step 6** **Fold** the edge of the L up ¼" to ½" to form a lip that will keep the sentence strips from slipping off the holder.

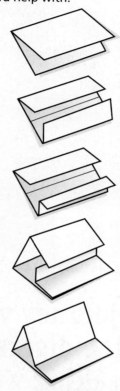

Vocabulary and spelling words can be stored inside the "tent" formed by this fold.

## OTHER SUGGESTIONS FOR A *SENTENCE STRIP HOLDER* FOLDABLE

You may wish to practice new or irregular verbs using a *sentence strip holder*. Work in pairs. Make flash cards showing the infinitives of the verbs to practice in Spanish. You should each take half of the cards and take turns setting one verb on the *sentence strip holder*. One partner will then say as many sentences as possible using different forms of that verb, and the other will write down the subject and conjugated verb form (or just the verb form) for each sentence. Partners should check to make sure each verb form is spelled correctly. You can repeat this activity for each verb.

# Expand your view of the Spanish-speaking world.

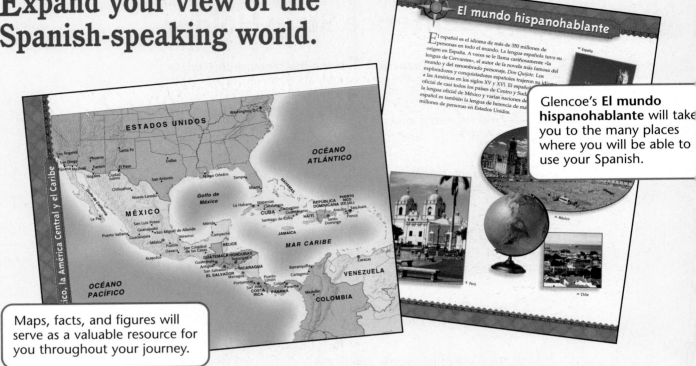

Maps, facts, and figures will serve as a valuable resource for you throughout your journey.

Glencoe's **El mundo hispanohablante** will take you to the many places where you will be able to use your Spanish.

# Start your journey with an introduction to each of the diverse regions of the Spanish-speaking world.

Each lesson is structured consistently to make learning easy.

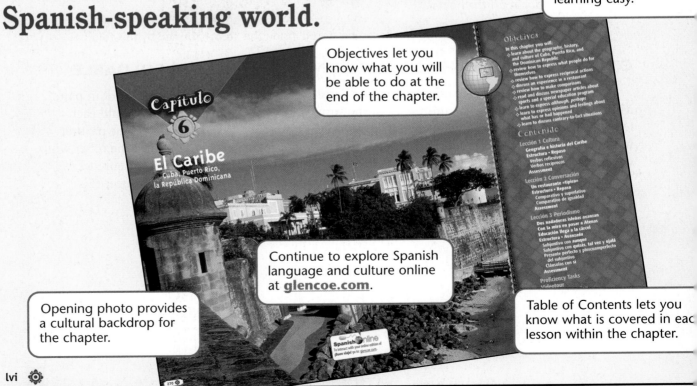

Objectives let you know what you will be able to do at the end of the chapter.

Continue to explore Spanish language and culture online at **glencoe.com**.

Opening photo provides a cultural backdrop for the chapter.

Table of Contents lets you know what is covered in each lesson within the chapter.

# Talk about the Spanish-speaking world with your new vocabulary.

New vocabulary is introduced and practiced in each lesson.

Recorded presentation ensures proper pronunciation.

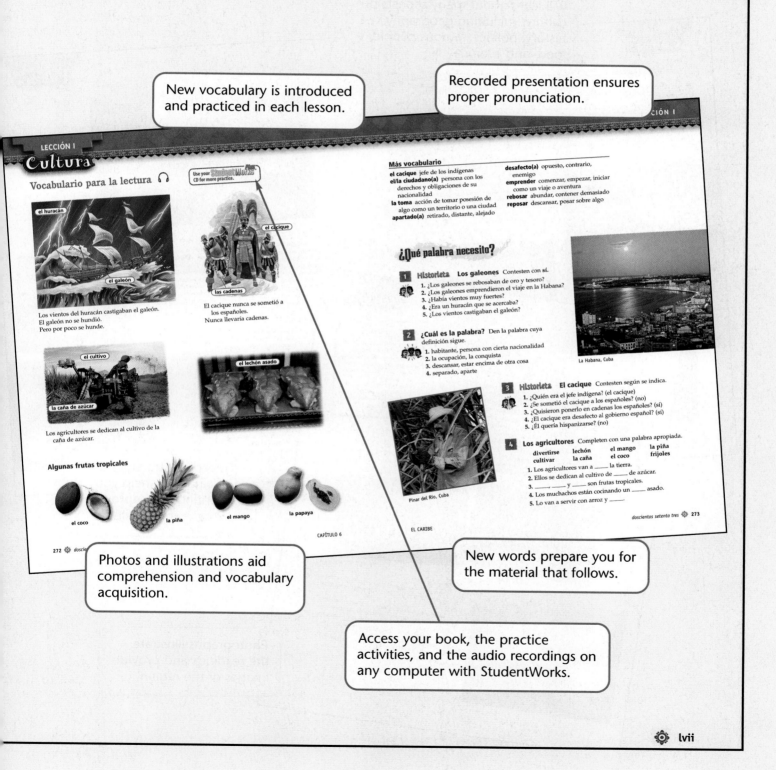

**LECCIÓN 1**

## Cultura

### Vocabulario para la lectura 🎧

Use your StudentWorks Plus CD for more practice.

**el huracán**

**el galeón**

Los vientos del huracán castigaban el galeón.
El galeón no se hundió.
Pero por poco se hunde.

**el cacique**

**las cadenas**

El cacique nunca se sometió a los españoles.
Nunca llevaría cadenas.

**el cultivo**

**la caña de azúcar**

Los agricultores se dedican al cultivo de la caña de azúcar.

**el lechón asado**

**Algunas frutas tropicales**

**el coco**    **la piña**    **el mango**    **la papaya**

272 doscie

CAPÍTULO 6

### Más vocabulario

**el cacique** jefe de los indígenas
**el/la ciudadano(a)** persona con los derechos y obligaciones de su nacionalidad
**la toma** acción de tomar posesión de algo como un territorio o una ciudad
**apartado(a)** retirado, distante, alejado

**desafecto(a)** opuesto, contrario, enemigo
**emprender** comenzar, empezar, iniciar como un viaje o aventura
**rebosar** abundar, contener demasiado
**reposar** descansar, posar sobre algo

### ¿Qué palabra necesito?

**1 Historieta   Los galeones** Contesten con sí.
1. ¿Los galeones se rebosaban de oro y tesoro?
2. ¿Los galeones emprendieron el viaje en la Habana?
3. ¿Había vientos muy fuertes?
4. ¿Era un huracán que se acercaba?
5. ¿Los vientos castigaban el galeón?

**2 ¿Cuál es la palabra?** Den la palabra cuya definición sigue.
1. habitante, persona con cierta nacionalidad
2. la ocupación, la conquista
3. descansar, estar encima de otra cosa
4. separado, aparte

La Habana, Cuba

**3 Historieta   El cacique** Contesten según se indica.
1. ¿Quién era el jefe indígena? (el cacique)
2. ¿Se sometió el cacique a los españoles? (no)
3. ¿Quisieron ponerlo en cadenas los español? (sí)
4. ¿El cacique era desafecto al gobierno español? (sí)
5. ¿Él quería hispanizarse? (no)

**4 Los agricultores** Completen con una palabra apropiada.

| divertirse | lechón | el mango | la piña |
| cultivar | la caña | el coco | frijoles |

1. Los agricultores van a _____ la tierra.
2. Ellos se dedican al cultivo de _____ de azúcar.
3. _____, _____ y _____ son frutas tropicales.
4. Los muchachos están cocinando un _____ asado.
5. Lo van a servir con arroz y _____.

Pinar del Río, Cuba

EL CARIBE

doscientos setenta tres 273

Photos and illustrations aid comprehension and vocabulary acquisition.

New words prepare you for the material that follows.

Access your book, the practice activities, and the audio recordings on any computer with StudentWorks.

# Get an in-depth look at the culture of the region.

> In Lesson 1 of each chapter, you will learn about many aspects of culture, including geography, history, politics, famous people, food, and everyday life.

### LECCIÓN I
## Cultura

## Lectura

### La geografía del Caribe

Es común hablar del «Caribe», que es un mar, cuando nos referimos a las Antillas, un archipiélago constituido por miles de islas que forman tres grupos importantes. Estas son las Grandes Antillas, las Pequeñas Antillas y las Bahamas. Las islas en las que nos enfocamos aquí son tres de las cuatro que forman las Grandes Antillas, o sea, Cuba, Puerto Rico y la Española. La cuarta, Jamaica, es una isla y un país de habla inglesa.

**Using background knowledge** When you are first assigned a reading, quickly look at the accompanying visuals to determine what the reading is about. Once you know what the topic is, spend a short time thinking about what you already know about it. If you do this, the reading will be easier to understand.

Cuba es la más grande de las Grandes Antillas y la que está más cerca de Norteamérica. Al este de Cuba se encuentra la Española, una isla compartida por dos repúblicas, Haití y la República Dominicana. Al este de la Española está Puerto Rico, la más pequeña del grupo. Las Grandes Antillas son mayormente montañosas y reposan sobre una cadena de montañas submarinas.

Santo Domingo, la República Dominicana

La Habana, Cuba

274 ⚙ doscientos

Pinar del Río, Cuba

### LECCIÓN I
## Cultura

### Clima

Las Grandes Antillas se encuentran en la zona tropical. No obstante, el clima es tropical en los llanos pero subtropical en las áreas montañosas. Hay dos estaciones: la seca, de noviembre a mayo, y la húmeda, de junio a octubre. Comenzando en julio y hasta octubre, los huracanes, que nacen en el océano Atlántico, a veces castigan las costas de estas islas. En todas las Antillas la vegetación es exuberante. El clima es especialmente apropiado para el cultivo de la caña de azúcar, el café y el tabaco, productos importantes en las tres islas.

Un huracán, San Juan, Puerto Rico

Contesten.
1. ¿Cuál es la diferencia entre el «Caribe» y las «Antillas»?
2. ¿En cuál de las Antillas se encuentran Cuba, Puerto Rico y la Española?
3. ¿Cuál de las islas está más cerca de la América del Norte?
4. En una de las islas hay dos repúblicas. ¿Cuál es la isla?
5. ¿Sobre qué se sitúan las Grandes Antillas?
6. ¿En qué zona climática se encuentran las Grandes Antillas?
7. En las Grandes Antillas hay áreas con clima subtropical. ¿Dónde están?
8. ¿Cómo se llaman las dos estaciones del año en las Antillas?
9. ¿Qué fenómeno meteorológico puede causar mucho daño en el Caribe?
10. ¿Cómo es la vegetación de

☘️ 275

### LECCIÓN I
## Cultura

## Lectura
### La geografía

**Using pictures and photographs** Before you begin to read, look at the pictures, photographs, or any other visuals that accompany a reading. By doing this, you can often tell what the reading selection is about before you actually read it.

**Reading Strategy**

### Chile

El Cono sur comprende los países de Chile, Argentina, Uruguay y Paraguay. Chile es un país largo y estrecho que tiene la forma de una habichuela verde (de un poroto). Siendo tan largo desde el norte hasta el sur, tiene un terreno extremadamente variado y variaciones climáticas extremas. El desierto de Atacama en el norte es uno de los desiertos más áridos del mundo. El centro, cerca de Santiago, la capital, disfruta de un clima templado como el del Mediterráneo. Aquí hay viñedos y huertas. La región de los bellísimos lagos goza también de un clima templado, pero un poco más hacia el sur en Puerto Montt, por ejemplo, el clima es lluvioso y borrascoso incluso en el verano. La Patagonia en el sur tiene un clima casi siempre frío y lluvioso con chaparrones frecuentes y ráfagas de viento que alcanzan una velocidad increíble. La Patagonia es famosa por sus fiordos y glaciares.

Saltos de Petrohue, Chile

Santiago, Chile

### Argentina

Argentina es el segundo mayor país de Sudamérica. Se puede dividir el país en cuatro grandes regiones naturales.

**Las llanuras del nordeste** Se caracterizan las llanuras por vastas zonas de terreno pantanoso[1] y sabanas. Es la región de los ríos Paraná y Uruguay. Una región húmeda de fértil tierra roja, es famosa por su gran ganadería y agricultura incluyendo el cultivo de la hierba mate, de la que se hace la bebida nacional.

[1] pantanoso swampy, marshy

ciento quince ☘️ 115

Río Uruguay, Argentina

EL CONO SUR

> Reading strategies are included to help you continue to improve your reading skills.

> Photographs illustrate the readings and provide images of the region.

# Engage classmates in real conversation.

> Vocabulary is presented to help you understand the conversations and to help you create your own conversations.

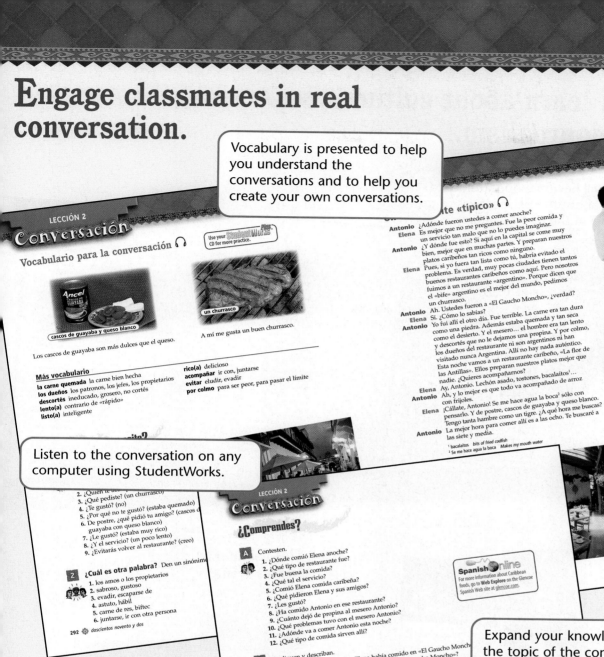

**LECCIÓN 2**

## Conversación

### Vocabulario para la conversación 🎧

Use your **StudentWorks** CD for more practice.

**cascos de guayaba y queso blanco**

Los cascos de guayaba son más dulces que el queso.

**un churrasco**

A mí me gusta un buen churrasco.

#### Más vocabulario
**la carne quemada** la carne bien hecha
**los dueños** los patronos, los jefes, los propietarios
**descortés** ineducado, grosero, no cortés
**lento(a)** contrario de «rápido»
**listo(a)** inteligente

**rico(a)** delicioso
**acompañar** ir con, juntarse
**evitar** eludir, evadir
**por colmo** para ser peor, para pasar el límite

---

**Un mesero «típico» 🎧**

**Antonio** ¿Adónde fueron ustedes a comer anoche?
**Elena** Es mejor que no me preguntes. Fue la peor comida y un servicio tan malo que no lo puedes imaginar.
**Antonio** ¿Y dónde fue esto? Si aquí en la capital se come muy bien, mejor que en muchas partes. Y preparan nuestros platos caribeños tan ricos como ninguno.
**Elena** Pues, si yo fuera tan lista como tú, habría evitado el problema. Es verdad, muy pocas ciudades tienen tantos buenos restaurantes caribeños como aquí. Pero nosotros fuimos a un restaurante «argentino». Porque dicen que el «bife» argentino es el mejor del mundo, pedimos un churrasco.
**Antonio** Ah. Ustedes fueron a «El Gaucho Moncho», ¿verdad?
**Elena** Sí. ¿Cómo lo sabías?
**Antonio** Yo fui allí el otro día. Fue terrible. La carne era tan dura como una piedra. Además estaba quemada y tan seca y descortés que no le dejamos una propina. Y por colmo, los dueños del restaurante ni son argentinos ni han visitado nunca Argentina. Allí no hay nada auténtico. Esta noche vamos a un restaurante caribeño, «La flor de las Antillas». Ellos preparan nuestros platos mejor que nadie. ¿Quieres acompañarnos?
**Elena** Ay, Antonio. Lechón asado, tostones, bacalaítos¹…
**Antonio** Ah, y lo mejor es que todo va acompañado de arroz con frijoles.
**Elena** ¡Cállate, Antonio! Se me hace agua la boca² sólo con pensarlo. Y de postre, cascos de guayaba y queso blanco. Tengo tanta hambre como un tigre. ¿A qué hora me buscas?
**Antonio** La mejor hora para comer allí es a las ocho. Te buscaré a las siete y media.

¹ bacalaítos bits of fried codfish
² Se me hace agua la boca Makes my mouth water

> Listen to the conversation on any computer using StudentWorks.

**Spanish Online**
To learn more about restaurants in the Caribbean, do the Chapter 6 **WebQuest** activity on the Glencoe Spanish Web site at glencoe.com.

La República Dominicana

doscientos noventa y tres **293**

---

2. ¿Quién te ue
3. ¿Qué pediste? (un churrasco)
4. ¿Te gustó? (no)
5. ¿Por qué no te gustó? (estaba quemado)
6. De postre, ¿qué pidió tu amigo? (cascos de guayaba con queso blanco)
7. ¿Le gustó? (estaba muy rico)
8. ¿Y el servicio? (un poco lento)
9. ¿Evitarás volver al restaurante? (creo)

**2** **¿Cuál es otra palabra?** Den un sinónimo.
1. los amos o los propietarios
2. sabroso, gustoso
3. evadir, escaparse de
4. astuto, hábil
5. carne de res, biftec
6. juntarse, ir con otra persona

**292** doscientos noventa y dos

---

**LECCIÓN 2**

## Conversación

### ¿Comprendes?

**A** Contesten.
1. ¿Dónde comió Elena anoche?
2. ¿Qué tipo de restaurante fue?
3. ¿Fue buena la comida?
4. ¿Qué tal el servicio?
5. ¿Comió Elena comida caribeña?
6. ¿Qué pidieron Elena y sus amigos?
7. ¿Les gustó?
8. ¿Ha comido Antonio en ese restaurante?
9. ¿Cuánto dejó de propina al mesero Antonio?
10. ¿Qué problemas tuvo con el mesero Antonio?
11. ¿Adónde va a comer Antonio esta noche?
12. ¿Qué tipo de comida sirven allí?

**Spanish Online**
For more information about Caribbean foods, go to **Web Explore** on the Glencoe Spanish Web site at glencoe.com.

**B** Expliquen y describan.
1. ¿Cómo sabía Antonio que Elena había comido en «El Gaucho Moncho»?
2. ¿Cómo era la carne que pidió Antonio en «El Gaucho Moncho»?
3. ¿Por qué dice Antonio que el lugar no es auténtico?
4. ¿Cuáles son algunos platos típicos de la comida caribeña?

**C** Completen.
1. La Flor de las Antillas es un _____ caribeño.
2. Los cascos de guayaba se sirven con _____.
3. _____ son pedacitos de bacalao frito en forma de panqueque.
4. Muchos platos cubanos, puertorriqueños y dominicanos vienen acompañados de _____.

> Expand your knowledge about the topic of the conversation with **Web Explore**.

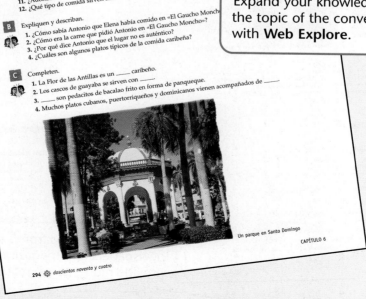

Un parque en Santo Domingo

**CAPÍTULO 6**

**294** doscientos noventa y cuatro

> Activities ensure that you have understood the conversations.

# You will learn about culture through journalism.

You will have the opportunity to learn about the perspectives of the people in the target culture.

---

### EL MERCURIO
SANTIAGO DE CHILE

## Cuando hay que dejar el hogar

El salir de la casa para dar comienzo a una carrera universitaria es muchas veces ingrato. A pesar de ello, las vivencias[1] de quienes así lo hacen son positivas, convirtiéndose en una opción real y creciente.

Comenzar la vida universitaria no es tarea fácil. Son muchas las opciones que se presentan y diversas las variables que se deban considerar. Una de ellas es realizar los estudios superiores fuera de la ciudad en donde crecimos, dejando amigos y la familia.

Este importante desafío[2] parte por definir la vocación, escoger la carrera, universidad y hasta la ciudad en donde empezará esta nueva etapa.

La capital siempre ha sido una de las opciones preferidas ...

El número de jóvenes que se va a estudiar a regiones crece cada día más, y un importante número de ellos toman esta opción por sobre el arraigo[4] y apego[5] a todos los seres queridos ...

continuar en región. No quería más smog, tráfico, distancias largas, además nació en mí una fuerte necesidad de independencia y de vivir algo diferente.»

El hecho de partir, cuenta, le trajo muchos beneficios, pero también debió enfrentar la soledad que muchas veces se presenta y que puede ser la peor compañera de esta nueva vida. «Luego de la decisión vino lo más complicado. Asumir que estaba sola, sin mis padres, mis amigos. La casa es un soporte emocional muy fuerte e importante, el que muchas veces te ayuda a pasar los problemas más fácilmente.

---

También se deben combatir los obstáculos que se cruzan en este nuevo camino.

El vivir fuera de casa implica responsabilidades en términos prácticos y económicos. Ya no está la mamá o la nana para hacer la comida y lavar la ropa, no está el padre para dar más dinero si la mesada[5] se acabó, y los amigos no están al alcance[6] de una llamada telefónica para organizar una «junta».

«La independencia que se logra tiene dos caras, por un lado te sientes muy bien cuando te haces cargo de todo y resulta, pero no puedes estar con los amigos o la familia si tienes pena o simplemente quieres conversar con alguien. A pesar de todo, he madurado y crecido mucho. Soy más tolerante y me llevo mejor con mis padres, los veo menos, por lo que disfruto cada momento que comparto con ellos» reflexiona Marión.

comunitaria es complicado y difícil. Cuando recién llegué a Valparaíso, arrendé una casa con compañeras que no conocía. No sabía cuáles eran sus costumbres y menos el estilo de vida que llevaban, tuve más de un problema, pero finalmente logré encontrar la persona adecuada para compartir.»

Un elemento que no se debe dejar de lado al momento de tomar la decisión junto a la familia, es el factor económico. Hay que arrendar un lugar para vivir, tener el dinero necesario para asumir los costos de la carrera misma, divertirse, recrearse y considerar que cada cierto tiempo se visita el hogar.

Según José Cortés, director de asuntos estudiantiles del Campus Viña del Mar de la Universidad Nacional Andrés Bello, indica que «el elemento económico es muy importante; en algunos casos las familias hacen un gran esfuerzo para mandarlos a estudiar fuera de su casa. Los alumnos que ...

administrar sus recursos, el tiempo y hacerse cargo del paso académico y el estar solos haciéndose cargo de todo.»

### Superar la soledad
La gran desventaja que percibe Cortés es la soledad, muchos de los alumnos sufren lejos de su casa y deciden volver antes de terminar el primer año de carrera. «La mayor desventaja es la soledad. Los padres los ubican en departamentos o pensiones, pero hay muchos que no son capaces de superar su nuevo estado. Son varios los casos en los que caen en depresión en el primer semestre, lo que les dificulta llevar el peso académico que se les exige y terminan regresando a sus casas.»

Estas situaciones, añade José Cortés, son consideradas por la mayoría de las universidades y por ello se realizan diferentes actividades para lograr que los novatos se integren y adapten. Es así como el encargado de asuntos estudiantiles explica que en la universidad ...

---

### Vocabulario para la lectura 🎧
**Dos nadadoras isleñas avanzan
Con la mira en pasar a Atenas**

Use your StudentWorks Plus CD for more practice.

un clavado

el torneo de nado (natación)

la rutina libre

El torneo de nado está integrado por muchas atletas.
¡Ojalá que ganen el campeonato mundial!

#### Más vocabulario

**la mira** intención, idea, propósito
**remozado(a)** renovado, modernizado
**zurdo(a)** que usa la mano izquierda

**encabezar** ir al frente, ir a la cabeza
**realizar** hacer, efectuar
**ubicarse** colocarse, situarse

### ¿Qué palabra necesito?

**1** **Historieta** **El torneo de nado (natación)** Contesten.
1. ¿Qué tipo de torneo es? ¿De nado?
2. ¿La nadadora realiza clavados?
3. ¿Es ella experta en clavados?
4. ¿Se realizará la rutina libre hoy?
5. ¿Se realizará la rutina libre en la piscina municipal?

**2** **Sóftbol femenino** Completen.
1. La pítcher lanza la pelota con la mano izquierda. Ella es _____.
2. Ella es la mejor jugadora y por eso _____ el equipo.
3. La _____ del equipo es su participación en los juegos Preolímpicos.
4. El equipo está _____ por muchas atletas muy buenas.
5. El estadio estaba en malas condiciones, pero ahora está totalmente _____.

---

San Juan, Puerto Rico

## Dos nadadoras isleñas avanzan

**EL DUETO** puertorriqueño integrado por Luna del Mar Aguilú y Leilani Torres se ubicó ayer en la posición 24 de entre 34 equipos al concluir con 81.000 la preliminar técnica del nado sincronizado de los Campeonatos Mundiales de Natación y Clavados que se celebrarán hasta el domingo 27 en Barcelona, España. Hoy se realizará la rutina libre.

## Con la mira en pasar a Atenas

**LA ESTELAR** zurda Jessica van der Linden Dávila encabeza el grupo de 18 jugadoras que integrarán el Equipo Nacional que participará desde el próximo lunes 21 en el torneo Preolímpico de Sóftbol Femenino en el remozado estadio Donna Terry de Guaynabo.

### ¿Comprendes?

**A** **Dos nadadoras isleñas** Contesten.
1. ¿En qué deporte participan Leilani y Luna del Mar?
2. ¿Los campeonatos son de natación y qué otra cosa?
3. ¿Cuántos equipos en total estuvieron en el preliminar de nado sincronizado?
4. ¿En qué lugar se encontró el equipo puertorriqueño?
5. ¿Dónde tuvo lugar el evento?
6. ¿Qué evento se realizará hoy?

**B** **A Atenas** Contesten.
... en el equipo nacional de sóftbol?
... que encabeza el equipo?
... pelota?
... ueblo van a jugar ellas?
... dio?

Cultural selections from newspapers and magazines provide high-interest reading.

# In the Structure sections, continue to improve your knowledge of how Spanish works.

LECCIÓN I
**Cultura**

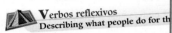

## Estructura • Repaso

### Verbos reflexivos
**Describing what people do for th...**

1. A verb is reflexive when the action is both execute... by the subject.

   **Me lavo.**   *I wash myself.*

2. Because the subject also receives the action of the verb an additional pronoun is required. This pronoun is called a reflexive pronoun.

| INFINITIVE | lavarse | bañarse |
|---|---|---|
| yo | me lavo | me baño |
| tú | te lavas | te bañas |
| él, ella, Ud. | se lava | se baña |
| nosotros(as) | nos lavamos | nos bañamos |
| vosotros(as) | os laváis | os bañáis |
| ellos, ellas, Uds. | se lavan | se bañan |

...have a stem change in both the present and preterite tenses.

> Each lesson includes a Structure section. In Lessons 1 and 2, the material is review. In Lesson 3, the advanced material introduces new structures.

> The structure is taught and practiced within the context of and with the vocabulary of the lesson.

...subject and recipient of ...mething other than the

LECCIÓN I
**Cultura**

## ¿Cómo lo digo?

**1 Historieta   Algunas costumbres mías**
Contesten.

1. ¿A qué hora te acuestas?
2. ¿Te duermes enseguida o pasas la noche dando vueltas en la cama?
3. ¿A qué hora te levantas?
4. ¿Te despiertas fácilmente?
5. ¿Te bañas o te duchas antes de acostarte o después de levantarte?
6. ¿Te desayunas antes de salir para la escuela?
7. ¿Te cepillas los dientes después de tomar el desayuno?
8. ¿Te pones un uniforme para ir a la escuela?
9. ¿Te vistes elegantemente para ir a la escuela?
10. ¿Te diviertes con tus amigos en la escuela?
11. ¿Te despides de tus amigos cuando sales de la escuela?

*San Juan, Puerto Rico*

**2 Historieta   En Puerto Rico** Contesten.

1. ¿Te divertiste cuando estabas en Puerto Rico?
2. ¿Te sentiste en casa?
3. ¿Te vestiste de sport?
4. ¿Te pusiste el bañador para ir a la playa?
5. ¿Te pusiste una crema protectora en la playa?
6. ¿Te bronceaste?
7. ¿Te dormiste en la playa?
8. Al salir de Puerto Rico, ¿te despediste de tus nuevos amigos?

---

LECCIÓN 3
**Periodismo**

## Estructura • Avanzada

### Subjuntivo con aunque
**Expressing *although***

*La República Dominicana*

The conjunction **aunque** (*although*) may be followed by the subjunctive or the indicative depending upon the meaning of the sentence.

**Ellas nadarán aunque haga mucho frío.**
**Ellas nadarán aunque hace mucho frío.**

In the first example, the subjunctive is used to indicate that although it may not be cold now, they will swim even if it gets very cold. In the second example, the indicative is used to indicate that it actually is very cold but they will still swim.

## ¿Cómo lo digo?

**1 Historieta   ¿Lo hacemos o no?**
Contesten con aunque.

1. No tienes un boleto. ¿Vas al concierto?
2. No sé si el carro tiene bastante gasolina. ¿Vas a ir en el carro?
3. Podría llover. ¿Vendrá Diana con nosotros?
4. Subieron los precios de las entradas. ¿Todavía vamos?
5. Y si hay mucho tráfico, ¿qué? ¿Iremos o no?
6. No sé si Paco Mendes va a tocar. ¿Vas a ir?
7. Tito no tiene dinero. ¿Lo vas a llevar al concierto?
8. Y si la profesora nos da tarea, ¿todavía vamos a ir?

**2 Historieta   Los reclusos**
Escojan la forma apropiada del verbo.

1. El profesor recibe un salario. Pero le gusta tanto su trabajo, el profesor enseñará aunque no le (pagan/paguen).
2. Les dieron materiales a los reclusos. Pero tienen tantas ganas de aprender que los reclusos estudiarán aunque no (tienen/tengan) materiales.
3. Los oficiales no visitan la cárcel hoy. Pero no importa. V... hoy aunque no (vienen/vengan) los oficiales.
4. No hay duda que falta dinero. Pero siguen implement... aunque no (hay/haya) dinero.
5. El público se opone. El Secretario seguirá con el progr... público no (quiere/quiera) que siga.

EL CARIBE

---

LECCIÓN 3
**Periodismo**

### Cláusulas con si
**Discussing contrary-to-fact situations**

1. **Si** (*if*) clauses are used to express contrary-to-fact conditions. **Si** clauses conform to a specific sequence of tenses.

   **Si tengo tiempo iré al torneo.**   *If I have time, I'll go to the tournament.*
   **Si tuviera tiempo iría al torneo.**   *If I had time, I would go to the tournament.*
   **Si hubiera tenido tiempo,**   *...would have*
   **habría ido al torneo.**

2. The sequence of tenses for **si** clau...

| MAIN CLAUSE | SI CLA... |
|---|---|
| Future | Prese... |
| Conditional | Imper... |
| Conditional perfect | Plupe... |

> Realia lets you see the structure used in real-life contexts.

## ¿Cómo lo digo?

**9 Yo** Contesten.

1. Si tienes el dinero, ¿irás a Puerto Rico?
2. Si tuvieras el dinero, ¿irías a Puerto Rico?
3. Si hubieras tenido el dinero, ¿habrías ido a Puerto Rico?
4. Si vas a Puerto Rico, ¿visitarás las cuevas de Camuy?
5. Si fueras a Puerto Rico, ¿visitarías las cuevas de Camuy?
6. Si hubieras ido a Puerto Rico, ¿habrías visitado las cuevas de Camuy?

COMPAÑÍA DE
PARQUES NACIONALES

PARQUE DE LAS CAVERNAS
DEL RÍO CAMUY, PUERTO RICO

Admisión para **Adultos**: $10.00

EXCURSIÓN A CUEVAS CLARAS

*Carretera entre San Juan y Arecibo, Puerto Rico*

> Numerous activities allow you to practice what you have learned.

*El Viejo San Juan, Puerto Rico*

trescientos once 311

# It's your turn! Apply what you have learned.

> Practice what you have learned and improve your written Spanish.

LECCIÓN I
Cultura

## ¡Te toca a ti!
**Use what you have learned**

### 1 Geografía
✔ *Describe the geography of Puerto Rico, Cuba, and the Dominican Republic*

Con un(a) compañero(a) describe la geografía y el clima de las islas de las Grandes Antillas. ¿Se parecen a la geografía y al clima en donde tú vives? Haz una comparación.

La Habana, Cuba

### 2 Las vacaciones
✔ *Write a suggestion about when to go to the Caribe*

Recibiste un e-mail de una amiga. Ella quiere ir a la República Dominicana, pero no sabe cuál sería la mejor época para su visita. Mándale un e-mail y dale una recomendación pensando en el clima y las estaciones del año.

San Juan, Puerto Rico

### 3 Las Antillas
✔ *Make some comparisons between the islands of the Greater Antilles*

Describe algunas diferencias y semejanzas geográficas, históricas y políticas entre Puerto Rico, Cuba y la República Dominicana.

### 4 ¿De qué país hablas?
✔ *Play a game and guess the country being discussed*

Tú vas a mencionar un lugar, monumento o evento en uno de los países de las Antillas. Tu compañero(a) tiene que adivinar cuál es el país. Si tu compañero(a) contesta correctamente, entonces él o ella te hará una pregunta a ti.

288 ❖ *doscientos ochenta y ocho*

CAPÍTULO 6

### 5 La República Dominicana y el béisbol
✔ *Talk about the Dominican Republic and baseball*

Explícale como y por qué la República Dominicana es tan importante en cuanto al béisbol.

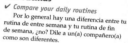

### 6 Tus rutinas
✔ *Compare your daily routines*

Por lo general hay una diferencia entre tu rutina de entre semana y tu rutina de fin de semana, ¿no? Dile a un(a) compañero(a) como son diferentes.

### 7 ¡Al Caribe!
✔ *Tell why you would like to visit the Greater Antilles*

En tus estudios de español ya has aprendido mucho sobre las islas del Caribe. En tus propias palabras explica por qué las quisieras visitar.

Villa Fundación, la República Dominicana

Guajataca, Puerto Rico

EL CARIBE

*doscientos ochenta y nueve* ❖ 289

LECCIÓN I
Cultura

> Use what you have learned in cumulative, open-ended activities.

# Check your progress.

> Review what you have learned and prepare for your chapter test.

## Assessment

### Vocabulario

**1 Completen con una palabra apropiada.**

> To review vocabulary, turn to page 272.

1. Lo tomaron prisionero y lo llevaron a la prisión en ____.
2. Él tenía un espíritu independiente y nunca se ____ a los invasores.
3. Nunca colaboró con ellos, fue siempre ____ al gobierno.
4. Estaba muy cansado y buscaba donde ____ su cabeza.
5. Lo tenían en un lugar muy ____, muy lejos de todo.
6. Era un jefe de los indígenas, un ____ de gran fama.
7. Quería ____ su viaje aquel día pero no pudo a causa del viento.
8. Él luchó por la independencia para que sus hijos pudieran ser ____ de una nación independiente.
9. El clima de su bella isla era benévolo salvo cuando los ____ con sus tremendos vientos castigaban la isla.

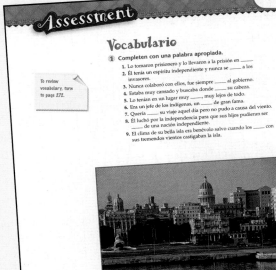
La Habana, Cuba

CAPÍTULO 6

### Lectura

**2 Escojan.**

10. Hay ____ islas en las Grandes Antillas.
   a. dos    b. cuatro    c. ocho
11. Las Grandes Antillas, las Pequeñas Antillas y las Bahamas forman ____.
   a. un archipiélago    b. un istmo    c. una península
12. En el Caribe hay solamente ____ estaciones.
   a. dos    b. cuatro    c. seis
13. Los huracanes normalmente aparecen en ____.
   a. enero    b. abril    c. septiembre

> To review some geographical facts about the Caribbean, turn to pages 274–275.

**3 Contesten.**

14. ¿Cómo llamaban los españoles a la isla que los taínos llamaban «Quisqueya»?
15. ¿Qué producto agrícola introdujeron los españoles a las Antillas?
16. Cuando ya no había indígenas para trabajar, ¿en qué continente encontraron los colonizadores más mano de obra?
17. ¿Cuáles son los tres partidos políticos de Puerto Rico?
18. ¿Por qué tuvieron que fortificar a La Habana los españoles?
19. ¿Por qué salieron muchos cubanos de su país después de 1959?

> To review some historical facts about the Caribbean, turn to pages 276–285.

### Estructura

**4 Completen con el pronombre apropiado si es necesario.**

20. Yo ____ puse unos jeans para ir a la fiesta.
21. ¿A qué hora ____ acostaste anoche?
22. Hace tiempo que tú y yo ____ conocemos, ¿verdad?
23. Pero Ramón y Carolina ____ conocieron hace solamente una semana.
24. Ella ____ divirtió mucho en la fiesta.
25. Después de la fiesta nosotros ____ lavamos todos los platos y vasos.

> To review reflexive verbs, turn to pages 284 and 287.

> "Sticky" notes direct you to appropriate pages for review.

---

# Demonstrate your written and verbal skills to show your proficiency in Spanish.

> Learn strategies to become a better writer.

## CAPÍTULO 6
## Proficiency Tasks

### Composición

Cada escrito tiene un propósito. El propósito de tu primera tarea es el de informar. Vas a compartir con otros la información que has obtenido de tus propias lecturas y experiencias. Vas a escribir un artículo de crónica. En este tipo de artículo normalmente se presenta la información en un orden cronológico.

**TAREA 1 Escritura expositiva** Acabas de leer en detalle sobre la geografía, historia y cultura de tres países de habla española: Cuba, Puerto Rico y la República Dominicana. Tienes que seleccionar el tema en que vas a enfocar. Como lo que tienes que escribir es una crónica, obviamente la historia es lo indicado como tema.

**Antes de escribir** Primero debes releer el material de fondo. Entonces toma apuntes sobre los detalles de más importancia, siempre en orden cronológico. Si crees que necesitas más información, pregúntale a tu profesor(a) donde puedes encontrar recursos adicionales.

**Bosquejo** Prepara ahora un bosquejo del ____ para organizar tus ideas. Ahora piensa ____ de tu crónica. Piensa en tu ____ interesarle en el tema. ¿Por ____ que vas a escribir es una

____ ción tiene el propósito de atraer ____ amarle a leer el artículo. Aquí ____ gerencias:

- ____ interesante
- ____ que indica la idea central
- ____ cripción gráfica del lugar
- ____ pción de la gente
- ____ o que da impulso a la historia

____ te principal del artículo:

- ____ detalles vivaces, escoge adjetivos
- ____ be los personajes importantes.
- ____ n el orden cronológico.
- ____ que los lectores se identifiquen con ____ rsonajes.

____ nal del artículo puedes emplear las ____ strategias como para la introducción: ____ un detalle interesante, una imagen, etc.

**Presentación** Escribe la crónica.

**Repasar y revisar** Revisa tu crónica para verificar si todo está escrito correctamente y si has incluido toda la información necesaria. Corrige cualquier error ortográfico o gramatical.

**TAREA 2 Explicación** Un propósito de muchos escritos es la explicación de un evento o condición. Por lo que has leído de otros países de Latinoamérica sabes que las poblaciones indígenas son significativas en varios, pero no en el Caribe. En un breve escrito explica como es que desaparecieron casi por completo las poblaciones indígenas del Caribe. En tu escrito debes indicar:

- donde en el Caribe existían las poblaciones indígenas
- cuáles eran las poblaciones y de donde vinieron
- las características de las poblaciones
- la causa de su desaparición

**Antes de escribir** Antes de comenzar a escribir, piensa en como vas a organizar tu explicación. Determina los detalles que vas a incluir. Decide también en el tono de tu escrito. ¿Será simplemente expositivo o tendrá también un matiz emotivo? Cuando tengas todo decidido, prepara un borrador.

Revisa tu borrador para ver si estás satisfecho(a) con el contenido. ¿Está completo? ¿Falta algún detalle? ¿Son vívidas las descripciones? Cuando estás satisfecho(a) con el borrador léelo de nuevo y corrige cualquier error de gramática u ortografía. Ahora prepara tu versión final, revísala para que no haya errores. Corrige los errores que encuentres.

**TAREA 3 Una biografía** Como ya sabes, una biografía es la historia de la vida de una persona real, no ficticia. Ya has escrito una biografía de una persona que tú mismo(a) has escogido. Ahora vas a limitarte a uno de los personajes que aparecen en el capítulo que acabas de leer. Para prepararte adecuadamente tendrás que hacer alguna investigación sobre la persona. Los personajes que aparecen en la lectura son: Guarionex, Cayacoa, Cristóbal Colón, «el Drake», don Juan Ponce de León, José Martí, Antonio Maceo y Fidel Castro.

**Antes de ____** ____ de la lista de personajes algunos que tú crees serán interesantes. Después busca a ver si existe bastante información sobre estas personas para poder escribir una biografía. Ahora escoge el individuo que más te interese. Prepara una lista de detalles que vas a incluir en tu biografía, por ejemplo: descripción física de la persona, su personalidad o carácter, su importancia histórica. Puedes seguir un orden cronológico, o puedes enfocar en uno de los detalles que creas más importante, su importancia histórica, por ejemplo. Trata de dar vida al personaje empleando adjetivos y adverbios vívidos.

### Discurso

El debate es similar a una competencia deportiva. Se juega para ganar y se gana obteniendo ventaja sobre el rival. Una forma de debate consiste en una proposición. Un grupo o individuo tiene que defender la proposición mientras que el otro lleva la contraria. Un ejemplo de proposición sería: A los atletas profesionales se les paga demasiado. Un grupo defiende la proposición y el otro se opone. Para debatir eficazmente hay que ordenar los argumentos y presentarlos enérgicamente. Algunas armas son la veracidad, el humor, el dramatismo y la emoción. En muchos debates se le otorga a cada partido una oportunidad de responder a los argumentos del rival. Por eso es importante tratar de adivinar cuales serán los argumentos que presentará el rival y poder contestar vigorosamente. El buen debatiente puede tomar cualquier posición, en pro o en contra de la proposición y defender su posición con éxito.

**TAREA 4** Para nuestro debate vamos a dividirnos en grupos de dos. La proposición es la siguiente: El único propósito de las cárceles debe ser castigar a los criminales. Una persona en cada grupo tiene que defender la proposición y la otra argüir en contra. Después de presentar los argumentos cada uno tendrá un minuto para refutar los argumentos del otro. La clase decidirá el ____ ganador.

> Improve your speaking skills.

> In each chapter, you will learn or improve upon techniques and strategies for writing and speaking. Apply these strategies to talk about or write about what you have learned.

# Video transports you to the Spanish-speaking world.

> Visit the region you are studying.

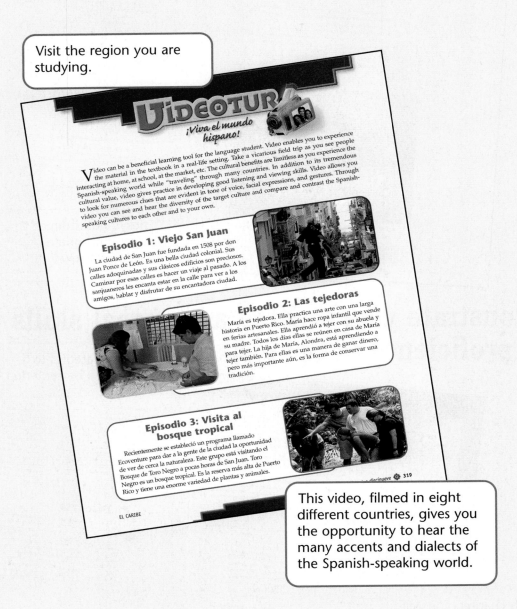

**VIDEOTUR**
*¡Viva el mundo hispano!*

Video can be a beneficial learning tool for the language student. Video enables you to experience the material in the textbook in a real-life setting. Take a vicarious field trip as you see people interacting at home, at school, at the market, etc. The cultural benefits are limitless as you experience the Spanish-speaking world while "traveling" through many countries. In addition to its tremendous cultural value, video gives practice in developing good listening and viewing skills. Video allows you to look for numerous clues that are evident in tone of voice, facial expressions, and gestures. Through video you can see and hear the diversity of the target culture and compare and contrast the Spanish-speaking cultures to each other and to your own.

### Episodio 1: Viejo San Juan

La ciudad de San Juan fue fundada en 1508 por don Juan Ponce de León. Es una bella ciudad colonial. Sus calles adoquinadas y sus clásicos edificios son preciosos. Caminar por esas calles es hacer un viaje al pasado. A los sanjuaneros les encanta estar en la calle para ver a los amigos, hablar y disfrutar de su encantadora ciudad.

### Episodio 2: Las tejedoras

María es tejedora. Ella practica una arte con una larga historia en Puerto Rico. María hace ropa infantil que vende en ferias artesanales. Ella aprendió a tejer con su abuela y su madre. Todos los días ellas se reúnen en casa de María para tejer. La hija de María, Alondra, está aprendiendo a tejer también. Para ellas es una manera de ganar dinero, pero más importante aún, es la forma de conservar una tradición.

### Episodio 3: Visita al bosque tropical

Recientemente se estableció un programa llamado Ecoventure para dar a la gente de la ciudad la oportunidad de ver de cerca la naturaleza. Este grupo está visitando el Bosque de Toro Negro a pocas horas de San Juan. Toro Negro es un bosque tropical. Es la reserva más alta de Puerto Rico y tiene una enorme variedad de plantas y animales.

trescientos diecinueve 319

EL CARIBE

> This video, filmed in eight different countries, gives you the opportunity to hear the many accents and dialects of the Spanish-speaking world.

# Enhance your appreciation of literature and culture.

> Literary Companion gives you yet another opportunity to apply your reading skills in Spanish.

## Literary Companion

These literary selections develop reading and cultural skills and introduce you to Hispanic literature. They are organized to coincide with the chapters presented in the text. For example, **Literatura española** is designed to be done in conjunction with **Capítulo 1, España**.

> Literary selections present another view of Hispanic culture.

Biblioteca, Universidad de México

> Literature selections written by authors from the region accompany each chapter.

# Planning for Chapter 1

## SCOPE AND SEQUENCE PAGES 1–55

### Topics
❖ The geography of Spain
❖ The history of Spain
❖ Spanish culture

### Culture
❖ Trains of the future
❖ Immigrants in Tarifa

### Functions
❖ How to express past actions
❖ How to refer to specific things
❖ How to express ownership

### Structure
❖ The preterite of regular verbs
❖ The preterite of stem-changing verbs
❖ The preterite of irregular verbs
❖ Nouns that begin with **a** and **ha**
❖ Irregular nouns that end in **a**
❖ Demonstrative pronouns
❖ Possessive pronouns

### National Standards

Communication Standard 1.1, pp. 1, 4–5, 15, 16, 18–21, 24, 26, 27, 29–33, 37–39, 41–44, 46, 47

Communication Standard 1.2, pp. 1, 8–13, 27–28, 38–41

Communication Standard 1.3, pp. 20, 21, 33, 49, 52–53

Cultures Standard 2.1, pp. 1, 6, 8–11, 420, 421, 422, 423, 424, 428

Cultures Standard 2.2, p. 1

Connections Standard 3.1, pp. 1, 6–7

Connections Standard 3.2, pp. 8–13, 38, 40

Comparisons Standard 4.1, p. 6

Comparisons Standard 4.2, pp. 20, 49

Communities Standard 5.1, pp. 13, 49, 426

*To read the ACTFL Standards in their entirety, see page T36.*

## PACING AND LEVELING

**Lección 1: Cultura**  *(5–7 days)*

**Lección 2: Conversación**  *(5–7 days)*

**Lección 3: Periodismo**  *(5–7 days)*

**Proficiency Tasks**  *(1–2 days)*
**Videotur**  *(1–2 days)*
**Literatura**  *(5–7 days)*

### LEVELING
The following is an overall leveling of the sections of each chapter of **¡Buen viaje!** Level 3.

**EASY:** Conversación, Estructura • Repaso
**AVERAGE:** Cultura, Periodismo, Estructura • Avanzada
**CHALLENGING:** Literatura

Most parts of each lesson are also leveled for your convenience in the Teacher Notes in the Wraparound section of your Teacher Edition.

**E: Easy    A: Average    C: Challenging**

Please note that the material does not become progressively more difficult. Within each chapter there are easy and challenging sections.

# TEACHER RESOURCE GUIDE

| SECTION | PRINT RESOURCES | TECHNOLOGY RESOURCES |
|---|---|---|
| **Lección 1** | | |
| Lectura<br>　Vocabulario para la lectura<br>　　*(p. 2)*<br>　La geografía *(pp. 6–7)*<br>　Una ojeada histórica<br>　　*(pp. 8–11)*<br>　Visitas históricas *(p. 12)*<br>　¿Te apetece algo? *(p. 13)*<br>Estructura • Repaso<br>　Pretérito de los verbos<br>　　regulares *(p. 14)*<br>　Pretérito de los verbos<br>　　de cambio radical<br>　　**(e → i, o → u)** *(p. 17)*<br>¡Te toca a ti! *(pp. 20–21)*<br>Assessment *(pp. 22–23)* | Audio Activities TE *(pp. 1–8)*<br>Workbook *(pp. 1–7)*<br>Quizzes *(pp. 1–4)*<br>Tests *(pp. 1–4 and 12–32)* | Vocabulary Transparencies V1.2–V1.3<br>Audio CD 1<br>*ExamView® Assessment Suite*<br>　glencoe.com<br>Assessment Transparency A1.1<br>PowerTeach<br>Vocabulary PuzzleMaker |
| **Lección 2** | | |
| Conversación<br>　Vocabulario para la<br>　　conversación *(pp. 24–25)*<br>　Un viaje a España<br>　　*(pp. 27–28)*<br>Estructura • Repaso<br>　Pretérito de los verbos<br>　　irregulares *(p. 30)*<br>¡Te toca a ti! *(pp. 32–33)*<br>Assessment *(pp. 34–35)* | Audio Activities TE *(pp. 9–15)*<br>Workbook *(pp. 8–12)*<br>Quizzes *(pp. 5–7)*<br>Tests *(pp. 5–6 and 12–32)* | Vocabulary Transparencies V1.4–V1.5<br>Audio CD 1<br>*ExamView® Assessment Suite*<br>　glencoe.com<br>Assessment Transparency A1.2<br>PowerTeach<br>Vocabulary PuzzleMaker |
| **Lección 3** | | |
| Lectura<br>　Vocabulario para la lectura<br>　　*(p. 36)*<br>　Trenes que no necesitan<br>　　conductor *(p. 38)*<br>Lectura<br>　Vocabulario para la lectura<br>　　*(p. 39)*<br>　Mueren cinco inmigrantes<br>　　*(pp. 40–41)*<br>Estructura • Avanzada<br>　Sustantivos femeninos en<br>　　**a, ha** inicial *(p. 42)*<br>　Sustantivos irregulares que<br>　　terminan en **a** *(p. 43)*<br>　Pronombres demostrativos<br>　　*(p. 44)*<br>　Pronombres posesivos<br>　　*(p. 45)*<br>¡Te toca a ti! *(pp. 48–49)*<br>Assessment *(pp. 50–51)*<br><br>Proficiency Tasks *(pp. 52–53)*<br>**Videotur** *(p. 55)*<br><br>Literatura *(pp. 418–429)* | Audio Activities TE *(pp. 16–25)*<br>Workbook *(pp. 13–16)*<br>Quizzes *(pp. 8–13)*<br>Tests *(pp. 7–32)*<br>Audio Activities *(pp. 203–208)*<br>Tests *(pp. 277–280)* | Vocabulary Transparencies V1.6<br>Audio CD 1<br>*ExamView® Assessment Suite*<br>　glencoe.com<br>Assessment Transparency A1.3<br>PowerTeach<br>Vocabulary PuzzleMaker<br>**¡Viva el mundo hispano!**<br>Video<br>Video Activities<br>Audio CD 9 |

# Using Your Resources for Chapter 1

## Transparencies

**Map Transparencies** The full-color maps at the front of the Student Edition have been converted to transparency format.

**Bellringer Reviews** provide a quick review activity to begin each class.

**Vocabulary Transparencies** include the photos and art from the Student Edition pages, overlays with Spanish words, and Spanish/English vocabulary lists for each chapter.

**Assessment Transparencies** provide answer sheets and answers for the Assessment pages in the Student Edition.

**Fine Art** can be used to reinforce the topics introduced in the text and enrich your students' knowledge of Fine Art.

## Workbook and Audio Activities

### Writing Activities
The Workbook section includes numerous activities to re-inforce each concept presented in the textbook. There are workbook pages for each of the following sections: vocabulary, culture, conversation, journalism, and structure. Varied activities provide several ways for students to practice and apply the material you have presented in class.

### Audio Activities
The Audio Activities pages in this booklet may be used to guide students through the listening and speaking activities provided on the Audio CDs. The script to the Audio CDs is also provided in the Audio Activities TE in the TeacherTools booklet if the teacher prefers to read the activities aloud. The Audio Activities provide listening and speaking practice to reinforce vocabulary, culture, conversation, structure, and literature.

# Assessment

Several options for Assessment are offered with the **¡Buen viaje!** program. The TeacherTools booklets include the following Assessment pieces.

**Quizzes** There are quizzes for Vocabulary, Culture, Structure, Conversation, and Journalism.

**Tests** There is a Reading and Writing Test for each lesson in the chapter. In addition, there are two different Chapter Reading and Writing Tests—one for less able to average students and the other for above average to advanced students. There is also a Listening Comprehension Test, a Speaking Test, and a Proficiency Test at the end of each chapter.

**Spanish Online** Students can easily access our Self-Check Quizzes at glencoe.com.

**ExamView® Assessment Suite** Test Bank software for Macintosh and Windows makes creating, editing, customizing, and printing tests quick and easy.

## Passport to Success Notebook

- **Notetaking and Study Strategies** help students organize and internalize new information, allowing them to become more effective communicators in the target language.

- **Reading Strategies** take the mystery out of reading and give students the tools they need to become more effective readers.

- **Standardized Test Practice** in every chapter helps students improve their test-taking skills through the study of foreign language.

## TECHNOLOGY

 This all-in-one planner includes:

- Interactive Teacher Edition
- Lesson Planner with calendar

- Access to all program blackline masters
- Correlations to National Standards

**ExamView** Assessment Suite — The *ExamView® Assessment Suite* includes *Test Generator, Test Player,* and *Test Manager.*

- Use premade tests or build your own easily and quickly
- Customize tests using a full-feature editor

- Select questions from existing test banks
- Set up your own question test banks
- Disaggregate data

 All-in-one interactive Student Edition and student resources—a backpack solution

# Preview

In this chapter, students will learn about the geography, history, and culture of Spain. While they are learning this new material a great deal of information from **¡Buen viaje!** Levels 1 and 2 will be reincorporated. In the **Conversación** section students will review vocabulary dealing with air and train travel. Additional vocabulary needed to discuss more complex travel problems such as missed flights and changing arrangements will be presented.

 **National Standards**

### Communication
Students will communicate in spoken and written Spanish on the following topics:
• Spanish geography, history, and culture
• travel and transportation
• immigration
Students will obtain and provide information about these topics and engage in conversations as they fulfill the chapter objectives listed on this page.

### Cultures
Students will learn about the cultures and foods of Spain. They will also learn about travel and immigration.

### Connections
This chapter establishes a connection with the fields of history and geography.

# España

**Spanish Online**
To interact with your online edition of ¡**Buen viaje!** go to: glencoe.com.

**TeacherWorks**
All-In-One Planner and Resource Center

The TeacherWorks CD-ROM is an all-in-one planner and resource center. You may wish to use several of the following features as you plan and present the Chapter 1 material: Interactive Teacher Edition, Interactive Lesson Planner with Calendar, Point and Click Access to Teaching Resources including Hotlinks to the Internet and Correlations to the National Standards.

## Objetivos

**In this chapter you will:**
- ❖ learn about the geography, history, and culture of Spain
- ❖ review how to express past actions
- ❖ discuss taking a trip to Spain
- ❖ read and discuss newspaper articles about the metro in Barcelona and immigrants arriving in Spain
- ❖ learn to refer to specific things
- ❖ learn to express ownership

## Contenido

 1

## Assessment

**Quizzes:** There is a quiz for every vocabulary presentation, every reading, and every structure point. Tests: To accompany ¡Buen viaje! Level 3 there is a Reading and Writing Test for each of the three lessons that make up a chapter. In addition, at the end of each chapter there are five tests.
- Two Reading and Writing Tests; one easy to intermediate; another intermediate to challenging.
- A Listening Comprehension Test
- A Speaking Test
- A Proficiency Test

# Spotlight on Culture

### Plaza de España, Sevilla

La plaza de España está al este del famoso parque de María Luisa. Este edificio magnífico fue diseñado por el arquitecto Aníbal González y fue el pabellón más importante de España para la Exhibición Hispanoamericana de 1929. Hoy tiene oficinas gubernamentales y militares. Los cuatro puentes que atraviesan el canal ornamental representan los cuatro reinados medievales de la península ibérica. El edificio es conocido también por los azulejos en cada uno de los cincuenta arcos que representan las provincias de España.

## LEVELING

The following is an overall leveling of the sections of each chapter of **¡Buen viaje!** Level 3.
**EASY:** Conversación, Estructura • Repaso
**AVERAGE:** Cultura, Periodismo, Estructura • Avanzada
**CHALLENGING:** Literatura
Most parts of each lesson are also leveled for your convenience.
E: Easy
A: Average
C: Challenging
　Please note that the material does not become progressively more difficult. Within each chapter there are easy and challenging sections.

## Vocabulario para la lectura

## PREPARATION

### Resource Manager

Vocabulary Transparencies
V1.2–V1.3
Audio Activities TE, pages 1–3
Audio CD 1, Tracks 1–4
Workbook, pages 1–2
Quiz, page 1
ExamView® Assessment Suite

### Bellringer Review

*Use BRR Transparency 1.1 or write the following on the board.*
**Contesten.**
1. ¿Vas a estudiar la historia de España?
2. ¿Sabes cuál es la capital de España?
3. ¿Tienes ganas de ir a España?
4. ¿Conoces la literatura española?
5. ¿Quieres ir a España en avión?
6. ¿Haces muchos viajes en avión?

## PRESENTATION

### Vocabulario para la lectura

**Step 1** Show the vocabulary transparencies. Point to each item as students repeat the words and sentences after you or the Audio CD.

**Step 2** Ask questions to have students use the new words. **¿Lleva joyas la reina? ¿Quién lleva una corona? ¿El rey o la reina? ¿Qué tipo de monarquía estableció el rey? ¿De qué color es la llanura? A lo lejos, ¿hay una colina? ¿Es muy alta la colina? ¿Hay olivares?**

## Vocabulario para la lectura 🎧

Use your **StudentWorks** *Plus*
CD for more practice.

la corona
las joyas
el rey
la reina

Son el rey y la reina de España.
El rey estableció una monarquía constitucional.

la orilla
a lo largo

el olivar
una colina
una llanura de color pardo

### Learning from Photos

*(page 2 top)* Aquí vemos a la familia real española, el rey Juan Carlos, la reina Sofía y su hijo, el príncipe Felipe.
*(page 2 bottom)* Lo que vemos aquí es el paisaje extremeño y una finca típica.

**POWERTEACH** *Interactive* Chalkboard

You may wish to use the editable PowerPoint® presentation available on this PowerTeach CD-ROM for additional vocabulary instruction and practice.

una guerra naval

la carabela

Unas tropas extranjeras invadieron el país.
Los soldados españoles lucharon contra los invasores.
Las tres carabelas salieron del puerto.

## Palabras españolas de origen árabe

una almohada

una alfombra

unas almendras

una alberca

## Comida española

un trocito de jamón serrano

un tomate pelado

una rebanada de berenjena

un ajo picado

El cocinero rebanó la berenjena.
Cortó el jamón en trocitos.

Picó el ajo.
Peló el tomate.

## Más vocabulario

**la neblina** nube muy baja que está en contacto con la tierra
**el siglo** un período de cien años
**veraniego(a)** del verano

**huir** escapar
**parecerse a** ser muy parecido, similar, semejante

ESPAÑA

## About the Spanish Language

In Mexico an **alberca** is a swimming pool. In Spain and other areas a swimming pool is a **piscina**. In this chapter **alberca** refers to the pools created by fountains in Moorish palaces such as the Alhambra and the Generalife. You may also hear the word **pileta** for a swimming pool, particularly in Argentina.

**Step 3** You may ask: ¿Es una carabela un barco antiguo o moderno? ¿Tiene velas una carabela? ¿Quiénes invadieron el país? ¿Contra quiénes lucharon los españoles?

**Step 4** You can dramatize the meanings of **picar, pelar, rebanar.**

**Step 5** Call on a student to read each new word and its definition in the **Más vocabulario** section.

**Step 6** Have students study the new vocabulary at home.

## History Connection

Don Juan Carlos is the grandson of the last king of Spain, Alfonso XIII. Alfonso abdicated in 1931 when elections were won by pro-republican parties. The Republic lasted until 1939 when General Franco's forces won the Civil War that had raged since 1936. The legitimate heir to the throne was Juan Carlos' father, Don Juan. Don Juan renounced his right to the throne and Juan Carlos became king upon the death of Franco in 1975.

## Reaching All Students

### Kinesthetic Learners
1. Have kinesthetic learners act out the following.
   **Corta el jamón en trocitos. Pela el tomate. Pica el ajo. Rebana la berenjena.**
2. Have kinesthetic learners pantomime the meaning of the following words.
   **una alfombra, una almendra, una alberca, una almohada**
You can do the above as a game and have other students identify what is going on.

3

## PRACTICE

# ¿Qué palabra necesito?

**Historieta** Each time **Historieta** appears, it means that the answers to the activity form a short story. Encourage students to look at the title of the **Historieta** since it can help them do the activity. Students can also retell the story in their own words after going over the activity.

**1** and **2** You can go over **Actividades 1** and **2** as you present the vocabulary. You can do these activities first orally and then have students write them.

### Learning from Photos

*(page 4)* Estos condominios veraniegos son más o menos típicos de los muchos que hay a lo largo de la Costa del Sol. Casares es conocido como uno de los pueblos blancos de la sierra Bermeja. Pero una pequeña parte de Casares baja a la costa al oeste de Estepona.

### Learning from Photos

*(page 4)* You may wish to ask the following questions about the photograph. **¿Están en Casares estos condominios veraniegos? ¿Dónde está Casares? ¿Cuántos pisos tiene el edificio? ¿Es bonito? ¿De qué color es? ¿Qué tiempo está haciendo? ¿(A) qué están jugando los muchachos? ¿Están jugando en la arena?**

4

# ¿Qué palabra necesito?

**1**  **Historieta** **Una guerra** Contesten.

1. ¿Reinaron Fernando e Isabel por mucho tiempo?
2. ¿Establecieron ellos una monarquía absoluta?
3. ¿Invadieron España unas tropas extranjeras?
4. ¿Fueron a la guerra los españoles?
5. ¿Lucharon por la corona?
6. ¿Tomaron parte en una batalla naval?
7. ¿Salieron victoriosos o perdieron muchas carabelas en la batalla?

**2** **¿Y tú?** Contesten personalmente.

1. ¿Tienes una casa veraniega?
2. ¿Te gusta caminar o dar un paseo a lo largo de un río?
3. Donde vives, ¿hay colinas o llanuras?
4. Si hay mucha neblina, ¿puedes ver lo que hay en la distancia?
5. ¿Te gustan las almendras? ¿Comes muchas almendras o no?
6. ¿Cuántas almohadas tienes en tu cama? ¿Te gusta dormir con muchas almohadas?

Condominios veraniegos, Casares, Andalucía

4 cuatro

CAPÍTULO 1

## ANSWERS TO ¿Qué palabra necesito?

**1**

1. Sí, Fernando e Isabel reinaron por mucho tiempo.
2. Sí, ellos establecieron una monarquía absoluta.
3. Sí, unas tropas extranjeras invadieron España.
4. Sí, los españoles fueron a la guerra.
5. Sí, lucharon por la corona.
6. Sí, tomaron parte en una batalla naval.
7. Los españoles salieron victoriosos.

**2**

1. Sí, (No, no) tengo una casa veraniega.
2. Sí, (No, no) me gusta caminar o dar un paseo a lo largo de un río.
3. Sí, (No, no) hay colinas y (ni) llanuras donde vivo.
4. Si hay mucha neblina, no puedo ver lo que hay en la distancia.
5. Sí, (No, no) me gustan las almendras. Sí, (No, no) como muchas almendras.
6. Tengo ___ almohada(s) en mi cama. Sí, (No, no) me gusta dormir con muchas almohadas.

## 3 Unos manjares españoles Completen.

1. El señor _____ el ajo. Luego puso el ajo _____ en una sopa.
2. El señor _____ el tomate. Luego puso el tomate _____ en la sopa con el ajo.
3. El señor _____ la berenjena. Luego frió las _____ de berenjena en aceite.
4. El señor _____ el jamón serrano. Lo cortó en _____.
5. El señor _____ el queso manchego en trocitos también.

Extremadura

## 4 ¿Cuál es la palabra? Den la palabra cuya definición sigue.

1. una serie de batallas
2. un período de cien años
3. las esmeraldas, los rubíes, los diamantes
4. una cosa sobre la cual se reclina la cabeza en la cama
5. escapar
6. un barco antiguo
7. lo que se usa para cubrir el piso de una habitación
8. ser semejante o parecido
9. donde hay muchos olivos
10. depósito artificial de agua

## 5 Palabras relacionadas Den una palabra relacionada.

1. el llano
2. el reinado
3. la joyería
4. el guerrero
5. cocinar
6. parecido
7. la lucha
8. el colorido
9. la oliva
10. el monarca

ESPAÑA

*cinco* 5

**3**, **4**, and **5** Have students prepare these activities for homework and then go over them in class.
**Expansion:** Call on more able students to use the new words from the **Vocabulario** section in original sentences.

## ANSWERS TO ¿Qué palabra necesito?

### 3
1. picó, picado
2. peló, pelado
3. rebanó, rebanadas
4. cortó, trocitos
5. cortó

### 4
1. una guerra
2. un siglo
3. las joyas
4. una almohada
5. huir
6. una carabela
7. una alfombra
8. parecerse a
9. el olivar
10. una alberca

### 5
1. la llanura
2. el rey, la reina
3. las joyas
4. la guerra
5. el cocinero
6. parecer(se)
7. luchar
8. el color
9. el olivar
10. la monarquía

## Lectura

### National Standards

**Cultures**
This reading familiarizes students with the different regions of Spain, with the history of Spain, and with Spanish food.

**Connections**
Students further their knowledge of geography and history.

---

## PREPARATION

### Resource Manager

Audio Activities TE, pages 4–6
Audio CD 1, Tracks 5–8
Workbook, pages 3–4
Quiz, page 2

### Bellringer Review

*Use BRR Transparency 1.2 or write the following on the board.*
**Completen en el presente.**
1. Ellos ___ mañana. (volver)
2. Nosotros ___ temprano. (salir)
3. Ellos ___ a comer allí. (ir)
4. ¿Tú ___ la película en la cámara? (poner)
5. Ellos no ___ nunca. (perder)

---

## PRESENTATION

**Note:** Based on your interests and the interests and needs of your students, you can determine the degree of thoroughness with which you wish to present this reading. You may want to do an in-depth reading of the entire selection or you may wish to have students read it silently. You may wish to do some sections more thoroughly than others.

---

# Lectura

## La geografía

España, un país de grandes contrastes y mucha diversidad, se encuentra al sudoeste de Europa. Con su vecino Portugal, forma la península ibérica. Con excepción de Suiza, España es el país más montañoso de Europa. En el norte los Pirineos forman una frontera natural con Francia.

### El norte

A lo largo de toda la costa norte las montañas suben hacia el cielo desde las orillas del Cantábrico. Los majestuosos picos de Europa en Cantabria y Asturias alcanzan una altura de 8.600 pies. En Galicia, la pintoresca región del noroeste, hay mucha neblina y llueve mucho. El paisaje[1] gallego es muy verde y se parece mucho al paisaje de Irlanda.

Picos de Europa, Asturias

Madrid

Galicia

### El centro

Las llanuras interminables de color pardo naranja de Castilla y Extremadura en el centro del país contrastan mucho con las colinas verdes de Galicia. Aquí el clima es muy seco. En el invierno no cae mucha nieve pero hace un frío tremendo y los vientos fuertes son frecuentes. En el verano brilla un sol fuerte y hace mucho calor. En Madrid, la capital, hay un refrán que dice que allí hay «seis meses de invierno y seis meses de infierno[2]».

[1] paisaje *landscape*
[2] infierno *hell*

**6** seis

### Learning from Photos

*(page 7 top left)* Las típicas casas blancas están situadas en las laderas de las colinas. Del castillo o alcázar árabe en la cumbre hay vistas preciosas de huertas, olivares y a lo lejos el Mediterráneo.
*(page 7 bottom right)* Ceuta es una ciudad española en la costa del Mediterráneo en Marruecos. Es una ciudad bastante bonita e interesante por su variedad de culturas—española, árabe, cristiana, musulmana, hebrea e hindú.

### Reaching All Students

**Visual Learners**
Call on visual learners to give a brief synopsis of the geography of Spain by describing the photos that accompany this section.

Casares, Andalucía

## El sur

En la pintoresca región de Andalucía el invierno y la primavera son benignos[3]. Pero en el verano, con la excepción de los pueblos de la Sierra Nevada y la Sierra Morena, hace un calor tremendo. Las ciudades andaluzas como Sevilla y Córdoba son un verdadero horno[4] en el verano. Andalucía es conocida por sus olivares que le dan al paisaje un color verde olivo.

Por toda la costa de España abundan playas bañadas de las cristalinas aguas del Mediterráneo en el este y en el sur y del Cantábrico en el norte.

También son partes de España las islas Baleares en el Mediterráneo, las islas Canarias al oeste de África en el Atlántico y dos ciudades en el norte de África—Ceuta y Melilla.

Antes de 1979 España se dividía en regiones pero actualmente se les llama «comunidades autónomas». Hay diecisiete comunidades autónomas que se pueden comparar más o menos con los estados de Estados Unidos. Cada una tiene su propio gobernador, congreso de diputados y elecciones.

[3] benignos   *mild*
[4] horno   *oven*

Estepona, Andalucía

 Contesten.

1. ¿Dónde está España?
2. ¿Cuáles son los dos países que forman la península ibérica?
3. ¿Qué tipo de país es España?
4. ¿Es montañosa la costa norte de España?
5. ¿Cómo es Galicia y qué tiempo hace allí?
6. ¿Qué color predomina en el centro del país?
7. ¿Cuáles son algunas características del tiempo en el centro del país?
8. ¿Qué tiempo hace en el sur de España?
9. ¿Por qué tiene el paisaje de Andalucía un color verde olivo?
10. ¿Dónde abundan las playas en España?
11. ¿Qué son Ceuta y Melilla?
12. ¿En cuántas comunidades autónomas está dividida España?

Ceuta, África del Norte

ESPAÑA

*siete* 7

**Step 1** Have students look at the photographs as they do the reading.

**Step 2** You may wish to have the entire class do all of the reading or you may want to break it into sections and assign a section to a particular group. If you do this, the group responsible for a section has to report to the class because all students should be at least somewhat familiar with all the material.

**Step 3** You may wish to have students read some paragraphs just silently. You may want to go over others orally in class interspersing comprehension questions.

**Step 4** You may wish to ask the questions in **Actividad A** as you are going over the **Lectura.** It is suggested that you also have the students write the answers to the questions.

### LEVELING

**E:** Reading

**Pre-AP SkillBuilder**

As students read these **Lecturas,** they will develop the skills they need to be successful on the reading and writing sections of the AP exam.

## ANSWERS

1. España está en el sudoeste de Europa.
2. Portugal y España forman la península ibérica.
3. España es un país de grandes contrastes y mucha diversidad.
4. Sí, la costa norte de España es montañosa.
5. Es pintoresca, hay mucha neblina y llueve mucho.
6. Predomina el color pardo naranja.
7. En el invierno no cae mucha nieve pero hace un frío tremendo. En el verano hace mucho calor.
8. Hace un calor tremendo en el verano. Pero el invierno y la primavera son benignos.
9. Tiene un color verde olivo por sus olivares.
10. Abundan playas por toda la costa de España— por el Mediterráneo en el este y en el sur, y por el Cantábrico en el norte.
11. Ceuta y Melilla son dos ciudades en el norte de África que son de España.
12. España está dividida en diecisiete comunidades autónomas.

7

## Una ojeada histórica

### PRESENTATION

*(cont'd)*

**Step 5** After each of the mini-sections of the **Lectura** you may wish to call on a student to give a brief summary of the section.

### Teacher NOTE

The remainder of the **Lectura** has many verbs in the preterite. The grammar point being reviewed in this **Lección** is the preterite. You may wish to have students identify expressions in the reading that indicate that the preterite rather than the imperfect should be used.

### Learning from Photos

*(page 8)* Córdoba, en la orilla oriental del Guadalquivir, es una de las ciudades más antiguas de España y durante su larga historia sirvió de capital romana y musulmana. Aquí nació el famoso romano Séneca.

En el fondo vemos el exterior de la famosa Mezquita de Córdoba construida entre los siglos VIII y X. Desde 1236 es una catedral. Después de la Reconquista los cristianos consagraron la mezquita a la Virgen María pero no la cambiaron arquitectónicamente hasta 1520 cuando Carlos V sancionó la construcción de una catedral de estilo barroco. Pero cuando él la vio, criticó a los responsables de la transformación.

**Los moros**

En el año de 711 ocurrió algo muy importante en la historia de España. Los moros o musulmanes invadieron el país desde el norte de África y se quedaron en la península por ocho siglos. La enorme influencia de los moros hace que la civilización española sea muy diferente de la de los otros países europeos.

Córdoba, la capital de los moros, llegó a ser la ciudad más culta de Europa cuando el resto del continente vivía en la oscuridad de la Edad Media. A mediados del siglo X Córdoba tenía una población de más de trescientos mil habitantes. Se estableció una biblioteca que contaba con más de doscientos cincuenta mil tomos. Los moros trabajaban en armonía con los cristianos y los judíos e hicieron importantes descubrimientos en la medicina, las matemáticas y otras ciencias.

Más de cuatro mil palabras españolas son de origen árabe. Algunos ejemplos son los nombres de los productos introducidos por los moros, tales como el azúcar, la naranja y la berenjena. Casi todas las palabras que empiezan en **al-** son de origen árabe: el alcázar, la almohada y la alfombra. Muchas expresiones y costumbres de cortesía tienen sus raíces[5] en la cultura musulmana. Ejemplos son: **Esta casa es su casa**—lo que te dirá un español cuando entras en su casa; **¡Buen provecho!**—lo que se dice al pasar por una persona que está comiendo; **¡Ojalá!**—una expresión que significa «si Dios quiere».

[5] raíces   *roots*

Córdoba

Puente romano, Córdoba

La Mezquita de Córdoba

**Step 6** Have students prepare
**Actividad B** at home and then
go over it in class.

## Learning from Photos

*(page 9)* Es difícil imaginar la
belleza que se ve al entrar en
la Mezquita por la Puerta de las
Palmas. Suben 850 columnas
de mármol, granito, jaspe
y ónice.

## Teacher NOTE

There are many books written in
Spanish about the Moorish influence on architecture. You may
wish to have students interested in
architecture research this topic and
report their findings to the class.

Cuando los moros llegaron en 711 muchos cristianos huyeron a las montañas
de Asturias en el norte. Nombraron rey a don Pelayo, el primer rey de la dinastía
española. En 718 los españoles ganaron su primera batalla contra los moros en
Covadonga. Así empezó la Reconquista—una guerra de batallas intermitentes
que duró ocho siglos. Durante este período los reyes cristianos iban recuperando
terreno a los árabes. Con el terreno recuperado formaban reinos independientes
y desunidos resultando en una falta de unidad política que se manifiesta aun hoy
en el afán independentista y separatista de varias comunidades autónomas, sobre
todo el País Vasco (Euskadi) y Cataluña.

**B** Identifiquen y den detalles.

1. la importancia del año 711
2. Córdoba durante la Edad Media
3. palabras españolas de origen árabe
4. costumbres de cortesía que tienen raíces árabes
5. la batalla de Covadonga
6. la falta de unidad política en España

Spanish Online

For more information about Córdoba
and the history and culture of Spain, go to
**Web Explore** on the Glencoe Spanish
Web site at glencoe.com.

## ANSWERS

**B**

1. En el año 711 los moros (o musulmanes)
   invadieron España. Se quedaron por ocho
   siglos, y por eso la enorme influencia de los
   moros hace que la civilización española sea
   muy diferente de la de los otros países
   europeos.
2. Durante la Edad Media, Córdoba era la
   capital de los moros y llegó a ser la ciudad
   más culta de Europa. Se estableció una

biblioteca. Los moros, junto con los cristianos
y los judíos, hicieron importantes
descubrimientos en la medicina, las
matemáticas y otras ciencias.
3. Más de cuatro mil palabras españolas son de
   origen árabe y muchos son los nombres de
   los productos introducidos por los moros,
   como el azúcar, la naranja y la berenjena.
4. Algunas expresiones de cortesía que tienen
   sus raíces en la cultura musulmana son: **Esta
   casa es su casa, ¡Buen provecho!** y **¡Ojalá!**

5. La batalla de Covadonga fue la primera
   batalla de la Reconquista. Allí los españoles
   derrotaron a los moros.
6. Durante un período de ocho siglos los reyes
   cristianos iban recuperando terreno a los
   árabes. Formaban reinos independientes y
   desunidos con este terreno recuperado, y
   así tiene sus raíces la falta de unidad política
   en España.

9

LECCIÓN I
**Cultura**

## PRESENTATION

*(cont'd)*

**Step 7** You may want to intersperse comprehension questions such as: **¿En qué año se realizó la unidad de España? ¿Quiénes se casaron? ¿Qué establecieron? ¿Quién me puede decir lo que es una monarquía absoluta? ¿Qué tipo de unidad querían los Reyes Católicos? ¿Qué no existía bajo ellos? ¿Quiénes son los sefardíes? ¿Adónde fueron? ¿Qué siguen hablando algunos de ellos aún hoy?**

 **Teacher NOTE**

You may wish to share the information about Hervás *(Learning from Photos)* with the class. You may also wish to have students discuss this religious persecution. They may wish to discuss other historical examples of such prejudice or perhaps a personal experience of a religious prejudice.

### Learning from Photos

*(page 10 bottom right)* Hervás es un pequeño pueblo montañoso de Extremadura que tiene una de las mejor conservadas juderías de toda España. Se cree que los judíos se refugiaron en Hervás durante la Edad Media cuando huyeron de la persecución en las ciudades más grandes. Cuando los judíos fueron expulsados de España en 1492, los judíos de Hervás dejaron sus casas y todas sus posesiones que fueron cedidas al duque de Béjar.

### Los Reyes Católicos

La «unidad» de España se realizó en 1469 con el casamiento[6] de Isabel de Castilla y Fernando de Aragón, los Reyes Católicos, quienes establecieron una monarquía absoluta. Los Reyes Católicos querían no sólo la unidad territorial y política: querían también la unidad religiosa. Bajo ellos no existía la tolerancia religiosa que había existido en la España musulmana. En 1481 establecieron el Tribunal de la Inquisición y en 1492 expulsaron a los judíos no conversos. Su expulsión fue un desastre para España porque habían contribuido en muchos campos a la prosperidad del país. Los judíos expulsados, llamados sefardíes, fueron al norte de África, a Grecia y a Turquía. Algunos de ellos siguen hablando ladino, un idioma que se parece mucho al español del siglo XV.

[6] casamiento *marriage*

*The Return of Columbus* de Eugène Delacroix

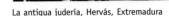

La antigua judería, Hervás, Extremadura

CAPÍTULO 1

La Alhambra, Granada

**Step 8** Assign this section to be read for homework and have students write the completions to **Actividad C.** Go over this activity the following day.

En 1492 las tropas de Fernando e Isabel entraron en Granada, el último bastión de los moros en España. Tomaron la ciudad poniendo fin a la Reconquista. Se dice que Boabdil, el último rey moro, les dio las llaves de la ciudad y salió de Granada llorando la pérdida[7] de su querida Alhambra.

El año 1492 es una fecha importantísima en la historia de España. El mismo año en que fueron expulsados los moros, el navegador genovés, Cristóbal Colón, patrocinado[8] por la reina Isabel, salió del puerto de Palos en el sur de España con tres carabelas para descubrir una nueva ruta a las Indias. Pero cuando Colón puso pie en tierra el doce de octubre de 1492, no había llegado a la India sino a una isla de las que son hoy las Bahamas en las Américas. Ese día empezaron la conquista, la exploración y la colonización de las Américas en nombre de la corona española, convirtiendo a España en el Imperio más rico y más poderoso del mundo.

[7] pérdida  *loss*
[8] patrocinado  *sponsored*

**Learning from Photos**

*(page 11 top)* La Alhambra es el más bello y mejor conservado palacio árabe del mundo. Su nombre en árabe significa «la fortaleza roja». La construcción de la Alhambra fue iniciada en 1240. Una vez la gran ciudadela comprendía casas, escuelas, baños y cuarteles. Lo que queda hoy es la magnífica fortaleza y el Palacio Real construido principalmente por Yusuf I (1334–1354) y su hijo Mohamed V (1354–1391).

En 1829 Washington Irving vivió en la Alhambra donde escribió *Tales of the Alhambra*.

**C** Completen cada frase.

1. La «unidad» de España se realizó en 1469 con…
2. Los Reyes Católicos querían la unidad territorial y política y…
3. Ellos establecieron el Tribunal de la Inquisición en…
4. Los sefardíes son…
5. El último rey moro…
6. En 1492…
7. Colón no descubrió una nueva ruta a la India. Él llegó…
8. Con la llegada de Colón a estas islas, empezaron…

La llegada de Colón a las Américas

ESPAÑA

once 11

---

**C**

1. … el casamiento de Isabel de Castilla y Fernando de Aragón, los Reyes Católicos, quienes establecieron una monarquía absoluta.
2. … querían también la unidad religiosa.
3. … 1481.
4. … judíos expulsados.
5. … les dio las llaves de la ciudad y salió de Granada llorando la pérdida de su querida Alhambra.
6. … los moros fueron expulsados de España y Cristóbal Colón salió del puerto de Palos en el sur de España para descubrir una nueva ruta a las Indias.
7. … a una isla de las que son hoy las Bahamas en las Américas.
8. … la conquista, la exploración y la colonización de las Américas en nombre de la corona española, convirtiendo a España en el Imperio más rico y más poderoso del mundo.

## ADDITIONAL PRACTICE

To help students remember, have them write a list of the places mentioned on this page. Have students write to the Spanish consulate or to a Spanish Tourist Agency to obtain information about a place of their choice from the list.

### Learning from Photos

*(page 12 top right)* El Generalife sirvió de residencia veraniega a los califas nazarí. El Palacio con sus magníficos jardines está situado en el cerro del Sol de donde hay vistas increíbles de toda la ciudad de Granada.

### Career Connection

Tourist bureaus or tourist agencies provide opportunities for students of Spanish to find employment. Have students contact a Spanish Tourist Agency of choice to find out what opportunities there are and the criteria for gaining employment.

# Visitas históricas

Si algún día vas a España, no puedes perder la oportunidad de visitar las dos grandes ciudades cosmopolitas de Madrid y Barcelona. Y tienes que visitar también algunos lugares de gran interés histórico. En Andalucía son imprescindibles las joyas arquitectónicas de los moros—el alcázar de Sevilla, la mezquita de Córdoba, la alhambra de Granada y la residencia veraniega de los reyes moros, el Generalife, con sus espléndidos jardines con numerosas fuentes y albercas.

El Generalife, Granada

Barcelona, Cataluña

Anfiteatro romano, Mérida, Extremadura

Si vas a Mérida en Extremadura, puedes ver las ruinas de muchos monumentos romanos. Los romanos invadieron España en 218 a.C. y tardaron dos siglos en someter a los celtíberos que habitaban la península en aquel entonces. Por fin los celtíberos se mezclaron con los romanos y adoptaron su lengua, sus leyes y sus costumbres. Todavía hoy siguen dando conciertos y representaciones en las ruinas del famoso teatro romano en Mérida. Si te interesa, puedes ir también a Segovia donde verás el famoso acueducto romano hecho de piedras gigantescas sin una sola gota de argamasa[9].

[9] argamasa *mortar*

**D** ¿Sí o no?

1. Los árabes fueron magníficos arquitectos.
2. Hay muchas joyas arquitectónicas de los moros en el norte de España, sobre todo en Galicia.
3. Hay muchas ruinas romanas en la ciudad de Mérida, en Extremadura.
4. Los romanos invadieron España cuando fueron expulsados los moros.
5. Los celtíberos se romanizaron. Adoptaron la lengua, las leyes y las costumbres de los romanos.
6. El famoso acueducto romano de Segovia está hecho de madera y argamasa.

Acueducto romano, Segovia

## ¿Te apetece algo?

Si vas a Segovia tienes que comer una de las especialidades de la región—el cochinillo asado. El cochinillo se asa durante horas en un horno de ladrillo[10] o de barro[11]. Es un plato suculento.

En Andalucía se ve la influencia de los árabes en la cocina también. Un ejemplo es el ajo blanco—una sopa que se parece al gazpacho andaluz, una sopa fría hecha de agua, pan, ajo, tomates y pimientos. Pero el ajo blanco no se hace con tomates. Se hace con almendras y se sirve con unas uvas peladas y unas rebanadas de melón.

A los españoles en todas partes del país les encanta picar o comer pequeñas raciones de comida—tapas. Las tapas incluyen trocitos de tortilla a la española, jamón serrano, aceitunas, sardinas, anchoas, o gambas entre otros manjares. Pues, ¿qué te apetece? Y, ¡buen provecho!

[10] ladrillo  *brick*
[11] barro  *clay*

**E** Contesten.

1. ¿Cómo se prepara el cochinillo asado?
2. ¿Cuál es la diferencia entre el gazpacho andaluz y el ajo blanco?
3. ¿Qué son tapas? ¿Por qué les gustan tanto a los españoles?

---

## ANSWERS

**D**

1. Sí
2. No, hay muchas joyas arquitectónicas de los moros en el sur de España, sobre todo en Andalucía.
3. Sí
4. No, los romanos invadieron España en 218 a.C.
5. Sí
6. No, el famoso acueducto romano de Segovia está hecho de piedras gigantescas sin una sola gota de argamasa.

**E**

1. Se asa el cochinillo asado durante horas en un horno de ladrillo o de barro.
2. El gazpacho andaluz es una sopa fría hecha de agua, pan, ajo, tomates y pimientos. El ajo blanco se parece al gazpacho andaluz pero no se hace con tomates. Se hace con almendras y se sirve con unas uvas peladas y unas rebanadas de melón.
3. Las tapas son pequeñas raciones de comida y les gustan mucho a los españoles porque incluyen trocitos de comida deliciosa como la tortilla a la española.

LECCIÓN I
**Cultura**

### Resource Manager

Workbook, pages 5–7
Audio Activities TE, pages 6–8
Audio CD 1, Tracks 9–12
Quizzes, pages 3–4
*ExamView® Assessment Suite*

### Bellringer Review

*Use BRR Transparency 1.3 or write the following on the board.*
**Pongan las oraciones siguientes en el presente.**
1. Pasé todo el día en la playa.
2. Vi a mis amigos.
3. Nadamos.
4. Nos bronceamos.
5. Natalia alquiló un barco pequeño.
6. Roberto no terminó su trabajo.
7. No esperamos a Roberto en la playa.

### Pretérito de los verbos regulares

**Note:** Many groups should be able to skip the review of this topic.

**Step 1** Have students repeat the past participles. Write them on the board and underline the endings.

**Step 2** Have students open their books and read the paradigms aloud.

**Step 3** Call on students to read the expressions in Item 4 aloud. How are these expressions similar to or different from the ones used in English?

# Estructura • Repaso

## Pretérito de los verbos regulares
### Expressing actions in the past

Use your **StudentWorks** *Plus*
CD for more practice.

1. The preterite is used to state actions that began and ended at a definite time in the past. To form the root for the preterite, drop the infinitive ending of the verb and add the appropriate endings to this root.

| INFINITIVE | hablar | comer | vivir |
|---|---|---|---|
| root | habl- | com- | viv- |
| yo | hablé | comí | viví |
| tú | hablaste | comiste | viviste |
| él, ella, Ud. | habló | comió | vivió |
| nosotros(as) | hablamos | comimos | vivimos |
| *vosotros(as)* | *hablasteis* | *comisteis* | *vivisteis* |
| ellos, ellas, Uds. | hablaron | comieron | vivieron |

2. Note the similarity in the preterite forms of the verbs **dar** and **ver**.

| DAR | di | diste | dio | dimos | disteis | dieron |
|---|---|---|---|---|---|---|
| VER | vi | viste | vio | vimos | visteis | vieron |

3. Remember the spelling changes with verbs that end in **-car, -gar,** and **-zar.**

busqué → buscó      jugué → jugó      empecé → empezó

4. Note the following frequently used time expressions that accompany past actions in the preterite.

| ayer | el año (mes) pasado |
|---|---|
| anoche | la semana pasada |
| ayer por la tarde | hace una semana (un año) |
| ayer por la mañana | en el siglo ocho |

Extremadura

CAPÍTULO 1

You may wish to use the editable PowerPoint® presentation available on this PowerTeach CD-ROM for additional grammar instruction and practice.

### Learning from Photos

*(page 15 top)* En Covadonga hay un santuario llamado el santuario de Covadonga. Se dice que es aquí donde nació España. Don Pelayo y un grupo de asturianos fieles se refugiaron en la cueva de Santa María donde rezaron a la Virgen para que ella les diera la fuerza para resistir a las tropas superiores de los moros. Don Pelayo y sus hombres resistieron las fuerzas árabes y establecieron el primer reinado cristiano.

## ¿Cómo lo digo?

### 1 Historieta  España
Contesten según se indica.

1. ¿Quiénes fundaron la ciudad más antigua de España? (los fenicios)
2. ¿Cuánto tiempo tardaron los romanos en someter a los celtíberos? (dos siglos)
3. ¿Cuándo invadieron los moros a España? (en 711)
4. ¿Cuándo y dónde empezó la Reconquista? (en 718 en Covadonga)
5. ¿Cuándo y dónde terminó la Reconquista? (en 1492 en Granada)
6. ¿Quiénes invadieron España en 1808? (las tropas francesas de Napoleón)
7. ¿A quién nombró Napoleón rey de España? (a su hermano José Bonaparte)
8. ¿Lucharon los españoles contra los invasores franceses? (sí, valientemente)
9. ¿Cuándo salieron de España los franceses? (en 1814)

Covadonga, Asturias

### 2 Historieta  La Guerra Civil española  Cambien en el pretérito.

El 17 de julio de 1936 se levanta el ejército bajo el general Francisco Franco. Con este levantamiento empieza una desastrosa guerra civil— un verdadero conflicto fratricida. El ejército, el clero y las clases altas en su mayoría dan su apoyo (support) a Franco. Los obreros o trabajadores, los campesinos y los intelectuales apoyan la República—el gobierno. Y queda una gran masa neutral.

La desastrosa Guerra Civil española dura casi tres años y deja un millón de muertos y otro millón de españoles en el exilio. Los españoles quedan divididos entre vencedores—los que ganan—y vencidos—los que pierden.

Después de la guerra el general Franco establece un régimen totalitario. No trata de unir a los españoles. Emprende una campaña de castigo (punishment) y represión contra los vencidos. La pobre España se ve completamente aislada y el pueblo sufre hambre y frustración. La represión continúa hasta la muerte de Franco en 1975.

Guernica de Pablo Picasso

ESPAÑA

*quince* 🔅 15

### PRACTICE

## ¿Cómo lo digo?

**1** Have students work in pairs to answer the questions in **Actividad 1**.
**Expansion:** Have students give the information from **Actividades 1** and **2** in their own words.

### Art Connection

El bombardeo de la antigua ciudad de Guernica por aviones alemanes durante la Guerra Civil española le inspiró a Picasso a producir esta obra. La total destrucción de la ciudad y casi todos sus habitantes no sirvió ningún propósito.

En la obra, Picasso no pinta el evento mismo. Usa una serie de imágenes trágicas para mostrar el horror, la agonía y la inutilidad de la guerra. Vemos a una mujer que cae por el piso de un edificio en llamas. Un caballo con una espada en su loma grita en terror. Una señora con su niño muerto en sus brazos levanta la cabeza hacia el cielo gritando en horror a los aviones que están sobrevolando la ciudad.

### ADDITIONAL PRACTICE
You may wish to have students view this Picasso work by projecting the Fine Art transparency on an overhead projector. Interested students can do the related activities or you may wish to have students discuss further the political environment that had an impact on Picasso's work during this period.

---

## ANSWERS TO ¿Cómo lo digo?

**1**

1. Los fenicios fundaron la ciudad más antigua de España.
2. Los romanos tardaron dos siglos en someter a los celtíberos.
3. Los moros invadieron España en 711.
4. La Reconquista empezó en 718 en Covadonga.
5. La Reconquista terminó en 1492 en Granada.
6. Las tropas francesas de Napoleón invadieron España en 1808.

7. Napoleón nombró a su hermano José Bonaparte rey de España.
8. Sí, los españoles lucharon valientemente contra los invasores franceses.
9. Los franceses salieron de España en 1814.

**2**

se levantó, empezó, dieron, apoyaron, quedó
duró, dejó, quedaron, ganaron, perdieron
estableció, trató, Emprendió, se vio, sufrió,
continuó

### LEVELING
**A:** Structure

## PRACTICE

*(cont'd)*

**3** You may wish to have students do **Actividad 3** as a paired activity.

**4** Have students prepare this activity and then go over it in class.

**5** Call on students to read their narratives.

 **Group Activity**
After completing the **¿Cómo lo digo?** activities on page 16, have students do the following activity. Have students work in groups of four. Give them the following verbs and phrases: **viajar, trabajar, esperar el tren.** Students 1–3 will prepare a miniconversation for each verb or phrase, and Student 4 will report to the class.
E1: **¿Con quién viajaste?**
E2: **Viajé con mi amigo.**
E3: **¿Cuándo viajaron ustedes?**
E2: **Viajamos el verano pasado.**
E4 (a la clase): **E2 y su amigo viajaron el verano pasado.**

### Learning from Photos

*(page 16 top right)* Se ven muchos chiringuitos como este en las playas de España, sobre todo en la Costa del Sol.

**LEVELING**

**C:** Structure

**3 Historieta  El verano**  Contesten.

1. ¿Pasaste el fin de semana en una playa de Marbella?
2. ¿Nadaste?
3. ¿Esquiaste en el agua?
4. ¿Diste un paseo a lo largo de las orillas del mar?
5. ¿Almorzaste en un chiringuito?
6. ¿Comiste con unos amigos?
7. ¿Comieron ustedes mariscos o una paella?
8. ¿Quién pagó la cuenta?
9. ¿Dejaron ustedes una propina para el camarero (mesero)?
10. ¿A qué hora salieron del restaurante?
11. ¿Volvieron a la playa?

Un chiringuito, Marbella

Ricky Martin en concierto

**4 Historieta  Un concierto**  Completen con el pretérito.

—Anita, ¿tú __1__ (salir) anoche?
—Sí, __2__ (oír) cantar a Ricky Martin.
—¿Él __3__ (dar) un concierto aquí en Madrid?
—Sí, en el estadio municipal.
—¿Qué tal te __4__ (gustar)?
—Mucho. Como siempre, él __5__ (cantar) muy bien.
—¿Quién más __6__ (asistir)? ¿Maripaz?
—Maripaz, no. Pilar me __7__ (acompañar).
—¿A qué hora __8__ (empezar) el concierto?
—__9__ (Empezar) a las ocho y media y nosotras no __10__ (salir) del concierto hasta las once menos cuarto.
—¿A qué hora __11__ (volver) ustedes a casa?
—__12__ (Volver) a eso de las once y cuarto.
—Dime, ¿cuánto les __13__ (costar) las entradas?
—Treinta y cinco euros cada una.
—Yo quería ir al concierto. ¿Por qué no me __14__ (invitar)?
—Yo te __15__ (llamar) la semana pasada antes de sacar (comprar) las entradas pero no __16__ (contestar) nadie.
—Entiendo. Si me __17__ (llamar) el viernes por la noche, (yo) no __18__ (contestar) porque todos nosotros __19__ (salir) para el fin de semana.

**5 Vimos a Ricky Martin.**  Escriban de nuevo la conversación de la Actividad 4 en forma narrativa.

CAPÍTULO 1

---

Answers to **¿Cómo lo digo?**

**3**

1. Sí, (No, no) pasé el fin de semana en una playa de Marbella.
2. Sí, (No, no) nadé.
3. Sí, (No, no) esquié en el agua.
4. Sí, (No, no) di un paseo a lo largo de las orillas del mar.
5. Sí, (No, no) almorcé en un chiringuito.
6. Sí, (No, no) comí con unos amigos.

7. Sí, (No, no) comieron mariscos o (ni) una paella.
8. Yo (mi amigo/a) pagué (pagó) la cuenta.
9. Sí, (No, no) dejamos una propina para el camarero (mesero).
10. Salimos del restaurante a las ___.
11. Sí, (No, no) volvimos a la playa.

**4**

1. saliste
2. oí
3. dio
4. gustó
5. cantó
6. asistió
7. acompañó
8. empezó
9. Empezó
10. salimos

11. volvieron
12. Volvimos
13. costaron
14. invitaste
15. llamé
16. contestó
17. llamaste
18. contesté
19. salimos

**5** *Answers will vary.*

**6 ¿Quién jugó? Yo jugué.** Escriban el siguiente párrafo cambiando **nosotros** en **yo.**

Anoche nosotros llegamos al parque. Buscamos a unos amigos y empezamos a jugar al fútbol. Jugamos bien. Lanzamos el balón y marcamos tres tantos en quince minutos.

Casares, Andalucía

 **P**retérito de los verbos de cambio radical (e → i, o → u)
**Expressing actions in the past**

**1.** The verbs **sentir, preferir,** and **sugerir** have a stem change in the preterite. In the third person singular and plural forms (**él, ella, ellos, ellas**), the **e** changes to **i.** The **o** of the verbs **dormir** and **morir** changes to **u** in the third person singular and plural forms. Review the following.

| INFINITIVE | preferir | dormir |
|---|---|---|
| yo | preferí | dormí |
| tú | preferiste | dormiste |
| él, ella, Ud. | prefirió | durmió |
| nosotros(as) | preferimos | dormimos |
| *vosotros(as)* | *preferisteis* | *dormisteis* |
| ellos, ellas, Uds. | prefirieron | durmieron |

**2.** The stem of the verbs **pedir, servir, freír, medir, repetir, seguir,** and **sonreír** also changes from **e** to **i** in the third person singular and plural forms.

| INFINITIVE | pedir | servir | seguir |
|---|---|---|---|
| yo | pedí | serví | seguí |
| tú | pediste | serviste | seguiste |
| él, ella, Ud. | pidió | sirvió | siguió |
| nosotros(as) | pedimos | servimos | seguimos |
| *vosotros(as)* | *pedisteis* | *servisteis* | *seguisteis* |
| ellos, ellas, Uds. | pidieron | sirvieron | siguieron |

ESPAÑA

*diecisiete* 🌀 **17**

**PREPARATION**

**Bellringer Review**

*Use BRR Transparency 1.4 or write the following on the board.*
**Escriban con nosotros.**
1. **Prefiero salir ahora.**
2. **No duermo mucho.**
3. **Pido una limonada.**
4. **No sirvo nada.**
5. **Sigo sus direcciones.**

**PRESENTATION**

 Pretérito de
los verbos de
cambio radical
(e → i, o → u)

**Step 1** Have students repeat the verbs in Items 1 and 2 after you.

**Step 2** Write the forms of the verbs on the board.

¡OJO! To avoid doing large segments of grammar at one time, you may wish to intersperse the grammar points as you are doing other sections of the lesson. If your students need to do the review grammar, you may wish to go over these points as you are doing the reading selection of this lesson. If you prefer, however, you can spend two or three class periods in succession doing the review grammar.

 A**NSWERS TO** ¿**Cómo lo digo?**

**6**

Anoche yo llegué al parque. Busqué a unos amigos y empecé a jugar al fútbol. Jugué bien. Lancé el balón y marqué tres tantos en quince minutos.

**About the Spanish Language**

In many areas **a** is not used with the verb **jugar. Jugar fútbol** and **jugar al fútbol** are both correct.

**17**

## National Standards

### Communication
Students will be able to discuss a problem that can arise in a restaurant and they will be able to order a typical Spanish meal.

---

### PRACTICE

## ¿Cómo lo digo?

**7** This activity can be done with books open, closed, or once each way.
**Expansion:** Have students give the information from this activity in their own words.

**8** This activity can be done in pairs with books open.
**Expansion:** You may wish to call on students to summarize the problem in the restaurant in narrative form.

### Learning from Photos

*(page 18)* Puerto Banús es una zona muy elegante de Marbella con restaurantes y boutiques lujosos.

---

### Cross-Cultural Comparison
You may wish to explain to students that in Spain people do not eat a lot of things on the same plate as in the United States, where we often put meat, potatoes, and vegetables on the same plate. In Spain, food is taken in courses, and if one orders string beans, for example, one will get **una ración de judías verdes** on a separate plate as a separate course.

---

## ¿Cómo lo digo?

**7** **Historieta** **Un problema en el restaurante** Completen.

—¡Oiga, camarero!
—Sí, señor.
—Perdón, pero yo __1__ (pedir) una langosta y usted me __2__ (servir) camarones.
—Lo siento señor. Pero la verdad es que yo le __3__ (sugerir) la langosta y usted __4__ (pedir) los camarones.
—De ninguna manera. Yo sé lo que __5__ (pedir).
—Y yo también sé lo que usted __6__ (pedir).
—Y además yo le __7__ (pedir) un puré de patatas (papas) y usted me __8__ (servir) arroz.
—Es imposible, señor. No tenemos puré de patatas. Yo sé exactamente lo que usted __9__ (pedir), señor. Además, yo le __10__ (repetir) la orden y usted no dijo nada.
—Lo siento, pero lo que usted __11__ (repetir) no es lo que me __12__ (servir).
—Señor, al fin y al cabo, no hay problema. Si usted quiere una langosta, se la puedo servir con mucho gusto. Pero el puré de patatas no se lo puedo servir, porque no lo tenemos. Lo siento mucho.

Puerto Banús, Marbella

**8** **Historieta** **En un restaurante español**
Contesten según se indica.

1. De primer plato, ¿qué pediste? (jamón serrano)
2. ¿Cuántos trocitos te sirvió el camarero (el mesero)? (a lo menos seis)
3. Y ¿qué pidió tu amigo? (gambas al ajillo)
4. ¿Le gustaron? (tanto que las repitió)
5. ¿Qué sugirió el camarero como plato principal? (el cochinillo asado)
6. ¿Lo pediste? (sí)
7. Y tu amigo, ¿qué pidió? (el pollo asado)
8. ¿Qué más sugirió el camarero? (una ración de berenjenas)
9. ¿Las pidieron ustedes? (sí)
10. De todo lo que pidieron, ¿qué prefirieron? (yo, el cochinillo y mi amigo, las gambas al ajillo)

---

## ANSWERS TO ¿Cómo lo digo?

**7**

1. pedí
2. sirvió
3. sugerí
4. pidió
5. pedí
6. pidió
7. pedí
8. sirvió
9. pidió
10. repetí
11. repitió
12. sirvió

**8**

1. De primer plato pedí jamón serrano.
2. El camarero (mesero) me sirvió a lo menos seis trocitos.
3. Mi amigo pidió gambas al ajillo.
4. Le gustaron tanto que las repitió.
5. El camarero sugirió el cochinillo asado como plato principal.
6. Sí, lo pedí.
7. Mi amigo pidió el pollo asado.
8. El camarero sugirió una ración de berenjenas.
9. Sí, las pedimos.
10. De todo lo que pedimos yo preferí el cochinillo y mi amigo prefirió las gambas al ajillo.

**9** **Más hechos históricos** Completen con el pretérito.

1. La hija de los Reyes Católicos, Juana la Loca, _____ con Felipe el Hermoso de la familia de los Hapsburgos de Austria. (casarse)

2. Su esposo _____ muy joven. (morir)

3. El hijo de Juana, Carlos V de Austria y Carlos I de España, _____ mucho territorio. (heredar)

4. Carlos V _____ contra los protestantes de Alemania, Francia e Inglaterra. (luchar)

5. Carlos V _____ la política imperialista y religiosa de sus abuelos, los Reyes Católicos. (seguir)

6. Bajo Felipe II, el hijo de Carlos V, las guerras religiosas _____ y el gran Imperio español _____ a decaer. (continuar, empezar)

7. España se _____ en un país de segundo orden. (convertir)

8. El rey Carlos II _____ sin sucesión y las familias reales _____ por ganar la corona de España. (morir, luchar)

9. Luis XIV de Francia _____ y él _____ a su nieto rey de España con el nombre de Felipe V. Así la corona española _____ de los Hapsburgos a los Borbones (de Francia). (ganar, nombrar, pasar)

10. Bajo el mando de los tres primeros Borbones la decadencia _____. En 1808 Napoleón _____ «prisionero» a Carlos IV y _____ a su hermano José Bonaparte rey de España. Hombres y mujeres _____ contra los invasores franceses con cuchillos y aceite hirviente. Fue la primera guerra de guerrilleros. (continuar, tomar, proclamar, luchar)

Palacio Real, Madrid

ESPAÑA

*diecinueve* ⚙ **19**

**Note:** Note that although the major objective of **Actividad 9** is the review of regular and stem-changing verbs in the preterite, students learn some interesting historical information from the activity, which deals with the kings of Spain.

**9** Because of the historical information in this activity, you may wish to have students who do not really need a review of the preterite do it anyway.

Have students prepare this activity before going over it in class.

**Expansion:** Give students four minutes to write down all the information they recall from **Actividad 9**.

## Learning from Photos

*(page 19)* Este enorme edificio de tres mil habitaciones fue encargado por Felipe V a unos arquitectos italianos. Se construyó sobre las ruinas del antiguo alcázar que se quemó en 1734. Se completó su construcción en 1764. Junto al palacio están los preciosos jardines Sabatini. Del palacio y sus jardines hay vistas magníficas de las montañas y el río Manzanares.

El último monarca que hizo su residencia en el palacio fue Alfonso XIII. El rey actual, Juan Carlos, vive en el palacio de la Zarzuela en las afueras de Madrid.

---

ANSWERS TO ¿Cómo lo digo?

**9**

1. se casó
2. murió
3. heredó
4. luchó
5. siguió
6. continuaron, empezó
7. convirtió
8. murió, lucharon
9. ganó, nombró, pasó
10. continuó, tomó, proclamó, lucharon

## FUN FACTS

En el Patio de Armas del Palacio Real hay dos estatuas de piedra, una del príncipe inca Atahualpa y otra del rey azteca Moctezuma. Se cree que son los únicos tributos en España a los monarcas americanos precolombinos.

### ♻ Recycling

These activities allow students to use the vocabulary and structure from this lesson in completely open-ended, real-life situations.

## PRESENTATION

Encourage students to say as much as possible when they do these activities. Tell them not to be afraid to make mistakes, since the goal of these activities is real-life communication. If someone in the group makes an error, allow the others to politely correct him or her. Let students choose the activities they would like to do.

You may wish to divide students into pairs or groups. Encourage students to elaborate on the basic theme and to be creative. They may use props, pictures, or posters if they wish.

**Note:** These activities have students practice their "survival skills" in Spanish in the types of real-life situations that they might encounter while on a trip. It is recommended that you not correct all errors made by the students as they do these activities. They would certainly make errors if they were communicating in real situations in a Spanish-speaking country.

## PRACTICE

**2** You may wish to assign specific historical events to each group and then have them present the information to the class.

---

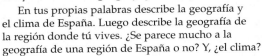

# ¡Te toca a ti!
**Use what you have learned**

### 1 La geografía de España
✔ *Describe the geography of Spain and compare it to the geography where you live*

En tus propias palabras describe la geografía y el clima de España. Luego describe la geografía de la región donde tú vives. ¿Se parece mucho a la geografía de una región de España o no? Y, ¿el clima?

Galicia

### 2 La historia de España
✔ *Discuss some historical facts about Spain*

Trabajen en grupos de cuatro. Hablen de todo lo que aprendieron sobre la historia de España.

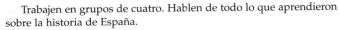

### 3 Un personaje histórico
✔ *Describe the life of an important figure in Spanish history*

Escoge a uno de los personajes siguientes y da algunos informes sobre su vida.

Carlos V (I de España)

Fernando VII

Francisco Franco

Juan Carlos I, el rey actual de España

20 ⚙ *veinte*

CAPÍTULO 1

ANSWERS TO ¡Te toca a ti!

*Answers will vary.*

## 4 La comida española

**HABLAR**

✔ *Discuss some Spanish dishes and role-play a scene in a restaurant*

Trabajen en pequeños grupos. Preparen una lista de todos los platos españoles que conocen. Luego preparen una conversación en un restaurante español y preséntenla a la clase.

**4** You may wish to have some groups present their skits to the class.

## 5 Ayer

**HABLAR ESCRIBIR**

✔ *Describe yesterday's events*

Di todo lo que hizo Sandra ayer. Depués, di todo lo que hiciste tú ayer. ¿Lo pasaste bien o no?

## 6 Un fin de semana fabuloso

**HABLAR ESCRIBIR**

✔ *Tell what you and your friends did last weekend*

Tú y varios amigos pasaron un fin de semana fabuloso. Se divirtieron mucho. Di todo lo que hicieron.

## 7 ¡Qué experiencia más mala!

**HABLAR ESCRIBIR**

✔ *Tell about a restaurant experience that did not go well for you*

Fuiste a un restaurante y ¡qué experiencia más horrible! Todo salió muy mal. Describe todo lo que pasó. Explica también como reaccionaste a esta situación.

ESPAÑA

*veintiuno*  **21**

ANSWERS TO ¡Te toca a ti!

*Answers will vary.*

## Assessment

### Resource Manager

Assessment Transparency A1.1
Online Quiz
Tests, pages 1–4 and 12–32
*ExamView® Assessment Suite*

### Assessment

This is a pretest for students to take before you administer the lesson test. Answer sheets for students to do these pages are provided in the transparencies. Note that each section is cross-referenced so students can easily find the material they have to review in case they made errors. You may wish to collect these assessments and correct them yourself or you may prefer to have the students correct themselves in class. You can go over the answers orally or project them on the overhead, using your Assessment Answers transparencies.

### Learning from Photos

*(page 22)* Aquí vemos los baluartes defensivos de la ciudad vieja de Ibiza que se llama Eivissa en mallorquín y catalán. Ibiza fue fundada por los cartagineses en el siglo XV. Hoy en día mucha gente viene a pasar sus vacaciones en las playas de Ibiza.

### Reaching All Students

**Non-Mastery Students**
Encourage students who need extra help to refer to the yellow notes and review any section before answering the questions.

## Vocabulario

**1** Completen con una palabra apropiada.

1–3. El ____ o la reina lleva una ____ que tiene ____ preciosas como diamantes, rubíes y esmeraldas.

4–5. Durante una ____ hay muchas batallas y las ____ luchan valientemente.

6–7. Las montañas bajan a las ____ del mar pero hoy no se pueden ver porque hay mucha ____.

8–9. Él nos sirvió unos ____ de jamón serrano en la terraza de su casa ____.

10. Un ____ es un período de cien años.

To review vocabulary, turn to pages 2–3.

## Lectura

**2** ¿Sí o no?

11. Hay grandes extensiones de llanuras por todo lo largo de la costa norte de España.

12. En el verano hace muchísimo calor en las ciudades de Andalucía.

13. El paisaje del centro de España se parece mucho al paisaje de Irlanda. Llueve mucho y es muy verde.

14. El Mediterráneo está al este y al sur de España y el Cantábrico está al norte.

To review some geographical facts about Spain, turn to pages 6–7.

*Ibiza, Islas Baleares*

CAPÍTULO 1

## ANSWERS TO Assessment

**1**

1. rey
2. corona
3. joyas
4. guerra
5. tropas
6. orillas
7. neblina
8. trocitos
9. veraniega
10. siglo

**2**

11. No
12. Sí
13. No
14. Sí

**3**

15. La civilización española es muy diferente de la de los otros países europeos por la influencia de los moros de África quienes invadieron el país y se quedaron por ocho siglos.

16. Córdoba fue la ciudad más culta de Europa durante la Edad Media.

17. La Reconquista empezó en 718 y terminó en 1492.

**3** **Contesten.**

15. ¿Por qué es la civilización española muy diferente de la de los otros países europeos?

16. ¿Cuál fue la ciudad más culta de Europa durante la Edad Media?

17. ¿Cuándo empezó y cuándo terminó la Reconquista?

18. Hay dos eventos históricos muy importantes que ocurrieron en el año 1492. ¿Cuáles son?

**4** **Completen.**

19. _____ y _____ son dos ejemplos de las joyas arquitectónicas de los moros en España.

20. Hay muchas ruinas de monumentos _____ en Extremadura.

21. Si entras en la casa de un español, él te dice _____.

22. Pequeñas raciones de comida como trocitos de jamón y anchoas se llaman _____.

To review some historical and cultural facts about Spain, turn to pages 8–13.

Plaza de España, Sevilla

# Estructura

**5** **Completen con el pretérito.**

23. Los moros _____ España en 711. (invadir)

24. Yo _____ en el mar Mediterráneo. (nadar)

25. Y yo _____ en un chiringuito. (comer)

26–27. En el restaurante yo _____ una tortilla a la española y mi amiga _____ una sopa de ajo. (pedir, pedir)

28. ¿Tú _____ el teatro romano o no? (ver)

29. El soldado _____ valientemente. (luchar)

30. Yo _____ la cuenta. (pagar)

To review verbs in the preterite, turn to pages 14 and 17.

ESPAÑA

*veintitrés*  **23**

LECCIÓN 2
# Conversación

## National Standards

**Communication**
Students will use vocabulary related to both air and surface travel. They will also discuss options to change travel plans when certain problems arise.

## PREPARATION

### Resource Manager

Vocabulary Transparencies
V1.4–V1.5
Audio Activities TE, pages 9–10
Audio CD 1, Tracks 13–15
Workbook, pages 8–9
Quiz, page 5
*ExamView® Assessment Suite*

## PRESENTATION

### Vocabulario para la conversación

**Step 1** Have students open their books to page 24. Have them repeat each word, expression, or sentence after you or the Audio CD.

**Step 2 Más vocabulario** Call on a student to read the words and definitions. You may wish to have one student read the word and another, the definition.

**Step 3** In more able groups, you may call on individuals to use the new words in an original sentence.

### ADDITIONAL PRACTICE
Have students identify the verbs in the vocabulary that are in the preterite.

## Vocabulario para la conversación

el autocar
el peaje
MINISTERIO DE TRANSPORTES Y COMUNICACIONES
UNIDAD DE PEAJE
ALTURA MÁXIMA 5.50 MT
EL AEROPUERTO 3 km
el taxi
un embotellamiento, un tapón
la autopista

el taxímetro
el monto

Hubo un embotellamiento en la autopista.
Pero no importa. Los conductores tuvieron
que pagar el peaje.

| VUELO | DESTINO | SALIDA | OBSERVACIONES |
|-------|---------|--------|---------------|
| 143 | BARCELONA | 17:30 | DEMORA SALIDA ACTUAL 18:45 |
| 159 | VALENCIA | 17:55 | CANCELADO |

Hubo una demora (un retraso).
El vuelo salió tarde.
Otro vuelo fue anulado.
No salió.

Los pasajeros estuvieron en el aeropuerto.
No pudieron salir ni en taxi ni en autocar.
Los conductores estuvieron en huelga.

You may wish to use the editable PowerPoint® presentation available on this PowerTeach CD-ROM for additional vocabulary instruction and practice.

Son hoteles del gobierno español. Son paradores.

## Más vocabulario

**el puente aéreo** servicio aéreo frecuente
   que enlaza dos ciudades
**una venta** un hotel, un hostal, un albergue
**enlazar** unir, empalmar
**recorrer** atravesar un lugar en toda su extensión

*veinticinco* 🌀 **25**

**Expansion:** Have students describe the illustrations on page 24 in their own words.

## About the Spanish Language

- In some countries the term **el colectivo** is used to refer to a taxi that picks up people along a set route. **El taxi** is a taxi that does not stop for other people. In Argentina, however, **el colectivo** is a municipal bus. In Puerto Rico it is called a **público**.
- **La autopista** is the most commonly used term for a freeway, but you will also see and hear **la autovía**.

## Vocabulary Expansion

You may wish to have students communicate with native Spanish speakers they know to explore the numerous lexical variations of words related to transportation. Have them share their findings with the class.

## Critical Thinking Activity

**Identifying consequences** ¿Qué influencia ejerce el mal tiempo en los transportes? ¿Cuáles son las consecuencias? ¿Cuáles son las causas frecuentes de los embotellamientos en muchas carreteras y autopistas de los países industrializados?

## PRACTICE

# ¿Qué palabra necesito?

**1** and **3** **Actividades 1** and **3** can be done first orally with books closed. You may wish to have students write the answers also.

**Expansion:** Call on a student to retell the **Historieta** in his or her own words.

**2** Have students prepare this activity and then go over it in class.

### Learning from Photos

*(page 26 top)* El trecho de la autopista del Mediterráneo que se ve aquí es nuevo. Está al este de Estepona y Casares.
*(page 26 bottom)* El casco antiguo de Cáceres es uno de los mejor conservados de toda España. Es bastante pequeño pero tiene muchos palacios medievales y renacentistas construidos de piedras gruesas. Dentro del casco antiguo no hay ningún edificio moderno.

# ¿Qué palabra necesito?

**1**  **Historieta** **En la autopista**
Contesten.

1. ¿Tiene muchos carriles en cada sentido (dirección) una autopista?
2. En España, ¿hay que pagar peaje para usar la autopista?
3. En este momento, ¿hay muchos coches, autocares y taxis en la autopista?
4. ¿Hay un embotellamiento?

Autopista del Mediterráneo, Andalucía

Cáceres, Extremadura

**2** **¿Qué palabra?** Completen.

1. En el taxi el pasajero debe pagar lo que indica _____; es decir el _____ indicado en el _____.
2. No llegamos a tiempo. Hubo _____.
3. Y el otro vuelo no salió. Fue _____.
4. _____ es un servicio aéreo frecuente entre dos ciudades.
5. Este servicio _____ una ciudad con otra—Madrid con Barcelona, por ejemplo.
6. _____ es un hotel del gobierno.
7. Otras palabras que significan «hotel» son _____.
8. Vamos a ir desde Málaga en el sur hasta San Sebastián en el norte. Vamos a _____ todo el país.

**3** **Historieta** **Un problema** Contesten.

1. ¿Estuvieron delante del aeropuerto los pasajeros?
2. ¿Hicieron cola para esperar el autocar?
3. ¿No vino el autocar?
4. ¿No pudieron salir del aeropuerto los pasajeros?
5. ¿Por qué? ¿Qué hubo?
6. ¿Quiénes estuvieron en huelga?

## ANSWERS TO ¿Qué palabra necesito?

**1**
1. Sí, una autopista tiene muchos carriles en cada sentido.
2. Sí, hay que pagar un peaje para usar la autopista.
3. No, no hay muchos coches, autocares ni taxis en la autopista.
4. No, no hay un embotellamiento.

**2**
1. el taxímetro, monto, taxímetro
2. una demora
3. anulado
4. Un puente aéreo
5. enlaza
6. Un parador
7. una venta, un hostal, un albergue
8. recorrer

**3**
1. Sí, los pasajeros estuvieron delante del aeropuerto.
2. Sí, hicieron cola para esperar el autocar.
3. No, no vino el autocar.
4. No, los pasajeros no pudieron salir del aeropuerto.
5. Hubo una huelga.
6. Los conductores estuvieron en huelga.

26

# Un viaje a España

**Marta**  Elena, pienso pasar el verano en España y alguien me dijo que tú fuiste el verano pasado.

**Elena**  Sí, y no te puedo decir cuánto me gustó. Me divertí mucho.

**Marta**  ¿Lo encontraste difícil viajar de un lugar a otro?

**Elena**  De ninguna manera y recorrimos casi todo el país. Me acuerdo que una vez íbamos al aeropuerto de Barajas en Madrid. Hubo un embotellamiento horrible en la autopista y cuando llegamos al aeropuerto ya había salido nuestro vuelo. Pero ningún problema. Entre Madrid y Barcelona hay un puente aéreo. Hay un vuelo cada hora.

**Marta**  ¿No había demoras ni vuelos anulados como aquí?

**Elena**  Pues, en un vuelo a Palma de Mallorca llegamos con una demora de una hora. Y esto no es nada. Pero tuvimos una experiencia en Palma. Los conductores de los autocares que enlazan el aeropuerto con el centro de la ciudad estaban en huelga.

**Marta**  Y, ¿qué hicieron ustedes?

**Elena**  Tomamos un taxi. Resultó un poco más caro, pero—¡qué va!

**Marta**  Y, ¿no les clavó[1] el taxista?

**Elena**  No, no—fue un tipo muy amable. Nos cobró el monto que indicó el taxímetro.

[1] clavó *nailed (overcharged)*

ESPAÑA

*veintisiete*  **27**

---

 You may wish to use the editable PowerPoint® presentation available on this PowerTeach CD-ROM to have students listen to and repeat the Conversation. Additional activities are also provided.

## About the Spanish Language

- In most areas a domestic flight is **un vuelo nacional.** In Argentina and Uruguay, however, they are called **vuelos de cabotaje.**
- **El puente aéreo** is the expression used for the shuttle.

---

### National Standards

**Communication**
Students learn to deal with travel problems such as missed flights. They also learn about different types of trains in Spain.

## PREPARATION

### Resource Manager

Audio Activities TE, pages 11–13
Audio CD 1, Tracks 16–18
Workbook, page 9
Quiz, page 6

### Bellringer Review

*Use BRR Transparency 1.5 or write the following on the board.*
**Escriban diez palabras que se pueden utilizar en un aeropuerto.**

## PRESENTATION

### Conversación

**Step 1** Have students listen to the **Conversación** on the Audio CD with their books closed.

**Step 2** Call on students to read the **Conversación** aloud. Each one takes a different part.

**Step 3** You may wish to intersperse questions from **Actividad A** on page 29 to check for comprehension as you present the **Conversación.**

**LEVELING**
**E:** Conversation

## Cross-Cultural Comparison

The Spanish State Railroad is called **RENFE—Red Nacional de Ferrocarriles Españoles.** Recent new construction and upgrading of services have greatly improved train services in Spain. The fastest train in Spain is **el AVE.** Another deluxe train is the **Talgo.** The **ELT** or **electrotrén** is, as the name implies, electric. Local trains are the **Corail** and **InterCity. Rápidos** and **expresos** are actually the slower trains.

## Chapter Projects

You may wish to have interested students obtain additional information in person or via the Internet about travel by train in Spain. Have them share and discuss the information they learned with the rest of the class.

### Pre-AP SkillBuilder

Listening to this conversation will give students the tools they need to succeed on the listening portion of the AP exam.

| | |
|---|---|
| **Marta** | Dime, ¿tomaste el AVE, el tren de alta velocidad? |
| **Elena** | Ah, sí. De Madrid a Sevilla. Va tan rápido que en menos de tres horas estuvimos en Sevilla. Hay que pagar un suplemento, pero vale. |
| **Marta** | ¿Fueron a Galicia? Quiero ir a Santiago de Compostela. |
| **Elena** | Te lo aconsejo. Es una maravilla. Tomé el tren de noche (nocturno) de Madrid a La Coruña—o como dicen en gallego—el idioma autónomo—A Coruña. |
| **Marta** | ¿No pudiste tomar el AVE? |
| **Elena** | No, no. El AVE no va a Galicia. Si puedes, debes tratar de pasar una noche en el Hostal de los Reyes Católicos. Es bastante caro pero te aseguro que es una experiencia inolvidable. |
| **Marta** | Sí, leí que Fernando e Isabel lo establecieron en 1501 como una venta y hospital para los peregrinos[2]. Hoy es un parador del gobierno, ¿no? |
| **Elena** | Sí, y los paradores del gobierno son excelentes—bastante elegantes pero, ¡cuidado!, no son económicos. |

[2] peregrinos *pilgrims*

Santiago de Compostela, Galicia

## Learning from Photos

*(page 28)* Se dice que Santiago de Compostela fue construida para impresionar. En 813 un ermitaño guiado por una luz divina llegó a un lugar en el campo donde fue descubierto el sarcófago de Santiago. Durante la Edad Media y aún hoy miles de peregrinos toman el Camino de Santiago que empieza en Roncesvalles en los Pirineos y termina delante de la gran catedral de Santiago que es una de las más impresionantes obras barrocas de la humanidad.

*(page 29 bottom)* El hostal de los Reyes Católicos fue construido por Fernando e Isabel para agradecerle a Santiago por haber expulsado a los moros de España. Es el hotel más antiguo del mundo. Al principio fue un hospital para los peregrinos que se pusieron enfermos durante el peregrinaje. En 1953 el gobierno español lo convirtió en un parador de lujo.

# ¿Comprendes?

**A** Contesten.

1. ¿Adónde fue Elena el verano pasado?
2. ¿Le gustó? ¿Se divirtió?
3. ¿Lo encontró fácil o difícil viajar de un lugar a otro?
4. ¿Por qué perdió su vuelo de Madrid a Barcelona?
5. ¿Encontró ella muchas demoras o vuelos anulados?
6. ¿Qué pasó en Palma de Mallorca?
7. ¿Qué le dio al taxista?
8. ¿Cómo fue de Madrid a Sevilla?
9. ¿Dónde pasó Elena una noche en Santiago de Compostela?
10. ¿Qué dijo del hostal?

**B** Den más informes.

1. Barajas
2. el puente aéreo
3. el AVE
4. A Coruña
5. los paradores españoles

**C** Den un resumen de todo lo que hizo Elena cuando fue a España el verano pasado.

Aeropuerto de Barajas, Madrid

Hostal de los Reyes Católicos, Santiago de Compostela

ESPAÑA

*veintinueve*  **29**

## Después de leer

### PRACTICE

## ¿Comprendes?

**A** , **B** , and **C** After you go over each activity, call on a student to retell the corresponding part of the conversation in his or her own words.

**Expansion:** Have students make up and answer their own questions about the conversation.

**A** This activity can be done in pairs or small groups.

### FUN-FACTS

El aeropuerto internacional de Barajas no está muy lejos del centro de la ciudad. Hay un servicio de autocar del aeropuerto al centro mismo de la ciudad. Los autocares salen cada veinticinco minutos. Hacen el trayecto de Barajas a la Plaza Colón en el Paseo de la Castellana en unos veinticinco minutos.

**Group Activity** Have students work in groups of four. Each group member discusses the advantages and disadvantages of travel by train, airplane, and car. The group decides on a preferable mode of transportation and reports to the class.

---

**ANSWERS TO ¿Comprendes?**

1. El verano pasado Elena fue a España.
2. Sí, le gustó. Se divirtió mucho.
3. Lo encontró fácil viajar de un lugar a otro.
4. Perdió su vuelo de Madrid a Barcelona porque hubo un embotellamiento en la autopista.
5. No, no encontró muchas demoras ni vuelos anulados.
6. En Palma de Mallorca los conductores de los autocares estuvieron en huelga.

7. Al taxista le dio el monto que indicó el taxímetro.
8. Fue de Madrid a Sevilla en el AVE.
9. Elena pasó una noche en el hostal de los Reyes Católicos.
10. Dijo que el hostal es bastante caro, pero es una experiencia inolvidable.

1. el aeropuerto en Madrid

2. servicio aéreo que enlaza Madrid y Barcelona
3. un tren de alta velocidad
4. La Coruña en gallego
5. hoteles del gobierno

**C** *Answers will vary.*

**29**

LECCIÓN 2
# Conversación

## PREPARATION

### Resource Manager

Audio Activities TE, pages 14–15
Audio CD 1, Tracks 19–20
Workbook, pages 10–12
Quiz, page 7
*ExamView® Assessment Suite*

### Bellringer Review

*Use BRR Transparency 1.6 or write the following on the board.*

**Completen con el presente.**
1. Yo lo ___ y tú lo ___. (preferir)
2. Él ___ y nosotros ___. (dormir)
3. La profesora ___ y los alumnos ___. (repetir)
4. Ella ___ y nosotros ___. (sonreír)
5. Yo lo ___ pero usted no lo ___. (pedir)
6. Yo ___ pero ellos no ___. (servir)

## PRESENTATION

### Pretérito de los verbos irregulares

**Step 1** Have students open their books and repeat the paradigms aloud in unison.

**Step 2** Pay particular attention to pronunciation as well as spelling changes.

**Step 3** Have students pay particular attention to the spelling of **dijeron, trajeron, condujeron,** and **fueron.**

## PRACTICE

## ¿Cómo lo digo?

**1** Have students retell the information from **Actividad 1** in their own words.

---

# Estructura • Repaso

Use your **StudentWorks** Plus CD for more practice.

## Pretérito de los verbos irregulares
### Expressing more actions in the past

A number of frequently used verbs are irregular in the preterite. Many of these verbs can be grouped together because they have common irregularities. Review the following forms.

| ANDAR | TENER | ESTAR | PONER | PODER | SABER |
|---|---|---|---|---|---|
| anduve | tuve | estuve | puse | pude | supe |
| anduviste | tuviste | estuviste | pusiste | pudiste | supiste |
| anduvo | tuvo | estuvo | puso | pudo | supo |
| anduvimos | tuvimos | estuvimos | pusimos | pudimos | supimos |
| *anduvisteis* | *tuvisteis* | *estuvisteis* | *pusisteis* | *pudisteis* | *supisteis* |
| anduvieron | tuvieron | estuvieron | pusieron | pudieron | supieron |

| QUERER | VENIR | DECIR | TRAER | CONDUCIR |
|---|---|---|---|---|
| quise | vine | dije | traje | conduje |
| quisiste | viniste | dijiste | trajiste | condujiste |
| quiso | vino | dijo | trajo | condujo |
| quisimos | vinimos | dijimos | trajimos | condujimos |
| *quisisteis* | *vinisteis* | *dijisteis* | *trajisteis* | *condujisteis* |
| quisieron | vinieron | dijeron | trajeron | condujeron |

| HACER | IR, SER |
|---|---|
| hice | fui |
| hiciste | fuiste |
| hizo | fue |
| hicimos | fuimos |
| *hicisteis* | *fuisteis* |
| hicieron | fueron |

## ¿Cómo lo digo?

**1**  **Historieta** **Un viaje** Contesten con **sí.**

1. ¿Hiciste un viaje el año pasado?
2. ¿Fuiste a España?
3. ¿Fuiste con algunos amigos?
4. ¿Alquilaron un coche en España?
5. ¿Condujiste tú o condujeron todos?
6. ¿Pusieron sus maletas en el baúl del coche?
7. ¿Trajeron mucho equipaje?
8. ¿Estuvieron en España por unos quince días?

CAPÍTULO 1

---

## ADDITIONAL PRACTICE

Dile a un(a) compañero(a) todo lo que hiciste anoche cuando volviste a casa. Luego, pregúntale al/a la compañero(a) lo que él/ella hizo. Después, determinen si hicieron las mismas cosas.

### LEVELING

**C:** Structure

## ANSWERS TO ¿Cómo lo digo?

**1**
1. Sí, hice un viaje el año pasado.
2. Sí, fui a España.
3. Sí, fui con algunos amigos.
4. Sí, alquilamos un coche en España.
5. Yo conduje./Condujimos todos.
6. Sí, pusimos nuestras maletas en el baúl del coche.
7. Sí, trajimos mucho equipaje.
8. Sí, estuvimos en España por unos quince días.

**2**  **Historieta** **Al Rastro** Cambien en el pretérito.

1. El domingo voy al Rastro, un mercado antiguo en el viejo Madrid.
2. En el Rastro veo mucha chatarra *(junk)*.
3. No puedo comprar mucho.
4. En el mercado veo a algunos amigos.
5. Vamos de un puesto a otro.
6. Andamos por todo el mercado.
7. Como digo—no puedo comprar mucho.
8. Pero Antonio, él hace muchas compras.
9. Pone toda la chatarra que compra en el baúl de su coche y vuelve a casa.

El Rastro, Madrid

**3** **Historieta** **Extremadura** Completen con el pretérito.

Extremadura ___1___ (ser) una región bastante pobre. Pero durante la época de la colonización de Latinoamérica ___2___ (llegar) a ser más conocida. Se conoce como «la cuna *(cradle)* de los conquistadores». Francisco Pizarro, el conquistador de Perú, ___3___ (nacer) en Trujillo en 1475. Su hermano ___4___ (hacer) construir un palacio fabuloso en esta ciudad. Se dice que Cervantes, el autor del famoso Quijote, ___5___ (pasar) tiempo en este palacio. Otro palacio de interés en Trujillo es la casa de los Toledo–Moctezuma, donde ___6___ (hacer) su residencia los descendientes del conquistador Juan Cano y la hija de Moctezuma, el emperador de los aztecas.

En Guadalupe, el rey Alfonso XI ___7___ (hacer) construir un monasterio en el lugar donde un pastor ___8___ (descubrir) una estatua milagrosa de la Virgen. ___9___ (Ser) en este monasterio donde se ___10___ (firmar) los documentos que ___11___ (dar) la autorización para el primer viaje de Colón.

Los primeros indígenas americanos que se ___12___ (convertir) al cristianismo ___13___ (venir) a este monasterio donde ___14___ (ser) bautizados. Hasta dos sirvientes personales de Colón ___15___ (ser) bautizados en la fuente en la plazuela delante del monasterio. Hoy la Virgen de Guadalupe es la patrona de muchos pueblos latinoamericanos.

Cuando Carlos V ___16___ (abdicar) el trono en 1556, ___17___ (ir) a vivir en el monasterio de Yuste en Extremadura donde ___18___ (morir) dos años después de su abdicación.

Trujillo, Extremadura

Monasterio de Santa María de Guadalupe, Extremadura

ESPAÑA

*treinta y uno* 31

---

**2** This activity can be done with books closed, open, or both.

**3** It is suggested that you have students prepare this activity before going over it in class. **Expansion:** Upon completion of **Actividad 3,** have one student give the class all the information in his or her own words.

### Learning from Photos

*(page 31 top)* El Rastro es un mercado que tiene lugar los domingos por la mañana en el Viejo Madrid. Aquí se vende todo tipo de chatarra.

### History Connection

You may wish to have students view the photographs at the bottom of page 31 as you share the following information: Trujillo se conoce como la «cuna de los conquistadores». El más famoso de los conquistadores nacidos en Trujillo fue Francisco Pizarro (1475). Su medio hermano Fernando hizo construir el más lujoso palacio de la ciudad.

Aquí en la Plaza Mayor vemos la estatua de bronce de Pizarro delante de la iglesia de San Martín que data del siglo XVI.

En la parte inferior de la foto de Santa María de Guadalupe se puede ver la fuente mencionada en Actividad 3.

---

 **ANSWERS TO** *¿Cómo lo digo?*

**2**

1. El domingo fui al Rastro, un mercado antiguo en el viejo Madrid.
2. En el Rastro vi mucha chatarra.
3. No pude comprar mucho.
4. En el mercado vi a algunos amigos.
5. Fuimos de un puesto a otro.
6. Anduvimos por todo el mercado.
7. Como dije—no pude comprar mucho.
8. Pero Antonio, él hizo muchas compras.
9. Puso toda la chatarra que compró en el baúl de su coche y volvió a casa.

**3**

1. fue
2. llegó
3. nació
4. hizo
5. pasó
6. hicieron
7. hizo
8. descubrió
9. Fue
10. firmaron
11. dieron
12. convirtieron
13. vinieron
14. fueron
15. fueron
16. abdicó
17. fue
18. murió

LECCIÓN 2
# Conversación

## Recycling

These activities allow students to use the vocabulary and structure from this lesson in completely open-ended, real-life situations.

## PRESENTATION

Encourage students to say as much as possible when they do these activities. Tell them not to be afraid to make mistakes, since the goal of these activities is real-life communication. If someone in the group makes an error, allow the others to politely correct him or her. Let students choose the activities they would like to do.

You may wish to divide students into pairs or groups. Encourage students to elaborate on the basic theme and to be creative. They may use props, pictures, or posters if they wish.

**Note:** These activities have students practice their "survival skills" in Spanish in the types of real-life situations that they might encounter while on a trip. It is recommended that you not correct all errors made by the students as they do these activities. They would certainly make errors if they were communicating in real situations in a Spanish-speaking country.

**1 – 3** Students assist one another in polishing the final version of their conversations.

Have different pairs or groups present their conversation to the class.

# ¡Te toca a ti!

**Use what you have learned**

### De viaje a Madrid

✔ *Talk about activities at an airport airline counter*

Vas de Nueva York a Madrid. Estás en el mostrador de la línea aérea. Trabaja con un(a) compañero(a). Uno(a) va a ser el/la pasajero(a) y el/la otro(a) va a ser el/la agente. Preparen ustedes una conversación. Aquí tienen algunas palabras que ya han aprendido y querrán utilizar.

> el billete (el boleto), el billete (el boleto) electrónico, la tarjeta de embarque, el talón, el equipaje de mano, el número del asiento, el pasaporte, el destino, la puerta de salida, el equipaje, facturar, una demora, anular

### A Sevilla en tren

✔ *Talk about activities at a train station ticket window*

Vas de Madrid a Sevilla. Estás en la estación de ferrocarril. Prepara una conversación entre tú y el/la agente que trabaja en la ventanilla. Aquí tienen algunas palabras que querrán utilizar.

> la ventanilla, la sala de espera, el billete sencillo, el billete de ida y vuelta, el andén, la vía, el coche, el carrito, transbordar

Estación Atocha, Madrid

ANSWERS TO ¡Te toca a ti!

*Answers will vary.*

### El hotel en Zafra

✔ *Talk about checking into a hotel*

Has llegado a un hotel en Zafra. Trabaja con un(a) compañero(a). Uno(a) va a ser el/la cliente y el/la otro(a) va a ser el/la recepcionista. Preparen ustedes una conversación. Aquí tienen algunas palabras que querrán utilizar.

**la ficha, la llave, una habitación sencilla (doble), la caja, la cuenta, el monto, los gastos, la ducha, el baño, el balcón, el aire acondicionado, el televisor**

Hotel, Zafra, Extremadura

### Un viaje por España

✔ *Tell about a recent trip to Spain*

Imagínate que eres Marta, la persona que habla en la conversación. Di adonde fuiste y todo lo que viste e hiciste en España.

### Un vuelo anulado

✔ *Relate what you had to do when your travel plans changed*

Imagínate que ayer tu vuelo de Madrid a Málaga fue anulado. Mándale un e-mail a un(a) amigo(a) diciéndole todo lo que tuviste que hacer para llegar a Málaga.

Carretera nacional

ESPAÑA

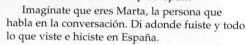 Recycling

These activities recycle vocabulary associated with air travel (Level 1, Chapter 8; Level 2, Chapter 4), train travel (Level 1, Chapter 9; Level 2, Chapter 4) and checking in and out of a hotel (Level 2, Chapter 9).

## Writing Development

Have students keep a notebook or portfolio containing their best written work from each chapter. These selected writings can be based on assignments from the Student Textbook and the Workbook. The activities on this page are examples of writing assignments that may be included in each student's portfolio.

ANSWERS TO ¡Te toca a ti!

*Answers will vary.*

Assessment

## Resource Manager

Assessment Transparency A1.2
Online Quiz
Tests, pages 5–6 and 12–32
*ExamView® Assessment Suite*

## Assessment

This is a pretest for students to take before you administer the lesson test. Answer sheets for students to do these pages are provided in the transparencies. Note that each section is cross-referenced so students can easily find the material they have to review in case they made errors. You may wish to collect these assessments and correct them yourself or you may prefer to have the students correct themselves in class. You can go over the answers orally or project them on the overhead, using your Assessment Answers transparencies.

## Reaching All Students

### Non-Mastery Students
Encourage students who need extra help to refer to the yellow notes and review any section before answering the questions.

# Vocabulario

**1** **Completen con una palabra apropiada.**

1. Hubo un _____ en la carretera. Hubo una fila larga de coches que no pudieron mover.
2. Es necesario pagar el _____ en la autopista.
3. El vuelo no salió. Fue _____ y los pasajeros tuvieron que tomar otro vuelo.
4. La carretera _____ el aeropuerto con el centro de la ciudad.

**2** **Den otra palabra.**

5. un tapón
6. un servicio aéreo frecuente
7. un hotel, un hostal
8. un retraso
9. un hotel del gobierno español

To review vocabulary, turn to pages 24–25.

Catedral, Santiago de Compostela

Parador San Francisco, Granada

CAPÍTULO 1

ANSWERS TO Assessment

**1**

1. embotellamiento, tapón
2. peaje
3. anulado
4. enlaza

**2**

5. un embotellamiento
6. un puente aéreo
7. una venta
8. una demora
9. un parador

# Conversación

**3** Contesten según la conversación.

10. ¿Adónde fue Marta el verano pasado?
11. ¿Qué le pasó una vez en Madrid?
12. ¿Quiénes estuvieron en huelga en el aeropuerto de Palma de Mallorca?
13. ¿Qué les cobró el conductor del taxi?
14. ¿Cómo fue Marta de Madrid a Santiago de Compostela?
15. ¿Qué es el AVE y adónde va?

To review the conversation, turn to pages 27–28.

# Estructura

**4** Completen con el pretérito.

16. Ella _____ un viaje. (hacer)
17. Tú _____ mucho equipaje, ¿no? (traer)
18. Nosotros _____ juntos. (ir)
19. Yo no _____ mover. (poder)
20. Ellos _____ que esperar el próximo vuelo. (tener)

To review irregular verbs in the preterite, turn to page 30.

**5** Cambien en el pretérito.

21. No lo sé.
22. Él me lo dice.
23. Yo voy en avión.
24. Ponemos el equipaje en el baúl del coche.
25. ¿Andas por todo el país?

ESPAÑA

ANSWERS TO Assessment

**3**

10. Elena fue a España el verano pasado.
11. Una vez, hubo un embotellamiento en la autopista en Madrid y perdió su vuelo a Barcelona.
12. Los conductores de los autocares que enlazan el aeropuerto con el centro de la ciudad estuvieron en huelga.
13. El conductor del taxi les cobró el monto que indicó el taxímetro.

14. Elena tomó un tren de noche (nocturno) de Madrid a La Coruña.
15. El AVE es el tren de alta velocidad y va de Madrid a Sevilla.

**4**

16. hizo
17. trajiste
18. fuimos
19. pude
20. tuvieron

**5**

21. No lo supe.
22. Él me lo dijo.
23. Yo fui en avión.
24. Pusimos el equipaje en el baúl del coche.
25. ¿Anduviste por todo el país?

LECCIÓN 3
Periodismo

## PREPARATION

### Resource Manager

Vocabulary Transparency V1.6
Audio Activities TE, page 16
Audio CD 1, Tracks 21–22
Workbook, page 13
Quiz, page 8
*ExamView® Assessment Suite*

### Bellringer Review

*Use BRR Transparency 1.7 or write the following on the board.*
**Escriban frases con las siguientes palabras.**
1. el aeropuerto
2. la puerta de salida
3. la estación de ferrocarril
4. el billete (boleto) de ida y vuelta
5. el andén

## PRESENTATION

### Vocabulario para la lectura

**Step 1** Have students look at the illustrations on page 36 as you present the vocabulary.

**Step 2** Project the vocabulary transparency as you ask students the following questions.
**¿Es un mapa del sistema de metro de qué ciudad? ¿A qué sirve el sistema de metro? ¿Tiene el tren una barra de sujeción para las sillas de ruedas? ¿Tiene muchos usuarios el metro? ¿De quién es el mapa? ¿Es de Maripaz o de Antonio?**

**Step 3** **Más vocabulario** Call on one student to read the new word. Another reads the definition.

**Step 4** Proceed with **Actividades 1** and **2** on page 37.

---

## Vocabulario para la lectura 🎧
### Trenes que no necesitan conductor

Use your StudentWorks Plus CD for more practice.

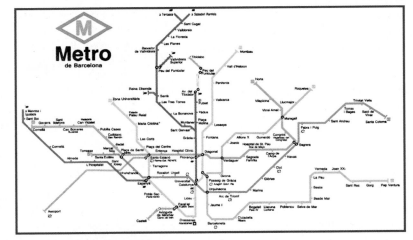

Es un mapa del sistema de metro de Barcelona.
El sistema de metro sirve a toda el área metropolitana.

el metro
los usuarios
una barra de sujeción
un pasillo amplio

Este mapa no es tuyo. Este es mío. El tuyo está en tu mochila.

Maripaz y Antonio hablan del mapa.
Ella dice que el mapa que tiene es suyo.
No es el de Antonio.

### Más vocabulario

**un pedido** un encargo a un vendedor indicando lo que quiere comprar el cliente

**el usuario** el que utiliza o se sirve de algo

**36** *treinta y seis*

CAPÍTULO 1

---

### Teacher NOTE

The grammar points for **Lección 3** are irregular nouns and possessive adjectives. Note their introduction in the vocabulary—**el mapa, el sistema, el área metropolitana, tuyo, el tuyo.**

**POWERTEACH** *Interactive Chalkboard*
You may wish to use the editable PowerPoint® presentation available on this PowerTeach CD-ROM for additional vocabulary instruction and practice.

# ¿Qué palabra necesito?

**1 Historieta   El metro** Contesten.

1. ¿Tienen muchas ciudades grandes un sistema de metro—un sistema de transporte subterráneo?
2. ¿Quién maneja o conduce el tren?
3. ¿A qué sirve el sistema de metro?
4. ¿Tienen los coches un pasillo estrecho o amplio?
5. ¿Tiene muchos usuarios el metro?
6. ¿Hay una barra de sujeción para las personas de movilidad reducida, para los minusválidos?
7. El mapa del sistema de metro, ¿es de Maripaz o de Antonio?
8. ¿Dónde está el de Antonio?

**2 ¿Cuál es la palabra?** Completen.

1. Los que se sirven de un sistema de transporte o cualquier otro servicio son sus _____.
2. El vendedor entrega las mercancías al comprador después de recibir un _____ y el pago.
3. _____ es un tren subterráneo. En muchos países de Latinoamérica se llama el subte.
4. El _____ indica la ruta que sigue cada línea del metro.

Plaza del Callao, Madrid

ESPAÑA

*treinta y siete* 37

---

## PRACTICE

# ¿Qué palabra necesito?

**1** After going over **Actividad 1** call on a student to retell the information in his or her own words.

**2** This activity can be assigned first and then gone over orally in class.

## Assessment

Now that all types of verbs have been reviewed in the preterite tense, have students respond to the following:
1. **¿Qué hiciste anoche?**
2. **¿Qué hicieron tú y tus compañeros ayer?**
3. **¿Qué hiciste durante las vacaciones?**
4. **¿Qué hiciste en la escuela?**
Have students give as many answers as possible to each question.

## FUN FACTS

El primer sistema de trenes subterráneos fue el de Londres en 1868. El *Métropolitain* de París fue inaugurado en 1900 y el **Metro** de Madrid en 1919. Hoy el metro de Madrid consiste de unas diez líneas. En los últimos años se han inaugurado varias extensiones del sistema que llegan a los suburbios.

En Latinoamérica hay sistemas de metro modernos en la Ciudad de México, Caracas y Santiago de Chile. El metro más antiguo de Latinoamérica es el de Buenos Aires y se llama **el subte.**

---

## ANSWERS TO ¿Qué palabra necesito?

**1**

1. Sí, muchas ciudades grandes tienen un sistema de metro—un sistema de transporte subterráneo.
2. Nadie maneja o conduce el tren.
3. El sistema de metro sirve a toda el área metropolitana.
4. Los coches tienen un pasillo amplio.
5. Sí, el metro tiene muchos usuarios.
6. Sí, hay una barra de sujeción para las personas de movilidad reducida, para los minusválidos.
7. El mapa del sistema de metro es de Maripaz.
8. El de Antonio está en su mochila.

**2**

1. usuarios
2. pedido
3. El metro
4. mapa

# Periodismo

## PREPARATION

### Resource Manager

Audio Activities TE, page 17
Audio CD 1, Track 23
Workbook, page 13
Quiz, page 9

### Bellringer Review

*Use BRR Transparency 1.8 or write
the following on the board.*
**Escriban cinco cosas que saben
del sur de España.**

### Teacher NOTE

You may also introduce some of the
**Estructura** section of this lesson as
you are doing the readings or you
may wish to do the **Estructura** all
at once.

## PRESENTATION

**Step 1** You may wish to just have
students read this article as if they
were reading a regular newspaper
article.

**Step 2** Have them write the
answers to the questions in
**Actividad A** and then go over
them orally in class.

## LEVELING

**E:** Reading

### Learning from Photos

*(page 39)* Estepona está en
la Costa del Sol, en el
Mediterráneo. Tarifa está en la
Costa de la Luz en el Atlántico.

---

## ABC

# Trenes que no necesitan conductor

**EFE, Barcelona**

Los trenes de la futura línea 9 del metro de Barcelona serán los más avanzados del mundo. El grupo francés Alstom diseñará y fabricará para esta línea el llamado modelo Metrópolis, que tiene la posibilidad de funcionar sin conductor. Los trenes incorporarán tecnología punta[1], funcionarán con bajo coste energético, y su control será automático. Podrán viajar sentados hasta 154 usuarios y un máximo de 1.065 viajeros de pie.

Las unidades estarán dotadas de[2] espacios reservados para las personas de movilidad reducida, con la inclusión de un cinturón de seguridad, una barra de sujeción y la dotación de amplios pasillos.

Los trenes se construirán en la planta de Alstom en Barcelona, que ve garantizado su funcionamiento con este importante pedido. Esta factoría, situada en la localidad de Santa Perpetua de Mogoda (Valles Occidental), ya ha fabricado con anterioridad distintos modelos de trenes para su circulación en diferentes ciudades: Madrid, Londres, la capital polaca, Varsovia, y recientemente en la ciudad china de Shanghai y en la capital estadounidense, Washington.

[1] punta *latest*
[2] dotadas de *equipped with*

## ¿Comprendes?

**A** Contesten.

1. ¿Qué ciudad va a tener los trenes de metro más avanzados del mundo?
2. ¿Qué posibilidad tienen?
3. ¿Van a tener un alto coste energético?
4. ¿Cuántos pasajeros o usuarios pueden ir sentados?
5. ¿Cuántos pueden ir de pie?
6. ¿Qué van a tener los trenes para la comodidad de las personas de movilidad reducida?
7. ¿Dónde está la factoría o fábrica donde van a construir los trenes?
8. ¿En qué otras ciudades están circulando estos trenes?

 **38** treinta y ocho

CAPÍTULO 1

---

## ANSWERS TO ¿Comprendes?

**A**

1. Barcelona va a tener los trenes de metro más avanzados del mundo.
2. Tienen la posibilidad de funcionar sin conductor.
3. No, funcionarán con bajo coste energético.
4. Hasta 154 pasajeros o usuarios pueden ir sentados.
5. Un máximo de 1.065 pasajeros pueden ir de pie.
6. Los trenes van a tener espacios reservados para las personas de movilidad reducida. Cada uno va

a tener un cinturón de seguridad y una barra de sujeción.
7. La factoría o fábrica donde van a construir los trenes está en la localidad de Santa Perpetua de Mogoda (Valles Occidental) en Barcelona.
8. Estos trenes están circulando en Madrid, Londres, Varsovia, Shanghai y Washington.

# Vocabulario para la lectura
### Mueren cinco inmigrantes

La patera chocó contra una roca.
Chocó contra una roca en el área de Tarifa.
La patera naufragó.
Una patrulla rescató a las víctimas.

la patera, la embarcación
una roca
una patrulla
GUARDACOSTAS

## Más vocabulario

**el suceso** el evento
**magrebí** relativo a tres países del norte de África:
  Marruecos, Argelia y Tunicia
**huir** escapar
**solicitar** pedir

Tarifa, Costa de la Luz

ESPAÑA

## ¿Qué palabra necesito?

**1** **Un naufragio** Contesten con **sí.**

1. ¿Había inmigrantes ilegales a bordo de la patera?
2. ¿Chocó la patera contra unas rocas en la costa en el área de Tarifa?
3. ¿Naufragó la embarcación?
4. ¿Llegó una patrulla para tratar de rescatar a las víctimas del naufragio?
5. ¿Rescataron a algunas?
6. ¿Se produjo ayer el suceso?

**2** **Otra palabra** Expresen de otra manera.

1. Llegó *una patera* al puerto de Tarifa en el sur de España.
2. *El evento* tuvo lugar ayer.
3. Nadie pudo *escapar.*
4. Los políticos locales le *pidieron* ayuda al gobierno central.

*treinta y nueve* 39

## ANSWERS TO ¿Qué palabra necesito?

**1**
1. Sí, había inmigrantes ilegales a bordo de la patera.
2. Sí, chocó la patera contra unas rocas en la costa en el área de Tarifa.
3. Sí, naufragó la embarcación.
4. Sí, llegó una patrulla para tratar de rescatar a las víctimas del naufragio.
5. Sí, rescataron a algunas.
6. Sí, se produjo ayer el suceso.

**2**
1. Llegó una embarcación al puerto de Tarifa en el sur de España.
2. El suceso tuvo lugar ayer.
3. Nadie pudo huir.
4. Los políticos locales le solicitaron ayuda al gobierno central.

**Lectura**

## PREPARATION

### Resource Manager

Audio Activities TE, pages 19–20
Audio CD 1, Tracks 26–27
Workbook, page 14
Quiz, page 11

## PRESENTATION

**Step 1** As you go over this **Lectura,** intersperse the questions from **Actividad A** on page 41.

 **Teacher NOTE**

This problem concerning unsafe vessels crashing on their way to Spain is an extremely common occurrence. Hardly a day goes by that one does not read such an article in the Spanish newspapers.

**LEVELING**

**E–A:** Reading

**Pre-AP SkillBuilder**

As students read these **Lecturas,** they will continue to develop the skills they need to be successful on the reading and writing sections of the AP exam.

---

### Diario de Mallorca

# Mueren cinco inmigrantes al naufragar en Tarifa la patera en la que viajaban

Cinco inmigrantes murieron ayer al naufragar la patera en la que viajaban frente a las costas de Tarifa. En la embarcación iban otras treinta y cinco personas, cuatro de las cuales son mujeres.

## En la embarcación iban otras 35 personas, cuatro de ellas mujeres

**OTR/PRESS-MADRID •** El suceso se produjo a primera hora de la mañana, cuando la embarcación en la que viajaban se cree que en torno a cuarenta inmigrantes chocó contra una zona rocosa y varios de sus ocupantes cayeron al agua.

Los inmigrantes fueron rescatados porque las autoridades habían avistado[1] la patera una hora y media antes y se dio aviso al Servicio Marítimo y a las patrullas territoriales, que iniciaron las labores para interceptar la embarcación.

Las autoridades encontraron en el lugar del naufragio los cadáveres de cinco inmigrantes, y rescataron a otros treinta y cinco con vida; aunque ocho consiguieron huir cuando llegaron a tierra. Aunque no ha sido determinada la nacionalidad

[1] avistado *sighted*

de los inmigrantes, se cree que en su mayoría son magrebíes, saharianos y también algunos asiáticos.

## Implicación

Tras este suceso, el ministro de Administraciones Públicas, Javier Arenas, lamentó la muerte de los inmigrantes y solicitó a Marruecos una mayor implicación en la lucha contra las mafias de inmigración ilegal. Arenas explicó que aunque últimamente Marruecos está colaborando en esta materia, espera que «se acentúe más», afirmó.

PROPIEDAD MILITAR

## Learning from Photos

*(page 41)* Dígales a los alumnos que desde algunas áreas de la costa mediterránea del sur de España se puede ver la costa de Marruecos en África.

## ¿Comprendes?

**A**  Contesten.

1. ¿Cuándo se produjo el suceso?
2. ¿Contra qué chocó la patera? ¿Dónde?
3. ¿Cuántas personas murieron? ¿Cuántas fueron rescatadas?
4. ¿Eran inmigrantes ilegales los pasajeros de la patera?
5. ¿Cuántos huyeron cuando llegaron a tierra?
6. ¿Qué se cree sobre la nacionalidad de los inmigrantes?
7. ¿Qué solicitó al gobierno de Marruecos Javier Arenas, el ministro de Administraciones Públicas?

**B** **Analicen.** La llegada de miles de inmigrantes ilegales a España es un problema serio para el país. Casi a diario uno lee en los periódicos españoles de catástrofes como esta. En el artículo, ¿qué indica que este suceso no es un caso aislado?

**Spanish Online**

Go to World News online at glencoe.com to look for articles about this social issue in Spanish-language newspapers. Discuss this issue of illegal immigration in Spain with classmates and compare it to similar situations in this country.

ESPAÑA

*cuarenta y uno* ✦ 41

---

## ANSWERS TO ¿Comprendes?

**A**

1. El suceso se produjo a primera hora de la mañana.
2. La patera chocó contra una roca en una zona rocosa.
3. Cinco personas murieron y 35 personas fueron rescatadas.
4. Sí, los pasajeros de la patera eran inmigrantes ilegales.
5. Ocho pasajeros huyeron cuando llegaron a tierra.
6. Se cree que en su mayoría los inmigrantes son magrebíes, saharianos y también algunos asiáticos.

7. Javier Arenas solicitó al gobierno de Marruecos una mayor implicación en la lucha contra las mafias de inmigración ilegal.

**B** *Answers will vary.*

## PREPARATION

### Resource Manager

Workbook, pages 15–16
Audio Activities TE, pages 20–25
Audio CD 1, Tracks 28–35
Quizzes, pages 12–13
*ExamView® Assessment Suite*

### Bellringer Review

*Use BRR Transparency 1.9 or write
the following on the board.*
**Completen con el artículo
definido.**
1. Alumnos de ___ escuela son
   muy inteligentes.
2. Aprendemos mucho en ___
   curso de español.
3. ___ clase es muy interesante.
4. Aprendimos mucho sobre ___
   diferentes regiones de España.
5. ___ país tiene una geografía
   muy variada.

## PRESENTATION

### Sustantivos femeninos en a, ha inicial

**¡OJO!** You may wish to intersperse the grammar as
you present the magazine or
newspaper articles in this lesson or
you may prefer to do the grammar
all at once.

**Step 1** Guide the students
through the explanation and have
them repeat after you the singular
and plural forms.

## PRACTICE

## ¿Cómo lo digo?

**1** This activity can be done with
books open. You may want to
have students write the sentences.

**42**

---

# Estructura • Avanzada

Use your StudentWorks Plus
CD for more practice.

## Sustantivos femeninos en a, ha inicial
### Identifying items

Feminine nouns that begin with a stressed **a** or the silent **h** followed by
a stressed **a** take the masculine definite article **el** or the indefinite article
**un.** The reason such nouns take the articles **el** and **un** is that it would be
difficult to pronounce the two vowels—**la a, una a**—together. Since the
nouns are feminine, the plural articles **las** and **unas** are used and any
adjective modifying the noun is in the feminine form.

| | | |
|---|---|---|
| el agua | las aguas | *water* |
| el (un) águila | las águilas | *eagle* |
| el (un) área | las áreas | *area* |
| el (un) arma | las armas | *weapon* |
| el (un) hacha | las hachas | *ax* |
| el (un) ala | las alas | *wing* |
| el hambre | | *hunger* |

**El agua es potable.**
**Las aguas turbulentas del mar pueden ser peligrosas.**

## ¿Cómo lo digo?

**1** **Historieta** **Un naufragio** Escojan.
1. El suceso se produjo en (un/una)
   área (rocoso/rocosa) de la costa
   española cerca de Tarifa.
2. En el verano (los/las) aguas del
   Mediterráneo no son muy
   (turbulentos/turbulentas).
3. Algunas víctimas del naufragio de la
   patera cayeron (al/a la) agua.
4. No se puede imaginar (el/la) hambre
   que tenían los inmigrantes por no
   haber tenido comida.
5. Alguien dijo que (un/una) águila con
   (un/una) ala (roto/rota) voló sobre la
   escena del naufragio pero no lo creo.
6. (Un/Una) hacha puede ser (un/una)
   arma (peligroso/peligrosa).

Mazarrón, Costa de la Luz

CAPÍTULO 1

---

**LEVELING**
**A:** Structure

## ANSWERS TO ¿Cómo lo digo?

**1**
1. un, rocosa
2. las, turbulentas
3. al
4. el
5. un, un, rota
6. Un, un, peligrosa

## Sustantivos irregulares que terminan en **a**
### Identifying more items

There are several nouns in Spanish that end in **a** but are masculine. These are nouns derived from Greek roots. They take the definite article **el** and the indefinite article **un.**

| | |
|---|---|
| el clima | el poema |
| el día | el programa |
| el drama | el sistema |
| el mapa | el telegrama |
| el planeta | el tema |

Note that the noun **la mano** is irregular. Even though **la mano** ends in **o,** it is feminine— **la mano. La foto** is also used as a shortened version of **la fotografía.** The noun **radio** can be either **la radio** or **el radio.** The gender varies according to the region.

PLAÇA REIAL
MUSEO MARÍTIM

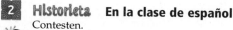

**2** Historieta **En la clase de español**
Contesten.

1. ¿Estudias el mapa de España en la clase de español?
2. ¿Hablan del clima del país?
3. ¿Explica el profesor el sistema de gobierno español?
4. ¿Van ustedes a leer los poemas de Espronceda?
5. ¿Van a leer los dramas de Lope de Vega?
6. ¿Van a aprender algo sobre los idiomas autónomos como el gallego, el catalán y el euskera?

**3** Historieta **El metro** Completen.

1. _____ sistema de transporte subterráneo de Barcelona es muy buen____.
2. _____ mapa indica las rutas de todas las líneas.
3. _____ tema de este artículo son los nuevos trenes que podrán funcionar sin conductor.
4. Van a inaugurar los nuevos trenes _____ día 20.
5. En el metro no es necesario abrir el portón con _____ mano porque todos los portones son automáticos.
6. Es imposible escuchar _____ radio en el metro.

ESPAÑA

*cuarenta y tres*  43

---

## PRESENTATION

 **Sustantivos irregulares que terminan en a**

**Step 1** Have the students read the explanation and ask them to repeat the words aloud.

**¡OJO!** It is recommended that you go over this point quickly. Students will, however, need much reinforcement of the correct agreement.

## PRACTICE

### ¿Cómo lo digo?

**Historieta** After going over these activities, call on a student or students to retell the information in their own words.

### Learning from Photos

*(page 43)* This sign is in Catalán. Ask students what this sign means in castellano. They may write it or say it. If there are Spanish speakers in the class who are familiar with dialects, have them write words or expressions on the board so students can guess the meanings.

**LEVELING**

**A:** Structure

---

ANSWERS TO **¿Cómo lo digo?**

**2**

1. Sí, (No, no) estudio el mapa de España en la clase de español.
2. Sí, (No, no) hablamos del clima del país.
3. Sí, (No, no) explica el profesor el sistema de gobierno español.
4. Sí, (No, no) vamos a leer los poemas de Espronceda.
5. Sí, (No, no) vamos a leer los dramas de Lope de Vega.
6. Sí, (No, no) vamos a aprender algo sobre los idiomas autónomos como el gallego, el catalán y el euskera.

**3**

1. El, bueno
2. El
3. El
4. el
5. la
6. la/el

43

# Periodismo

LECCIÓN 3

## Periodismo

## PRESENTATION

 **Pronombres demostrativos**
**Pointing out people and things**

 **Pronombres demostrativos**

**Step 1** Have the students read through the explanation silently, after which you may wish to have them repeat the model sentences aloud in unison.

### Learning from Photos

*(page 44)* Sitges está en la costa muy cerca de Barcelona. Es un balneario muy placentero.

## About the Spanish Language

The **Real Academia Española** ruled in 1996 that demonstrative pronouns no longer require a tilde.

## LEVELING

**E:** Structure

You may wish to use the editable PowerPoint® presentation available on this PowerTeach CD-ROM for additional grammar instruction and practice.

1. You have already learned the demonstrative adjectives *(this, that)*. The forms for the demonstrative pronouns *(this one, that one)* in Spanish are the same as those for the demonstrative adjectives. The demonstrative pronouns used to be distinguished by an accent mark. Although one may still see accents on demonstrative pronouns, they are no longer required. Note the forms below.

| | | | |
|---|---|---|---|
| este | esta | estos | estas |
| ese | esa | esos | esas |
| aquel | aquella | aquellos | aquellas |

2. Remember that **ese** and **aquel** can both mean *that* or *that one*. **Ese** refers to something near the person spoken to. **Aquel** refers to something far away—*that one over there* **(allá).**

> **Este tren aquí y ese que está llegando ahora son muy modernos.**
> **Pero creo que este (aquí) tiene pasillos más amplios que ese (allí).**
> **Este tren aquí no sigue la misma ruta que aquel (allá en la otra vía).**

Sitges, Cataluña

CAPÍTULO 1

## ¿Cómo lo digo?

**4** **¿Cuál?** Sigan el modelo.

El metro aquí en Madrid es más viejo que el metro allá
en Barcelona. →
**Este es más viejo que aquel.**

1. El mapa aquí es más reciente que el mapa allá.
2. La señora aquí es de Córdoba y la señora allá es sevillana.
3. El sistema de metro aquí en Madrid es más viejo que el sistema de metro allá en Barcelona.
4. Los mapas que tú tienes son de España y los mapas que están allá en la mesa son de Francia.
5. Los pasajeros que están sentados aquí están más cómodos que los pasajeros allí que están de pie.
6. El asiento aquí está ocupado pero el asiento allí a tu lado está libre.

## Pronombres posesivos
### Expressing ownership

**1.** A possessive pronoun replaces a noun that is modified by a possessive adjective. Like any other pronoun, the possessive pronoun must agree in gender and number with the noun it replaces. Note that the possessive pronoun is accompanied by a definite article.

| POSSESSIVE ADJECTIVE | POSSESSIVE PRONOUN |
|---|---|
| mi, mis | el mío, la mía, los míos, las mías |
| tu, tus | el tuyo, la tuya, los tuyos, las tuyas |
| su, sus | el suyo, la suya, los suyos, las suyas |
| nuestro, nuestra, nuestros, nuestras | el nuestro, la nuestra, los nuestros, las nuestras |
| *vuestro, vuestra, vuestros, vuestras* | *el vuestro, la vuestra, los vuestros, las vuestras* |

**Todos tenemos nuestros billetes.**
**Yo tengo el mío, tú tienes el tuyo y Sandra tiene el suyo.**

ESPAÑA

---

## PRACTICE

## ¿Cómo lo digo?

**4** Have students prepare this activity and then go over it in class.

## PRESENTATION

### Pronombres posesivos

**Step 1** Write the chart forms of Item 1 on the board, while an individual student reads Item 1 aloud.

**Step 2** Have students read Items 2 and 3 silently and study the chart in Item 2.

**LEVELING**

**A:** Structure

**45**

## PRACTICE

## ¿Cómo lo digo?

**5** You can go over this activity without previous preparation.

### Reaching All Students

Have kinesthetic learners point to the proper person or persons as you say:

el de él        el de usted

el de ellas     el de ustedes

---

**2.** Just as the adjective **su** can refer to many different people so can the pronouns **el suyo, la suya, los suyos,** and **las suyas.** Whenever it is unclear to whom the possessive pronoun refers, a prepositional phrase is used for clarification.

| el suyo | la suya | los suyos | las suyas |
|---------|---------|-----------|-----------|
| el de él | la de él | los de él | las de él |
| el de ella | la de ella | los de ella | las de ella |
| el de Ud. | la de Ud. | los de Ud. | las de Ud. |
| el de ellos | la de ellos | los de ellos | las de ellos |
| el de ellas | la de ellas | los de ellas | las de ellas |
| el de Uds. | la de Uds. | los de Uds. | las de Uds. |

**¿Está llevando Elena su suéter?**
**No, no está llevando el suyo. Está llevando el de él.**

**3.** Note that the definite article is often omitted after the verb **ser.**

**Estos libros son de Marta. Son suyos.**
**No son míos.**

However, the article can be used to emphasize whose they are.

**Estos son los míos y aquellos son los tuyos.**

## ¿Cómo lo digo?

**5** **En la estación de ferrocarril** Sigan el modelo.

> **María, ¿tienes tu billete?** →
> **Sí, sí. Tengo el mío.**

1. María, ¿tienes tu billete?
2. María, ¿tienes mi billete también?
3. María, ¿tienes el billete de Elena?
4. María, ¿tienes todos nuestros billetes?

Málaga, Costa del Sol

---

## ANSWERS TO ¿Cómo lo digo?

**5**

1. Sí, sí. Tengo el mío.
2. Sí, sí. Tengo el tuyo también.
3. Sí, sí. Tengo el suyo.
4. Sí, sí. Tengo todos los nuestros.

**6** **En el aeropuerto** Sigan el modelo.

¿Las revistas? →
**Tengo las mías pero no sé dónde están las tuyas.**

1. ¿El pasaporte?
2. ¿La tarjeta de embarque?
3. ¿Las mochilas?
4. ¿El talón para el equipaje?

**7** **¿De quiénes?** Usen el pronombre posesivo.

1. Yo estoy buscando mi periódico.
2. Y Elena está buscando su periódico.
3. Ellos están mirando nuestro coche (carro).
4. Y nosotros estamos mirando su coche (carro).
5. Carlos, ¿son mis fotos o son tus fotos?
6. ¿Quién tiene mis fotos?
7. Susana, esta es mi cámara y esa es tu cámara.
8. ¿Tiene Andrés su cámara?

Madrid

ESPAÑA

**8** **Él tiene la suya.** Sigan los modelos.

Ramón tiene su entrada. →
**Ramón tiene la suya.**

Ramón tiene la entrada de Elena. →
**Ramón tiene la de ella.**

1. Ramón está en su asiento.
2. Él está guardando el asiento de Elena.
3. Ahora, ella tiene su entrada.
4. Los amigos buscan sus asientos.
5. Ellos tienen el programa de Elena y el de Ramón.
6. Y Ramón no tiene su programa.

For more information about newspapers in Spain, go to **Web Explore** on the Glencoe Spanish Web site at glencoe.com.

*cuarenta y siete* 47

ANSWERS TO **¿Cómo lo digo?**

**6**
1. Tengo el mío pero no sé dónde está el tuyo.
2. Tengo la mía pero no sé dónde está la tuya.
3. Tengo las mías pero no sé dónde están las tuyas.
4. Tengo el mío pero no sé dónde está el tuyo.

**7**
1. Yo estoy buscando el mío.
2. Y Elena está buscando el suyo.
3. Ellos están mirando el nuestro.
4. Y nosotros estamos mirando el suyo.
5. Carlos, ¿son (las) mías o son (las) tuyas?
6. ¿Quién tiene las mías?
7. Susana, esta es (la) mía y esa es (la) tuya.
8. ¿Tiene Andrés la suya?

**8**
1. Ramón está en el suyo.
2. Él está guardando el de ella.
3. Ahora, ella tiene la suya.
4. Los amigos buscan los suyos.
5. Ellos tienen el de ella y el de él.
6. Y Ramón no tiene el suyo.

## Recycling

These activities allow students to use the vocabulary and structure from this lesson in completely open-ended, real-life situations.

## PRESENTATION

Encourage students to say as much as possible when they do these activities. Tell them not to be afraid to make mistakes, since the goal of these activities is real-life communication. If someone in the group makes an error, allow the others to politely correct him or her. Let students choose the activities they would like to do.

You may wish to divide students into pairs or groups. Encourage students to elaborate on the basic theme and to be creative. They may use props, pictures, or posters if they wish.

**Note:** These activities have students practice their "survival skills" in Spanish in the types of real-life situations that they might encounter while on a trip. It is recommended that you not correct all errors made by the students as they do these activities. They would certainly make errors if they were communicating in real situations in a Spanish-speaking country.

# ¡Te toca a ti!

**Use what you have learned**

## 1 Un sistema de metro

✔ Talk about a subway system

¿Hay un sistema de metro donde vives? ¿Es bueno o malo el sistema? Si no hay metro, ¿en qué ciudad cercana hay un sistema de metro?

Gran Vía, Madrid

## 2 Un área de España

✔ Describe your favorite area of Spain

Dibuja un mapa de un área de España que te gusta o que te interesa. Describe el área y su clima. ¿Quieres pasar algunos días allí? ¿Cuándo?

ANSWERS TO ¡Te toca a ti!

*Answers will vary.*

### 3 La migración

✔ *Discuss migration in today's world*

Con algunos compañeros discute por qué en muchas áreas del planeta «Tierra» hay tanta hambre y miseria que la gente lo encuentra necesario emigrar hasta de una manera ilegal y peligrosa.

### 4 Un drama

✔ *Write a newspaper article about a disastrous event*

Un suceso horrible tuvo lugar en las aguas turbulentas en el área de Tarifa. Escribe un artículo para un periódico español describiendo todo lo que pasó.

Tarifa, Costa de la Luz

ESPAÑA

*cuarenta y nueve*  **49**

ANSWERS TO

*Answers will vary.*

## Assessment

This is a pretest for students to take before you administer the lesson test. Answer sheets for students to do these pages are provided in the transparencies. Note that each section is cross-referenced so students can easily find the material they have to review in case they made errors. You may wish to collect these assessments and correct them yourself or you may prefer to have the students correct themselves in class. You can go over the answers orally or project them on the overhead, using your Assessment Answers transparencies.

## Reaching All Students

### Non-Mastery Students
Encourage students who need extra help to refer to the yellow notes and review any section before answering the questions.

# Vocabulario

**1 Escriban con otra palabra.**

1. Tiene un pasillo *ancho*.
2. Ellos quieren *escapar*.
3. Van a *pedir* ayuda.
4. El *evento* tuvo lugar ayer.

**2 Completen.**

5. Un _____ indica la ruta de cada línea del metro.
6. Los _____ del metro lo toman casi todos los días para ir a su trabajo.
7. La patera naufragó. _____ contra una roca.
8. Una patrulla rescató a las _____ del naufragio. Las salvó.

# Lectura

**3 Contesten.**

9. ¿Por qué van a ser los trenes de la futura línea del metro de Barcelona los más avanzados del mundo?
10. ¿De qué van a estar dotados?

To review vocabulary, turn to pages 36 and 39.

To review the newspaper article on the metro, turn to page 38.

To review the newspaper article on immigrants in Tarifa, turn to pages 40–41.

Parque Güell, Barcelona

**4 ¿Sí o no?**

11. Murieron cinco inmigrantes cuando su patera naufragó en Tarifa.
12. No se sabe de qué nacionalidad son los inmigrantes.
13. Hubo sólo hombres en la embarcación.

**50** ❀ *cincuenta*

CAPÍTULO 1

## ANSWERS TO Assessment

1. Tiene un pasillo *amplio*.
2. Ellos quieren *huir*.
3. Van a *solicitar* ayuda.
4. El *suceso* tuvo lugar ayer.

5. mapa
6. usuarios
7. Chocó
8. víctimas

9. Los trenes incorporarán tecnología punta, funcionarán con bajo coste energético, y su control será automático.
10. Los trenes estarán dotados de espacios reservados para las personas de movilidad reducida, con la inclusión de un cinturón de seguridad, una barra de sujeción y la dotación de amplios pasillos.

11. Sí
12. Sí
13. No

# Estructura

## 5 Completen.

**14–15.** La patera chocó en _____ área de Tarifa en _____ aguas del Mediterráneo.

**16.** _____ sistema de metro es muy buen____.

**17.** Es _____ mapa del norte de España.

Tarifa

To review some irregular nouns, turn to pages 42–43.

**Spanish** **Online**
For more Chapter 1 test preparation, go to the Chapter 1 **Self-Check Quiz** on the Glencoe Spanish Web site at glencoe.com.

## Assessment

After going over the Assessment, you may administer the test for **Lección 3, Capítulo 1.**

### Learning from Photos

*(page 50)* El Parc Güell es también obra de Antonio Gaudí. Su origen se debe a una idea comercial del empresario Güell de construir una zona residencial, pero aparte de las casas de Güell y Gaudí, se edificó solamente una más.

## 6 Escojan.

**18.** Esta foto es más bonita que _____ allá en la mesa.
　　**a.** esta　　**b.** esa　　**c.** aquella

**19.** Esta foto es más bonita que _____ que tienes en la mano.
　　**a.** esta　　**b.** esa　　**c.** aquella

**20.** _____ trenes que están aquí en la estación son todos muy modernos.
　　**a.** Estos　　**b.** Esos　　**c.** Aquellos

## 7 Escriban con un pronombre.

**21.** ¿Tienes *tu libro*?

**22.** María está mirando *sus billetes.*

**23.** Juan quiere usar *mi coche (carro).*

**24.** *Tu cámara* no está en la mochila.

**25.** Es *mi bolígrafo.*

To review the demonstratives, turn to page 44.

To review the possessive pronouns, turn to pages 45–46.

ESPAÑA

---

## ANSWERS TO *Assessment*

      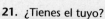

**5**

**14.** el
**15.** las
**16.** El, bueno
**17.** el

**6**

**18.** c
**19.** b
**20.** a

**7**

**21.** ¿Tienes el tuyo?
**22.** María está mirando los suyos.
**23.** Juan quiere usar el mío.
**24.** La tuya no está en la mochila.
**25.** Es (el) mío.

# Proficiency Tasks

**¡OJO!** It is suggested that you share the following information with students before they begin their writing projects.

Es cierto que cuando escribes en inglés tu estilo de escribir es mucho más sofisticado que en español. Cuando escribes en español tienes que usar frases más sencillas. Si encuentras una idea muy complicada, piensa un momento en una manera más sencilla de expresarla.

¡Un consejo muy importante! No traduzcas del inglés al español. Si traduces cometerás sin duda un montón de errores. O lo que escribes será muy anglicanizado. Desde el principio, por difícil que sea, piensa siempre en español. Si una palabra inglesa te viene a la mente, piensa enseguida en una expresión española que exprese la misma idea. Usa el español que ya has aprendido aún si exige que te expreses de una manera sencilla. Trata de evitar usar un diccionario bilingüe porque casi siempre escogerás una palabra errónea.

Prepara siempre un borrador de tu escrito. Al terminarlo, ponlo al lado. Léelo de nuevo un poco más tarde y haz las revisiones que consideres necesarias. Luego léelo una vez más para buscar errores ortográficos y gramaticales. Ten mucho cuidado en verificar las terminaciones.

 **Teacher NOTE**

You may wish to have students do all these activities or you may wish to have them select the one(s) they want to do.

 ## Composición

Para escribir bien hay algunas técnicas que puedes utilizar. Una técnica muy importante es la de «visualizar». Puedes cerrar los ojos y visualizar o pintar una imagen mental sobre el contenido de tu escrito; sobre todo un escrito descriptivo. En un escrito descriptivo vas a describir algo.

**TAREA 1** **La geografía de España** En este capítulo has leído sobre la geografía de España. Con ojos cerrados o abiertos piensa en todo lo que recuerdas sobre el clima y el paisaje de España. Al hacer tu imagen mental piensa en los colores típicos de varias regiones; piensa en palabras tales como calor/frío que puedes usar para describir las diferentes regiones. Toma una hoja de papel o tu «procesador» y escribe una lista de las palabras o expresiones que te vienen a la mente. Escribe el nombre de algunas regiones o simplemente direcciones cardinales: norte, sur, etc. Coloca tus palabras o expresiones con el área apropiada.

Ahora vas a empezar a escribir tu primer borrador. Pero antes de poner palabras en el papel, establece el orden que quieres seguir. Puede ser:

- **direccional**    el norte hasta el sur
- **categórico**    paisaje, clima
- **características**    verde, marrón, frío, calor

Luego empieza a escribir. Dale libre albedrío a tu bolígrafo, lapicero o teclado. Escribe todo lo que te viene a la mente en el orden establecido. Puedes corregir tu primer borrador más tarde.

**TAREA 2** Vas a continuar con tu escrito. Antes puedes corregir y revisar tu primer borrador de la Tarea 1 o si quieres puedes esperar hasta terminar todo el escrito.

Ahora vas a contar algo que has hecho. Pero en este caso será necesario usar la imaginación si no has visitado España. Pero no va a ser difícil porque ya has aprendido mucho sobre España en tus estudios de español.

Puedes escribir esta parte de tu escrito como una carta personal, como si contaras o relataras tu viaje a un(a) amigo(a). Puedes decirle lo que hiciste y viste durante tu estadía en España. Si quieres puedes dar algunas opiniones sobre lo que te gustó o no te gustó, lo que te interesó, etc.

Al escribir algo personal, «deja fluir tu bolígrafo». Escribe rápido todo lo que te viene a la mente. Puedes reorganizar y clarificar tus ideas más tarde.

Ahora vas a empezar.

- Escribe todo lo que viste e hiciste en España. (¿Te gustó o no? ¿Qué te interesó?, etc.)
- Lee lo que escribiste. Si es necesario, revísalo para darle mejor organización y para aclararlo.
- Antes de seguir puedes corregir en este primer borrador cualquier error que te sale (ves).

**Pre-AP SkillBuilder**

The **tareas** in the **Composición** section provide students with valuable practice for the writing section of the AP exam.

**TAREA 3** **La España de hoy** El objeto de muchos escritos expositivos es el de explicar algo. Ahora vas a dar una explicación escrita de un problema que enfrenta la España actual, la España de hoy. Puedes escoger el afán independentista de algunos estados autónomos o la inmigración ilegal. En tu escrito tienes que:

- identificar el problema
- explicar lo que causa el problema
- dar algunas consecuencias del problema.

Antes de empezar a escribir una explicación de algo, debes sentarte tranquilamente sin bolígrafo en la mano y reflexionar sobre lo que vas a escribir. Debes determinar como vas a organizar y presentar tu explicación para que sea lo más clara posible.

Fin: Ahora tienes el borrador de tu escrito o composición entera. Tienes que leer cada parte con mucho cuidado. Lo tienes que revisar y corregir.

**Revisar** Lee el borrador para averiguar o determinar si te gusta la organización o si quieres cambiar la organización de algunas ideas. Ahora que estás leyendo tu escrito en su totalidad es posible que tengas que añadir una frase al principio de cada parte para unirla a la parte anterior.

**Corregir** Lee el borrador una vez más buscando errores de ortografía y gramática. Es muy importante verificar:

- la concordancia de los adjetivos
- la concordancia del verbo con el sujeto, la terminación verbal

Después de revisar y corregir tu borrador, escribe de nuevo tu composición en forma final.

# Discurso

Cada día de nuestra vida pasamos mucho tiempo hablando. Hablamos de muchas cosas diferentes y por muchos motivos diferentes. Frecuentemente hablamos o entablamos una conversación para buscar información. Necesitamos saber como hacer algo, por ejemplo.

En cualquier conversación el/la que habla es el/la hablante y el/la que escucha es el/la oyente o el/la interlocutor(a). Cuando hablamos para tratar de conseguir información es necesario hacer preguntas. Debemos organizar nuestras preguntas de tal manera que nuestro interlocutor las pueda conseguir fácilmente para ayudarle a darnos la información que buscamos. No debemos saltar de un tema o tópico a otro.

**TAREA 4** **En la agenica de viajes** Van a trabajar en grupos de dos. La conversación va a tener lugar en una agencia de viajes. Uno(a) va a ser el/la cliente con las preguntas y el/la otro(a) va a ser el/la agente de viajes. El/La cliente va a hacer un viaje a España y como es la primera vez que hace tal viaje necesita un montón de información y tiene muchas preguntas.

Antes de hablar con el/la agente, el/la que va a ser el/la cliente debe pensar en lo que quiere saber y organizar lógicamente las preguntas que tiene para recibir la información que necesita. Debe poner sus preguntas en orden, por ejemplo. El/La cliente necesita información sobre:

**los hoteles**
**el viaje a España**
**el transporte dentro de España**
**el aeropuerto**
**el viaje de vuelta**
**el costo de las comidas**
**las ciudades o lugares que debe visitar en España**

Después de empezar a hablar con el/la agente, el/la cliente debe poner estos tópicos en un orden lógico y luego pensar en las preguntas que tiene sobre cada uno.

Ustedes van a repetir la conversación dos veces para darle a cada uno la oportunidad de ser el/la cliente.

ESPAÑA

## Career Connection

You may wish to have students discuss how knowing Spanish would help them in a career in travel and tourism.

# Vocabulario

## Vocabulary Review

The words and phrases in the **Vocabulario** have been taught for productive use in this chapter. They are summarized here as a resource for both student and teacher. This list also serves as a convenient resource for the **¡Te toca a ti!** activities on pages 20–21, 32–33, and 48–49. There are approximately ten cognates in this vocabulary list. Have students find them.

**¡OJO!** You will notice that the vocabulary list here is not translated. This has been done intentionally, since we feel that by the time students have finished the material in the chapter they should be familiar with the meanings of all the words. If there are several words they still do not know, we recommend that they refer to the **Vocabulario** sections in the chapter or go to the dictionaries at the end of this book to find the meanings. However, if you prefer that your students have the English translations, please refer to Vocabulary Transparencies 1.1A, 1.1B, and 1.1C, where you will find all these words with their translations.

You may wish to use the editable PowerPoint® presentation available on this PowerTeach CD-ROM to have students view the chapter vocabulary in the Spanish-English, English-Spanish format.

## Lección 1 Cultura

**Geografía**
la colina
la llanura
la neblina
la orilla
el país
el puerto
a lo largo
de color pardo
parecerse a

**Historia**
la carabela
la corona
la guerra
el/la invasor(a)
la joya
la monarquía
el rey
la reina
el siglo
el soldado
la tropa
establecer
huir
invadir
luchar
reinar

**Comida**
el ajo
la almendra
la berenjena
el/la cocinero(a)
el jamón serrano
el olivar
la rebanada
el trocito
veraniego(a)
rebanar
cortar
pelar
picar

**Influencia árabe**
la alberca
la alfombra
la almendra
la almohada

## Lección 2 Conversación

el aeropuerto
el autocar
la autopista
el/la conductor(a)
la demora, el retraso
el embotellamiento,
   el tapón
el mapa

la mochila
el parador (del gobierno)
el/la pasajero(a)
el peaje
el puente aéreo
el taxi
el taxímetro
el monto

la venta
el vuelo
anulado(a)
en huelga
enlazar
pagar
recorrer

## Lección 3 Periodismo

**Trenes que no necesitan conductor**
la barra de sujeción
el metro
el pasillo
el pedido
el usuario
amplio(a)

**Mueren cinco inmigrantes**
la patera, la embarcación
la patrulla
la roca
el suceso
magrebí
chocar
huir
naufragar
rescatar
solicitar

> **LITERARY COMPANION** *See pages 418–429 for literary selections related to Chapter 1. The activities for these readings will help you continue to practice your reading comprehension skills.*

# UIDEOTUR

## ¡Viva el mundo hispano!

Video can be a beneficial learning tool for the language student. Video enables you to experience the material in the textbook in a real-life setting. Take a vicarious field trip as you see people interacting at home, at school, at the market, etc. The cultural benefits are limitless as you experience the Spanish-speaking world while "traveling" through many countries. In addition to its tremendous cultural value, video gives practice in developing good listening and viewing skills. Video allows you to look for numerous clues that are evident in tone of voice, facial expressions, and gestures. Through video you can see and hear the diversity of the target culture and compare and contrast the Spanish-speaking cultures to each other and to your own.

## Episodio 1: Visita al Viejo Madrid

La Puerta del Sol está en pleno centro del viejo Madrid. Es el corazón de la ciudad. Aquí hay una placa que indica el centro preciso de España que también está en la Puerta del Sol. Muchos eventos históricos ocurrieron aquí. En 1808 los madrileños lucharon contra los soldados de Napoleón en la Guerra de la Independencia. Es un lugar muy vivo e impresionante.

## Episodio 2: Invierno en verano

Este lugar se llama Madrid Xanadu. Es un lugar para esquiar, pero no está en una montaña, está en la ciudad. No solamente está en la ciudad, está en un edificio. Allí se puede esquiar día y noche, en invierno o en verano. Hay pistas para principiantes y para expertos. Es uno de los sitios más populares de Madrid para la gente joven.

## Episodio 3: La tradición del café

El café es una institución en España. Es un centro social. Allí la gente no solamente toma café, allí se habla, se lee el periódico, se encuentra con los amigos. En este café de Madrid el camarero les sirve a los señores que, sin duda, son clientes habituales, clientes que van al mismo café todos los días a la misma hora.

ESPAÑA

---

# UIDEOTUR

### VIDEO VHS/DVD

The Video Program for Chapter 1 includes three documentary segments of some interesting aspects of life in Spain. You may wish to have students answer oral or written comprehension questions about the video segments.

**POWERTEACH**
*Interactive*
*Chalkboard*

You may wish to use the editable PowerPoint® presentation available on this PowerTeach CD-ROM to have students view and listen to a short segment of the video. Additional activities are also provided.

# Planning for Chapter 2

## SCOPE AND SEQUENCE  PAGES 56–109

### Topics
❖ The geography of Ecuador, Peru, and Bolivia
❖ The history of Ecuador, Peru and Bolivia
❖ The culture of Ecuador, Peru, and Bolivia

### Culture
❖ Tungurahua volcano
❖ A Peruvian woman who celebrates her 110th birthday

### Functions
❖ How to describe habitual past actions
❖ How to talk about past events
❖ How to express what may or may not take place
❖ How to express necessity and possibility
❖ How to express wishes, preferences, and demands

### Structure
❖ The imperfect
❖ The imperfect versus the preterite
❖ Expressing two past actions in the same sentence
❖ The subjunctive
❖ Expressing necessity and possibility with the subjunctive
❖ Expressing wishes, preferences, and demands with the subjunctive

### National Standards
Communication Standard 1.1, pp. 56, 60, 61, 73–75, 78, 79, 80, 81, 83–85, 88, 98, 100–103
Communication Standard 1.2, pp. 56, 61–70, 79–80, 89–93
Communication Standard 1.3, pp. 74, 84, 85, 102, 103, 106–107
Cultures Standard 2.1, pp. 56, 61, 62–68, 431, 433, 437
Cultures Standard 2.2, p. 56
Connections Standard 3.1, pp. 56, 61, 68
Connections Standard 3.2, pp. 61–70, 82, 89–90
Comparisons Standard 4.2, p. 102
Communities Standard 5.1, pp. 74, 85, 106–107
Communities Standard 5.2, pp. 102, 106–107

*To read the ACTFL Standards in their entirety, see page T36.*

## PACING AND LEVELING

**Lección 1: Cultura**  *(5–7 days)*
**Lección 2: Conversación**  *(5–7 days)*
**Lección 3: Periodismo**  *(5–7 days)*

**Proficiency Tasks**  *(1–2 days)*
**Videotur**  *(1–2 days)*
**Literatura**  *(5–7 days)*

**LEVELING**
The following is an overall leveling of the sections of each chapter of **¡Buen viaje!** Level 3.

**EASY:** Conversación, Estructura • Repaso
**AVERAGE:** Cultura, Periodismo, Estructura • Avanzada
**CHALLENGING:** Literatura

Most parts of each lesson are also leveled for your convenience in the Teacher Notes in the Wraparound section of your Teacher Edition.
**E: Easy    A: Average    C: Challenging**
Please note that the material does not become progressively more difficult. Within each chapter there are easy and challenging sections.

# TEACHER RESOURCE GUIDE

| Section | Print Resources | Technology Resources |
|---|---|---|
| **Lección 1** | | |
| Lectura<br>  Vocabulario para la lectura<br>    *(pp. 58–59)*<br>  La geografía *(p. 61)*<br>  Una ojeada histórica<br>    *(pp. 62–68)*<br>  Visitas históricas *(p. 69)*<br>  Cocina *(p. 70)*<br>Estructura • Repaso<br>  Imperfecto *(pp. 71–72)*<br>¡Te toca a ti! *(pp. 74–75)*<br>Assessment *(pp. 76–77)* | Audio Activities TE *(pp. 27–35)*<br>Workbook *(pp. 17–23)*<br>Quizzes *(pp. 15–18)*<br>Tests *(pp. 33–35 and 42–67)* | Vocabulary Transparencies V2.2–V2.3<br>Audio CD 2<br>*ExamView® Assessment Suite*<br>glencoe.com<br>Assessment Transparency A2.1<br>PowerTeach<br>Vocabulary PuzzleMaker |
| **Lección 2** | | |
| Conversación<br>  Vocabulario para la<br>    conversación *(p. 78)*<br>  Un robo *(p. 79)*<br>Estructura • Repaso<br>  Imperfecto y pretérito *(p. 80)*<br>  Dos acciones en la misma<br>    oración *(p. 82)*<br>¡Te toca a ti! *(pp. 84–85)*<br>Assessment *(pp. 86–87)* | Audio Activities TE *(pp. 36–40)*<br>Workbook *(pp. 24–27)*<br>Quizzes *(pp. 19–21)*<br>Tests *(pp. 36–37 and 42–67)* | Vocabulary Transparency V2.4<br>Audio CD 2<br>*ExamView® Assessment Suite*<br>glencoe.com<br>Assessment Transparency A2.2<br>PowerTeach<br>Vocabulary PuzzleMaker |
| **Lección 3** | | |
| Lectura<br>  Vocabulario para la lectura<br>    *(p. 88)*<br>  Nuevas explosiones en<br>    volcán Tungurahua *(p. 89)*<br>Lectura<br>  Vocabulario para la lectura<br>    *(p. 91)*<br>  Ayacuchana cumplió 110<br>    años *(p. 92)*<br>Estructura • Avanzada<br>  Subjuntivo *(pp. 94–95)*<br>  Subjuntivo con expresiones<br>    impersonales *(p. 97)*<br>  Subjuntivo en cláusulas<br>    nominales *(p. 100)*<br>¡Te toca a ti! *(pp. 102–103)*<br>Assessment *(pp. 104–105)*<br><br>Proficiency Tasks *(pp. 106–107)*<br>**Videotur** *(p. 109)*<br><br>Literatura *(pp. 430–439)* | Audio Activities TE *(pp. 41–50)*<br>Workbook *(pp. 28–32)*<br>Quizzes *(pp. 22–27)*<br>Tests *(pp. 38–67)*<br>Audio Activities *(pp. 209–214)*<br>Tests *(pp. 281–284)* | Vocabulary Transparencies V2.5–V2.6<br>Audio CD 2<br>*ExamView® Assessment Suite*<br>glencoe.com<br>Assessment Transparency A2.3<br>PowerTeach<br>Vocabulary PuzzleMaker<br>**¡Viva el mundo hispano!** Video<br>Video Activities<br>Audio CD 9 |

# Using Your Resources for Chapter 2

## Transparencies

**Map Transparencies** The full-color maps at the front of the Student Edition have been converted to transparency format.

**Bellringer Reviews** provide a quick review activity to begin each class.

**Vocabulary Transparencies** include the photos and art from the Student Edition pages, overlays with Spanish words, and Spanish/English vocabulary lists for each chapter.

**Assessment Transparencies** provide answer sheets and answers for the Assessment pages in the Student Edition.

**Fine Art** can be used to reinforce the topics introduced in the text and enrich your students' knowledge of Fine Art.

## Workbook and Audio Activities

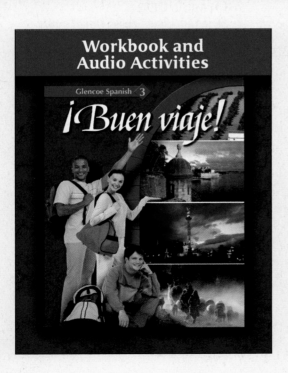

### Writing Activities
The Workbook section includes numerous activities to re-inforce each concept presented in the textbook. There are workbook pages for each of the following sections: vocabulary, culture, conversation, journalism, and struc-ture. Varied activities provide several ways for students to practice and apply the material you have presented in class.

### Audio Activities
The Audio Activities pages in this booklet may be used to guide students through the listening and speaking activi-ties provided on the Audio CDs. The script to the Audio CDs is also provided in the Audio Activities TE in the TeacherTools booklet if the teacher prefers to read the activities aloud. The Audio Activities provide listening and speaking practice to reinforce vocabulary, culture, con-versation, structure, and literature.

# Assessment

Several options for Assessment are offered with the **¡Buen viaje!** program. The TeacherTools booklets include the following Assessment pieces.

**Quizzes** There are quizzes for Vocabulary, Culture, Structure, Conversation, and Journalism.

**Tests** There is a Reading and Writing Test for each lesson in the chapter. In addition, there are two different Chapter Reading and Writing Tests—one for less able to average students and the other for above average to advanced students. There is also a Listening Comprehension Test, a Speaking Test, and a Proficiency Test at the end of each chapter.

**Spanish Online** Students can easily access our Self-Check Quizzes at glencoe.com.

*ExamView® Assessment Suite* Test Bank software for Macintosh and Windows makes creating, editing, customizing, and printing tests quick and easy.

# Passport to Success Notebook

- **Notetaking and Study Strategies** help students organize and internalize new information, allowing them to become more effective communicators in the target language.

- **Reading Strategies** take the mystery out of reading and give students the tools they need to become more effective readers.

- **Standardized Test Practice** in every chapter helps students improve their test-taking skills through the study of foreign language.

# TECHNOLOGY

 This all-in-one planner includes:

- Interactive Teacher Edition
- Lesson Planner with calendar

- Access to all program blackline masters
- Correlations to National Standards

**ExamView** Assessment Suite  The *ExamView® Assessment Suite* includes *Test Generator, Test Player,* and *Test Manager.*

- Use premade tests or build your own easily and quickly
- Customize tests using a full-feature editor

- Select questions from existing test banks
- Set up your own question test banks
- Disaggregate data

 All-in-one interactive Student Edition and student resources—a backpack solution

# Capítulo 2

## Preview

In this chapter, students will learn about the geography, history, and culture of Ecuador, Perú, and Bolivia. In the **Cultura** section students will learn vocabulary related to the Andes region. Additional vocabulary needed to discuss a robbery, a volcanic eruption, and the life of a woman who celebrated her 110th birthday will also be presented in this chapter.

### National Standards

#### Communication

Students will communicate in spoken and written Spanish on the following topics:
- The culture, geography, and history of the Andes region
- A robbery (pickpocket)
- A volcanic eruption
- The birthday of a centenarian

#### Cultures

- Students will learn about geography, history, and culture in the Andean region. They will also learn about the people, past and present, who inhabit this area of the world. They will be introduced to some areas they may want to visit and some regional foods they may want to eat.

#### Connections

This chapter establishes a connection with the fields of history, geography, sociology, and geology.

# Capítulo 2

# Países andinos
### Ecuador, Perú, Bolivia

**Spanish Online**
To interact with your online edition of ¡Buen viaje! go to: glencoe.com.

56

**TeacherWorks**
All-In-One Planner and Resource Center

The TeacherWorks CD-ROM is an all-in-one planner and resource center. You may wish to use several of the following features as you plan and present the Chapter 2 material: Interactive Teacher Edition, Interactive Lesson Planner with Calendar, Point and Click Access to Teaching Resources including Hotlinks to the Internet and Correlations to the National Standards.

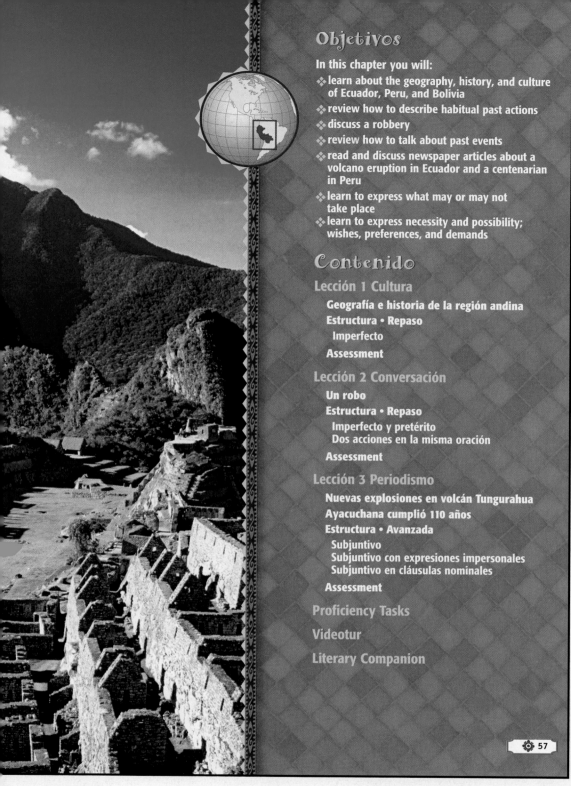

# Capítulo 2

## Objetivos

In this chapter you will:

❖ learn about the geography, history, and culture of Ecuador, Peru, and Bolivia
❖ review how to describe habitual past actions
❖ discuss a robbery
❖ review how to talk about past events
❖ read and discuss newspaper articles about a volcano eruption in Ecuador and a centenarian in Peru
❖ learn to express what may or may not take place
❖ learn to express necessity and possibility; wishes, preferences, and demands

## Contenido

57

## Assessment

**Quizzes:** There is a quiz for every vocabulary presentation, every reading, and every structure point.
**Tests:** To accompany ¡**Buen viaje!** Level 3 there is a Reading and Writing Test for each of the three lessons that make up a chapter. In addition, at the end of each chapter there are five tests.

• Two Reading and Writing Tests; one easy to intermediate; another intermediate to challenging.
• A Listening Comprehension Test
• A Speaking Test
• A Proficiency Test

 ## Spotlight on Culture

### Machu Picchu

*(pages 56–57)* La magnífica y misteriosa ciudad inca de Machu Picchu está situada en una región aislada encima del río Vilcanota. Descubierta por el senador estadounidense Hiram Bingham en 1911, Machu Picchu tiene más de 206 edificios. Hay muchas teorías sobre la ciudad. Podría haber servido de fortaleza para proteger la zona selvática (al este) del Imperio. Es posible que fuera un santuario religioso para señoras religiosas porque la mayoría de los esqueletos desenterrados eran de mujeres. Algunos creen que fue una escuela para los jóvenes de la nobleza. Lo que sabemos es que es un complejo arquitectónico imponente en un ambiente increíble.

## LEVELING

The following is an overall leveling of the sections of each chapter of
¡**Buen viaje!** Level 3.
**EASY:** Conversación, Estructura • Repaso
**AVERAGE:** Cultura, Periodismo, Estructura • Avanzada
**CHALLENGING:** Literatura
Most parts of each lesson are also leveled for your convenience.
**E:** Easy
**A:** Average
**C:** Challenging
  Please note that the material does not become progressively more difficult. Within each chapter there are easy and challenging sections.

## PREPARATION

### Resource Manager

Vocabulary Transparencies
  V2.2, V2.3
Audio Activities TE, pages 27–29
Audio CD 2, Tracks 1–4
Workbook, page 17
Quiz, page 15
*ExamView® Assessment Suite*

### Bellringer Review

*Use BRR Transparency 2.1 or write
the following on the board.*
**Escriban una lista de alimentos
que han aprendido en español.**

## PRESENTATION

### Vocabulario para la lectura

**Step 1** Show the Vocabulary
Transparency. Point to each item as
students repeat the words and sentences after you or the Audio CD.

**Step 2** As you present the new
vocabulary using the overhead
transparency, you may wish to ask
the following questions to enable
students to use the new words.
**¿Son metales preciosos el oro y
la plata? ¿Son legumbres el maíz
y la papa? ¿Cuál es otro nombre
para maíz? ¿Qué tejían las
señoras? ¿Quiénes tejen? ¿Qué
cultivaba la indígena? ¿Es un
quipu una cuerda con una serie
de nudos? ¿Quiénes usaban
los quipus? Durante la época
colonial, ¿dónde se situaban las
casas más elegantes? ¿Cuántos
pisos solían tener? ¿De qué eran
los balcones de las casas?**

### Vocabulario para la lectura 🎧

**La materia prima**

la madera

el oro

la plata

el choclo, el maíz

la papa

una tejedora

un tejido

Las señoras tejían unos tejidos muy bonitos.

La indígena cultivaba la papa.

POWERTEACH
*Interactive*
*Chalkboard*

You may wish to
use the editable
PowerPoint® pre-
sentation available
on this PowerTeach
CD-ROM for additional vocabulary instruction and practice.

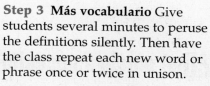
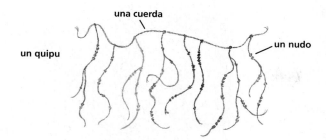

una cuerda

un quipu

un nudo

Los indígenas usaban el quipu para contar.
Los quipus tenían varios nudos.

Durante la época colonial:
Las casas más elegantes se situaban en la plaza o cerca de la plaza central.
Las casas solían tener sólo dos pisos.
Tenían balcones de madera.

## Más vocabulario

**un(a) criollo(a)** una persona de origen español nacida en las Américas
**la precipitación** la lluvia
**acomodado(a)** bastante rico; no pobre
**agrio(a)** lo contrario de dulce, amargo
**bello(a)** bonito, hermoso, lindo
**caluroso(a)** donde hace mucho calor

**escaso(a)** poco, insuficiente
**lluvioso(a)** donde llueve mucho, donde hay mucha lluvia
**nevado(a)** cubierto de nieve
**apoyar** ayudar, favorecer, sostener
**subyugar** someter a alguien de manera violenta

PAÍSES ANDINOS

*cinquenta y nueve*  59

**Step 3  Más vocabulario** Give students several minutes to peruse the definitions silently. Then have the class repeat each new word or phrase once or twice in unison.

**Step 4** Give the definition. Let volunteers give the new word being defined.

**Step 5** You may wish to ask the following questions using the words in the **Más vocabulario** section. ¿Hay mucha precipitación donde vives? ¿Vives en una zona lluviosa? ¿Hay mucha lluvia o es bastante escasa? ¿Vives en una zona calurosa? ¿Cuál es una fruta agria?

### Teacher NOTE

Note the verbs in the imperfect in the vocabulary section. The imperfect tense is reviewed in this lesson. You may wish to have students tell why the imperfect rather than the preterite is used.

### Learning from Photos

*(page 58 bottom left)* The photo of the women weaving was taken in the Chiunchero Market, Urubamba Valley, Peru. The woman cultivating potatoes is in El Palomar, Bolivia. Students will learn in the forthcoming **Lectura** how difficult it is to cultivate crops in the highlands. *(page 59)* This photo was taken just off the Plaza de Armas in Lima, Perú.

### Recycling

In Levels 1 and 2 of ¡Buen viaje! students studied the following about the **Países andinos:**
**La importancia del transporte aéreo**
**Las líneas de Nazca—Perú**
**Cuzco y Machu Picchu**
**Los alrededores de La Paz**
**La ciudad de Lima**
**El maíz y la papa**

### Differentiation
**Tutorial** The customizable **Vocabulary PuzzleMaker** can be used for each lesson or chapter to create crossword, word search, and jumble puzzles to reinforce vocabulary terms for non-mastery students.

**Enrichment** The customizable **Vocabulary PuzzleMaker** can also be used for each lesson or chapter to create more challenging puzzles for mastery students.

## PRACTICE

# ¿Qué palabra necesito?

**1** You may or may not have students write this activity. After going over it in class, call on a student to retell the information in his or her own words.

**2** Call on more able students to correct the false statements.

**3** Have students prepare this activity and then go over it in class. **Expansion:** Call on more able students to make up original sentences using the words in the **Más vocabulario** section.

### Learning from Photos

*(page 61 bottom)* Como se ve en la foto, la región entre Ica y Pisco en el sur de Perú es muy árida y desértica. El clima aquí es muy seco pero no muy caluroso. Ica tiene unos valles muy fértiles y es famoso por el cultivo de uvas.

### Chapter Projects

**Los países hispanohablantes**
You may wish to ask some students to research how the Incan civilization used the quipu to relay information and for accounting purposes. Students may wish to make their own quipus to demonstrate what they have learned.

**60**

---

## ¿Qué palabra necesito?

MONASTERIO D SANTA CATALINA
(UNICO EN EL MUNDO CON CIUDADELA)
AREQUIPA — PERÚ
www.santacatalina.org.pe
R.U.C. Nº 20134786605
Nº Reg. MICTI 9800255
**ENTRADA GENERAL**
S/. 2500    Nº 010456
SERVICIOS:   1.- Oficina de Informaciones.
2.- Servicio de Guías, no incluido en el boleto de ingreso.
3.- Tienda de Artesanías
4.- Botiquín de Primeros Auxilios.
5.- Servicios Higiénicos al ingreso y a mitad del recorrido.
6.- Cafetería.
ADVERTENCIA.- La empresa no se responsabiliza por accidentes. Camínese con cuidado Observando los desniveles del piso. Y algunas entradas muy bajas. No se permite llevar en el recorrido, radios y/o equipos.
**VISITE: www.arequipa-tourism.com**

**1**  **Historieta** **El pasado** Contesten.

1. En la época precolombina, ¿cultivaban los indígenas el maíz o el choclo?
2. ¿Qué más cultivaban?
3. ¿Usaban el quipu para contar?
4. ¿Tenía el quipu nudos?
5. En la época colonial, ¿dónde se situaban las casas más elegantes?
6. ¿Cuántos pisos solían tener?
7. ¿Tenían balcones?
8. ¿De qué eran los balcones?
9. ¿Tejían las señoras indígenas tejidos bonitos?

**2** **¿Es verdad?** ¿Sí o no?

1. El oro y la plata son metales preciosos.
2. La madera, como la esmeralda o el diamante, es una joya.
3. Los productos manufacturados son materia prima.
4. Se puede hacer nudos con una cuerda.
5. Nieva mucho en una región lluviosa.
6. Casi siempre hace calor en una zona calurosa.
7. El limón es una fruta bastante agria.
8. Un indígena inca es un criollo.

**3** **¿Cuál es la palabra?**
Expresen de otra manera.

1. Estos tejidos son muy *bellos*.
2. La materia prima es *insuficiente*.
3. Donde viven ellos no hay mucha *lluvia*.
4. Las casas más elegantes *se encontraban* en la plaza.
5. Él *sometió* a su hermano.
6. Ellos *favorecieron y ayudaron* a su hermano en la batalla.

Calle Amazonas, Quito, Ecuador

---

## ANSWERS TO ¿Qué palabra necesito?

**1**
1. Sí, los indígenas cultivaban el maíz o el choclo.
2. También cultivaban la papa.
3. Sí, usaban el quipu para contar.
4. Sí, el quipu tenía nudos.
5. Las casas más elegantes se situaban en la plaza o cerca de la plaza central.
6. Las casas solían tener sólo dos pisos.
7. Sí, tenían balcones.
8. Los balcones eran de madera.
9. Sí, las señoras tejían unos tejidos muy bonitos.

**2**
1. Sí
2. No
3. No
4. Sí
5. No
6. Sí
7. Sí
8. No

**3**
1. bonitos, hermosos, lindos
2. escasa
3. precipitación
4. se situaban
5. subyugó
6. apoyaron

# Lectura

## La geografía

Pensar en Ecuador o Perú es pensar en bellos paisajes andinos. Pero la verdad es que Ecuador y Perú se dividen en tres zonas geográficas muy diferentes: en el oeste la costa, llamada el litoral en Perú; en el centro la sierra o la cordillera; y en el este la zona amazónica, llamada el Oriente en Ecuador y la selva en Perú. Estas inmensas selvas tropicales de la cuenca[1] amazónica cubren la mayor parte del territorio de los dos países. Pero debido al calor, a la vegetación densa y a la inaccesibilidad, es aquí donde vive el menor número de habitantes. Más del 50 por ciento de la población de cada país vive en la sierra.

A pesar de la proximidad de la línea ecuatorial, el clima de la costa de Ecuador y Perú no es ni muy caluroso ni muy lluvioso. ¿Por qué? Pues, una corriente fría llamada la corriente del Pacífico o la corriente Humboldt baña la costa y baja la temperatura y la precipitación. Muchas partes del litoral peruano son tan áridas que son zonas desérticas.

Bolivia no tiene costa. Perdió su acceso al mar en la guerra con Chile llamada también la guerra del Pacífico (1878–1884). En Bolivia los Andes se dividen en dos cordilleras—la oriental y la occidental— separadas por un altiplano de vientos fuertes y una vegetación muy escasa. En el este, Bolivia, como sus vecinos, tiene una inmensa área de selvas tropicales.

[1] cuenca  *basin*

Volcán Illimani, La Paz, Bolivia

Entre Pisco e Ica, Perú

PAÍSES ANDINOS

 **A** Identifiquen.

1. tres países andinos
2. el número de zonas geográficas que tienen Perú y Ecuador
3. el nombre que se le da a la costa de Perú
4. el nombre que se le da a la selva de Ecuador
5. donde vive la mayoría de las poblaciones ecuatoriana y peruana
6. la corriente que baja la temperatura y la precipitación a lo largo de la costa del Pacífico en Perú y Ecuador
7. cuando Bolivia perdió su acceso a la costa
8. lo que cubre la parte oriental de Bolivia

*sesenta y uno* 61

---

## ANSWERS

**A**

1. Ecuador, Perú, Bolivia
2. tres
3. el litoral
4. el Oriente
5. en la sierra
6. la corriente Humboldt
7. en la guerra del Pacífico (1878–1884)
8. selvas tropicales

 National Standards

**Cultures**
This reading familiarizes students with the geography, history, and culture of the Andean region.

**Connections**
Students further their knowledge of geography and history.

---

Lectura

### Bellringer Review

*Use BRR Transparency 2.2 or write the following on the board.*
**Completen en el presente.**
1. Las señoras ___ su ropa. (tejer)
2. El indígena ___ papas y choclo. (cultivar)
3. Los quipus ___ nudos. (tener)
4. Las casas del centro ___ tener solamente dos pisos. (soler)
5. Los balcones ___ de madera. (ser)

## PRESENTATION

**Step 1** Have students locate Ecuador, Peru, and Bolivia on a map.

**Step 2** Tell students to look at the photographs that accompany this **Lectura** as they read it.

**Step 3** Before students read this section, you may have them look at **Actividad A** to make them aware of the information they have to look for as they read the **Lectura**.

**Step 4** **Factual Recall** You may wish to allow students to look up the answers to **Actividad A** and read them in class. If, however, you want them to know the facts, go over the activity again with books closed and have students give the answers without looking them up.

**LEVELING**

**C:** Reading

61

# Una ojeada histórica

### La época precolombina

Desde los tiempos más remotos han poblado estas regiones andinas muchos grupos indígenas. Durante unos siglos los incas los iban subyugando, llegando a formar en el siglo XV un Imperio que iba desde el sur de Colombia hasta el norte de Chile y desde los nevados picos andinos hasta las orillas del Pacífico. El Imperio cubría un área de 900.000 kilómetros cuadrados.

El jefe supremo de los incas fue el Inca, un hombre-dios que llevaba el título «Hijo del Sol». La base de la sociedad la constituía la familia o el ayllu, una comunidad formada por un conjunto de familias.

Los incas creían en un dios creador, Viracocha. Viracocha creó el mundo y los seres que lo habitaban. Luego desapareció en el mar. Otros dioses tenían más importancia que Viracocha en los ritos y en los asuntos diarios. Entre los más importantes fueron Inti, el Sol, y Pachamama, la Tierra. Los incas creían en un cielo y un infierno, un lugar asociado al frío y al hambre. El destino que esperaba a los muertos dependía de sus actos en vida y de su condición social.

Estela boliviana

Machu Picchu, Perú

Los incas hablaban quechua, un idioma que sus descendientes siguen hablando hoy. No conocían la escritura pero para contar tenían un sistema ingenioso. Usaban los quipus—series de cuerdas con nudos de varios tipos. Según el color de los cordeles[2] y la posición de los nudos, los quipus servían de registro numérico siguiendo un sistema decimal.

Los incas eran excelentes arquitectos. Construían casas, templos, fortalezas y ciudades. De estas la más famosa y la más intacta es Machu Picchu.

También era excelente el sistema de caminos que tenían. El trazado de las carreteras era sencillo. Una vía corría a lo largo de los Andes y la otra a lo largo de la zona costera. Había numerosos tambos o posadas[3] a distancias variables. En los tambos se encontraban chasquis u hombres correos que corrían a gran velocidad de un tambo a otro llevando mensajes.

[2] cordeles   *cord, twine*
[3] posadas   *inns*

---

**Step 5** You may wish to call on individuals to read sections of the reading selection aloud. Or, you may wish to read the selection (or parts of it) to the class as the students follow along in their books. Or, you may have students read the selection silently and then proceed to the activities.

**Step 6** Intersperse the questions from **Actividad B** as you go over this section of the **Lectura.**

**Step 7** After going over two or three paragraphs, call on a student to give a review of the information.

**Step 8** After completing this section, write the following on the board and call on individuals to say as much as they can about each item.

**el ayllu**
**Viracocha**
**Inti**
**Pachamama**
**quechua**
**los quipus**
**los chasquis**

## FUN·FACTS

Indians of the Andean region for centuries have chewed the leaves of the coca plant. Today, even in the international hotels of La Paz, Cuzco, etc., a tea is brewed from coca (té de coca) and available all day to guests. It is supposed to alleviate the effects of the extremely high altitude.

## Geography Connection

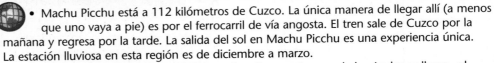

- Machu Picchu está a 112 kilómetros de Cuzco. La única manera de llegar allí (a menos que uno vaya a pie) es por el ferrocarril de vía angosta. El tren sale de Cuzco por la mañana y regresa por la tarde. La salida del sol en Machu Picchu es una experiencia única. La estación lluviosa en esta región es de diciembre a marzo.
- La enfermedad que afecta a las personas en las alturas extremas de los Andes se llama «el soroche». Algunos síntomas del soroche son dolores de cabeza, falta de aliento (dificultad en respirar) y fatiga. En el aeropuerto de El Alto en La Paz, hay enfermeros con tanques de oxígeno para los pasajeros afectados por la altura.

La base del sustento de los incas era la agricultura. En las regiones más altas el único cultivo practicable era la papa. Exponiendo la papa sucesivamente a las heladas nocturnas del altiplano y al radiante sol del día, deshidrataban la papa convirtiéndola en chuño. Se podía transportar el chuño fácilmente y se conservaba por mucho tiempo. Cultivaban también el choclo y la quinua[4] que se empleaba como cereal. El ganado domesticado, llamas y alpacas, les daba lana, pieles[5] y carne. Cortaban la carne de estos animales en tiras[6] finas que secaban al sol para hacer charqui que se podía conservar por mucho tiempo.

[4] quinua   *type of seed*
[5] pieles   *skins*
[6] tiras   *strips*

Llamas en Ingapirca, Ecuador

Baños, Ecuador

**Spanish Online**
To learn more about archaeological sites in the Andean countries, go to **Web Explore** on the Glencoe Spanish Web site at glencoe.com.

**B**  Contesten.

1. ¿Qué grupo indígena iba formando un imperio grande desde el sur de Colombia hasta el norte de Chile?
2. ¿Qué constituía la base de la sociedad inca?
3. ¿Quién era el dios creador de los incas?
4. ¿Quiénes eran dos dioses que tenían mucha importancia en su vida diaria?
5. ¿De qué dependía el destino final de los incas?
6. ¿Qué lengua hablaban?
7. ¿Conocían la escritura?
8. ¿Qué usaban para contar?
9. ¿Qué construían los incas?
10. ¿Quiénes eran los chasquis y qué hacían?
11. ¿Qué comían los incas?
12. ¿Para qué usaban las llamas y las alpacas?

**FUN FACTS**

**Llamas, vicuñas, alpacas,** and **guanacos** are all similar, varying primarily in size, color, and texture of wool. They are ruminants (cud chewers) and are related to the camel. Originally they came from Andean South America.

**Pre-AP SkillBuilder**

As students read these **Lecturas,** they will develop the skills they need to be successful on the reading and writing sections of the AP exam.

---

**ANSWERS**

**B**

1. Los incas iban formando un imperio grande desde el sur de Colombia hasta el norte de Chile.
2. La familia o el ayllu constituía la base de la sociedad inca.
3. Viracocha era el dios creador de los incas.
4. Inti, el Sol, y Pachamama, la Tierra, tenían mucha importancia en su vida diaria.
5. El destino final de los incas dependía de sus actos en vida y de su condición social.
6. Hablaban quechua.
7. No, no conocían la escritura.
8. Usaban el quipu para contar.
9. Los incas construían casas, templos, fortalezas y ciudades, incluso Machu Picchu.
10. Los chasquis eran hombres correos que corrían a gran velocidad de un tambo a otro llevando los mensajes.
11. Los incas comían la papa, el choclo, la quinua y la carne de llamas y alpacas.
12. Las llamas y las alpacas les daban lana, pieles y carne.

## PRESENTATION

*(cont'd)*

**Step 9** As you go over this section you may want to ask some **qué, quién, cuándo** and **dónde** questions.

**Step 10** Have a student explain the meaning of: **Los conquistadores querían servir a Dios y a su Rey.**

**Step 11** Have a student explain who are "**Señores de vasallos.**"

**Step 12** Call on a more able student to explain **la encomienda.** This is a very important concept since it had much negative impact for generations throughout Latin America.

**Step 13** Have students prepare **Actividad C** and read it to the class.

**Step 14** Call on more able students to correct the false statements in **Actividad D.**

### Learning from Photos

*(page 64 bottom center)* This photo was taken just off the Plaza de Armas in Lima.

## Spanish Online

The Glencoe World Languages Web site at **glencoe.com** provides Internet enrichment activities and links for students to investigate the Spanish-speaking world. Every chapter has a **WebQuest** activity and a **Self-Check Quiz.** The **Web Explore** section takes students to Spanish Web sites related to the chapter theme. Students can also click on **World News Online** to read current articles in Spanish-language newspapers.

### La conquista

El Inca Huayna Capac murió en 1525. Con su muerte el gran Imperio fue dividido entre sus dos hijos—Huáscar, el legítimo, y Atahualpa, el ilegítimo. Atahualpa recibió el norte (Quito) y Huáscar recibió el sur (Cuzco). Enseguida Atahualpa se sublevó contra su hermano. Lo venció y lo tomó prisionero. En este momento entra Francisco Pizarro con entre 130 y 250 hombres y veinticinco a ochenta caballos, a Tumbes, cerca de Cuzco. Pizarro y sus hombres encontraron muy poca resistencia ya que los habitantes de la región habían apoyado al hermano muerto de Atahualpa. La conquista fue rápida y en noviembre de 1532 los españoles hicieron prisionero a Atahualpa en Cajamarca (hoy parte de Ecuador). Poco después lo ejecutaron. En noviembre de 1533 Pizarro entró en Cuzco y dos años después fundó la magnífica ciudad de los Reyes, Lima.

Los conquistadores tenían afán de hacerse famosos realizando hazañas[7] y obteniendo riquezas de oro y plata para la Corona española. Además se consideraban los portadores de la verdadera fe y querían convertir a los indígenas. Los conquistadores querían servir a Dios y a su Rey.

[7] hazañas   *deeds*

Atahualpa

Francisco Pizarro

Lima, Perú

Como en la Edad Media europea el señor tenía vasallos, los conquistadores y los primeros pobladores de las Américas también tenían la ambición de convertirse en «señores de vasallos». Esa ambición resultó en la institución de la encomienda. Consistía en encomendar cierto grupo de indígenas a un español, al encomendero. El encomendero tenía el derecho de cobrar tributos[8] a los indígenas. En los primeros tiempos de la colonización no hubo control sobre las exigencias de los encomenderos quienes cometieron todo tipo de abusos contra los indígenas, sobre todo en el trabajo en las minas. Es difícil imaginar el trauma que sufrieron los incas tras la llegada de los españoles. La población indígena empezó a bajar dramáticamente debido a las epidemias de enfermedades que trajeron los españoles, los maltratos sufridos a causa de las exigencias laborales de los encomenderos y el colapso de su forma de vivir, de sus costumbres y de su religión. El rápido descenso poblacional indígena resultó en otro gran horror, el tráfico[9] de africanos, de gente esclavizada.

[8] tributos *taxes*
[9] tráfico *trade*

 **C** Completen.

El Inca Huayna Capac murió en 1525. Después de su muerte el Imperio de los incas fue dividido en dos partes entre sus dos __1__. __2__ recibió el sur y __3__ recibió el norte. Enseguida __4__ sublevó contra su hermano, __5__. Lo venció y lo tomó __6__. Muy poco después llegó Francisco Pizarro, el conquistador español. Sus hombres no encontraban mucha __7__ de los incas porque ya habían apoyado al hermano muerto de Atahualpa. La conquista fue rápida y los españoles capturaron a __8__ en Cajamarca y poco después lo __9__.

Plaza de Armas, Trujillo, Perú

**D** ¿Sí o no?

1. Los conquistadores y los colonizadores encomendaban a un grupo de indígenas a un español. Los indígenas tenían que trabajar por el español a quien fueron encomendados.
2. El español fue el encomendado y el indígena el encomendero.
3. Los españoles nunca abusaban de los indígenas.
4. Los españoles les exigían mucho trabajo duro a los indígenas.
5. La población de los indígenas empezó a bajar dramáticamente.
6. Los indígenas fueron reemplazados por los negros esclavizados importados de África.

PAÍSES ANDINOS

*sesenta y cinco* 65

---

**ANSWERS**

**C**

1. hijos
2. Huáscar
3. Atahualpa
4. Atahualpa
5. Huáscar
6. prisionero
7. resistencia
8. Atahualpa
9. ejecutaron

**D**

1. Sí
2. No
3. No
4. Sí
5. Sí
6. Sí

### PRESENTATION

*(cont'd)*

**Step 15** As you go over this section, you can intersperse the questions from **Actividad E** on page 66.

### La colonización

Durante la primera parte del período colonial (siglos XVI y XVII) el Virreinato de Perú se extendía desde el estrecho de Magallanes hasta Ecuador. Lima fue la capital.

Durante la época colonial los españoles establecieron muchas ciudades. Las ciudades se parecían a las de España. Las calles se cruzaban formando una red[10] octagonal. En el centro había un espacio abierto—la plaza—generalmente llamada la Plaza de Armas. La plaza servía de eje[11] a la vida urbana. Aquí se situaban los principales edificios administrativos y religiosos. El que más cerca de la plaza vivía más importancia social tenía. Sus casas solían contar con dos pisos y tenían balcones de madera. Por su parte las clases más humildes vivían en casas de un solo piso que en algunas zonas se pintaban de colores alegres. En las afueras del centro urbano se situaban los barrios o pueblos indios. La sociedad colonial se dividía en estratos bien diferenciados. En primer lugar venían los hidalgos[12] y los descendientes de los conquistadores que en siguientes generaciones constituían la nobleza criolla, hijos de españoles nacidos en América. Luego venían los mestizos, los negros y los indígenas.

[10] red   *network*
[11] eje   *axis*
[12] hidalgos   *nobles*

Plaza de Armas, Quito, Ecuador

Calle la Ronda, Casco antiguo, Quito, Ecuador

**E** Contesten.

1. ¿Se parecían las ciudades que establecían los españoles a las ciudades de España?
2. ¿Qué había en el centro de la ciudad?
3. ¿Qué nombre le daban los españoles a este espacio?
4. ¿Qué edificios se situaban en la plaza?
5. ¿Dónde vivía la gente que más importancia social tenía?
6. ¿Cómo solían ser sus casas?
7. ¿Cómo eran las casas en las que vivían las clases más humildes?
8. ¿Qué había en las afueras del centro urbano?

66   CAPÍTULO 2

---

### ANSWERS

**E**

1. Sí, las ciudades que establecían los españoles se parecían a las ciudades de España.
2. En el centro había un espacio abierto—la plaza.
3. Generalmente llamaban este espacio la Plaza de Armas.
4. En la plaza se situaban los principales edificios administrativos y religiosos.
5. La gente que tenía más importancia social vivía más cerca de la plaza.
6. Sus casas solían contar con dos pisos y tenían balcones de madera.
7. Las casas en las que vivían las clases más humildes eran de un solo piso que en algunas zonas se pintaban de colores alegres.
8. En las afueras del centro urbano se situaban los barrios o pueblos indios.

## Desde la independencia hasta hoy

Después de tres siglos de dominación española, los colonos querían su independencia. La minoría culta, la mayoría de ellos criollos, pedían reformas. Una de sus quejas[13] fue contra la política intervencionalista y de control económico que practicaba la monarquía española. La Corona no permitía el comercio con ningún otro país, sólo con España. Les compraba la materia prima a los colonos a precios muy bajos y les vendía los productos manufacturados a precios muy altos. Otro problema fue la debilidad de la monarquía española que culminó en la invasión francesa de España en 1808 cuando Napoleón nombró a su hermano José Bonaparte rey de España.

Las rebeliones independentistas empezaron a principios del siglo XIX. Simón Bolívar luchó en el norte, en Venezuela y Colombia. El general José de San Martín luchó en Argentina y Chile y siguió la costa hasta Lima. Los dos se reunieron en Guayaquil en 1822 pero no pudieron ponerse de acuerdo sobre una política de posguerra. San Martín se retiró a Francia y Bolívar continuó la lucha. Bajo Bolívar y el mariscal Sucre el dominio español en la América del Sur terminó con las victorias de Junín y Ayacucho en 1824.

[13] quejas  *complaints*

Plaza de Armas, Trujillo, Perú

Hotel Gran Bolívar, Lima, Perú

PAÍSES ANDINOS

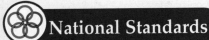

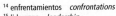
**Step 16** With some students you may have to go over the meaning of words such as **intereses regionalistas y separatistas, conservadores y liberales,** and **militaristas y civilistas.**

**Step 17** Upon completion of this section ask students: **¿Cuáles son algunas razones por la guerra de la Independencia en Latinoamérica?**

## National Standards

**Connections**
You may ask students who like history to give some reasons for the American Revolution and compare them to Latin America.

Aun antes de la independencia empezaron a surgir intereses regionalistas y separatistas. En vez de formar una gran entidad política, el sueño de Bolívar, los virreinatos se dividieron en muchas naciones diferentes. Desde la independencia las naciones andinas de Ecuador, Perú y Bolivia han tenido una historia política bastante turbulenta con enfrentamientos[14] entre conservadores y liberales, militaristas y civilistas. Cada país ha tenido gobiernos democráticos y dictaduras. Y cada uno ha gozado de períodos estables y ha sufrido de períodos inestables.

Son Ecuador, Perú y Bolivia los países que han conservado la mayor población indígena de todos los países sudamericanos. Las poblaciones indígena y mestiza alcanzan aproximadamente el 70 por ciento de la población total de cada nación. Hoy hay un fuerte renacimiento de interés en todo lo «indígena» y esta población está pidiendo una voz más fuerte en el gobierno y en el liderazgo[15] de cada país donde por lo general la élite criolla sigue ejerciendo mayor poder.

[14] enfrentamientos   *confrontations*
[15] liderazgo   *leadership*

**F** Expliquen.

1. dos razones económicas por las cuales los colonos querían su independencia de España
2. una razón política por la cual querían su independencia
3. donde luchó Simón Bolívar
4. donde luchó San Martín
5. el gran sueño de Simón Bolívar
6. la situación política y económica de Ecuador, Perú y Bolivia desde la independencia

CAPÍTULO 2

---

## ANSWERS

**F**

1. La corona no permitía el comercio con ningún otro país, sólo con España. También les compraba la materia prima a los colonos a precios muy bajos y les vendía los productos manufacturados a precios muy altos.
2. La debilidad de la monarquía española culminó en la invasión francesa de España en 1808 cuando Napoleón nombró a su hermano José Bonaparte rey de España.
3. Simón Bolívar luchó en el norte, en Venezuela y Colombia.

4. El general José de San Martín luchó en Argentina y Chile y siguió la costa hasta Lima.
5. El sueño de Bolívar era formar una gran entidad política en vez de muchas naciones diferentes.
6. Desde la independencia las naciones andinas de Ecuador, Perú y Bolivia han tenido una historia política bastante turbulenta con enfrentamientos entre conservadores y liberales, militaristas y civilistas. Cada país ha tenido gobiernos democráticos y dictaduras. Y cada uno ha gozado de períodos estables y ha sufrido de períodos inestables.

## Visitas históricas

Al visitar no importa cual de estos tres países, vas a ver unos paisajes inolvidables. Y por todas partes vas a sentir o experimentar las ricas herencias indígena y española.

La ciudad más intacta de los incas es Machu Picchu. Se discute si servía de fortaleza, de santuario religioso o de escuela para la nobleza incaica.

En 1300 la ciudad de Chan Chan de los Mochica en la costa norte de Perú fue más grande en tamaño y población que cualquier ciudad europea de la época. Sus magníficas ruinas dan testimonio de su grandeza.

Una visita al mercado de Otavalo al norte de Quito en Ecuador es una experiencia inolvidable. Aquí se puede comprar de todo. A muchos les interesan los tejidos porque los tejedores otavaleños gozan de fama mundial y sus tejidos son muy apreciados.

Ejemplos de la herencia española son las bellas plazas de Lima, Quito y Sucre, todas de estilo colonial. El convento de Santa Catalina en Arequipa es una joya arquitectónica. Es todo un pueblo cerca de la Plaza de Armas que hasta recientemente sirvió de residencia a las señoritas acomodadas que decidieron dedicarse a la vida religiosa.

Chan Chan, Perú

Convento de Santa Catalina, Arequipa, Perú

Plaza de Armas, Arequipa, Perú

PAÍSES ANDINOS

*sesenta y nueve* 69

**Step 19** Have students take a look at the detailed work on the walls in Chan Chan.

**Step 20** You may wish to share with students the information about the Convento de Santa Catalina. There are still several nuns living there today.

### Learning from Photos

*(page 69 top left)* Los Moche o Mochica vivían en el valle del Moche cerca de Trujillo. Unos trescientos años después de la desaparición de su civilización nació la de los chimú. Su Imperio se llamaba Chimos y fue el segundo más grande de la historia sudamericana precolombina. Su capital Chan Chan fue una ciudad grande de edificios de adobe. Chan Chan tenía bulevares, jardines, acueductos, palacios y más de 10.000 viviendas. Los incas conquistaron a los chimú en 1470, poco antes de la llegada de los españoles.

*(page 69 bottom left and right)* Arequipa tiene fama de ser la más española de las ciudades peruanas. Se llama también la «ciudad de los volcanes» y los arequipeños la llaman la «ciudad blanca».

La Plaza de Armas es quizás la más bonita de Perú con fuentes y árboles bonitos. De la plaza hay vistas de los volcanes Misti, Chachani y Pichupichu.

El convento de Santa Catalina es un pueblecito amurallado a sólo unas cuadras de la Plaza de Armas. Fue fundada en 1579. Una vez había cuatrocientas religiosas que vivían en el «convento». Las novicias tenían que pagar para entrar en el convento y fueron separadas según su «contribución»—más alta la contribución, más lujosa la celda. Muchas religiosas llegaban con sus sirvientas y cocineras.

🔄 **Recycling**

Ask students what they remember about Otavalo from Spanish 1 and 2.

### Learning from Photos

*(page 70 bottom)* El mercado de Otavalo, los sábados por la mañana, tiene bastante fama. Los otavaleños se consideran los mejores tejedores del mundo. Muchos otavaleños viajan por todas partes del mundo vendiendo sus tejidos. Una parte del mercado se dedica a la venta de los textiles pero también hay puestos de comida y animales—sobre todo los muy conocidos cuyes *(guinea pigs)*. El mercado se abre cuando se levanta el sol y se cierra a la una de la tarde.

## Cocina

Si tienes hambre durante tu visita tienes que probar una de las muchas especialidades regionales. Hay muchas opciones pero aquí tienes una posibilidad para cada país. Vas a notar la influencia indígena en la cocina con el uso de la papa y del choclo.

Ceviche

**Bolivia**    **empanadas salteñas:** empanadas con carne picada, huevos, aceitunas, papas, cebollas y pimientos

**Perú**    **ceviche:** corvina u otro pescado, adobado[16] durante tres o cuatro horas en una salsa de limón y naranja agria

**Ecuador**    **locro:** una sopa de papa o choclo con queso a veces acompañado de palta (aguacate)

¡Buen provecho y buen viaje!

[16] adobado   *marinated*

 **G**   Contesten.

Si puedes ir a uno o más de estos tres países andinos, ¿adónde quieres ir? ¿Qué quieres ver? ¿Qué vas a comer?

Otavalo, Ecuador

**ANSWERS**

**G**   *Answers will vary but students should explain their choices.*

# Estructura • Repaso

## Imperfecto
### Talking about habitual, recurring past actions

**Use your StudentWorks Plus™ CD for more practice.**

**1.** The imperfect tense is, after the preterite, the most frequently used tense to express past actions. Review the forms of the imperfect. Note that the same endings are used for both **-er** and **-ir** verbs.

| INFINITIVE | hablar | leer | escribir |
|---|---|---|---|
| root | habl- | le- | escrib- |
| yo | hablaba | leía | escribía |
| tú | hablabas | leías | escribías |
| él, ella, Ud. | hablaba | leía | escribía |
| nosotros(as) | hablábamos | leíamos | escribíamos |
| vosotros(as) | hablabais | leíais | escribíais |
| ellos, ellas, Uds. | hablaban | leían | escribían |

**2.** Note that verbs that have a stem change in either the present or the preterite do not have a stem change in the imperfect.

| querer | sentir | pedir |
|---|---|---|
| quería | sentía | pedía |
| querías | sentías | pedías |
| quería | sentía | pedía |
| queríamos | sentíamos | pedíamos |
| queríais | sentíais | pedíais |
| querían | sentían | pedían |

ILARIA
PERÚ
Finas y exclusivas piezas, tanto en plata 925 como en otros materiales, trabajadas artística y artesanalmente con la milenaria maestría de los orfebres peruanos.

Convento de Santa Catalina, Arequipa, Perú

PAÍSES ANDINOS

setenta y uno 71

**POWERTEACH**
*Interactive*
*Chalkboard*

You may wish to use the editable PowerPoint® presentation available on this PowerTeach CD-ROM for additional grammar instruction and practice.

## PREPARATION

### Resource Manager

Workbook, pages 22–23
Audio Activities TE, pages 34–35
Audio CD 2, Tracks 11–13
Quiz, page 18
*ExamView® Assessment Suite*

### Bellringer Review

*Use BRR Transparency 2.3 or write the following on the board.*
**Completen en el presente.**
1. Yo ___ (querer) ir al cine.
2. Nosotros ___ (querer) ir al teatro.
3. Nosotros ___ (ir) a la escuela.
4. Yo ___ (ser) una persona bien educada.
5. Yo lo ___ (sentir) mucho.
6. Yo no ___ (conocer) a mucha gente aquí.

## PRESENTATION

### Imperfecto

**Step 1** Items 1, 2, 3 Have students repeat the verb forms aloud. Permit them to read the explanatory material silently or omit it. Most students learn the forms by hearing, seeing, and using them.

**Step 2** It is recommended that you not give students English equivalents for the imperfect. "Used to" implies that it is not anymore.

**LEVELING**
**C:** Structure

71

LECCIÓN I
*Cultura*

## PRESENTATION

*(cont'd)*

**Step 3** Item 4 Explain to students that the important thing to keep in mind is continuity. The beginning and end times of the action are not important.

**Step 4** Item 5 Have students read the explanation and the model sentences aloud. Have students read the time expressions and the model sentences aloud. You may wish to have students read all the sentences together to form a descriptive narrative.

**3.** The following verbs are the only irregular verbs in the imperfect tense.

| ir | ser | ver |
|---|---|---|
| iba | era | veía |
| ibas | eras | veías |
| iba | era | veía |
| íbamos | éramos | veíamos |
| *ibais* | *erais* | *veíais* |
| iban | eran | veían |

**4.** The imperfect tense is used to express habitual or repeated actions in the past. When the event actually began or ended is not important. Some time expressions that accompany the imperfect are:

**siempre, a menudo, con frecuencia, muchas veces, cada día, cada viernes, cada semana, cada año, en la época precolombina, durante el Renacimiento**

En la época precolombina, los incas hablaban quechua.
Su base de sustento era la agricultura.
Comían muchas papas y choclo.

La profesora de español siempre nos hablaba en español en clase.
De vez en cuando ella nos leía una poesía o un refrán.
A veces nos enseñaba un baile.
Y los lunes, siempre nos daba un examen.

**¿Lo sabes?**

The imperfect of **hay** is **había**.
**Había mucha gente.**
**Había miles de personas.**

**5.** The imperfect is used to describe persons, places, and things in the past.

| | |
|---|---|
| APARIENCIA | El general era alto, fuerte y valiente. |
| EDAD | Tenía solamente veinticinco años. |
| ACTITUD Y DESEO | Él siempre quería salir victorioso. |
| ESTADO EMOCIONAL | Él estaba contento cuando ganaba. |
| TIEMPO | Era invierno, y hacía frío. |
| COLOCACIÓN | Era en la sierra donde luchaba el general. |
| HORA | Eran las cuatro de la mañana. |
| CONDICIÓN | Él tenía mucho frío y estaba cansado. |

Altiplano, Ecuador

# ¿Cómo lo digo?

**1 Historieta   De pequeño(a)** Contesten.

1. Cuando eras pequeño(a), ¿a qué hora te levantabas por la mañana?
2. ¿A qué escuela asistías?
3. ¿Te gustaba ir a la escuela?
4. ¿Te acuerdas? ¿Quién era tu maestro(a) en el quinto grado?
5. ¿Cómo se llamaba? ¿Qué edad tenía, más o menos? ¿Cómo era?
6. ¿Daba muchos exámenes?
7. ¿Recibías buenas notas en su clase?
8. ¿Tomabas el almuerzo en la escuela o volvías a casa para almorzar?
9. ¿A qué hora terminaban las clases?
10. ¿A qué hora salías de la escuela?

**2 Historieta   Los incas** Completen con el imperfecto.

Durante siglos los incas ___1___ (ir) subyugando a muchos grupos indígenas incluyendo a los chimú que ___2___ (vivir) en la maravillosa ciudad de adobe, Chan Chan. Los incas ___3___ (llamar) a su imperio Tahuantinsuyo que ___4___ (significar) las cuatro regiones de la tierra. Su lengua oficial ___5___ (tener) el nombre de runasimi o quechua. La base de su estructura social ___6___ (ser) el ayllu o sea un grupo de familias que ___7___ (cultivar) la tierra, ___8___ (dividir) el trabajo y ___9___ (hacer) labores en común. La base de su sustento ___10___ (ser) la agricultura. Parte de la cosecha ___11___ (ser) para el inca y otra parte se ___12___ (repartir) entre las familias del ayllu.

Chan Chan, Perú

Cuzco, Perú

**3 Historieta   El papel de la mujer**

Cambien en el imperfecto.

En la familia indígena de la época precolombina, la mujer es considerada inferior al hombre. Ella tiene un montón de ocupaciones. Ella recoge el combustible, prepara la comida, cuida de los niños y de los animales, cultiva la huerta y teje la ropa. Cuando tiene que ir de un lugar a otro y si tiene un hijo que todavía no puede caminar, lo lleva en la espalda en un repliegue (*pleat, fold*) de su capa. Si el viaje dura más de medio día, carga también el alimento de la familia y la leña para el fuego.

PAÍSES ANDINOS

*setenta y tres* ✷ 73

---

---

## ANSWERS TO ¿Cómo lo digo?

**1**

1. Cuando era pequeño(a), me levantaba a las ___.
2. Asistía a ___.
3. Sí, (No, no) me gustaba ir a la escuela.
4. Sí, (No, no) me acuerdo quien era mi maestro(a) en el quinto grado.
5. Se llamaba ___ y tenía más o menos ___ años. Era ___.
6. Sí, (No, no) daba muchos exámenes.
7. Sí, (No, no) recibía buenas notas en su clase.

8. Tomaba el almuerzo en la escuela (Volvía a casa para almorzar).
9. Las clases terminaban a las ___.
10. Salía de la escuela a las ___.

**2**

1. iban
2. vivían
3. llamaban
4. significaba
5. tenía

6. era
7. cultivaban
8. dividían
9. hacían
10. era
11. era
12. repartía

**3**

era, tenía, recogía, preparaba, cuidaba, cultivaba, tejía, tenía, tenía, podía, llevaba, duraba, cargaba

## Recycling

These activities allow students to use the vocabulary and structure from this lesson in completely open-ended, real-life situations.

---

### PRESENTATION

Encourage students to say as much as possible when they do these activities. Tell them not to be afraid to make mistakes, since the goal of these activities is real-life communication. If someone in the group makes an error, allow the others to politely correct him or her. Let students choose the activities they would like to do.

You may wish to divide students into pairs or groups. Encourage students to elaborate on the basic theme and to be creative. They may use props, pictures, or posters if they wish.

**Note:** It is recommended that you not correct all errors made by the students as they do these activities. They would certainly make errors if they were communicating in real situations in a Spanish-speaking country.

---

LECCIÓN I
**Cultura**

## ¡Te toca a ti!

**Use what you have learned**

HABLAR
**1**

### La geografía de los países andinos

✔ *Describe the geography of Ecuador, Peru, and Bolivia*

Muchos norteamericanos al pensar en la América del Sur piensan en un clima y paisaje tropicales. Pero es una idea errónea que tienen. Explícale a un(a) amigo(a) como es el clima en Ecuador, Perú y Bolivia. Descríbele también el paisaje.

HABLAR
**2**

### La vida en la época de los incas

✔ *Describe the lifestyle of the Incas*

Has aprendido mucho sobre la vida de los incas. En tus propias palabras, describe algunos aspectos de su vida diaria. Puedes incluir sus creencias religiosas, como escribían, contaban o enviaban mensajes y lo que comían.

ESCRIBIR
**3**

### Un rebelde

✔ *Discuss some events that led to the Conquest*

Escribe un artículo para un periódico describiendo los eventos que siguieron la muerte del inca Huayna Capac. Explica como y por qué fue tan rápida la conquista.

Altiplano, Ecuador

La Paz, Bolivia

---

ANSWERS TO ¡Te toca a ti!

*Answers will vary.*

## Los países andinos

✔ *Discuss what you know about Andean countries*

Trabajen en grupos de cuatro. Compartan sus opiniones. Cada uno(a) dirá lo que para él o ella era lo más interesante de todo lo que aprendió sobre los países andinos. Luego, un miembro de su grupo va a compartir las opiniones de todos con la clase.

## Una ciudad de la época colonial

✔ *Describe a typical colonial city*

Descríbele a un(a) amigo(a) como era una típica ciudad colonial latinoamericana. Incluye el eje central, quienes vivían donde, y como eran sus casas.

Una calle, Trujillo, Perú

## Cuando yo era niño(a)

✔ *Describe some events from your childhood*

En tus propias palabras describe todo lo que tú recuerdas de tu niñez. Dile donde vivías, lo que hacías y con quien jugabas.

## Como vivían mis abuelos

✔ *Describe some events in the lives of your grandparents*

Trabajen en grupos de cuatro. Hablen de como vivían sus abuelos cuando ellos eran muy jóvenes. ¿Tenían televisores a color? ¿Computadoras? ¿E-mail o correo electrónico? ¿Había jets? ¿Cómo existían sin estas comodidades? ¿Qué hacían?

Subtanjalla, Perú

PAÍSES ANDINOS

*setenta y cinco* 75

ANSWERS TO ¡Te toca a ti!

*Answers will vary.*

75

# Assessment

## Resource Manager

Assessment Transparency A2.1
Online Quiz
Tests, pages 33–35 and 42–67
ExamView® Assessment Suite

## Assessment

This is a pretest for students to take before you administer the lesson test. Answer sheets for students to do these pages are provided in the transparencies. Note that each section is cross-referenced so students can easily find the material they have to review in case they made errors. You may wish to collect these assessments and correct them yourself or you may prefer to have the students correct themselves in class. You can go over the answers orally or project them on the overhead, using your Assessment Answers transparencies.

## Reaching All Students

### Non-Mastery Students
Encourage students who need extra help to refer to the yellow notes and review any section before answering the questions.

# Vocabulario

1 **Den la palabra cuya definición sigue.**

To review vocabulary, turn to pages 58–59.

1. favorecer y ayudar a alguien
2. un metal precioso
3. insuficiente
4. lo que son el petróleo, la madera, etc.
5. lo que se puede hacer con una cuerda

# Lectura

2 **¿Qué país es?**

To review some geographical facts about the Andean countries, turn to page 61.

6. su costa occidental se llama el litoral
7. el Oriente se refiere a las selvas tropicales del este
8. muchas partes de su costa son tan áridas que son zonas desérticas
9. no tiene costa
10. los Andes se dividen en dos cordilleras separadas por un altiplano

Playa, Huanchaco, Perú

CAPÍTULO 2

---

ANSWERS TO  Assessment

1. apoyar
2. el oro, la plata
3. escaso(a)
4. materia prima
5. hacer nudos o quipus

6. Perú
7. Ecuador
8. Perú
9. Bolivia
10. Bolivia

**3** **Pareen.**

11. el Inca     **a.** el Hijo del Sol

12. el ayllu     **b.** cuerdas con nudos que usaban los incas para contar

13. quechua     **c.** comunidad formada de familias

14. los quipus     **d.** mensajeros de los incas

15. los chasquis     **e.** el idioma de los incas

**4** **¿Sí o no?**

16. La conquista de los incas fue muy larga y dura porque el Inca Huayna Capac era un líder muy fuerte.

17. Los encomenderos españoles les trataban muy bien a los indígenas.

18. En los siglos XVI y XVII el Virreinato de Perú se extendía de México a Chile.

19. Las clases más humildes siempre vivían en las plazas del centro de una ciudad colonial.

20. Son Ecuador, Perú y Bolivia los países que hoy tienen la mayor población indígena de todos los países sudamericanos.

To review some historical and cultural facts about the Andean countries, turn to pages 62–70.

# Estructura

**5** **Completen con el imperfecto.**

21–22. Yo _____ ceviche cuando _____ en Perú. (comer, estar)

23. En Bolivia, (ellos) _____ las empanadas salteñas con carne picada, huevos, papas y otros ingredientes. (preparar)

24–25. Las señoras que _____ en el convento de Santa Catalina en Arequipa se _____ a la vida religiosa. (vivir, dedicar)

26–27. Yo te _____ algo pero no entendiste porque (tú) no me _____ caso. (decir, hacer)

28–30. Nosotros no _____ que no _____ mucho calor en la costa y que una gran parte de la región _____ desértica. (saber, hacer, ser)

To review verbs in the imperfect, turn to pages 71–72.

**Learning from Photos**

*(page 76)* Huanchaco está en la costa norte de Perú no muy lejos de Trujillo. Es un balneario popular de las familias peruanas.

**ANSWERS TO Assessment**

| **3** | **4** | **5** | |
|---|---|---|---|
| 11. a | 16. No | 21. comía | 26. decía |
| 12. c | 17. No | 22. estaba | 27. hacías |
| 13. e | 18. No | 23. preparaban | 28. sabíamos |
| 14. b | 19. No | 24. vivían | 29. hacía |
| 15. d | 20. Sí | 25. dedicaban | 30. era |

## PREPARATION

### Resource Manager

Vocabulary Transparency V2.4
Audio Activities TE, pages 36–37
Audio CD 2, Tracks 1–2
Workbook, page 24
Quiz, page 19
ExamView® Assessment Suite

### Bellringer Review

*Use BRR Transparency 2.4 or write
the following on the board.*
**Escriban en el pretérito.**
1. Yo lo hago y él lo hace.
2. Él no dice nada pero ellos
   dicen algo.
3. Tú vas pero nosotros no
   vamos.
4. Nosotros estamos pero ellos
   no están.

## PRESENTATION

### Vocabulario para la conversación

**Step 1** Have students open their
books to page 78. Have them
repeat each word, expression,
or sentence after you or the
Audio CD.

**Step 2** Call on a student to read
the words and definitions. You
may wish to have one student read
the word, and another the definition. You can intersperse the questions from **Actividad 1** as you are
presenting the vocabulary.

**Step 3** After presenting the
vocabulary, play the following in
the form of a game. Have students
give the word you are looking for:
**el que roba la cartera, la persona
que ha sido robada, el lugar
donde se pone el dinero, el
lugar donde se pone la cartera,
el lugar adonde va la víctima
para denunciar el robo.**

78

## Vocabulario para la conversación 🎧

el robo
empujar
el carterista
la cartera
el bolsillo
la víctima del crimen

El carterista empujó al señor.
Otro le quitó la cartera del bolsillo.
Mientras uno lo empujaba, el otro lo robaba.

La víctima fue a la comisaría.
Le dio al policía una descripción del carterista.
Hizo una denuncia.

### Más vocabulario

**la comisaría** oficina de la policía

Use your **StudentWorks Plus**
CD for more practice.

## ¿Qué palabra necesito?

**1** **Historieta** **Un crimen** Contesten.
1. ¿Estaba el señor de pie en la esquina?
2. ¿Había mucha gente?
3. ¿Lo empujó alguien?
4. Mientras uno lo empujaba, ¿le quitaba el otro su cartera?
5. ¿Tenía el señor su cartera en su bolsillo?
6. ¿Le quitó la cartera del bolsillo el carterista?
7. ¿Fue el señor a la comisaría?
8. ¿Hizo una denuncia?

## ANSWERS TO ¿Qué palabra necesito?

**1**

1. Sí, el señor estaba de pie en la esquina.
2. Sí, (No, no) había mucha gente.
3. Sí, el carterista lo empujó.
4. Sí, mientras uno lo empujaba, el otro le quitaba su cartera.
5. Sí, el señor tenía su cartera en su bolsillo.
6. Sí, el carterista le quitó la cartera del bolsillo.
7. Sí, el señor fue a la comisaría.
8. Sí, hizo una denuncia.

# Un robo

**Elena** ¿Oíste lo que me pasó el otro día?

**José** No. Dime.

**Elena** Pues, estaba en el casco antiguo. Visitaba la iglesia de la Merced.

**José** Sí, la conozco. Es una iglesia preciosa, bastante pequeña.

**Elena** Precisamente. Pues, había mucha gente como siempre y yo estaba para salir. Un señor que entraba me empujó un poco y creí que quería avanzar.

**José** Y… ¡te robó!

**Elena** Sí. ¿Cómo sabías? Unos momentos después me di cuenta de que no tenía mi cartera. Pero no sé si fue él quien me robó.

**José** Probablemente no. Es un truco de los carteristas. Casi siempre trabajan en pares. Uno te empuja o hace algo para distraerte mientras el otro abre el bolso y te quita la cartera. ¿Llevabas mucha plata?

**Elena** No. Unos veinte dólares en efectivo.

**José** ¿Él llevaba algún arma?

**Elena** No, no lo creo. No me pareció un tipo peligroso.

**José** Una vez me pasó igual en Madrid. Estaba de pie en el andén del metro y un joven de mi edad me pidió la hora. Miré el reloj, le di la hora, llegó el tren y subí abordo.

**Elena** Otro truco. Mientras tú le dabas la hora, otro te robaba.

**José** Exactamente. Me quitó la cartera del bolsillo. Y como yo podía dar una descripción del carterista, fui a la comisaría para hacer una denuncia. El agente de policía tomó todos los detalles, pero…

**Elena** Pues, la verdad es que hay que tener mucho cuidado no importa donde, sobre todo cuando hay un montón de gente. Es allí donde hacen su trabajo los carteristas.

PAÍSES ANDINOS

*setenta y nueve*  **79**

---

### Lectura

## National Standards

**Communication**
Students will learn to discuss a crime such as a pickpocket. They will be able to give a description of the event to a police officer and report the crime.

## PREPARATION

### Resource Manager

Audio Activities TE, pages 38–39
Audio CD 2, Tracks 16–17
Workbook, page 25
Quiz, page 20

### Bellringer Review

*Use BRR Transparency 2.5 or write the following on the board.*
**Completen en el pretérito.**
1. Yo ___ la iglesia y ella la ___ también. (visitar)
2. Tú ___ ceviche y yo lo ___ también. (comer)
3. Nosotros le ___ pero él no nos ___. (escribir)
4. Yo ___ pero los otros no ___. (salir)
5. Tú ___ a las once y yo ___ a las diez y media. (volver)

## PRESENTATION

### Conversación

**Step 1** Give students a few minutes to read the **Conversación** silently.

**Step 2** Call on two students to read it aloud. Have them use as much expression as possible. Have the other members of the class close their books and listen.

**Step 3** Go over **Actividad A** on page 80 orally. Then assign the activities for homework.

---

**POWERTEACH**
*Interactive*
**Chalkboard**

You may wish to use the editable PowerPoint® presentation available on this PowerTeach CD-ROM to have students listen to and repeat the Conversation. Additional activities are also provided.

**79**

Después de leer

## PRACTICE

## ¿Comprendes?

**A** You can ask the questions from **Actividad A** as you are going over the **Conversación**.

### About the Spanish Language

- El carterista es el que le quita la cartera a otro. También hay otros tipos de robo. El que roba es un ladrón. El hurto es el término legal para el robo. Se divide en hurto menor y hurto mayor.

- La categoría de hurto depende del valor de la propiedad robada. El desfalco es semejante al hurto. El desfalco consiste en quitarle la propiedad a una persona sobre cuyos bienes uno tiene cargo y control.

- El latrocinio es el hurto de la propiedad ajena en contra de la voluntad de la persona por la fuerza, la violencia o la amenaza de la violencia. El escalamiento se define como «el abrir y entrar en un hogar con la intención de cometer un delito».

- La palabra «víctima» no cambia de género. Es siempre femenina—la víctima.

**Pre-AP SkillBuilder**

Listening to this conversation will give students the tools they need to succeed on the listening portion of the AP exam.

---

## ¿Comprendes?

**A** Contesten.

1. ¿Sabía José lo que le pasó a Elena?
2. ¿En qué parte de Quito estaba ella?
3. ¿Qué visitaba?
4. ¿Quería salir?
5. ¿Había mucha gente a la salida?
6. ¿Había gente que salía y entraba?
7. ¿Entraba un señor?
8. El señor que entraba, ¿empujó a Elena?
9. Unos momentos después, ¿de qué se dio cuenta Elena?
10. ¿Cuánto dinero llevaba ella?

**B** Expliquen.

En tus propias palabras, describe como trabajan en pares los carteristas.

**C** Corrijan las oraciones falsas.

1. Alguien le robó a José también.
2. Él estaba de pie en una calle de Madrid.
3. Un joven le pidió su reloj.
4. José le dio la hora y subió al metro.
5. Mientras José le daba la hora, su compañero le robaba su reloj.
6. José no hizo ninguna denuncia.

## Estructura • Repaso

 **Imperfecto y pretérito**
**Talking about past events**

1. You use the preterite to express actions or events that began and ended at a specific time in the past.

> Los carteristas robaron a dos víctimas ayer.
> Alguien me quitó la cartera.
> Yo fui a la comisaría esta mañana.
> Hice una denuncia.

2. You use the imperfect to talk about a continuous, habitual, or repeated past action. The exact moment when the action began or ended is not important. Compare the following sentences.

| COMPLETE ACTION | REPEATED, HABITUAL ACTIONS |
|---|---|
| Él fue al cine el viernes. | Ella iba al cine todos los viernes. |
| Vio un filme policíaco. | Siempre veía filmes policíacos. |
| Le gustó el filme. | Le gustaban todos los filmes. |

Quito, Ecuador

Miraflores, Perú

CAPÍTULO 2

---

## ANSWERS TO ¿Comprendes?

**A**

1. No, José no sabía lo que le pasó a Elena.
2. Ella estaba en el casco antiguo.
3. Ella visitaba la iglesia de la Merced.
4. Sí, ella estaba para salir.
5. Sí, había mucha gente.
6. Sí, había gente que salía y entraba.
7. Sí, un señor entraba.
8. Sí, el señor que entraba empujó a Elena.
9. Unos momentos después, Elena se dio cuenta de que no tenía su cartera.
10. Ella llevaba unos veinte dólares en efectivo.

**B** Answers will vary but may include:

Los carteristas casi siempre trabajan en pares. Usan trucos para distraer a la víctima. Por ejemplo, uno empuja a la víctima o le pide la hora. Mientras la víctima reacciona, el otro carterista le quita la cartera del bolso o del bolsillo.

**C**

1. Sí, alguien le robó a José también.
2. No, él estaba de pie en el andén del metro en Madrid.
3. No, un joven le pidió la hora.
4. Sí, José le dio la hora y subió al metro.
5. No, mientras José le daba la hora, su compañero le robaba su cartera.
6. No, José fue a la comisaría para hacer una denuncia.

**3.** You most often use the imperfect with verbs such as **querer, saber, pensar, preferir, desear, sentir, poder,** and **creer,** that describe a state of mind or a feeling.

> **Él sabía donde estaba la iglesia.**
> **La quería visitar.**
> **Sentía mucho no poder verla.**

## ¿Cómo lo digo?

**1** **Yo** Contesten personalmente.

1. ¿Leíste el periódico esta mañana?
2. ¿Viste el artículo sobre el robo en el metro?
3. ¿Lo leíste?
4. ¿Te interesó el artículo?
5. ¿Leías el periódico cada día?
6. ¿Veías artículos sobre robos en la ciudad?
7. ¿Siempre los leías?
8. ¿Te interesaban estos artículos o no?

**2** **Historieta** **Yo** Contesten.

1. ¿A qué hora te levantaste esta mañana?
2. ¿A qué hora te levantabas cuando tenías seis años?
3. ¿Cómo viniste a la escuela esta mañana?
4. ¿Cómo ibas a la escuela cuando estabas en el primer grado?
5. ¿Dónde tomaste el almuerzo hoy?
6. ¿Dónde tomabas el almuerzo cuando estabas en la escuela elemental?
7. ¿Qué comiste hoy en el desayuno?
8. ¿Qué comías en el desayuno cuando eras niño(a)?

Un quiosco, Quito, Ecuador

**3** **Historieta** **Cada sábado, no. El sábado pasado, sí.**
Hagan los cambios necesarios.

Cada sábado yo me levantaba temprano. Me lavaba y me vestía rápido. Tomaba un chocolate caliente y corría a tomar el bus al centro. Cada sábado nuestra tienda de departamentos ofrecía gangas tremendas. Yo compraba mucho y pagaba poco. Volvía a casa por la tarde con un montón de paquetes. Yo recibía buen valor por el dinero que gastaba.

**El sábado pasado…**

Quito, Ecuador

PAÍSES ANDINOS

*ochenta y uno* 81

---

### Resource Manager

Audio Activities TE, pages 39–40
Audio CD 2, Track 18
Workbook, pages 25–27
Quiz, page 21
*ExamView® Assessment Suite*

### PRESENTATION

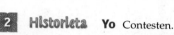 **Imperfecto y pretérito**

**Step 1** Have students read the explanations and the model sentences aloud.

### PRACTICE

## ¿Cómo lo digo?

**1** , **2** , and **3** Have students retell the information from the activities in their own words.

**LEVELING**
**C:** Structure

---

### ANSWERS TO ¿Cómo lo digo?

**1**

1. Sí, (No, no) leí el periódico esta mañana.
2. Sí, (No, no) vi el artículo sobre el robo en el metro.
3. Sí, (No, no) lo leí.
4. Sí, (No, no) me interesó el artículo.
5. Sí, (No, no) leía el periódico cada día.
6. Sí, (No, no) veía artículos sobre robos en la ciudad.
7. Sí, (No, no) los leía siempre.
8. Sí, (No, no) me interesaban estos artículos.

**2**

1. Me levanté a las ___ esta mañana.
2. Me levantaba a las ___ cuando tenía seis años.
3. Vine a la escuela ___ esta mañana.
4. Cuando estaba en el primer grado, iba a la escuela ___.
5. Hoy tomé el almuerzo ___.
6. Cuando estaba en la escuela elemental, tomaba el almuerzo en ___.
7. Hoy comí ___ en el desayuno.
8. Cuando era niño(a) comía ___ en el desayuno.

**3**

me levanté, Me lavé, me vestí, Tomé, corrí, ofreció, compré, pagué, Volví, recibí, gasté

# Conversación

# Conversación

## PRESENTATION

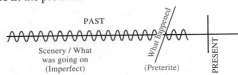

### Dos acciones en la misma oración

**Step 1** Read the explanation to the class. As you do, put the time-line on the board. Each time you talk about the imperfect, go over the wavy line. Every time you talk about a completed action, strike the vertical line.

**Step 2** As you read each of the model sentences in Items 1, 2, and 3, refer to the time line.

**Step 3** You may wish to give other examples and have students tell where to put each verb. **Durante la fiesta él tocaba el piano y yo cantaba cuando entraron con la comida. Sirvieron la comida y todos comieron.**

---

### Learning from Photos

*(page 82)* Este restaurante está en el balcón de uno de los edificios coloniales en la Plaza de Armas de Arequipa.

---

Encourage students to learn more about the Andean region by using the **Web Explore** feature at <u>glencoe.com</u>. Perhaps you can do this in class or in a lab if students do not have Internet access at home.

### LEVELING

**C:** Structure

You may wish to use the editable PowerPoint® pre-sentation available on this PowerTeach CD-ROM for additional grammar instruction and practice.

**82**

---

## Dos acciones en la misma oración
### Expressing two past events in the same sentence

A sentence in the past will frequently have two verbs. Both may be in the same tense or each one in a different tense.

Look at the following time line. Any verbs that you can place in the wavy area describe what was going on. They describe the background or scenery and are in the imperfect. Any verbs that you can place in the slash indicate what happened, what took place. They tell the action and are in the preterite.

PAST

What happened

PRESENT

Scenery / What was going on (Imperfect)        (Preterite)

Decide where each of the following verbs belongs.

1. **Él me pidió la hora y yo le di la hora.**
   Both verbs in the preterite go on the slash because they indicate two completed actions or events.

2. **Mientras yo le daba la hora, el otro me robaba.**
   Both of these imperfect verbs go in the wavy area because they describe what was going on. They set the scene.

3. **El agente de policía me hacía preguntas cuando sonó el teléfono.**
   The verb in the imperfect, **hacía,** goes in the wavy area because it describes what was going on, the scenery or background. The verb in the preterite, **sonó,** expresses an action or event that intervened and interrupted what was going on.

For more information about the Andean countries, go to **Web Explore** on the Glencoe Spanish Web site at <u>glencoe.com</u>.

Restaurante, Arequipa, Perú

CAPÍTULO 2

# ¿Cómo lo digo?

**4 Historieta ¿Qué pasaba cuando... ?** Contesten.

1. ¿Miraba Juan la televisión cuando sonó el teléfono? ¿Contestó el teléfono?
2. ¿Leía su madre el periódico cuando Juan la llamó al teléfono? ¿Fue su madre al teléfono?
3. ¿Hablaba su madre por teléfono cuando Juan salió? ¿Fue Juan a un restaurante?
4. ¿Caminaba Juan al restaurante cuando vio a su amiga Lola? ¿Fueron juntos al restaurante?
5. En el restaurante, ¿hablaban Juan y Lola cuando llegaron dos amigos más?
6. ¿Hablaban los amigos cuando el mesero vino a la mesa?

**5 Historieta Anoche** Completen.

Anoche yo __1__ (hacer) mis tareas cuando __2__ (sonar) el teléfono. Yo __3__ (levantarse) y __4__ (ir) a contestar el teléfono. Yo __5__ (hablar) por teléfono cuando __6__ (llegar) mi amigo Carlos. Carlos __7__ (sentarse) en la sala. Mientras yo __8__ (hablar) por teléfono, él __9__ (leer) el periódico. Cuando yo __10__ (terminar) de hablar por teléfono Carlos __11__ (empezar) a hablar. Él me __12__ (decir) que alguien le __13__ (robar). Él me __14__ (describir) lo que __15__ (pasar). Él __16__ (estar) en la estación del metro cuando alguien lo __17__ (empujar) para distraerlo. Mientras uno lo __18__ (empujar), otro carterista lo __19__ (robar). Él le __20__ (quitar) la cartera del bolsillo. Afortunadamente, Carlos no __21__ (tener) mucho dinero en su cartera.

Arequipa, Perú

PAÍSES ANDINOS

---

## PRACTICE

### ¿Cómo lo digo?

**4**, **5** You may assign these activities as homework before going over them in class the next day.

## Reaching All Students

**Kinesthetic Learners**
As you do these activities with the imperfect and preterite, you may wish to have kinesthetic learners wave their hand in a circular motion each time they are giving a continuous, descriptive event.

---

## ANSWERS TO ¿Cómo lo digo?

**4**

1. Sí (No), Juan (no) miraba la televisión cuando sonó el teléfono. Sí, (No, no) contestó el teléfono.
2. Sí (No), su madre (no) leía el periódico cuando Juan la llamó al teléfono. Sí (No), su madre (no) fue al teléfono.
3. Sí (No), su madre (no) hablaba por teléfono cuando Juan salió. Sí (No), Juan (no) fue a un restaurante.

4. Sí (No), Juan (no) caminaba al restaurante cuando vio a su amiga Lola. Sí, (No, no) fueron juntos al restaurante.
5. Sí (No), Juan y Lola (no) hablaban en el restaurante cuando llegaron dos amigos más.
6. Sí (No), los amigos (no) hablaban cuando el mesero vino a la mesa.

**5**

| | |
|---|---|
| 1. hacía | 8. hablaba | 15. pasó |
| 2. sonó | 9. leía | 16. estaba |
| 3. me levanté | 10. terminé | 17. empujó |
| 4. fui | 11. empezó | 18. empujaba |
| 5. hablaba | 12. dijo | 19. robaba |
| 6. llegó | 13. robó | 20. quitó |
| 7. se sentó | 14. describió | 21. tenía |

83

## Recycling

These activities allow students to use the vocabulary and structure from this lesson in completely open-ended, real-life situations.

## PRESENTATION

Encourage students to say as much as possible when they do these activities. Tell them not to be afraid to make mistakes, since the goal of these activities is real-life communication. If someone in the group makes an error, allow the others to politely correct him or her. Let students choose the activities they would like to do.

You may wish to divide students into pairs or groups. Encourage students to elaborate on the basic theme and to be creative. They may use props, pictures, or posters if they wish.

**Note:** It is recommended that you not correct all errors made by the students as they do these activities. They would certainly make errors if they were communicating in real situations in a Spanish-speaking country.

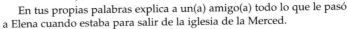

# ¡Te toca a ti!

**Use what you have learned**

**HABLAR 1**

### En el casco antiguo

✔ *Describe a past event*

En tus propias palabras explica a un(a) amigo(a) todo lo que le pasó a Elena cuando estaba para salir de la iglesia de la Merced.

**HABLAR 2**

### En el metro

✔ *Describe a past event*

En tus propias palabras explica a un(a) amigo(a) lo que le pasó una vez a José en una estación de metro en Madrid. Compara los trucos de los carteristas en cada episodio.

**HABLAR ESCRIBIR 3**

### ¿Yo, la víctima?

✔ *Role play a victim reporting a crime to the police*

Imagínate la víctima de un robo. Vas a la comisaría para hacer una denuncia. Trabaja con un(a) compañero(a). Uno(a) de ustedes va a ser la víctima. Preparen la conversación que tiene lugar en la comisaría y preséntenla a la clase.

Policías,
Arequipa, Perú

CAPÍTULO 2

## ANSWERS TO ¡Te toca a ti!

*Answers will vary.*

Parque de atracciones para niños, Tingo, Perú

## Writing Development
Have students keep a notebook or portfolio containing their best written work from each chapter. These selected writings can be based on assignments from the Student Textbook and the Workbook. The activities on this page are examples of writing assignments that may be included in each student's portfolio.

## Learning from Photos
(page 85) Tingo es un pueblo en los alrededores de Arequipa.

### 4 Para el periódico

✔ *Describe a robbery*

Escribe un artículo para un periódico ecuatoriano describiendo un robo sobre el cual tú leíste en tu periódico local.

### 5 En aquel entonces y recientemente
✔ *Describe and state past events*

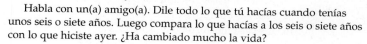

Habla con un(a) amigo(a). Dile todo lo que tú hacías cuando tenías unos seis o siete años. Luego compara lo que hacías a los seis o siete años con lo que hiciste ayer. ¿Ha cambiado mucho la vida?

PAÍSES ANDINOS

*ochenta y cinco*  **85**

ANSWERS TO ¡Te toca a ti!

*Answers will vary.*

## Assessment

## Resource Manager

Assessment Transparency A2.2
Online Quiz
Tests, pages 36–37 and 42–67
*ExamView® Assessment Suite*

## Assessment

This is a pretest for students to take before you administer the lesson test. Answer sheets for students to do these pages are provided in the transparencies. Note that each section is cross-referenced so students can easily find the material they have to review in case they made errors. You may wish to collect these assessments and correct them yourself or you may prefer to have the students correct themselves in class. You can go over the answers orally or project them on the overhead, using your Assessment Answers transparencies.

## Reaching All Students

**Non-Mastery Students**
Encourage students who need extra help to refer to the yellow notes and review any section before answering the questions.

# Vocabulario

**1** **Identifiquen.**

To review vocabulary, turn to page 78.

To review the conversation, turn to page 79.

# Conversación

**2** **Contesten según la conversación.**

   **5.** ¿Qué visitaba Elena?
   **6.** ¿Qué hizo un señor que entraba en la iglesia?
   **7.** ¿Fue este el señor quien la robó?
   **8.** ¿Cómo trabajan los carteristas?
   **9.** ¿Cuál es un truco de ellos?
   **10.** ¿Llevaba mucho dinero Elena?

**86** ✿ *ochenta y seis*

CAPÍTULO 2

## ANSWERS TO Assessment

1. la víctima del crimen, empujar
2. el carterista
3. la cartera
4. el bolsillo

5. Elena visitaba la iglesia de la Merced.
6. Un señor que entraba la empujó un poco.
7. No, no fue este el señor quien la robó.
8. Los carteristas trabajan casi siempre en pares.
9. Un truco de ellos es hacer algo para distraer a su víctima.
10. No, Elena no llevaba mucho dinero.

# Estructura

**3** Completen.

**11–12.** Alguien me _____ ayer. Me _____ la cartera del bolsillo.
(robar, quitar)

**13–14.** Mientras uno me _____, el otro me _____. (robar, distraer)

**15–16.** Yo _____ a la comisaría porque _____ hacer una denuncia.
(ir, querer)

**17–19.** El señor que me _____, _____ en la iglesia mientras yo _____.
(empujar, entrar, salir)

**20–22.** Cuando el carterista me _____, él no _____ ningún arma y yo no
_____ mucho dinero. (robar, llevar, llevar)

**23–25.** Yo siempre lo _____ cuando _____ unos cinco años pero te
aseguro que no lo _____ ayer. (hacer, tener, hacer)

**26–27.** Nosotros _____ cada viernes pero no _____ el viernes pasado.
(salir, salir)

**28–29.** Yo _____ por teléfono cuando tú _____ a la puerta.
(hablar, llegar)

**30.** Mis padres siempre nos _____ a la playa en el verano. (llevar)

To review the use of the preterite and the imperfect, turn to pages 80–82.

Península Paracas, Perú

PAÍSES ANDINOS

*ochenta y siete* 87

## Assessment

After going over the Assessment, you may administer the test for **Lección 2, Capítulo 2.**

### Learning from Photos

*(page 87)* La península Paracas es una península desolada en el sur de Perú. Tiene playas muy bonitas y en las cercanas islas Ballestas viven muchas aves marinas, focas, lobos marinos y pingüinos peruanos.

ANSWERS TO **Assessment**

| | | |
|---|---|---|
| **11.** robó | **18.** entraba | **25.** hice |
| **12.** quitó | **19.** salía | **26.** salíamos |
| **13.** robaba | **20.** robó | **27.** salimos |
| **14.** distraía | **21.** llevaba | **28.** hablaba |
| **15.** fui | **22.** llevaba | **29.** llegaste |
| **16.** quería | **23.** hacía | **30.** llevaban |
| **17.** empujó | **24.** tenía | |

## PREPARATION

### Resource Manager

Vocabulary Transparency V2.5
Audio Activities TE, pages 41–42
Audio CD 2, Tracks 19–21
Workbook, page 28
Quiz, page 22
*ExamView*® *Assessment Suite*

### Bellringer Review

*Use BRR Transparency 2.6 or write the following on the board.*
**Escriban cuatro frases para describir una ciudad.**

## PRESENTATION

### Vocabulario para la lectura

**Step 1** You may wish to ask the following questions as you present the new vocabulary. **¿Está nublado o despejado el cielo? ¿Está en erupción el volcán? ¿Hay un hongo de ceniza encima del volcán? ¿Alcanza una altura de más de 7.000 metros el volcán? ¿Va a desvanecer pronto el hongo de ceniza? ¿Será necesario reubicar a la gente que vive en los alrededores del volcán?**

**Step 2** Have students read the sentences that accompany the illustration. These sentences introduce the subjunctive that is taught in this lesson. Students can immediately do **Actividad 1** because they do not have to manipulate the verb forms. They will use the same form in their answer that they hear in the question.

### Learning from Photos

*(page 88 top)* El volcán que se ve en esta foto es el volcán de Cotopaxi no muy lejos de Quito, Ecuador.

## Vocabulario para la lectura 🎧

**Nuevas explosiones en volcán Tungurahua**

el volcán

el cielo despejado

la ceniza      el hongo

Es probable que haya una erupción volcánica.
Los habitantes de la zona esperan que no sea muy violenta.
No quieren que su pueblo esté cubierto de ceniza volcánica.
Es posible que la erupción cause mucha destrucción.

### Más vocabulario

**la tregua** la cesación de hostilidad, el cese, la pausa
**alcanzar** llegar a un punto determinado
**desvanecer** disipar o evaporarse hasta desaparecer completamente

**reubicar** mover, trasladar
**ubicar** encontrarse o situarse en un lugar determinado

Use your **StudentWorks** *Plus*
CD for more practice.

### ¿Qué palabra necesito?

**1**

**Historieta   Una erupción** Contesten.

1. ¿Es posible que una erupción volcánica resulte en una catástrofe?
2. Cuando hay una erupción, ¿sale un hongo de vapor y ceniza del cráter del volcán?
3. ¿Esperan los habitantes que la erupción no sea muy violenta?
4. ¿Quieren que sus pueblos estén cubiertos de ceniza volcánica?
5. ¿Esperan que el hongo desvanezca rápido?
6. Si hay una erupción violenta, ¿es posible que los residentes tengan que reubicarse?

**2**

**La lengua es rica.** Expresen de otra manera.

1. *La cesación de hostilidad* va a durar seis meses.
2. ¡Qué bonito es el cielo *sin nubes*!
3. Ellos van a tener que *mover* el ganado *a otro lugar*.
4. Yo sé que el hongo va a *disipar* antes de causar mucha destrucción.
5. Me parece que el hongo *llega hasta* el cielo.

CAPÍTULO 2

### ANSWERS TO ¿Qué palabra necesito?

**1**

1. Sí, es posible que una erupción volcánica resulte en una catástrofe.
2. Sí, cuando hay una erupción, un hongo de vapor y ceniza sale del cráter del volcán.
3. Sí, los habitantes esperan que la erupción no sea muy violenta.
4. No, no quieren que sus pueblos estén cubiertos de ceniza volcánica.
5. Sí, esperan que el hongo desvanezca rápido.
6. Sí, si hay una erupción violenta, es posible que los residentes tengan que reubicarse.

**2**

1. La tregua
2. despejado
3. reubicar
4. desvanecer
5. alcanza

## EL UNIVERSO

# Nuevas explosiones en volcán Tungurahua provocan temor entre los pobladores

Riobamba, Ecuador
Victor Hugo Cevallos

La mañana del pasado martes el volcán Mama Tungurahua rompió la tregua que mantenía con las poblaciones de Tungurahua y Chimborazo, al registrar una fuerte explosión cuyo hongo alcanzó los cinco kilómetros de altura.

Residentes y turistas que por fin de año visitan Riobamba, conocida como la Sultana de los Andes, observaron un hermoso espectáculo natural que ofreció el volcán Tungurahua en un día despejado y caluroso. Luego de la erupción y de la desaparición del hongo, la Mama Tungurahua se mantenía tranquila.

Geovanny Heredia Fuenmayor, de la Facultad de Geología de la Escuela Politécnica Nacional, dijo que se trató de una erupción freática[1] con columnas de vapor y ceniza.

Aseguró que el volcán Tungurahua está en permanente control a través de varias estaciones ubicadas alrededor de este y que incluso se ha instalado un Observatorio Vulcanológico del Tungurahua (UVT); como no ha variado la actividad volcánica, se mantiene la alerta naranja.

Una vez que se desvaneció el hongo la nube de ceniza afectó a las

poblaciones de Penipe, El Manzano, Yuyibug, Chontapamba, que debieron reubicar al ganado.

Los lahares[2] y las lluvias mantienen interrumpida la vía Penipe-Baños. Los habitantes de la zona esperan que el gobierno de Lucio Gutiérrez que se posesiona[3] en los próximos días inicie su reconstrucción.

[1] fréatica  *subsurface*
[2] lahares  *volcanic ashslides*
[3] se posesiona  *be installed*

PAÍSES ANDINOS

---

(Pre-AP) **SkillBuilder**

As students read these **Lecturas,** they will continue to develop the skills they need to be successful on the reading and writing sections of the AP exam.

---

## PRACTICE

# ¿Qué palabra necesito?

**1** You can go over **Actividad 1** orally without previous preparation.

**2** Have students prepare **Actividad 2** and then go over it in class.

## Lectura

## PREPARATION

### Resource Manager

Audio Activities TE, page 42
Audio CD 2, Track 22
Workbook, page 29
Quiz, page 23

### Bellringer Review

*Use BRR Transparency 2.7 or write the following on the board.*
**Contesten.**
1. ¿En cuántas zonas geográficas está dividido Ecuador?
2. ¿Dónde vive la mayoría de la gente?
3. ¿Cómo es la zona litoral de Perú?
4. ¿Tiene Perú grandes selvas tropicales también? ¿Dónde?

## PRESENTATION

**Step 1**  As you go over this **Lectura** you can intersperse the comprehension questions from **Actividad A** on page 90.

**LEVELING**
**E–A:** Reading

Después de leer

## PRACTICE

# ¿Comprendes?

**A** You may wish to have students prepare the answers to this activity and then go over them orally in class.

## Reaching All Students

You may wish to call on some advanced learners to retell the information in the newspaper article as if they were reporting the event in a newscast.

## ¿Comprendes?

 **A** Contesten.

1. ¿Es la primera erupción del volcán Tungurahua?
2. ¿Rompió el volcán la tregua que tenía con las poblaciones cercanas? ¿Qué significa esto?
3. ¿Era fuerte la explosión?
4. ¿Cuántos kilómetros alcanzó el hongo que salió del volcán?
5. ¿Qué ciudad visitaban los turistas?
6. ¿Qué observaron los turistas y residentes?
7. ¿Qué tipo de día era?
8. ¿Duró mucho tiempo la erupción?
9. ¿Por qué no tienen que estar nerviosos los residentes cercanos?
10. ¿Qué quieren los residentes que el gobierno haga con la carretera entre Penipe y Baños?

Región de Riobamba, Ecuador

## ANSWERS TO ¿Comprendes?

**A**

1. No, no es la primera erupción del volcán Tungurahua.
2. Sí, rompió la tregua que mantenía con las poblaciones cercanas. Significa que no fue la primera erupción.
3. Sí, la explosión era fuerte.
4. El hongo que salió del volcán alcanzó (los) cinco kilómetros de altura.
5. Los turistas visitaban Riobamba.
6. Los turistas y residentes observaron un hermoso espectáculo natural que ofreció el volcán Tungurahua—su erupción.
7. Era un día despejado y caluroso.
8. No, no duró mucho tiempo la erupción.
9. No tienen que estar nerviosos porque el volcán Tungurahua está en permanente control.
10. Los habitantes de la zona esperan que el gobierno inicie la reconstrucción de la carretera entre Penipe y Baños.

# Vocabulario para la lectura
## Ayacuchana cumplió 110 años

la viuda

una sonrisa

Es importante que ustedes trabajen mucho. Es necesario que ustedes respeten a los otros.

La viuda es una señora mayor.
Tiene una sonrisa agradable.
Ella nos da algunos consejos.

## Más vocabulario

**la viuda** una señora cuyo marido (esposo) está muerto

**acogedor(a)** agradable, placentero, caluroso

**donar** dar como un regalo sin recibir pago

**renegar (ie)** negar (no) hacer lo que uno debe hacer

## ¿Qué palabra necesito?

**1** **Historieta** **La viuda** Contesten según se indica.

1. ¿Es una señora joven la viuda? (no, una señora mayor)
2. ¿Cuándo murió su esposo? (hace poco)
3. ¿Qué tipo de sonrisa tiene la señora? (agradable)
4. ¿Qué tiene para nosotros? (unos consejos)
5. Según ella, ¿es importante que trabajemos mucho? (sí)
6. ¿Es necesario que respetemos a los otros? (sí)

**2** **¿Cuál es la palabra?** Completen.

1. Tiene una casa muy _____. Todo el mundo la quiere visitar.
2. Ella nunca _____ cumplir con sus responsabilidades.
3. Ella siempre tiene una _____ agradable.
4. Ella no vendió su casa. La _____ a una organización caritativa.

PAÍSES ANDINOS

*noventa y uno*  91

---

 ANSWERS TO **¿Qué palabra necesito?**

**1**

1. No, la viuda es una señora mayor.
2. Su esposo murió hace poco.
3. La señora tiene una sonrisa agradable.
4. Ella tiene unos consejos para nosotros.
5. Sí, según ella, es importante que trabajemos mucho.
6. Sí, es necesario que respetemos a los otros.

**2**

1. acogedora
2. reniega
3. sonrisa
4. donó

---

## PRESENTATION

Vocabulario para la lectura

**Step 1** Present the new words and have students repeat them after you or the Audio CD.

## PRACTICE

## ¿Qué palabra necesito?

**1** and **2** **Actividades 1** and **2** can be done with books open as reading activities.

 You may wish to use the editable PowerPoint® presentation available on this PowerTeach CD-ROM for additional vocabulary instruction and practice.

## Lectura

### PREPARATION

#### Resource Manager

Audio Activities TE, pages 44–45
Audio CD 2, Track 25
Workbook, page 30
Quiz, page 24

### PRESENTATION

**Step 1** You may have students read this selection silently or aloud in class.

**Step 2** After going over the **Lectura**, call on one or more students to give a short biography of doña Silveria.

### About the Spanish Language

- Note the sentence in this article «... **donó a su pueblo un extenso terreno para que se construya una escuela...** » According to the grammatical rule, the verb should be **construyera** but even in the best newspapers you will frequently find the present subjunctive after a main verb in the past or conditional.
- Although **viejo** and **anciano** are often used interchangeably, there is a subtle difference between the two words. The Vulgar Latin **vetulus**, from which **viejo** is derived, actually meant *not very old.* Today, **anciano** is usually reserved to describe the very old.
- **Jubilado** refers to the person who, because of advanced age, retires from employment, usually with a pension. The verb is **jubilarse** which also means *to rejoice, to be jubilant.* In Latin America **retirado** and **retirarse** are more commonly used to express *retired* and *to retire.*
- **La tercera edad** is the Spanish equivalent of *senior citizens.*

---

**La República**

# Ayacuchana cumplió 110 años

Lima, Perú

### Su secreto es comer mucho, no renegar y trabajar bastante

Doña Silveria Pomarino Cueva, viuda de Ubargüen, acaba de cumplir este 1 de enero la edad de 110 años. Ella no es de muchas palabras, prefiere guardar discreción, pero de todos modos le arrancamos[1] su secreto de la longevidad:

«Para vivir tantos años hay que comer mucho, no renegar y trabajar bastante,» nos dice con tono suave y confidencial y nos obsequia[2] una leve sonrisa. La familia de doña Silveria, madre de cuatro hijos, seis nietos y un bisnieto, considerada la mujer de mayor edad del país, recibió ayer a **La República** en su acogedora vivienda de Pueblo Libre.

En su hogar y en el barrio todos la llaman cariñosamente «la abuelita».

Su hijo Sindulfo Javier Ubargüen de 76 años de edad, reconocido periodista y odontólogo[3], reveló orgullosamente[4] un poco de la vida de su longeva madre.

«Mi madre siempre fue una mujer batalladora y alegre. Toda nuestra familia está orgullosa de tenerla con nosotros. Es un privilegio,» manifestó. Refirió que doña Silveria tuvo gran fortaleza moral y física para sacar a la familia adelante a pesar de que quedó viuda muy joven.

La familia de doña Silveria realizó ayer un almuerzo familiar en su honor. Su nieta Cecilia manifestó que tenerla con ellos es como «contar con un ángel de la guardia que siempre está con la familia para cuidarlos y protegerlos.»

Por su avanzada edad ya adolece[5] de eventuales lagunas mentales, por lo que está recibiendo tratamiento geriátrico.

«No siempre se puede conversar con ella, pero por momentos recupera totalmente su lucidez y entonces empieza a recordar sus mejores años,» refirió don Sindulfo.

Doña Silveria nació en Parapausa, Parinacochas, Ayacucho, y hace unos años donó a su pueblo un extenso terreno para que se construya una escuela de educación superior.

«Es un sueño que siempre tuvo,» manifestaron sus familiares, tras señalar que hizo esa donación ya que ella no pudo realizar estudios superiores.

[1] arrancamos   *we obtained, got*
[2] obsequia   *she gives*
[3] odontólogo   *dentist*
[4] orgullosamente   *proudly*
[5] adolece   *she suffers from*

# ¿Comprendes?

**A** Corrijan las oraciones falsas.

1. La señora acaba de cumplir cien años.
2. Su cumpleaños es el diez de diciembre.
3. Según ella, para vivir tantos años no se puede comer mucho.
4. Hay que trabajar poco.
5. La señora tiene seis hijos.
6. Tiene cuatro nietos y un bisnieto.
7. Todo el mundo en su barrio la llama «mamacita».
8. Su hijo tiene dieciséis años.
9. La señora quedó viuda cuando tenía noventa y cinco años.
10. La señora nació en Quito.
11. Ella vendió a su pueblo un extenso terreno para construir una escuela.
12. Ella recibió su doctorado de la universidad.

Pisac, Perú

Ayacucho, Perú

  **B** ¿Cómo se expresa en el artículo?

1. Doña Silveria no habla mucho.
2. Prefiere ser discreta.
3. Doña Silveria tiene cuatro hijos.
4. Ella perdió a su esposo muy joven.
5. Ya no se acuerda de todo; pierde la memoria.
6. Ella no pudo asistir a la escuela secundaria.

Spanish Online

To explore more newspaper articles in Spanish, do the Chapter 2 **WebQuest** activity on the Glencoe Spanish Web site at glencoe.com.

PAÍSES ANDINOS

---

## ANSWERS TO ¿Comprendes?

**A**

1. La señora acaba de cumplir 110 años.
2. Su cumpleaños es el primero de enero.
3. Según ella, se debe comer mucho.
4. Hay que trabajar bastante.
5. La señora tiene cuatro hijos.
6. Tiene seis nietos y un bisnieto.
7. Todo el mundo en su barrio la llama «la abuelita».
8. Su hijo tiene 76 años.
9. La señora quedó viuda cuando era muy joven.
10. Ella nació en Parapausa, Parinacochas, Ayacucho.
11. Ella donó a su pueblo un extenso terreno para una escuela de educación superior.
12. Ella no recibió su doctorado de la universidad.

**B**

1. Ella no es de muchas palabras.
2. Ella prefiere guardar discreción.
3. Ella es madre de cuatro hijos.
4. Ella quedó viuda muy joven.
5. Adolece de eventuales lagunas mentales.
6. Ella no pudo realizar estudios superiores.

---

## Después de leer

### PRACTICE

# ¿Comprendes?

**A** and **B** Have students prepare these activities at home and then go over them in class.

## Learning from Photos

*(page 93 top)* El pueblo de Pisac está en el bonito valle de Urubamba no muy lejos de las ruinas de Sacsahuamán. Pisac es conocido por su mercado los domingos. A veces se puede oír una misa en quechua en la iglesia de Pisac.

*(page 93 bottom)* La ciudad de Ayacucho fue fundada por Pizarro en 1539 pero Bolívar le dio su nombre en memoria de la batalla en la que el mariscal Sucre venció a las tropas españolas del virrey de España y selló la independencia definitiva de Perú.

## ADDITIONAL PRACTICE

Have some fun and let students tell what they think the two women in the photo are talking about.

### Assessment

After going over the activities once, you may want to do them again very quickly just to see how much of the factual information the students recall.

**LEVELING**

**E:** Reading

93

## PREPARATION

### Resource Manager

Workbook, pages 30–32
Audio Activities TE, pages 45–50
Audio CD 2, Tracks 26–33
Quizzes, pages 25–27
*ExamView® Assessment Suite*

### Bellringer Review

*Use BRR Transparency 2.9 or write
the following on the board.*
**Escriban cada verbo en la forma
de «yo» en el presente.**
   hacer
   poner
   salir
   tener
   conocer
   conducir

## PRESENTATION

 Subjuntivo

### ♻ Recycling

If students have already completed most of **¡Buen viaje!** Level 2, this section will be a review.

**Step 1** Go over Items 1–4.

**Step 2** Have students repeat the forms after you for practice.

**Step 3** On the board, write the **yo** form of each verb from the chart. Cross out the endings and have students repeat the subjunctive forms.

### LEVELING

**A:** Structure

---

# Estructura • Avanzada

 **Subjuntivo**

### Discussing what may or may not take place

Use your StudentWorks™ Plus CD for more practice.

**1.** The subjunctive mood is used frequently in Spanish to express an action that is desired or hoped for but that is not necessarily real. The indicative mood is used to indicate or express actions that definitely are taking place, did take place, or will take place. Analyze the following sentences.

> **Cristina trabaja mucho y paga sus gastos personales.**
> **Abuelita quiere que su nieta Cristina trabaje mucho
>    y que pague sus gastos personales.**

The first sentence is an independent statement of fact—*Cristina works a lot and pays her personal expenses.* The second sentence contains a dependent clause—*that Cristina work a lot and pay her personal expenses.* The actions expressed in this dependent clause are actions desired but not necessarily real. They are dependent upon, and subordinate to, the verb in the main clause "want." What Cristina's grandmother wants may or may not occur. Since it may or may not occur, the verbs in the dependent clause must be in the subjunctive mood.

CAPÍTULO 2

POWERTEACH
*Interactive*
Chalkboard

You may wish to use the editable PowerPoint® presentation available on this PowerTeach CD-ROM for additional grammar instruction and practice.

**2.** To form the present subjunctive, drop the **o** ending of the first person singular of the present indicative.

| hablo | vendo | recibo | pongo | salgo | conozco |
|-------|-------|--------|-------|-------|---------|
| habl- | vend- | recib- | pong- | salg- | conozc- |

Then add to this root the endings for the present subjunctive. The vowel of the subjunctive endings is the opposite of the vowel used for the present indicative. Verbs ending in **-ar** take the vowel **e**, and verbs ending in **-er** and **-ir** take the vowel **a**.

| INFINITIVE | hablar | vender | recibir | poner | salir | conocer |
|------------|--------|--------|---------|-------|-------|---------|
| yo | hable | venda | reciba | ponga | salga | conozca |
| tú | hables | vendas | recibas | pongas | salgas | conozcas |
| él, ella, Ud. | hable | venda | reciba | ponga | salga | conozca |
| nosotros(as) | hablemos | vendamos | recibamos | pongamos | salgamos | conozcamos |
| *vosotros(as)* | *habléis* | *vendáis* | *recibáis* | *pongáis* | *salgáis* | *conozcáis* |
| ellos, ellas, Uds. | hablen | vendan | reciban | pongan | salgan | conozcan |

**3.** The verbs **dar, estar, ir, saber,** and **ser** are the only verbs that do not follow the normal pattern for the formation of the present subjunctive.

| dar | estar | ser | ir | saber |
|-----|-------|-----|-----|-------|
| dé | esté | sea | vaya | sepa |
| des | estés | seas | vayas | sepas |
| dé | esté | sea | vaya | sepa |
| demos | estemos | seamos | vayamos | sepamos |
| *deis* | *estéis* | *seáis* | *vayáis* | *sepáis* |
| den | estén | sean | vayan | sepan |

**4.** The subjunctive form of **hay** is **haya**.

Selva, Tambopata, Perú

PAÍSES ANDINOS

*noventa y cinco* 95

¡OJO! The most important concept for students to grasp is that the indicative is used when reporting an objective, real fact. The subjunctive is used when reporting something that is not necessarily real, or that depends upon something else. It, therefore, may or may not happen. When students understand this concept, they no longer have to memorize the long list of expressions that are followed by the subjunctive. It is a question of logic.

## PRACTICE

## ¿Cómo lo digo?

**1** and **2** The purpose of these activities is to have students use the verbs in the subjunctive form. **Expansion:** Have students redo **Actividad 1** with **Mis padres quieren que nosotros...**

### Learning from Photos

*(page 96 bottom)* Potosí fue fundada en 1545 por los españoles. Fue considerada una ciudad muy importante porque el 70 por ciento del cerro Rico se constituía de plata. Está a una altura de unos 4.000 metros. Por la noche hace mucho frío y en julio y agosto la temperatura puede bajar a 0° C.

## ¿Cómo lo digo?

**1** **La abuela de Cecilia** La abuela de Cecilia quiere que ella haga muchas cosas. Es probable que ella las haga, pero es también posible que ella no las haga. No sabemos. Por consiguiente, es necesario usar el subjuntivo. Sigan el modelo.

estudiar →
**La abuela de Cecilia quiere que ella estudie.**

1. estudiar mucho
2. tomar cinco cursos
3. trabajar duro
4. aprender mucho
5. leer mucho
6. comer bien
7. vivir con sus padres
8. recibir buenas notas
9. asistir a la universidad
10. tener éxito
11. salir bien en los exámenes
12. decir siempre la verdad
13. tener buenos modales
14. ser cortés
15. conducir el carro con cuidado
16. hacerse rica

Una señora de Cuzco

Volcán Lincancabur y Laguna Blanca, Potosí, Bolivia

**2** **Historieta** **Una erupción** Contesten.

1. ¿Es posible que haya una erupción volcánica?
2. ¿Es posible que las explosiones sean violentas?
3. ¿Es posible que la erupción cause mucha destrucción?
4. ¿Es posible que haga mucho daño?
5. ¿Es posible que destruya las vías y las carreteras?
6. ¿Es posible que los residentes sufran?
7. ¿Es posible que ellos tengan que reubicarse?

## ANSWERS TO ¿Cómo lo digo?

**1**

1. La abuela de Cecilia quiere que ella estudie mucho.
2. La abuela de Cecilia quiere que ella tome cinco cursos.
3. La abuela de Cecilia quiere que ella trabaje duro.
4. La abuela de Cecilia quiere que ella aprenda mucho.
5. La abuela de Cecilia quiere que ella lea mucho.
6. La abuela de Cecilia quiere que ella coma bien.
7. La abuela de Cecilia quiere que ella viva con sus padres.
8. La abuela de Cecilia quiere que ella reciba buenas notas.
9. La abuela de Cecilia quiere que ella asista a la universidad.
10. La abuela de Cecilia quiere que ella tenga éxito.
11. La abuela de Cecilia quiere que ella salga bien en los exámenes.
12. La abuela de Cecilia quiere que ella diga siempre la verdad.
13. La abuela de Cecilia quiere que ella tenga buenos modales.
14. La abuela de Cecilia quiere que ella sea cortés.
15. La abuela de Cecilia quiere que ella conduzca el coche con cuidado.
16. La abuela de Cecilia quiere que ella se haga rica.

# Subjuntivo con expresiones impersonales
## Expressing necessity and possibility

**1.** Note that the following stem-changing verbs have the same stem change in the subjunctive as in the indicative.

| INFINITIVE | pensar | contar | perder | volver |
|---|---|---|---|---|
| yo | piense | cuente | pierda | vuelva |
| tú | pienses | cuentes | pierdas | vuelvas |
| él, ella, Ud. | piense | cuente | pierda | vuelva |
| nosotros(as) | pensemos | contemos | perdamos | volvamos |
| vosotros(as) | penséis | contéis | perdáis | volváis |
| ellos, ellas, Uds. | piensen | cuenten | pierdan | vuelvan |

**2.** Note the stem changes in verbs such as **pedir, servir, preferir,** and **dormir.**

| INFINITIVE | pedir | servir | preferir | dormir |
|---|---|---|---|---|
| yo | pida | sirva | prefiera | duerma |
| tú | pidas | sirvas | prefieras | duermas |
| él, ella, Ud. | pida | sirva | prefiera | duerma |
| nosotros(as) | pidamos | sirvamos | prefiramos | durmamos |
| vosotros(as) | pidáis | sirváis | prefiráis | durmáis |
| ellos, ellas, Uds. | pidan | sirvan | prefieran | duerman |

**3.** The following expressions are followed by the subjunctive since it is not definite that the action in the dependent clause that follows each expression will be a reality. It may or may not take place.

| | |
|---|---|
| Es posible | Es bueno |
| Es imposible | Es mejor |
| Es probable | Es fácil |
| Es improbable | Es difícil |
| Es importante | Es necesario |

Es posible que ellos vayan a Miraflores.
Es imposible que lleguen a tiempo.
Es probable que haya mucho tráfico porque hay un desvío en la carretera.
A causa del desvío, es fácil que se pierdan.

Expreso, Miraflores, Perú

PAÍSES ANDINOS

## PRESENTATION

### Subjuntivo con expresiones impersonales

**Step 1** Read the explanation with students. Have them repeat the model sentences.

> **Learning from Photos**
> (*page 97*) Este es el expreso que enlaza Miraflores en la costa con el centro de Lima.

**LEVELING**

**A:** Structure

---

## ANSWERS TO ¿Cómo lo digo?

**2**

1. Sí, es posible que haya una erupción volcánica.
2. Sí, es posible que las explosiones sean violentas.
3. Sí, es posible que la erupción cause mucha destrucción.
4. Sí, es posible que haga mucho daño.
5. Sí, es posible que destruya las vías y las carreteras.
6. Sí, es posible que los residentes sufran.
7. Sí, es posible que ellos tengan que reubicarse.

## PRACTICE

# ¿Cómo lo digo?

**3**, **4**, and **5** These activities can be gone over orally in class.

 **Paired Activity**
Have students do the following paired activity: **Trabaja con un(a) compañero(a). Dile todo lo que es necesario que tú hagas antes de hacer un viaje en avión. Él/Ella te dirá todo lo que es necesario que él/ella haga. Hagan ustedes una lista de todas las cosas que ustedes dos tienen que hacer.**

## Learning from Photos

*(page 98 top)* Manta es un puerto en el norte de Ecuador. Aquí hay mucha industria pesquera, sobre todo de camarones. Hay también playas agradables. Muy cerca de Manta están los pueblos de Jipijapa y Montecristi donde hacen de la paja toquilla los famosos *Panama hats*. Los *Panama hats* no se hacen en Panamá. *(page 98 bottom)* El lago Titicaca es el lago navegable más alto del mundo (3.800 metros sobre el nivel del mar). El lago tiene varias islas. Los quechuas viven en las orillas peruanas del lago y los aymaras viven en las orillas bolivianas.

## Recycling

Students have learned about the famous Nazca lines in ¡**Buen viaje!** Level 1, Capítulo 11. Ask them to tell what they know about the Nazca lines.

LECCIÓN 3
# Periodismo

## ¿Cómo lo digo?

**3** **Historieta** **Posibilidades** Contesten.

1. ¿Es posible que ellos pasen sus vacaciones en Ecuador?
2. ¿Es probable que ellos viajen de una ciudad a otra en avión?
3. ¿Es importante que vean el valle de los volcanes?
4. ¿Es probable que ellos quieran pasar unos días en una playa de Manta?
5. ¿Es mejor que vayan a las Galápagos en barco?

Playa, Manta, Ecuador

Líneas de Nazca, Perú

**4** **Historieta** **Es probable.**
Sigan el modelo.

ir a Perú →
Es probable que yo vaya a Perú.

1. hacer el viaje en avión
2. no perder mi vuelo
3. pasar unos días en la capital
4. comprar unos regalos en una tienda de artesanía
5. hacer una excursión a Chan Chan
6. divertirme en la playa de Huanchaco
7. ir al sur
8. sobrevolar las líneas de Nazca

Lago Titicaca, Bolivia

**5** **Te voy a decir una cosa.**
Sigan el modelo.

tener mis documentos →
Te digo. Es necesario que tengas tus documentos.

1. llegar a La Paz temprano
2. acostumbrarte a la altura
3. tener una reservación en el hotel
4. descansar al llegar al hotel
5. dormir un poco
6. ir al lago Titicaca
7. visitar los pueblos de los aymara

## ANSWERS TO ¿Cómo lo digo?

**3**
1. Sí, (No, no) es posible que ellos pasen sus vacaciones en Ecuador.
2. Sí, (No, no) es posible que ellos viajen de una ciudad a otra en avión.
3. Sí, (No, no) es importante que vean el valle de los volcanes.
4. Sí, (No, no) es probable que ellos quieran pasar unos días en una playa de Manta.
5. Sí, (No, no) es mejor que vayan a las Galápagos en barco.

**4**
1. Es probable que yo haga el viaje en avión.
2. Es probable que yo no pierda mi vuelo.
3. Es probable que yo pase unos días en la capital.
4. Es probable que yo compre unos regalos en una tienda de artesanía.
5. Es probable que yo haga una excursión a Chan Chan.
6. Es probable que yo me divierta en la playa de Huanchaco.
7. Es probable que yo vaya al sur.
8. Es probable que yo sobrevuele las líneas de Nazca.

## 6 Conversación    El hotel

Completen.

—¿Es posible que el hotel en Arequipa
   __1__ (estar) completo?

—Sí, puede ser.

—Luego es mejor que yo __2__ (hacer)
   una reservación, ¿no?

—Sí, sí. A mi parecer es importante
   que (tú) __3__ (tener) la reservación
   ya hecha.

—¿Es necesario que yo les __4__ (enviar)
   un correo electrónico o es mejor
   que tú les __5__ (dar) una llamada
   telefónica?

Hostal del puente, Arequipa, Perú

—No es necesario que yo les __6__ (hablar) por teléfono. Es probable que ellos
   __7__ (contestar) enseguida tu correo electrónico.

—¿Qué opinas? ¿Vamos a conducir o es mejor que (nosotros) __8__ (ir) en avión?

—Ni hablar. Es casi imposible que (nosotros) __9__ (conducir). Es un viaje bastante
   largo y en algunas partes la vía no es muy buena. Te aseguro que es mejor que
   nosotros __10__ (tomar) el avión. Y el aeropuerto de Arequipa no está muy lejos
   de la ciudad.

Aeropuerto, Arequipa, Perú

PAÍSES ANDINOS

*noventa y nueve* ✦ 99

**6** Call on students to read
**Actividad 6** aloud as a
conversation.

### ADDITIONAL PRACTICE

1. Prepare usted una lista de cosas
   que sus padres siempre quieren
   que usted haga. Luego compare
   su lista con la de otro(a)
   compañero de clase.

2. Prepare usted una lista de cosas
   que su profesor(a) de español
   exige que usted haga.

3. Prepare usted una lista de las
   cosas que son fáciles que usted
   haga. Luego prepare una lista
   de las cosas que son difíciles
   que usted haga.

### Reaching All Students

Call on average learners to look
at these photographs and tell a
story about arriving at this airport
in Arequipa and going to the
**Hostal del puente** where they
are going to spend a few days.

## ANSWERS TO ¿Cómo lo digo?

**5**

1. Te digo. Es necesario que llegues a La Paz temprano.
2. Te digo. Es necesario que te acostumbres a la altura.
3. Te digo. Es necesario que tengas una reservación en el hotel.
4. Te digo. Es necesario que descanses al llegar al hotel.
5. Te digo. Es necesario que duermas un poco.
6. Te digo. Es necesario que vayas al lago Titicaca.
7. Te digo. Es necesario que visites los pueblos de los aymara.

**6**

1. esté
2. haga
3. tengas
4. envíe
5. des
6. hable
7. contesten
8. vayamos
9. conduzcamos
10. tomemos

## PRESENTATION

### Subjuntivo en cláusulas nominales

**Step 1** Reinforce the idea that the information that follows **que** may or may not take place and that is why the subjunctive is used. Understanding this concept is more important than memorizing the expressions that take the subjunctive. Have the students read the model sentences aloud.

## PRACTICE

## ¿Cómo lo digo?

**7** – **10** Have students work in pairs. One student reads the question and the other answers. They then reverse roles. After everyone has had time to do all the activities orally, call on selected pairs to give the answers.
**Hint:** As students work, you may wish to circulate to listen to them and help them with individual questions and problems.

### LEVELING

**A:** Structure

## Subjuntivo en cláusulas nominales
### Expressing wishes, preferences, and demands

The subjunctive is also used after the following verbs.

| | |
|---|---|
| desear | *to desire* |
| esperar | *to hope* |
| preferir | *to prefer* |
| mandar | *to order* |
| insistir en | *to insist* |

Note that the use of the subjunctive is extremely logical in Spanish. Whether one desires, hopes, prefers, demands, or insists that another person do something, one can never be sure that the person will in fact do it. Therefore, the action of the verb in the dependent clause is not necessarily real and the subjunctive must be used.

**Él quiere que yo lo ayude.**
**Yo prefiero que tú lo hagas.**
**Ustedes insisten en que (nosotros) se lo pidamos.**

**Y yo quiero que él me ayude.**
**Y tú prefieres que yo lo haga.**
**Y nosotros insistimos en que ustedes se lo pidan.**

**¡Así es la vida!**

Quito, Ecuador

Lima, Perú

## ¿Cómo lo digo?

**7** **¿Hacerlo?** Sigan el modelo.

¿Venderlo? →
**Tú quieres que yo lo venda.**
**Y yo quiero que tú lo vendas.**

1. ¿Comprarlo?
2. ¿Pagarlo?
3. ¿Aprenderlo?
4. ¿Recibirlo?
5. ¿Devolverlo?
6. ¿Servirlo?
7. ¿Conocerlo?
8. ¿Hacerlo?
9. ¿Traerlo?
10. ¿Decirlo?

**8** **Historieta** **¿Qué quieres?** Escriban las frases empezando con **Yo quiero que.**

Ustedes compran pan para la cena. →
**Yo quiero que ustedes compren pan para la cena.**

1. Ustedes me esperan.
2. Ustedes salen conmigo.
3. Todos nosotros vamos juntos a la tienda.
4. Ustedes me ayudan a buscar un regalo para Cristina.
5. Ustedes no le dicen nada a Cristina.

## ANSWERS TO ¿Cómo lo digo?

**7**

1. Tú quieres que yo lo compre.
   Y yo quiero que tú lo compres.
2. Tú quieres que yo lo pague.
   Y yo quiero que tú lo pagues.
3. Tú quieres que yo lo aprenda.
   Y yo quiero que tú lo aprendas.
4. Tú quieres que yo lo reciba.
   Y yo quiero que tú lo recibas.

5. Tú quieres que yo lo devuelva.
   Y yo quiero que tú lo devuelvas.
6. Tú quieres que yo lo sirva.
   Y yo quiero que tú lo sirvas.
7. Tú quieres que yo lo conozca.
   Y yo quiero que tú lo conozcas.
8. Tú quieres que yo lo haga.
   Y yo quiero que tú lo hagas.

9. Tú quieres que yo lo traiga.
   Y yo quiero que tú lo traigas.
10. Tú quieres que yo lo diga.
    Y yo quiero que tú lo digas.

**8**

1. Yo quiero que ustedes me esperen.
2. Yo quiero que ustedes salgan conmigo.

3. Yo quiero que todos nosotros vayamos juntos a la tienda.
4. Yo quiero que ustedes me ayuden a buscar un regalo para Cristina.
5. Yo quiero que ustedes no le digan nada a Cristina.

**9** **Historieta** **¿En qué insiste mamá?**

Escriban las frases empezando con **Mamá insiste en que.**

> **Lavamos los platos.** →
> **Mamá insiste en que lavemos los platos.**

1. Nos levantamos temprano.
2. Tomamos un buen desayuno.
3. Salimos a tiempo.
4. No llegamos tarde a la escuela.
5. Estudiamos y aprendemos.
6. Somos diligentes.

**10** **Historieta** **¿Qué prefiere él?**

Escriban las frases empezando con
**Él prefiere que.**

> **Yo escribo los detalles.** →
> **Él prefiere que yo escriba los detalles.**

1. Yo hablo del robo.
2. Yo describo lo que pasó.
3. Yo voy a la comisaría.
4. Yo hago la denuncia.
5. Yo doy la descripción del carterista.

Miraflores, Perú

Máscara Chimú, Museo del Oro, Lima, Perú

**11** **Historieta** **Al museo** Contesten.

1. ¿Prefieres que vayamos al Museo del Oro?
2. ¿Quieres que yo compre las entradas?
3. ¿Esperas que no haya mucha gente en el museo?
4. ¿Quieres que yo invite a Sandra a acompañarnos?
5. Al salir del museo, ¿quieres que vayamos a un restaurante a comer o prefieres que volvamos a casa?
6. ¿Va a insistir Sandra en que comamos en un restaurante?
7. ¿Prefieres que Sandra nos encuentre en el museo o que la vayamos a buscar?

PAÍSES ANDINOS

---

**Group Activity**

Have students do the following activity: **Trabajen en grupos pequeños. Decidan lo que quieren que sus profesores no hagan. Indiquen lo que prefieren que hagan. Preparen una lista.**

**Cross-Cultural Comparison**

In this photo you see several female police officers. Throughout Latin America there are many women on the police forces.

**11**

1. Sí, (No, no) prefiero que vayamos al Museo del Oro.
2. Sí, (No, no) quiero que tú compres las entradas.
3. Espero que no haya mucha gente en el museo.
4. Sí, (No, no) quiero que tú invites a Sandra a acompañarnos.
5. Al salir del museo, quiero que vayamos a un restaurante a comer (prefiero que volvamos a casa).
6. Sí, (No, no) va a insistir Sandra en que comamos en un restaurante.
7. Prefiero que Sandra nos encuentre en el museo. (Prefiero que la vayamos a buscar).

**101**

---

**ANSWERS TO ¿Cómo lo digo?**

**9**

1. Mamá insiste en que nos levantemos temprano.
2. Mamá insiste en que tomemos un buen desayuno.
3. Mamá insiste en que salgamos a tiempo.
4. Mamá insiste en que no lleguemos tarde a la escuela.
5. Mamá insiste en que estudiemos y aprendamos.
6. Mamá insiste en que seamos diligentes.

**10**

1. Él prefiere que yo hable del robo.
2. Él prefiere que yo describa lo que pasó.
3. Él prefiere que yo vaya a la comisaría.
4. Él prefiere que yo haga la denuncia.
5. Él prefiere que yo dé la descripción del carterista.

##  Recycling

These activities allow students to use the vocabulary and structure from this lesson in completely open-ended, real-life situations.

## PRESENTATION

Encourage students to say as much as possible when they do these activities. Tell them not to be afraid to make mistakes, since the goal of these activities is real-life communication. If someone in the group makes an error, allow the others to politely correct him or her. Let students choose the activities they would like to do.

You may wish to divide students into pairs or groups. Encourage students to elaborate on the basic theme and to be creative. They may use props, pictures, or posters if they wish.

**Note:** It is recommended that you not correct all errors made by the students as they do these activities. They would certainly make errors if they were communicating in real situations in a Spanish-speaking country.

# ¡Te toca a ti!
**Use what you have learned**

### 1 HABLAR ESCRIBIR

## Un desastre natural

✔ *Describe a natural disaster that sometimes occurs where you live*

Cada día leemos en el periódico noticias de desastres naturales tales como una erupción volcánica, un terremoto, un huracán o un tornado. En los países de la región andina hay muchas erupciones volcánicas. En Estados Unidos no hay muchos volcanes pero es posible que haya otro tipo de desastre natural. ¿Qué posibilidades existen donde tú vives? Describe lo que pasa y lo que hace la gente para protegerse.

Volcán Tungurahua, Ecuador

Mujer peruana

### 2 HABLAR ESCRIBIR

## La tercera edad o la vejez

✔ *Describe ways to maintain a long, healthy life*

Hoy en día la longevidad es bastante común. ¿Qué están haciendo muchos en la vida diaria para que lleguen a disfrutar de más años y una vejez placentera? ¿Qué hizo la señora Silveria Pomarino Cueva para vivir hasta cumplir los ciento diez años?

### 3 HABLAR ESCRIBIR

## Una biografía

✔ *Describe a family member or friend who has enjoyed a long life*

Piensa en un(a) pariente tal como un(a) abuelo(a) o bisabuelo(a) o un(a) amigo(a) de la familia que ha llegado a una edad bastante avanzada. Describe a esta persona.

**ANSWERS TO**

*Answers will vary.*

## 4 ¿Sí o no?

✔ *Discuss benefits and drawbacks of living a long life*

En grupos de cuatro preparen un debate. Dos de cada grupo dicen que quieren alcanzar una edad bastante avanzada. Dos dicen que no. Preparen un debate.

## 5 Todo lo que espero de ti

✔ *Describe things you want from someone else*

Imagina que tienes un(a) novio(a) a quien quieres mucho. Escríbele una carta describiendo todo lo que esperas que él o ella haga para hacerte feliz.

## 6 ¡Exigentes!

✔ *Describe what family and friends want from you*

Hay personas en tu vida que exigen, demandan, piden y quieren mucho de ti. Pueden ser tus padres u otros parientes, profesores o aún amigos. Hay cosas que quieren que hagas. Hay otras cosas que prefieren que hagas. Y hay cosas que absolutamente insisten en que hagas. Da el nombre de la persona o personas. Di todo lo que quiere(n), prefiere(n) e insiste(n) en que tú hagas. Luego decide y explica si ocurren o suceden o si van a ocurrir o suceder todos sus deseos, preferencias y exigencias. ¿Se van a realizar o no?

PAÍSES ANDINOS

ANSWERS TO ¡Te toca a ti!

---

*Answers will vary.*

Assessment

## Resource Manager

Assessment Transparency A2.3
Online Quiz
Tests, pages 38–67
*ExamView® Assessment Suite*

## Assessment

This is a pretest for students to take before you administer the lesson test. Answer sheets for students to do these pages are provided in the transparencies. Note that each section is cross-referenced so students can easily find the material they have to review in case they made errors. You may wish to collect these assessments and correct them yourself or you may prefer to have the students correct themselves in class. You can go over the answers orally or project them on the overhead, using your Assessment Answers transparencies.

## Reaching All Students

### Non-Mastery Students

Encourage students who need extra help to refer to the yellow notes and review any section before answering the questions.

## Tutorial

You may wish to have students create mnemonic devices to help them learn the chapter vocabulary. This may be especially helpful for non-mastery students.

# Vocabulario

**1 Den la palabra.**

1. mover, trasladar
2. sin nubes
3. lo que sale de un volcán en erupción
4. llegar a un punto determinado

**2 Completen.**

5. La _____ perdió su esposo cuando era bastante joven.
6. Ella siempre está contenta y tiene una _____ agradable.
7. Ella no lo vendió. Lo _____. No recibió ningún dinero.
8. Me gusta mucho este hotel. Tiene un ambiente muy _____.

To review vocabulary, turn to pages 88 and 91.

Hotel, Manta, Ecuador

To review the newspaper article on the volcano, turn to page 89.

# Lectura

**3 Contesten.**

9. ¿Dónde está el volcán Tungurahua?
10. ¿Desvaneció el hongo bastante rápido?
11. ¿Causó mucha destrucción la erupción de Tungurahua?

ANSWERS TO Assessment

**1**
1. reubicar
2. despejado(a)
3. las cenizas
4. alcanzar

**2**
5. viuda
6. sonrisa
7. donó
8. acogedor

**3**
9. El volcán Tungurahua está cerca de Riobamba, Ecuador.
10. Sí, desvaneció el hongo bastante rápido.
11. No, la erupción de Tungurahua no causó mucha destrucción.

### 4 ¿Sí o no?

12. Doña Silveria era de Arequipa.
13. Ella cumplió cien años.
14. Ella siempre sacaba a su familia adelante aunque quedó viuda muy joven.
15. Ella hizo estudios secundarios y universitarios.
16. Ella donó el terreno para hacer construir una escuela superior.

To review the newspaper article on Doña Silveria, turn to page 92.

# Estructura

### 5 Sigan el modelo.

Es imposible / saber →
**Es imposible que él lo sepa.**

17. Es imposible / comprar
18. Es imposible / vender
19. Es imposible / tener
20. Es imposible / conocer
21. Es imposible / perder
22. Es imposible / decir

To review the subjunctive, turn to pages 94–95, 97, and 100.

### 6 Completen.

23. Es probable que _____ ellos. (ser)
24. Yo quiero que tú lo _____. (hacer)
25. Ellos quieren que el gobierno _____ la reconstrucción de la vía Penipe-Baños. (iniciar)
26. Ellos insisten en que nosotros _____ a la fiesta. (ir)
27. Yo sé que ella espera que yo _____ mucha suerte. (tener)
28. Prefiero que ella no se lo _____. (pedir)
29. Es necesario que ustedes _____ allí. (estar)
30. Es importante que tú _____ algo antes de salir. (decir)

## ANSWERS TO Assessment

**4**

12. No
13. No
14. Sí
15. No
16. Sí

**5**

17. Es imposible que él lo compre.
18. Es imposible que él lo venda.
19. Es imposible que él lo tenga.
20. Es imposible que él lo conozca.
21. Es imposible que él lo pierda.
22. Es imposible que él lo diga.

**6**

23. sean
24. hagas
25. inicie
26. vayamos
27. tenga
28. pida
29. estén
30. digas

# Proficiency Tasks

¡OJO! It is suggested that you share the following information with students before they begin their writing projects.

Es cierto que cuando escribes en inglés tu estilo de escribir es mucho más sofisticado que en español. Cuando escribes en español tienes que usar frases más sencillas. Si encuentras una idea muy complicada, piensa un momento en una manera más sencilla de expresarla.

¡Un consejo muy importante! No traduzcas del inglés al español. Si traduces cometerás sin duda un montón de errores. O lo que escribes será muy anglicanizado. Desde el principio, por difícil que sea, piensa siempre en español. Si una palabra inglesa te viene a la mente, piensa enseguida en una expresión española que exprese la misma idea. Usa el español que ya has aprendido aún si exige que te expreses de una manera sencilla. Trata de evitar usar un diccionario bilingüe porque casi siempre escogerás una palabra errónea.

Prepara siempre un borrador de tu escrito. Al terminarlo, ponlo al lado. Léelo de nuevo un poco más tarde y haz las revisiones que consideres necesarias. Luego léelo una vez más para buscar errores ortográficos y gramaticales. Ten mucho cuidado en verificar las terminaciones.

## Teacher NOTE

You may wish to have students do all these activities or you may wish to have them select the one(s) they want to do.

# Composición

Mucho de lo que tienes que escribir para tus cursos escolares son escritos expositivos. El propósito de muchos escritos expositivos es el de dar información.

**TAREA 1** **Un asunto histórico** Vas a escribir sobre un aspecto o una época en la historia de los países andinos. Para escribir sobre un asunto histórico tienes que usar información que ya has aprendido. Y tienes que asegurar que tus hechos son correctos. Si no recuerdas todos los detalles que has aprendido será necesario leer de nuevo los textos que has estudiado—en este capítulo sobre la historia de la región andina. Al leer, toma apuntes sobre los detalles que quieres incluir en tu escrito.

Al escribir algo expositivo, en este caso histórico, trata de escribir de una manera sencilla, directa y clara. Tus frases no tienen que ser muy largas. En cada frase presenta un hecho o evento. En la oración siguiente descríbelo o indica la razón por la cual tiene importancia. Siempre ten en mente que quieres que tus lectores comprendan sin dificultad lo que estás escribiendo.

**TAREA 2** **Un artículo para el periódico** Ahora vas a escribir un artículo para un periódico. Puedes escoger cualquier sujeto que te interese. Algunas posibilidades son: la delincuencia, un robo, un incendio, un desastre natural, un accidente, una crisis internacional, un evento deportivo, un proyecto escolar. En cuanto hayas escogido tu sujeto o tópico, empieza a explorarlo. Escribe todo lo que te viene a la mente en cuanto a tu tópico. Entonces lee todo lo que has escrito y agrupa todos los hechos e ideas que van juntos.

Comienza a escribir tu artículo. La primera frase de cada párrafo debe anunciar la idea principal. Continúa con las frases que sostienen o apoyan la idea principal. Puedes sacar muchas de ellas de la lista que ya has hecho.

Como estás escribiendo un artículo para un periódico, utiliza frases cortas: sujeto, verbo, complemento. Contesta las preguntas *quién, qué, dónde, cómo*. Trata de estar objetivo(a) sin dar opiniones personales. Los que leen el artículo pueden llegar a sus propias opiniones y conclusiones.

**TAREA 3** **Una biografía** En una biografía el autor cuenta la historia de la vida de una persona. La historia es siempre verdadera, nunca ficticia.

¿Qué te parece escribir una biografía? Pero, ¿de quién? Te toca a ti. Puedes escoger un miembro de la familia, un(a) buen(a) amigo(a), un(a) profesor(a), un actor, una actriz, un personaje histórico. Antes de empezar a escribir la biografía es posible que sea necesario hacer algunas investigaciones o hacer una entrevista para aprender más sobre la vida de la persona. Trata de escoger una persona que haya tenido una vida interesante o excepcional. Eso te ayudará a escribir una biografía interesante.

Al contar la vida de la persona, escribe todo lo que ha hecho de manera que le des vida en el papel. Describe su apariencia física, su personalidad y sus actitudes. Utiliza detalles vivos y un lenguaje preciso para describir tus impresiones.

Organiza tu biografía de una manera clara. Puedes presentarla en orden cronológico desde el nacimiento hasta hoy. Si la persona ha hecho algo extraordinario, puedes comenzar con este acontecimiento y volver a explicar lo que lo hizo posible.

## Pre-AP SkillBuilder

The **tareas** in the **Composición** section provide students with valuable practice for the writing section of the AP exam.

**TAREA 4** Muchos poemas hablan del amor, del tiempo que pasa, de los sentimientos y en la poesía latinoamericana de la belleza del pasaje autóctono. El lenguaje de un poema es artístico y musical. Se dice que hay que tener un talento especial para crear poesía y puede ser verdad. Pero ahora vas a escribir un poema corto. No es necesario que el poema tenga rima.

Puedes escoger cualquier tema: el amor, una persona, un paisaje, el mar.

Para escribir tu poema, vas a:

- escribir un sustantivo
- escribir dos adjetivos que describen el sustantivo
- escribir una frase de sólo tres palabras
- escribir un sinónimo del primer sustantivo, del que aparece en el primer verso

Y ahora, lee tu poema a la clase.

# Discurso

Una entrevista es una reunión o una conversación entre dos personas. El/La que da (hace) la entrevista le hace preguntas a la segunda persona para obtener información. La entrevista puede ser también un artículo o reportaje escrito sobre esta conversación.

La entrevista puede tener varias metas. Se puede entrevistar a alguien para informarse de las últimas noticias, para investigar un acto criminal, para conseguir información sobre una persona interesante o famosa o sencillamente para solicitar un trabajo.

**TAREA 5** Vas a entrevistar a una persona que acaba de volver de la región andina. Con un colega decide quién será el/la entrevistador(a) y quién contestará las preguntas. Antes de empezar el/la entrevistador(a) tiene que preparar todas las preguntas que va a hacer. Organiza las preguntas en categorías como clima, paisaje, ciudades, gente, sucesos.

Un(a) buen(a) entrevistador(a) quiere que su primera pregunta les pique el interés a los que le escuchan. Así, podrías empezar tu entrevista con: «Pues, ___, acaba de volver de (Perú,

Ecuador, Bolivia). ¿Nos puede decir algo que le sorprendió o fascinó al visitar este país?»

Entonces puedes continuar con preguntas que te permiten obtener detalles precisos. Las primeras preguntas de un(a) entrevistador(a) o reportero(a) comienzan con: *qué, quién, cuándo, dónde.* Entonces introduce preguntas más abiertas con *cómo* y *por qué* que le permiten a la persona contestar de manera más libre o más amplia. La última pregunta que va a llevar la entrevista a una conclusión debe ser muy general, «Pues ___, ¿hay algo más que usted les quisiera decir a nuestros oyentes?»

## Vocabulary Review

The words and phrases in the **Vocabulario** have been taught for productive use in this chapter. They are summarized here as a resource for both student and teacher. This list also serves as a convenient resource for the **¡Te toca a ti!** activities on pages 74–75, 84–85, and 102–103. There are approximately nineteen cognates in this vocabulary list. Have students find them.

 You will notice that the vocabulary list here is not translated. This has been done intentionally, since we feel that by the time students have finished the material in the chapter they should be familiar with the meanings of all the words. If there are several words they still do not know, we recommend that they refer to the Vocabulario sections in the chapter or go to the dictionaries at the end of this book to find the meanings. However, if you prefer that your students have the English translations, please refer to Vocabulary Transparencies 2.1A, 2.1B, and 2.1C, where you will find all these words with their translations.

POWERTEACH *Interactive Chalkboard* You may wish to use the editable PowerPoint® presentation available on this PowerTeach CD-ROM to have students view the chapter vocabulary in a Spanish-English, English-Spanish format.

### Lección 1  Cultura

el choclo, el maíz
la papa
la precipitación

**Geografía**
agrio(a)
caluroso(a)
escaso(a)
lluvioso(a)
nevado(a)
cultivar

**Historia**
el balcón
el criollo
la cuerda
la época
el/la indígena
la madera
la materia prima
el nudo
el oro
el piso
la plata
la plaza

el quipu
el tejedor
el tejido
acomodado(a)
bello(a)
colonial
apoyar
contar (ue)
situarse
soler (ue)
subyugar
tejer

### Lección 2  Conversación

el bolsillo
la cartera
el/la carterista
la comisaría
el crimen
la denuncia
el/la policía

el robo
la víctima
empujar
quitar
robar
mientras

### Lección 3  Periodismo

**Nuevas explosiones en volcán Tungurahua**
la ceniza
el cielo
la destrucción
la erupción
el/la habitante
el hongo
el pueblo
la tregua
el volcán
cubierto(a)
despejado(a)
violento(a)
volcánico(a)
alcanzar
causar
desvanecer
esperar
reubicar
ubicar

**Ayacuchana cumplió 110 años**
el consejo
la sonrisa
la viuda
acogedor
agradable
mayor
donar
renegar (ie)
respetar

LITERARY COMPANION *See pages 430–439 for literary selections related to Chapter 2. The activities for these readings will help you continue to practice your reading comprehension skills.*

# VIDEOTUR

## ¡Viva el mundo hispano!

Video can be a beneficial learning tool for the language student. Video enables you to experience the material in the textbook in a real-life setting. Take a vicarious field trip as you see people interacting at home, at school, at the market, etc. The cultural benefits are limitless as you experience the Spanish-speaking world while "traveling" through many countries. In addition to its tremendous cultural value, video gives practice in developing good listening and viewing skills. Video allows you to look for numerous clues that are evident in tone of voice, facial expressions, and gestures. Through video you can see and hear the diversity of the target culture and compare and contrast the Spanish-speaking cultures to each other and to your own.

## VIDEOTUR

### VIDEO VHS/DVD

The Video Program for Chapter 2 includes three documentary segments of some interesting aspects of life in Peru. You may wish to have students answer oral or written comprehension questions about the video segments.

### Episodio 1: Los fardos funerales

José Luis es profesor en una pequeña escuela del pueblo de Puruchuco, cerca de Lima. Está enseñándole una momia a uno de sus alumnos. Debajo del patio de esta escuela está un antiguo cementerio inca donde enterraban a sus muertos entre 1465 y 1540. Las momias se encuentran en grupos que se llaman «fardos funerales». Los arqueólogos que estudian las momias dicen que están aprendiendo mucho sobre como vivían, lo que ellos apreciaban y como murieron.

**POWERTEACH** *Interactive* Chalkboard

You may wish to use the editable PowerPoint® presentation available on this PowerTeach CD-ROM to have students view and listen to a short segment of the video. Additional activities are also provided.

### Episodio 2: Un viaje por tren

Este tren cubre el trayecto Cuzco-Machu Picchu. Machu Picchu, antigua ciudad de los incas estuvo escondida durante siglos. Ni los conquistadores españoles sabían donde estaba. En 1911 un campesino se lo enseñó a un explorador norteamericano, Hiram Bingham. Por mucho tiempo la única manera de llegar a Machu Picchu era a pie o en tren. Las vistas y el paisaje que se ven desde el tren son maravillosos.

### Episodio 3: Alfarería andina

Pablo Seminario es ceramista. Ha estudiado la alfarería precolombina por mucho tiempo. Él quiere conservar la cultura y las artes del pasado. Su esposa, Marilú, trabaja con él. Los dos crean preciosas tazas y vasijas y diferentes obras de arte. Sus obras son tan populares que ahora tienen todo un equipo de artesanos que les ayudan con su cerámica.

PAÍSES ANDINOS

# Planning for Chapter 3

## SCOPE AND SEQUENCE PAGES 110–161

### Topics
❖ The geography, history, and culture of the **Cono sur**

### Culture
❖ Fashion in the workplace
❖ Leaving home to go to college

### Functions
❖ How to state location, origin, characteristics, and conditions
❖ How to express surprise, interest, and annoyance
❖ How to express likes, dislikes, and needs
❖ How to express affirmative and negative ideas
❖ How to express emotions, doubt, or uncertainty

### Structure
❖ **Ser** versus **estar**
❖ Using verbs with indirect objects to express surprise, interest, and annoyance
❖ **gustar** and **faltar**
❖ Affirmative/negative words
❖ Using the subjunctive to express emotion, doubt or uncertainty

### National Standards
Communication Standard 1.1, pp. 110, 114, 124–128, 135, 138, 141, 144, 146, 147, 148, 151–155

Communication Standard 1.2, pp. 110, 115–123, 135, 145, 148–150

Communication Standard 1.3, pp. 129, 141

Cultures Standard 2.1, pp. 110, 115, 148–150, 441, 442, 444, 449

Cultures Standard 2.2, p. 110

Connections Standard 3.1, pp. 110, 115–117, 148

Connections Standard 3.2, pp. 136, 153

Comparisons Standard 4.1, pp. 126–127, 137, 138, 154

Comparisons Standard 4.2, pp. 119, 128, 145, 155

Communities Standard 5.1, pp. 122, 141

*To read the ACTFL Standards in their entirety, see page T36.*

## PACING AND LEVELING

**Lección 1: Cultura**  *(5–7 days)*

**Lección 2: Conversación**  *(5–7 days)*

**Lección 3: Periodismo**  *(5–7 days)*

**Proficiency Tasks**  *(1–2 days)*

**Videotur**  *(1–2 days)*

**Literatura**  *(5–7 days)*

### LEVELING
The following is an overall leveling of the sections of each chapter of **¡Buen viaje!** Level 3.

**EASY:** Conversación, Estructura • Repaso
**AVERAGE:** Cultura, Periodismo, Estructura • Avanzada
**CHALLENGING:** Literatura

Most parts of each lesson are also leveled for your convenience in the Teacher Notes in the Wraparound section of your Teacher Edition.

**E: Easy    A: Average    C: Challenging**

Please note that the material does not become progressively more difficult. Within each chapter there are easy and challenging sections.

# TEACHER RESOURCE GUIDE

| SECTION | PRINT RESOURCES | TECHNOLOGY RESOURCES |
|---|---|---|
| **Lección 1** | | |
| Lectura *(pp. 112–113)*<br>La geografía *(pp. 115–117)*<br>Una ojeada histórica *(pp. 118–121)*<br>Visitas históricas *(p. 122)*<br>Comidas *(p. 123)*<br>Estructura • Repaso<br>Colocación y origen **¿Ser** o **estar?** *(p. 124)*<br>Característica y condición **¿Ser** o **estar?** *(p. 125)*<br>Usos especiales de ser y estar *(pp. 126–127)*<br>¡Te toca a ti! *(pp. 128–129)*<br>Assessment *(pp. 130–131)* | Audio Activities TE *(pp. 51–60)*<br>Workbook *(pp. 33–40)*<br>Quizzes *(pp. 29–36)*<br>Tests *(pp. 69–70 and 79–105)* | Vocabulary Transparencies V3.2–V3.3<br>Audio CD 3<br>*ExamView® Assessment Suite*<br>Assessment Transparency A3.1<br>glencoe.com<br>PowerTeach<br>Vocabulary PuzzleMaker |
| **Lección 2** | | |
| Conversación<br>Vocabulario para la conversación *(pp. 132–133)*<br>De compras *(p. 135)*<br>Estructura • Repaso<br>Verbos especiales con complemento indirecto *(p. 137)*<br>**Gustar** y **faltar** *(p. 138)*<br>Palabras negativas y afirmativas *(p. 139)*<br>¡Te toca a ti! *(p. 141)*<br>Assessment *(pp. 142–143)* | Audio Activities TE *(pp. 61–66)*<br>Workbook *(pp. 41–46)*<br>Quizzes *(pp. 37–40)*<br>Tests *(pp. 72–74 and 79–105)* | Vocabulary Transparencies V3.4–V3.5<br>Audio CD 3<br>*ExamView® Assessment Suite*<br>glencoe.com<br>Assessment Transparency A3.2<br>PowerTeach<br>Vocabulary PuzzleMaker |
| **Lección 3** | | |
| Lectura<br>Vocabulario para la lectura *(p. 144)*<br>Ejecutivos en manga corta *(p. 145)*<br>Lectura<br>Vocabulario para la lectura *(p. 147)*<br>Cuando hay que dejar el hogar *(pp. 148–149)*<br>Estructura • Avanzada<br>Subjuntivo con expresiones de emoción *(p. 151)*<br>Subjuntivo con expresiones de duda *(p. 152)*<br>Subjuntivo en cláusulas adverbiales *(p. 154)*<br>¡Te toca a ti! *(p. 155)*<br>Assessment *(pp. 156–157)*<br><br>Proficiency Tasks *(pp. 158–159)*<br>**Videotur** *(p. 161)*<br>Literatura *(pp. 440–455)* | Audio Activities TE *(pp. 67–74)*<br>Workbook *(pp. 47–50)*<br>Quizzes *(pp. 41–46)*<br>Tests *(pp. 75–105)*<br>Audio Activities *(pp. 215–222)*<br>Tests *(pp. 285–290)* | Vocabulary Transparencies V3.6–V3.7<br>Audio CD 3<br>*ExamView® Assessment Suite*<br>Assessment Transparency A3.3<br>glencoe.com<br>PowerTeach<br>Vocabulary PuzzleMaker<br>**¡Viva el mundo hispano!** Video<br>Video Activities<br>Audio CD 9 |

# Using Your Resources for Chapter 3

## Transparencies

**Map Transparencies** The full-color maps at the front of the Student Edition have been converted to transparency format.

**Bellringer Reviews** provide a quick review activity to begin each class.

**Vocabulary Transparencies** include the photos and art from the Student Edition pages, overlays with Spanish words, and Spanish/English vocabulary lists for each chapter.

**Assessment Transparencies** provide answer sheets and answers for the Assessment pages in the Student Edition.

**Fine Art** can be used to reinforce the topics introduced in the text and enrich your students' knowledge of Fine Art.

## Workbook and Audio Activities

### Writing Activities
The Workbook section includes numerous activities to reinforce each concept presented in the textbook. There are workbook pages for each of the following sections: vocabulary, culture, conversation, journalism, and structure. Varied activities provide several ways for students to practice and apply the material you have presented in class.

### Audio Activities
The Audio Activities pages in this booklet may be used to guide students through the listening and speaking activities provided on the Audio CDs. The script to the Audio CDs is also provided in the Audio Activities TE in the TeacherTools booklet if the teacher prefers to read the activities aloud. The Audio Activities provide listening and speaking practice to reinforce vocabulary, culture, conversation, structure, and literature.

# Assessment

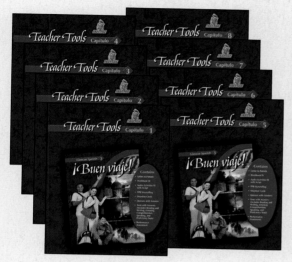

Several options for Assessment are offered with the **¡Buen viaje!** program. The TeacherTools booklets include the following Assessment pieces.

**Quizzes** There are quizzes for Vocabulary, Culture, Structure, Conversation, and Journalism.

**Tests** There is a Reading and Writing Test for each lesson in the chapter. In addition, there are two different Chapter Reading and Writing Tests—one for less able to average students and the other for above average to advanced students. There is also a Listening Comprehension Test, a Speaking Test, and a Proficiency Test at the end of each chapter.

**Spanish Online** Students can easily access our Self-Check Quizzes at glencoe.com.

**ExamView® Assessment Suite** Test Bank software for Macintosh and Windows makes creating, editing, customizing, and printing tests quick and easy.

# Passport to Success Notebook

- **Notetaking and Study Strategies** help students organize and internalize new information, allowing them to become more effective communicators in the target language.

- **Reading Strategies** take the mystery out of reading and give students the tools they need to become more effective readers.

- **Standardized Test Practice** in every chapter helps students improve their test-taking skills through the study of foreign language.

# TECHNOLOGY

 This all-in-one planner includes:

- Interactive Teacher Edition
- Lesson Planner with calendar
- Access to all program blackline masters
- Correlations to National Standards

**ExamView®** Assessment Suite The *ExamView® Assessment Suite* includes *Test Generator, Test Player,* and *Test Manager.*

- Use premade tests or build your own easily and quickly
- Customize tests using a full-feature editor
- Select questions from existing test banks
- Set up your own question test banks
- Disaggregate data

 All-in-one interactive Student Edition and student resources—a backpack solution

# Preview

In this chapter, students will learn about the geography, history, and culture of Chile, Argentina, Paraguay, and Uruguay. In the **Cultura** section students will learn vocabulary related to the Southern Cone region. Additional vocabulary needed to discuss shopping for clothes, appropriate attire in the workplace, and going away to college will also be presented in this chapter through the reading of articles from newspapers from these countries.

 National Standards

**Communication**

Students will communicate in spoken and written Spanish on the following topics:
- The culture, geography, and history of the Southern Cone region
- Shopping for clothes
- Appropriate attire at the workplace
- Leaving home to go to college

**Cultures**

Students will learn about geography, history, and culture in the Southern Cone region. They will also learn about proper attire in the workplace in Argentina and the new trend in Chile of leaving home to go away to college.

**Connections**

This chapter establishes a connection with the fields of history, geography, business, and education.

# El Cono sur
Chile, Argentina, Paraguay, Uruguay

Spanish Online
To interact with your online edition of
¡Buen viaje! go to: glencoe.com.

**TeacherWorks**
All-In-One Planner and Resource Center

The TeacherWorks CD-ROM is an all-in-one planner and resource center. You may wish to use several of the following features as you plan and present the Chapter 3 material: Interactive Teacher Edition, Interactive Lesson Planner with Calendar, Point and Click Access to Teaching Resources including Hotlinks to the Internet and Correlations to the National Standards.

## Objetivos

In this chapter you will:

❖ learn about the geography, history, and culture of Chile, Argentina, Paraguay, and Uruguay
❖ review how to state location and origin; characteristics and conditions
❖ discuss shopping for shoes and clothes
❖ review how to express surprise, interest, annoyance; likes, dislikes, and needs
❖ review how to express affirmative and negative ideas
❖ read and discuss newspaper articles about "acceptable" attire at work and leaving home to go to college
❖ learn to express emotions, doubt, or uncertainty

## Contenido

---

## Assessment

**Quizzes:** There is a quiz for every vocabulary presentation, every reading, and every structure point.
**Tests:** To accompany **¡Buen viaje!** Level 3 there is a Reading and Writing Test for each of the three lessons that make up a chapter. In addition, at the end of each chapter there are five tests.
• Two Reading and Writing Tests; one easy to intermediate; another intermediate to challenging.
• A Listening Comprehension Test
• A Speaking Test
• A Proficiency Test

## Spotlight on Culture

**Volcán Osorno, Chile**
El volcán Osorno está a orillas del lago Llanquihue en el famoso distrito chileno de los lagos.

---

## LEVELING

The following is an overall leveling of the sections of each chapter of **¡Buen viaje!** Level 3.
**EASY:** Conversación, Estructura • Repaso
**AVERAGE:** Cultura, Periodismo, Estructura • Avanzada
**CHALLENGING:** Literatura
Most parts of each lesson are also leveled for your convenience.
**E:** Easy
**A:** Average
**C:** Challenging
   Please note that the material does not become progressively more difficult. Within each chapter there are easy and challenging sections.

### Bellringer Review

*Use BRR Transparency 3.1 or write
the following on the board.*
**Contesten.**
**¿Qué tiempo hace en cada una
de las cuatro estaciones?**

## PRESENTATION

### Vocabulario para la lectura

**Step 1** Show the Vocabulary
Transparencies. Have students
repeat individual words and the
sentences that accompany the
illustrations.

**Step 2** You may also have students listen to the Audio CD.

**Step 3** You may wish to intersperse the following questions:
**¿Hace mal tiempo durante un
chaparrón? ¿Dónde se cultivan
las uvas? ¿Y las sandías? ¿Cómo
son las sandías? ¿Son muy altos
los cerros? ¿Dónde pace el
ganado? ¿Qué come? ¿En qué
«viajan» las ovejas?**

## Vocabulario para la lectura 🎧

un viñedo

la sandía

un chaparrón

En el norte de Argentina hay
huertas de sandía.
Las huertas de sandía están en
el norte.
Las sandías son muy dulces.

El tiempo está muy borrascoso hoy.

un cerro
una sabana
una llanura
la hierba
la ganadería
un rebaño de ovejas

El ganado pace en las llanuras.
Come mucha hierba.

Los cerros no son muy altos.
No son tan altos como un monte.

**112** ⚙ *ciento doce*

CAPÍTULO 3

You may wish to
use the editable
PowerPoint® pre-
sentation available
on this PowerTeach
CD-ROM for additional vocabulary instruction and practice.

## Cultura

### La indumentaria del gaucho

el cinturón

la boleadora

bombachas

el facón

Use your StudentWorks Plus CD for more practice.

### Animales marinos

una ballena

un pingüino

un glaciar

un elefante marino

un lobo marino

### Más vocabulario

**una huerta** un jardín bastante grande
**el odio** la antipatía, la aversión, la repulsión, el rencor
**una ráfaga** un viento que aumenta de velocidad rápidamente pero por poco tiempo

**el peonaje** grupo de peones o labradores
**austral** del sur
**belicoso(a)** guerrero, agresivo
**pacífico(a)** calmo, tranquilo, contrario de belicoso

EL CONO SUR

*ciento trece* 113

**Step 4** Students will encounter this specialized vocabulary for the **gaucho** when they read about **las pampas** and *Martín Fierro*. You may decide not to hold them responsible for these words.

**Step 5 Más vocabulario** You may wish to ask students the following questions: **¿Son belicosos los elefantes marinos machos? ¿Son más pacíficos los pingüinos? ¿Viven ellos en la zona austral de Argentina? ¿Cuida del ganado el peonaje? ¿Qué se cultiva en una huerta? De vez en cuando, ¿hay ráfagas donde vives?**

**Spanish Online**

### Differentiation

**Tutorial** The customizable **Vocabulary PuzzleMaker** can be used for each lesson or chapter to create crossword, word search, and jumble puzzles to reinforce vocabulary terms for non-mastery students.

**Enrichment** The customizable **Vocabulary PuzzleMaker** can also be used for each lesson or chapter to create more challenging puzzles for mastery students.

## PRACTICE

## ¿Qué palabra necesito?

**1** **2** **3** Have students prepare these activities and then go over them in class.

---

### Learning from Photos

*(page 114 bottom left)* Ushuaia es la ciudad más austral del mundo. Es la capital de la provincia argentina de Tierra del Fuego. La ciudad fue fundada por misioneros protestantes en 1884 unos cuarenta años después de la famosa expedición de Charles Darwin en el Beagle.

---

## ¿Qué palabra necesito?

**1** **Información** Contesten según se indica.

1. ¿Qué es un chaparrón? (una tempestad o una tormenta)
2. ¿Cómo está el tiempo cuando hay un chaparrón? (borrascoso)
3. ¿Qué cultivan en un viñedo? (uvas)
4. ¿Dónde cultivan vegetales y frutas? (en una huerta)
5. ¿Cómo son las sandías del norte de Argentina? (muy dulces)
6. ¿Dónde pace el ganado? (en las llanuras o en las sabanas)
7. ¿Hay muchos árboles en una sabana? (no, ningún)
8. ¿Qué come el ganado? (hierba)
9. ¿Qué dan las ovejas? (lana)
10. ¿Es muy alto un cerro? (no)

**2** **La indumentaria del gaucho** Identifiquen.

1.
2.
3.
4.

**3** **Minucia** Completen.

1. _____ es un animal marino mamífero muy grande. Nada por la superficie del agua pero puede permanecer debajo del agua una media hora. Al emerger del agua, exhala un aire saturado de vapor de agua.
2. _____ tiene una cara blanca y negra.
3. _____ es un grupo de peones.
4. _____ es el cuchillo que lleva el gaucho.
5. Las ovejas se quedan en _____.
6. _____ es un viento veloz y rápido.
7. Ushuaia es la ciudad más _____ del hemisferio.
8. Es mejor el amor que _____.
9. Los elefantes marinos machos son muy _____. Tienen muchas peleas o luchas.
10. _____ es una acumulación de nieve transformada en hielo.

Ushuaia, Argentina

CAPÍTULO 3

---

## ANSWERS TO ¿Qué palabra necesito?

**1**

1. Un chaparrón es una tempestad o una tormenta.
2. Cuando hay un chaparrón está borrascoso.
3. Cultivan uvas en un viñedo.
4. Cultivan vegetales y frutas en una huerta.
5. Las sandías del norte de Argentina son muy dulces.
6. El ganado pace en las llanuras o en las sabanas.
7. No, no hay ningún árbol en una sabana.
8. El ganado come hierba.
9. Las ovejas dan lana.
10. No, un cerro no es muy alto.

**2**

1. el cinturón
2. el facón
3. la boleadora
4. las bombachas

**3**

1. Una ballena
2. Un pingüino
3. El peonaje
4. El facón
5. la sabana, la llanura
6. Una ráfaga
7. austral
8. el odio
9. belicosos
10. Un glaciar

# Lectura

## La geografía

### Chile

El Cono sur comprende los países de Chile, Argentina, Uruguay y Paraguay. Chile es un país largo y estrecho que tiene la forma de una habichuela verde (de un poroto). Siendo tan largo desde el norte hasta el sur, tiene un terreno extremadamente variado y variaciones climáticas extremas. El desierto de Atacama en el norte es uno de los desiertos más áridos del mundo. El centro, cerca de Santiago, la capital, disfruta de un clima templado como el del Mediterráneo. Aquí hay viñedos y huertas. La región de los bellísimos lagos goza también de un clima templado, pero un poco más hacia el sur en Puerto Montt, por ejemplo, el clima es lluvioso y borrascoso incluso en el verano. La Patagonia en el sur tiene un clima casi siempre frío y lluvioso con chaparrones frecuentes y ráfagas de viento que alcanzan una velocidad increíble. La Patagonia es famosa por sus fiordos y glaciares.

**Reading Strategy**

**Using pictures and photographs** Before you begin to read, look at the pictures, photographs, or any other visuals that accompany a reading. By doing this, you can often tell what the reading selection is about before you actually read it.

Saltos de Petrohue, Chile

Santiago, Chile

### Argentina

Argentina es el segundo mayor país de Sudamérica. Se puede dividir el país en cuatro grandes regiones naturales.

**Las llanuras del nordeste** Se caracterizan las llanuras por vastas zonas de terreno pantanoso[1] y sabanas. Es la región de los ríos Paraná y Uruguay. Una región húmeda de fértil tierra roja, es famosa por su gran ganadería y agricultura incluyendo el cultivo de la hierba mate, de la que se hace la bebida nacional.

[1] pantanoso  *swampy, marshy*

Río Uruguay, Argentina

EL CONO SUR

---

**Cultures**
This reading familiarizes students with the geography, history, and culture of the Southern Cone region.

**Connections**
Students further their knowledge of geography and history.

## PREPARATION

### Resource Manager

Audio Activities TE, pages 54–57
Audio CD 3, Tracks 5–9
Workbook, pages 34–38
Quizzes, pages 30–34

## PRESENTATION

**Step 1** Have students look up the location of Chile, Argentina, Uruguay, and Paraguay on a map.

**Step 2** Instruct students to look at the photographs as they read this selection.

**Step 3** You may wish to intersperse comprehension questions as you go over this section.

**LEVELING**
**E:** Reading

---

## Learning from Photos

*(page 115 center left)* Los saltos de Petrohue no están muy lejos de Puerto Varas a orillas de las aguas verdes del lago de Todos los Santos.

*(page 115 center right)* Santiago es una ciudad muy cosmopolita. Santiago, una ciudad rodeada de montañas, está situada en una zona de terremotos y por consiguiente la gran mayoría de sus edificios tiene menos de veinte pisos o plantas. Santiago goza de un clima templado con cuatro estaciones.

*(page 115 bottom)* Aquí se ve la tierra pantanosa a orillas del río Uruguay en el nordeste de Argentina. Es aquí donde pasó mucho tiempo el famoso escritor Horacio Quiroga.

 As you are finishing the geography section, you can play the following game. One student says something that describes a particular country. Another student has to identify the country.

**Los Andes del Noroeste** Es aquí donde se encuentra el Aconcagua, la cumbre más alta de América (6.959 metros). Es una región de volcanes nevados, altiplanos y desiertos. La mayoría de la población argentina es de ascendencia europea, pero en el noroeste hay una gran población indígena.

**La Pampa** La Pampa es una inmensa llanura de hierba verde que cubre el 25 por ciento del territorio argentino. Es el centro económico del país e incluye los centros urbanos de Buenos Aires. Las ciudades de Rosario y Santa Fe tienen pocos habitantes pero en sus alrededores hay millones de bovinos y carneros. Es la región de los famosos bifes argentinos.

**La Patagonia y Tierra del Fuego** Es la región más extensa y menos poblada del país. El estrecho de Magallanes separa la Tierra del Fuego del continente. Es una región de llanuras inmensas de suelo rocoso batidas de vientos secos y fríos.

El Aconcagua, Argentina

Patagonia, Argentina

Tierra del Fuego, Argentina

Montevideo, Uruguay

### Uruguay

Uruguay es el país más pequeño de la América del Sur. Un país tranquilo y placentero, la mitad de la población vive en la capital, Montevideo. La mayor parte del país comprende terrenos llanos y algunos cerros poco elevados. La tierra y el clima moderados son muy propicios para la agricultura y la ganadería. Los llanos uruguayos son muy conocidos por sus estancias grandes.

## Critical Thinking Activity

Ask students the following questions: **¿Qué es un naturalista? ¿Por qué le llaman «naturalista»?** You may wish to have students discuss ideas in groups and then share their thoughts with the class.

## Paraguay

Paraguay, como su vecino Bolivia, no tiene costa. En gran parte del país hace mucho calor. En el este hay un área de bosque tropical húmedo y en el oeste está el Chaco, una zona árida donde es importante la explotación de madera.

Reserva Mbaracayu, Paraguay

**A** Corrijan las oraciones falsas.

1. Chile es un país largo y ancho que tiene la forma de una papa.
2. El desierto de Atacama en el sur de Chile es uno de los desiertos más áridos del mundo.
3. En la región de Puerto Montt, al sur de los lagos chilenos, el clima es caluroso y húmedo.
4. El nordeste de Argentina es una región de terreno pantanoso y seco de tierra infértil.
5. El noroeste de Argentina es una región de llanuras y sabanas y la mayoría de la población es europea.
6. La Pampa es una inmensa llanura de hierba verde donde hay mucho ganado.
7. Uruguay es el país más grande de la América del Sur y una gran parte del país comprende terrenos llanos con algunos cerros no muy altos.
8. Gran parte de Paraguay es un bosque tropical húmedo y el Chaco es una zona muy árida.

**B** Describan el clima y el terreno de la Patagonia.

Desierto de Atacama, Arica, Chile

EL CONO SUR

---

## ANSWERS

**A**

1. Chile es un país largo y estrecho que tiene la forma de una habichuela verde (de un poroto).
2. El desierto de Atacama en el norte de Chile es uno de los desiertos más áridos del mundo.
3. En la región de Puerto Montt, al sur de los lagos chilenos, el clima es lluvioso y borrascoso.
4. El nordeste de Argentina es una región de terreno pantanoso y húmedo de tierra fértil.

5. El noroeste de Argentina es una región de volcanes nevados, altiplanos y desiertos y allí hay una gran población indígena.
6. Sí
7. Uruguay es el país más pequeño de la América del Sur y una gran parte del país comprende terrenos llanos con algunos cerros no muy altos.
8. En el este de Paraguay hay un área de bosque tropical húmedo y en el oeste el Chaco es una zona muy árida.

**B** *Answers will vary but may include:*

La Patagonia es la región más extensa y menos poblada del país. Es una región de llanuras inmensas de suelo rocoso batidas de vientos secos y fríos.

117

LECCIÓN I
## Cultura

# Una ojeada histórica

### Las civilizaciones precolombinas

En la costa del Pacífico al norte de Chile y en Centroamérica y México los españoles encontraron civilizaciones indígenas muy avanzadas. Pero la situación fue diferente en los países del Cono sur. En Argentina había varios grupos indígenas pero en su mayoría no se establecieron en un lugar fijo y tenían una cultura bastante primitiva basada en la recolección y la caza. En Uruguay vivían los charrúas, un grupo muy belicoso. Los araucanos que poblaban una gran parte del centro de Chile eran feroces guerreros que nunca aceptaron someterse a la espada castellana. Ellos condujeron una larga y sangrienta guerra contra los conquistadores.

### Los guaraníes

En Paraguay vivían los guaraníes, un grupo muy pacífico, quienes dieron la bienvenida a los españoles, sobre todo a los jesuitas. Muchos fueron a vivir en sus reducciones o misiones. Hay quienes dicen que los jesuitas realizaban una verdadera obra civilizadora entre los guaraníes. Los defendían de la esclavitud y la muerte a manos de los bandeirantes[2] de Brasil. Dicen otros que los guaraníes perdieron su independencia y sus derechos fundamentales al aceptar las enseñanzas[3] de los jesuitas.

Actualmente una gran parte de la población paraguaya tiene sangre española y guaraní. La moneda de Paraguay es el guaraní y las dos lenguas oficiales de Paraguay son el español y el guaraní. Se dice que el español es la lengua del comercio y el guaraní, una lengua melodiosa, la lengua del amor. Las canciones guaraníes son muy placenteras. Algunas de sus canciones con el acompañamiento del arpa imitan la voz del ave, la caída de la lluvia y otros sonidos agradables de la naturaleza.

[2] bandeirantes   *Brazilian gauchos*
[3] enseñanzas   *teachings*

Un guaraní, Paraguay

Misión jesuita, Paraguay

**C** Comparen.

En pocas palabras comparen los indígenas que encontraron los españoles en la costa del Pacífico al norte de Chile con los que encontraron en los países del Cono sur.

**D** Contesten.

1. ¿Dónde vivían los guaraníes?
2. ¿Cómo eran?
3. ¿Cómo aceptaron a los españoles?
4. ¿Adónde fueron a vivir muchos de ellos?
5. ¿Cómo los trataban los jesuitas?
6. Actualmente, ¿qué tiene una gran parte de la población paraguaya?
7. ¿Cuál es la moneda de Paraguay?
8. ¿Cuáles son los dos idiomas oficiales de Paraguay?
9. ¿Cómo son las canciones guaraníes?

## El gaucho y las pampas

El mito del gaucho de la pampa argentina o uruguaya continúa todavía hoy. El gaucho es el símbolo del hombre libre, de el que se burla de[4] las normas o convenciones sociales. El gaucho apareció en el siglo XVIII por las necesidades de la explotación de la ganadería. Hacía falta un peonaje diestro en el manejo[5] del lazo y las boleadoras.

En su origen los gauchos eran hijos de indias y españoles. Con su poncho, sus bombachas, su ancho cinturón adornado de monedas de plata, su facón (cuchillo) y su lazo y boleadoras, ellos eran los guardianes del ganado. Y eran ellos los que reinaban sobre las vastas extensiones de la Pampa. Trabajaban a sueldo en las estancias. No conocían ni leyes ni frontera. Tenían un espíritu independiente y un carácter revolucionario. El primer gran dictador argentino, Manuel de Rosas, era gaucho.

Al igual que ocurrió en Estados Unidos con los *cowboys* o vaqueros del oeste, los auténticos gauchos han desaparecido. Ya sólo quedan unos peones que guardan rebaños sueltos. Pero el mito del verdadero gaucho no ha desaparecido.

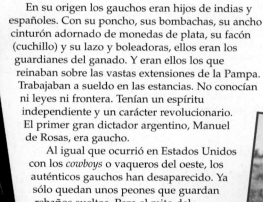

Asunción, Paraguay

Un *cowboy* del oeste

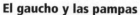

Una familia de gauchos

[4] se burla de    *mocks*
[5] manejo    *handling*

**E** Expliquen.

1. la razón por la aparición del gaucho
2. la indumentaria del gaucho
3. el trabajo de los gauchos
4. el espíritu y el carácter de los gauchos

EL CONO SUR

*ciento diecinueve*  **119**

**C** Comparen.

En pocas palabras comparen los indígenas que encontraron los españoles en la costa del Pacífico al norte de Chile con los que encontraron en los países del Cono sur.

**D** Contesten.

1. ¿Dónde vivían los guaraníes?
2. ¿Cómo eran?
3. ¿Cómo aceptaron a los españoles?
4. ¿Adónde fueron a vivir muchos de ellos?
5. ¿Cómo los trataban los jesuitas?
6. Actualmente, ¿qué tiene una gran parte de la población paraguaya?
7. ¿Cuál es la moneda de Paraguay?
8. ¿Cuáles son los dos idiomas oficiales de Paraguay?
9. ¿Cómo son las canciones guaraníes?

## El gaucho y las pampas

El mito del gaucho de la pampa argentina o uruguaya continúa todavía hoy. El gaucho es el símbolo del hombre libre, de el que se burla de[4] las normas o convenciones sociales. El gaucho apareció en el siglo XVIII por las necesidades de la explotación de la ganadería. Hacía falta un peonaje diestro en el manejo[5] del lazo y las boleadoras.

En su origen los gauchos eran hijos de indias y españoles. Con su poncho, sus bombachas, su ancho cinturón adornado de monedas de plata, su facón (cuchillo) y su lazo y boleadoras, ellos eran los guardianes del ganado. Y eran ellos los que reinaban sobre las vastas extensiones de la Pampa. Trabajaban a sueldo en las estancias. No conocían ni leyes ni frontera. Tenían un espíritu independiente y un carácter revolucionario. El primer gran dictador argentino, Manuel de Rosas, era gaucho.

Al igual que ocurrió en Estados Unidos con los *cowboys* o vaqueros del oeste, los auténticos gauchos han desaparecido. Ya sólo quedan unos peones que guardan rebaños sueltos. Pero el mito del verdadero gaucho no ha desaparecido.

[4] se burla de    *mocks*
[5] manejo    *handling*

Una familia de gauchos

Un *cowboy* del oeste

Asunción, Paraguay

**E** Expliquen.

1. la razón por la aparición del gaucho
2. la indumentaria del gaucho
3. el trabajo de los gauchos
4. el espíritu y el carácter de los gauchos

EL CONO SUR

*ciento diecinueve* **119**

## PRESENTATION

*(cont'd)*

**Step 5  Los guaraníes** You may wish to intersperse the questions from **Actividad D** as you go over the **Lectura**.

### Literature Connection

The section **El gaucho y las pampas** serves as a good introduction to *Martín Fierro* which appears in the Literary Companion, Chapter 3, on page 442.

### About the Spanish Language

The word **hacienda** is probably the most common one used today to express *country estate*. However, in Argentina one will often hear **la estancia**. Once upon a time **la estancia** was a *cattle station*, but today it more commonly means *country estate*. Other terms that can mean a country estate or farm are: **la finca, la granja, el rancho** (Mexico), **el cortijo** (cattle farm in Spain). A country house is often called **la quinta**.

The word **rancho** in most instances does not convey *ranch* except in Mexico. The original meaning is a *hut*, and the shantytowns around Caracas are called **ranchos**.

The word for *cowboy* also varies from region to region. **El vaquero** is a rather generic term. Others are **el gaucho** (Argentina and Uruguay), **el charro** (Mexico), **el llanero** (Venezuela), and **el huaso** (Chile).

## ANSWERS

**C** *Answers will vary but may include:*

En la costa del Pacífico al norte de Chile los españoles encontraron civilizaciones indígenas muy avanzadas. En los países del Cono sur los españoles encontraron a indígenas que tenían una cultura bastante primitiva basada en la recolección y la caza.

**D**

1. Vivían en Paraguay.
2. Eran muy pacíficos.
3. Les dieron la bienvenida.
4. Muchos fueron a vivir en las reducciones o misiones.
5. Los jesuitas los defendían de la esclavitud y la muerte a mano de los bandeirantes de Brasil.
6. Actualmente una gran parte de la población paraguaya tiene sangre española y guaraní.
7. La moneda es el guaraní.
8. Son el español y el guaraní.
9. Las canciones guaraníes son muy placenteras y algunas imitan la voz del ave, la caída de la lluvia y otros sonidos agradables de la naturaleza.

**E**

1. El gaucho apareció por las necesidades de la explotación de la ganadería. Hacía falta un peonaje diestro en el manejo del lazo y las boleadoras.
2. Consiste en poncho, bombachas, cinturón, facón, lazo y boleadoras.
3. Eran los guardianes del ganado.
4. Tenían un espíritu independiente y un carácter revolucionario.

**119**

## PRESENTATION

*(cont'd)*

**Step 6** You may wish to intersperse the questions from **Actividad F** as you go over the **Lectura**.

### Teacher NOTE

If possible you may wish to have students listen to a few songs from the play *Evita*.

### Learning from Photos

*(page 120 bottom)* Las oficinas del presidente de la República Argentina están en la Casa Rosada en el centro de Buenos Aires. En la época colonial fue una fortaleza. Es del balcón de este edificio que Eva Perón daba sus discursos apasionados al pueblo argentino.

### Chapter Projects

**A Novel** You are going to be an author. Write a chapter of a novel that is set in the Southern Cone. Consider researching the history of the country in which your novel is set so your story will be authentic.

### Evita Duarte de Perón y su marido

Evita, la persona tan querida de tantas almas argentinas, nació Eva Perón en 1919. Era la hija de una costurera[6] y de un obrero. De sus raíces humildes le venía su odio a los ricos. De joven ella trabajó de actriz de cine de segunda fila. También trabajó en la radio y se hizo conocer por sus emisiones en las que denunciaba ardientemente la injusticia y la miseria.

Eva conoció a Juan Perón, un joven oficial ambicioso. Se casaron en 1945 y un poco más tarde Perón fue elegido presidente de la República Argentina. Los aristócratas de Buenos Aires nunca le perdonaron a Evita sus raíces pobres pero ella se hizo la matrona de los descamisados—los que no tenían camisa—los pobres. Perón le dio a Evita el cargo de directora de la Fundación Social, lo que le dio la oportunidad de visitar fábricas, hospitales y barrios populares donde pronunciaba discursos a la gloria de su marido, el presidente Perón. Ella se presentó como candidata a la vicepresidencia en las elecciones de 1951 pero el ejército intervino y le puso el veto. Eva anunció en la radio que quería someterse a la voluntad del pueblo. Pero Evita sabía algo que no sabía el pueblo. Le quedaban muy pocos meses de vida porque padecía de un cáncer mortal. Murió el 27 de julio de 1952 a los 33 años.

Tal fue su don de hacerse amar que millones lloraron su muerte. Su figura inspiró una comedia, o mejor dicho tragedia, musical—Evita—la cual se ha presentado en muchos países del mundo. Además se produjo un filme del mismo título que ha sido estrenado mundialmente.

A pesar de que Perón dejó al país en una situación económica desastrosa, todavía hoy el peronismo sigue marcando de manera profunda la vida política argentina y sigue viviendo en el corazón de muchos argentinos el mito de su querida Evita.

[6] costurera *seamstress*

Eva y Juan Perón

La tumba de Eva Perón, La Recoleta, Buenos Aires

Casa Rosada, Buenos Aires

**F** Contesten.

1. ¿Cuándo nació Eva Perón?
2. ¿Qué eran sus padres?
3. ¿Por qué odiaba Evita a los ricos?
4. ¿Cómo trabajó ella?
5. ¿A quién conoció? ¿Qué fue elegido él?
6. ¿Quiénes eran los descamisados?
7. ¿Qué tipo de discursos pronunciaba Evita?
8. ¿A qué edad murió Evita? ¿De qué?

## ANSWERS

**F**

1. Eva Perón nació en 1919.
2. Su madre era costurera y su padre era obrero.
3. Evita odiaba a los ricos a causa de las raíces humildes que tenía ella.
4. De joven ella trabajó de actriz de cine y también trabajó en la radio.
5. Conoció a Juan Perón. Él fue elegido presidente de la República Argentina.
6. Los descamisados eran los que no tenían camisa—los pobres.
7. Evita pronunciaba discursos a la gloria de su marido, el presidente Perón.
8. Evita murió a los treinta y tres años de un cáncer mortal.

## La Patagonia y Tierra del Fuego

La Patagonia y Tierra del Fuego cubren el área más austral del continente sudamericano y se encuentran en Argentina y Chile. Muchos llaman este territorio el fin del mundo. Es una región batida de frecuentes vientos de increíble violencia, un clima tempestuoso y frío y un cielo frecuentemente nublado. La costa patagónica chilena (Pacífico) está dotada de numerosos fiordos, glaciares y cumbres nevadas. En las aguas de la costa patagónica argentina (Atlántico) viven elefantes marinos, lobos marinos, ballenas francas y pingüinos de Magallanes.

En el interior del sur de Patagonia hay grandes estancias donde los descendientes de inmigrantes ingleses y galeses[7] guardan rebaños de ovejas que pacen en la tierra rocosa. Es interesante notar que son los galeses[7] quienes les dieron su nombre a los pingüinos. «Pengywn» en galés significa «cabeza blanca».

Se le atribuye el origen de los nombres de Patagonia y Tierra del Fuego al explorador Fernando de Magallanes. Se dice que al llegar a lo que es hoy Patagonia gritó «Ah, Patagón» al ver la medida de los mocasines y el tamaño de los pies de los fuertes indígenas

Tierra del Fuego, Argentina

tehuelches. En el año 1520 cuando franqueaba[8] el estrecho que hoy lleva su nombre, el estrecho de Magallanes, vio los fuegos de los campamentos indios y llamó a este lugar Tierra del Humo. Pero al oír una descripción de las hazañas de Magallanes el rey Carlos V pensó que no puede haber humo si no hay fuego y rebautizó la isla Tierra del Fuego. La Tierra del Fuego es un verdadero archipiélago prácticamente deshabitado separado del resto de Sudamérica por el estrecho de Magallanes.

Ushuaia, la ciudad más austral del mundo, es la capital de la provincia argentina de Tierra del Fuego. A pesar del clima duro la vida en Ushuaia es muy apacible. Sus casas de colores pastel son muy pintorescas.

[7] galeses  *Welsh*
[8] franqueaba  *passing through*

Ushuaia, Argentina

**G** Expliquen.

1. la diferencia entre la costa patagónica chilena y la argentina
2. como recibió Patagonia su nombre
3. como recibió su nombre Tierra del Fuego
4. lo que separa la Tierra del Fuego del resto del continente

EL CONO SUR

*ciento veintiuno* 121

### ANSWERS

**G**

1. La costa patagónica chilena (Pacífico) está dotada de numerosos fiordos, glaciares y cumbres nevados. En las aguas de la costa patagónica argentina (Atlántico) viven elefantes marinos, lobos marinos, ballenas francas y pingüinos de Magallanes.
2. Al llegar a lo que es hoy Patagonia, Fernando de Magallanes gritó «Ah, Patagón» al ver la medida de los mocasines y el tamaño de los pies de los fuertes indígenas tehuelches.
3. Al llegar a lo que es hoy Tierra del Fuego, Magallanes vio los fuegos de los campamentos indios y llamó a este lugar Tierra del Humo. Al oír la descripción, el rey Carlos V rebautizó la isla Tierra del Fuego porque pensó que no puede haber humo si no hay fuego.
4. El estrecho de Magallanes separa la Tierra del Fuego del resto del continente.

121

LECCIÓN I
Cultura

## National Standards

**Communities**
Students learn about popular attractions in the Southern Cone region.

## Learning from Photos

*(page 122 center right)* El Caminito está en la zona de Buenos Aires llamado La Boca. Anteriormente La Boca fue poblada casi exclusivamente de inmigrantes italianos. Había muchos restaurantes italianos. En el Caminito hay muchas exposiciones de pinturas y como se ve en la foto las casitas están pintadas de colores vivos. *(page 122 bottom left)* El valle del Elqui es un valle fértil donde cultivan aguacate (palta), papayas y otras frutas incluyendo las uvas de las cuales se produce el fuerte coñac chileno.

## Literature Connection

El pueblo natal de Gabriela Mistral está en el valle del Elqui.

# Visitas históricas

Si visitas los países del Cono sur hay muchos lugares que tienes que ver. Vamos a empezar con las grandes capitales, Santiago de Chile y Buenos Aires. Estas dos ciudades muy cosmopolitas ofrecen de todo: cine, teatro, museos, estadios, parques, cafés y buenos restaurantes. Montevideo, la capital uruguaya, es más pequeña que las otras pero muy bonita e interesante. Si te gusta nadar o tomar el sol, hay muchas playas en la ciudad misma.

Montevideo

Caminito, Buenos Aires

Valle del Elqui, Chile

Si la naturaleza te atrae, no hay nada más bonito que los lagos en la frontera entre Chile y Argentina o los fiordos y glaciares chilenos. El gran número de animales marinos les da un carácter inolvidable a lugares como la Península de Valdés, Punta Loma y Punta Tombo en la costa del Atlántico en Argentina.

La lista de posibilidades es sin límite. ¡Buen viaje!

## Comidas

En Argentina y Uruguay con tanta ganadería hay que comer la carne de vaca o el bife—una carne tierna y sabrosa asada a la parrilla. Pero, ¡cuidado! Como al gaucho le gustaba quemar su carne en la pampa, los argentinos siguen sirviéndola bien hecha o como dicen «quemada». Si no te gusta así hay que pedirla «vuelta y vuelta» o «cruda».

En Chile con tanta costa, claro que la especialidad es el pescado y los mariscos. El chupe de mariscos es un tipo de sopa o puchero[9] lleno de camarones, langostinos, jaibas[10] y almejas con trozos de papa y choclo.

Paraguay tiene su comida nacional—so'o yosopy en guaraní. Es una rica sopa de carne. ¡Buen provecho!

[9] puchero    *stew*
[10] jaibas    *land crabs*

**Spanish** nline
To explore recipes from the Southern Cone countries, do the Chapter 3 **WebQuest** activity on the Glencoe Spanish Web site at glencoe.com.

 **H**    Contesten personalmente.

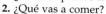

1. Si puedes visitar unos países del Cono sur, ¿adónde querrás ir?
2. ¿Qué vas a comer?

Arica, Chile

EL CONO SUR

---

### About the Spanish Language

The names of many foods are different in the **Cono sur.** Some very common differences are: **palta–aguacate; choclo–maíz; judías verdes–porotos.**

### ADDITIONAL PRACTICE

You may wish to have students use the internet to obtain tourism publications in Spanish about the Southern Cone country of their choice.

---

## ANSWERS

 **H**

1. *Answers will vary.*
2. *Answers will vary.*

LECCIÓN I
**Cultura**

Use your **StudentWorks** Plus
CD for more practice.

## PREPARATION

### Resource Manager

Workbook, pages 39–40
Audio Activities TE, pages 58–60
Audio CD 3, Tracks 10–15
Quizzes, pages 35–36
*ExamView® Assessment Suite*

### Bellringer Review

*Use BRR Transparency 3.2 or write the following on the board.*
**Escriban una lista de artículos de ropa que ya han aprendido en español.**

## PRESENTATION

### Colocación y origen ¿Ser o estar?

**Step 1** Read the explanation to students and have the entire class repeat the model sentences aloud.

**Note:** It is recommended that you not spend a great deal of time on this point. Students at this level usually understand the concepts, although they need constant reinforcement in order to use the correct verb.

You may wish to use the editable PowerPoint® presentation available on this PowerTeach CD-ROM for additional grammar instruction and practice.

# Estructura • Repaso

## Colocación y origen ¿Ser o estar?
### Contrasting location and origin

**1.** There are two verbs to express *to be* in Spanish. They are **ser** and **estar**. Each of these verbs has specific uses. They are not interchangeable. The verb **estar** is always used to express location, both temporary and permanent.

PERMANENT
**Buenos Aires está en Argentina.**

**Martínez está en los suburbios de Buenos Aires.**
**Nuestra casa está en Martínez.**

TEMPORARY
**Mis primos uruguayos no están en casa ahora.**
**Están aquí en Martínez.**

**Están con nosotros.**

**2.** The verb **ser** is used to express origin, where someone or something is from.

**Yo soy de Estados Unidos.**
**Pero mi abuelo es de Uruguay.**
**El pescado es de Chile y el bife es de Argentina.**

**3.** Note that the following sentence illustrates both origin and location.

**El señor Salas es de Paraguay pero ahora está en Chile.**

**4. Ser de** is also used to express ownership and what something is made from.

**Esta casa es de los Amaral. Es de piedra.**

Valparaíso, Chile

## ¿Cómo lo digo?

**1** **¿Dónde está?** Contesten personalmente.

1. ¿Dónde estás ahora?
2. ¿Dónde está tu casa?
3. Y tu escuela, ¿dónde está?
4. ¿Dónde están tus padres?
5. Y tus amigos, ¿dónde están?
6. ¿Dónde está tu profesor(a) de español?

**2** **¿De qué país es?** Contesten según el modelo

**¿Es chileno el señor Suárez?** →
**Sí, sí. Es de Chile.**

1. ¿Son argentinos los Martini?
2. ¿Son paraguayos los amigos de Felipe?
3. ¿Es chileno este pescado?
4. ¿Es uruguayo el pintor Iturria?
5. ¿Es chilena la autora Isabel Allende?

## ANSWERS TO ¿Cómo lo digo?

**1** *Answers will vary but may include:*

1. Ahora estoy en ___.
2. Mi casa está en ___.
3. Mi escuela está en ___.
4. Mis padres están en ___.
5. Mis amigos están en ___.
6. Mi profesor(a) de español está en ___.

**2**
1. Sí, sí. Son de Argentina.
2. Sí, sí. Son de Paraguay.
3. Sí, sí. Es de Chile.
4. Sí, sí. Es de Uruguay.
5. Sí, sí. Es de Chile.

**3**
1. son
2. está
3. está
4. está
5. está
6. son

**4**
1. es
2. es
3. es
4. Es
5. Está

**3** **Historieta** **La Recoleta**
Completen con **ser** o **estar**.

1. Francisco y Julia _____ de Buenos Aires.
2. Su departamento _____ en la avenida Callao.
3. La avenida Callao _____ en el barrio la Recoleta.
4. La avenida Callao no _____ muy lejos del cementerio de la Recoleta.
5. La tumba de Evita Perón _____ en este cementerio.
6. Los turistas que vienen a visitar su tumba _____ de todas partes del mundo.

Cementerio de la Recoleta

Sacramento, Uruguay

**4** **Historieta** **La casa de los Amaral** Completen.

Aquí tenemos una foto de una casa. La casa __1__ muy bonita. La casa __2__ de la familia Amaral. La casa no __3__ de madera. __4__ de piedra. __5__ en un barrio residencial en la costa de Uruguay.

**Característica y condición ¿Ser o estar?**
**Expressing characteristics and conditions**

1. The verb **estar** is used to express a temporary state or condition.

   El agua **está muy fría.**
   Y el té **está muy caliente.**
   No sé por qué **estoy tan cansado.**

2. The verb **ser,** however, is used to express an inherent quality or characteristic.

   El hermano de Juan **es muy simpático.**
   Y él **es guapo.**
   Y además **es muy sincero.**

Bariloche en verano
Cabalgatas

**5** **Yo** Contesten personalmente.

1. ¿Eres alto(a) o bajo(a)?
2. ¿Eres fuerte o débil?
3. ¿De qué nacionalidad eres?
4. ¿Eres simpático(a) o antipático(a)?
5. ¿Cómo estás hoy?
6. ¿Estás de buen humor o estás de mal humor?
7. ¿Estás bien o estás enfermo(a)?
8. ¿Estás contento(a) o triste?
9. ¿Estás cansado(a)?

EL CONO SUR

*ciento veinticinco* **125**

---

---

## PREPARATION

### Bellringer Review

*Use BRR Transparency 3.3 or write the following on the board.*
**Escriban una descripción corta de un(a) buen(a) amigo(a).**

## PRESENTATION

### Usos especiales de ser y estar

Go over the explanatory material in Items 1–4 with students and have them repeat the model sentences aloud. Ensure that they understand the differences in meaning. You may wish to give additional examples.

## PRACTICE

**Historieta** After going over **Actividad 6,** call on a student or students to retell the information in their own words.

### LEVELING

**C:** Structure

---

### Learning from Photos

*(page 126)* La Plaza Independencia está en el centro mismo de Montevideo, una ciudad tranquila y placentera.

---

**6 Historieta  La capital de Uruguay**
Completen con **ser** o **estar**.

1. La ciudad de Montevideo _____ en Uruguay.
2. Montevideo _____ la capital de Uruguay.
3. La capital _____ muy bonita.
4. La ciudad de Montevideo no _____ muy grande.
5. Algunas calles en el centro de la ciudad _____ bastante anchas.
6. En el casco antiguo las calles suelen _____ estrechas.
7. El casco antiguo _____ cerca del puerto.
8. Algunas calles del casco antiguo _____ en malas condiciones porque _____ muy viejas.
9. Los barrios residenciales que _____ dentro de la ciudad _____ muy bonitos.
10. Los barrios residenciales _____ muy cerca de la playa y en el verano cuando hace mucho calor las playas _____ llenas de gente.

Plaza Independencia, Montevideo

### Usos especiales de ser y estar
**More about ser and estar**

1. As you have already learned, the verb **ser** is used to express origin, a characteristic, or an inherent quality. The verb **estar** is used to express a permanent or temporary location, a temporary state, or a condition. The speaker often chooses the verb **ser** or **estar** depending upon the meaning he or she wishes to convey. Observe and analyze the following.

**El tiempo en la Patagonia es muy borrascoso.**
**Hoy el tiempo aquí está muy borrascoso.**

The first sentence uses **ser** because the meaning conveyed is that the weather is characteristically stormy and nasty in Patagonia. In the second sentence it's not a characteristic of the weather in that locale. It's an isolated, temporary condition.

2. Note the difference in meaning in the following pairs of sentences.

| | |
|---|---|
| **Carlos es guapo.** | *Charles is handsome (a handsome person).* |
| **Carlos está muy guapo hoy.** | *Charles looks very handsome today.* |
| **La sopa es buena.** | *Soup is (inherently) good (healthful).* |
| **La sopa está buena.** | *The soup tastes good.* |

---

## ANSWERS TO ¿Cómo lo digo?

**6**

| | |
|---|---|
| **1.** está | **6.** ser |
| **2.** es | **7.** está |
| **3.** es | **8.** están, son |
| **4.** es | **9.** están, son |
| **5.** son | **10.** están, están |

3. Many words actually change meaning when used with **ser** or with **estar**. Study the following.

|  | WITH **SER** | WITH **ESTAR** |
|---|---|---|
| **aburrido** | *boring* | *bored* |
| **cansado** | *tiresome* | *tired* |
| **divertido** | *amusing, funny* | *amused* |
| **enfermo** | *sickly* | *sick, ill* |
| **listo** | *bright, clever, smart, shrewd* | *ready* |
| **triste** | *dull* | *sad* |
| **vivo** | *lively, alert* | *alive* |

Note that the verb **estar** with **vivo** means *to be alive*. The verb **estar** is also used with **muerto** to mean *to be dead*, even though death is permanent.

**Su abuelo está muerto.**

Teatro Solís, Montevideo

4. The verb **ser** is used whenever the verb *to be* has the meaning of *to take place*.

**El concierto tendrá lugar mañana.  El concierto será mañana.
Tendrá lugar en el teatro.  Será en el teatro.**

## ¿Cómo lo digo?

Mercado, Puerto Montt, Chile

**7  ¿Ser o estar?** Completen.

1. Tienes que comer más verduras. Las verduras tienen muchas vitaminas y _____ muy buenas para la salud.
2. ¡Qué deliciosas! ¿Dónde compraste estas verduras? _____ muy buenas.
3. No sé lo que le pasa a la pobre Marta. Tiene que estar enferma porque _____ muy pálida.
4. No, no está enferma. Es su color. Ella _____ muy pálida.
5. Él _____ tan aburrido que cada vez que empieza a hablar, todo el mundo se duerme.
6. ¡Elena! Me encanta el vestido que llevas hoy. ¡Qué bonita _____!
7. El pobre Juanito _____ tan cansado que sólo quiere volver a casa para dormir un poco.
8. ¿_____ listos todos? Vamos a salir en cinco minutos.
9. Ella _____ muy lista. Sabe exactamente lo que está haciendo.
10. Él _____ muy vivo y divertido. Me gusta mucho estar con él.
11. No, no se murió el padre de Josefina. Él _____ vivo.

**8  ¿Cuándo y dónde será?** Contesten según se indica.

1. ¿Dónde será el concierto? (en el parque central)
2. ¿Cuándo es la fiesta? (el domingo por la tarde)
3. ¿Cuándo será la exposición? (del 5 al 12 de este mes)
4. ¿A qué hora es la película? (a las ocho de la noche)

EL CONO SUR

*ciento veintisiete*  **127**

## PRACTICE

## ¿Cómo lo digo?

**7** This activity can be done without previous preparation.

### Learning from Photos

*(page 127)* Puerto Montt es una ciudad pequeña al sur de la cual nace la Patagonia chilena. No está muy lejos de los famosos lagos chilenos. Puerto Montt fue fundado por unos colonos alemanes a mediados del siglo XIX. Todavía hoy se ve la influencia alemana. En la pastelería, por ejemplo, se verán *Pasteles* y *Küchen*.

Puerto Montt tiene un puerto pesquero pintoresco y el mercado Angelmó que vemos en esta foto está en el puerto. Aquí hay muchos cafés donde sirven una variedad de pescados.

### Teacher NOTE

You may wish to give examples of the various idiomatic expressions used with **ser** or **estar**.
**estar en las nubes
estar hecho polvo
ser todo oídos
ser pan comido**
Ask students if they can think of equivalent expressions in English.

## ANSWERS TO ¿Cómo lo digo?

**7**

| 1. son | 7. está |
|---|---|
| 2. Están | 8. Están |
| 3. está | 9. es |
| 4. es | 10. es |
| 5. es | 11. está |
| 6. estás | |

**8**

1. El concierto será en el parque central.
2. La fiesta es el domingo por la tarde.
3. La exposición será del 5 al 12 de este mes.
4. La película es a las ocho de la noche.

## Recycling

These activities allow students to use the vocabulary and structure from this lesson in completely open-ended, real-life situations.

### PRESENTATION

Encourage students to say as much as possible when they do these activities. Tell them not to be afraid to make mistakes, since the goal of these activities is real-life communication. If someone in the group makes an error, allow the others to politely correct him or her. Let students choose the activities they would like to do.

You may wish to divide students into pairs or groups. Encourage students to elaborate on the basic theme and to be creative. They may use props, pictures, or posters if they wish.

**Note:** It is recommended that you not correct all errors made by the students as they do these activities. They would certainly make errors if they were communicating in real situations in a Spanish-speaking country.

**2** You may wish to review the **Lectura** about precolombian civilizations of the Andean region in Chapter 2.

---

# ¡Te toca a ti!
**Use what you have learned**

### 1 La geografía de los países del Cono sur

✔ *Describe the geography of one of the countries of the Southern Cone and compare it to the geography where you live*

Escoge uno de los cuatro países del Cono sur y describe su geografía y clima. Compáralos con la geografía y el clima donde tú vives.

### 2 Influencias indígenas

✔ *Compare the indigenous civilizations of the Andean countries with those of the Southern Cone countries*

Ya sabes que en los países andinos hay ruinas fabulosas de templos, fortalezas y ciudades indígenas. ¿Qué piensas? ¿Hay tales ruinas en Argentina o Chile, por ejemplo? Explica por qué o por qué no.

Saltos de Petrohue, Chile

### 3 El gaucho

✔ *Describe a gaucho and his life*

En tus propias palabras, describe al gaucho y su vida. ¿Te interesa el mito del gaucho o no? ¿Con quién lo puedes comparar? Aunque ha desaparecido el gaucho del mito, ¿te interesa visitar una gran estancia de la pampa argentina? ¿Qué esperas o piensas ver al visitar una estancia?

Una estancia argentina

## ANSWERS TO ¡Te toca a ti!

*Answers will vary.*

## Evita Perón

✔ *Speak and write about the life of Evita Perón*

Escucha el CD del espectáculo de Broadway *Evita*. ¿Te parece que la letra corresponde mucho a la vida de Evita? Si te interesan los temas de Evita y del peronismo, haz más investigaciones. Escribe una biografía corta sobre ella.

## La Patagonia, ¿sí, sí o nunca?

✔ *Discuss if Patagonia is a spot for you*

¿Qué tipo de persona eres? ¿Quisieras visitar la Patagonia y la Tierra del Fuego? ¿Te gustaría o no? ¿Por qué?

Ushuaia, Argentina

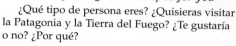

Ushuaia, Argentina

## Yo

✔ *Talk about yourself*

No eres egoísta pero ahora tienes la oportunidad de hablar de ti mismo(a). Toma el micrófono. Queremos saber quien eres, de donde eres, el tipo de persona que eres, el tipo de gente que te interesa, con quien o quienes quieres estar. Anda—te toca a ti o como dicen en el Cono sur—queremos saber de vos—hablá, andá.

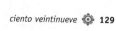

EL CONO SUR

ANSWERS TO ¡Te toca a ti!

*Answers will vary.*

### About the Spanish Language

Note that the adjective is **antártico.** The noun is **Antártida.**

129

# Assessment

## Resource Manager

Assessment Transparency A3.1
Online Quiz
Tests, pages 69–71 and 79–105
*ExamView® Assessment Suite*

## Assessment

This is a pretest for students to take before you administer the lesson test. Answer sheets for students to do these pages are provided in the transparencies. Note that each section is cross-referenced so students can easily find the material they have to review in case they made errors. You may wish to collect these assessments and correct them yourself or you may prefer to have the students correct themselves in class. You can go over the answers orally or project them on the overhead, using your Assessment Answers transparencies.

## Reaching All Students

**Non-Mastery Students**
Encourage students who need extra help to refer to the yellow notes and review any section before answering the questions.

# Vocabulario

**1 Completen.**

*To review vocabulary, turn to pages 112–113.*

1. Un _____ es una tormenta o tempestad.
2. Durante una tormenta el tiempo está bastante _____.
3. Una _____ produce vegetales o frutas.
4. El ganado pace en las llanuras y come _____.
5. Las llanuras o _____ no tienen muchos cerros ni colinas.
6. Los indígenas de Chile no eran pacíficos. Eran muy _____.
7–8. _____ y _____ son dos animales marinos.

**2 Den otra palabra.**

9. del sur
10. la antipatía, el rencor
11. un viento veloz de corta duración
12. una acumulación de nieve transformada en hielo

# Lectura

*To review some geographical facts, turn to pages 115–117.*

**3 Identifiquen.**

13. el segundo país más grande de la América del Sur
14. el país más pequeño de la América del Sur
15. el país más largo y más estrecho de la América del Sur
16. uno de los dos países sudamericanos que no tienen costa

**4 ¿Sí o no?**

*To review some historical and cultural facts, turn to pages 118–123.*

17. Las civilizaciones indígenas a lo largo del Pacífico al norte de Chile eran más belicosos que los indígenas chilenos.
18. Los araucanos eran muy belicosos.
19. Los guaraníes vivían en Uruguay.
20. Los guaraníes eran muy pacíficos y su lengua es bonita y melodiosa.

LEAL INTERPRETE DE LOS DESCAMISADOS

## ANSWERS TO Assessment

|  |  |  |  |
|---|---|---|---|
| 1. chaparrón | 9. austral | 13. Argentina | 17. No |
| 2. borrascoso | 10. el odio | 14. Uruguay | 18. Sí |
| 3. huerta | 11. una ráfaga | 15. Chile | 19. No |
| 4. hierba | 12. un glaciar | 16. Paraguay/Bolivia | 20. Sí |
| 5. sabanas | | | |
| 6. belicosos | | | |
| 7–8. Una ballena, un pingüino, un elefante marino, un lobo marino | | | |

**5** Identifiquen.

21. el gaucho
22. Evita Perón
23. los descamisados

To review some historical and cultural facts, turn to pages 118–123.

# Estructura

**6** Completen con **ser** o **estar.**

24–25. Montevideo _____ muy bonita. _____ en Uruguay.
26. Yo _____ triste porque no puedo hacer el viaje.
27. El clima de la Patagonia _____ muy borrascoso.
28–29. Las sandías del norte de Argentina _____ muy dulces. No sé por qué pero esta que estoy comiendo ahora _____ agria.
30. La carne _____ quemada pero me gusta casi cruda.
31. En Chile muchas casas _____ de madera.
32–33. Sus abuelos _____ de Uruguay pero ahora _____ en Chile.
34–35. Su casa _____ nueva. _____ en la calle O'Higgins.

To review ser and estar, turn to pages 124, 126–127.

Frutillar, Chile

EL CONO SUR

*ciento treinta y uno*  **131**

---

## Assessment

After going over the Assessment, you may administer the test for **Lección 1, Capítulo 3.**

### Learning from Photos

*(page 131)* Frutillar es un pueblo pequeño en las orillas del lago Llanquihue cerca de Puerto Montt. Es conocido por su arquitectura alemana.

## ADDITIONAL PRACTICE

Have students write a letter or an e-mail in Spanish to the United States Consulate of one of the Southern Cone countries to request information on the topic of their choice. Topics may include: **geografía, influencias indígenas, el gaucho,** etc.

---

## ANSWERS TO Assessment

**5** *Answers will vary but may include:*

21. El gaucho era guardián del ganado, tenía un espíritu independiente y un carácter revolucionario.
22. Evita Perón, esposa del presidente Juan Perón, era de raíces humildes y denunciaba ardientemente la injusticia y la miseria. Cuando murió a los 33 años de cáncer, millones lloraban, y todavía hay mucha gente que la admira.
23. Los descamisados son los pobres, los que no tienen camisa.

**6**

24. es
25. Está
26. estoy
27. es
28. son
29. está
30. está
31. son
32. son
33. están
34. es
35. Está

## PREPARATION

### Resource Manager

Vocabulary Transparencies
  V3.4–V3.5
Audio Activities TE, pages 61–62
Audio CD 3, Tracks 16–18
Workbook, pages 41–42
Quiz, page 37
*ExamView®* Assessment Suite

### Bellringer Review

*Use BRR Transparency 3.4 or write
the following on the board.*
**Hagan una lista de las palabras
que se puede utilizar cuando uno
va de compras.**

## PRESENTATION

### Vocabulario para la conversación

**Step 1** Have students recall articles of clothing and expressions they learned about shopping for clothes in Levels 1 and 2. Have them refer to the list they wrote for the **Bellringer Review** on page 124.

**Step 2** Show the Vocabulary Transparencies and have students repeat each word as you point to the corresponding item.

**Step 3** You may wish to use the Audio CD to present the vocabulary.

### Reaching All Students

**Kinesthetic Learners**
Have kinesthetic learners present a comical fashion show and narrate a description of their models' clothes. Have visual learners draw an outfit of clothing and label it.

## Vocabulario para la conversación 🎧
### La zapatería

¿Qué tal los zapatos? ¿Te sientan bien?

No, me aprietan un poco.

Te hace falta un número mayor.

el cordón

tacón bajo

botas de cuero

tacón alto

la suela de goma

Una zapatería es también una tienda de calzado.
El cordón es también un pasador.

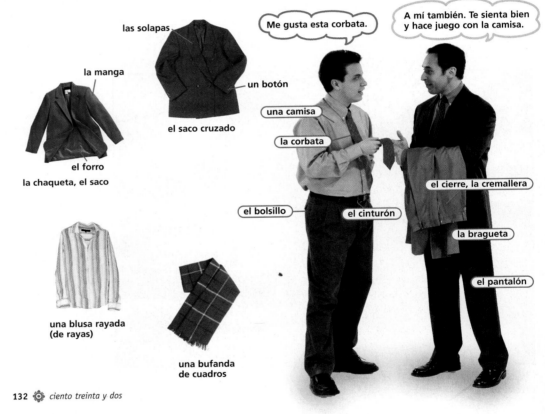

las solapas

la manga

un botón

el saco cruzado

Me gusta esta corbata.

A mí también. Te sienta bien y hace juego con la camisa.

una camisa

la corbata

el cierre, la cremallera

el forro

la chaqueta, el saco

el bolsillo

el cinturón

la bragueta

el pantalón

una blusa rayada (de rayas)

una bufanda de cuadros

**132** ⚙ *ciento treinta y dos*

**POWERTEACH**
*Interactive*
*Chalkboard*

You may wish to use the editable PowerPoint® presentation available on this PowerTeach CD-ROM for additional vocabulary instruction and practice.

## Las telas

tela de lana

tela de algodón

tela de punto

tela de dénim

tela de ante, gamuza

tela de cuero

¿Se puede lavar un suéter de lana?

se encoge

¿De lana? Nunca. Se encoge.

Use your **StudentWorks** Plus CD for more practice.

se arruga

A mí me gusta el poliéster porque no se arruga.

¡¡El poliéster!! No me gusta nada.

¿Por qué no? ¿A ti te gusta planchar?

EL CONO SUR

*ciento treinta y tres* 133

### ♻ Recycling

Have students review the colors they have already learned. Remind them that many colors are invariable such as: **blusas violeta (de color [de] violeta), chaqueta marrón, zapatos marrón** (although **marrones** will be heard), **una camisa azul claro, dos sacos azul marino.**

### ADDITIONAL PRACTICE

Have students look at the illustrations and photos and say as much as they can about them in their own words.

### 👥 Group Activity

En grupos de tres o cuatro, preparen una ilustración que puede servir de publicidad para una tienda de calzados.

## Reaching All Students

### Kinesthetic Learners

Call on kinesthetic learners to pantomime the following.

- lavar
- planchar
- arrugar
- encogerse
- no me gusta nada

133

## PRACTICE

# ¿Qué palabra necesito?

**1**, **2**, **3** All of these activities can be done orally in class without previous preparation.

### Learning from Photos

*(page 134)* La calle Florida en el centro de Buenos Aires es una larga calle peatonal donde hay un montón de tiendas.

*(page 135)* Este centro comercial llamado Galerías Pacífico está en el centro mismo de Buenos Aires en la calle Florida. Es el único centro comercial dentro de la ciudad misma.

# ¿Qué palabra necesito?

**1** **Historieta** **En la tienda de calzado**
Contesten personalmente.

1. ¿Quieres comprar un par de zapatos?
2. ¿Vas a la tienda de calzado?
3. ¿Qué número usas?
4. ¿Prefieres una suela de goma o de cuero?
5. ¿Quieres zapatos con cordones o no?
6. Estos zapatos marrón, ¿te gustan?
   ¿Te sientan bien?
7. Si te aprietan, ¿qué necesitas?

**2** **Un pantalón y una camisa** Describan.

1. ¿Es un pantalón largo o corto?
2. ¿Tiene la bragueta un cierre o botones?
3. ¿Cuántos bolsillos tiene el pantalón?
4. ¿De qué color es la camisa?
5. ¿Qué talla es?
6. ¿Tiene mangas largas o cortas?
7. ¿Te gusta la camisa?
8. ¿Hace juego con el pantalón?

Santiago, Chile

Calle Florida, Buenos Aires, Argentina

**3** **Prendas** ¿Sí o no?

1. Una camisa rayada juega bien con una corbata de cuadros.
2. Muchas chaquetas tienen forro.
3. Si algo no te sienta bien necesitas una talla mayor o una talla menor.
4. Muchos suéteres de punto son de lana y se encogen fácilmente.
5. Las prendas de algodón no se arrugan pero las prendas de poliéster se arrugan fácilmente.
6. Un cinturón puede ser de cuero, de ante o de una materia sintética.

CAPÍTULO 3

# ANSWERS TO ¿Qué palabra necesito?

**1** *Answers will vary but may include:*

1. Sí, quiero comprar un par de zapatos.
2. Sí, voy a la tienda de calzado.
3. Uso el número ___.
4. Prefiero una suela de ___.
5. Quiero zapatos con cordones/No, no quiero zapatos con cordones.
6. Sí, (No, no) me gustan los zapatos marrón. (No me) Me sientan bien.
7. Si me aprietan necesito un número más grande.

**2**

1. Es un pantalón largo.
2. La bragueta tiene un cierre.
3. El pantalón tiene dos bolsillos al frente.
4. La camisa es azul.
5. Es el número treinta y ocho.
6. Tiene mangas largas.
7. Sí, me gusta la camisa/No, no me gusta.
8. Sí, hace juego con el pantalón./No, no hace juego con el pantalón.

**3**

1. No
2. Sí
3. Sí
4. Sí
5. No
6. Sí

# De compras

## En una tienda de calzado

**Dependiente** Sí, señor. ¿En qué puedo servirle?

**Roberto** Mientras estoy aquí en Argentina quiero comprarme un par de botas de cuero.

**Dependiente** Muy buena idea. Como sabe usted nuestra calidad es excelente. ¿Qué número usa usted?

**Roberto** Cuarenta.

**Dependiente** ¿Prefiere usted un tacón bastante alto?

**Roberto** No, mediano, por favor.

**Dependiente** Aquí tiene usted una bota de muy buena calidad en su número. ¿La quiere probar?

**Roberto** Sí, ¿cómo no?

**Dependiente** Fíjese también en la calidad de la cremallera. ¿Le sientan bien las botas?

**Roberto** Un poco apretadas aquí.

**Dependiente** No hay problema. Le traigo un número mayor.

**Roberto** Ah, sí. Perfecto. ¿Cuánto es?

**Dependiente** A ver. Trescientos pesos.

**Roberto** De acuerdo.

EL CONO SUR

## En la tienda de ropa

**Dependienta** Sí, señorita. ¿En qué puedo servirle?

**Madela** Quisiera una chaqueta y una falda, de estilo deportivo, por favor.

**Dependienta** Sí, señorita. Aquí tengo una falda gris acero que llega justo a encima de la rodilla.

**Madela** El gris acero es un color muy neutro que me gusta mucho. La voy a probar.

*(Un poco después)*

**Dependienta** ¡Qué elegante se ve usted! Y aquí tengo una chaqueta azul oscuro con solapas anchas y botones dorados. Combina estupendamente bien con la falda. ¿No le parece?

**Madela** Sí, sí. La verdad es que me gusta mucho. Me encanta.

**Dependienta** Y esta bufanda le da al conjunto el toque «extra».

*ciento treinta y cinco* ✿ 135

---

## Reaching All Students

You may wish to allow students with learning difficulties and average students to read the conversation aloud with as much expression as possible. Then call on advanced learners to present the conversation without reading. They do not have to recite it from memory.

Permit them to ad lib and say anything that makes sense.

Allow shy students to read the conversation while in their seats. Have visual and kinesthetic learners perform it in front of the class.

---

 **National Standards**

### Communication

Students learn to discuss shopping for shoes and clothing. They can request what they want, give size, color, and other specific details.

## PREPARATION

### Resource Manager

Audio Activities TE, pages 63–64
Audio CD 3, Tracks 19–20
Workbook, pages 42–43
Quiz, page 38

### Bellringer Review

*Use BRR Transparency 3.5 or write the following on the board.*
**Usen cada palabra en una oración original.**
  la tienda de ropa
  la tienda por departamentos
  el supermercado
  el centro comercial
  la bodega

## PRESENTATION

### Conversación

**Step 1** You may wish to have students listen first to the **Conversación** on the Audio CD.

**Step 2** Call on students to take a part and read aloud. Insist that they read with as much intonation as possible.

**Step 3** Immediately after reading each section, you can ask the questions from **Actividades A** and **B** on page 136.

### LEVELING

**E:** Conversation

135

# Conversación

# Conversación

## ¿Comprendes?

**A** Corrijan las oraciones falsas.

1. Roberto está en una tienda de ropa.
2. Quiere comprarse un par de zapatos de ante.
3. Él no sabe el número que usa.
4. A él le gusta más un tacón muy alto.
5. Las botas tienen botones y cordones.
6. Las botas le sientan muy bien. Necesita un número menor.

## Después de Leer

### PRACTICE

## ¿Comprendes?

 **A** , **B** , and **C** You can go over these activities after students have finished the **Conversación.**
**Expansion:** Have students do impromptu conversations buying different items of clothing.

You may wish to use the editable PowerPoint® presentation available on this PowerTeach CD-ROM to have students listen to and repeat the Conversation. Additional activities are also provided.

**Pre-AP SkillBuilder**
Listening to this conversation will give students the tools they need to succeed on the listening portion of the AP exam.

Punta Arenas, Chile

**B** **Historieta** Contesten.

1. ¿Qué quiere comprar Madela?
2. ¿De qué color es la falda que la dependienta le muestra?
3. ¿Hasta dónde llega la falda?
4. ¿Cómo se ve Madela en esta falda?
5. ¿De qué color es la chaqueta que le sugiere la dependienta?
6. ¿Qué tiene la chaqueta?
7. ¿Son anchas o estrechas las solapas?
8. ¿De qué color son los botones?
9. ¿Qué le da al conjunto la bufanda?

**C** Descripciones.

1. Da una descripción completa de las botas que compra Roberto.
2. Da una descripción completa de la falda que compra Madela.
3. Da una descripción completa de la chaqueta que compra Madela.

**Spanish Online**
For more information about shopping in the Southern Cone countries, go to **Web Explore** on the Glencoe Spanish Web site at glencoe.com.

## ANSWERS TO ¿Comprendes?

**A**

1. Roberto está en una tienda de calzado.
2. Quiere comprarse un par de botas de cuero.
3. El sabe el número que usa—cuarenta.
4. A él le gusta más un tacón mediano.
5. Las botas tienen cremallera.
6. Las botas le sientan apretadas. Necesita un número mayor.

**B**

1. Madela quiere comprar una chaqueta y una falda.
2. La dependienta le muestra una falda gris acero.
3. La falda llega justo a encima de la rodilla.
4. Madela se ve muy elegante.
5. La dependienta le sugiere una chaqueta azul oscuro.
6. La chaqueta tiene solapas y botones.
7. Las solapas son anchas.
8. Los botones son dorados.
9. La bufanda le da al conjunto el toque «extra».

**C**

1. Roberto compra botas de cuero con tacón mediano y una cremallera de buena calidad.
2. Madela compra una falda gris acero que llega justo a encima de la rodilla.
3. Madela compra una chaqueta azul oscuro que tiene solapas anchas y botones dorados.

# Estructura • Repaso

## Verbos especiales con complemento indirecto
**Expressing surprise, interest, and annoyance**

The following verbs function the same in Spanish and English.

| | | | |
|---|---|---|---|
| **aburrir** | *to bore* | **fascinar** | *to fascinate* |
| **asustar** | *to scare* | **importar** | *to matter* |
| **encantar** | *to enchant, to delight* | **interesar** | *to interest* |
| **enfurecer** | *to infuriate, to anger* | **molestar** | *to bother* |
| **enojar** | *to annoy* | **sorprender** | *to surprise* |

These verbs take an indirect object pronoun in both Spanish and English. Note too that the subject of the sentence often comes after the verb.

Use your **StudentWorks** Plus™
CD for more practice.

> **Me sorprende** que a ti no **te importe** nada la moda.
> A mí **me interesa** mucho.
> A ella **le encantan** los nuevos estilos. **Le fascinan.**
> Pero a mí **me enojan** los colores tan llamativos que están de moda. **Me molestan.**

## ¿Cómo lo digo?

**1  Historieta  El Cono sur**  Contesten.

1. ¿Te interesó leer sobre la cultura de los países del Cono sur?
2. ¿Te sorprendió aprender que los indígenas eran tan feroces?
3. ¿Te interesa o te aburre el mito de los gauchos?
4. ¿Te interesaron o te aburrieron los detalles sobre la vida de Evita Perón?
5. A Evita, ¿le enojaron los ricos?
6. Y a los ricos, ¿les molestó Evita?
7. ¿Les enfurecieron sus ideas políticas?
8. A los descamisados, ¿les fascinó su querida Evita?

Calle Florida, Buenos Aires

**2  Historieta  La indumentaria**  Completen.

1. A mí no _____ interes___ nada como se visten los otros pero, sí, _____ interes___ lo que llevo yo.
2. A mi amiga Elena _____ fascin___ las últimas modas.
3. A mí no _____ aburr___ las modas pero no _____ fascin___ tampoco.
4. ¿_____ enoj___ cuando alguien te dice que te ves muy elegante?
5. A mí no _____ molest___ cuando alguien me dice eso pero _____ sorprend___.
6. ¿_____ sorprend___? ¿Por qué?
7. Pues _____ sorprend___ porque tú me conoces. No _____ import___ lo que llevo (tengo puesto).

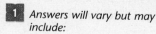
## PREPARATION

### Resource Manager

Audio Activities TE, pages 65–66
Audio CD 3, Tracks 21–25
Workbook, pages 43–46
Quizzes, pages 39–40
*ExamView® Assessment Suite*

## PRESENTATION

### Verbos especiales con complemento indirecto

**Step 1** Read the explanation to students and call on individuals to read the model sentences.

**Step 2** Note that to start with the verbs that function the same in Spanish as in English makes the review of verbs such as **gustar** and **faltar** much easier. It helps students understand why the indirect object is used with these verbs.

## PRACTICE

**1**, **2**, and **3** Have students retell the information from the activities in their own words.

### LEVELING
**E:** Structure

---

## Answers to ¿Cómo lo digo?

**1** *Answers will vary but may include:*

1. Sí, (No, no) me interesó leer sobre la cultura de los países del Cono sur.
2. Sí, (No, no) me sorprendió aprender que los indígenas eran tan feroces.
3. Me interesa (Me aburre) el mito de los gauchos.
4. Me interesaron (Me aburrieron) los detalles sobre la vida de Evita Perón.
5. Sí, a Evita le enojaron los ricos.
6. Sí, a los ricos les molestó Evita.
7. Sí, les enfurecieron sus ideas políticas.
8. Sí, a los descamisados les fascinó su querida Evita.

**2**

1. A mí no me interesa nada como se visten los otros, pero, sí, me interesa lo que llevo yo.
2. A mi amiga Elena le fascinan las últimas modas.
3. A mí no me aburren las modas pero no me fascinan tampoco.
4. ¿Te enoja cuando alguien te dice que te ves muy elegante?
5. A mí no me molesta cuando alguien me dice eso pero me sorprende.
6. ¿Te sorprende? ¿Por qué?
7. Pues me sorprende porque tú me conoces. No me importa lo que llevo (tengo puesto).

**¡OJO!** To avoid doing large segments of grammar at one time, you may wish to intersperse the grammar points as you are doing other sections of the lesson. If your students need to do the review grammar, you may wish to go over these points as you are doing the reading selection of this lesson. If you prefer, however, you can spend two or three class periods in succession doing the review grammar.

## PRESENTATION

### Gustar y faltar

**Step 1** Read the explanation to students and have the entire class repeat the model sentences aloud.

### LEVELING

**A:** Structure

### Paired Activity

Have students do the following activity: **Trabaja con un(a) compañero(a). Habla de todo lo que te gustaba hacer y no te gustaba hacer cuando eras joven.**

## Reaching All Students

### Kinesthetic Learners

Call on kinesthetic learners to pantomime or dramatize the meaning of the following.

| | |
|---|---|
| aburrir | interesar |
| asustar | molestar |
| enfurecer | sorprender |

## Learning from Photos

*(page 138 right)* Poconchile está en el valle del río Lluta. Este pueblecito tiene una de las iglesias más antiguas de Chile. En esta región hay mucha gente de ascendencia indígena. El tren (hoy de carga solamente) de Arica a La Paz pasa por Poconchile.

138

---

## Gustar y faltar
### Expressing likes and needs

1. The verb **gustar** in Spanish functions the same as verbs like **interesar** and **aburrir**. **Gustar** conveys the meaning *to like*, but its literal meaning is *to please*. The Spanish equivalent of *I like that shirt* is *That shirt pleases me*. The same is true of **faltar** which conveys the meaning *to need* but whose literal meaning is *to lack*.

> **Me gusta aquella camisa.**
> **Estos pantalones, ¿a ti te gustan?**
> **¿Te gustan los deportes?**
> **Mucho. Me gusta jugar fútbol y baloncesto.**
> **Desgraciadamente me falta tiempo**
>     **para practicarlos.**

Poconchile, Chile

**3** **Gustos** Sigan el modelo.

> **pantalones con un cierre o con botones →**
> **—¿Te gustan más pantalones con un cierre o con botones?**
> **—Me gustan más _____.**

1. una camisa de manga larga o de manga corta
2. botas de tacón alto o tacón bajo
3. zapatos de cuero o de ante
4. zapatos con cordones o sin cordones
5. una blusa rayada o de cuadros
6. una camisa con corbata o sin corbata
7. un saco con forro o sin forro

Una calle peatonal, Montevideo

**4** **¿Te gusta o no te gusta?** Sigan el modelo.

> **el bife quemado →**
> **A mí me gusta el bife quemado pero a mi hermano no le gusta. /**
> **A mí no me gusta el bife quemado pero a mi hermano le gusta.**

1. el chupe de mariscos
2. las empanadas
3. las tapas
4. el queso manchego
5. el ceviche
6. el locro
7. las berenjenas fritas
8. las gambas al ajillo

**5** **¿Qué no tienes?** Contesten según el modelo.

> **¿No tienes papel? →**
> **No, me falta papel.**

1. ¿No tienes un bloc?
2. ¿No tienes una pluma?
3. ¿No tienes un lápiz?
4. ¿No tienes libros?

CAPÍTULO 3

---

## Answers to ¿Cómo lo digo?

**3**

1. —¿Te gusta más una camisa de manga larga o de manga corta?
   —Me gusta más una camisa de manga larga (corta).
2. —¿Te gustan más botas de tacón alto o tacón bajo?
   —Me gustan más botas de tacón alto (bajo).
3. —¿Te gustan más zapatos de cuero o de ante?
   —Me gustan más zapatos de cuero (ante).
4. —¿Te gustan zapatos con cordones o sin cordones?
   —Me gustan más zapatos con (sin) cordones.
5. —¿Te gusta una blusa rayada o de cuadros?
   —Me gusta más una blusa rayada (de cuadros).
6. —¿Te gusta una camisa con corbata o sin corbata?
   —Me gusta más una camisa con (sin) corbata.
7. —¿Te gusta un saco con forro o sin forro?
   —Me gusta más un saco con (sin) forro.

**P**alabras negativas y afirmativas
**Affirmative and negative ideas**

**1.** The most frequently used negative words in Spanish are:

| | |
|---|---|
| nada | ni... ni |
| nadie | ninguno (ningún) |
| nunca | |

**2.** Review and contrast the following affirmative and negative sentences.

AFFIRMATIVE

Yo sé que él tiene algo.
Yo sé que alguien está allí.
Yo sé que él ve a alguien.
Yo sé que él siempre está.
Yo sé que él tiene un perro o un gato.
Yo sé que él tiene algún dinero.

NEGATIVE

Yo sé que él no tiene nada.
Yo sé que nadie está allí.
Yo sé que él no ve a nadie.
Yo sé que él nunca está.
Yo sé que él no tiene ni un perro ni un gato.
Yo sé que él no tiene ningún dinero.

Note that **alguno** and **ninguno** shorten to **algún** and **ningún** before a masculine singular noun and carry a written accent.

**3.** In Spanish the placement of the negative words can vary and, unlike English, more than one negative word can be used in the same sentence.

Él nunca va allá.
Nadie está.
Él nunca dice nada a nadie.
Él no va allá nunca.
No está nadie.

**4.** Note that the personal **a** must be used with **alguien** or **nadie** when either of these words is the direct object of the sentence.

Él vio a alguien.
Él no vio a nadie.

**5. Tampoco** is the negative word that replaces **también**.

Él lo sabe también.
Él no lo sabe. (Ni) yo tampoco.
A mí no me gusta.
Ni a mí tampoco.

Buenos Aires

EL CONO SUR

*ciento treinta y nueve* 139

ANSWERS TO ¿**Cómo lo digo?**

 **4** *Answers will vary.*

1. A mí me gusta el chupe de mariscos pero a mi hermano no le gusta.
2. A mí me gustan las empanadas pero a mi hermano no le gustan.
3. A mí me gustan las tapas pero a mi hermano no le gustan.
4. A mí me gusta el queso manchego pero a mi hermano no le gusta.

5. A mí me gusta el ceviche pero a mi hermano no le gusta.
6. A mí me gusta el locro pero a mi hermano no le gusta.
7. A mí me gustan las berenjenas fritas pero a mi hermano no le gustan.
8. A mí me gustan las qambas al ajillo pero a mi hermano no le gustan.

 **5**

1. No, me falta un bloc.
2. No, me falta una pluma.
3. No, me falta un lápiz.
4. No, me faltan libros.

## PRACTICE

# ¿Cómo lo digo?

**6**, **7**, and **8** These activities can be done without advance preparation, books open or closed.

You may wish to use the editable PowerPoint® presentation available on this PowerTeach CD-ROM for additional grammar instruction and practice.

---

## ¿Cómo lo digo?

**6** **Historieta**  **Yo**  Contesten negativamente.

1. ¿Vas siempre a aquella tienda?
2. ¿Quieres hablar con un dependiente?
3. ¿Quieres comprar algo?
4. ¿Quieres comprar un par de zapatos o botas?
5. ¿Vas a comprar un regalo?
6. ¿Viste a alguien en la tienda?
7. ¿Y alguien te vio a ti?

**7** **El pobre bebé**  Den la forma negativa.

1. El bebé tiene algo en la boca.
2. El bebé está con alguien.
3. El bebé está jugando con el gato o con el perro.
4. El bebé tiene miedo de algo.
5. El bebé ve a alguien.
6. El bebé siempre quiere algo de alguien.
7. Alguien está con el bebé.

**8** **Ni los otros tampoco**
Den la forma negativa.

1. Él lo sabe y yo lo sé también.
2. Ella quiere ir a Chile y yo quiero ir también.
3. A él le gusta y a mí me gusta también.
4. Yo voy a ir y ellos van también.
5. Ustedes lo van a hacer y nosotros también.
6. A mí me gusta y a él también.

---

## ANSWERS TO ¿Cómo lo digo?

**6**

1. No, nunca voy a aquella tienda.
2. No, no quiero hablar con nadie.
3. No, no quiero comprar nada.
4. No quiero comprar ninguno de los dos.
5. No, no voy a comprar nada.
6. No, no vi a nadie en la tienda.
7. No, nadie me vio a mí.

**7**

1. El bebé no tiene nada en la boca.
2. El bebé no está con nadie.
3. El bebé no está jugando ni con el gato ni con el perro.
4. El bebé no tiene miedo de nada.
5. El bebé no ve a nadie.
6. El bebé nunca quiere nada de nadie.
7. Nadie está con el bebé.

**8**

1. Él no lo sabe y yo no lo sé tampoco.
2. Ella no quiere ir a Chile y yo no quiero ir tampoco.
3. A él no le gusta y a mí no me gusta tampoco.
4. Yo no voy a ir y ellos no van tampoco.
5. Ustedes no lo van a hacer y nosotros tampoco.
6. A mí no me gusta y a él tampoco.

# ¡Te toca a ti!
**Use what you have learned**

ESCRIBIR
**1**

### Lo que voy a comprar

✔ *Make a list of the clothing you will need for a trip to Chile*

Vas a hacer un viaje a Chile y piensas recorrer todo el país desde el norte hasta el sur. Prepara una lista de toda la ropa que vas a necesitar y decide lo que tienes que comprar.

Arica, Chile

HABLAR
**2**

### En una tienda de ropa

✔ *Role play a customer and salesperson in a clothing store*

Alguien te ha invitado a una fiesta que va a ser un poco especial. A ti no te gusta mucho vestirte de una manera elegante pero te falta algo especial para esta fiesta especial. Trabaja con un(a) compañero(a). Uno va a ser el/la cliente y el/la otro(a) el/la dependiente(a). El/La cliente tiene que comprar todo nuevo para la fiesta. Preparen la conversación que tiene lugar en la tienda.

Volcán Osorno, Chile

**CALZADOS**
**SENSO ÚNICO** – AV. SANTA FE 1929 / 2158 / 3237
AV. SANTA FE ESQ. PUEYRREDON – 4826-3343.
Se inspira en los diseños italianos, franceses, ingleses y alemanes para desarrollar sus productos en el más fino cuero.

ESCRIBIR
**3**

### Un anuncio

✔ *Create an advertisement for clothing*

Prepara un anuncio para una revista de moda juvenil. Sé lo más original posible. Tu anuncio puede ser serio o cómico.

HABLAR
ESCRIBIR
**4**

### Compañeros de cuarto

✔ *Discuss and compare your likes and dislikes with a group of classmates*

Divídanse en grupos de tres. Imagínense que ustedes no se conocen bien. Sin embargo, el año próximo tienen que compartir un apartamento en la universidad. Para evitar problemas, han decidido abrir un diálogo entre sí. Descríbanse a sí mismos(as) y comenten sobre sus gustos, intereses, antipatías, enojos, etc.

Buenos Aires

## ♻ Recycling

These activities allow students to use the vocabulary and structure from this lesson in completely open-ended, real-life situations.

### PRESENTATION

Encourage students to say as much as possible when they do these activities. Tell them not to be afraid to make mistakes, since the goal of these activities is real-life communication. If someone in the group makes an error, allow the others to politely correct him or her. Let students choose the activities they would like to do.

You may wish to divide students into pairs or groups. Encourage students to elaborate on the basic theme and to be creative. They may use props, pictures, or posters if they wish.

**Note:** These activities have students practice their "survival skills" in Spanish in the types of real-life situations that they might encounter while on a trip. It is recommended that you not correct all errors made by the students as they do these activities. They would certainly make errors if they were communicating in real situations in a Spanish-speaking country.

**2** Have each group present their conversations to the class. Have students look for the nonverbal signals the speakers use to help convey their message.

## ANSWERS TO ¡Te toca a ti!

*Answers will vary.*

### Writing Development
Have students keep a notebook or portfolio containing their best written work from each chapter. These writings can be based on assignments from the Student Textbook and the Workbook. The activities on this page are examples of writing assignments that may be included in each student's portfolio.

### Learning from Photos
*(page 141 center right)* En esta foto vemos el volcán Osorno y los saltos de Petrohue.
*(page 141 bottom left)* La Recoleta es una zona de residencias elegantes en Buenos Aires, sobre todo condominios.

# Assessment

## Resource Manager

Assessment Transparency A3.2
Online Quiz
Tests, pages 72–74 and 79–105
*ExamView® Assessment Suite*

## Assessment

This is a pretest for students to take before you administer the lesson test. Answer sheets for students to do these pages are provided in the transparencies. Note that each section is cross-referenced so students can easily find the material they have to review in case they made errors. You may wish to collect these assessments and correct them yourself or you may prefer to have the students correct themselves in class. You can go over the answers orally or project them on the overhead, using your Assessment Answers transparencies.

## Reaching All Students

**Non-Mastery Students**
Encourage students who need extra help to refer to the yellow notes and review any section before answering the questions.

# Vocabulario

**1** Identifiquen.

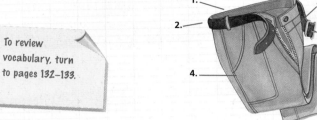

To review vocabulary, turn to pages 132–133.

**2** Completen.

5. ¿Te gusta llevar botas o zapatos de _____ alto?
6. Me gustan camisas y blusas de _____ cortas o largas.
7. Un suéter de lana _____ en la lavadora.
8–9. El algodón _____ pero el nilón no _____.

# Conversación

**3** ¿Correcto o absurdo?

10. —Estos zapatos te aprietan.
    —Sí, me sientan bien.
11. —¿Te sientan bien?
    —Sí, necesito una talla mayor.
12. —¡Qué feo este conjunto! ¿No?
    —Sí, sí. Hace juego.
13. —¿Puedo lavar este suéter de lana?
    —Siempre. Se encoge enseguida.

To review the conversation, turn to page 135.

ANSWERS TO Assessment

**1**
1. el pantalón
2. el cinturón
3. el cierre (la cremallera)
4. el bolsillo

**2**
5. tacón
6. mangas
7. se encoge
8–9. se arruga, se arruga

**3**
10. Absurdo
11. Absurdo
12. Absurdo
13. Absurdo

# Estructura

**4 Completen.**

**14–17.** A mí _____ gust___ vestirme muy de moda pero a mi hermano _____ enfurec___ tener que llevar chaqueta y corbata.

**18–19.** ¿A ti _____ gust___ más los zapatos con cordones o los zapatos sin cordones—de estilo mocasines?

**20–21.** ¿A ellos _____ interes___ más dar o recibir regalos?

**22–25.** No _____ qued___ una hoja de papel y _____ falt___ porque tengo que escribir una carta.

To review these verbs, turn to pages 137–138.

**5 Escriban en la forma negativa.**

**26.** A mí me gusta y a él también.

**27.** Yo voy siempre de compras.

**28.** Siempre necesito algo.

**29.** Alguien me ayuda a buscar lo que necesito.

**30.** ¿Tienes algún dinero?

To review affirmative and negative ideas, turn to page 139.

**Assessment**

After going over the Assessment, you may administer the test for **Lección 2, Capítulo 3.**

## Learning from Photos

*(page 143)* El obelisco está en el cruce de la 9 de Julio y Corrientes—una calle principal de Buenos Aires con muchos cines, cabarets, teatros, etc. Se dice que la avenida 9 de Julio es la más ancha del mundo.

Avenida 9 de Julio, Buenos Aires

EL CONO SUR

---

ANSWERS TO Assessment

 **4**

**14–17.** A mí me gusta vestirme muy de moda pero a mi hermano le enfurece tener que llevar chaqueta y corbata.

**18–19.** ¿A ti te gustan más los zapatos con cordones o los zapatos sin cordones—de estilo mocasines?

**20–21.** ¿A ellos les interesa más dar o recibir regalos?

**22–25.** No me queda una hoja de papel y me falta porque tengo que escribir una carta.

 **5**

**26.** A mí no me gusta ni a él tampoco.

**27.** Yo nunca voy de compras.

**28.** Nunca necesito nada.

**29.** Nadie me ayuda a buscar lo que necesito.

**30.** ¿No tienes ningún dinero?

## PREPARATION

### Resource Manager

Vocabulary Transparency V3.6
Audio Activities TE, page 67
Audio CD 3, Tracks 26–27
Workbook, page 47
Quiz, page 41
*ExamView® Assessment Suite*

### Bellringer Review

*Use BRR Transparency 3.7 or write the following on the board.*
**Escriban una sola oración para describir cada uno de los siguientes deportes.**
  **el fútbol**
  **el béisbol**
  **el voleibol**
  **el tenis**
  **la natación**
  **el esquí**

## PRESENTATION

### Vocabulario para la lectura

**Step 1** Present the vocabulary using the Vocabulary Transparencies. Have students repeat the new words and sentences after you or the Audio CD.

**Step 2 Más vocabulario** Call on one student to read each word and another student to read the definition.

### About the Spanish Language

There are several terms for ball-point pen. They are **el bolígrafo, el lapicero, la pluma** (ballpoint in some areas, fountain pen in others). Note that the feminine form **la lapicera** is used in Argentina. In some areas **lapicero** or **lapicera** can be used as a pen or pencil holder one tends to put in a shirt pocket or purse.

144

## Vocabulario para la lectura 🎧
### Ejecutivos en manga corta

Estoy contenta que lleves un traje.

¿Sí? ¿Por qué?

Me sorprende que te guste que yo lleve traje.

Porque sabes que a mí no me gusta nada. No aguanto llevar traje.

la espalda

un botón desabrochado

un botón abrochado

estampada

un pliegue

un traje

### Más vocabulario

**la lapicera** otra palabra por el bolígrafo, la pluma o el lapicero
**cursi** se dice de una persona que se considera fina y elegante sin serlo
**llamativo(a)** que llama mucho la atención, de colores muy brillantes, vivos
**pecar** cometer un pecado; faltar a una regla moral o a un deber social

## ¿Qué palabra necesito?

**1** **Gustos** Contesten personalmente.
1. ¿Te gusta llevar (un) traje?
2. ¿Te parece cursi llevar traje?
3. ¿Prefieres que el botón superior de la camisa esté abrochado o desabrochado?
4. ¿Te gusta más una camisa sin diseño o una camisa estampada?
5. ¿Prefieres los colores discretos o llamativos?
6. ¿Pones una lapicera en el bolsillo de tu camisa o blusa?

**2** **Palabras relacionadas** Empareen.
1. el lápiz          a. el pliegue
2. plegar           b. el pecado, el pecador
3. llamar           c. la lapicera
4. pecar            d. llamativo

Use your **StudentWorks** *Plus*
CD for more practice.

144 *ciento cuarenta y cuatro*

CAPÍTULO 3

## ANSWERS TO ¿Qué palabra necesito?

**1** *Answers will vary.*
1. Sí, (No, no) me gusta llevar (ningún) traje.
2. Sí, (No, no) me parece cursi llevar traje.
3. Prefiero que el botón superior de la camisa esté abrochado (desabrochado).
4. Me gusta más una camisa sin diseño (una camisa estampada).
5. Prefiero los colores discretos (llamativos).
6. Sí, (No, no) pongo una (ninguna) lapicera en el bolsillo de mi camisa (blusa).

**2**
1. c
2. a
3. d
4. b

## Clarín

# Buenos Aires

Moda hombre: camisas

## Ejecutivos en manga corta

Verano agobiante[1] en el asfalto y ellos también buscan atajos[2] para estar elegantes y más cómodos. Las camisas de manga corta se presentan como una alternativa válida. Pero hay que llevarlas sin perder estilo ni autoridad.

Unos las consideran «cursis»; otros, juveniles y cómodas. Lo cierto es que cuando la temperatura es insoportable, se convierten en la prenda favorita e indispensable. He aquí el decálogo para no pecar a la hora de usarlas:

No se llevan con trajes.

De acuerdo con el corte, se pueden combinar con saco y pantalón sport, pero jamás de noche.

Omitir la camiseta «musculosa» debajo de la camisa. Siempre se ve y da la apariencia de friolento[3] a quien la lleva.

Los dos botones superiores van desabrochados.

Pueden usarse fuera o dentro del pantalón sport.

Para los excedidos en peso, evitar las rayas pronunciadas, sean horizontales o verticales, los colores estridentes o estampados llamativos. Aumentan el tamaño de la figura.

Hay modelos con uno o dos bolsillos grandes al frente, que son puramente decorativos. Evite parecerse a un

cobrador[4]. No lleve lapiceras visibles en ellos así como tampoco anteojos o celulares.

Es aconsejable comprar la camisa que tiene un amplio pliegue en la espalda porque permite mayor comodidad de movimientos.

Sea precavido[5]: antes de usar una camisa, verifique que su cuello no esté desgastado[6], las costuras descosidas[7] y otros detalles similares que tan poco dicen en favor de quien los consiente.

Si su barriga[8] lo supera, renueve sus camisas. Es desagradable ver a un supuesto caballero con los botones de la camisa a punto de estallar, dando la impresión de que se la ha prestado su amigo al que le llaman «Flaco».

*por Sylvia Albisu*

[1] agobiante    *stifling*
[2] atajos    *shortcuts*
[3] friolento    *susceptible to colds*
[4] cobrador    *conductor*

[5] precavido    *careful*
[6] desgastado    *frayed*
[7] costuras descosidas    *undone stitches*
[8] barriga    *belly*

EL CONO SUR

*ciento cuarenta y cinco*  **145**

**National Standards**

**Comparisons**
Students learn about clothing styles appropriate for the work-place in the Southern Cone region. Students can then draw parallels to what they know from their own experience.

Lectura

## PREPARATION

### Resource Manager

Audio Activities TE, pages 68–69
Audio CD 3, Track 28
Workbook, page 47
Quiz, page 42

## PRESENTATION

**Step 1** You may want to just have students sit back and read this as if they were enjoying reading a magazine article.

**Step 2** You may, however, wish to go over it orally in class because it contains some good, useful vocabulary.

**LEVELING**
**E–A:** Reading

**Pre-AP SkillBuilder**
As students read these **Lecturas,** they will continue to develop the skills they need to be successful on the reading and writing sections of the AP exam.

## Teacher NOTE

You may also introduce some of the **Estructura** section of this lesson as you are doing the readings or you may wish to do the **Estructura** all at once.

Después de leer

## PRACTICE

# ¿Comprendes?

**A – C** It is recommended that you go over these activities orally in class.

## ¿Comprendes?

**A** Contesten.

1. ¿Cuándo es cierto que una camisa de manga corta se convierte en una prenda favorita?
2. ¿Les aconseja la autora a los hombres llevar una camisa de manga corta con un traje?
3. ¿Cuándo se puede combinar una camisa de manga corta con un saco?
4. ¿Prefiere la autora que el señor omita la camiseta debajo de la camisa?
5. ¿Qué botones pueden ir desabrochados?
6. ¿Se puede usar la camisa fuera o dentro del pantalón sport?
7. ¿Quiénes deben evitar los colores o estampados llamativos?
8. ¿Cuáles son tres cosas que no se deben llevar en el bolsillo de la camisa?
9. ¿Por qué es aconsejable comprar la camisa que tiene un amplio pliegue en la espalda?

**02** CAMISA DE LINO, $134.

**03** CAMISA CUADRILLÉ, $134.

**04** CAMISA DE ALGODÓN, $50 Y CORBATA RAYADA, $192.

MARROQUINERIA - CARTERAS

BRACCIALINI - AV. SANTA FE 2266 - 4822-3306

Diseños italianos aplicados al excelente cuero argentino que utilizan, convierten a sus productos en una tentación irresistible. Este año anexaron una línea de artículos de talabartería.

**B** ¿Cómo se expresa en el artículo?

1. un verano en que hace muchísimo calor
2. buscar medios rápidos o convenientes
3. se convierten en una prenda absolutamente necesaria
4. pero nunca de noche
5. fuera o dentro del pantalón deportivo

**C** En el artículo, ¿han encontrado algunos elementos sarcásticos? ¿Cuáles son?

## ANSWERS TO ¿Comprendes?

**A**

1. Cuando la temperatura es insoportable, es cierto que una camisa de manga corta se convierte en una prenda favorita.
2. No, la autora no les aconseja a los hombres llevar una camisa de manga corta con un traje.
3. Se puede combinar una camisa de manga corta con un saco de día, pero nunca de noche.
4. Sí, la autora prefiere que el señor omita la camiseta «musculosa» debajo de la camisa.
5. Los dos botones superiores pueden ir desabrochados.
6. Sí, se puede usar la camisa fuera o dentro del pantalón sport.
7. Los excedidos en peso deben evitar los colores o estampados llamativos.
8. No se deben llevar lapiceras, anteojos ni celulares en el bolsillo de la camisa.
9. Es aconsejable comprar la camisa que tiene un amplio pliegue en la espalda porque permite mayor comodidad de movimientos.

**B**

1. un verano agobiante
2. buscan atajos
3. se convierten en una prenda indispensable
4. pero jamás de noche
5. fuera o dentro del pantalón sport

**C** *Answers will vary.*

## Vocabulario para la lectura
**Cuando hay que dejar el hogar**

**el/la egresado(a)** graduado de un colegio
**el hogar** la casa familiar
**la meta** el objetivo, el gol
**adecuado(a)** apropiado, suficiente
**a juicio de** en la opinión de
**compartir** tener en común
**crecer** aumentar
**fracasar** no tener éxito, no realizar el resultado deseado

## ¿Qué palabra necesito?

**1** **De otra manera** Expresen de otra manera.

1. *El objetivo* de cada individuo es recibir una formación o educación *apropiada*.
2. *Los graduados* van a seguir con su carrera.
3. A veces es triste dejar *la casa familiar*.
4. Pero *en la opinión de* muchos, estudiar en otra ciudad, estado, provincia o país tiene muchas ventajas.
5. El número de jóvenes que dejan *la casa familiar* para hacer estudios superiores está *aumentando*.
6. Muchos estudiantes tienen que *tener en común* un departamento porque muchas universidades no tienen residencias estudiantiles.
7. Afortunadamente muy pocos estudiantes *no tienen éxito*.

Valparaíso, Chile

EL CONO SUR

*ciento cuarenta y siete* 147

 **Answers to ¿Qué palabra necesito?**

**1**
1. La meta, adecuada
2. Los egresados
3. el hogar
4. a juicio de
5. el hogar, creciendo
6. compartir
7. fracasan

### Learning from Photos
*(page 147)* Esta casa de madera es típica de las casas de Valparaíso. Es una ciudad de muchas cuestas y muchas personas la comparan a San Francisco. De casi todas partes de «Valpo» hay vistas magníficas del puerto y del Pacífico.

## PREPARATION

### Resource Manager
Vocabulary Transparency V3.7
Audio Activities TE, page 69
Audio CD 3, Track 29
Workbook, page 48
Quiz, page 43
*ExamView® Assessment Suite*

 ### Bellringer Review
*Use BRR Transparency 3.8 or write the following on the board.*
**Escriban cuatro cosas que quieren hacer en el futuro.**

## PRESENTATION

### Vocabulario para la lectura

**Step 1** Present the new words and have students repeat them after you or the Audio CD.

**Step 2** You may wish to ask the following questions about the new vocabulary: **¿Cuál es otra palabra que significa graduado de una escuela secundaria? ¿Tienes muchas metas? ¿Cuál es una meta importante que tienes? ¿Crees que tienes la formación apropiada para ir a la universidad? ¿Cuáles son algunos intereses que compartes con tus amigos? ¿Está creciendo la población de tu pueblo o ciudad? ¿Vas a fracasar en algún curso?**

## PRACTICE

### ¿Qué palabra necesito?

**1** This activity can be done with books open as a reading activity.

147

LECCIÓN 3
## Periodismo

### National Standards

**Communication**
Students will be able to talk about their college plans—where they want to study, etc.

**Connections**
Students learn about issues involved in going away to college in the Southern Cone region. Students can draw from their own experiences to make comparisons.

## Lectura

### PREPARATION

#### Resource Manager

Audio Activities TE, pages 70–71
Audio CD 3, Tracks 30–31
Workbook, page 48
Quiz, page 44

### PRESENTATION

**Step 1** You may wish to have students read this selection silently.

**Step 2** Then have them discuss their opinions about the ideas presented in the reading.

**Step 3** Take a class poll, **una encuesta. ¿Cuántos quieren hacer sus estudios universitarios cerca de donde viven y cuántos quieren dejar el hogar familiar? ¿Cuántos quieren ir a una universidad grande en una ciudad y cuántos prefieren ir a un «colegio» más pequeño en el campo o las afueras de una ciudad?**

### LEVELING

**A:** Reading

---

## EL MERCURIO
SANTIAGO DE CHILE

# Cuando hay que dejar el hogar

El salir de la casa para dar comienzo a una carrera universitaria es muchas veces ingrato. A pesar de ello, las vivencias[1] de quienes así lo hacen son positivas, convirtiéndose en una opción real y creciente.

Comenzar la vida universitaria no es tarea fácil. Son muchas las opciones que se presentan y diversas las variables que se deban considerar. Una de ellas es realizar los estudios superiores fuera de la ciudad en donde crecimos, dejando amigos y la familia.

Este importante desafío[2] parte por definir la vocación, escoger la carrera, universidad y hasta la ciudad en donde empezará esta nueva etapa.

La capital siempre ha sido una de las opciones preferidas de los jóvenes que inician sus estudios y la posibilidad de hacerlo en regiones está creciendo lentamente.

En el país existen 61 universidades, de las cuales más de la mitad son regionales, o bien de Santiago, con una o varias sedes[3] fuera.

Por esto es que estudiantes del extremo sur del país terminan en Arica o La Serena y los capitalinos, en Temuco o en Valparaíso.

Aparte de la oferta en el centro del país, las ciudades que ofrecen mayores alternativas son Valparaíso y Viña del Mar, luego Concepción, Talcahuano y Temuco.

### Un cambio adecuado

La vida fuera del hogar es más que sólo una nueva experiencia para cualquier egresado.

El número de jóvenes que se va a estudiar a regiones crece cada día más, y un importante número de ellos toman esta opción por sobre el arraigo[4] y apego[5] a todos los seres queridos. Las ventajas y los beneficios que trae, a juicio de los que han vivido la experiencia, son múltiples.

Por una parte se mejora la calidad de vida, ya que para algunos el vivir en ciudades más pequeñas y en un entorno más natural es positivo.

Por lo general los aranceles son más bajos, al igual que los puntajes, existe excelencia académica y la infraestructura que ofrecen no tiene nada que envidiarles a las de la capital.

La experiencia que nos cuenta Marión Silva, estudiante de cuarto año de Servicio Social de la Universidad Católica de Valparaíso, confirma estas afirmaciones. «Santiago me tenía saturada. Comencé mis estudios en la capital, pero al cabo de un par de años tomé la opción de continuar en región. No quería más smog, tráfico, distancias largas, además nació en mí una fuerte necesidad de independencia y de vivir algo diferente.»

El hecho de partir, cuenta, le trajo muchos beneficios, pero también debió enfrentar la soledad que muchas veces se presenta y que puede ser la peor compañera de esta nueva vida. «Luego de la decisión vino lo más complicado. Asumir que estaba sola, sin mis padres, mis amigos. La casa es un soporte emocional muy fuerte e importante, el que muchas veces te ayuda a pasar los problemas más fácilmente. Ahora debía darle la cara a lo bueno y lo malo, desenvolverme y enfrentar todo tipo de cosas.»

A pesar de la ingrata realidad que debió asumir en un comienzo, evalúa su decisión como positiva y provechosa para su vida, ya que «en Valparaíso se respira aire limpio, veo el mar todos los días, mi costo de vida es menor, camino mucho y todo me queda cerca. Las distancias son más cortas, tengo las mismas comodidades que en Santiago y todo lo necesario para vivir bien, en el fondo hay menos factores de stress» afirma.

Pero no todo es tan simple y fácil.

---

[1] vivencias  *personal experiences*
[2] desafío  *challenge*
[3] sedes  *branches*
[4] arraigo  *roots, rootedness*
[5] apego  *fondness, attachment*

---

**Cross-Cultural Comparison**
Students will be able to compare preferences of U.S. and Chilean students as to where they choose to study and why.

También se deben combatir los obstáculos que se cruzan en este nuevo camino.

El vivir fuera de casa implica responsabilidades en términos prácticos y económicos. Ya no está la mamá o la nana para hacer la comida y lavar la ropa, no está el padre para dar más dinero si la mesada[6] se acabó, y los amigos no están al alcance[7] de una llamada telefónica para organizar una «junta».

«La independencia que se logra tiene dos caras, por un lado te sientes muy bien cuando te haces cargo de todo y resulta, pero no puedes estar con los amigos o la familia si tienes pena o simplemente quieres conversar con alguien. A pesar de todo, he madurado y crecido mucho. Soy más tolerante y me llevo mejor con mis padres, los veo menos, por lo que disfruto cada momento que comparto con ellos» reflexiona Marión.

## Aprender a compartir

Un desafío importante, para los que pretenden vivir en residenciales o compartir departamento, es aprender a tolerar a las personas extrañas y de diferentes costumbres.

Sobre este último punto, la estudiante de Servicio Social indica que «aprender a vivir con otras personas y ceder en la vida

comunitaria es complicado y difícil. Cuando recién llegué a Valparaíso, arrendé una casa con compañeras que no conocía. No sabía cuáles eran sus costumbres y menos el estilo de vida que llevaban, tuve más de un problema, pero finalmente logré encontrar la persona adecuada para compartir.»

Un elemento que no se debe dejar de lado al momento de tomar la decisión junto a la familia, es el factor económico. Hay que arrendar un lugar para vivir, tener el dinero necesario para asumir los costos de la carrera misma, divertirse, recrearse y considerar que cada cierto tiempo se visita el hogar.

Según José Cortés, director de asuntos estudiantiles del Campus Viña del Mar de la Universidad Nacional Andrés Bello, indica que «el elemento económico es muy importante; en algunos casos las familias hacen un gran esfuerzo para mandarlos a estudiar fuera de su casa. Los alumnos que fracasan en esta aventura son los que destinan sus recursos a otras cosas, como pasarlo bien y olvidarse a lo que vinieron, pero son los menos. El ochenta por ciento de nuestros alumnos de fuera logra sus metas académicas.»

La experiencia de José Cortés indica que esta alternativa es muy importante y fuerte para sus vidas.

«Para los que recién egresan, el tomar esta decisión es muy complicado, maduran rápidamente, ya que deben asumir responsabilidades domésticas, administrar sus recursos, el tiempo y hacerse cargo del paso académico y el estar solos haciéndose cargo de todo.»

## Superar la soledad

La gran desventaja que percibe Cortés es la soledad, muchos de los alumnos sufren lejos de su casa y deciden volver antes de terminar el primer año de carrera. «La mayor desventaja es la soledad. Los padres los ubican en departamentos o pensiones, pero hay muchos que no son capaces de superar su nuevo estado. Son varios los casos en los que caen en depresión en el primer semestre, lo que les dificulta llevar el peso académico que se les exige y terminan regresando a sus casas.»

Estas situaciones, añade José Cortés, son consideradas por la mayoría de las universidades y por ello se realizan diferentes actividades para lograr que los novatos se integren y adapten. Es así como el encargado de asuntos estudiantiles explica que en la universidad «para lograr que los estudiantes se integren realizamos actividades deportivas y recreativas. Tenemos todo tipo de instalaciones para que realicen actividades en conjunto, multicanchas, espacios verdes, además del apoyo sicológico que entregamos si el alumno lo necesita. Nuestro campus es pequeño, por lo tanto, podemos conocer mejor al alumno que en universidades más grandes, así es más fácil ayudarlos y tratar de buscar la salida necesaria.»

[6] mesada    *monthly allowance*
[7] alcance    *within reach*

You may wish to use the editable PowerPoint® presentation available on this PowerTeach CD-ROM for additional vocabulary instruction and practice.

## Chapter Projects

**Research** You are going to do some investigating. Research a university in the Southern Cone to find out what programs they have to offer. If possible, request additional information or brochures to share with the class.

Después de leer

### PRACTICE

# ¿Comprendes?

**A**, **B**, **C** Have students write the answers to these activities for homework and then go over them in class.

**Note:** It is recommended that you allow students to look up the answers as they read rather than use the activities for factual recall.

# ¿Comprendes?

**A** Contesten.

1. ¿Cuál es una opción que tienen los estudiantes chilenos al comenzar sus estudios universitarios?
2. ¿Dónde han hecho siempre la mayoría de los estudiantes chilenos sus estudios universitarios?
3. ¿Cuántas universidades hay en el país y cuántas se encuentran en la región de Santiago?
4. ¿Qué otras ciudades ofrecen mayores alternativas?
5. ¿Está aumentando el número de estudiantes que dejan el hogar para ir a estudiar en otra ciudad?
6. Desde el punto de vista académico, ¿son tan buenas las universidades regionales como las de la capital?
7. ¿Qué son más bajos?

Valparaíso, C

Viña del Mar, Chile

**B** Den la siguiente información.

1. de donde es Marión
2. lo que estudia y donde
3. lo que dice de la vida en Santiago
4. lo que debió enfrentar al dejar a la familia
5. algunas ventajas de estar en Valparaíso
6. algunos obstáculos que hay que enfrentar

**C** José Cortés es director de asuntos estudiantiles del Campus Viña del Mar de la Universidad Nacional Andrés Bello. Según el señor Cortés, ¿cuáles son algunas cosas que hacen las universidades para ayudar a los estudiantes que vienen de afuera?

## ANSWERS TO ¿Comprendes?

**A**

1. Una opción es realizar los estudios superiores fuera de la ciudad en donde crecen.
2. La mayoría ha hecho sus estudios universitarios en la capital.
3. Hay sesenta y una universidades en el país y más de la mitad están en Santiago.
4. Valparaíso, Viña del Mar, Concepción, Talcahuano y Temuco ofrecen mayores alternativas.
5. Sí, está aumentando.

6. Sí, son tan buenas como las de la capital.
7. Los aranceles son más bajos.

**B**

1. Marión es de Santiago.
2. Ella estudia Servicio Social en la Universidad Católica de Valparaíso.
3. Hay mucho smog, tráfico y distancias largas.
4. Debió enfrentar la soledad.
5. Respirarse aire limpio, ver el mar, tener un costo de vida menor, caminar mucho y tener distancias más cortas.
6. La necesidad de preparar la comida y lavar la ropa por su propia cuenta, faltar dinero y tener los amigos lejos.

**C**

La universidad organiza actividades deportivas y recreativas y provee apoyo sicológico.

# Estructura • **Avanzada**

 **Subjuntivo con expresiones de emoción**
**Expressing emotions**

Use your **StudentWorks** *Plus*
CD for more practice.

**1.** The subjunctive is also used in a clause that modifies a verb or expression conveying any kind of emotion. Some verbs or expressions of emotion are:

| | | | |
|---|---|---|---|
| alegrarse de | *to be happy about* | gustar | *to like* |
| estar contento(a) | *to be glad* | es una lástima | *it's a pity* |
| estar triste | *to be sad* | temer | *to fear* |
| sorprender | *to surprise* | tener miedo de | *to be afraid* |

**2.** Unlike the other expressions that take the subjunctive, the information in a clause following a verb or expression of emotion can be factual. If the information in the clause is real, why is the subjunctive used? Observe and analyze the following sentences.

> **Me alegro de que Teresa esté con nosotros.**
> **¿Estás contento de que Teresa esté aquí?**
> **Creo que es una lástima que esté con nosotros.**

In the sentences above, Teresa's presence is a fact, but the subjunctive is used because the clause is introduced by an expression of feeling. As illustrated by the examples, feelings can be positive or negative and vary from person to person.

**¿Cómo lo digo?**

 **1** **Historieta** **Mis padres** Contesten.

1. ¿Están contentos tus padres que quieras hacer estudios universitarios?
2. ¿Están tristes que vayas a dejar el hogar?
3. ¿Es una lástima que no haya una universidad más cercana?
4. ¿Se alegran ellos de que sepas a qué universidad quieres asistir?
5. ¿Tienes miedo de que te sea difícil adaptarte a la vida universitaria?
6. ¿Te sorprende que la universidad cueste tanto?

EL CONO SUR

*ciento cincuenta y uno*  **151**

---

ANSWERS TO **¿Cómo lo digo?**

**1**

1. Sí (No), mis padres (no) están contentos que yo quiera hacer estudios universitarios.
2. Sí, (No, no) están tristes que yo vaya a dejar el hogar.
3. Sí, (No, no) es una lástima que no haya una universidad más cercana.
4. Sí (No), ellos (no) se alegran de que yo sepa a qué universidad quiero asistir.
5. Sí, (No, no) tengo miedo de que me sea difícil adaptarme a la vida universitaria.
6. Sí, (No, no) me sorprende que la universidad cueste tanto.

## Resource Manager

Workbook, pages 49–50
Audio Activities TE, pages 71–74
Audio CD 3, Tracks 32–35
Quizzes, pages 45–46
*ExamView® Assessment Suite*

**PRESENTATION**

 **Subjuntivo con expresiones de emoción**

**Step 1** Have students read the explanation in Item 1 aloud and repeat the list of verbs in unison after you.

**Step 2** Have students repeat the model sentences in Item 2 aloud. You may want to have them explain why the subjunctive is used.

**Step 3** Have students read the explanatory material in Item 2 silently. You may then wish to write the model sentences on the board and ask volunteers to explain the differences. Perhaps the more able students might make up original sentences to illustrate this point.

**LEVELING**

**A:** Structure

**151**

## PRACTICE

## ¿Cómo lo digo?

 **3** You may wish to assign **Actividades 2** and **3** for homework and go over them the next day to ensure that students have a proper understanding of this concept.

**Historieta** After going over **Actividad 2,** call on a student or students to retell the information in their own words.

## PRESENTATION

### Subjuntivo con expresiones de duda

**Step 1** Have students read the explanation in Item 1 aloud. Then have students repeat the expressions for the subjunctive and the indicative and the model sentences after you.

**Step 2** Have students read the explanation and the model sentences in Item 2 aloud.

**Step 3** Have students explain why the indicative or subjunctive is used in each model sentence.

## LEVELING

**A–C:** Structure

### Learning from Photos

*(page 152)* Lo que vemos en esta foto es Punta Ballena que está muy cerca del famoso balneario de Punta del Este. La Casa Ballena es una comunidad de artistas. Es difícil describir la arquitectura de Casa Ballena pero hay quienes dicen que es aquí que se encuentran Dalí y Disney.

---

**2**  **Historieta** **¿Cómo te sientes?** Sigan el modelo.

**Ganamos el partido. (Me alegro)** →
**Me alegro de que ganemos el partido.**

1. Paco viene con nosotros a Ushuaia. (Me sorprende)
2. Nadie quiere estar con él. (Siento)
3. Paco se comporta mejor ahora. (Me alegro de)
4. Marta lo invita a la fiesta. (Estoy contento[a])
5. Paco se va el jueves. (Es una lástima)
6. Roberto vuelve hoy. (Me gusta)

**3** **¿Qué emoción sientes?** Contesten con frases completas.

1. La economía está mucho mejor.
2. Muchas personas no tienen hogar.
3. Los atletas profesionales ganan millones de dólares.
4. Algunos niños pasan mucha hambre.
5. Quieren reducir las vacaciones.
6. Piensan dar más exámenes.
7. Te dan veinte mil dólares.

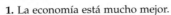

### Subjuntivo con expresiones de duda
### Expressing doubt or uncertainity

1. When a clause is introduced by a statement of doubt, the subjunctive is used in the dependent clause since it is not known if the action will in fact take place. However, if the introductory statement conveys certainty, the indicative is used.

| SUBJUNCTIVE | INDICATIVE |
|---|---|
| dudar | no dudar |
| es dudoso | no es dudoso (no hay duda) |
| no estar seguro | estar seguro |
| no creer | creer |
| no es cierto | es cierto |

**Dudo que ellos lleguen mañana de Punta del Este.**
**Creo que ellos van a llegar hoy.**

2. When asking a question the speaker can use the indicative when he or she thinks the answer is *yes,* and the subjunctive when he or she thinks the answer is *no.*

**¿Crees que él venga? Yo, no.**
**¿Crees que él viene? Yo, sí.**

Punta del Este, Uruguay

CAPÍTULO 3

EL TREN DEL FIN DEL MUNDO
Parque Nacional Tierra del Fuego
USHUAIA

Trancx Turismo S.A.
Proyectos Turísticos Ferroviarios

---

## ANSWERS TO ¿Cómo lo digo?

**2**

1. Me sorprende que Paco venga con nosotros a Ushuaia.
2. Siento que nadie quiera estar con él.
3. Me alegro de que Paco se comporte mejor ahora.
4. Estoy contento(a) que Marta lo invite a la fiesta.
5. Es una lástima que Paco se vaya el jueves.
6. Me gusta que Roberto vuelva hoy.

**3** *Answers will vary but may include:*

1. Me gusta que la economía esté mucho mejor.
2. Es una lástima que muchas personas no tengan hogar.
3. Me sorprende que los atletas profesionales ganen millones de dólares.
4. Estoy triste que algunos niños pasen mucha hambre.
5. Temo que quieran reducir las vacaciones.
6. Tengo miedo de que piensen dar más exámenes.
7. Me alegro de que me den veinte mil dólares.

## ¿Cómo lo digo?

**4** **¿Lo crees o lo dudas?** Sigan el modelo.

**Lourdes cree que comenzar la vida universitaria va a ser tarea fácil.** →
**Yo dudo que comenzar la vida universitaria sea tarea fácil.**

1. Lourdes cree que su hermana va a dejar el hogar para ir a estudiar.
2. Lourdes cree que su hermana va a adaptarse fácilmente.
3. Lourdes cree que su hermana va a estar muy contenta.
4. Lourdes cree que su hermana va a tener muchos amigos.
5. Lourdes cree que su hermana va a tener bastante dinero para vivir fuera de casa.
6. Lourdes cree que va a encontrar un lugar para vivir sin problema.
7. Lourdes cree que su hermana puede darle cara a lo bueno y a lo malo sin ningún problema.
8. Lourdes cree que su hermana va a divertirse mucho.

Universidad de Santiago, Chile

**5** **¿Cree que sí, o lo duda?** Escojan.

1. Pedro: «¿Crees que ellos irán a Chile?»
   a. Pedro cree que ellos van a ir a Chile.
   b. Pedro duda que ellos vayan a Chile.

2. Carolina: «¿Crees que ellos tengan bastante dinero para el viaje?»
   a. Carolina cree que ellos tienen el dinero.
   b. Carolina duda que ellos tengan el dinero.

3. Pedro: «¿Crees que sus padres les den el dinero?»
   a. Pedro cree que sus padres les darán el dinero.
   b. Pedro duda que sus padres les den el dinero.

4. Carolina: «¿Crees que ellos puedan trabajar en Chile?»
   a. Carolina cree que ellos podrán trabajar.
   b. Carolina duda que ellos consigan trabajo.

For more information about the Southern Cone countries, go to **Web Explore** on the Glencoe Spanish Web site at glencoe.com.

EL CONO SUR

*ciento cincuenta y tres* 153

---

## PRACTICE

## ¿Cómo lo digo?

**4** and **5** You may wish to assign **Actividades 4** and **5** for homework and go over them the next day to ensure that students have a proper understanding of this concept. Then have pairs of students do the activities again.

Spanish**Online**

Encourage students to learn more about the Southern Cone countries by using the **Web Explore** feature at glencoe.com. Perhaps you can do this in class or in a lab if students do not have Internet access at home.

## Learning from Realia

*(page 152)* El tren del fin del mundo es una excursión interesante que sale de Ushuaia y visita el parque nacional Tierra del Fuego.

POWERTEACH
*Interactive*
Chalkboard

You may wish to use the editable PowerPoint® presentation available on this PowerTeach CD-ROM for additional grammar instruction and practice.

---

## ANSWERS TO ¿Cómo lo digo?

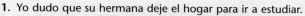

**4**

1. Yo dudo que su hermana deje el hogar para ir a estudiar.
2. Yo dudo que su hermana se adapte fácilmente.
3. Yo dudo que su hermana esté muy contenta.
4. Yo dudo que su hermana tenga muchos amigos.
5. Yo dudo que su hermana tenga bastante dinero para vivir fuera de casa.
6. Yo dudo que encuentre un lugar para vivir sin problema.
7. Yo dudo que su hermana le dé cara a lo bueno y a lo malo sin ningún problema.
8. Yo dudo que su hermana se divierta mucho.

**5**

1. a
2. b
3. b
4. b

## PREPARATION

### Bellringer Review

*Use BRR Transparency 3.10 or write the following on the board.*
**Escriban todo lo que quieren hacer esta semana.**

## PRESENTATION

### Subjuntivo en cláusulas adverbiales

**Step 1** Have students read aloud the conjunctions and model sentences in Item 1 in unison.

**Step 2** Explain to students once again that the subjunctive is used because what follows the conjunction may or may not happen.

### LEVELING

**A:** Structure

### Subjuntivo en cláusulas adverbiales
#### Subjunctive after certain conjunctions

The subjunctive is used after the following conjunctions because the information that follows is not necessarily real.

| | | | |
|---|---|---|---|
| **para que** | *so that* | **con tal de que** | *provided that* |
| **de modo que** | *so that, in such a way that* | **sin que** | *unless, without* |
| **de manera que** | *so that, in such a way that* | **a menos que** | *unless* |

**Marta no irá a menos que tú la acompañes.**
**Ellos harán el viaje con tal de que vayamos en tren.**
**El profesor te lo explica de manera que comprendas.**

### ¿Cómo lo digo?

**6** **Los estudiantes** Contesten.

1. ¿Estudian mucho los estudiantes para que salgan bien en sus exámenes?
2. ¿Ahorran dinero para que puedan ir a estudiar en otro país?
3. ¿Es posible que Sandra asista a esa universidad sin que le den una beca?
4. ¿Dejará Ana el hogar familiar sin que sus padres consientan?
5. ¿No irá Roberto a estudiar en Valparaíso a menos que vaya su hermano también?

**7** **La profesora** Completen.

1. La doctora Ramírez siempre presenta la lección de modo que todos nosotros _____. (comprender)
2. Nadie entiende a menos que ella la _____ claramente. (presentar)
3. Ella siempre nos explica todo de manera que _____ bien claro. (estar)
4. Ella nos enseña de manera que (nosotros) _____ aprender más. (querer)
5. Ella ayudará a sus alumnos con tal de que le _____ atención. (prestar)
6. Ella te ayudará a menos que no _____. (estudiar)

Universidad Concepción, Chile

### ANSWERS TO ¿Cómo lo digo?

**6**

1. Sí, (No) los estudiantes (no) estudian mucho para que salgan bien en sus exámenes.
2. Sí, (No, no) ahorran dinero para que puedan ir a estudiar en otro país.
3. Sí, (No, no) es posible que Sandra asista a esa universidad sin que le den una beca.
4. Sí (No), Ana (no) dejará el hogar familiar sin que sus padres consientan.
5. Sí, Roberto no irá a estudiar en Valparaíso a menos que vaya su hermano también.

**7**

1. comprendamos
2. presente
3. esté
4. queramos
5. presten
6. estudies

# ¡Te toca a ti!
## Use what you have learned

 **HABLAR ESCRIBIR**

### 1 Mis opiniones
✔ *Discuss clothing styles in the workplace*

No importa si eres varón o hembra. ¿Qué opiniones tienes de los consejos que da la señora Albisu sobre el uso de camisas de manga corta? ¿Estás de acuerdo con ella o no?

 **HABLAR ESCRIBIR**

### 2 Un código de vestir
✔ *Discuss the advantages and disadvantages of school dress codes*

Hasta recientemente muchas compañías y escuelas han tenido un código de vestir. ¿Tiene tu escuela un código? ¿Estás a favor o en contra de un código de vestir?

2/20-21

Alumnas chilenas

 **HABLAR**

### 3 Un debate
✔ *Discuss the advantages and disadvantages of going to college far from home*

Trabajen en grupos de cuatro. Dos están a favor de dejar el hogar e ir a estudiar no muy cerca de donde viven. Dos están en contra. Prefieren quedarse en casa y estudiar en una universidad cercana. Preparen un debate.

2/22-25
* draw a cartoon
* write a story
* record dialogue
* film w/ oversions

AGOTADO   CONFUNDIDO   EXTÁTICO   CULPABLE   SOSPECHOSO

ENOJADO   HISTÉRICO   FRUSTRADO   TRISTE   CONFIADO

VERGONZADO   FELIZ   MALICIOSO   ASQUEADO   ASUSTADO

 **HABLAR ESCRIBIR**

### 4 En mi vida
✔ *Describe what may or may not happen in your future*

Habla de cosas que crees que van a pasar en tu vida y de cosas que dudas que ocurran en tu vida.

**HABLAR**

### 5 Emociones
✔ *Compare feelings about college with a classmate*

Trabaja con un(a) compañero(a). Hablen de las emociones que tienen en cuanto a sus estudios universitarios. ¿Hay algunas emociones que tienen en común? Compárenlas usando expresiones tales como **me alegro de que, siento que, estoy contento(a) que, estoy triste que, tengo miedo de que.**

EL CONO SUR

*ciento cincuenta y cinco* 155

## ANSWERS TO ¡Te toca a ti!

*Answers will vary.*

---

### Recycling

These activities allow students to use the vocabulary and structure from this lesson in completely open-ended, real-life situations.

### PRESENTATION

Encourage students to say as much as possible when they do these activities. Tell them not to be afraid to make mistakes, since the goal of these activities is real-life communication. If someone in the group makes an error, allow the others to politely correct him or her. Let students choose the activities they would like to do.

You may wish to divide students into pairs or groups. Encourage students to elaborate on the basic theme and to be creative. They may use props, pictures, or posters if they wish.

**Note:** It is recommended that you not correct all errors made by the students as they do these activities. They would certainly make errors if they were communicating in real situations in a Spanish-speaking country.

### Writing Development
Have students keep a notebook or portfolio containing their best written work from each chapter. These selected writings can be based on assignments from the Student Textbook and the Workbook. The activities on this page are examples of writing assignments that may be included in each student's portfolio.

Assessment

## Resource Manager

Assessment Transparency A3.3
Online Quiz
Tests, pages 75–105
*ExamView®* Assessment Suite

## Assessment

This is a pretest for students to take before you administer the lesson test. Answer sheets for students to do these pages are provided in the transparencies. Note that each section is cross-referenced so students can easily find the material they have to review in case they made errors. You may wish to collect these assessments and correct them yourself or you may prefer to have the students correct themselves in class. You can go over the answers orally or project them on the overhead, using your Assessment Answers transparencies.

## Reaching All Students

**Non-Mastery Students**
Encourage students who need extra help to refer to the yellow notes and review any section before answering the questions.

# Vocabulario

**1 Completen.**

1. Ella es muy _____. Tiene muchas pretensiones.
2. No me gustan nada los colores _____. Prefiero los colores más suaves.
3. ¿Me permite usar tu _____? Tengo que escribir algo.
4. La camisa tiene un _____ bastante amplio en la espalda.

**2 Den la palabra.**

5. no salir bien
6. el objetivo
7. tener en común
8. en la opinión de

To review vocabulary, turn to pages 144 and 147.

# Lectura

**3 ¿Sí o no?**

9. La señora dice que nunca es apropiado llevar una camisa de manga corta.
10. Ella dice que se puede combinar una camisa de manga larga con un saco y un pantalón sport.
11. Si el señor quiere, puede poner su lapicera en el bolsillo de la camisa.
12. Todos los botones de la camisa deben estar abrochados.
13. Les sugiere a los señores llevar una camiseta debajo de la camisa.

To review the newspaper article on clothing at the work place, turn to page 145.

**4 Contesten.**

14. ¿Dónde han hecho sus estudios universitarios la mayoría de los estudiantes chilenos hasta recientemente?
15. ¿Qué están haciendo muchos estudiantes ahora?
16. ¿Cuáles son algunas ventajas de estudiar en una ciudad más lejana?
17. ¿Cuáles son algunos obstáculos que hay que enfrentar?

To review the newspaper article on going away to college, turn to pages 148–150.

CAPÍTULO 3

## ANSWERS TO Assessment

| 1 | 2 | 3 |
|---|---|---|
| 1. cursi | 5. fracasar | 9. No |
| 2. llamativos | 6. la meta | 10. Sí |
| 3. lapicera | 7. compartir | 11. No |
| 4. pliegue | 8. a juicio de | 12. No |
| | | 13. No |

# Estructura

**5** **Completen.**

18. Me alegro que tú _____ en qué universidad quieres estudiar. (saber)
19. Dudo mucho que él _____ el hogar. (dejar)
20. Ella habla de manera que sus alumnos _____ atención. (prestar)
21. Yo sé que ellos no irán a menos que _____ ustedes. (ir)
22. Yo te lo digo para que _____ lo que está pasando. (saber)
23. Estoy triste que ellos no nos _____. (acompañar)
24. Yo creo que todo _____ listo. (estar)
25. Me sorprende que Paco te _____ tal cosa. (decir)

To review the subjunctive, turn to pages 151–152, 154.

Universidad de Magallanes, Punta Arenas, Chile

**Spanish Online**
For more Chapter 3 test preparation, go to the Chapter 3 **Self-Check Quiz** on the Glencoe Spanish Web site at glencoe.com.

EL CONO SUR

---

ANSWERS TO *Assessment*

**4**

14. Hasta recientemente la mayoría de los estudiantes chilenos han hecho sus estudios en Santiago (la capital).
15. Ahora muchos estudiantes están realizando los estudios superiores fuera de la ciudad donde crecen.
16. Algunas ventajas de estudiar en una ciudad más lejana son un costo de vida más bajo, aire limpio y distancias más cortas.
17. Algunos obstáculos que hay que enfrentar son la soledad y la falta de familia, dinero y amigos.

**5**

18. sepas
19. deje
20. presten
21. vayan
22. sepas
23. acompañen
24. está
25. diga

**157**

# Proficiency Tasks

¡OJO! It is suggested that you share the following information with students before they begin their writing projects.

Es cierto que cuando escribes en inglés tu estilo de escribir es mucho más sofisticado que en español. Cuando escribes en español tienes que usar frases más sencillas. Si encuentras una idea muy complicada, piensa un momento en una manera más sencilla de expresarla.

¡Un consejo muy importante! No traduzcas del inglés al español. Si traduces cometerás sin duda un montón de errores. O lo que escribes será muy anglicanizado. Desde el principio, por difícil que sea, piensa siempre en español. Si una palabra inglesa te viene a la mente, piensa enseguida en una expresión española que exprese la misma idea. Usa el español que ya has aprendido aún si exige que te expreses de una manera sencilla. Trata de evitar usar un diccionario bilingüe porque casi siempre escogerás una palabra errónea.

Prepara siempre un borrador de tu escrito. Al terminarlo, ponlo al lado. Léelo de nuevo un poco más tarde y haz las revisiones que consideres necesarias. Luego léelo una vez más para buscar errores ortográficos y gramaticales. Ten mucho cuidado en verificar las terminaciones.

## Teacher NOTE

You may wish to have students do all these activities or you may wish to have them select the one(s) they want to do.

# Composición

Cuando tienes una opinión muy fuerte sobre algo, es posible que la quieras compartir con otros. Es posible que les quisieras convencer o persuadir de aceptar tu opinión.

**TAREA 1** Ahora vas a escribir un editorial para un periódico. En un editorial puedes dar tus opiniones sobre el sujeto. Pero hay algo muy importante. Tienes que poder justificar tus opiniones con la ayuda de hechos e información fiables que la apoyen.

Puedes escribir tu editorial sobre cualquier sujeto que te interese. Un tópico posible sería «La popularidad de Evita Perón entre los argentinos». Antes de empezar a escribir tu editorial es posible que sea necesario hacer algunas investigaciones.

**TAREA 2** Es casi siempre necesario hacer investigaciones antes de empezar a escribir un escrito expositivo, sobre todo cuando se trata de un sujeto histórico o técnico. Antes los alumnos iban a la biblioteca

donde consultaban libros y enciclopedias para hacer sus investigaciones. Hoy en día hay muchos más recursos disponibles y a la biblioteca de hoy se le llama Centro de recursos o Centro de medias. En el centro se encuentran libros, periódicos, diarios, revistas semanales o mensuales, boletines, enciclopedias, diccionarios, CD-ROM, DVD y computadoras.

Cuando haces investigaciones, usas computadora, ¿no? Pero mientras navegas la red para buscar nuevos sitios Web, hay que saber que quienquiera que sea puede crear un sitio Web. Esto significa que no puedes tener confianza en la fiabilidad de los datos del sitio. No es cierto que sean exactos.

Los libros, periódicos, revistas, etc., de calidad son revisados cuidadosamente por editores profesionales pero no es así con Internet. No existen normas ni reglamentos obligatorios que tienen que seguir los individuos u organizaciones que ponen información en el Internet. Por eso tú tienes la responsabilidad de determinar si los datos y la información son fiables.

Antes de determinar si la información que encuentras en un sitio es fiable hay que hacerte unas preguntas.

¿Qué persona o sociedad se responsabiliza por este sitio Web?

¿Cuándo ha sido puesto al día el sitio?

¿Cómo pueden ser verificados sus datos?

En el sitio, ¿has encontrado errores de ortografía o de gramática? ¿Hay muchos errores tipográficos? Si así es el caso, no debes confiar en el sitio.

**Pre-AP SkillBuilder**

The **tareas** in the **Composición** section provide students with valuable practice for the writing section of the AP exam.

Escribe algunos párrafos en los cuales describes como haces tus investigaciones al preparar una tarea escolar. ¿Qué medias prefieres y por qué? ¿Cuáles consideras las más prácticas y fiables? ¿Qué haces para verificar si los sitios que utilizas son en realidad fiables? ¿Tienes algunos sitios favoritos? ¿Cuáles? ¿Te gusta utilizar libros para hacer investigaciones o no? ¿Por qué razones?

 **TAREA 3** No importa donde mires, vas a ver anuncios publicitarios. Los anuncios publicitarios tratan de vender productos, localidades, candidatos e ideas. Las agencias de publicidad o propaganda y los departamentos (servicios) de *marketing* utilizan muchas tácticas y técnicas para tratar de persuadir a su público.

Un anuncio publicitario no se dirige a un público universal. Se dirige al mercado para el producto específico. El departamento de *marketing* ya ha informado al que escribe el anuncio sobre los deseos, las necesidades y los recursos de los compradores potenciales. Una vez que el público esté identificado, se empieza a escribir. Crear un anuncio publicitario exige una imaginación viva y un talento para usar bien la lengua. Hay que transmitir el mensaje en muy pocas palabras. El/La que escribe publicidad nunca puede olvidar que tiene la obligación de atraer atención, captar interés y crear un deseo.

Imagínete trabajando en el departamento de *marketing*. Tú jefe(a) quiere que tú escribas un anuncio publicitario en español porque quiere captar el interés de la poplación hispana. Vas a escribir un anuncio publicitario para promover un blue jean, botas de cuero fino o lo que sea. Tú puedes escoger el producto. En pocas palabras tienes que describir tu producto y convencer a tus lectores que no pueden vivir sin él.

Si quieres, puedes buscar un anuncio publicitario en un periódico o en una revista que consideras persuasivo. Puedes usarlo como un modelo. ¡A ver si puedes captivar a muchos clientes!

# Discurso

Se puede decir que un debate es «una batalla entre ideas.» Eso significa que cuando dos personas no están de acuerdo y cada uno presenta su idea tratando de probar su superioridad sobre la del otro—es un debate—un debate informal. Se puede decir que estamos casi siempre involucrados en un debate. Es una forma de comunicación interpersonal.

**TAREA 4** Ahora van a trabajar en grupos de cuatro. Van a discutir el tema siguiente, «¿Es mejor dejar el hogar familiar para hacer estudios universitarios o quedarse en casa?» Para formar su grupo hay que escoger personas que tienen opiniones opuestas. Dos creen que se debe dejar el hogar y dos creen que no. Cada uno tendrá sus propios argumentos. Al presentar sus argumentos, cada grupo tratará de dominar o superar al otro. Dentro de poco los argumentos de un grupo o sea de un lado empezarán a superar los del otro lado y habrá «un ganador». ¡Quizás tendrán una disputa! Pero no es nada malo. Hay muchos tipos de disputas: disputas amables, animadas, serias, hasta divertidas. Todas estas disputas son en un sentido debates—o sea batallas entre ideas opuestas. ¡Buena suerte!

**ADDITIONAL PRACTICE**
If you have students who wish to pursue a career in journalism, you may wish to have them submit their editorial from **Tarea 1** to a local Spanish-language newspaper. Students may also wish to inquire about possible employment or internship opportunities.

# Vocabulario

## Vocabulary Review

The words and phrases in the **Vocabulario** have been taught for productive use in this chapter. They are summarized here as a resource for both student and teacher. This list also serves as a convenient resource for the **¡Te toca a ti!** activities on pages 128–129, 141, and 155. There are approximately fifteen cognates in this vocabulary list. Have students find them.

 **¡OJO!** You will notice that the vocabulary list here is not translated. This has been done intentionally, since we feel that by the time students have finished the material in the chapter they should be familiar with the meanings of all the words. If there are several words they still do not know, we recommend that they refer to the **Vocabulario** sections in the chapter or go to the dictionaries at the end of this book to find the meanings. However, if you prefer that your students have the English translations, please refer to Vocabulary Transparencies 3.1A, 3.1B, and 3.1C, where you will find all these words with their translations.

You may wish to use the editable PowerPoint® presentation available on this PowerTeach CD-ROM to have students view the chapter vocabulary in a Spanish-English, English-Spanish format.

# Vocabulario

### Lección 1  Cultura

la ballena
el cerro
el chaparrón
el elefante marino
el glaciar
la llanura
el lobo marino
el monte
la oveja
el pingüino
la ráfaga
la sabana
la sandía
el viñedo

alto(a)
austral
belicoso(a)
borrascoso(a)
dulce
marino(a)
pacífico(a)

la ganadería
el ganado
el gaucho
la hierba
la huerta
la indumentaria
el odio
el rebaño
pacer

### Lección 2  Conversación

el algodón
el ante, la gamuza
la blusa
el bolsillo
la bota
el botón
la braqueta
la bufanda
el calzado
la camisa
la chaqueta, el saco

el cierre, la cremallera
el cinturón
la corbata
el cordón, el pasador
el cuero
el dénim
el forro
la goma
la lana
la manga
el nilón

el pantalón
el poliéster
el punto
el saco cruzado
la solapa
la suela
el suéter
el tacón
la tela
la zapatería
el zapato

de cuadros
mayor
rayada (de rayas)
apretar (ie)
arrugarse
encogerse
hacer falta
hacer juego
planchar
sentar (ie)

### Lección 3  Periodismo

**Ejecutivos en manga corta**
el botón
la espalda
la lapicera
el pliegue
el traje
abrochado(a)
contento(a)
cursi
desabrochado(a)
estampado(a)
llamativo(a)
pecar

**Cuando hay que dejar el hogar**
el/la egresado(a)
el hogar
la meta
adecuado(a)
compartir
crecer
fracasar
a juicio de

 **LITERARY COMPANION** *See pages 440–455 for literary selections related to Chapter 3. The activities for these readings will help you continue to practice your reading comprehension skills.*

## Tutorial

You may wish to have students create mnemonic devices to help them learn the chapter vocabulary. This may be especially helpful for non-mastery students.

# VIDEOTUR

## ¡Viva el mundo hispano!

Video can be a beneficial learning tool for the language student. Video enables you to experience the material in the textbook in a real-life setting. Take a vicarious field trip as you see people interacting at home, at school, at the market, etc. The cultural benefits are limitless as you experience the Spanish-speaking world while "traveling" through many countries. In addition to its tremendous cultural value, video gives practice in developing good listening and viewing skills. Video allows you to look for numerous clues that are evident in tone of voice, facial expressions, and gestures. Through video you can see and hear the diversity of the target culture and compare and contrast the Spanish-speaking cultures to each other and to your own.

### Episodio 1: Teatro de la comunidad

Estos actores forman parte del grupo *Teatro Catalinas Sur*. Ellos trabajan en La Boca, un barrio de Buenos Aires cerca del puerto. El espectáculo que presentan se llama *El fulgor argentino* en el que representan cien años de la historia de Argentina. Emplean ciento veinte actores, un coro y una orquesta y títeres gigantes. Es un teatro de la comunidad para la comunidad.

### Episodio 2: Fiebre de fútbol

Esta es la sala de la casa de Flavio Nardini en Buenos Aires. Flavio es fanático o hincha del Racing, un equipo de fútbol. Los argentinos toman el fútbol muy en serio. Hay cinco equipos nacionales en el país y muchísimos equipos pequeños. Flavio lleva los colores del Racing, azul y blanco. A su lado está la estatua de un antiguo entrenador del Racing que ocupa un lugar de honor en su sala.

### Episodio 3: Tango en Buenos Aires

Esta pareja está bailando el tango. El tango se creó en Buenos Aires a fines del siglo XIX. Los inmigrantes italianos, españoles, franceses y africanos expresaban su pasión, su tristeza, su desesperación en esta música y baile. Empezó con los pobres pero después fue adoptado por los ricos. La pareja que está bailando probablemente recibirá propinas de los espectadores.

## VIDEO VHS/DVD

The Video Program for Chapter 3 includes three documentary segments of some interesting aspects of life in Argentina. You may wish to have students answer oral or written comprehension questions about the video segments.

**POWERTEACH**
*Interactive*
Chalkboard

You may wish to use the editable PowerPoint® presentation available on this PowerTeach CD-ROM to have students view and listen to a short segment of the video. Additional activities are also provided.

# Planning for Chapter 4

## SCOPE AND SEQUENCE PAGES 162–211

### Topics
❖ The geography, history, and culture of Central American countries

### Culture
❖ Social announcements in the newspaper
❖ Microchip implants in pets

### Functions
❖ How to express future events
❖ How to refer to people and things already mentioned
❖ How to express emotions and possibilities about past events
❖ How to use time expressions such as **en cuanto** and **hasta que**

### Structure
❖ The future tense
❖ The conditional tense
❖ Object pronouns
❖ The imperfect subjunctive
❖ The subjunctive with conjunctions of time

### National Standards
Communication Standard 1.1, pp. 162, 166, 176–179, 185, 191, 205
Communication Standard 1.2, pp. 162, 169–174, 185–186, 196–197, 199–200
Communication Standard 1.3, pp. 179, 205
Cultures Standard 2.1, pp. 162, 167, 196–197, 457, 461
Cultures Standard 2.2, pp. 169, 172–174
Connections Standard 3.1, pp. 162, 167–168, 185–186
Connections Standard 3.2, p. 174
Comparisons Standard 4.1, pp. 175, 177, 204
Comparisons Standard 4.2, p. 463
Communities Standard 5.2, pp. 178–179, 205

*To read the ACTFL Standards in their entirety, see page T36.*

## PACING AND LEVELING

Lección 1: Cultura  *(5–7 days)*
Lección 2: Conversación  *(5–7 days)*
Lección 3: Periodismo  *(5–7 days)*

Proficiency Tasks  *(1–2 days)*
Videotur  *(1–2 days)*
Literatura  *(5–7 days)*

### LEVELING
The following is an overall leveling of the sections of each chapter of **¡Buen viaje!** Level 3.

**EASY:** Conversación, Estructura • Repaso
**AVERAGE:** Cultura, Periodismo, Estructura • Avanzada
**CHALLENGING:** Literatura

Most parts of each lesson are also leveled for your convenience in the Teacher Notes in the Wraparound section of your Teacher Edition.
**E: Easy    A: Average    C: Challenging**
Please note that the material does not become progressively more difficult. Within each chapter there are easy and challenging sections.

# TEACHER RESOURCE GUIDE

| SECTION | PRINT RESOURCES | TECHNOLOGY RESOURCES |
|---|---|---|
| **Lección 1** | | |
| Lectura<br> Vocabulario para la lectura<br> *(pp. 164–165)*<br> La geografía *(pp. 167–168)*<br> Civilización precolombina—<br> Los mayas *(p. 169)*<br> Capitales centroamericanas<br> *(pp. 170–173)*<br> Comida *(p. 174)*<br>Estructura • Repaso<br> Futuro *(p. 175)*<br> Condicional *(p. 177)*<br>¡Te toca a ti! *(pp. 178–179)*<br>Assessment *(pp. 180–181)* | Audio Activities TE *(pp. 75–85)*<br>Workbook *(pp. 51–58)*<br>Quizzes *(pp. 47–52)*<br>Tests *(pp. 107–109 and 116–138)* | Vocabulary Transparencies V4.2–V4.3<br>Audio CD 4<br>*ExamView® Assessment Suite*<br>Assessment Transparency A4.1<br>glencoe.com<br>PowerTeach<br>Vocabulary PuzzleMaker |
| **Lección 2** | | |
| Conversación<br> Vocabulario para la<br> conversación *(pp. 182–183)*<br> Asuntos financieros<br> *(pp. 185–186)*<br>Estructura • Repaso<br> Pronombres de complemento<br> *(p. 187)*<br> Dos complementos en la<br> misma oración *(p. 189)*<br>¡Te toca a ti! *(p. 191)*<br>Assessment *(pp. 192–193)* | Audio Activities TE *(pp. 86–94)*<br>Workbook *(pp. 59–62)*<br>Quizzes *(pp. 53–56)*<br>Tests *(pp. 110–111 and 116–138)* | Vocabulary Transparencies V4.4, V4.5<br>Audio CD 4<br>*ExamView® Assessment Suite*<br>glencoe.com<br>Assessment Transparency A4.2<br>PowerTeach<br>Vocabulary PuzzleMaker |
| **Lección 3** | | |
| Lectura<br> Vocabulario para la lectura<br> *( p. 194)*<br> Anuncios sociales<br> *(pp. 196–197)*<br>Lectura<br> Vocabulario para la lectura<br> *(p. 198)*<br> Amigos con «cédula»<br> *(pp. 199–200)*<br>Estructura • Avanzada<br> Imperfecto del subjuntivo<br> *(pp. 201–202)*<br> Subjuntivo con conjunciones<br> de tiempo *(p. 204)*<br>¡Te toca a ti! *(p. 205)*<br>Assessment *(pp. 206–207)*<br><br>Proficiency Tasks *(pp. 208–209)*<br>**Videotur** *(p. 211)*<br><br>Literatura *(pp. 456–463)* | Audio Activities TE *(pp. 95–102)*<br>Workbook *(pp. 63–68)*<br>Quizzes *(pp. 57–62)*<br>Tests *(pp. 112–138)*<br>Audio Activities *(pp. 223–228)*<br>Tests *(pp. 291–293)* | Vocabulary Transparencies V4.6–V4.7<br>Audio CD 4<br>*ExamView® Assessment Suite*<br>glencoe.com<br>Assessment Transparency A4.3<br>PowerTeach<br>Vocabulary PuzzleMaker<br>**¡Viva el mundo hispano!** Video<br>Video Activities<br>Audio CD 9 |

# Using Your Resources for Chapter 4

## Transparencies

**Map Transparencies** The full-color maps at the front of the Student Edition have been converted to transparency format.

**Bellringer Reviews** provide a quick review activity to begin each class.

**Vocabulary Transparencies** include the photos and art from the Student Edition pages, overlays with Spanish words, and Spanish/English vocabulary lists for each chapter.

**Assessment Transparencies** provide answer sheets and answers for the Assessment pages in the Student Edition.

**Fine Art** can be used to reinforce the topics introduced in the text and enrich your students' knowledge of Fine Art.

## Workbook and Audio Activities

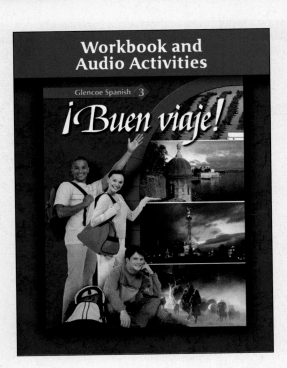

### Writing Activities
The Workbook section includes numerous activities to reinforce each concept presented in the textbook. There are workbook pages for each of the following sections: vocabulary, culture, conversation, journalism, and structure. Varied activities provide several ways for students to practice and apply the material you have presented in class.

### Audio Activities
The Audio Activities pages in this booklet may be used to guide students through the listening and speaking activities provided on the Audio CDs. The script to the Audio CDs is also provided in the Audio Activities TE in the TeacherTools booklet if the teacher prefers to read the activities aloud. The Audio Activities provide listening and speaking practice to reinforce vocabulary, culture, conversation, structure, and literature.

Several options for Assessment are offered with the **¡Buen viaje!** program. The TeacherTools booklets include the following Assessment pieces.

**Quizzes** There are quizzes for Vocabulary, Culture, Structure, Conversation, and Journalism.

**Tests** There is a Reading and Writing Test for each lesson in the chapter. In addition, there are two different Chapter Reading and Writing Tests—one for less able to average students and the other for above average to advanced students. There is also a Listening Comprehension Test, a Speaking Test, and a Proficiency Test at the end of each chapter.

**Spanish Online** Students can easily access our Self-Check Quizzes at <u>glencoe.com.</u>

**ExamView® Assessment Suite** Test Bank software for Macintosh and Windows makes creating, editing, customizing, and printing tests quick and easy.

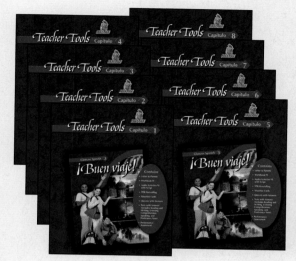

## Passport to Success Notebook

- **Notetaking and Study Strategies** help students organize and internalize new information, allowing them to become more effective communicators in the target language.

- **Reading Strategies** take the mystery out of reading and give students the tools they need to become more effective readers.

- **Standardized Test Practice** in every chapter helps students improve their test-taking skills through the study of foreign language.

## TECHNOLOGY

 This all-in-one planner includes:

- Interactive Teacher Edition
- Lesson Planner with calendar
- Access to all program blackline masters
- Correlations to National Standards

**ExamView** Assessment Suite The *ExamView® Assessment Suite* includes *Test Generator, Test Player,* and *Test Manager.*

- Use premade tests or build your own easily and quickly
- Customize tests using a full-feature editor
- Select questions from existing test banks
- Set up your own question test banks
- Disaggregate data

 All-in-one interactive Student Edition and student resources—a backpack solution

# Capítulo 4

## Preview

In this chapter, students will learn about the geography, history, and culture of Central America. In the **Conversación** section students will learn vocabulary related to finances. Vocabulary needed to discuss types of newspaper and magazine articles will also be presented in this chapter.

 **National Standards**

### Communication

Students will communicate in spoken and written Spanish on the following topics:

- The culture, geography, and history of Central America
- Money matters
- Important rites of passage and social events
- Pets

### Cultures

- Students will learn about the geography, history, and culture of Central America. They will also learn about important social occasions in the Spanish-speaking world.

### Connections

This chapter establishes a connection with the fields of history, geography, and economics.

# Capítulo 4

# La América Central

**Spanish Online**
To interact with your online edition of
¡**Buen viaje!** go to: glencoe.com.

162

**TeacherWorks**
All-In-One Planner and Resource Center

The TeacherWorks CD-ROM is an all-in-one planner and resource center. You may wish to use several of the following features as you plan and present the Chapter 4 material: Interactive Teacher Edition, Interactive Lesson Planner with Calendar, Point and Click Access to Teaching Resources including Hotlinks to the Internet and Correlations to the National Standards.

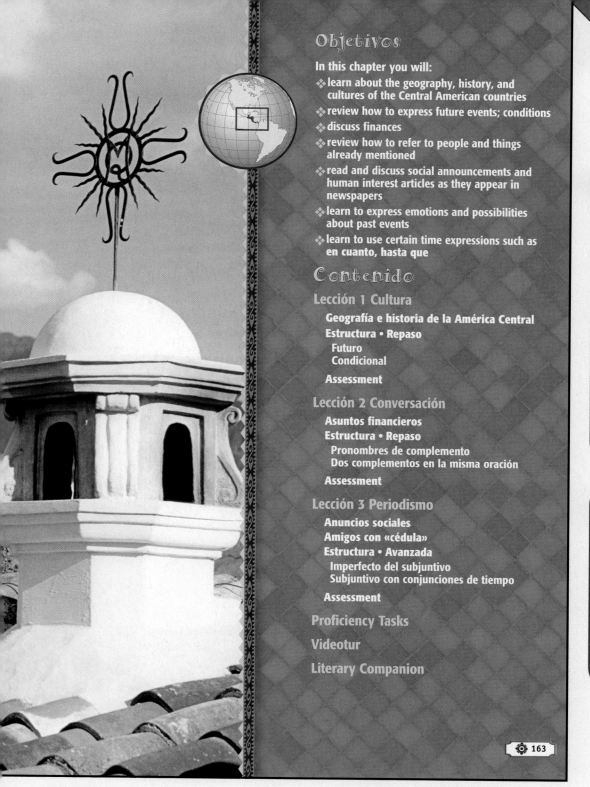

## Objetivos

**In this chapter you will:**

❖ learn about the geography, history, and cultures of the Central American countries
❖ review how to express future events; conditions
❖ discuss finances
❖ review how to refer to people and things already mentioned
❖ read and discuss social announcements and human interest articles as they appear in newspapers
❖ learn to express emotions and possibilities about past events
❖ learn to use certain time expressions such as en cuanto, hasta que

## Contenido

 163

## Assessment

**Quizzes:** There is a quiz for every vocabulary presentation, every reading, and every structure point.
**Tests:** To accompany ¡**Buen viaje!** Level 3 there is a Reading and Writing Test for each of the three lessons that make up a chapter. In addition, at the end of each chapter there are five tests.
• Two Reading and Writing Tests; one easy to intermediate; another intermediate to challenging.
• A Listening Comprehension Test
• A Speaking Test
• A Proficiency Test

## Spotlight on Culture

### Antigua, Guatemala

En esta foto vemos los techos de azulejos en la pequeña ciudad colonial de Antigua, Guatemala. Antigua, que una vez fue la capital de Guatemala, es una ciudad colonial conocida por su belleza a pesar de haber sufrido la destrucción de varios terremotos.

## LEVELING

The following is an overall leveling of the sections of each chapter of
¡**Buen viaje!** Level 3.
**EASY:** Conversación, Estructura • Repaso
**AVERAGE:** Cultura, Periodismo, Estructura • Avanzada
**CHALLENGING:** Literatura
Most parts of each lesson are also leveled for your convenience.
**E:** Easy
**A:** Average
**C:** Challenging
    Please note that the material does not become progressively more difficult. Within each chapter there are easy and challenging sections.

## PREPARATION

### Resource Manager

Vocabulary Transparencies
  V4.2–V4.3
Audio Activities TE, pages 75–76
Audio CD 4, Tracks 1–3
Workbook, pages 51–52
Quiz, page 47
*ExamView® Assessment Suite*

### Bellringer Review

*Use BRR Transparency 4.1 or write
the following on the board.*
**Completen con el pretérito.**
1. Yo ___ ocho horas anoche y
   ella ___ ocho horas también.
   **(dormir)**
2. Yo se lo ___ a él. Él no me lo
   ___ a mí. **(pedir)**
3. Él lo ___ y yo también lo ___.
   Todos nosotros lo ___ mucho.
   **(sentir)**

## PRESENTATION

### Vocabulario para la lectura

**Step 1**  Have students repeat the
new words, sentences, and definitions in unison after you or the
Audio CD.

**Step 2**  **Juego**  Give students the
following true/false statements as
you present the vocabulary. Call
on more able students to correct
the false statements.
**Un terremoto es una catástrofe
  natural.**
**Una estela es un tipo de
  monumento.**
**Un terremoto no causa ninguna
  destrucción.**
**Un rascacielos es un edificio que
  tiene pocos pisos.**
**Un bohío es una casa grande y
  elegante.**
**Un bohío es una choza.**

## Vocabulario para la lectura

Se dice que habrá un terremoto.
Un terremoto fuerte podría causar mucha destrucción.

una estela

un animal tallado

Si ustedes van a Copán, verán muchas estelas y animales tallados de los mayas.

un rascacielos

You may wish to
use the editable
PowerPoint® pre-
sentation available
on this PowerTeach
CD-ROM for additional vocabulary instruction and practice.

el techo
un bohío, una choza de paja

Los bohíos suelen ser de paja.

La hamaca cuelga del techo del bohío.

El bohío tiene un techo de piedra.
Se puede dormir en una hamaca.
Una mola es una falda bonita.
Es fácil botar una pelota en una callejuela de adoquines.

botar la pelota
una callejuela de adoquines

una mola

Una mola es una blusa que llevan las indígenas de San Blas.

### Más vocabulario

**picante** que tiene un sabor fuerte de especias que pican
**soler (ue)** tener la costumbre, hacer normalmente

**trasladar** mover de un lugar a otro, cambiar de lugar; reubicar

LA AMÉRICA CENTRAL

*ciento sesenta y cinco* 165

## Learning from Photos

*(page 164)* La fotografía en la parte superior de la página es de Managua después del desastroso terremoto de 1972. La foto en la parte inferior es de la ciudad de Panamá—Punta Paitilla. La estela y el animal tallado están en Copán, Honduras.
*(page 165 top left)* La foto es de una de las islas de San Blas, en Panamá.

## Reaching All Students

**Kinesthetic Learners**
Call on kinesthetic learners to dramatize the following.
**Bota la pelota.**
**Construye un techo de paja.**
**Teje una mola.**
**Cuelga una hamaca.**
**¡Ay! ¡Qué picante está la salsa!**

## Spanish Online

**Differentiation**

**Tutorial** The customizable **Vocabulary PuzzleMaker** can be used for each lesson or chapter to create crossword, word search, and jumble puzzles to reinforce vocabulary terms for non-mastery students.

**Enrichment** The customizable **Vocabulary PuzzleMaker** can also be used for each lesson or chapter to create more challenging puzzles for mastery students.

## LECCIÓN I
## Cultura

## PRACTICE

# ¿Qué palabra necesito?

**1** You can intersperse these questions as you present the new vocabulary. Then have students write the answers for homework. **Expansion:** Call on a student to retell the story in his or her own words.

**2** Have students prepare this activity and then go over it in class.

### Learning from Photos

*(page 166 top right)* Toda la ciudad de Antigua, Guatemala, es una joya arquitectónica. Sus calles de adoquines han cambiado muy poco desde 1773. La mayoría de los edificios tienen solamente un piso (una planta). Casi todos son de estilo colonial con techos de azulejos, rejas en las ventanas, y patios interiores con fuentes. Aquí hay también ruinas de grandes iglesias y conventos destruidos en los terremotos de 1773 y 1976.

## ¿Qué palabra necesito?

**1** **Historieta** **Un viaje a Centroamérica**
Contesten con **sí**.

1. ¿Hará Carlos mucho durante su viaje a Centroamérica?
2. ¿Andará por las pintorescas callejuelas de adoquines en Antigua, Guatemala?
3. ¿Admirará las estelas mayas con animales tallados en Copán, Honduras?
4. ¿Verá los rascacielos modernos de la ciudad de Panamá?
5. ¿Comprará una mola en las islas de San Blas?
6. ¿Irá a unos restaurantes típicos?
7. ¿Pedirá a lo menos un plato picante?
8. ¿Qué piensas? ¿Le gustará?

Antigua, Guatemala

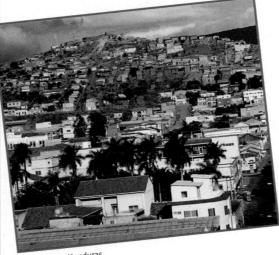

Tegucigalpa, Honduras

**2** **¿Cuál es la palabra?** Completen.

1. Un _____ es un edificio muy alto de muchos pisos (muchas plantas).
2. No me gustaría estar en un rascacielos durante un _____. Me daría mucho miedo.
3. Los bohíos _____ ser de paja.
4. Se puede dormir cómodamente en una _____.
5. La hamaca _____ del techo.
6. Otra palabra que significa «bohío» es _____.
7. A los niños les gusta _____ la pelota pero es un poco difícil en una antigua callejuela de adoquines.
8. Van a reubicarse. Van a _____ el negocio de Tegucigalpa a San Pedro Sula.

## ANSWERS TO ¿Qué palabra necesito?

**1**

1. Sí, Carlos hará mucho durante su viaje a Centroamérica.
2. Sí, andará por las pintorescas callejuelas de adoquines en Antigua, Guatemala.
3. Sí, admirará las estelas mayas con animales tallados en Copán, Honduras.

4. Sí, verá los rascacielos modernos de la ciudad de Panamá.
5. Sí, comprará una mola en las islas de San Blas.
6. Sí, irá a unos restaurantes típicos.
7. Sí, pedirá a lo menos un plato picante.
8. Sí, le gustará.

**2**

1. rascacielos
2. terremoto
3. suelen
4. hamaca
5. cuelga
6. choza
7. botar
8. trasladar

# Lectura

## La geografía

El istmo de Centroamérica comprende todos los países entre Guatemala y Panamá. Cubre un área de 196.000 millas cuadradas o sea el tamaño de una cuarta parte de México. En algunos lugares el istmo tiene un ancho de sólo cincuenta millas. Una cordillera que une las Rocosas con los Andes va desde el norte hasta el sur. Esta cordillera domina casi todos los países menos Panamá. Algunos picos alcanzan 14.000 pies de altura.

Centroamérica es una región de muchos volcanes. Más de veinte son activos. Sus erupciones son peligrosas y año tras año han causado mucho daño. Sin embargo, es la ceniza volcánica la que hace la tierra tan fértil para la agricultura.

Como el istmo es tan largo hay una gran variedad de terreno y clima. En la Mosquitia en la costa nordeste de Honduras y en el Darién en la costa oriental de Panamá hay selvas tropicales, muchas partes de las cuales no han sido exploradas. Los Chocó, un grupo indígena del Darién, siguen viviendo aún hoy como vivían sus ancestros hace ya miles de años. Su sociedad primitiva se basa en la recolección[1] y la caza.

[1] recolección   *harvest, gathering*

### Reading Strategy

**Making comparisons while reading** If you read a passage that discusses a topic from different points of view, you can make comparisons while reading. Noting such similarities and differences will help make the ideas clearer and you will probably remember more of what you read. You can make these comparisons in your head or write them down as you read.

Lago Atitlán, Guatemala

Una selva tropical, Honduras

Darién, Panamá

LA AMÉRICA CENTRAL

## Learning from Photos

*(page 167 top right)* Del lago Atitlán dijo Aldous Huxley «Es el lago más bonito del mundo». Las aguas del lago son de un azul claro y a sus orillas hay tres volcanes. Alrededor del lago hay doce pueblos; cada uno lleva el nombre de un apóstol. El más conocido es Santiago Atitlán. *(page 166 bottom left)* Tegucigalpa es una parte del distrito central que incluye también Comayagüela. Juntas tienen una población de más de un millón de habitantes. La ciudad de Tegucigalpa conserva un ambiente colonial y en las colinas que rodean la ciudad hay casas pintadas en colores vivos.

---

# Cultura

Lectura

## National Standards

**Cultures**
This reading familiarizes students with the geography, history, and culture of Central America.

**Connections**
Students further their knowledge of geography, history, and archeology.

## PREPARATION

### Resource Manager

Audio Activities TE, pages 77–82
Audio CD 4, Tracks 4–8
Workbook, pages 52–55
Quizzes, pages 48–50

### Bellringer Review

*Use BRR Transparency 4.2 or write the following on the board.*
**Escriban todas las palabras que se pueden usar para describir una playa o actividades playeras.**

## PRESENTATION

**Step 1** As you present this section you may wish to ask the following questions: **¿Es ancho o estrecho el istmo de Centroamérica? ¿Cuál es el único país centroamericano que no es muy montañoso? ¿Qué hay en Centroamérica? ¿Por qué es muy fértil la tierra? ¿Dónde hay selvas tropicales en Centroamérica? ¿Qué tiempo hace en Centroamérica? ¿Cuántas estaciones hay? ¿Cuáles son?**

**LEVELING**
**E:** Reading

## History Connection

 Belice ganó su independencia de Gran Bretaña en 1981. Antes se conocía como Honduras Británica. Aunque se dice que Colón llegó a las costas de Belice en 1502, la primera colonización europea ocurrió en 1638 cuando unos marineros ingleses llegaron a las costas, víctimas de un naufragio. Desde 1763 hasta 1798 Belice estuvo bajo la soberanía de España. En 1798 los colonos ingleses, con el apoyo naval británico, se apoderaron del territorio. Guatemala, durante muchos años, no reconocía a la Honduras Británica ni a Belice, considerándolo territorio guatemalteco. En los mapas guatemaltecos Belice figuraba como parte de Guatemala. En 1981, a cambio de importantes concesiones, Guatemala renunció su reclamación sobre el territorio.

### Spanish Online

The Glencoe World Languages Web site at glencoe.com provides Internet enrichment activities and links for students to investigate the Spanish-speaking world. Every chapter has a **WebQuest** activity and a **Self-Check Quiz.** The **Web Explore** section takes students to Spanish Web sites related to the chapter theme. Students can also click on **World News Online** to read current articles in Spanish-language newspapers.

Isla de las Perlas, Panamá

Panamá y muchas regiones de la costa de Centroamérica tienen un clima tropical. Las costas son calurosas y húmedas. En la cordillera se dice que la primavera es eterna aunque las noches pueden ser frías en la estación seca. Hay sólo dos estaciones—la estación seca más o menos de noviembre a abril y la estación lluviosa y más cálida de mayo a octubre.

Se le da el nombre de invierno a la estación lluviosa y verano a la estación seca. La costa del Caribe es mucho más lluviosa que la costa del Pacífico con sus playas de ceniza volcánica negra.

**A** Completen.

1. Centroamérica es un _____ que comprende todos los países entre _____ en el norte y _____ en el sur.
2. Una _____ va desde el norte hasta el sur.
3. En Centroamérica hay muchos _____, de los cuales más de veinte son _____.
4. Es la _____ de los volcanes que hace la tierra tan fértil.
5. _____ y _____ son dos regiones de selvas tropicales.
6. Los _____ viven en el Darién como vivían sus ancestros hace ya miles de años.
7. Las costas de Centroamérica son _____ y _____.
8. Hay dos estaciones: la _____ y la _____.

Una selva tropical, Costa Rica

CAPÍTULO 4

## ANSWERS

**A**
1. istmo, Guatemala, Panamá
2. cordillera
3. volcanes, activos
4. ceniza
5. La Mosquitia, el Darién
6. Chocó
7. calurosas, húmedas
8. estación seca, estación lluviosa

# Civilización precolombina—Los mayas

El territorio ocupado por los mayas, en el que se han descubierto más de cincuenta ciudades importantes, se extendía por zonas de México; y en Centroamérica en Guatemala, Belice y gran parte de Honduras y El Salvador. La teoría más probable es que sus ancestros vinieron de Asia, habiendo cruzado el estrecho de Bering, hace unos dieciocho mil años.

Los mayas desarrollaron su civilización durante dos períodos. El más importante es el Viejo Imperio de los siglos IV a IX d.C. Durante este período los mayas habitaron Guatemala y Honduras y se unieron a[2] los quichés, procedentes de las alturas de Guatemala.

Los progresos que hicieron los mayas entre 300 y 900 d.C. son increíbles. Su calendario fue más perfecto que el de los cristianos de la época y se dice que fue aún más preciso que el nuestro. Los mayas tenían un tipo de escritura jeroglífica muy parecida a la egipcia. Sus reyes solían mandar grabar en estelas jeroglíficos que representaban todos los acontecimientos que ocurrían durante su reinado.

Los mayas eran expertos en arquitectura. Construyeron palacios y templos que adornaron con enormes esculturas. Tenían cuchillos, vasijas y piezas de cerámica adornadas con jeroglíficos. Los quichés tenían su libro sagrado, el Popol Vuh, que relata el origen del ser humano.

Copán, Honduras

Desgraciadamente este desarrollo formidable terminó de forma inexplicable poco antes del año 900 d.C. Nuevos descubrimientos arqueológicos indican que existe la posibilidad de que los mayas quisieron lograr una gran expansión territorial y que las confrontaciones bélicas que acompañaban esa expansión fueran la causa más importante de la decadencia del Imperio maya.

Actualmente en Guatemala, el país de mayor población indígena de Centroamérica, se hablan veintiuna lenguas de origen maya. Sesenta por ciento de los guatemaltecos tienen una lengua materna que no es el español. La lengua más extendida es el quiché que tiene 1.900.000 hablantes.

[2] se unieron a    *merged with*

Tikal, Guatemala

 **B** Identifiquen.

1. donde vivían los mayas
2. las fechas del Viejo Imperio
3. el calendario maya
4. la escritura maya
5. instrumentos y utensilios que tenían los mayas
6. el Popol Vuh
7. una posible razón por la rápida decadencia del Imperio maya
8. el quiché

Cerámica maya, Tikal, Guatemala

**PRESENTATION**

*(cont'd)*

**Step 2**  After reading one or two paragraphs call on a student to give a review of the information in his or her own words.

**Step 3**  Call on individuals to describe each item in **Actividad B.** The activity can be done orally and in writing.

## Critical Thinking Activity

**Thinking skills: communicating information**
¿Por qué le fascina la arqueología a una persona que tiene mucho interés en el pasado?

**Pre-AP SkillBuilder**

As students read these **Lecturas,** they will develop the skills they need to be successful on the reading and writing sections of the AP exam.

---

## ANSWERS

 **B**

1. Los mayas vivían en zonas de México, Guatemala, Belice y gran parte de Honduras y El Salvador.
2. El Viejo Imperio era durante los siglos IV a IX d.C.
3. El calendario maya fue más perfecto que el de los cristianos de la época y fue aún más preciso que el nuestro.
4. Los mayas tenían un tipo de escritura jeroglífica muy parecida a la egipcia.
5. Los mayas tenían cuchillos, vasijas y piezas de cerámica adornadas con jeroglíficos.

6. Los quichés tenían su libro sagrado, el Popol Vuh, que relata el origen del ser humano.
7. Una posible razón por la rápida decadencia del Imperio maya es que los mayas quisieron lograr una expansión territorial acompañada por confrontaciones bélicas.
8. El quiché es la lengua más extendida entre las veintiuna lenguas de origen maya.

## PRESENTATION

*(cont'd)*

**Step 4** Have students give a brief description of each city.

**Step 5** Have them look at the photographs that accompany the **Lectura.**

**Step 6** If any student has been to any one of these cities, have him or her tell something about it.

**Step 7** 🎲 Juego Give the following information and have the class tell what city you are describing.
**Tiene mucho espacio abierto.**
   (Managua)
**Tiene muchos lagos.** (Managua)
**Tiene algunos rascacielos pero no son muy altos.** (San José)
**La ciudad tiene el ambiente de una pequeña ciudad colonial.**
   (Tegucigalpa)
**Es una ciudad moderna.**
   (Guatemala)
**Tiene muchas casas de colores vivos.** (Tegucigalpa)
**Es la ciudad centroamericana con la mayor población.**
   (Guatemala)
**Tiene la reputación de ser una ciudad manejable y placentera.**
   (San José)

### Learning from Photos

*(page 170 top right)* Como la Ciudad de Guatemala fue casi totalmente destruida por un terremoto en 1917 la ciudad es en su mayoría nueva. En el centro mismo, la zona 1, que vemos aquí en la foto, hay algunos edificios que datan de la época colonial.

La gente suele llamar a la ciudad Guate. Es una ciudad bastante poblada con más de 3 millones de habitantes, la mayor de Centroamérica.

**170**

# Capitales centroamericanas

Algunas capitales centroamericanas no han sido siempre la capital de su país. Por una variedad de razones la capital ha sido cambiada de una ciudad a otra.

### La Ciudad de Guatemala

Hoy la Ciudad de Guatemala es la capital del país del mismo nombre. Es una ciudad de mucho movimiento, y de todas las ciudades centroamericanas es la que tiene la mayor población. La mayor parte de la ciudad es moderna porque sufrió un terremoto en 1917 que causó mucha destrucción.

De 1543 a 1773 Antigua fue la capital. Cuando fue fundada llevaba el nombre de «Muy Noble y Muy Leal Ciudad de Santiago de los Caballeros de Goathemala». Goathemala en aquel entonces comprendía Chiapas en México y todos los países de Centroamérica menos Panamá. La capital fue trasladada a Guatemala en 1773 cuando un terremoto destruyó Antigua.

A pesar de esta destrucción Antigua ha conservado su belleza. No hay duda que se ven ruinas de magníficas iglesias, conventos y otros edificios coloniales. Pero es una ciudad placentera con callejuelas de adoquines y bonitas mansiones de colores vivos que también datan de la época colonial.

Ciudad de Guatemala

Antigua, Guatemala

### Tegucigalpa

El nombre de la capital de Honduras, Tegucigalpa, tiene su orígen en dos palabras indígenas—*teguz* que significa **colina** y *galpa* que significa **plata.** Durante años fue un centro minero de plata. La ciudad actual no ha perdido su cualidad de pequeña ciudad colonial con calles estrechas y casas de colores vivos. Actualmente el 70 por ciento de la población hondureña vive en el área metropolitana de Tegucigalpa.

Antes de 1880 Comayagua fue la capital. Pero fue destruida en una guerra civil en 1873 y siete años después se decidió restablecer la capital en Tegucigalpa.

Tegucigalpa, Honduras

Tegucigalpa, Honduras

## Managua

Managua, la capital de Nicaragua, es otra capital cuyo nombre tiene origen en una lengua autóctona[3], el náhuatl. Significa «donde hay una extensión de agua». Es un nombre apropiado porque aquí se encuentran el lago Managua, la laguna Tiscapa y otras lagunas de origen volcánico que rodean el área urbana. Managua es una de las pocas ciudades que tiene grandes espacios abiertos.

Hay dos ciudades nicaragüenses conocidas por su belleza. Son León y Granada. Durante doscientos años León fue la capital del país. Pero León, de índole liberal y Granada, de índole conservadora, siempre rivalizaban por el liderazgo del país. Por consiguiente en 1851 la cabeza del país pasó a Managua, una ciudad equidistante o a medio camino de estas dos urbes rivales.

[3] autóctona   *indigenous*

Managua, Nicaragua

## San José

San José, la capital de Costa Rica, y sus suburbios ocupan una gran parte de la sección central del país. Aquí vive más del cincuenta por ciento de la población costarricense. San José tiene la reputación de ser una ciudad muy «manejable». Hay algunos rascacielos pero la mayoría de sus edificios son de sólo tres o cuatro plantas (pisos).

La antigua capital, Cartago, se encuentra a sólo 25 kilómetros de San José. En 1821 Costa Rica ganó su independencia de España de forma pacífica. Como la ciudad de San José ya llevaba el liderazgo económico, se resolvió en 1823 trasladar la capital a esta ciudad para accederle también el liderazgo político. En aquel entonces la población total de Costa Rica era de cincuenta y siete mil habitantes. Hoy sólo la capital y sus alrededores tienen una población de ochocientos mil.

San José, Costa Rica

 Den el nombre de la capital actual y la capital antigua de cada país. Expliquen por qué fue trasladada cada capital de una ciudad a otra.

1. Guatemala
2. Honduras
3. Nicaragua
4. Costa Rica

LA AMÉRICA CENTRAL

Cartago, Costa Rica

### ANSWERS

 C

1. capital actual: Ciudad de Guatemala; capital antigua: Antigua
   La capital fue trasladada cuando un terremoto destruyó Antigua.
2. capital actual: Tegucigalpa; capital antigua: Comayagua
   Comayagua fue destruida en una guerra civil en 1873.
3. capital actual: Managua; capital antigua: León
   La capital pasó a Managua en 1851 porque era una ciudad equidistante o a medio camino de dos ciudades rivales, León y Granada.
4. capital actual: San José; capital antigua: Cartago
   San José ya llevaba el liderazgo económico del país cuando Costa Rica ganó su independencia en 1821 y por eso se trasladó la capital allí.

Tikal, Guatemala

## PRESENTATION

*(cont'd)*

**Step 8** As you go over this section, have students explain in their own words the meaning of the following.

**El entorno natural de Tikal es místico.**

**Unas macizas pirámides emergen sobre el techo de la vegetación de la impenetrable selva.**

**Un ruido ensordecedor de los monos y las chicharras sale de los árboles.**

**Step 9** Call on a student to describe the ball game in his or her own words.

 **Teacher NOTE**

In many authoritative books one will read that the ball games described here also had a religious significance. Some books say that the winning team was sacrificed and others say the defeated team was sacrificed.

## Reaching All Students

Call on less able students to give one sentence about each photo. Average students can give a few more details.

# Visitas históricas

Un viaje a Centroamérica requiere una visita a las famosas ciudades mayas de Tikal en Guatemala y Copán en Honduras.

## Tikal

Tikal se encuentra en el Petén, una zona selvática calurosa, bastante llana, en el norte de Guatemala. El entorno natural de Tikal es fantástico, si no místico. Unas macizas[4] pirámides emergen sobre el techo de la vegetación de la impenetrable selva. Un ruido ensordecedor de los monos y las chicharras[5] sale de los árboles.

La Gran Plaza de Tikal es uno de los sitios más impresionantes de todo el mundo maya. El Templo I llamado también el Templo del Gran Jaguar accede a la Plaza. Es una pirámide que alcanza cuarenta y cinco metros de altura. En su interior se halla la tumba de Ah Cacao, el principal soberano de Tikal. El templo, formado de tres cuartos, está en la parte superior de la pirámide.

La Gran Pirámide es el más antiguo de los grandes edificios destapados[6] en Tikal. Se cree que la Gran Pirámide fue usada para observaciones astronómicas en vez de ritos ceremoniales.

[4] macizas *solid*
[5] chicharras *cicadas*
[6] destapados *unearthed*

Gran Plaza, Tikal, Guatemala

Estela, Copán, Honduras

## Copán

La historia de Copán en Honduras no parece empezar hasta 435 d.C. pero hay arqueólogos que creen que estaba habitada mucho antes. Alcanzó su apogeo entre 650 y 750.

La Gran Plaza de Copán es impresionante por sus estelas con figuras humanas y altares con animales tallados. Estas estelas tenían para los mayas un significado profundo. A través de ellas se rendía culto a los árboles que sustentaban el cielo. Y servían de puerta hacia el Xibalba o mundo subterráneo y místico.

No muy lejos de la Gran Plaza está la cancha de pelota. Los jugadores tenían que rebotar la pelota, una pelota grande y pesada hecha de goma, haciéndola subir la pared hasta tocar una de las metas talladas en piedra en la parte superior de la pared. Los jugadores no podían usar las manos, los brazos ni los pies. Fue un juego duro, una combinación de soccer, fútbol americano y balonmano.

Una cancha de pelota, Copán, Honduras

## Islas de San Blas, Panamá

Si estás en Panamá y no quieres pasar todo tu tiempo en una de sus magníficas playas, tendrás que visitar el archipiélago de San Blas formado de 365 islotes. Es aquí donde viven los famosos kunas. Sus casas son bohíos o sea chozas de paja y caña. En el interior del bohío cuelgan las hamacas. La mayoría de los kunas viven de la recolección de productos marinos y de la pesca. Algunos que viven en tierra firme son agricultores.

Las mujeres kunas llevan molas. Una mola es una blusa hecha de telas de distintos colores. La mola tiene también motivos geométricos y mitológicos. Las molas de las kunas son tan apreciadas que se consideran objetos de arte.

Una mujer kuna,
Islas de San Blas, Panamá

Isla Acuatupu,
Islas de San Blas, Panamá

**Step 10** Have a student describe the photo of Isla Acuatupu.

**Step 11** Call on a student to retell all the information about the **kunas** on San Blas.

### Chapter Projects

**Summit** Assign each Central American country to an individual or to a group. Have students research the ecological challenges that face each nation. Then have students convene in a mock summit to discuss issues and to propose solutions.

---

**D** Contesten.

1. ¿Dónde está Tikal?
2. ¿Qué se ve en Tikal?
3. ¿Para qué servía la Gran Pirámide en Tikal?
4. Según los arqueólogos, ¿desde cuándo fue habitada Copán?
5. ¿Cómo es la Gran Plaza de Copán y qué tiene?
6. ¿Cómo jugaban pelota en Copán?
7. ¿Dónde viven los kunas?
8. ¿Cómo son sus casas?
9. ¿Qué es una mola? Descríbela.

Copán, Honduras

LA AMÉRICA CENTRAL

---

### ANSWERS

**D**

1. Tikal está en el Petén, en el norte de Guatemala.
2. En Tikal se ven pirámides.
3. La Gran Pirámide en Tikal servía de observación astronómica.
4. Según los arqueólogos, Copán fue habitada desde mucho antes del año 435 d.C. o mucho antes.
5. La Gran Plaza de Copán es impresionante y tiene estelas con figuras humanas y altares con animales tallados.

6. En Copán jugaban con una pelota grande y pesada hecha de goma. La rebotaban contra la pared hasta tocar una de las metas talladas en piedra en la parte superior de la pared. No podían usar las manos, los brazos, ni los pies.
7. Los kunas viven en las Islas de San Blas, Panamá.
8. Sus casas son bohíos o chozas de paja y caña.
9. Una mola es una blusa hecha de telas de distintos colores con motivos geométricos y mitológicos.

## Cultura

## PRESENTATION

*(cont'd)*

**Step 12** Read the **Comida** section to students.

**Step 13** Have students identify any of the foods they are familiar with. They may recognize some of these because of their familiarity with Mexican food.

Encourage students to learn more about the Central American countries by using the **Web Explore** feature at glencoe.com. Perhaps you can do this in class or in a lab if students do not have Internet access at home.

## ADDITIONAL PRACTICE

Have students prepare dishes from Central America for a cultural event at your school. Have students discuss how each dish was prepared. If your community has a large Hispanic population encourage students to go to a local hispanic market to get advice on how to prepare their dish.

**174**

## Comida

Cuando tienes hambre y decides comer algo creerás estar en México. No hay duda que la cocina centroamericana tiene mucho parentesco con la cocina mexicana, sobre todo por el empleo del maíz en forma de tortillas y frijoles o como dicen aquí en muchas partes de Centroamérica alubias negras refritas con arroz. Igual que a los mexicanos, a la mayoría de los centroamericanos les gustan las salsas picantes.

En Guatemala los chiles rellenos son populares. En Honduras puedes comer enchiladas o tamales.

¿Quieres probar un desayuno favorito de los nicaragüenses, los nicas, y de los costarricenses, los ticos? Se llama «gallopinto». Es una mezcla de arroz y frijoles acompañada de huevos.

A los salvadoreños les gustan el pescado y los mariscos. Sirven el ceviche igual que en Perú. La mariscada, una sopa que lleva almejas, camarones y cangrejos, es otro plato favorito.

Y el plato nacional de Panamá es el sancocho. El sancocho lleva pollo, cebolla, maíz y papas.

Como a los españoles les gusta comer pequeñas raciones de comida, a los centroamericanos también les gusta comer raciones pequeñas, pero no se llaman «tapas». En Nicaragua y Costa Rica son «bocas», y en Guatemala «boquitas». Una boquita favorita guatemalteca es el pan con ajo—rebanadas de pan frito frotadas[7] con ajo. Una de las bocas nicaragüenses muy buena y un poco exótica son los huevos de tortuga[8].

[7] frotadas   *rubbed*
[8] tortuga   *turtle*

**E** Identifiquen.

1. alubias negras
2. el gallopinto
3. el ceviche
4. el sancocho

5. las bocas
6. las boquitas
7. los habitantes de Nicaragua
8. los habitantes de Costa Rica

For more information about foods in Central America, go to **Web Explore** on the Glencoe Spanish Web site at glencoe.com.

Sancocho

## ANSWERS

**E**

1. Alubias negras son frijoles servidos refritos con arroz en muchas partes de Centroamérica.
2. El gallopinto es una mezcla de arroz y frijoles acompañada de huevos y es un desayuno favorito de los nicaragüenses y los costarricenses.
3. Igual que en Perú, el ceviche es un plato de pescado adobado por unas horas en una salsa de limón.

4. El sancocho es el plato nacional de Panamá y lleva pollo, cebolla, maíz y papas.
5. Las bocas, como las tapas de España, son pequeñas raciones de comida en Nicaragua y Costa Rica.
6. Las boquitas, como las tapas de España, son pequeñas raciones de comida en Guatemala.
7. Los habitantes de Nicaragua se llaman nicas.
8. Los habitantes de Costa Rica se llaman ticos.

# Estructura • Repaso

## Futuro
### Expressing future events

Use your **StudentWorks** Plus CD for more practice.

**1.** The future tense of regular verbs is formed by adding the personal endings to the entire infinitive.

| INFINITIVE | estudiar | comer | vivir |
|---|---|---|---|
| yo | estudiaré | comeré | viviré |
| tú | estudiarás | comerás | vivirás |
| él, ella, Ud. | estudiará | comerá | vivirá |
| nosotros(as) | estudiaremos | comeremos | viviremos |
| vosotros(as) | estudiaréis | comeréis | viviréis |
| ellos, ellas, Uds. | estudiarán | comerán | vivirán |

**2.** The following verbs have an irregular root for the future tense. All the endings, however, are the same as those of a regular verb.

| hacer | har- | | venir | vendr- |
|---|---|---|---|---|
| decir | dir- | | poner | pondr- |
| querer | querr- | | salir | saldr- |
| saber | sabr- | | tener | tendr- |
| poder | podr- | | valer | valdr- |

| INFINITIVE | decir | poder | salir |
|---|---|---|---|
| yo | diré | podré | saldré |
| tú | dirás | podrás | saldrás |
| él, ella, Ud. | dirá | podrá | saldrá |
| nosotros(as) | diremos | podremos | saldremos |
| vosotros(as) | diréis | podréis | saldréis |
| ellos, ellas, Uds. | dirán | podrán | saldrán |

**3.** The future is used in Spanish as in English to express a future event.

> Ellos llegarán a Panamá mañana.
> Nosotros los veremos el sábado que viene.
> José tendrá muchas noticias.

**4.** Note that the future is often expressed with **ir a** + the infinitive or the present tense.

> Ellos van a salir la semana próxima.
> Y yo voy mañana.

Puente de las Américas, Panamá

---

## ADDITIONAL PRACTICE

**Las vacaciones de verano. Cambien del pasado en el futuro.**

1. Toda la familia fue de vacaciones.
2. Ellos pasaron el verano en la playa.
3. Los jóvenes nadaron todos los días.
4. La madre no preparó ni una comida.
5. El padre tampoco cocinó.
6. Ellos comieron fuera todos los días.
7. Les encantó la playa.
8. Pero en tres semanas terminaron las vacaciones.
9. Y todos volvieron a casa.

---

## PREPARATION

### Resource Manager

Workbook, pages 56–58
Audio Activities TE, pages 83–85
Audio CD 4, Tracks 9–14
Quizzes, pages 51–52
*ExamView® Assessment Suite*

### Bellringer Review

*Use BRR Transparency 4.3 or write the following on the board.*
**Usen las siguientes palabras en una oración original.**
   la toalla playera
   las gafas para el sol
      (los anteojos)
   la arena
   las olas

## PRESENTATION

### Futuro

**Step 1** Write the verb paradigm on the board and have students repeat the verb forms after you.

**Step 2** In Item 2, have volunteers do the entire paradigm for each of the verbs listed for review practice.

**Step 3** Call on students to repeat in unison all the model expressions and sentences.

### LEVELING
**E:** Structure

POWERTEACH
Interactive
Chalkboard

You may wish to use the editable PowerPoint® presentation available on this PowerTeach CD-ROM for additional grammar instruction and practice.

# PRACTICE

## ¿Cómo lo digo?

 **1** You may wish to give students time in class to look over this activity and then call on volunteers to go over the activity in narrative form.

**3** and **4** You may go over these activities with books open.

**¡OJO!** To avoid doing large segments of grammar at one time, you may wish to intersperse the grammar points as you are doing other sections of the lesson. If your students need to do the review grammar, you may wish to go over these points as you are doing the reading selection of this lesson. If you prefer, however, you can spend two or three class periods in succession doing the review grammar.

### Paired Activity
Haz una lista de todo lo que harás cuando seas adulto. Compara tu lista con la de algunos de tus compañeros.

**1**

1. Sí, iré algún día a Centroamérica.
2. Visitaré los países de ___.
3. Sí, querré ver algunas ruinas mayas.
4. Iré a Tikal (Copán).
5. Sí, para el desayuno, comeré el gallopinto.
6. Sí, me gustará.
7. Sí, después de subir muchas pirámides, tendré mucha hambre.
8. Sí, para el almuerzo, pediré enchiladas con alubias refritas y arroz.

**2**

1. … no me levantaré temprano.
2. … no tomaré el desayuno en casa.

# ¿Cómo lo digo?

**1** **Historieta** **Un viaje a Centroamérica** Contesten.

1. ¿Irás algún día a Centroamérica?
2. ¿Qué países visitarás?
3. ¿Querrás ver algunas ruinas mayas?
4. ¿Irás a Tikal o a Copán?
5. Para el desayuno, ¿comerás un gallopinto?
6. ¿Qué crees? ¿Te gustará?
7. Después de subir muchas pirámides, tendrás mucha hambre, ¿no?
8. Para el almuerzo, ¿pedirás enchiladas con alubias refritas y arroz?

**2** **Hoy, sí. Mañana, no.** Sigan el modelo.

Hoy estudio, _____. →
**Hoy estudio, pero mañana no estudiaré.**

1. Hoy me levanto temprano, _____.
2. Hoy tomo el desayuno en casa, _____.
3. Hoy mamá nos lleva a la escuela, _____.
4. Hoy nos dan un examen en español, _____.
5. Hoy jugamos (al) baloncesto, _____.
6. Hoy recibimos uniformes, _____.
7. Hoy las clases terminan a las dos, _____.
8. Hoy cenamos en un restaurante, _____.
9. Hoy leo después de comer, _____.

Tegucigalpa, Honduras

**3** **Historieta** **Hay que ser positivos.**
Contesten con **sí** y el futuro.

1. ¿Se va a poner el uniforme el jugador?
2. ¿Va a estar en forma?
3. ¿Va a poder jugar?
4. ¿Todos van a venir al estadio?
5. ¿Van a tener entradas para todos?
6. ¿Le van a enseñar a jugar?
7. ¿Él va a hacer todo lo necesario?
8. ¿Va a ganar?
9. Y tú, ¿vas a estar contento(a)?

**4** **Historieta** **¿Qué hará el campeón?**
Cambien en el futuro.

1. Él nunca dice nada.
2. Pero puede jugar.
3. El problema es que no quiere.
4. Tenemos que rogarle.
5. Le decimos que no ganamos sin él.
6. Y que todo el mundo viene a verlo jugar.
7. Vale la pena intentarlo.
8. Si no, nunca sabemos.

CAPÍTULO 4

# ANSWERS TO ¿Cómo lo digo?

3. … no nos llevará a la escuela.
4. … no nos darán un examen en español.
5. … no jugaremos baloncesto.
6. … no recibiremos uniformes.
7. … no terminarán a las dos.
8. … no cenaremos en un restaurante.
9. … no leeré después de comer.

**3**

1. Sí, el jugador se pondrá el uniforme.
2. Sí, estará en forma.
3. Sí, podrá jugar.
4. Sí, todos vendrán al estadio.
5. Sí, tendrán entradas para todos.
6. Sí, le enseñarán a jugar.
7. Sí, él hará todo lo necesario.
8. Sí, ganará.
9. Sí, estaré contento(a).

**4**

1. Él nunca dirá nada.
2. Pero podrá jugar.
3. El problema será que no querrá.
4. Tendremos que rogarle.
5. Le diremos que no ganaremos sin él.
6. Y que todo el mundo vendrá a verlo jugar.
7. Valdrá la pena intentarlo.
8. Si no, nunca sabremos.

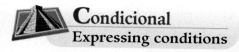

# Condicional
## Expressing conditions

1. The conditional, like the future, is formed by adding the personal endings to the entire infinitive. Note that the conditional endings are the same as the imperfect endings of **-er** and **-ir** verbs.

| INFINITIVE | estudiar | beber | escribir |
|---|---|---|---|
| yo | estudiaría | bebería | escribiría |
| tú | estudiarías | beberías | escribirías |
| él, ella, Ud. | estudiaría | bebería | escribiría |
| nosotros(as) | estudiaríamos | beberíamos | escribiríamos |
| *vosotros(as)* | *estudiaríais* | *beberíais* | *escribiríais* |
| ellos, ellas, Uds. | estudiarían | beberían | escribirían |

2. Verbs with an irregular root in the future tense have the same irregular root in the conditional.

| | | | | | |
|---|---|---|---|---|---|
| **hacer** | haría | **poder** | podría | **salir** | saldría |
| **decir** | diría | **venir** | vendría | **tener** | tendría |
| **querer** | querría | **poner** | pondría | **valer** | valdría |
| **saber** | sabría | | | | |

3. The conditional is used in Spanish as it is in English, to express what would or would not happen under certain circumstances or "conditions." The conditional in English is usually expressed by "would."

**Yo lo llamaría, pero no tengo tiempo.** *I would call him, but I don't have time.*

## ¿Cómo lo digo?

**5** **Historieta** **¡A Guatemala, ya!** Contesten.

1. ¿Te gustaría hacer un viaje a Guatemala?
2. ¿Irías al Petén? ¿Visitarías Tikal?
3. ¿Te interesarían las fabulosas ruinas mayas?
4. ¿Pasarías algunos días en Antigua?
5. ¿Darías un paseo por sus callejuelas de adoquines?
6. ¿Irías también a Panajachel?
7. ¿Rentarías un barquito? ¿Remarías por el lago Atitlán?
8. No perderías la oportunidad de visitar el mercado de Chichicastenango, ¿verdad?

**6** **La ropa** Contesten.

1. ¿Llevarían tus amigos camisas o camisetas de manga corta?
2. Estos mismos amigos, ¿se pondrían jeans amarillos?

Mercado de Chichicastenango, Guatemala

3. ¿Les gustaría llevar una mola?
4. Y tú, ¿llevarías una mola?
5. ¿Qué preferirías llevar?

---

## PREPARATION

### Bellringer Review

*Use BRR Transparency 4.4 or write the following on the board.*
**Completen con el futuro.**
1. Yo ___ a España y mi amigo ___ a Francia. (ir, ir)
2. Nosotros ___ el mismo vuelo porque él ___ una semana en Madrid antes de ir a París. (tomar, estar)
3. En ocho días nosotros ___ visitar todos los lugares importantes. (poder)
4. Yo ___ muchos recuerdos pero mi amigo no ___ nada. (comprar, comprar)

## PRESENTATION

### Condicional

**Step 1** You may wish to call on a student to read the explanatory material aloud.

**Step 2** Have the class repeat the verb forms and the model sentences.

## PRACTICE

## ¿Cómo lo digo?

**5** and **6** These activities can be done without previous preparation.

---

## Answers to ¿Cómo lo digo?

**5**

1. Sí, (No, no) me gustaría hacer un viaje a Guatemala.
2. Sí, (No, no) iría al Petén. Sí, (No, no) visitaría Tikal.
3. Sí, (No, no) me interesarían las fabulosas ruinas mayas.
4. Sí, (No, no) pasaría algunos días en Antigua.
5. Sí, (No, no) daría un paseo por sus callejuelas de adoquines.
6. Sí, (No, no) iría también (tampoco) a Panajachel.
7. Sí, (No, no) rentaría un barquito. Sí, (No, no) remaría por el lago Atitlán.
8. No, no perdería la oportunidad de visitar el mercado de Chichicastenango./Perdería la oportunidad de visitar el mercado de Chichicastenango.

**6**

1. Sí, (No, no) llevarían mis amigos camisas o camisetas de manga corta.
2. Sí, (No, no) se pondrían jeans amarillos.
3. Sí, (No, no) les gustaría llevar una mola.
4. Sí, (No, no) llevaría una mola.
5. Yo preferiría llevar ___.

LECCIÓN I
**Cultura**

 **Recycling**

These activities allow students to use the vocabulary and structure from this lesson in completely open-ended, real-life situations.

## PRESENTATION

Encourage students to say as much as possible when they do these activities. Tell them not to be afraid to make mistakes, since the goal of these activities is real-life communication. If someone in the group makes an error, allow the others to politely correct him or her. Let students choose the activities they would like to do.

You may wish to divide students into pairs or groups. Encourage students to elaborate on the basic theme and to be creative. They may use props, pictures, or posters if they wish.

**Note:** It is recommended that you not correct all errors made by the students as they do these activities. They would certainly make errors if they were communicating in real situations in a Spanish-speaking country.

# ¡Te toca a ti!
**Use what you have learned**

Parque Nacional Corcovado, Costa Rica

 HABLAR ESCRIBIR

### 1 El clima
✔ *Describe the climate of Central America and compare it to an area that has a temperate climate*

Compara el clima de Centroamérica con el clima de una región templada donde hay cuatro estaciones. En Centroamérica, ¿hay variaciones entre el clima de la sierra y el de la costa? ¿Cuáles son?

 HABLAR ESCRIBIR

### 2 Las civilizaciones precolombinas
✔ *Compare the Maya civilization to the Inca civilization*

Si te interesan los pueblos indígenas, compara la civilización de los mayas con la de los incas sirviéndote de todo lo que has aprendido sobre estos dos grupos importantes.

 Spanish Online
To learn more about the Mayan civilization, go to **Web Explore** on the Glencoe Spanish Web site at glencoe.com.

Cerámica inca

Cerámica maya

 ANSWERS TO ¡Te toca a ti!

*Answers will vary.*

LECCIÓN I
Cultura

ESCRIBIR

### 3 Un terremoto

✔ *Research the life of the famous baseball player Roberto Clemente*

Dos días antes de Navidad en 1972 un terremoto destruyó desastrosamente la ciudad de Managua. El gobierno de Nicaragua le pidió ayuda al mundo entero y el gran beisbolista puertorriqueño Roberto Clemente decidió ayudar. Haz alguna investigación y prepara una biografía sobre este héroe universal humano—Roberto Clemente.

Roberto Clemente

HABLAR

### 4 Lo que ocurrirá

✔ *Describe your plans for the future and discuss them with a classmate*

Habla con un(a) compañero(a). Según tus propios planes, dile lo que ocurrirá o sucederá en tu vida. Luego tu compañero(a) te dirá lo que pasará en su vida. Comparen sus ideas o planes. Hablen de como les ayudará el español en sus carreras.

HABLAR
ESCRIBIR

### 5 Con un millón de dólares

✔ *Describe what you would do with a million dollars*

Di todo lo que harías con un millón de dólares. Y tu hermano o tu hermana, ¿haría lo mismo con su millón de dólares? ¿Qué haría (él, ella) que no harías tú?

Writing Development
Have students keep a notebook or portfolio containing their best written work from each chapter. These selected writings can be based on assignments from the Student Textbook and the Workbook. The activities on this page are examples of writing assignments that may be included in each student's portfolio.

Career Connection
Organize a career development day. Invite Spanish-speaking community members to discuss career options with your students.

LA AMÉRICA CENTRAL

ANSWERS TO ¡Te toca a ti!

*Answers will vary.*

# Assessment

## Resource Manager

Assessment Transparency A4.1
Online Quiz
Tests, pages 107–109 and 116–138
*ExamView® Assessment Suite*

## Assessment

This is a pretest for students to take before you administer the lesson test. Answer sheets for students to do these pages are provided in the transparencies. Note that each section is cross-referenced so students can easily find the material they have to review in case they made errors. You may wish to collect these assessments and correct them yourself or you may prefer to have the students correct themselves in class. You can go over the answers orally or project them on the over-head, using your Assessment Answers transparencies.

## Reaching All Students

### Non-Mastery Students
Encourage students who need extra help to refer to the yellow notes and review any section before answering the questions.

# Vocabulario

To review vocabulary, turn to pages 164–165.

**1  Pareen.**

1. una hamaca
2. una mola
3. una choza
4. paja
5. un rascacielos
6. un terremoto

a. un desastre natural
b. materia de la que se hacen casitas en una zona tropical
c. algo de tejido fuerte que sirve para dormir
d. un edificio de muchos pisos
e. una blusa con diseños bonitos
f. un bohío

# Lectura

To review some geographical facts about Central America, turn to pages 167–168.

**2  ¿Sí o no?**

7. Centroamérica es un istmo muy ancho que comprende tres países.
8. Una gran parte de Centroamérica es montañosa.
9. La ceniza volcánica es muy mala para la agricultura.
10. El clima en las costas es más caluroso y húmedo que en la cordillera.
11. En Centroamérica hay cuatro estaciones pero no hace mucho frío en el invierno.

To review some historical and cultural facts about Central America, turn to pages 169–171.

**3  Contesten.**

12. ¿Qué países habitaron los mayas durante el período del Viejo Imperio?
13. ¿Cómo fue el calendario maya?
14. ¿Qué instrumentos y utensilios tenían los mayas?
15. ¿Cuál es el país de mayor población indígena de Centroamérica?

**4  Identifiquen.**

16. la antigua capital de Guatemala
17. la capital de Honduras
18. lo que significa «Managua» en náhuatl
19. como es la ciudad de San José

ANSWERS TO  Assessment

| **1** | **2** | **3** | **4** |
|---|---|---|---|
| 1. c | 7. No | | |
| 2. e | 8. Sí | | |
| 3. f | 9. No | | |
| 4. b | 10. Sí | | |
| 5. d | 11. No | | |
| 6. a | | | |

**3**
12. Los mayas habitaron Guatemala y Honduras durante el período del Viejo Imperio.
13. El calendario maya fue más perfecto que el de los cristianos de la época y se dice que fue aún más preciso que el nuestro.
14. Los mayas tenían cuchillos, vasijas y piezas de cerámica adornadas con jeroglíficos.
15. Guatemala es el país de mayor población indígena de Centroamérica.

**4**
16. Antigua es la antigua capital de Guatemala.
17. Tegucigalpa es la capital de Honduras.
18. «Managua» significa «donde hay una extensión de agua» en náhuatl.
19. La ciudad de San José es una ciudad muy «manejable». Allí vive más del cincuenta por ciento de la población costarricense. Hay algunos rascacielos pero la mayoría de sus edificios son de sólo tres o cuatro plantas (pisos).

# Assessment

After going over the Assessment, you may administer the test for **Lección 1, Capítulo 4.**

## 5 Describan.

20. Tikal
21. Copán
22. Islas de San Blas
23. gallopinto

To review some places of interest and foods from Central America, turn to pages 172–174.

# Estructura

## 6 Completen con el futuro.

24. Nosotros _____ el viaje. (hacer)
25. Ellos nos _____. (acompañar)
26–27. Yo _____ a Guatemala pero tú _____ a Honduras, ¿no? (ir)
28. Yo _____ que comprarme una mola en San Blas. (tener)
29. Sandra _____ a sus primos que viven en El Salvador. (ver)

To review verbs in the future tense, turn to page 175.

## 7 Completen con el condicional.

30. Nosotros _____ el viaje. (hacer)
31. Ellos nos _____. (acompañar)
32–33. Yo _____ a Guatemala pero tú _____ a Honduras, ¿no? (ir)
34. Yo _____ que comprarme una mola en San Blas. (tener)
35. Sandra _____ a sus primos que viven en El Salvador. (ver)

To review verbs in the conditional, turn to page 177.

Lago Atitlán, Guatemala

LA AMÉRICA CENTRAL

ANSWERS TO  Assessment

 **5**

20. Tikal es una de las famosas ciudades mayas. Tiene unas macizas pirámides que emergen sobre el techo de la vegetación de la selva.
21. Copán es otra famosa ciudad maya. Está en Honduras. La Gran Plaza de Tikal tiene impresionantes estelas con figuras humanas y altares con animales tallados. No muy lejos de la Gran Plaza está la cancha de pelota.

22. Las Islas de San Blas se componen de 365 islotes en Panamá. Allí viven los kunas en casas de paja y caña llamadas bohíos. La mayoría de los kunas viven de la recolección de productos marinos y de la pesca.
23. El gallopinto es una mezcla de arroz y frijoles acompañada de huevos y es un desayuno favorito de los nicaragüenses y de los costarricenses.

 **6**

24. haremos
25. acompañarán
26. iré
27. irás
28. tendré
29. verá

 **7**

30. haríamos
31. acompañarían
32. iría
33. irías
34. tendría
35. vería

## PREPARATION

### Resource Manager

Vocabulary Transparencies
  V4.4–V4.5
Audio Activities TE, pages 86–88
Audio CD 4, Tracks 15–18
Workbook, pages 59–60
Quiz, page 53
*ExamView® Assessment Suite*

### Bellringer Review

*Use BRR Transparency 4.5 or write
the following on the board.*
**Completen con el condicional.**
1. Yo ___ un viaje alrededor del
   mundo. (hacer)
2. Mi hermano ___ una mansión
   de 18 cuartos. (construir)
3. Tú ___ todo el dinero a una
   organización caritativa
   (benévola). (dar)
4. Ellos ___ un negocio. (abrir)
5. Nosotros ___ una avioneta.
   (comprar)

## PRESENTATION

### Vocabulario para la conversación

**Step 1**  You may wish to have students first study this vocabulary on their own. Then go over the activities that appear on page 184.

**Step 2**  You may wish to present the vocabulary with the Audio CD.

### Learning from Photos

Have students look at the illustrations and photos and say whatever they can about them in their own words.

## Vocabulario para la conversación 🎧

el dinero en efectivo

billetes pequeños

billetes grandes

suelto

monedas

Si tienes sólo billetes grandes,
yo te los puedo cambiar.

Gracias, tengo unos billetes
pequeños. Pero no tengo
ningún suelto.

¿Cuál es el tipo de cambio?

Hoy el dólar está
a 406 colones.

una casa de cambio

You may wish to
use the editable
PowerPoint® presentation available
on this PowerTeach
CD-ROM for additional vocabulary instruction and practice.

una chequera, un talonario

el saldo

una cuenta corriente

un cheque

el cajero automático

una tarjeta bancaria
la pantalla

un botón

Cuando yo recibo una factura, la pago enseguida.

la factura

el monto

Tienes que introducir tu tarjeta (bancaria). Te salen las instrucciones en la pantalla. Pulsas (Oprimes) unos botones para entrar tu pin o código.

## Más vocabulario

**un cargo** un pago que se debe hacer

**una hipoteca** un préstamo a largo plazo para comprar una casa

**el monto** el total

**un préstamo** el recibo de una cantidad de dinero que se devolverá en una fecha futura

   **a largo plazo** un préstamo por unos quince a veinticinco años

   **a corto plazo** un préstamo por unos tres años o menos

   **la tasa de interés** para un préstamo a corto plazo es más alta que la de un préstamo a largo plazo

**cobrar** recibir una cantidad de dinero como pago de algo

**pagar al contado** comprar algo y pagarlo todo enseguida

**pagar a cuotas (a plazos)** comprar algo haciendo pagos mensuales después de hacer un pago inicial (un pie, un pronto, un depósito, un enganche)

LA AMÉRICA CENTRAL

*ciento ochenta y tres*  **183**

---

## PRACTICE

**Historieta** Each time **Historieta** appears, it means that the answers to the activity form a short story. Encourage students to look at the title of the **Historieta,** since it can help them do the activity.

## ¿Qué palabra necesito?

**1**, **2**, **3** Have students do these activities with books open. You may wish to have two students retell all the information from **Actividades 1** and **2** in their own words.

## ¿Qué palabra necesito?

**1** **Historieta** **Las finanzas de José**
Contesten según se indica.

1. ¿Lleva José mucho dinero en efectivo? (no)
2. ¿Le gusta tener mucho suelto en su bolsillo? (no, le molesta)
3. ¿Cómo prefiere pagar sus gastos? (con una tarjeta de crédito)
4. ¿Tiene José una cuenta corriente? (no)
5. ¿Quién tiene una? (sus padres)
6. ¿Qué pagan ellos con cheque? (sus facturas)
7. ¿Es importante mantener un saldo en la cuenta corriente? (sí)

Banco de Costa Rica, San José, Costa Rica

**2** **Historieta** **El cajero automático**
Completen.

Para usar el __1__ automático hay que introducir tu __2__. Todas las instrucciones que necesitas salen en la __3__. Tienes que __4__ un botón para entrar tu pin o __5__. Luego puedes __6__ unos __7__ más para indicar el monto de dinero que quieres retirar.

**3** **Al contado o a cuotas** ¿Sí o no?

1. Al comprar un televisor, hay gente que lo paga al contado y hay otros que lo pagan a cuotas.
2. Si lo vas a pagar a cuotas, tienes que pagar un pronto.
3. A veces hay muchos cargos en una factura.
4. La tasa de interés de un préstamo es siempre muy baja.
5. La hipoteca es un ejemplo de un préstamo a corto plazo.
6. El tipo de cambio de una moneda puede cambiar de un día a otro.

---

## ANSWERS TO ¿Qué palabra necesito?

**1**
1. No, José no lleva mucho dinero en efectivo.
2. No, le molesta tener mucho suelto en su bolsillo.
3. Prefiere pagar sus gastos con una tarjeta de crédito.
4. No, José no tiene una cuenta corriente.
5. Sus padres tienen una.
6. Ellos pagan sus facturas con cheque.
7. Sí, es importante mantener un saldo en la cuenta corriente.

**2**
1. cajero
2. tarjeta (bancaria)
3. pantalla
4. pulsar (oprimir)
5. código
6. pulsar (oprimir)
7. botones

**3**
1. Sí
2. Sí
3. Sí
4. No, la tasa de interés de un préstamo no es siempre muy baja.
5. No, la hipoteca es un ejemplo de un préstamo a largo plazo.
6. Sí

# Asuntos financieros

**Sr. Rubén** ¿Vas a pasar el año en Panamá?

**Sandra** Sí, voy a tomar cursos en la Universidad del Istmo.

**Sr. Rubén** ¿Sabes que Panamá es el centro financiero de todo Latinoamérica?

**Sandra** Sí, lo sé. Pero no me importa porque no voy a tener mucha plata. Me pregunto si debo comprar cheques de viajero.

**Sr. Rubén** No, no. No te harán falta. Tendrás una tarjeta bancaria, ¿no?

**Sandra** Sí.

**Sr. Rubén** Pues, puedes hacer todo en el cajero automático. Introduces la tarjeta, pulsas unos botones para entrar tu pin o código y la cantidad de dinero que quieres. En unos momentos te sale el monto que has pedido—en efectivo.

**Sandra** Y, ¿de dónde se saca el dinero?

**Sr. Rubén** Pues, se retira enseguida de tu cuenta corriente. Es necesario que tengas una cuenta corriente en tu banco y que tu saldo sea suficiente para cobrar la cantidad que retiras.

**Sandra** ¿Me da el dinero en dólares o en la moneda local?

**Sr. Rubén** Pues, en Panamá la moneda es el dólar estadounidense. El balboa es sólo una moneda de veinticinco centavos. Pero si vas a Costa Rica, por ejemplo, te lo dará en colones—y a un tipo de cambio bastante favorable y con un cargo mínimo.

**Sandra** Entonces no tengo que ir a una casa de cambio.

**Sr. Rubén** No. Y por lo general ellos te cobran (clavan) una comisión bastante alta. Te conviene más el cajero automático. El único problema puede ser que te dé sólo billetes grandes y la máquina no te los puede cambiar en billetes más pequeños ni en suelto.

LA AMÉRICA CENTRAL

*ciento ochenta y cinco* 185

**Pre-AP SkillBuilder**

Listening to this conversation will give students the tools they need to succeed on the listening portion of the AP exam.

## Learning from Photos

*(page 185)* Esta foto, tomada desde el canal de Panamá en Balboa, mira hacia Paitilla, la zona comercial de la Ciudad de Panamá.

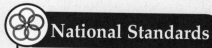

## National Standards

### Communication

Students learn to discuss how to use an ATM card to get local currency when traveling. They also learn to discuss the benefits and pitfalls of paying on time or in installments.

## PREPARATION

### Resource Manager

Audio Activities TE, pages 89–91
Audio CD 4, Tracks 19–20
Workbook, page 61
Quiz, page 54

### Bellringer Review

*Use BRR Transparency 4.6 or write the following on the board.*
**Escriban lo que ustedes hacen con su dinero.**

## PRESENTATION

### Conversación

**Step 1** Call on one student to be Sr. Rubén and another to be Sandra. Have them read about one third of the conversation before calling on someone else.

**Step 2** After each third of the conversation is read you may ask some comprehension questions or call on a student to give a summary.

**Step 3** To vary your presentation procedure, you may first want to have students listen to the Audio CD with books closed.

### LEVELING

**E–A:** Conversation

## Después de leer

### PRACTICE

## ¿Comprendes?

  **A**, **B** You may have students prepare **Actividades A** and **B** at home and then go over them in class.

### Learning from Photos

*(page 186)* El barrio Charrillo es un barrio popular de la Ciudad de Panamá no muy lejos del casco viejo.

 You may wish to use the editable PowerPoint® presentation available on this PowerTeach CD-ROM to have students listen to and repeat the Conversation. Additional activities are also provided.

Barrio Charrillo, Panamá

**Sandra** Pero si compro algo la mayoría de los negocios aceptan tarjetas de crédito, ¿no?

**Sr. Rubén** ¡Por supuesto! Pero, ¡cuidado! No debes hacer cargos que no puedes pagar en cuanto recibas la factura o el estado de la tarjeta de crédito. Sencillamente dicho, el saldo que no pagas se convierte en un préstamo y la tasa de interés es muy alta.

**Sandra** No, no quiero hacer ningún préstamo. Tengo una filosofía—si no tengo los recursos necesarios, no lo compro.

**Sr. Rubén** Es una filosofía muy buena. Cuando seas mayor y necesites un préstamo a corto plazo para comprarte un carro o una hipoteca para comprarte una casa, es otra cosa. En ese caso un préstamo es indispensable. Pero como regla general es aconsejable comprar muy poco a cuotas porque una vez más la tasa de interés es muy alta. Una regla de oro es: comprar todo lo posible al contado.

**Sandra** ¡Ya! Y todo eso es para el futuro. Ahora todo lo que necesito es lo suficiente para permitirme un año en Panamá.

**Sr. Rubén** Sí, Sandra. Te deseo muy buena suerte y que lo pases bien en Panamá. Será una experiencia inolvidable.

## ¿Comprendes?

 **A** Contesten.

1. ¿Dónde va a pasar el año Sandra?
2. ¿Qué es la Ciudad de Panamá?
3. ¿Va a tener mucho dinero Sandra?
4. ¿Ella debe comprar cheques de viajero?
5. Si tiene una tarjeta bancaria, ¿qué puede usar?
6. ¿Qué tiene que introducir en el cajero automático?
7. ¿Cómo entra su pin o código?
8. En unos momentos, ¿qué le sale?
9. ¿Qué tiene que tener Sandra para usar el cajero automático?

**B** Corrijan las oraciones falsas.

1. La moneda oficial de Panamá es el dólar estadounidense.
2. La moneda de Costa Rica es el dólar también.
3. El cajero automático te da dinero en la moneda nacional.
4. El cajero automático te puede cambiar billetes grandes en billetes pequeños.
5. Te puede dar suelto también.
6. Uno debe tener un saldo alto en su tarjeta de crédito y pagarlo a cuotas.
7. La tasa de interés de una tarjeta de crédito es muy baja.
8. Una hipoteca es un préstamo a largo plazo que se usa para comprar una casa.

**Spanish Online**
To learn more about the economies of Central America, do the Chapter 4 **WebQuest** activity on the Glencoe Spanish Web site at glencoe.com.

## ANSWERS TO ¿Comprendes?

 **A**

1. Sandra va a pasar el año en Panamá.
2. La Ciudad de Panamá es el centro financiero de todo Latinoamérica.
3. No, Sandra no va a tener mucho dinero.
4. No, ella no debe comprar cheques de viajero.
5. Puede usar un cajero automático si tiene una tarjeta bancaria.
6. Tiene que introducir su tarjeta (bancaria) en el cajero automático.

7. Pulsa (oprime) unos botones para entrar su pin o código.
8. En unos momentos le sale el monto que ha pedido—en efectivo.
9. Sandra tiene que tener una cuenta corriente en su banco para usar el cajero automático.

 **B**

1. Sí
2. No, la moneda de Costa Rica es el colón.
3. Sí
4. No, el cajero automático no te puede cambiar billetes grandes en billetes pequeños.
5. No, no te puede dar suelto tampoco.
6. No, uno no debe tener un saldo alto en su tarjeta de crédito y pagarlo a cuotas.
7. No, la tasa de interés de una tarjeta de crédito es muy alta.
8. Sí

# Estructura • Repaso

 **Pronombres de complemento**
### Referring to people and things already mentioned

**1.** The pronouns **me, te, nos** in Spanish can be either a direct or an indirect object.

| DIRECT | INDIRECT |
|---|---|
| ¿Él te conoce? | ¿Él te debe dinero? |
| Sí, me conoce. | No, no me debe nada. |

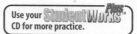 Use your **StudentWorks** Plus
CD for more practice.

**2.** The pronouns **lo, la, los,** and **las** are direct object pronouns. They can refer to persons or things.

| | |
|---|---|
| Tengo el cheque. | Lo tengo. |
| Tengo la tarjeta de crédito. | La tengo. |
| Quiero ver los cargos. | Los quiero ver. |
| Quiero ver las facturas. | Las quiero ver. |
| Invité a Juan. | Lo invité. |
| Invité a sus amigas también. | Las invité también. |

**3.** **Le** and **les** are indirect object pronouns. They can replace both masculine and feminine nouns. Since they can refer to different people, they are often clarified by a prepositional phrase.

Le hablé { a él. / a ella. / a usted. }  Les hablé { a ellos. / a ellas. / a ustedes. }

Avenida Balboa, Ciudad de Panamá, Panamá

## PREPARATION

 ### Resource Manager

Audio Activities, pages 92–94
Audio CD 4, Tracks 21–24
Workbook, page 62
Quizzes, pages 55–56
*ExamView® Assessment Suite*

 ## Bellringer Review

*Use BRR Transparency 4.7 or write the following on the board.*
**Escriban.**
**1. tres cosas que le interesan**
**2. tres cosas que le divierten**
**3. tres cosas que no le gustan**

## PRESENTATION

### Pronombres de complemento

**Step 1** Most students will probably need at least a quick review of this point.

**Step 2** Have students read the model sentences aloud in Item 1.

**Step 3** As you go over Item 2, write the sentences on the board. Draw a box around the noun that is the direct object and a circle around the object pronoun. Draw a line from the box to the circle to show that the pronoun replaces the noun.

**Step 4** When going over Item 3, emphasize the fact that **le** and **les** replace both masculine and feminine nouns.

**LEVELING**
**C:** Structure

## Reaching All Students

Have advanced learners take part in a debate. One side: **Si no lo puedo comprar al contado, no lo voy a comprar.** Other side: **A mí no me importa si tengo deudas. Yo lo pagaré a plazos o con una tarjeta de crédito.**

## Learning from Photos

*(page 187)* Como se ve en esta foto muchas partes de la Ciudad de Panamá son muy modernas con bulevares anchos, y rascacielos con oficinas, empresas comerciales y condominios lujosos.

# Conversación

# Conversación

## ¿Cómo lo digo?

### 1 Historieta   El señor Salas  Contesten.

1. ¿Te vio el señor Salas?
2. ¿Te habló de tus finanzas?
3. ¿Te dijo que es fácil usar el cajero automático?
4. ¿Te preguntó si tienes una tarjeta bancaria?

### 2 Historieta   En la fiesta  Completen.

Teresa __1__ llamó a Luis y a mí. Ella __2__ invitó a la fiesta. Ella __3__ llamó a ti también, y __4__ invitó, ¿no? Perdón, ahora tengo que tocar el piano, porque Teresa __5__ lo pidió. A mí __6__ gusta mucho la música latina. ¿Y a ti __7__ gusta también?

### 3 Historieta   Al cajero automático
Contesten con pronombres.

1. ¿Quién necesita el dinero? ¿Sandra?
2. ¿Tiene ella su tarjeta bancaria?
3. ¿Introduce la tarjeta en el cajero automático?
4. ¿Ella lee las instrucciones en la pantalla?
5. ¿Ella comprende las instrucciones?
6. ¿Ella pulsa los botones?
7. ¿Entra su código?
8. ¿Cuenta el dinero que sale?
9. ¿Pone el dinero en su cartera?
10. ¿Pone su cartera en su bolso?

CUENTA
Costo Cero
no pagas mantenimiento*

Planes de Ahorro

BANCO DE CRÉDITO

Canal de Panamá, Panamá

### 4 Historieta   Sandra salió para Panamá.  Completen.

Sandra llegó al mostrador de la línea aérea en el aeropuerto. Ella __1__ habló al agente. Ella habló en español. Sandra __3__ dio las maletas al agente y el agente __4__ puso en la báscula y __5__ pesó. El agente __6__ dijo a Sandra cuanto pesaban. La pasajera __7__ dio su boleto al agente. El agente __8__ miró. Facturó el equipaje, y __9__ dio el boleto y los talones a Sandra. El agente __10__ dio las gracias a la pasajera y __11__ deseó un feliz viaje.

---

# Dos complementos en la misma oración
## Referring to people and things already mentioned

**1.** Very often both a direct and an indirect object pronoun appear in the same sentence. When they do, the indirect object comes before the direct object.

Él **me** dio el dinero.          Él **me lo** dio.
Ella **te** devolvió la chequera.    Ella **te la** devolvió.

**2.** The indirect object pronouns **le** and **les** change to **se** when used with **lo, la, los,** or **las.**

¿La factura? Yo **se la** di $\left\{ \begin{array}{l} \text{a él.} \\ \text{a ella.} \\ \text{a usted.} \\ \text{a ellos.} \\ \text{a ellas.} \\ \text{a ustedes.} \end{array} \right.$     ¿Los cheques de viajero? Yo **se los** di $\left\{ \begin{array}{l} \text{a él.} \\ \text{a ella.} \\ \text{a usted.} \\ \text{a ellos.} \\ \text{a ellas.} \\ \text{a ustedes.} \end{array} \right.$

Canal de Tortuguero, cerca de Puerto Limón, Costa Rica

LA AMÉRICA CENTRAL

*ciento ochenta y nueve*  **189**

LECCIÓN 2
Conversación

### Dos complementos en la misma oración

## Teacher NOTE

This is one of those grammatical points that students learn better through examples than through explanation. In your presentation, it is recommended that you concentrate on the model sentences and use the actual answers to the activities as examples rather than belabor the explanation of which pronoun goes where. The more students hear the correct order, the less frequently they will make errors.

With less able groups, you may wish to practice replacing only one object pronoun in each sentence and come back to this topic at another time.

**LEVELING**
**C:** Structure

## PRACTICE

# ¿Cómo lo digo?

**5**, **7** Go over these activities orally in class with no prior preparation.

**6**, **8** These activities can be gone over orally in class then assigned for written homework. Have students read their answers aloud the next day.

---

**5** *Answers will end with* cuando estaba en Centroamérica.

1. ¿Quién te la compró?
   Mi hermano me la compró...
2. ¿Quién te la compró?
   Mi hermano me la compró...
3. ¿Quién te los compró?
   Mi hermano me los compró...
4. ¿Quién te lo compró?
   Mi hermano me lo compró...
5. ¿Quién te la compró?
   Mi hermano me la compró...
6. ¿Quién te las compró?
   Mi hermano me las compró...
7. ¿Quién te las compró?
   Mi hermano me las compró...
8. ¿Quién te la compró?
   Mi hermano me la compró...

**6**

1. —Sí, mucho. ¿Quién te las dio?
   —Nadie me las dio. Me las compré.
2. —Sí, mucho. ¿Quién te lo dio?
   —Nadie me lo dio. Me lo compré.
3. —Sí, mucho. ¿Quién te la dio?
   —Nadie me la dio. Me la compré.
4. —Sí, mucho. ¿Quién te lo dio?
   —Nadie me lo dio. Me lo compré.
5. —Sí, mucho. ¿Quién te los dio?
   —Nadie me los dio. Me los compré.
6. —Sí, mucho. ¿Quién te las dio?
   —Nadie me las dio. Me las compré.

**190**

---

## ¿Cómo lo digo?

**5** **¿Quién te lo compró?** Sigan el modelo.

   la hamaca →
   —¿Quién te la compró?
   —Mi hermano me la compró cuando estaba
     en Centroamérica.

1. la mola
2. la estatua
3. los animales tallados
4. el calendario
5. la figura del jaguar
6. las vasijas
7. las piezas de cerámica
8. la pirámide

**6** **¿Te gusta?** Sigan el modelo.

   —¿Te gusta el traje?
   —Sí, mucho. ¿Quién te lo dio?
   —Nadie me lo dio. Me lo compré.

1. ¿Te gustan las botas?
2. ¿Te gusta el saco?
3. ¿Te gusta la camisa?
4. ¿Te gusta el pantalón?
5. ¿Te gustan los mocasines?
6. ¿Te gustan las corbatas?

**7** **Finanzas** Contesten según el modelo.

   —¿Le diste el código a Elena?
   —No, se lo di a Tomás.
   —¿Se lo diste a él? ¿Por qué?

1. ¿Le diste la tarjeta a Elena?
2. ¿Le diste el talonario a Elena?
3. ¿Le enviaste los billetes a Elena?
4. ¿Le diste las monedas a Elena?
5. ¿Le diste el cheque a Elena?

**8** **Historieta** **Una carta a la abuela**
Contesten con pronombres.

1. ¿Le escribiste una carta a abuelita?
2. ¿Le mandaste un cheque?
3. ¿Les enviaste tus saludos a sus hermanos?
4. ¿Le mandaste las fotos de la familia?
5. ¿Le dijiste que se las mostrara a sus hermanos?
6. ¿Crees que abuelita te contestará la carta enseguida?

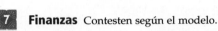
Sololá, Guatemala

---

## ANSWERS TO ¿Cómo lo digo?

**7**

1. —No, se la di a Tomás.
   —¿Se la diste a él? ¿Por qué?
2. —No, se lo di a Tomás.
   —¿Se lo diste a él? ¿Por qué?
3. —No, se los di a Tomás.
   —¿Se los diste a él? ¿Por qué?
4. —No, se las di a Tomás.
   —¿Se las diste a él? ¿Por qué?
5. —No, se lo di a Tomás.
   —¿Se lo diste a él? ¿Por qué?

**8**

1. Sí, (No, no) se la escribí a ella.
2. Sí, (No, no) se lo mandé (a ella).
3. Sí, (No, no) se los envié a ellos.
4. Sí, (No, no) se las mandé a ella.
5. Sí, (No, no) le dije que se las mostrara a ellos.
6. Sí, creo que me la contestará enseguida./No, no creo que me la conteste enseguida.

# ¡Te toca a ti!
## Use what you have learned

### ¿Qué tipo eres?

✔ *Describe your personal financial habits*

En cuanto a tus finanzas personales, ¿qué tipo de persona eres? ¿Compras sólo lo que puedes pagar al contado? Si no tienes los recursos necesarios, ¿compras algo que quieres o no? ¿Usas mucho una tarjeta de crédito? ¿Pagas el saldo total o no? ¿Te molesta comprar a cuotas y tener que hacer pagos mensuales? ¿Te gusta gastar tu dinero fácilmente o prefieres ahorrar dinero?

### Un peligro

✔ *Discuss the possible pitfalls of increasing your spending habits*

Explica por qué hay que tener mucho cuidado y no incurrir muchas deudas y tener muchas obligaciones financieras mensuales.

### Una beca

✔ *Discuss options for student loans and financial aid for college*

Muchas veces es necesario recibir una beca para pagar o a lo menos ayudar a pagar los gastos universitarios. Y a veces es necesario pedir un préstamo estudiantil. En este momento, ¿qué condiciones están en vigencia? ¿Cuál es la tasa de interés? ¿Puedes tener el préstamo por un plazo de cuánto tiempo? ¿Cuándo tendrás que empezar a hacer pagos?

### El cajero automático

✔ *Describe how to use an ATM and explain its advantages*

Explica a alguien como usar el cajero automático. Explícale las ventajas de usarlo en un país extranjero.

### Al contado o no

✔ *Describe financial payment options*

En tus propias palabras explícale a alguien la diferencia entre pagar al contado y pagar a cuotas.

Universidad de San Carlos de Borromeo, Guatemala

LA AMÉRICA CENTRAL

---

ANSWERS TO ¡Te toca a ti!

*Answers will vary.*

## Writing Development
Have students keep a notebook or portfolio containing their best written work from each chapter. These selected writings can be based on assignments from the Student Textbook and the Workbook. The activities on this page are examples of writing assignments that may be included in each student's portfolio.

## ♻ Recycling
These activities allow students to use the vocabulary and structure from this lesson in completely open-ended, real-life situations.

### PRESENTATION

Encourage students to say as much as possible when they do these activities. Tell them not to be afraid to make mistakes, since the goal of these activities is real-life communication. If someone in the group makes an error, allow the others to politely correct him or her. Let students choose the activities they would like to do.

You may wish to divide students into pairs or groups. Encourage students to elaborate on the basic theme and to be creative. They may use props, pictures, or posters if they wish.

# Assessment

## Resource Manager

Assessment Transparency A4.2
Online Quiz
Tests, pages 110–111 and 116–138
*ExamView® Assessment Suite*

## Assessment

This is a pretest for students to take before you administer the lesson test. Answer sheets for students to do these pages are provided in the transparencies. Note that each section is cross-referenced so students can easily find the material they have to review in case they made errors. You may wish to collect these assessments and correct them yourself or you may prefer to have the students correct themselves in class. You can go over the answers orally or project them on the overhead, using your Assessment Answers transparencies.

## Reaching All Students

### Non-Mastery Students
Encourage students who need extra help to refer to the yellow notes and review any section before answering the questions.

# Vocabulario

**1** **Completen.**

**1–2.** Para escribir cheques es necesario tener una _____ en el banco y los gastos no pueden exceder el _____ que tienes en la cuenta.

**3–6.** Si vas a usar el _____, tienes que seguir las instrucciones en la _____; introducir tu _____, y pulsar unos botones para entrar tu pin o _____.

**7.** Cuando recibes una _____, la tienes que pagar.

**8–9.** Una hipoteca es ejemplo de un _____ a largo _____.

**10.** Si no puedes pagar al contado, lo puedes pagar _____ después de hacer un pago inicial.

**11–12.** La _____ es más alta para un préstamo a largo plazo que para un préstamo a _____ plazo.

To review vocabulary, turn to pages 182–183.

# Conversación

**2** **Contesten.**

**13.** ¿Qué ciudad es el centro financiero de todo Latinoamérica?

**14.** ¿Cuál es la moneda oficial de Panamá?

**15.** ¿Por qué no va a necesitar Sandra cheques de viajero?

**16.** Cuando uno retira dinero del cajero automático, ¿de dónde se saca?

**17.** ¿Qué acepta la mayoría de los negocios? ¿Con qué puedes pagar?

**18.** ¿Cuándo es necesario pedir un préstamo?

**19.** ¿Qué significa comprar algo a cuotas?

**20.** Y, ¿pagar al contado?

To review the conversation, turn to pages 185–186.

## ANSWERS TO Assessment

**1**

1. cuenta corriente
2. saldo
3. cajero automático
4. pantalla
5. tarjeta (bancaria)
6. código
7. factura
8. préstamo
9. plazo
10. a cuotas, a plazos
11. tasa de interés
12. corto

**2**

13. La Ciudad de Panama es el centro financiero de todo Latinoamérica.
14. El dólar estadounidense es la moneda oficial de Panamá.
15. Sandra no va a necesitar cheques de viajero porque es muy fácil usar un cajero automático allí.
16. Cuando uno retira dinero del cajero automático, se saca de su cuenta corriente.

# Estructura

**3** Completen.

**21–26.** —Roberto, ¿quién _____ regaló los anteojos para el sol?

—Pues, mi hermana _____ _____ regaló. ¿_____ gustan?

—Sí, _____ gustan mucho. _____ voy a comprar unos parecidos.

**27–33.** —Antonia, ¿_____ diste la tarjeta a Enrique?

—Sí, _____ _____ di ayer.

—¿Cuándo _____ _____ va a devolver?

—_____ _____ va a devolver mañana. Y no estoy preocupada porque Enrique es un tipo muy serio.

**34–40.** —Anita, ¿a cuánto _____ salieron las molas?

—¿Cuáles, Elena, las que _____ mostré anoche?

—No, _____ _____ mostraste esta mañana, no anoche.

—Ah, esas. _____ salió en unos veinticinco cada una.

—Pero, ¿cuántas molas compraste?

—Compré a lo menos cinco. _____ encantan. Yo _____ considero verdaderas obras de arte.

To review object pronouns, turn to pages 187 and 189.

Assessment

After going over the Assessment, you may administer the test for **Lección 2, Capítulo 4.**

Avenida Balboa, Ciudad de Panamá, Panamá

LA AMÉRICA CENTRAL

## ANSWERS TO Assessment

**3**

17. La mayoría de los negocios acepta tarjetas de crédito. Puedes pagar con una.

18. Es necesario pedir un préstamo cuando uno compra un carro o una casa.

19. Comprar algo a cuotas significa comprar algo haciendo pagos mensuales después de hacer un pago inicial.

20. Pagar al contado significa comprar algo y pagarlo todo enseguida.

21. te
22. me
23. los
24. Te
25. me
26. Me

27. le
28. se
29. la
30. te
31. la
32. Me
33. la
34. te

35. te
36. me
37. las
38. Me
39. Me
40. las

## Vocabulario para la lectura

**Anuncios sociales**

Use your **StudentWorks** Plus
CD for more practice.

el matrimonio, la boda

la pareja

La pareja quería que se efectuara su matrimonio
en la iglesia parroquial.
Ellos deseaban que todos sus familiares
estuvieran presentes.

el entierro, el sepelio

el cortejo

las debutantes

### Más vocabulario

**el deceso**  la muerte, el fallecimiento
**el/la difunto(a)**  una persona muerta
**la esquela**  el obituario
**el velorio**  acción de velar el cadáver de un difunto; el velatorio
**culminar**  dar fin a una cosa, terminar, acabar
**debutar**  realizar un debut
**efectuarse**  tener lugar, realizarse, llevar a cabo
**fallecer**  morir
**felicitar**  expresar buenos deseos a una persona
**festejar**  celebrar

**194** ciento noventa y cuatro

CAPÍTULO 4

---

### Bellringer Review

*Use BRR Transparency 4.8 or write
the following on the board.*
**Escriban una lista de fiestas o
celebraciones del mundo hispano.
¿Son las mismas celebraciones que
tenemos en Estados Unidos?**

## PRESENTATION

### Vocabulario para la lectura

**Step 1**  Present the new words,
sentences, and definitions and
have students repeat them after
you or the Audio CD.

**Step 2**  After presenting the
vocabulary, have students close
books and call on individuals to
give a synonym of each of the
following.

1. terminar
2. el sepelio
3. la boda
4. el muerto
5. el obituario
6. celebrar
7. la muerte
8. morir

**POWERTEACH**
*Interactive*
**Chalkboard**

You may wish to
use the editable
PowerPoint® pre-
sentation available
on this PowerTeach
CD-ROM for additional vocabulary instruction and practice.

### Vocabulary Expansion

There are a number of terms used
for the dead. Among them are:
**el/la difunto(a), el/la muerto(a),
el/la finado(a), el/la fenecido(a),
el/la fallecido(a).**

## ¿Qué palabra necesito?

**1** **Eventos de la vida** Contesten.

1. ¿Querían sus padres que él culminara su carrera universitaria?
2. ¿Se graduó cuando culminó la carrera?
3. ¿Se casó la pareja?
4. ¿Querían que su matrimonio se efectuara en la iglesia parroquial?
5. ¿Querían que sus familiares estuvieran presentes?
6. ¿Les felicitaron sus familiares después de la ceremonia?

**2** **Otra palabra, por favor.** Expresen de otra manera.

1. Ellas *realizaron su debut* en una gala en el Club Náutico.
2. Todos los familiares y amigos asistieron *a la boda.*
3. Todos sus amigos le *expresaron sus buenos deseos* al graduado.
4. Después de la ceremonia todos *festejaron* por la felicidad de los graduados.
5. El señor *murió* ayer.
6. *El obituario* salió en el periódico.
7. *El velatorio* será en Funerales Ortiz.
8. *El sepelio* se efectuará en el cementerio municipal.

Iglesia de San José, Panamá

LA AMÉRICA CENTRAL

*ciento noventa y cinco* 195

## ANSWERS TO ¿Qué palabra necesito?

**1**

1. Sí, (No, no) querían sus padres que él culminara su carrera universitaria.
2. Sí, (No, no) se graduó cuando culminó la carrera.
3. Sí, (No, no) se casó la pareja.
4. Sí, (No, no) querían que su matrimonio se efectuara en la iglesia parroquial.
5. Sí, (No, no) querían que sus familiares estuvieran presentes.
6. Sí, (No, no) les felicitaron sus familiares después de la ceremonia.

**2**

1. se debutaron
2. al matrimonio
3. felicitaron
4. celebraron
5. falleció
6. La esquela
7. El velorio
8. El entierro

## Lectura

### National Standards

**Cultures**
Students will become familiar with important social occasions and rites of passage.

---

## PREPARATION

### Resource Manager

Audio Activities TE, pages 97–99
Audio CD 4, Tracks 28–31
Workbook, page 64
Quiz, page 58

---

## PRESENTATION

**Step 1** Have students read these announcements as if they were perusing the newspaper. The major objective of this **Lectura** is to introduce students to the type of language and wording used in social announcements.

### Pre-AP SkillBuilder

As students read these **Lecturas,** they will continue to develop the skills they need to be successful on the reading and writing sections of the AP exam.

---

# Anuncios sociales

Se suelen marcar los pasajes de la vida con una ceremonia. Y por lo general se quiere informar a todas las personas que pudieran tener interés en el evento. Una manera eficaz de informar a un amplio público es por medio del periódico donde se anuncian las galas, los cumpleaños, las bodas y las muertes. Aquí tenemos algunos de estos anuncios que aparecieron en el periódico *La Prensa* en Panamá.

## Sociales

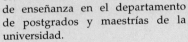

### Noche de alegría, lujo y esplendor

La noche del viernes pasado estuvo llena de belleza y alegría, al debutar cuarenta jóvenes en la sociedad en el 48.º festival de debutantes organizado por las Damas Guadalupanas. El evento se celebró en la Terraza Mar del Sur del Club Unión y contó con la presencia de familiares, amigos e invitados de las jóvenes que debutaron.

### Graduación

La Universidad del Istmo felicita a Gabriel Velásquez por culminar con éxito un ciclo más de enseñanza en el departamento de postgrados y maestrías de la universidad.

### Boda Guerra-Miranda

El altar de la Iglesia San Juan Bautista de Boquete fue escogido por la pareja formada por la señorita Danitza Miranda y Antonio Guerra para unir sus vidas en santo matrimonio. Los nuevos esposos son hijos de Honorio Gil y Nora Quiel de Miranda y de Antonio Guerra y Melva Pinto de Guerra. Luego de la ceremonia religiosa, los padres de los novios ofrecerán una elegante recepción que tendrá lugar en el salón Arco Iris de la Feria de las Flores y el Café, donde se festejará por la felicidad de Danitza y Antonio.

### Primer añito

Hoy cumple su primer añito el encantador bebé Fernando F. Castro; que el niño Jesús lo proteja y lo guíe por el mejor camino, son los deseos de sus queridos abuelitos, tíos, primitos, y sus padres Luis Castro y Lizbeth de Castro.

# FUN FACTS

Todavía es bastante común en las áreas rurales que una partera o comadrona sea la persona que asista al parto, y no un médico. Antes, las parteras eran mujeres sin preparación formal. Hoy muchas parteras son enfermeras especialistas con formación profesional.

**LEVELING**
**E:** Reading

## Obituarios

### Fallece padre de Jorge

En la madrugada del sábado, murió el padre del futbolista salvadoreño Jorge «Mágico» González.

Luego de padecer una grave enfermedad, falleció en el hospital Médico Quirúrgico, el señor Óscar González, padre de toda una generación de futbolistas como Efraín, conocido como «Pachín González»; Jesús, llamado «Chud González»; y de «Mágico González», considerado el mejor futbolista que ha dado El Salvador.

Los restos del señor González están siendo velados en Funerales Modernos, de esta capital, y está previsto que su entierro se efectuará para la tarde del domingo.

Al momento del deceso, Jorge González estaba fuera del país, integrando una selección de Estrellas en Estados Unidos.

*de El Diario de Hoy*
San Salvador

### Funerales Reforma, lamenta el

sensible fallecimiento de
José Luis Portillo Amaya
Falleció el día 6 de julio.
Descanse en paz.
El cortejo fúnebre sale el 7 de julio a las 15:00 de las capillas de: Funerales Reforma, Zona 9, hacia Santa Lucía Cotzumalguapa.
Guatemala, 7 de julio

*de la Prensa Libre*
Ciudad de Guatemala

 **¿Comprendes?**

**A** **Sociales** Contesten.

1. ¿Dónde se celebró la gala de las debutantes?
2. ¿Cuántas jóvenes debutaron?
3. ¿Quiénes asistieron a la gala?
4. ¿Dónde culminó un ciclo más el joven?
5. ¿En qué iglesia se efectuó el matrimonio de la pareja?
6. ¿Qué ofrecerán los padres de los novios?
7. ¿Dónde tendrá lugar?
8. ¿Cuántos años cumple el niño?

**B** **Obituarios** Contesten.

1. ¿Dónde y cuándo falleció el padre del futbolista Jorge González?
2. ¿Para cuándo está previsto el entierro?
3. ¿Murió el padre antes de que volviera su hijo de Estados Unidos?
4. ¿Cuándo falleció José Luis Portillo Amaya?
5. ¿De dónde y cuándo saldrá el cortejo fúnebre?
6. ¿Dónde se efectuará el sepelio?

Catedral Santiago, Managua, Nicaragua

LA AMÉRICA CENTRAL

---

---

## ANSWERS TO ¿Comprendes?

**A**

1. Se celebró la gala de las debutantes en la Terraza Mar del Sur del Club Unión.
2. Cuarenta jóvenes debutaron.
3. Familiares, amigos e invitados de las jóvenes asistieron a la gala.
4. El joven culminó un ciclo más en el departamento de postgrados y maestrías de la Universidad del Istmo.
5. Se efectuó el matrimonio de la pareja en la Iglesia San Juan Bautista de Boquete.
6. Los padres de los novios ofrecerán una elegante recepción.
7. La recepción tendrá lugar en el salón Arco Iris de la Feria de las Flores y el Café.
8. El niño cumple un año.

**B**

1. El padre del futbolista Jorge González falleció en el hospital Médico Quirúrgico, en la madrugada del sábado.
2. El entierro está previsto para la tarde del domingo.
3. Sí, el padre murió antes de que volviera su hijo de Estados Unidos.
4. José Luis Portillo Amaya falleció el día 6 de julio.
5. El cortejo fúnebre saldrá de las capillas de Funerales Reforma el 7 de julio a las 15:00.
6. El sepelio se efectuará en Santa Lucía Cotzumalguapa.

LECCIÓN 3
**Periodismo**

## PREPARATION

### Resource Manager

Vocabulary Transparency V4.7
Audio Activities TE, page 99
Audio CD 4, Track 32
Workbook, page 65
Quiz, page 59
*ExamView® Assessment Suite*

### Bellringer Review

*Use BRR Transparency 4.9 or write
the following on the board.*
**Escriban una lista de todos los
animales cuyos nombres ustedes
saben en español.**

## PRESENTATION

### Vocabulario para la lectura

**Step 1** You may wish to ask
students the following personal
questions as you present the
vocabulary. **¿Tienes una mascota?
¿Qué tienes? ¿Lleva algún tipo de
identificación? ¿Se extravió
alguna vez? ¿Adónde fue?
¿Dónde lo (la) encontraste? ¿Tú lo
(la) encontraste o lo (la) encontró
otra persona? ¿Te lo (la) devolvió?**

## PRACTICE

### ¿Qué palabra necesito?

**1** and **2** You can go over
these activities orally in class.

### Learning from Photos

Ask students if they remember
where el Darién is located in
Panama.

---

# Vocabulario para la lectura 🎧
### Amigos con «cédula»

el lomo
la mascota

La mascota se extravió.
Los dueños no sabían dónde estaba.
La buscaban por todas partes.
Le rogaban a quien encontrara su mascota que se la devolviera.

## Más vocabulario

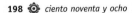

**la cédula** tarjeta de identidad, documento
**el extravío** acción de tomar un camino equivocado
**las siglas** OTAN, AAA, OEA son siglas
**devolver (ue)** restituir (dar) una cosa a la persona que la poseía
**rechazar** resistir, lo contrario de «aceptar»

## ¿Qué palabra necesito?

**1** **Historieta** **Su mascota** Contesten.
1. ¿Estaban desesperados los Gómez?
2. ¿No podían encontrar su perro?
3. ¿Temían que él se extraviara?
4. ¿Tenían miedo de que alguien lo robara?
5. ¿Le rogaban a quien encontrara su mascota que se la devolviera?

**2** **¿Cuál es la palabra?** Completen.
1. Mucha gente adora a su ____. No hay nada más adorable
que un perrito o un gatito.
2. En muchos países los ciudadanos tienen que llevar siempre
una ____ de identidad.
3. Él tiene mi lápiz. Yo lo necesito y él no me lo quiere ____.
4. No lo va a ____. Lo va a aceptar.
5. OEA son las ____ de la Organización de Estados Americanos.

Darién, Panamá

---

## ANSWERS TO ¿Qué palabra necesito?

**1**
1. Sí, los Gómez estaban desesperados.
2. No, no podían encontrar su perro.
3. Sí, temían que él se extraviara.
4. Sí, tenían miedo de que alguien lo robara.
5. Sí, le rogaban a quien encontrara su mascota que se la devolviera.

**2**
1. mascota
2. cédula
3. devolver
4. rechazar
5. siglas

## Día

San José, Costa Rica

# Amigos con «cédula»

### «Chip» se implanta en animales para poder identificarlos.

A veces, ver abierta la puerta de la casa que da a la calle es una mala señal. Puede significar que el perro salió y anda vagando por el barrio. A menudo hay que preguntar a los vecinos o salir a «patrullar» las calles para dar con la mascota.

La angustia y la preocupación que invade a los dueños es fuerte. Sin embargo, esas sensaciones podrían ser cosa del pasado.

Para que «los mejores amigos del hombre» puedan ser identificados y devueltos a casa se creó un microchip que se les coloca en el cuerpo y reúne toda su información. Esta pequeña pieza, aunque parezca ciencia-ficción, es lo último en tecnología.

Aunque ya tiene algunos años en el mercado aún no es muy difundido en el país y se llama AVID, (siglas en inglés para *American Veterinarian Identification Device*) y en Costa Rica se usa desde hace un año y medio.

### Al servicio

«Este sistema fue ideado por una compañía estadounidense para proporcionar una identificación individual de todas las mascotas y así poder localizarlas mediante el servicio ID Animal (como una cédula),

en caso de extravío,» explicó el veterinario Oldemar Echandi, de la veterinaria Doctores Echandi.

El AVID es un pequeñísimo circuito de computadora, recubierto con una proteína biocompatible (que el cuerpo del animal no rechaza) y almacena[1] el número de identificación de cada mascota.

«Es como la punta de un lápiz, se inyecta bajo la piel y es inalterable e irremovible,»

aseguró el veterinario Pedro Villalobos, de la Veterinaria Lutz.

Ambas veterinarias, Dr. Echandi y Lutz, implantan el AVID en el país y dan el servicio de identificación con un costo de ¢7.000 y ¢8.000 respectivamente.

«Si un animal se pierde o es robado, el dueño puede comprobar que es suyo con sólo revisar el chip,» comentó Villalobos.

[1] almacena *stores*

*ciento noventa y nueve* 199

Lectura

## PREPARATION

### Resource Manager

Audio Activities TE, page 100
Audio CD 4, Track 33
Workbook, page 65
Quiz, page 60

## PRESENTATION

**Step 1** Have students read this human interest story for amusement. You may even just have them read it silently. Call on a few students to give the general idea.

**Step 2** In less able groups, however, you may wish to go over it orally in class. It is quite easy and contains some useful vocabulary.

### LEVELING
**E:** Reading

## Vocabulary Expansion

You may wish to give students the names of the following breeds of dogs:
**el cócker, el bóxer, el gran danés, el pequinés, el afgano, el galgo** *(greyhound),* **el pastor alemán, el choco** *(poodle),* **el perro de San Bernardo, el perro de muestra** *(setter),* **el perro de aguas** *(spaniel).*

## Después de leer

### PRACTICE

# ¿Comprendes?

**Note:** It is recommended that you allow students to look up the answers as they read rather than use the activities for factual recall.

**A** and **B** Have students prepare these activities for homework and then go over them orally in class.

### ¿Cómo se implanta?

Este dispositivo se aplica mediante una sencilla inyección, con un aparato especial mediante la cual el microchip es colocado bajo la piel del animal, específicamente en la región cruz (lomo). La aplicación no significa ninguna molestia para las mascotas.

Aunque el dispositivo sólo se coloca en perros y caballos, es posible usarlo en cualquier otro animal, incluso en aves.

«Antes nosotros lo implantábamos en animales salvajes, pero luego se exportó a los domésticos,» aseguró Echandi.

Además, el chip se puede colocar en animales de cualquier edad pues no causa efectos secundarios negativos.

«Una vez inyectado la capa que recubre al microchip evita su migración del sitio donde se puso y garantiza la permanencia y durabilidad por el resto de la vida del animal,» explicó Echandi.

Este chip no funciona con baterías, ni requiere mantenimiento. La memoria computarizada del mismo contiene un código individual e irrepetible, por lo que es imposible que existan dos iguales.

Para leer el código se utiliza un lector[2] especial, el cual al ser activado registra el número en una pantalla de cristal líquido.

«Una vez identificada la serie, ésta se mete en la computadora, la cual indica el nombre del propietario, su dirección y cédula, así como las características del animal ya sea raza, color y edad,» comentó Echandi.

Este código no sólo funciona en Costa Rica (se aplica en más de veinticinco veterinarias en San José, Cartago, Heredia y Alajuela), pues también en Estados Unidos, Canadá, Europa y todo Latinoamérica.

[2] lector  *scanner*

# ¿Comprendes?

**A** **Protección** Contesten.

1. ¿Por qué puede ser una puerta abierta que da a la calle una mala señal?
2. ¿Quiénes son «los mejores amigos del hombre»?
3. ¿Qué se ha creado?
4. ¿Dónde se coloca el microchip?
5. ¿Qué es el AVID? Descríbelo.

**B** **El microchip** Expliquen.

1. como se implanta
2. por cuanto tiempo dura el chip
3. como funciona
4. lo que se usa para leer el código
5. la información que da el código
6. donde funciona el código

---

## ANSWERS TO ¿Comprendes?

**A**

1. Una puerta abierta que da a la calle puede ser una mala señal porque puede significar que el perro salió y anda vagando por el barrio.
2. Los perros son «los mejores amigos del hombre».
3. Se ha creado un microchip que se les coloca en el cuerpo y reúne mucha información.
4. Se coloca el microchip en el cuerpo del perro u otro animal.
5. El AVID es el *American Veterinarian Identification Device.* Es un pequeñísimo circuito de computadora, recubierto con una proteína biocompatible y almacena el número de identificación de cada mascota.

**B**

1. Se inyecta el microchip bajo la piel con un aparato especial.
2. Dura por el resto de la vida del animal.
3. La memoria computarizada del microchip contiene un código individual e irrepetible.
4. Para leer el código se utiliza un lector especial, el cual al ser activado registra el número en una pantalla de cristal líquido.

# Estructura • Avanzada

## Imperfecto del subjuntivo
### Expressing emotions and possibilities about past events

**1.** The imperfect subjunctive of all verbs is formed by dropping the **-on** ending of the third person plural, **ellos(as),** form of the preterite tense of the verb.

| PRETERITE | hablaron | comieron | pidieron | tuvieron | dijeron |
|---|---|---|---|---|---|
| STEM | hablar- | comier- | pidier- | tuvier- | dijer- |

**2.** To this stem, you add the following endings: **-a, -as, -a, -amos,** *-ais,* **-an.**

| INFINITIVE | hablar | comer | pedir | tener | decir |
|---|---|---|---|---|---|
| yo | hablara | comiera | pidiera | tuviera | dijera |
| tú | hablaras | comieras | pidieras | tuvieras | dijeras |
| él, ella, Ud. | hablara | comiera | pidiera | tuviera | dijera |
| nosotros(as) | habláramos | comiéramos | pidiéramos | tuviéramos | dijéramos |
| *vosotros(as)* | *hablarais* | *comierais* | *pidierais* | *tuvierais* | *dijerais* |
| ellos, ellas, Uds. | hablaran | comieran | pidieran | tuvieran | dijeran |

### IRREGULAR VERBS

| | | | |
|---|---|---|---|
| andar | anduvieron | anduvier- | anduviera |
| estar | estuvieron | estuvier- | estuviera |
| tener | tuvieron | tuvier- | tuviera |
| poder | pudieron | pudier- | pudiera |
| poner | pusieron | pusier- | pusiera |
| saber | supieron | supier- | supiera |
| querer | quisieron | quisier- | quisiera |
| venir | vinieron | vinier- | viniera |
| hacer | hicieron | hicier- | hiciera |
| leer | leyeron | leyer- | leyera |
| oír | oyeron | oyer- | oyera |
| decir | dijeron | dijer- | dijera |
| conducir | condujeron | condujer- | conducjera |
| traer | trajeron | trajer- | trajera |
| ir | fueron | fuer- | fuera |
| ser | fueron | fuer- | fuera |

LA AMÉRICA CENTRAL

## ANSWERS TO ¿Comprendes?

**5.** El código da el nombre del propietario, su dirección y cédula, y las características del animal ya sea raza, color y edad.

**6.** El código funciona en Costa Rica, Estados Unidos, Canadá, Europa y todo Latinoamérica.

You may wish to use the editable PowerPoint® presentation available on this PowerTeach CD-ROM for additional grammar instruction and practice.

## PREPARATION

### Resource Manager

Workbook, pages 66–68
Audio Activities TE, pages 101–102
Audio CD 4, Tracks 34–36
Quizzes, pages 61–62
*ExamView®* Assessment Suite

### Bellringer Review

*Use BRR Transparency 4.10 or write the following on the board.*
**Completen con el pretérito.**
1. Ellos lo ___ y yo lo ___ también. (decir)
2. Ellos lo ___ y yo lo ___ también. (tener)
3. Ellos no lo ___ y yo no lo ___ tampoco. (saber)
4. Ellos no lo ___ y yo no lo ___ tampoco. (hacer)
5. Ellos no lo ___ y yo no lo ___ tampoco. (oír)

## PRESENTATION

### Imperfecto del subjuntivo

 You may wish to intersperse the grammar as you present other parts of the lesson.

**Step 1** Have students read the explanatory material silently.

**Step 2** Write the verb paradigms of **hablar, comer, pedir, tener,** and **decir** on the board and have students repeat.

**Step 3** Have the class repeat the forms of the remaining irregular verbs in unison.

### LEVELING

**C:** Structure

201

## PRESENTATION

**Step 4** Have students read the explanation in Items 3, 4 and 5.

**Step 5** Have students repeat the model sentences in unison.

 **¡OJO!** You may wish to intersperse the grammar as you present the newspaper articles in this lesson or you may prefer to do the grammar all at once.

## About the Spanish Language

It is becoming common these days to hear and see the present subjunctive used after a verb in the past or conditional in the main clause. This is the case even in prestigious newspapers and quotes by famous people. We continue to teach, however, that the imperfect subjunctive should be used.

## PRACTICE

# ¿Cómo lo digo?

## Teacher NOTE

Many of these activities can be done without previous preparation. Depending on class ability, you may assign any or all activities to be done for homework and go over them the following day in class.

## Learning from Photos

*(page 202)* Puerto Limón está en la costa del Caribe en Costa Rica. Aquí vive mucha gente de ascendencia africana.

**202**

---

3. The same rules that govern the use of the present subjunctive govern the use of the imperfect subjunctive. It is the tense of the verb in the main clause that determines whether the present or imperfect subjunctive must be used in the dependent clause. If the verb of the main clause is in the present or future tense, the present subjunctive is used in the dependent clause.

> **Quiero que** ellos me **digan** donde se casarán.
> **Será** necesario que lo **sepamos** pronto.

4. When the verb of the main clause is in the preterite, imperfect, or conditional, the imperfect subjunctive must be used in the dependent clause.

> Él **habló** así para que **comprendiéramos.**
> **Quería** que ellos me **representaran.**
> **Sería** absolutamente imposible que yo **asistiera.**

5. The following is the sequence of tenses for using the present and imperfect subjunctive.

| Present Future | } Present Subjunctive | Preterite Imperfect Conditional | } Imperfect Subjunctive |
| --- | --- | --- | --- |

*Puerto Limón, Costa Rica*

# ¿Cómo lo digo?

**1** **Él lo quería.** Sigan el modelo.

> invitarlo →
> Él quería que yo lo invitara.

1. mirarlo
2. pagarlo
3. comerlo
4. devolverlo
5. escribirlo
6. servirlo
7. tenerlo
8. saberlo
9. hacerlo
10. leerlo
11. decirlo
12. ponerlo

**2** **Historieta** **Los padres de Alejandra** Contesten.

1. ¿Querían los padres de Alejandra que ella asistiera a la universidad?
2. ¿Insistieron en que ella culminara su carrera?
3. ¿Se alegraban de que ella se graduara con honores?
4. ¿Quería Alejandra que ellos pusieran un anuncio en el periódico?

**202** doscientos dos

CAPÍTULO 4

---

## Answers to ¿Cómo lo digo?

**1**

1. Él quería que yo lo mirara.
2. Él quería que yo lo pagara.
3. Él quería que yo lo comiera.
4. Él quería que yo lo devolviera.
5. Él quería que yo lo escribiera.
6. Él quería que yo lo sirviera.
7. Él quería que yo lo tuviera.
8. Él quería que yo lo supiera.
9. Él quería que yo lo hiciera.
10. Él quería que yo lo leyera.
11. Él quería que yo lo dijera.
12. Él quería que yo lo pusiera.

**2**

1. Sí, (No, no) querían los padres de Alejandra que ella asistiera a la universidad.
2. Sí, (No, no) insistieron en que ella culminara su carrera.
3. Sí, (No, no) se alegraban de que ella se graduara con honores.
4. Sí (No), Alejandra (no) quería que ellos pusieran un anuncio en el periódico.

**3** **Historieta** **Una mascota extraviada** Contesten.

1. ¿Tenían miedo tus vecinos mayores que su perro se extraviara?
2. ¿Te rogaron que lo buscaras?
3. ¿Sería necesario que tú anduvieras por todo el barrio buscándolo?
4. ¿Estaban contentos con que tú quisieras y pudieras ayudarlos?
5. ¿Querías que ellos pusieran un anuncio en el periódico?

**4** **Nuestro profesor exigente** Sigan el modelo.

hablarle en español →
**Nuestro profesor insistió en que le habláramos en español.**

1. hablar mucho
2. pronunciar bien
3. llegar a clase a tiempo
4. aprender la gramática
5. escribir composiciones
6. leer novelas
7. trabajar mucho
8. hacer nuestras tareas

**5** **Historieta** **Un viaje** Sigan el modelo.

¿Él hace un viaje? →
**¿Sería posible que él hiciera un viaje?**

1. ¿Él va a Centroamérica?
2. ¿Tú lo acompañas?
3. ¿Visitan Panamá?
4. ¿Toman el tren de Colón a Balboa?
5. ¿Hacen una excursión a las islas San Blas?

El profesor insiste en que los alumnos escuchen.

**3** and **4** You may wish to have students do **Actividades 3** and **4** in pairs.

**Learning from Photos**

*(page 203)* Este tren atraviesa el istmo de Panamá a lo largo del canal.

**6** **Las finanzas** Completen.

1. Ella quiere que yo cambie dinero.
   Ella quería que yo _____ dinero.
2. Ella espera que hables con el cajero.
   Ella esperaba que _____ con el cajero.
3. Ella exige que yo traiga cheques de viajero.
   Ella me dijo que sería importante que yo _____ cheques de viajero.
4. Ella insiste en que el banco le haga cambio.
   Ella insistió en que el banco le _____ cambio.
5. Ella quiere que ellos pongan su dinero en el banco.
   Ella quería que ellos _____ su dinero en el banco.

**7** **¿Iría o no?** Completen.

1. Él irá con tal de que _____ ustedes. (ir)
2. Él iría con tal de que _____ ustedes. (ir)
3. Ellos no harán el viaje a menos que _____ bastante dinero. (tener)
4. Ellos no harían el viaje a menos que _____ bastante dinero. (tener)
5. Tu padre te dará el dinero para que tú _____ hacer el viaje. (poder)
6. Tu padre te daría el dinero para que tú _____ hacer el viaje. (poder)

Tren de Balboa a Colón, Panamá

LA AMÉRICA CENTRAL

*doscientos tres* 203

---

ANSWERS TO ¿Cómo lo digo?

**3**

1. Sí, mis vecinos mayores tenían miedo que su perro se extraviara.
2. Sí, me rogaron que lo buscara yo.
3. Sí, sería necesario que yo anduviera por todo el barrio buscándolo.
4. Sí, estaban contentos que yo quisiera y pudiera ayudarlos.
5. Sí, yo quería que ellos pusieran un anuncio en el periódico.

**4**

1. ... habláramos mucho.
2. ... pronunciáramos bien.
3. ... llegáramos a clase a tiempo.
4. ... aprendiéramos la gramática.
5. ... escribiéramos composiciones.
6. ... leyéramos novelas.
7. ... trabajáramos mucho.
8. ... hiciéramos nuestras tareas.

**5**

1. ¿Sería posible que él fuera a Centroamérica?
2. ¿Sería posible que tú lo acompañaras?
3. ¿Sería posible que visitaran Panamá?
4. ¿Sería posible que tomaran el tren de Colón a Balboa?
5. ¿Sería posible que hicieran una excursión a las islas San Blas?

**6**

1. cambiara
2. hablaras
3. trajera
4. hiciera
5. pusieran

**7**

1. vayan
2. fueran
3. tengan
4. tuvieran
5. puedas
6. pudieras

203

## LECCIÓN 3
# Periodismo

## PREPARATION

### Bellringer Review

*Use BRR Transparency 4.11 or write the following on the board.*

**Completen.**

1. Puedo ___ el viaje con él. (hacer)
2. Quieres que yo lo ___. (hacer)
3. Es posible que tú nos ___. (acompañar)
4. ¿No tienes miedo de que yo no ___ bastante dinero? (tener)
   Sabes que nunca ___ bastante dinero. (tener)

## PRESENTATION

### Subjuntivo con conjunciones de tiempo

**Step 1** Have students read the explanation in Item 1 aloud.

**Step 2** Have students read the model sentences aloud.

**Step 3** Have students repeat in unison the adverbial conjunctions of time in Item 2.

**Step 4** Make certain that students are aware of the exception to the rule in Item 3. Have them repeat the model sentences aloud.

## PRACTICE

## ¿Cómo lo digo?

**8** and **9** Have students prepare these activities before going over them in class.

### LEVELING

**A:** Structure

---

# Subjuntivo con conjunciones de tiempo
## Using time expressions

*Use your StudentWorks Plus CD for more practice.*

**1.** The subjunctive is used with adverbial conjunctions of time when the verb of the main clause is in the future, since it is uncertain if the action in the adverbial clause will really take place. When the verb in the main clause is in the past, the indicative is used since the action of the clause has already been realized.

> **Ella nos hablará cuando lleguemos.**
> **Ella nos habló cuando llegamos.**

**2.** Some frequently used adverbial conjunctions of time that follow the same pattern are:

| | | | |
|---|---|---|---|
| **cuando** | *when* | **hasta que** | *until* |
| **en cuanto** | *as soon as* | **después de que** | *after* |
| **tan pronto como** | *as soon as* | | |

**3.** The conjunction **antes de que,** *before,* is an exception. **Antes de que** is always followed by the subjunctive. The imperfect subjunctive is used after **antes de que** when the verb of the main clause is in the past or in the conditional.

> **Ellos saldrán antes de que nosotros lleguemos.**
> **Ellos salieron antes de que nosotros llegáramos.**
> **Ellos saldrían antes de que nosotros llegáramos.**

## ¿Cómo lo digo?

**8** **Yo** Contesten personalmente.

1. ¿Qué piensas hacer en cuanto te gradúes?
2. ¿Qué piensas hacer cuando tengas tu diploma universitario?
3. Cuando seas mayor, ¿vas a tener tu propia tarjeta de crédito?
4. Cuando pagues tus facturas, ¿vas a escribir cheques o vas a pagar todo *online*?
5. Cuando tengas tu propia familia, ¿necesitarás una hipoteca para comprarte una casa?
6. Cuando compres un carro, ¿lo vas a pagar a cuotas?

**9** **Historieta** **¿Cuándo sea o cuándo fue?** Completen.

1. Ellos quieren casarse en cuanto _____. (poder)
2. Van a casarse cuando el novio _____ del ejército. (volver)
3. Luego tendrán que esperar hasta que se _____ todos los planes. (hacer)
4. Ellos se casaron en cuanto _____. (poder)
5. Se casaron cuando él _____ del ejército. (volver)
6. Esperaron hasta que se _____ todos los planes. (hacer)

---

## ANSWERS TO ¿Cómo lo digo?

**8** *Answers will vary.*

1. En cuanto me gradúe de la escuela secundaria, pienso ir a la universidad/trabajar.
2. Cuando yo tenga mi diploma universitario, pienso continuar mis estudios/trabajar.
3. Sí (No), cuando yo sea mayor de edad, (no) voy a tener mi propia tarjeta de crédito.
4. Cuando yo pague mis facturas, voy a escribir cheques/voy a pagar todo *online*.
5. Sí (No), cuando yo tenga mi propia familia, (no) necesitaré una hipoteca para comprarme una casa.
6. Sí (No), cuando yo compre un carro, (no) lo voy a pagar a cuotas.

**9**
1. puedan
2. vuelva
3. hagan
4. pudieron
5. volvió
6. hicieron

# ¡Te toca a ti!

**Use what you have learned**

### 1 HABLAR

## En nuestro periódico

✔ *Discuss your local newspaper's social announcements*

¿Qué tipo de anuncios sociales salen en tu periódico? ¿Son parecidos a los que salen en un periódico hispano? ¿Te interesan o no? ¿Los lees?

*Sociales del Diario*

### 2 ESCRIBIR

## Un anuncio social

✔ *Create your own wedding announcement*

Escribe un anuncio sobre el matrimonio de unos amigos tuyos. Puede ser ficticio.

### 3 HABLAR ESCRIBIR

## Mi mascota

✔ *Describe your family pet*

¿Tienes una mascota? Descríbela. ¿La adoras? ¿Cuáles son algunas cosas «adorables» que hace? ¿Saldrá si dejas una puerta abierta? ¿Se extravía de vez en cuando o regresa (vuelve) enseguida?

**Tercer aniversario**

El próximo lunes, 22 de diciembre, a las siete de la noche, se ofrecerá una misa de recordación de quien fuera distinguida dama, doctora Carmita Olavarrieta, al cumplirse el tercer año de su triste fallecimiento. La doctora Olavarrieta, durante muchos años, fue miembro destacada de distintas organizaciones cívicas, culturales y sociales, y muy especialmente de UNICEF. Piadoso acto al que invita su viudo, el doctor José Luis Olavarrieta.

### 4 HABLAR ESCRIBIR

## Amigos con «cédula»

✔ *Discuss the article about inserting a chip in your pet*

¿Qué opinas del chip que describe este artículo? Explica como funciona y si quisieras tener una implantada en tu mascota.

### 5 HABLAR

## Mi adorable familia

✔ *Discuss with a classmate all the things your family would like to have you do*

Habla con un(a) compañero(a). Dile todo lo que tu adorada familia quisiera que tú hicieras. A tu parecer, ¿son muy exigentes o no? Tu compañero(a), ¿quisiera su familia que él/ella hiciera más o menos las mismas cosas?

### 6 HABLAR

## En el futuro

✔ *Describe your plans for the future*

Habla de todo.

- lo que quieres hacer en cuanto termines con la escuela secundaria
- lo que esperas hacer cuando seas adulto(a)
- lo que quieres hacer antes de que cumplas los veintiún años

Niña con su mascota, Portobello, Panamá

LA AMÉRICA CENTRAL

*doscientos cinco* ⚙ 205

## ANSWERS TO ¡Te toca a ti!

*Answers will vary.*

## Writing Development

Have students keep a notebook or portfolio containing their best written work from each chapter. These selected writings can be based on assignments from the Student Textbook and the Workbook. The activities on this page are examples of writing assignments that may be included in each student's portfolio.

---

## ♻ Recycling

These activities allow students to use the vocabulary and structure from this lesson in completely open-ended, real-life situations.

## PRESENTATION

Encourage students to say as much as possible when they do these activities. Tell them not to be afraid to make mistakes, since the goal of these activities is real-life communication. If someone in the group makes an error, allow the others to politely correct him or her. Let students choose the activities they would like to do.

You may wish to divide students into pairs or groups. Encourage students to elaborate on the basic theme and to be creative. They may use props, pictures, or posters if they wish.

Assessment

## Assessment

This is a pretest for students to take before you administer the lesson test. Answer sheets for students to do these pages are provided in the transparencies. Note that each section is cross-referenced so students can easily find the material they have to review in case they made errors. You may wish to collect these assessments and correct them yourself or you may prefer to have the students correct themselves in class. You can go over the answers orally or project them on the overhead, using your Assessment Answers transparencies.

## Reaching All Students

### Non-Mastery Students
Encourage students who need extra help to refer to the yellow notes and review any section before answering the questions.

# Vocabulario

**1 Completen.**

1. La _____ se casará en junio.
2. Su matrimonio _____ en la iglesia parroquial.
3. Todos sus amigos _____ a los nuevos casados.
4. Unas cuarenta muchachas lindas _____ en una gran gala en el Club Náutico de la ciudad.

**2 Den otra palabra.**

5. terminar, acabar
6. una persona muerta
7. morir
8. la muerte
9. conjunto de personas
10. festejar

To review vocabulary, turn to pages 194 and 198.

# Lectura

**3 Contesten.**

11. La noche del viernes pasado estuvo llena de belleza y alegría. ¿Qué pasó en la terraza del Club Unión?
12. ¿Por qué felicitó la Universidad del Istmo a Gabriel Velásquez?
13. ¿Qué ofrecieron los padres de los nuevos esposos después de la ceremonia religiosa?
14. ¿Cuántos años cumplió el encantador bebé?

To review these social announcements, turn to page 196.

## ANSWERS TO Assessment

1. pareja
2. se efectuará, tendrá lugar, se realizará, llevará a cabo
3. felicitarán
4. debutarán

5. efectuarse
6. el/la difunto(a)
7. fallecer
8. el deceso
9. el cortejo
10. celebrar

3

11. Cuarenta jóvenes debutaron en la terraza del Club Unión.
12. Gabriel Velásquez culminó con éxito un ciclo más de enseñanza en el departamento de postgrados y maestrías de la universidad.
13. Los padres de los nuevos esposos ofrecieron una recepción.
14. El bebé cumplió su primer año.

## 4 Lean y contesten.

**Funerales Reforma,** lamenta el
sensible fallecimiento de
José Luis Portillo Amaya
Falleció el día 6 de julio.
Descanse en paz.
El cortejo fúnebre sale el 7 de julio a las
15:00 de las capillas de: Funerales
Reforma Zona 9, hacia Santa Lucía
Cotzumalguapa.
Guatemala, 7 de julio

de la *Prensa Libre*
Ciudad de Guatemala

Spanish Online
For more Chapter 4 test preparation, go to
the Chapter 4 **Self-Check Quiz** on the
Glencoe Spanish Web site at glencoe.com.

15. ¿Quién murió?
16. ¿Cuándo?
17. ¿De dónde saldrá el cortejo fúnebre?
18. ¿En qué cementerio se efectuará el sepelio?

# Estructura

## 5 Sigan el modelo.

saberlo →
**Fue necesario que él lo supiera.**

19. comprarlo            23. pedirlo
20. recibirlo            24. decirlo
21. leerlo               25. ponerlo
22. hacerlo              26. pagarlo

To review the
imperfect subjunctive,
turn to pages
201–202.

## 6 Completen.

27. Él estaba viajando cuando _____ su padre. (morir)
28. Él volverá en cuanto _____ de su muerte. (saber)
29. ¿Podrán esperar hasta que él _____? (regresar)
30. No, el sepelio se efectuó antes de que él _____. (llegar)

To review the
subjunctive with
expressions of time,
turn to page 204.

---

ANSWERS TO Assessment

**4**

15. Murió José Luis Portillo Amaya.
16. Falleció el día 6 de julio.
17. El cortejo fúnebre saldrá de las
    capillas de Funerales Reforma.
18. Se efectuará el sepelio en Santa
    Lucía Cotzumalguapa.

**5**

19. Fue necesario que él lo comprara.
20. Fue necesario que él lo recibiera.
21. Fue necesario que él lo leyera.
22. Fue necesario que él lo hiciera.
23. Fue necesario que él lo pidiera.
24. Fue necesario que él lo dijera.
25. Fue necesario que él lo pusiera.
26. Fue necesario que él lo pagara.

**6**

27. murió
28. sepa
29. regrese
30. llegara

**¡OJO!** It is suggested that you share the following information with students before they begin their writing projects.

Es cierto que cuando escribes en inglés tu estilo de escribir es mucho más sofisticado que en español. Cuando escribes en español tienes que usar frases más sencillas. Si encuentras una idea muy complicada, piensa un momento en una manera más sencilla de expresarla.

¡Un consejo muy importante! No traduzcas del inglés al español. Si traduces cometerás sin duda un montón de errores. O lo que escribes será muy anglicanizado. Desde el principio, por difícil que sea, piensa siempre en español. Si una palabra inglesa te viene a la mente, piensa enseguida en una expresión española que exprese la misma idea. Usa el español que ya has aprendido aún si exige que te expreses de una manera sencilla. Trata de evitar usar un diccionario bilingüe porque casi siempre escogerás una palabra errónea.

Prepara siempre un borrador de tu escrito. Al terminarlo, ponlo al lado. Léelo de nuevo un poco más tarde y haz las revisiones que consideres necesarias. Luego léelo una vez más para buscar errores ortográficos y gramaticales. Ten mucho cuidado en verificar las terminaciones.

## Teacher NOTE

You may wish to have students do all these activities or you may wish to have them select the one(s) they want to do.

# Composición

Al escribir algo expositivo, puede ser necesario tomar algunos apuntes sobre el tema o tópico expositivo que quieres desarrollar. Tomando apuntes te ayuda a organizar tu escrito y evitar la posibilidad de introducir información errónea.

**TAREA 1** Durante tus estudios de español has aprendido mucho sobre las costumbres y tradiciones de los habitantes de los países latinoamericanos. Ahora vas a escribir un escrito expositivo sobre estas costumbres y tradiciones. Antes de empezar a escribir piensa en todo lo que has aprendido sobre este sujeto. Escribe rápido algunas notas sobre los hechos, datos e ideas que recuerdas. Si sólo puedes escribir tres o cuatro notas tendrás que leer de nuevo la lectura cultural de este capítulo y las de los Capítulos 2 y 3. Al leer, toma apuntes.

Luego escoge los hechos que has encontrado interesantes. Al escribir tu escrito expositivo recuerda que es necesario que tus lectores puedan seguir fácilmente tus ideas. Por consiguiente hay que escribir de una manera muy clara.

El buen escritor quiere también captar el interés de los que leen su escrito. Para que tu escrito sea más vivo da algunos ejemplos de las actividades que ilustran las costumbres y tradiciones que estás describiendo.

Antes de empezar a escribir haz una lista de los sujetos sobre los cuales quieres escribir. Algunos ejemplos son:

> **las lenguas**
> **las prácticas religiosas**
> **la vida en la selva**
> **la vida en el altiplano**
> **la comida**
> **el transporte**

Luego escribe algunos datos o ideas que quieres desarrollar en tu escrito.

Ahora puedes empezar a escribir tu primer borrador. Toma tus notas, organizándolas en párrafos.

Al terminar tu escrito, no olvides de revisarlo.

**TAREA 2** Has aprendido mucho sobre las diferentes civilizaciones precolombinas igual que grupos indígenas de hoy. Vas a escribir un ensayo en el cual vas a comparar y contrastar estas civilizaciones. Cuando comparas dos cosas, tienes que explicar como son similares (semejantes). Cuando las contrastas tienes que explicar como son diferentes. Al comparar y contrastar hay que analizar. Antes de empezar a escribir tienes que identificar las semejanzas y las diferencias entre las diferentes civilizaciones. Un diagrama tal como el siguiente te puede ayudar.

**Diferencias**

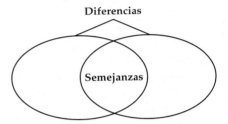

**Semejanzas**

Hay que decidir como vas a organizar tu ensayo. Puedes escoger el sujeto como los mayas, por ejemplo, y escribir todo lo que tienes que decir sobre ellos. O puedes organizar tu ensayo por tema o tópico, tal como la arquitectura. Si organizas tu ensayo por tema, tienes que aplicar este tema a los varios sujetos al mismo tiempo.

## Pre-AP SkillBuilder

The **tareas** in the **Composición** section provide students with valuable practice for the writing section of the AP exam.

**TAREA 3** Una narración o un escrito narrativo cuenta algo. Puede contar la vida de una persona, un acontecimiento, un evento, una película, una emisión televisiva. Muchos escritores de narración inventan los personajes o lugares de sus cuentos. En este caso sólo tienen que consultar su imaginación antes de empezar a escribir. A veces escogen una figura histórica y tienen que buscar hechos y eventos.

Ahora vas a escribir una narración sobre tu mascota, si tienes mascota. Describe a tu mascota—su apariencia y personalidad, sus acciones y comportamientos. ¿Es tu mascota tu mejor amigo(a)? ¿Por qué?

Si no tienes mascota tendrás que usar tu imaginación. ¿Qué tipo de mascota quisieras tener? ¿Qué harías con tu mascota? Si prefieres no tener mascota, explica por qué. ¿La encuentras una molestia?

**TAREA 4** Muchas veces tenemos que escribir algo que le dé instrucciones a una persona—como hacer algo o como reparar algo, por ejemplo. Al escribir unas instrucciones hay que dar detalles muy precisos para que el lector sepa exactamente lo que tiene que hacer. Si la receta para un plato no está bien escrita, al seguirla el cocinero puede estropear el plato completamente.

Tienes un(a) amigo(a) que no tiene muy buena memoria para los detalles y no sabe usar el cajero automático. Escríbele las instrucciones paso a paso.

# Discurso

Cuando hablas, la gente que te escucha pone más atención a lo que dices si hablas con entusiasmo. Como se dice en inglés *Get fired up!*—es decir, «¡dale tu máximo!» Aún si hablas a una sola persona, pero sobre todo si te diriges la palabra a un grupo, hay que tener entusiasmo y energía. Nadie quiere escuchar una estatua sin vida. Al pronunciar un discurso hay que ser una fuente de inspiración para los que te escuchan. Algo bastante ordinario puede ser interesante y hasta divertido si lo presentas con entusiasmo y energía.

**TAREA 5** Has aprendido muchos hechos interesantes sobre las tradiciones y costumbres de mucha gente indígena de Latinoamérica. Escoge un detalle que te ha interesado mucho. Cuéntalo a la clase. Acuérdate que quieres captar el interés de tus colegas de clase y divertirlos al mismo tiempo.

LA AMÉRICA CENTRAL

# Vocabulario

# Vocabulario

## Vocabulary Review

The words and phrases in the **Vocabulario** have been taught for productive use in this chapter. They are summarized here as a resource for both student and teacher. This list also serves as a convenient resource for the **¡Te toca a ti!** activities on pages 178–179, 191, and 205. There are approximately nineteen cognates in this vocabulary list. Have students find them.

 You will notice that the vocabulary list here is not translated. This has been done intentionally, since we feel that by the time students have finished the material in the chapter they should be familiar with the meanings of all the words. If there are several words they still do not know, we recommend that they refer to the **Vocabulario** sections in the chapter or go to the dictionaries at the end of this book to find the meanings. However, if you prefer that your students have the English translations, please refer to Vocabulary Transparencies 4.1A, 4.1B, and 4.1C, where you will find all these words with their translations.

You may wish to use the editable PowerPoint® presentation available on this PowerTeach CD-ROM to have students view the chapter vocabulary in a Spanish-English, English-Spanish format.

### Lección 1  Cultura

el animal tallado
el bohío, una choza de paja
la callejuela de adoquines
la destrucción
la estela
la hamaca
la mola
la pelota
el rascacielos

el techo
el terremoto
fuerte
picante
botar
causar
colgar (ue)
soler (ue)
trasladar

### Lección 2  Conversación

el billete
el botón
el cajero automático
el cargo
la casa de cambio
el cheque
la chequera, el talonario
el código
la cuenta corriente
el dinero
el dólar
la factura

la hipoteca
la moneda
el monto
la pantalla
el pin
el préstamo
el saldo
el suelto
la tarjeta
el tipo de cambio

a corto plazo
a largo plazo
bancario(a)
en efectivo
cambiar
cobrar
introducir
oprimir
pagar a cuotas (a plazos)
pagar al contado
pulsar

### Lección 3  Periodismo

**Anuncios sociales**
el cortejo
la debutante
el deceso
el/la difunto(a)
el entierro, el sepelio
la esquela
el familiar
la iglesia
el matrimonio, la boda
la pareja
el velorio
parroquial
culminar
debutar
desear

efectuarse
fallecer
felicitar
festejar

**Amigos con «cédula»**
la cédula
el/la dueño(a)
el extravío
el lomo
la mascota
la sigla
devolver (ue)
encontrar (ue)
extraviarse
rechazar
rogar (ue)

**LITERARY COMPANION** *See pages 456–463 for literary selections related to Chapter 4. The activities for these readings will help you continue to practice your reading comprehension skills.*

# ¡Viva el mundo hispano!

Video can be a beneficial learning tool for the language student. Video enables you to experience the material in the textbook in a real-life setting. Take a vicarious field trip as you see people interacting at home, at school, at the market, etc. The cultural benefits are limitless as you experience the Spanish-speaking world while "traveling" through many countries. In addition to its tremendous cultural value, video gives practice in developing good listening and viewing skills. Video allows you to look for numerous clues that are evident in tone of voice, facial expressions, and gestures. Through video you can see and hear the diversity of the target culture and compare and contrast the Spanish-speaking cultures to each other and to your own.

## Episodio 1: Una artesanía costarricense

Los agricultores costarricences hoy usan tractores. Pero hace un siglo usaban carretas tiradas por bueyes. La gente entonces empezó a decorar sus carretas. Las pintaban de colores vivos y brillantes y diseños complicados. Hoy las carretas son parte del folclore de Costa Rica. Los artesanos pintan estas carretas para exhibirlas.

## Episodio 2: Soñadores y malabaristas

Hace muchos siglos que acróbatas, malabaristas y payasos presentan sus espectáculos en las calles y plazas de todo el mundo. Estos jóvenes son miembros del grupo *Magos del tiempo* en San José, Costa Rica. El grupo se estableció en 2002. Aquí uno de ellos está enseñándoles a los compañeros como hacer malabarismo.

## Episodio 3: Una finca de mariposas

En esta finca no crían vacas ni ovejas. Lo que crían son mariposas. María Fernanda guía a un grupo de visitantes por la finca. La mariposa comienza como un huevecito. Luego se convierte en larva y después en crisálida. La Finca de Mariposas envía crisálidas a todo el mundo. Una visita a la Finca de Mariposas es una experiencia inolvidable.

LA AMÉRICA CENTRAL

### VIDEO VHS/DVD

The Video Program for Chapter 4 includes three documentary segments of some interesting aspects of life in Costa Rica. You may wish to have students answer oral or written comprehension questions about the video segments.

You may wish to use the editable PowerPoint® presentation available on this PowerTeach CD-ROM to have students view and listen to a short segment of the video. Additional activities are also provided.

# Planning for Chapter 5

## SCOPE AND SEQUENCE PAGES 212–269

### Topics
❖ The geography, history, and culture of Mexico

### Culture
❖ Windsurfing
❖ Mexican families

### Functions
❖ Express what you have done recently
❖ Give commands
❖ Describe actions in progress
❖ Refer to people and things already mentioned
❖ Describe actions completed prior to other actions
❖ Express what you would and will have done
❖ Express indefinite ideas

### Structure
❖ The present perfect
❖ Commands
❖ The progressive tenses
❖ Object pronouns
❖ Pluperfect, conditional perfect, and future perfect
❖ Subjunctive with indefinite ideas and in relative clauses

### National Standards

Communication Standard 1.1, pp. 212, 215, 225, 227–231, 235, 237–243, 247, 248, 261, 262, 263

Communication Standard 1.2, pp. 212, 216–222, 236–237, 248–250, 252–254

Communication Standard 1.3, pp. 230, 231, 243, 262, 263

Cultures Standard 2.1, pp. 212, 216, 236, 466, 467, 468, 471, 473

Cultures Standard 2.2, pp. 218–219, 221–222, 231

Connections Standard 3.1, pp. 212, 216–217

Connections Standard 3.2, pp. 227, 237, 263

Comparisons Standard 4.1, pp. 255–259

Comparisons Standard 4.2, pp. 212, 236, 252

Communities Standard 5.1, pp. 230, 231, 473

*To read the ACTFL Standards in their entirety, see page T36.*

## PACING AND LEVELING

**Lección 1: Cultura**  *(5–7 days)*

**Lección 2: Conversación**  *(5–7 days)*

**Lección 3: Periodismo**  *(5–7 days)*

**Proficiency Tasks**  *(1–2 days)*

**Videotur**  *(1–2 days)*

**Literatura**  *(5–7 days)*

**LEVELING**
The following is an overall leveling of the sections of each chapter of **¡Buen viaje!** Level 3.

**EASY:** Conversación, Estructura • Repaso
**AVERAGE:** Cultura, Periodismo, Estructura • Avanzada
**CHALLENGING:** Literatura

Most parts of each lesson are also leveled for your convenience in the Teacher Notes in the Wraparound section of your Teacher Edition.

**E: Easy    A: Average    C: Challenging**

Please note that the material does not become progressively more difficult. Within each chapter there are easy and challenging sections.

# TEACHER RESOURCE GUIDE

| SECTION | PRINT RESOURCES | TECHNOLOGY RESOURCES |
|---|---|---|
| **Lección 1** | | |
| Lectura<br>  Vocabulario para la lectura<br>    *(p. 214)*<br>  La geografía *(pp. 216–217)*<br>  La historia *(pp. 218–220)*<br>  Si haces una visita...<br>    *(pp. 221–222)*<br>Estructura • Repaso<br>  Presente perfecto<br>    *(pp. 223–224)*<br>  Imperativo *(p. 226)*<br>¡Te toca a ti! *(pp. 230–231)*<br>Assessment *(pp. 232–233)* | Audio Activities TE *(pp. 103–113)*<br>Workbook *(pp. 69–76)*<br>Quizzes *(pp. 63–68)*<br>Tests *(pp. 139–142 and 150–171)* | Vocabulary Transparency V5.2<br>Audio CD 5<br>*ExamView® Assessment Suite*<br>glencoe.com<br>Assessment Transparency A5.1<br>PowerTeach<br>Vocabulary PuzzleMaker |
| **Lección 2** | | |
| Conversación<br>  Vocabulario para la<br>    conversación *(p. 234)*<br>  En la agencia de alquiler de<br>    carros *(p. 236)*<br>Estructura • Repaso<br>  Tiempos progresivos *(p. 238)*<br>  Colocación de los pronombres<br>    de complemento<br>    *(pp. 239–240)*<br>  Pronombres de complemento<br>    con el imperativo *(p. 241)*<br>¡Te toca a ti! *(pp. 242–243)*<br>Assessment *(pp. 244–245)* | Audio Activities TE *(pp. 114–122)*<br>Workbook *(pp. 77–84)*<br>Quizzes *(pp. 69–72)*<br>Tests *(pp. 143–144 and 150–171)* | Vocabulary Transparency V5.3<br>Audio CD 5<br>*ExamView® Assessment Suite*<br>glencoe.com<br>Assessment Transparency A5.2<br>PowerTeach<br>Vocabulary PuzzleMaker |
| **Lección 3** | | |
| Lectura<br>  Vocabulario para la lectura<br>    *(p. 246)*<br>  Wind surf: agua, aire y<br>    ¡diversión! *(pp. 248–249)*<br>Lectura<br>  Vocabulario para la lectura<br>    *(p. 251)*<br>  ¿Mis padres no me gustan?<br>    *(pp. 252–253)*<br>Estructura • Avanzada<br>  Pluscuamperfecto *(p. 255)*<br>  Condicional perfecto *(p. 257)*<br>  Futuro perfecto *(p. 258)*<br>  Subjuntivo con expresiones<br>    indefinidas *(p. 259)*<br>  Subjuntivo en cláusulas<br>    relativas *(p. 260)*<br>¡Te toca a ti! *(pp. 262–263)*<br>Assessment *(pp. 264–265)*<br><br>Proficiency Tasks *(pp. 266–267)*<br>**Videotur** *(p. 269)*<br><br>Literatura *(pp. 464–475)* | Audio Activities TE *(pp. 123–132)*<br>Workbook *(pp. 85–94)*<br>Quizzes *(pp. 73–78)*<br>Tests *(pp. 145–171)*<br>Audio Activities *(pp. 229–235)*<br>Tests *(pp. 294–297)* | Vocabulary Transparencies V5.4–V5.5<br>Audio CD 5<br>*ExamView® Assessment Suite*<br>glencoe.com<br>Assessment Transparency A5.3<br>PowerTeach<br>Vocabulary PuzzleMaker<br>**¡Viva el mundo hispano!** Video<br>Video Activities<br>Audio CD 9 |

# Using Your Resources for Chapter 5

## Transparencies

**Map Transparencies** The full-color maps at the front of the Student Edition have been converted to transparency format.

**Bellringer Reviews** provide a quick review activity to begin each class.

**Vocabulary Transparencies** include the photos and art from the Student Edition pages, overlays with Spanish words, and Spanish/English vocabulary lists for each chapter.

**Assessment Transparencies** provide answer sheets and answers for the Assessment pages in the Student Edition.

**Fine Art** can be used to reinforce the topics introduced in the text and enrich your students' knowledge of Fine Art.

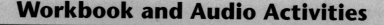

## Workbook and Audio Activities

### Writing Activities
The Workbook section includes numerous activities to reinforce each concept presented in the textbook. There are workbook pages for each of the following sections: vocabulary, culture, conversation, journalism, and structure. Varied activities provide several ways for students to practice and apply the material you have presented in class.

### Audio Activities
The Audio Activities pages in this booklet may be used to guide students through the listening and speaking activities provided on the Audio CDs. The script to the Audio CDs is also provided in the Audio Activities TE in the TeacherTools booklet if the teacher prefers to read the activities aloud. The Audio Activities provide listening and speaking practice to reinforce vocabulary, culture, conversation, structure, and literature.

Several options for Assessment are offered with the **¡Buen viaje!** program. The TeacherTools booklets include the following Assessment pieces.

**Quizzes** There are quizzes for Vocabulary, Culture, Structure, Conversation, and Journalism.

**Tests** There is a Reading and Writing Test for each lesson in the chapter. In addition, there are two different Chapter Reading and Writing Tests—one for less able to average students and the other for above average to advanced students. There is also a Listening Comprehension Test, a Speaking Test, and a Proficiency Test at the end of each chapter.

**Spanish Online** Students can easily access our Self-Check Quizzes at glencoe.com.

**ExamView® Assessment Suite** Test Bank software for Macintosh and Windows makes creating, editing, customizing, and printing tests quick and easy.

## Passport to Success Notebook

- **Notetaking and Study Strategies** help students organize and internalize new information, allowing them to become more effective communicators in the target language.

- **Reading Strategies** take the mystery out of reading and give students the tools they need to become more effective readers.

- **Standardized Test Practice** in every chapter helps students improve their test-taking skills through the study of foreign language.

## TECHNOLOGY

**TeacherWorks™** This all-in-one planner includes:

- Interactive Teacher Edition
- Lesson Planner with calendar
- Access to all program blackline masters
- Correlations to National Standards

**ExamView®** Assessment Suite   The *ExamView® Assessment Suite* includes *Test Generator, Test Player,* and *Test Manager.*

- Use premade tests or build your own easily and quickly
- Customize tests using a full-feature editor
- Select questions from existing test banks
- Set up your own question test banks
- Disaggregate data

**StudentWorks Plus™**   All-in-one interactive Student Edition and student resources—a backpack solution

## Preview

In this chapter, students will learn about the geography, history, and culture of Mexico. In the **Conversación** section students will learn vocabulary related to renting a car. Students will also read magazine and newspaper articles about windsurfing and about different types of parents.

### National Standards

**Communication**

Students will communicate in spoken and written Spanish on the following topics:
- The culture, geography, and history of Mexico
- Renting a car
- Windsurfing
- Parents

**Cultures**
- Students will learn about the geography, history, and culture of Mexico.

**Comparisons**

Students will discuss some differences between driving signals in the United States and Mexico.

**Connections**

This chapter establishes a connection with the fields of history, geography, sociology, and athletics.

# Capítulo
## 5

# México

Spanish Online
To interact with your online edition of
¡Buen viaje! go to: glencoe.com

212

## TeacherWorks
### All-In-One Planner and Resource Center

The TeacherWorks CD-ROM is an all-in-one planner and resource center. You may wish to use several of the following features as you plan and present the Chapter 5 material: Interactive Teacher Edition, Interactive Lesson Planner with Calendar, Point and Click Access to Teaching Resources including Hotlinks to the Internet and Correlations to the National Standards.

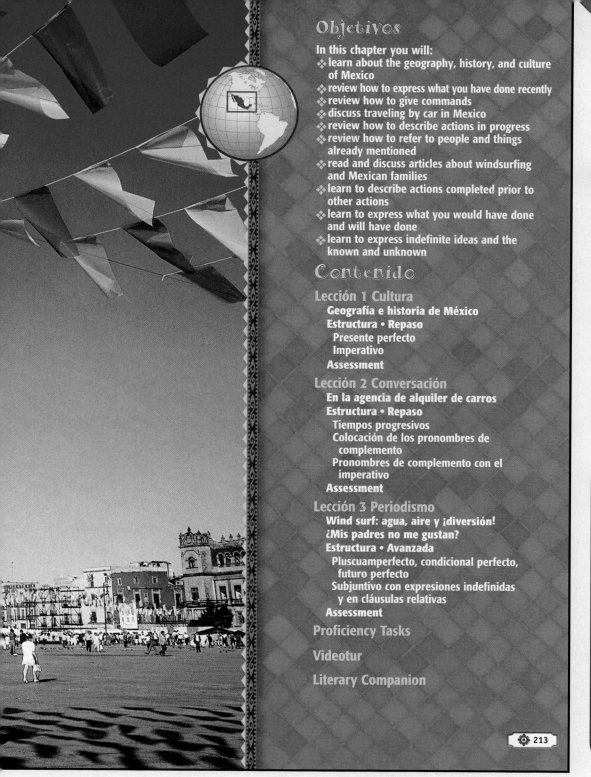

# Capítulo 5

**In this chapter you will:**

- learn about the geography, history, and culture of Mexico
- review how to express what you have done recently
- review how to give commands
- discuss traveling by car in Mexico
- review how to describe actions in progress
- review how to refer to people and things already mentioned
- read and discuss articles about windsurfing and Mexican families
- learn to describe actions completed prior to other actions
- learn to express what you would have done and will have done
- learn to express indefinite ideas and the known and unknown

## Contenido

 213

## Assessment

**Quizzes:** There is a quiz for every vocabulary presentation, every reading, and every structure point.
**Tests:** To accompany ¡**Buen viaje!** Level 3 there is a Reading and Writing Test for each of the three lessons that make up a chapter. In addition, at the end of each chapter there are five tests.

- Two Reading and Writing Tests; one easy to intermediate; another intermediate to challenging.
- A Listening Comprehension Test
- A Speaking Test
- A Proficiency Test

## Spotlight on Culture

**El Zócalo, México D.F.** El Zócalo, o Plaza de la Constitución, es la plaza principal de la Ciudad de México y una de las más grandes del mundo. En ella se encuentran la Catedral Metropolitana y el Palacio Nacional. Alrededor de la plaza hay museos y otros edificios importantes. En una esquina del Zócalo están las ruinas del Templo Mayor de los aztecas que data de los tiempos de Tenochtitlán. Fue sobre las ruinas de Tenochtitlán que Cortés hizo construir la nueva ciudad.

## LEVELING

The following is an overall leveling of the sections of each chapter of **¡Buen viaje!** Level 3.
**EASY:** Conversación, Estructura • Repaso
**AVERAGE:** Cultura, Periodismo, Estructura • Avanzada
**CHALLENGING:** Literatura
Most parts of each lesson are also leveled for your convenience.
E: Easy
A: Average
C: Challenging
    Please note that the material does not become progressively more difficult. Within each chapter there are easy and challenging sections.

## PREPARATION

## PREPARATION

### Resource Manager

Vocabulary Transparency V5.2
Audio Activities TE, pages 103–104
Audio CD 5, Tracks 1–3
Workbook, page 69
Quiz, page 63
*ExamView® Assessment Suite*

### Bellringer Review

*Use BRR Transparency 5.1 or write
the following on the board.*
**Completen con** el *or* la.
1. ___ puente de las Américas
   está en Panamá.
2. ___ fuente está en el patio de
   la escuela.
3. ¡Ojalá que yo tuviera ___
   suerte que ha tenido ella!
4. ___ nave es un tipo de barco.
5. ___ monte no es tan alto
   como la montaña.
6. Él está sudando en ___ frente.

## PRESENTATION

### Vocabulario para la lectura

**Step 1** Show the vocabulary
transparencies. Point to each
item as students repeat the words
and sentences after you or the
Audio CD.

**Step 2** Ask questions to have
students use the new words.
**¿Es árido el desierto? ¿Cuánto ha
llovido? ¿Qué plantas hay en el
desierto? ¿Qué hay en la selva
tropical? ¿Qué influencia ha
llegado a la selva? ¿Qué han
desaparecido de la selva? ¿Qué
hacen desaparecer la fauna? ¿Cuál
es un ave de la selva tropical?**

**Step 3** **Más vocabulario** Call on
a student to read the new word
and its definition.

**Step 4** Have students study the
new vocabulary at home.

**214**

## Vocabulario para la lectura 🎧

las flores silvestres

los cactos

la serpiente
el águila
las garras
la bandera

En la bandera mexicana un águila devora una
serpiente que tiene en sus garras.

El desierto es árido.
Ha llovido poco.
En los desiertos áridos vemos cactos y flores silvestres.

el jaguar

el guacamayo

En la selva tropical hay muchos animales y pájaros.
Estos animales han vivido en la selva por generaciones.
Pero, ha llegado la influencia del hombre a la selva.
La deforestación y la caza hacen desaparecer la fauna.
Han desaparecido árboles y animales.

### Más vocabulario

**el ajuste** el arreglo, la modificación
**el/la aliado(a)** colaborador, miembro de
  una alianza
**el centauro** criatura mítica que es
  medio hombre y medio caballo
**los restos** vestigios, residuos

**Mesoamérica** México, Centroamérica
  y las Antillas
**adelantado(a)** desarrollado, progresivo
**aterrador(a)** que causa terror,
  muchísimo miedo
**temible** espantoso, aterrador, terrorífico
**juntarse** unirse

**214** 🌼 *doscientos catorce*

CAPÍTULO 5

You may wish to
use the editable
PowerPoint® pre-
sentation available
on this PowerTeach
CD-ROM for additional vocabulary instruction and practice.

## ¿Qué palabra necesito?

**1** Historieta **La naturaleza** Contesten.

1. ¿Ha llovido poco en el desierto?
2. ¿Hemos visto cactos y flores allí?
3. En la selva, ¿ha desaparecido mucha fauna?
4. ¿Han deforestado la selva los hombres?
5. ¿Los animales han perdido su hábitat?
6. ¿Se han juntado algunos ecologistas para proteger la fauna y flora?

Sonora

**2** ¿Cuál es la palabra?
Den la palabra cuya definición sigue.

1. el que es un colaborador o camarada
2. una modificación que se hace para hacer algo más preciso
3. que causa mucho miedo o terror
4. una criatura mítica, medio hombre, medio caballo
5. un ave que aparece en la bandera mexicana
6. lo que queda de una civilización antigua
7. bien desarrollado
8. México, Centroamérica y las Antillas

Use your **StudentWorks** Plus
CD for more practice.

El Castillo, Chichén Itzá

MÉXICO

*doscientos quince* 215

### PRACTICE

## ¿Qué palabra necesito?

**1** and **2** You can go over **Actividades 1** and **2** as you present the vocabulary. You can do these activities first orally and then have students write them at home.
**Expansion:** After doing **Actividad 1,** call on a student to retell the information in his or her own words.

### Learning from Photos

*(page 214 top right)* Esta es la bandera de Estados Unidos Mexicanos. En la bandera vemos la imagen de un águila con una serpiente en sus garras.
*(page 215 top)* El desierto de Sonora comienza en el suroeste de California, atraviesa el sur de Arizona y parte de Nuevo México y cubre grandes áreas de los estados mexicanos de Sonora y Baja California. En algunas regiones no cae una gota de agua durante cuatro o cinco años. Este gran cacto es un **saguaro** que puede alcanzar una altura de quince metros.
*(page 215 bottom)* Chichén Itzá es el mejor preservado sitio maya en Yucatán dominado por El Castillo, una pirámide de 24 metros de alto, dedicado a Kukulcán, nombre que los mayas dieron al dios azteca Quetzalcoátl.

## ANSWERS TO ¿Qué palabra necesito?

**1**

1. Sí, ha llovido poco en el desierto.
2. Sí, hemos visto cactos y flores allí.
3. Sí, ha desaparecido mucha fauna en la selva.
4. Sí, los hombres han deforestado la selva.

5. Sí, los animales han perdido su hábitat.
6. Sí, se han juntado algunos ecologistas para proteger la fauna y flora.

**2**

1. el/la aliado(a)
2. el ajuste, el arreglo
3. temible, espantoso, aterrador
4. el centauro
5. el águila
6. los restos, los vestigios, los residuos
7. adelantado, progresivo
8. Mesoamérica

LECCIÓN I
Cultura

## Lectura

Lectura

## PREPARATION

### Resource Manager

Audio Activities TE, pages 105–110
Audio CD 5, Tracks 4–8
Workbook, pages 69–71
Quizzes, pages 64–66

## PRESENTATION

**Step 1** Have students look at the photographs as they do the reading.

**Step 2** You may wish to have the entire class do all the reading or you may want to break it into sections and assign a section to a particular group. If you do this, the group responsible for a section has to report to the class because all students should at least be somewhat familiar with the material.

### Pre-AP SkillBuilder

As students read these **Lecturas,** they will develop the skills they need to be successful on the reading and writing sections of the AP exam.

## La geografía

México con Canadá y Estados Unidos forma el continente norteamericano. Al sur de México están Guatemala y Belice donde comienza la América Central. El territorio mexicano es extenso. Es cuatro veces más grande que España.

### Las costas

Las aguas del golfo de México y del mar Caribe bañan las costas orientales de la república y las del océano Pacífico las costas occidentales. México goza de magníficas playas al este y al oeste. Cancún, Cozumel e Isla Mujeres en el Caribe tienen playas muy bonitas. Puerto Vallarta, Acapulco e Ixtapa son destinos populares en el Pacífico. Todas estas playas atraen[1] turistas de todo el mundo.

Cancún

Puebla

### La meseta y las sierras

Una enorme meseta cubre gran parte del país. De norte a sur se extienden las dos grandes sierras, la Sierra Madre Occidental y la Sierra Madre Oriental. Estas sierras forman un cuadro[2] que rodea la meseta. Las dos sierras se juntan en el sur por medio de la cordillera neovolcánica donde se encuentran tres altísimos e impresionantes volcanes—el pico de Orizaba, Popocatépetl e Iztaccíhuatl.

[1] atraen  *attract*
[2] cuadro  *square, frame*

CAPÍTULO 5

### Learning from Photos

*(page 216 right)* Antes de 1970 Cancún no era más que una islita de pescadores en Yucatán. Hoy las preciosas playas de Cancún están rodeadas de elegantes hoteles adonde van más de dos millones de turistas cada año.

## Desiertos y selvas

Gran parte del norte del país es árido. En los desiertos de Sonora y Chihuahua, a pesar de[3] que durante años ha llovido muy poco hay preciosos cactos y flores silvestres. En contraste con el clima desértico de mucho del norte, en el sureste encontramos selvas tropicales. En el estado de Chiapas, está la selva Lacandona. En esta selva hay fauna típica de Centroamérica; armadillos y tapires, guacamayos y quetzales y hasta jaguares que, lamentablemente, casi han desaparecido a causa de la caza y de la pérdida de hábitat por deforestación.

## Clima

Como hemos visto, el clima de México es de una gran variedad; un árido norte, un tórrido sur tropical y una gran meseta con un clima templado de bruscas diferencias de temperatura y grandes cambios entre el día y la noche.

[3] a pesar de   *in spite of*

Selva Lacandona

Paseo de la Reforma en la Ciudad de México

  **A** Contesten.

1. ¿Cuáles son los países que forman el continente de Norteamérica?
2. ¿Qué países están al sur de México?
3. ¿Cuál de los dos países es más grande, México o España?
4. ¿Qué océano está al oeste de México?
5. ¿Adónde van muchos turistas que visitan a México?
6. ¿Cuáles son dos volcanes mexicanos?
7. ¿Dónde se encuentran estos volcanes?
8. ¿Qué parte de México es mayormente árido, el norte o el sur?
9. ¿Qué flora se ve en los desiertos de Sonora y Chihuahua?
10. ¿Qué hay en el sureste de México, desiertos o selvas?
11. ¿Dónde se encuentra la selva Lacandona?
12. ¿Cuáles son algunos animales de la selva mexicana?
13. ¿Cuáles son algunas causas de la desaparición de ciertos animales?
14. ¿Cómo se llama el tipo de clima de la meseta?

MÉXICO

*doscientos diecisiete*  **217**

**Step 3** You may wish to have students read some paragraphs silently. You may want to go over others orally in class interspersing comprehension questions.

**Step 4** You may wish to ask the questions in **Actividad A** on page 217 as you are going over the **Lectura.** It is suggested that you also have the students write the answers to the questions.

### Learning from Photos

*(page 217 top right)* La selva Lacandona es un bosque tropical rico en flora y fauna en una región casi inaccesible. Aquí viven los lacandones, el último grupo indígena no cristianizado que trata de vivir apartado de la sociedad hispanizada. Pero su forma de vida está en peligro de desaparecer.
*(page 217 bottom left)* Estamos en pleno centro de la Ciudad de México. El paseo de la Reforma une el centro de la ciudad con el Bosque de Chapultepec. Donde antes había preciosas casas privadas hoy hay grandes hoteles y edificios comerciales. Las glorietas del Paseo están adornadas con monumentos muy queridos de los mexicanos.

### Geography Connection

Have students locate on a map of Mexico each of the areas or geographical features mentioned in the reading. If you happen to have students in the class who are from Mexico or have family from there, you may wish to have the other students ask them questions about the geographic area(s) with which they are familar.

---

## ANSWERS

 **A**

1. México, Canadá y Estados Unidos forman el continente norteamericano.
2. Al sur de México están Guatemala y Belice.
3. México es más grande que España.
4. El océano Pacífico está al oeste de México.
5. Muchos turistas que visitan a México van a las playas.
6. Son Orizaba y Popocatépetl/Iztaccíhuatl.
7. Estos volcanes se encuentran en la cordillera neovolcánica en el sur de México donde se juntan la Sierra Madre Occidental y la Sierra Madre Oriental.

8. El norte de México es mayormente árido.
9. En los desiertos de Sonora y Chihuahua se ven cactos y flores silvestres.
10. Hay selvas en el sureste de México.
11. Se encuentra en el estado de Chiapas.
12. En la selva mexicana los animales incluyen armadillos y tapires, guacamayos y quetzales y hasta jaguares.
13. Algunas causas son la caza y la pérdida de hábitat por deforestación.
14. El clima de la meseta es templado.

LECCIÓN I
Cultura

## PRESENTATION

*(cont'd)*

**Step 5** **La historia** Go over **Actividad B** after students have finished reading this section.

**Step 6** After each of the mini-sections of the **Lectura** you may wish to call on a student to give a brief summary of the section.

### Teacher NOTE

The remainder of the **Lectura** contains a number of examples of the present perfect. The grammar point reviewed in this **Lección** is the present perfect.

## Reaching All Students

### Visual Learners
You may wish to have visual learners make a chart or timeline summarizing important events and facts about the different groups described in this reading. Have students ask you questions in Spanish if they need help completing their timeline.

### Spanish Online

The Glencoe World Languages Web site at glencoe.com provides Internet enrichment activities and links for students to investigate the Spanish-speaking world. Every chapter has a **WebQuest** activity and a **Self-Check Quiz**. The **Web Explore** section takes students to Spanish Web sites related to the chapter theme. Students can also click on **World News Online** to read current articles in Spanish-language newspapers.

# La historia

El México de nuestros días se ha creado de una fusión de culturas que ha resultado del encuentro de los españoles con las adelantadas civilizaciones de Mesoamérica. Esta fusión comenzó cuando llegó Hernán Cortés en 1520. Pero la historia de esta gran república se remonta[4] a muchos siglos antes de esa fecha.

## Las épocas precolombinas
Sus primeros habitantes llegaron a México desde el norte durante la «Edad de Piedra». Al principio fueron cazadores-recolectores[5]. Más tarde aprendieron el cultivo del maíz.

## Los olmecas
Los adelantos en la agricultura permitieron la fundación de grandes comunidades y la oportunidad de dedicarse la gente a más que la mera supervivencia[6]. En esta época aparece la primera importante cultura, la de los olmecas. Ellos levantaron centros ceremoniales y pirámides. También nos han dejado colosales cabezas y otras masivas figuras talladas en basalto, una piedra volcánica. Los antropólogos consideran esta la «cultura madre» de la civilización en Mesoamérica.

Los olmecas han desaparecido pero han dejado su influencia en las culturas que la han seguido como las de los mayas, los toltecas y los aztecas.

Cabeza colosal, La Venta

## Los mayas
Ya se ha dicho que los mayas eran excelentes matemáticos y astrónomos y que su calendario fue uno de los más exactos que nos vienen de tiempos antiguos. Se llamaba el Haab. Este calendario dividía el año en 365 días, como el nuestro, pero los 365 días se dividían en 18 períodos o meses de 20 días cada uno con un período de 5 días al final. Los mayas sabían compensar las fracciones de horas y segundos por día causadas por las variaciones en la rotación e inclinación de la tierra. Agregaban[7] días enteros después de cierto número de años, lo que hacemos hoy con los años bisiestos[8] en los calendarios modernos. Todo esto lo hicieron sin la tecnología ni los instrumentos que tenemos hoy. Lo hicieron a base de observación e infinita paciencia.

[4] se remonta *goes back*
[5] cazadores-recolectores *hunters/gatherers*
[6] supervivencia *survival*
[7] Agregaban *They added*
[8] años bisiestos *leap years*

Calendario maya

## Critical Thinking Activity

Los lacandones han podido mantener su forma de vida durante mucho tiempo. ¿Por qué está ahora su forma de vida en peligro de desaparecer? ¿Cuáles serán las causas del peligro?

218

## Los toltecas

Los toltecas se establecieron en el valle de México donde levantaron la ciudad de Tula con una población de quizás cuarenta mil. Eran buenos comerciantes y feroces guerreros.

## Los aztecas

El último gran imperio de Mesoamérica fue el de los aztecas. Los aztecas fueron temibles guerreros. Su principal dios era Huitzilopochtli, el dios de la guerra. Según la tradición, Huitzilopochtli les mandó a los aztecas salir de su tierra en el norte y buscar un lugar mejor. Les dijo que el sitio sería donde vieran a un águila sobre un cacto (nopal) devorando una serpiente que tenía entre sus garras. La vieron en una isla de un lago. Allí se establecieron en lo que llegaría a ser Tenochtitlán, el sitio donde hoy en día se encuentra la Ciudad de México. El águila y la serpiente están conmemoradas para siempre en la bandera mexicana.

Tula, México

Dioses aztecas

**B** ¿Sí o no?

1. Los primeros habitantes de México vinieron del sur durante la «Edad de Piedra».
2. Al principio no eran agricultores, eran cazadores-recolectores.
3. La «cultura madre» de Mesoamérica es la de los mayas.
4. El calendario de los aztecas era el *Haab*.
5. La causa de las fracciones de horas y segundos son las variaciones en la rotación e inclinación de la tierra.
6. Los mayas no sabían compensar las fracciones de horas y segundos.
7. El calendario dividía el año en doce meses de veinte días.
8. El año maya era de 365 días.

### Learning from Photos

*(page 218 top)* Esta cabeza colosal de basalto fue hecha por los olmecas alrededor del año 1000 antes de Cristo y está en el Parque-Museo de La Venta.

*(page 219 top)* Sobre la pirámide principal Tlahuizcalpantecuhtli, o templo de la estrella de la mañana, están los famosos Atlantes de Tula. Son cuatro estatuas de 4,6 metros de altura que representan dioses toltecas. Tula es el sitio tolteca de mayor importancia en México.

### Learning from Realia

*(page 219 bottom)* Aquí vemos una parte del *Codex Florentino*, un manuscrito escrito a mano que describe la sociedad azteca. El Padre Sahagún lo comenzó hacia 1540 traduciendo del nahuátl. El Codex contiene dibujos como este que representa los dioses aztecas como Huitzilopochtli, Tlaloc y Quetzalcoátl.

 MÉXICO

*doscientos diecinueve* **219**

## ANSWERS

**B**

1. No, los primeros habitantes de México vinieron del norte durante la «Edad de Piedra».
2. Sí
3. No, la «cultura madre» de Mesoamérica es la de los olmecas.
4. No, el calendario de los mayas era el *Haab*.
5. Sí
6. No, los mayas sabían compensar las fracciones de horas y segundos.
7. No, el calendario dividía el año en 18 períodos o meses de veinte días con un período de 5 días al final.
8. Sí

## Learning from Photos

*(page 220 bottom)* Hernán Cortés, (1485–1547) conquistador de México, nació en Medellín, España. Se cree que por algún tiempo fue estudiante en la Universidad de Salamanca. A los 19 años, salió para Santo Domingo y en 1500 acompañó a Diego Velázquez en la conquista de Cuba.

## FUN FACTS

Una leyenda de los aztecas decía que su dios Quetzalcóatl volvería a México y que sería blanco y rubio. Cuando llegó Cortés los aztecas creían que era su dios Quetzalcóatl que volvía.

## Critical Thinking Activity

Los aztecas creían que Cortés era su dios Quetzalcóatl. ¿Crees que esta creencia le ayudó a Cortés conquistar a los aztecas? Defiende tu respuesta.

C  ¿Qué será un «año bisiesto»? ¿Para qué sirve el año bisiesto? ¿Con qué frecuencia hay años bisiestos? Expliquen, por favor.

D  Completen.

1. Los _____ construyeron la ciudad de Tula.
2. Tula estaba en el _____.
3. El imperio _____ fue el último gran imperio de Mesoamérica.
4. El dios de los aztecas, Huitzilopochtli, era el dios de la _____.
5. Los aztecas se establecieron donde vieron un águila con una _____ en sus garras.
6. La imagen del águila y la serpiente está en la _____ mexicana.

Ruinas de Tenochtitlán, Ciudad de México

Hernán Cortés

### Hernán Cortés y la conquista

El imperio de los aztecas gozaba su momento de máximo esplendor cuando su mundo iba a cambiar drásticamente. Once barcos llegaron a la península de Yucatán en febrero de 1519. Vinieron desde Cuba. Abordo estaban Hernán Cortés, unos quinientos hombres, dieciséis caballos y catorce piezas de artillería. Poco más de un año después, los españoles, con muchos aliados indígenas, conquistaron a los aztecas. En las Américas no había ni caballos ni armas de fuego. Piensen en el efecto que tenía sobre los aztecas ver un hombre montado a caballo. Sería como ver un centauro. Y después oír el disparo de un cañón y ver el fuego salir de su boca. Tenía que ser aterrador.

E  Expliquen su importancia.

1. Yucatán, 1519
2. los once barcos que vinieron de Cuba
3. las piezas de artillería
4. los caballos
5. los aliados indígenas

---

## ANSWERS

**C**

Un «año bisiesto» es un año con un día extra para compensar las fracciones de horas y segundos por día causadas por las variaciones en la rotación e inclinación de la tierra.

**D**

1. toltecas
2. valle de México
3. azteca
4. guerra
5. serpiente
6. bandera

**E**

1. En la península Yucatán en febrero de 1519 llegaron once barcos españoles desde Cuba.
2. Abordo de los once barcos estaban Hernán Cortés, unos quinientos hombres más, dieciséis caballos y catorce piezas de artillería.
3. En las Américas no había armas de fuego, así que el disparo de un cañón tenía que ser aterrador para los indígenas.

4. En las Américas no había caballos tampoco, y ver a hombres montados a caballo sería como ver un centauro.
5. Poco más de un año después, los españoles, con muchos aliados indígenas, conquistaron a los aztecas.

## Si haces una visita…

Si un día decides visitar a México tienes que ir primero a la capital. Vete al Zócalo, o la plaza mayor, en el centro histórico de la Ciudad de México. Fue construido sobre las ruinas de Tenochtitlán. Allí verás la Catedral Metropolitana, los restos del Templo Mayor de los aztecas y el Palacio Nacional con magníficas murallas de Diego Rivera. Después, visita el Museo Nacional de Antropología para ver los artefactos que representan las culturas tolteca, maya y azteca, incluso la piedra calendario de los aztecas, similar al calendario maya, y las cabezas colosales de los olmecas.

Si tienes hambre busca donde comer unos tamales, tostadas, quesadillas o tacos, todos a base de tortilla de maíz, tortilla hecha a mano y no unas tortillas de fábrica. El maíz es la base de toda una cultura y el tema de varios murales del gran artista Diego Rivera. Rivera es sólo uno de los grandes muralistas mexicanos. José Clemente Orozco y David Alfaro Siqueiros, contemporáneos de Rivera, junto con él revolucionaron el arte muralista. También contemporánea de los famosos muralistas fue Frida Kahlo, gran pintora mexicana y esposa de Diego Rivera.

Museo Nacional de Antropología
Ciudad de México

Catedral Metropolitana,
Ciudad de México

*Preparando tortillas* de Diego Rivera

MÉXICO

### Learning from Photos

*(page 221 top right)* La Catedral Metropolitana está en el Zócalo. Es la iglesia más grande de Latinoamérica. Se tomaron casi tres siglos en construirla, desde 1525 hasta 1813. Presenta varios estilos de arquitectura y decoración. La catedral se está hundiendo en el barro blando de lo que era el lago Texcoco.

*(page 221 top left)* El Museo Nacional de Antropología fue establecido en 1964 en la Ciudad de México. La colección de artefactos precolombinos es mundialmente reconocida. Allí están representadas todas las importantes culturas indígenas de México del pasado y también las 56 culturas indígenas que todavía existen en el país.

### FUN FACTS

El maíz existía solamente en las Américas igual que la papa y el tomate. El maíz era importantísimo no solamente en las culturas indígenas de México sino también de Centroamérica.

### Art Connection

 You may wish to have students bring to class examples of the works of some of the great Mexican muralists— Siqueiros, Orozco or Rivera—or one of Frida Kahlo's works and have students describe and discuss them.

## Chapter Projects

**Current Events** For several weeks have students collect newspaper articles about current events in Mexico. Have them choose a particular issue of interest and then present a summary of the articles to the class. Students may wish to go to the library, to the bookstore, or online to find articles in a Spanish-language newspaper.

221

## Learning from Photos

(page 222 center left) San Miguel de Allende es un precioso pueblo colonial en el estado de Guanajuato. Fue fundado en 1542 y ha sido declarado monumento nacional. Tiene una importante población extranjera, principalmente de norteamericanos jubilados.

(page 222 center right) El Bosque de Chapultepec en la Ciudad de México es adonde va la gente de la ciudad los fines de semana. Ha sido un parque público desde el siglo XVI. Allí hay un lago, un zoológico, varios museos y galerías de arte, un jardín botánico y el Castillo de Chapultepec del siglo XVIII en el que está el Museo Nacional de Historia. En el Castillo perdieron la vida *Los niños héroes*.

En 1847 las tropas estadounidenses marchaban hacia la capital mexicana. Chapultepec—el histórico castillo situado en la cima de un cerro—donde se encontraba el Colegio Militar, era el último obstáculo. El 13 de septiembre comenzó la batalla. Los soldados mexicanos lucharon valientemente, entre ellos los jóvenes cadetes que estaban en su Colegio. Murieron en defensa de su bandera y su patria. **El monumento a los Niños Héroes** conmemora el sacrificio de seis de estos jóvenes guerreros.

(page 222 bottom left) En Teotihuacán vivían unas 125.000 personas. Cubría un área de más de 20 kilómetros cuadrados y durante cinco siglos dominaba la región pero hacia 650 después de Cristo la ciudad fue abandonada y no se sabe por qué. Los aztecas consideraban sagrado el lugar creyendo que fue construido por gigantes. El centro ceremonial, que vemos en la foto, tiene templos, pirámides y palacios.

Después de comer, descansa un rato paseando por el Bosque de Chapultepec. En este bello parque hay museos de arte y un castillo del siglo XVIII. Aquí está el monumento a los «Niños Héroes», jóvenes cadetes que murieron defendiendo el castillo contra tropas norteamericanas en 1847.

Después de visitar la capital, tienes que decidir adonde ir después. ¿A las playas? ¿A los pueblos coloniales como San Miguel de Allende o Guanajuato? ¿Te interesa la arqueología? Pues, anda a ver las pirámides de Teotihuacán o los templos de Chichén Itzá.

En este maravilloso país hay de todo y para todos los gustos.

Monumento a los Niños Héroes, Ciudad de México

Castillo de Chapultepec, Ciudad de México

San Miguel de Allende

Teotihuacán

**F** Contesten.

1. ¿Qué es el Zócalo?
2. ¿Sobre qué construyeron el Zócalo?
3. ¿Qué hay hoy día en el Zócalo?
4. ¿Por qué es famoso Diego Rivera?
5. ¿Cuál es el tema de varios de sus murales?
6. ¿Que podemos ver en el Museo Nacional de Antropología?
7. ¿Cuáles son algunos platos que se preparan con tortillas?
8. ¿Cómo se llama el parque donde hay un castillo del siglo XVIII?
9. ¿Quiénes eran los «Niños Héroes»?
10. ¿Cuáles son algunos lugares de interés arqueológico en México?

## ANSWERS

**F**

1. El Zócalo es la plaza mayor en el centro histórico de la Ciudad de México.
2. Construyeron el Zócalo sobre las ruinas de Tenochtitlán.
3. Hay la Catedral Metropolitana, los restos del Templo Mayor de los aztecas y el Palacio Nacional.
4. Diego Rivera es famoso por ser uno de los grandes muralistas mexicanos.
5. El maíz es el tema de varios de sus murales.

6. Podemos ver los artefactos que representan las culturas tolteca, maya y azteca.
7. Algunos platos que se preparan con tortillas de maíz son tamales, tostadas, quesadillas y tacos.
8. El parque donde hay un castillo del siglo XVIII se llama el Bosque de Chapultepec.
9. Eran jóvenes cadetes que murieron defendiendo el castillo contra tropas norteamericanas en 1847.
10. Algunos lugares de interés arqueológico en México son las pirámides de Teotihuacán y los templos de Chichén Itzá.

# Estructura • Repaso

 **Presente perfecto**
**Telling what you have done recently**

 Use your **StudentWorks** Plus™
CD for more practice.

**1.** The present perfect tense is formed by using the present tense of the helping (auxiliary) verb **haber** and the past participle. Study the following forms of the present tense of the verb **haber.**

| | |
|---|---|
| yo | he |
| tú | has |
| él, ella, Ud. | ha |
| nosotros(as) | hemos |
| *vosotros(as)* | *habéis* |
| ellos, ellas, Uds. | han |

**2.** To form the past participle of regular verbs, drop the infinitive ending -**ar**, -**er**, -**ir** and add -**ado** to -**ar** verbs and -**ido** to both -**er** and -**ir** verbs.

| hablar | comer | vivir |
|---|---|---|
| habl- | com- | viv- |
| hablado | comido | vivido |

**3.** The following verbs have irregular past participles.

| | |
|---|---|
| abrir | abierto |
| cubrir | cubierto |
| descubrir | descubierto |
| morir | muerto |
| volver | vuelto |
| poner | puesto |
| escribir | escrito |
| freír | frito |
| romper | roto |
| ver | visto |
| hacer | hecho |

Teatro Juárez, Guanajuato

MÉXICO

*doscientos veintitrés* 223

## PREPARATION

### Resource Manager

Workbook, pages 71–76
Audio Activities TE, pages 111–113
Audio CD 5, Tracks 9–13
Quizzes, pages 67–68
*ExamView® Assessment Suite*

 ### Bellringer Review

*Use BRR Transparency 5.2 or write the following on the board.*
**Contesten.**
1. ¿Quieres ir a México algún día?
2. ¿Cómo piensas ir?
3. ¿Qué vas a visitar?
4. ¿Te gusta la comida mexicana?
5. ¿Cuál es uno de tus platos favoritos?

## PRESENTATION

 **Presente perfecto**

**¡OJO!** To avoid doing large segments of grammar at one time, you may wish to intersperse the grammar points as you are doing other sections of the lesson. If your students need to do the review grammar, you may wish to go over these points as you are doing the reading selection of this lesson. If you prefer, however, you can spend two or three class periods in succession doing the review grammar.

**Step 1** Most students will only need a quick review of this point.

**Step 2** Have students review the forms and explanations in Items 1–4.

**LEVELING**
**E:** Structure

## Learning from Photos

*(page 223)* El Teatro Juárez que lleva el nombre del gran Benito Juárez está en el centro de Guanajuato. De fachada neoclásica y estilo árabe en el interior, es donde se celebra cada año el Festival Internacional Cervantino de música, baile y teatro.

4. Following are the forms of some regular and irregular verbs in the present perfect tense.

| INFINITIVE | descansar | salir |
|---|---|---|
| yo | he descansado | he salido |
| tú | has descansado | has salido |
| él, ella, Ud. | ha descansado | ha salido |
| nosotros(as) | hemos descansado | hemos salido |
| *vosotros(as)* | *habéis descansado* | *habéis salido* |
| ellos, ellas, Uds. | han descansado | han salido |

| INFINITIVE | volver | escribir |
|---|---|---|
| yo | he vuelto | he escrito |
| tú | has vuelto | has escrito |
| él, ella, Ud. | ha vuelto | ha escrito |
| nosotros(as) | hemos vuelto | hemos escrito |
| *vosotros(as)* | *habéis vuelto* | *habéis escrito* |
| ellos, ellas, Uds. | han vuelto | han escrito |

5. The present perfect tense is used to express a past action without reference to a particular time. It usually denotes an occurrence that continues into the present or relates closely to the present. Study the following.

**Su madre ha estado enferma.** *His mother has been ill.*

6. The adverb **ya** *(already)* is often used with the present perfect tense.

**Ellos ya han visto el mural.** *They have already seen the mural.*

Mosaico de David Alfaro Siqueiros, Universidad Nacional Autónoma de México

ANSWERS TO **¿Cómo lo digo?**

**1**

1. Los primeros pobladores de México han llegado desde el norte.
2. No, ellos han sido cazadores-recolectores.
3. La olmeca se ha llamado «la cultura madre».
4. Los olmecas nos han dejado grandes figuras de basalto.
5. Hemos visto las figuras en el Museo de Antropología.
6. Los mayas han sabido mucho de astronomía.
7. Los arqueólogos han descubierto muchos artefactos.
8. Sí, han desaparecido los olmecas y los toltecas.

## ¿Cómo lo digo?

**1** **Historieta** **Civilizaciones precolombinas**
Contesten según se indica.

1. ¿Desde dónde han llegado los primeros pobladores de México? (el norte)
2. ¿Ellos han sido agricultores? (no, cazadores-recolectores)
3. ¿Cuál de las culturas se ha llamado «la cultura madre»? (la olmeca)
4. ¿Qué nos han dejado los olmecas? (grandes figuras de basalto)
5. ¿Dónde hemos visto las figuras? (en el Museo de Antropología)
6. ¿Quiénes han sabido mucho de astronomía? (los mayas)
7. ¿Qué han descubierto los arqueólogos? (muchos artefactos)
8. ¿Han desaparecido los olmecas y los toltecas? (sí)

**2** **He estado en la playa recientemente.**
Contesten.

1. ¿Has viajado a la playa recientemente?
2. ¿Has comido mariscos recientemente?
3. ¿Has nadado en el mar recientemente?
4. ¿Han sacado ustedes muchas fotos recientemente?
5. ¿Han escrito tarjetas postales a sus amigos recientemente?

Acapulco

Tulum

**3** **Historieta** **México** Contesten personalmente.

1. ¿Has aprendido algo de la historia de México?
2. ¿Tu profesor o profesora ha hablado mucho de México?
3. ¿Tu profesor o profesora ha estado en México alguna vez?
4. ¿Han viajado a México tú y tu familia?
5. ¿Han visto ustedes los museos de la Ciudad de México?
6. ¿Han ido tú y tu familia a Tulum?
7. ¿Tus padres han aprendido un poco de español?
8. ¿Ha leído tu padre o tu madre una guía turística sobre México?

MÉXICO

doscientos veinticinco ⚙ 225

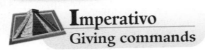

# LECCIÓN I
## Cultura

# Imperativo
### Giving commands

1. Most commands are expressed by using the subjunctive. Review the following.

|        | usted          | ustedes           | tú         |
|--------|----------------|-------------------|------------|
| hablar | (no) hable Ud. | (no) hablen Uds.  | no hables  |
| comer  | (no) coma Ud.  | (no) coman Uds.   | no comas   |
| subir  | (no) suba Ud.  | (no) suban Uds.   | no subas   |

|          | usted             | ustedes              | tú           |
|----------|-------------------|----------------------|--------------|
| volver   | (no) vuelva Ud.   | (no) vuelvan Uds.    | no vuelvas   |
| pedir    | (no) pida Ud.     | (no) pidan Uds.      | no pidas     |
| salir    | (no) salga Ud.    | (no) salgan Uds.     | no salgas    |
| hacer    | (no) haga Ud.     | (no) hagan Uds.      | no hagas     |
| conducir | (no) conduzca Ud. | (no) conduzcan Uds.  | no conduzcas |
| ir       | (no) vaya Ud.     | (no) vayan Uds.      | no vayas     |

2. The affirmative **tú** command is not expressed by the subjunctive. The affirmative **tú** command of regular verbs is the same as the **usted** form of the present indicative.

| hablar | habla  |
|--------|--------|
| comer  | come   |
| subir  | sube   |
| volver | vuelve |
| pedir  | pide   |

### ¿Te acuerdas?

Remember the spelling change with verbs that end in **car**, **gar**, and **zar**.

practicar → practique Ud.
llegar → llegue Ud.
empezar → empiece Ud.

3. The following verbs have irregular forms in the affirmative **tú** command.

| decir | di  |
|-------|-----|
| hacer | haz |
| salir | sal |
| poner | pon |
| tener | ten |
| venir | ven |
| ser   | sé  |
| ir    | ve  |

### PRIMEROS AUXILIOS PARA ASFIXIAS POR INMERSION

- Mantenga la calma.
- Elimine cuerpos extraños de la boca (arena, comida, prótesis).
- Elimine el agua de los pulmones. Para ello, ponga de lado a la víctima y comprímale el abdomen.
- Al sacar a una persona accidentada desde aguas profundas, debe iniciarse la respiración boca a boca en cuanto pise firmemente o disponga de un bote o algún elemento que sirva de apoyo.
- Inicie respiración boca a boca y masaje (cinco masajes cardíacos alternadamente con una respiración).
- Abrigue al afectado.
- Mientras lo traslada a un centro asistencial, no suspenda las maniobras de resucitación.

#### ¡Aprendamos a disfrutar del Agua!

## LECCIÓN I
## Cultura

### Bellringer Review

*Use BRR Transparency 5.3 or write the following on the board.*
**Den la forma apropiada del subjuntivo.**
1. que ella lo ___ (mirar)
2. que ella lo ___ (vender)
3. que ella lo ___ (escribir)
4. que ella lo ___ (decir)
5. que ella lo ___ (hacer)
6. que ella lo ___ (traducir)
7. que ella lo ___ (pedir)
8. que ella lo ___ (devolver)

## PRESENTATION

 **El imperativo**

**Note:** In reviewing the commands, we have grouped all the subjunctive forms together. This allows for a succinct review of all commands, affirmative and negative. The only form that has to be dealt with separately is the affirmative **tú** command.

**Step 1** Guide students through Items 1, 2, and 3, having them repeat the command forms after you for review practice.

### LEVELING
**C:** Structure

**Spanish Online**

Encourage students to learn more about travel opportunities in Mexico by using the **Web Explore** feature at **glencoe.com**. Perhaps you can do this in class or in a lab if students do not have Internet access at home.

## ¿Cómo lo digo?

**4   ¿Qué debo hacer?**
Contesten según el modelo.

—¿Debo volver a México?
—Sí, **vuelva usted a México.**

1. ¿Debo viajar a México?
2. ¿Debo esperar hasta el verano?
3. ¿Debo hablar con un agente de viajes?
4. ¿Debo leer la historia primero?
5. ¿Debo escribir a la oficina de turismo?
6. ¿Debo pedir información sobre el país?
7. ¿Debo ir a la selva tropical?
8. ¿Debo buscar flores silvestres?
9. ¿Debo visitar los museos?
10. ¿Debo volver a México en el invierno?
11. ¿Debo hacer compras antes de ir?

Palacio de Bellas Artes, Ciudad de México

**Spanish Online**
For more information about Mexico, go to
**Web Explore** on the Glencoe Spanish
Web site at glencoe.com.

Veracruz

MÉXICO

**5   Quiero ir a Veracruz. ¿Me puede dar direcciones desde aquí en la capital?**
Completen con el imperativo formal.

Sí, con mucho gusto. __1__ (Tomar) esta calle, Fray Servando Teresa de Mier por unas 2 millas. Entonces __2__ (virar) a la izquierda en dirección norte. Es el bulevar Puerto Aéreo. Enseguida __3__ (doblar) a la derecha y __4__ (entrar) en Ignacio Zaragoza. __5__ (Seguir) en Zaragoza unas 7 millas. __6__ (Continuar) en esta carretera que cambia su nombre a Autopista a Puebla. No __7__ (salir) de la carretera aunque cambia de nombre varias veces. __8__ (Tener) dinero a mano para pagar peaje. __9__ (Pasar) la ciudad de Puebla. Después de Puebla, __10__ (descansar) usted un rato porque quedan 160 millas para Veracruz. Y __11__ (conducir) con mucho cuidado. Son un total de 240 millas y 4 horas y media de viaje. ¡Buena suerte!

*doscientos veintisiete* ✦ 227

## Learning from Photos

*(page 228 top)* La señora está preparando tortillas a mano, la manera tradicional, en San Miguel de Allende.

*(page 228 bottom)* Este restaurante de estilo colonial está en Guanajuato. Guanajuato es una pintoresca ciudad universitaria.

### Paired Activity

1. Explícale a un(a) compañero(a) como ir de tu casa a su escuela.
2. Explícale a un(a) compañero(a) como ir de tu casa al aeropuerto.

---

**6** **¿Cómo se prepara un taco?** **Una receta**
Completen con el imperativo formal.

San Miguel de Allende

__1__ *(Calentar) el horno a temperatura moderada. En una sartén,* __2__ *(calentar) el aceite a fuego moderado.* __3__ *(Añadir) la cebolla y el ajo,* __4__ *(freír) hasta que la cebolla se dore y esté transparente.* __5__ *(Añadir) la salsa de tomate y* __6__ *(dejar) hervir.* __7__ *(Bajar) la temperatura y* __8__ *(cocinar) a fuego lento por cinco minutos.* __9__ *(Añadir) la carne y el cilantro y* __10__ *(mezclar) todo.* __11__ *(Cocinar) hasta que la mezcla esté caliente.* __12__ *(Retirar) de la hornilla. En una sartén,* __13__ *(calentar) 1/4 taza de aceite vegetal a fuego mediano-alto.* __14__ *(Freír) las tortillas rápidamente una a una, varios segundos por ambos lados.* __15__ *(Dividir) el relleno entre las tortillas y* __16__ *(enrollar) las tortillas.* __17__ *(Añadir) 1/2 taza adicional de aceite vegetal a la sartén y* __18__ *(calentar) aceite a fuego mediano-alto.* __19__ *(Freír) los tacos por grupos.* __20__ *(Voltear) los tacos una o dos veces hasta que estén dorados por todos los lados.* __21__ *(Poner) los tacos en papel toalla.* __22__ *(Adornar) los tacos a su gusto.*

**7** **¿Qué hago?** Sigan el modelo.

Necesito hacer unos cálculos complicados. (usar la calculadora) →
**Usa la calculadora.**

1. Tengo sed. (tomar agua)
2. Tengo hambre. (comer el almuerzo)
3. Tengo un examen mañana. (estudiar ahora)
4. Quiero jugar baloncesto. (practicar con tus amigos)
5. Necesito escribir algo. (buscar un bolígrafo)
6. Quiero ver una película. (ir al cine)

**8** **Si quieres, hazlo.** Contesten con **sí** y el imperativo familiar.

1. ¿Debo ir a un restaurante mexicano?
2. ¿Debo comer temprano?
3. ¿Debo reservar una mesa?
4. ¿Debo leer el menú?
5. ¿Debo pedir enchiladas?
6. ¿Debo probar chiles picantes?
7. ¿Debo dejar una propina?

Guanajuato

---

## ANSWERS TO ¿Cómo lo digo?

**6**

1. Caliente
2. caliente
3. Añada
4. fría
5. Añada
6. deje
7. Baje
8. cocine
9. Añada
10. mezcle
11. Cocine
12. Retire
13. caliente
14. Fría
15. Divida
16. enrolle
17. Añada
18. caliente
19. Fría
20. Voltee
21. Ponga
22. Adorne

**7**

1. Toma agua.
2. Come el almuerzo.
3. Estudia ahora.
4. Practica con tus amigos.
5. Busca un bolígrafo.
6. Ve al cine.

**8**

1. Sí, ve a un restaurante mexicano.
2. Sí, come temprano.
3. Sí, reserva una mesa.
4. Sí, lee el menú.
5. Sí, pide enchiladas.
6. Sí, prueba chiles picantes.
7. Sí, deja una propina.

**9** **No, no debes.** Contesten las preguntas de la Actividad 8 con **no** y el imperativo familiar **negativo.** Sigan el modelo.

—¿Debo ir a un restaurante mexicano?
—No, no vayas a un restaurante mexicano.

Guanajuato

**10** **Pues, haz lo que tienes que hacer.**
Completen con el imperativo familiar. Sigan el modelo.

Tengo que escribir sobre los aztecas. →
Pues, escribe sobre los aztecas.

1. Tengo que ir a clase.
2. Tengo que dar un informe.
3. Tengo que escribir sobre los aztecas.
4. Tengo que tener fotos.
5. Tengo que hacer un bosquejo (*outline*) primero.
6. Tengo que poner todos los acentos.
7. Tengo que decir algo sobre Cortés.
8. Tengo que ser interesante.

### Learning from Photos

*(page 229 top)* En pleno centro de Guanajuato vemos esta calle típica rodeada de edificios coloniales. De las minas de Guanajuato los españoles sacaron la cuarta parte de la plata de la Nueva España. En Guanajuato no hay semáforos de tráfico ni anuncios luminosos.

*(page 229 bottom)* Esta vista de Puebla ofrece un panorama de un pueblo colonial con los edificios y las casas de la época.

**11** **Tú, sí. Ellos, no.** Sigan el modelo.

comer →
Tú, come. Pero no coman ustedes.

1. viajar a Puebla
2. leer el mapa
3. escribir postales
4. visitar los museos
5. subir las pirámides
6. pedir direcciones
7. volver tarde

Puebla

MÉXICO

**9**

1. N
2. N
3. No
4. No
5. No,
6. No,
7. No,

...aja a Puebla. Pero no viajen ustedes a Puebla.
...e el mapa. Pero no lean ustedes el mapa.
...ribe postales. Pero no escriban ustedes postales.
...a los museos. Pero no visiten ustedes los museos.
...a las pirámides. Pero no suban ustedes las

...direcciones. Pero no pidan ustedes

...vuelve tarde. Pero no vuelvan ustedes tarde.

## Recycling

These activities allow students to use the vocabulary and structure from this lesson in completely open-ended, real-life situations.

## PRESENTATION

Encourage students to say as much as possible when they do these activities. Tell them not to be afraid to make mistakes, since the goal of these activities is real-life communication. If someone in the group makes an error, allow the others to politely correct him or her. Let students choose the activities they would like to do.

You may wish to divide students into pairs or groups. Encourage students to elaborate on the basic theme and to be creative. They may use props, pictures, or posters if they wish.

**Note:** These activities have students practice their "survival skills" in Spanish in the types of real-life situations that they might encounter while on a trip. It is recommended that you not correct all errors made by the students as they do these activities. They would certainly make errors if they were communicating in real situations in a Spanish-speaking country.

### Learning from Photos

*(page 230)* El Cañón del Cobre es más grande que el Gran Cañón de Estados Unidos. Los ríos han tallado varios cañones en la piedra volcánica de la Sierra Madre Oriental. Hay un ferrocarril que tomó cien años en construir que va desde Chihuahua hasta el Pacífico ofreciendo vistas maravillosas del cañón.

**230**

# ¡Te toca a ti!
### Use what you have learned

Cañón del Cobre, Chihuahua

**HABLAR / ESCRIBIR**

## 1 La geografía de México
✔ *Describe the geography of Mexico and compare it to Spain*

Has leído que México es cuatro veces más grande que España. En tus propias palabras describe como son similares México y España y cuales son algunos importantes contrastes. Piensa en el clima y la topografía. Luego, dibuja un mapa de México que demuestra su topografía. Consulta a tu profesor(a) si necesitas ayuda.

**HABLAR**

## 2 La historia de México
✔ *Discuss some events and famous figures in the history of Mexico*

En un grupo de cuatro, hablen de todo lo que aprendieron sobre la historia de México. Mencionen algunos personajes famosos y expliquen su importancia. Algunas personas o figuras que podrán describir son: Hernán Cortés, Diego Rivera, Huitzilopochtli, Maximiliano de Austria, el padre Hidalgo, Benito Juárez, los Niños Héroes.

**San Miguel de Allende**

Joya Colonial
Cosmopolita
Amable
Monumento Nacional
Artesanal
Pintoresco
Cultural

**ESCRIBIR**

## 3 El guía
✔ *Create a travel brochure*

Prepara unos párrafos en forma de propaganda turística para informar a la gente sobre lo que pueden ver en un viaje a México. Puedes buscar ejemplos de propaganda turística en español en el Internet o en una agencia de viajes en tu comunidad.

**HABLAR**

## 4 Algún día
✔ *Describe what you want to do some day but have yet to do*

Hay tantas cosas que nos gustaría hacer algún día que hasta ahora no hemos hecho. Trabaja con un(a) compañero(a). Hablen de las cosas que quieren hacer algún día pero que hasta ahora no han hecho nunca. Expliquen por qué no las han hecho.

**230** 🌐 *doscientos treinta*

CAPÍTULO 5

### Fiestas y Celebraciones

**Natalicio del General Ignacio Allende y Unzaga:** (21 de enero) Celebración con actos cívicos y un desfile militar en honor al Insurgente Ignacio Allende.

**Semana Santa:** (marzo o abril) Comienza con el concurso de altares a la virgen de los Dolores y culmina con el Viernes Santo en una solemne procesión del Santo Entierro.

**Fiesta de San Antonio de Padua:** (13 de junio) Tradicional y popular desfile de "Los Locos" donde la gente participa disfrazada y con máscaras por las principales calles de la ciudad. Desfile con carros alegóricos, bandas musicales y mucha alegría.

**Festival de Música de Cámara.** (1-15 de agosto) Evento cultural que se realiza en el Teatro Ángela Peralta bajo los auspicios del INBA.

**Sanmiguelada.** (Tercer sábado de septiembre) Encierro de toros estilo Pamplona. Se lleva a cabo en el Jardín Principal.

**Fiesta de San Miguel Arcángel:** (29 de septiembre) Celebración del Santo Patrono de la ciudad, se llevan a cabo eventos sociales, artísticos, deportivos, culturales además de sus famosas corridas de toros.

**Feria Nacional de la Lana y el Latón:** (segunda quincena de noviembre) Exposición en la que participan artesanos nacionales y extranjeros.

**Festival Internacional de Jazz:** (última semana de noviembre) Semana dedicada a presentaciones de bandas y solistas nacionales e internacionales en este género musical.

**Fiesta de Navidad:** (segunda quincena de diciembre): Comienza el día 16 con las tradicionales posadas públicas. Se realizan pastorelas, música, cánticos, carros alegóricos, entre otros festejos populares.

## ANSWERS TO ¡Te toca a ti!

*Answers will vary.*

HABLAR
**5**

## ¡Come los vegetales!
✔ *Tell someone what they have to and do not have to do*

Imagínate que eres padre o madre de un niño muy travieso (*mischievous*). Dile las cosas que debe hacer y las que no debe hacer.

ESCRIBIR
**6**

## Del colegio al restaurante
✔ *Give directions*

Tu clase de español va a hacer una celebración en un restaurante mexicano cerca del colegio. Pero, ¡muchos no saben dónde está el restaurante! Con un(a) compañero(a) escriban las instrucciones para ir del colegio al restaurante. Indiquen las calles importantes y donde doblar. Escriban las instrucciones para tus compañeros. Palabras útiles:

**doblar, virar, tomar, seguir, continuar, la calle, la avenida, la cuadra**

*Autorretrato con trenza de Frida Kahlo*

HABLAR
ESCRIBIR
**7**

## Para pensar
✔ *Discuss the implications of Cortés' arrival in Mexico*

Cortés llegó a México con sólo quinientos soldados. ¿Cómo pudo conquistar el gran Imperio azteca? Con tu grupo de cuatro discutan los factores que contribuyeron a la derrota de los aztecas.

HABLAR
ESCRIBIR
**8**

## Las artes
✔ *Describe some well-known artists in Mexico*

México tiene una gran tradición artística. Busca un ejemplo de la obra de uno de los siguientes artistas, tráelo a clase y descríbelo a la clase. Habla un poco sobre el artista.

Clemente Orozco          Diego Rivera
David Alfaro Siqueiros    Frida Kahlo

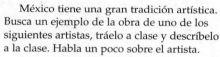

*Zapatistas de José Clemente Orozco*

MÉXICO

*doscientos treinta y uno*  **231**

### Writing Development
Have students keep a notebook or portfolio containing their best written work from each chapter. These selected writings can be based on assignments from the Student Textbook and the Workbook. The activities on this page are examples of writing assignments that may be included in each student's portfolio.

### Art Connection
El autorretrato es de Frida Kahlo (1907–1954). La artista casi muere en un accidente de tranvía a los quince años de edad. Por más de veintinueve años sufrió de dolor constante, dolor que se refleja en su arte. Se casó con otro gran artista, Diego Rivera. La casa donde ella nació es hoy el Museo Frida Kahlo.

### Learning from Photos
*(page 231 bottom)* José Clemente Orozco (1883–1949) ha sido llamado *pintor de la revolución*. En esta obra vemos las tropas del famoso líder revolucionario Emiliano Zapata que murió asesinado durante la Revolución mexicana.

# Assessment

## Resource Manager

Assessment Transparency A5.1
Online Quiz
Tests, pages 139–142 and 150–171
*ExamView®* Assessment Suite

## Assessment

This is a pretest for students to take before you administer the lesson test. Answer sheets for students to do these pages are provided in the transparencies. Note that each section is cross-referenced so students can easily find the material they have to review in case they made errors. You may wish to collect these assessments and correct them yourself or you may prefer to have the students correct themselves in class. You can go over the answers orally or project them on the overhead, using your Assessment Answers transparencies.

## Reaching All Students

**Non-Mastery Students**
Encourage students who need extra help to refer to the yellow notes and review any section before answering the questions.

# Vocabulario

**1** **Completen con una palabra apropiada.**

1. En el desierto hay _____ y flores silvestres.
2. El _____ es un ave que se encuentra en la selva tropical de México.
3. Los animales han perdido hábitat a causa de la caza y la _____.
4. Las civilizaciones de Mesoamérica no eran primitivas sino muy _____.
5. Los arqueólogos han encontrado los centros ceremoniales de antiguas civilizaciones, y han descubierto _____ como las de Egipto.

To review vocabulary, turn to page 214.

# Lectura

**2** **Contesten.**

6. ¿Qué forman Estados Unidos, Canadá y México?
7. ¿Cómo se compara la extensión de México con la de España?
8. ¿En qué parte de México se encuentran las regiones más áridas?
9. ¿Qué son Popocatépetl, Iztaccíhuatl y Orizaba?
10. ¿Qué aguas bañan las diferentes costas de México?

To review some geographical facts about Mexico, turn to pages 216–217.

**3** **Completen.**

11. La «cultura madre» de México fue la de los _____.
12. Los _____ tenían excelentes matemáticos y astrónomos.
13. Los aztecas fundaron Tenochtitlán donde vieron un _____ devorando una serpiente.

To review some historical and cultural facts about Mexico, turn to pages 218–222.

**4** **Contesten.**

14. En el Museo Nacional de Antropología hay enormes cabezas de basalto. ¿Quiénes las hicieron?
15. ¿Quiénes son dos famosos muralistas mexicanos?
16. ¿Cuáles son algunos platos que se hacen a base de la tortilla?
17. Se dividía en dieciocho períodos de veinte días con cinco días al final. ¿Qué era?

## ANSWERS TO Assessment

**1**

1. cactos
2. guacamayo
3. deforestación
4. adelantadas, desarrolladas, progresivas
5. pirámides

**2**

6. Estados Unidos, Canadá y México forman el continente norteamericano.
7. México es cuatro veces más grande que España.
8. Se encuentran las regiones más áridas de México en el norte del país.
9. Popocatépetl, Iztaccíhuatl y Orizaba son volcanes.
10. Las aguas del golfo de México y del mar Caribe bañan las costas orientales de la república y las del océano Pacífico las costas occidentales.

**3**

11. olmecas
12. mayas
13. águila

**4**

14. Los olmecas las hicieron.
15. Dos famosos muralistas mexicanos son Diego Rivera y David Alfaro Siqueiros.
16. Algunos platos que se hacen a base de la tortilla son tamales, tostadas, quesadillas y tacos.
17. Era el calendario maya, que se llamaba el Haab.

# Estructura

**5** **Completen con el presente perfecto.**

18. Muchos animales de la selva _____. (desaparecer)
19. Los aztecas nos _____ templos y pirámides. (dejar)
20. Nosotros _____ muchos artefactos en el museo. (ver)
21. Yo _____ a México con mi familila. (viajar)
22. Y tú, ¿_____ alguna vez a México? (ir)

**6** **Completen con el imperativo apropiado.**

23. Usted, _____ un momento. (esperar)
24. Tú, ¡_____ a tus padres! (escribir)
25. Y ustedes, ¡no _____ nada! (decir)
26. Usted, ¡_____ con nosotros! (venir)
27. Y tú, ¡no _____ muy tarde! (volver)
28. _____ ustedes un viaje a México. (hacer)
29. Tú, _____ ahora mismo. (ir)
30. Ustedes, no _____ tanto. (hablar)

To review the present perfect, turn to pages 223–224.

To review commands, turn to page 226.

Coyoacán, México

MÉXICO

## Assessment

After going over the Assessment, you may administer the test for **Lección 1, Capítulo 5.**

### Learning from Photos

*(page 233)* Esta es la la plaza principal de Coyoacán, un suburbio de la Ciudad de México. Coyoacán conserva un encanto colonial con sus angostas calles, muchos restaurantes, cafés y cantinas. Los fines de semana se llena de gente. Hernán Cortés se instaló en Coyoacán dos años antes de trasladar la Capitanía General a la Ciudad de México.

## ANSWERS TO Assessment

**5**

18. han desaparecido
19. han dejado
20. hemos visto
21. he viajado
22. has ido

**6**

23. espere
24. escribe
25. digan
26. venga
27. vuelvas
28. Hagan
29. ve
30. hablen

233

LECCIÓN 2

# Conversación

## PREPARATION

### Resource Manager

Vocabulary Transparency V5.3
Audio Activities TE, pages 114–115
Audio CD 5, Tracks 14–16
Workbook, page 77
Quiz, page 69
ExamView® Assessment Suite

### Bellringer Review

*Use BRR Transparency 5.4 or write the following on the board.*
**¿Sí o no?**
1. **Hay que poner las intermitentes cuando uno va a doblar a la izquierda.**
2. **En un carro, es necesario abrocharse el cinturón de seguridad.**
3. **Es necesario tocar el claxón (la bocina) al pasar por un hospital.**
4. **Los carros modernos no necesitan gasolina.**
5. **Hay que acelerar al llegar a un cruce.**

## PRESENTATION

### Vocabulario para la conversación

**Step 1** Use the Vocabulary Transparency or the Audio CD to present the new vocabulary.

**Step 2** After presenting the vocabulary, play the following game. Ask students to give a synonym in Spanish of the following: **el permiso de conducir, el conductor de un camión, escribir su nombre, lo que sale en una factura, el peligro, la luz roja, ir hacia atrás, un papel legal.**

## Vocabulario para la conversación 🎧

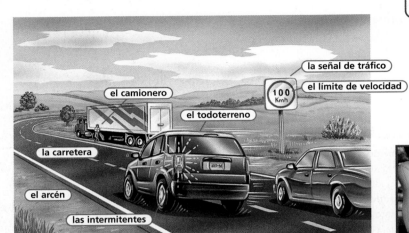

la señal de tráfico
el límite de velocidad
el camionero
el todoterreno
la carretera
el arcén
las intermitentes

el cinturón de seguridad

Ella se abrocha el cinturón de seguridad.

El todoterreno está rebasando un carro. Está rebasándolo con cuidado.
Hay un camión en el arcén derecho de la carretera. El camionero está descansando.
El límite de velocidad es de 100 kilómetros por hora.

la licencia de conductor

la tarjeta de crédito

### Más vocabulario

**el cargo** lo que uno tiene que pagar
**el contrato** papel legal que representa una obligación comercial
**el kilometraje ilimitado** kilómetros sin límite que el cliente puede recorrer
**el seguro** contrato que protege contra accidentes, daños, etc.

**el semáforo** la luz roja
**el riesgo** el peligro, la contingencia, la posibilidad de daño
**firmar** escribir su nombre
**retroceder** ir en marcha atrás, ir en reversa

## Assessment

Have students look at the illustrations and photos and say whatever they can about them in their own words.

## Math Connection

Ask students if they can convert the speed limit into miles per hour.

# ¿Qué palabra necesito?

**1** **¿Cuál es la palabra?** Completen.

1. Hay que parar el carro cuando el _____ está en rojo.
2. Nunca debes exceder el _____ de _____.
3. Cuando vas a virar o doblar debes poner las _____.
4. Si tienes un problema puedes parar en el _____ de la derecha.
5. El semáforo es solamente una de las _____ de tráfico.
6. El camión es muy grande y el _____ tiene que ser buen conductor.
7. Siempre debemos ponernos el _____ cuando estamos en el carro.

Avenida de la Reforma, Ciudad de México

Baja California Sur

**2** **Historieta** **El todoterreno** Contesten.

1. ¿Qué tipo de vehículo tiene tracción a cuatro ruedas?
2. ¿Necesitas una licencia para conducir un todoterreno?
3. ¿Se le permite al todoterreno rebasar por la derecha?
4. Cuando conduces un todoterreno, ¿debes tener cuidado al retroceder?

**3** **Historieta** **En la agencia de alquiler de carros** Contesten con **sí**.

1. ¿Está alquilando un todoterreno el cliente?
2. ¿Va a pagarlo con tarjeta de crédito?
3. ¿El agente está añadiéndole cargos adicionales?
4. ¿También está vendiéndole un seguro?
5. ¿Va a dárselo contra todo riesgo?
6. ¿El agente está recomendando un contrato de kilometraje ilimitado?
7. ¿Está firmando el contrato el cliente?

MÉXICO

*doscientos treinta y cinco* 235

---

## ANSWERS TO ¿Qué palabra necesito?

**1**
1. semáforo
2. límite, velocidad
3. intermitentes
4. arcén
5. señales
6. camionero
7. cinturón de seguridad

**2**
1. El todoterreno tiene tracción a cuatro ruedas.
2. Sí, necesitas una licencia para conducir un todoterreno.
3. No, no se le permite al todoterreno rebasar por la derecha.
4. Sí, cuando conduces un todoterreno, debes tener cuidado al retroceder.

**3**
1. Sí, el cliente está alquilando un todoterreno.
2. Sí, va a pagarlo con tarjeta de crédito.
3. Sí, el agente está añadiéndole cargos adicionales.
4. Sí, también está vendiéndole un seguro.
5. Sí, va a dárselo contra todo riesgo.
6. Sí, el agente está recomendando un contrato de kilometraje ilimitado.
7. Sí, el cliente está firmando el contrato.

---

## PRACTICE

# ¿Qué palabra necesito?

**1** You should be able to go over **Actividad 1** without previous preparation.

**2** and **3** You can do **Actividades 2** and **3** orally with books closed.

### Learning from Photos

*(page 235 top)* El tráfico en la Ciudad de México es un grave problema. La contaminación del aire causada por los vehículos ha obligado al gobierno a tomar medidas drásticas.

*(page 235 bottom)* Gran parte de la península de Baja California es desierto, pero también hay magníficas playas en la costa del Pacífico.

### About the Spanish Language

In some countries the **licencia de conductor** is called a **permiso de conductor** or **permiso de conducir. Carretera** is a generic major road. **Autopistas** and **autovías** are freeways or super highways.

You may wish to use the editable PowerPoint® presentation available on this PowerTeach CD-ROM for additional vocabulary instruction and practice.

235

## Lectura

### National Standards

**Communication**
Students learn to use the vocabulary necessary to rent a vehicle.

**Cultures/Comparisons**
Students learn some driving etiquette particular to Mexico.

---

## PREPARATION

### Resource Manager

Audio Activities TE, pages 116–118
Audio CD 5, Tracks 17–18
Workbook, page 78
Quiz, page 70

### Bellringer Review

*Use BRR Transparency 5.5 or write the following on the board.*
**Escriban diez palabras que se pueden usar en una agencia de alquiler de carros.**

---

## PRESENTATION

### Conversación

**Step 1** Give students a few minutes to read the **Conversación** silently.

**Step 2** Call on two students to read it aloud. Have them use as much expression as possible. Have the other members of the class close their books and listen.

**Step 3** Go over **Actividad A** on page 237 orally. Then assign the activities for homework.

### LEVELING

**E:** Conversation

**236**

## En la agencia de alquiler de carros 🎧

**Cliente** Buenos días.
**Agente** Buenos días, joven. ¿En qué puedo servirle?
**Cliente** Mis padres y yo estamos visitando parientes aquí en México. Yo estaba considerando alquilar un vehículo para recorrer el país.
**Agente** Excelente idea. Hoy estamos ofreciendo unos precios muy atractivos. ¿Qué tipo de vehículo le interesa y por cuánto tiempo va a quererlo?
**Cliente** Estaremos viajando por áreas rurales donde las carreteras no son muy buenas. Estábamos pensando en un todoterreno con tracción a cuatro ruedas. Se lo devolveremos en quince días.
**Agente** Muy bien. Podemos ofrecerle varios contratos. Tenemos uno con kilometraje ilimitado. Se lo recomiendo porque va a recorrer muchos kilómetros en quince días. El seguro contra todo riesgo está incluido.
**Cliente** Me parece muy bien. Aquí tiene mi licencia de conductor. Es la primera vez que estaré conduciendo en México. ¿Qué consejos me puede dar?
**Agente** Bueno, los normales. Lleve siempre el cinturón de seguridad. No exceda los límites de velocidad y obedezca todas las señales de tráfico y los semáforos. Y tenga mucho cuidado al retroceder y al rebasar.
**Cliente** ¿Rebasar? ¿Quiere decir adelantar o pasar?
**Agente** Precisamente. Ah, y dos cosas que hacemos aquí en México, sobre todo en las áreas rurales. Cuando un camionero pone la intermitente izquierda no es que va a virar. Está indicándole al que está detrás que puede rebasar.

**Cliente** Y si uno de veras quiere virar a la izquierda, ¿cómo puede hacerlo?
**Agente** Pues, nosotros nos ponemos en el arcén de la derecha y allí esperamos un claro en el tráfico para entonces virar.
**Cliente** Muchas gracias. Se lo agradezco mucho. Dígame, por favor, cuáles son los cargos y si puedo pagarlos con tarjeta de crédito.
**Agente** Claro que sí. Espéreme un momentito y le preparo el contrato. Se lo tendré listo enseguida. Su tarjeta y su licencia, por favor. Y, ¿dónde estarán hospedándose?
**Cliente** Aquí las tiene. Estaremos quedándonos con unos primos en Oaxaca. Este es su número de teléfono.

Oaxaca

### Learning from Photos

*(page 236 bottom)* Oaxaca está en un valle de la Sierra Madre del Sur. Es una de las mejor conservadas ciudades coloniales de México. En Oaxaca florecieron las culturas mixteca y zapoteca y todavía hay una gran población indígena allí. Benito Juárez era de herencia zapoteca y nació muy cerca de Oaxaca. Esta iglesia colonial fue construida de piedras sacadas de ruinas zapotecas.

### About the Spanish Language

Remind students that **parientes** are relatives and that **padres** are parents. These terms are often confusing to students.

In Mexico, to pass or overtake another vehicle is **rebasar**. In some other countries it is **adelantar** or **pasar**.

The usual term for *to rent* is **alquilar**. However, the terms **rentar** and **arrendar** are frequently seen and heard.

## ¿Comprendes?

**A** Contesten.

1. ¿Dónde está el joven?
2. ¿Con quiénes está viajando el joven?
3. ¿A quiénes están visitando ellos?
4. ¿Qué está pensando alquilar el joven?
5. ¿Por dónde estarán viajando?
6. ¿Por cuánto tiempo estarán recorriendo el país?
7. ¿Qué están ofreciendo hoy en la agencia?
8. ¿Qué puede el agente ofrecerles?
9. ¿Qué está recomendándole el agente?
10. ¿Cómo estará pagando el cliente?

Spanish Online
To learn more about the process of renting a car in a Spanish-speaking country, do the Chapter 5 **WebQuest** activity on the Glencoe Spanish Web site at glencoe.com.

Chihuahua

**B** Expliquen.

1. un seguro contra todo riesgo
2. para lo que ponen la intermitente izquierda los camioneros
3. lo que hacen para virar a la izquierda en las áreas rurales de México
4. la ventaja del kilometraje ilimitado
5. tracción a cuatro ruedas

**C** Comenten sobre los consejos que da el agente al joven.

**D** Resuman y escriban la conversación en forma narrativa.

Spanish Online
For more information about travel in Mexico, go to **Web Explore** on the Glencoe Spanish Web site at glencoe.com.

MÉXICO

## Después de leer

### PRACTICE

## ¿Comprendes?

**B** Call on students to give the word.

**C** You can do this as a full-class discussion.

**D** You may wish to collect and grade this "composition."

POWERTEACH
*Interactive*
Chalkboard

You may wish to use the editable PowerPoint® presentation available on this PowerTeach CD-ROM to have students listen to and repeat the Conversation. Additional activities are also provided.

**Pre-AP SkillBuilder**

Listening to this conversation will give students the tools they need to succeed on the listening portion of the AP exam.

---

## ANSWERS TO ¿Comprendes?

**A**

1. Está en la agencia de alquiler de carros.
2. Está viajando con sus padres.
3. Ellos están visitando a parientes en México.
4. Está pensando alquilar un todoterreno para recorrer el país.
5. Estarán viajando por áreas rurales donde las carreteras no son muy buenas.
6. Estarán recorriendo el país por quince días.
7. Están ofreciendo unos precios muy atractivos.

8. Les puede ofrecer varios contratos.
9. Recomienda un contrato con kilometraje ilimitado.
10. Estará pagando con tarjeta de crédito.

**B**

1. Es un contrato que protege contra accidentes y daños.
2. La ponen para indicar al que está detrás que puede rebasar.

3. Se ponen en el arcén de la derecha y allí esperan un claro en el tráfico para entonces virar.
4. Es que uno puede recorrer muchos kilómetros y así no tendrá que pagar extra.
5. Tiene una suspensión independiente y se maneja mejor en carreteras que no son muy buenas.

**C** *Answers will vary.*

**D** *Answers will vary.*

**237**

## PREPARATION

### Resource Manager

Audio Activities TE, pages 119–122
Audio CD 5, Tracks 19–24
Workbook, pages 78–84
Quizzes, pages 71–72
*ExamView® Assessment Suite*

### Bellringer Review

*Use BRR Transparency 5.6 or write
the following on the board.*
**Den el participio pasado.**
1. ver
2. hacer
3. volver
4. decir
5. romper

## PRESENTATION

### Tiempos progresivos

**Step 1** Have students read the
explanatory material and the
model sentences in Items 1–2.

**Note:** You may wish to remind
students that while the gerund is
used as a verbal noun in English—
"Skiing is my favorite sport"; "I
don't like playing the piano"—the
infinitive is used in Spanish: **El
esquiar es mi deporte favorito.
No me gusta tocar el piano.**

### LEVELING

**E:** Structure

You may wish to
use the editable
PowerPoint® pre-
sentation available
on this PowerTeach
CD-ROM for additional grammar
instruction and practice.

---

# Estructura • **Repaso**

**Tiempos progresivos**
**Describing actions in progress**

Use your **StudentWorks**
CD for more practice.

1. The progressive tenses are used to express actions going on, actions viewed
as in progress in the past, present or future. The progressive tenses are all
formed with the appropriate tense of the verb **estar** and the present
participle—*speaking, writing, etc.* To form the present participle of **-ar** verbs,
drop the infinitive **-ar** ending and add **-ando**. For **-er** and **-ir** verbs drop the
infinitive ending and add **-iendo**.

| INFINITIVE | hablar | llegar | comer | hacer | salir |
|---|---|---|---|---|---|
| STEM | habl- | lleg- | com- | hac- | sal- |
| PARTICIPLE | hablando | llegando | comiendo | haciendo | saliendo |

Note that the verbs **leer, traer,** and **construir** have a **y** in the present participle.

leyendo          trayendo          construyendo

2. Look at these examples of the progressive tenses.

**Estoy mirando el mapa.**
   *(present progressive)*
**Luisa estaba conduciendo.**
   *(imperfect or past progressive)*
**Estaremos llegando pronto.**
   *(future progressive)*

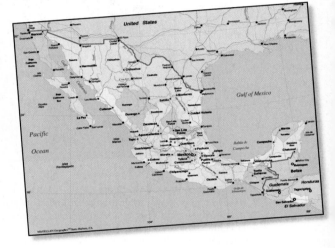

## ¿Cómo lo digo?

**1**  **Historieta**   **En clase**
Contesten personalmente.

1. ¿Estás haciendo la tarea ahora?
2. ¿Estás escribiendo las respuestas?
3. ¿Estás estudiando mucho?
4. ¿Estás practicando el español?
5. ¿Estás escuchando al (a la) profesor(a)?
6. ¿Estás tomando apuntes?

---

## Geography Connection

 Refer to the map and ask students
to locate and tell where each place
is using direction words, e.g. **norte, sur,
este, oeste, cerca de, al lado de,** etc.
Some examples are: Acapulco, Oaxaca,
Puebla, Chihuahua, Veracruz.

## ANSWERS TO ¿Cómo lo digo?

**1**

1. Sí, (No, no) estoy haciendo la tarea ahora.
2. Sí, (No, no) estoy escribiendo las respuestas.
3. Sí, (No, no) estoy estudiando mucho.
4. Sí, (No, no) estoy practicando el español.
5. Sí, (No, no) estoy escuchando al (a la) profesor(a).
6. Sí, (No, no) estoy tomando apuntes.

## 2 Historieta ¿Estás conduciendo?

Contesten según se indica.

1. ¿Quién está conduciendo? (yo)
2. ¿Quiénes están llevando un cinturón de seguridad? (todos nosotros)
3. ¿Adónde están viajando ustedes? (a Chiapas)
4. ¿Está controlando el tráfico el policía? (sí)
5. ¿Quién está leyendo el mapa? (Roberto)
6. ¿Quiénes están escuchando la radio? (nosotros)

## 3 Historieta Dentro de poco…

Completen con el futuro progresivo.

1. Dentro de poco nosotros _____ al aeropuerto. (llegar)
2. Dentro de poco toda la familia nos _____. (esperar)
3. Dentro de poco el asistente de vuelo _____ las tarjetas de turismo. (distribuir)
4. Dentro de poco el avión _____. (aterrizar)
5. Dentro de poco tú _____ México por primera vez. (ver)

## 4 No hace tantas horas que…

Completen la Actividad 3 con el imperfecto progresivo.

San Cristóbal de las Casas, Chiapas

 **Colocación de los pronombres de complemento**
**Referring to people and things already mentioned**

1. As you know, direct and indirect object pronouns precede a conjugated verb.

   Él **me** dio el mapa.
   Ellos **nos** regalaron las entradas.

2. Often both a direct and an indirect object pronoun can appear in the same sentence.

   Él **me lo** dio.
   Ellos **nos las** regalaron.

MÉXICO

*doscientos treinta y nueve* ⚙ **239**

---

## ¿Cómo lo digo?

**1** and **2** These activities can be done orally with books closed without previous preparation.

**3** and **4** Have students prepare **Actividades 3** and 4 and then go over them in class.

### Colocación de los pronombres de complemento

**Step 1** This is one of those grammatical points that students learn better through examples than explanation. In your presentation, it is recommended that you concentrate on the model sentences and use the actual answers to the activities as examples rather than belabor the explanation of which pronoun goes where. The more students hear the correct order, the less frequently they will make errors.

### Learning from Photos

*(page 239)* San Cristóbal de las Casas fue fundada por los españoles y ha tenido una larga historia de conflicto entre los indígenas y los españoles y sus descendientes. En 1994 hubo una rebelión llamada «zapatista» en honor de Emiliano Zapata, uno de los líderes de la Revolución de 1911. Emiliano Zapata era del vecino estado de Morelos.

**LEVELING**
**C:** Structure

---

## ANSWERS TO ¿Cómo lo digo?

**2**

1. Yo estoy conduciendo.
2. Todos nosotros estamos llevando un cinturón de seguridad.
3. Nosotros estamos viajando a Chiapas.
4. Sí, el policía está controlando el tráfico.
5. Roberto está leyendo el mapa.
6. Nosotros estamos escuchando la radio.

**3**

1. estaremos llegando
2. estará esperando
3. estará distribuyendo
4. estará aterrizando
5. estarás viendo

**4**

1. estábamos llegando
2. estaba esperando
3. estaba distribuyendo
4. estaba aterrizando
5. estabas viendo

## PRACTICE

# ¿Cómo lo digo?

**5**, **6** Go over **Actividades 5** and **6** orally in class with no previous explanation. Then go over them a second time after students have written them at home. You may wish to do **Actividad 5** as a paired activity. Have one student ask the questions from the book and another student respond.

## Reaching All Students

### Kinesthetic Learners
Have a group of kinesthetic learners pantomime a restaurant scene. One student will narrate the action, using the progressive tenses and pronouns. Encourage them to be creative. You may wish to give them time to prepare their skit.

---

**3.** However, when a direct or indirect object pronoun is used with an infinitive (**-ar, -er, -ir**) or a present participle (**-ando, -iendo**), the pronoun or pronouns may either be attached to the infinitive or participle or precede the auxiliary verb that accompanies the infinitive or participle.

*With the infinitive*

| | |
|---|---|
| Él quiere explicar**te** el problema. | → Él **te** quiere explicar el problema. |
| Él quiere explicár**telo**. | → Él **te lo** quiere explicar. |
| Él va a explicár**telo**. | → Él **te lo** va a explicar. |

*With the present participle*

| | |
|---|---|
| Él estaba explicándo**le** el problema. | → Él **le** estaba explicando el problema. |
| Él estaba explicándo**selo**. | → Él **se lo** estaba explicando. |

**4.** Note that when two pronouns are attached to the infinitive, the infinitive carries a written accent to maintain the same stress. The present participle carries a written accent when either one or two pronouns is attached.

## ¿Cómo lo digo?

**5** **Historieta** **En el restaurante**

 Contesten con **sí**. Sigan el modelo.

—¿Estás comiendo el pescado?
—Sí, estoy comiéndolo.

1. ¿Estás leyendo el menú?
2. ¿Estás hablando al mesero?
3. ¿El mesero le está recomendando la especialidad de la casa?
4. ¿Estás pidiendo el pescado a la veracruzana?
5. ¿Tu amiga está pidiendo el plato combinado que lleva tacos, enchiladas y chiles rellenos?
6. ¿Están comiendo los frijoles refritos?
7. ¿Estás pidiendo la cuenta?
8. ¿Estás pagando la cuenta?

**6** **Historieta** **En la agencia de alquiler**

Sigan el modelo.

Ella está hablando *al agente*. →
Ella le está hablando. Ella está hablándole.

1. El agente está atendiendo *a la cliente*.
2. La cliente está hablando *al agente*.
3. Ellos están discutiendo *el contrato*.
4. Ella quiere firmar *el contrato* ahora.
5. El agente está recomendando *el seguro a la cliente*.
6. La cliente va *a darle la tarjeta de crédito al agente*.
7. El agente le está dando *las llaves del todoterreno*.
8. Ella va a comprarle *el seguro al agente*.

*Un tamal*

*Una quesadilla*

*Una tostada*

CAPÍTULO 5

---

ANSWERS TO ¿Cómo lo digo?

**5**
1. Sí, estoy leyéndolo.
2. Sí, estoy hablándole.
3. Sí, está recomendándomela.
4. Sí, estoy pidiéndolo.
5. Sí, está pidiéndolo.
6. Sí, estamos comiéndolos.
7. Sí, estoy pidiéndola.
8. Estoy pagándola.

**6**
1. El agente está atendiéndole.
2. La cliente está hablándole.
3. Ellos están discutiéndolo.
4. Ella quiere firmarlo ahora.
5. El agente está recomendándoselo.
6. La cliente va a dársela.
7. El agente está dándoselas.
8. Ella va a comprárselo.

## Pronombres de complemento con el imperativo
### Using commands

**1.** The direct and indirect object pronouns are always attached to affirmative commands. The pronouns precede negative commands.

FORMAL

| | |
|---|---|
| **Hábleme usted.** | **No me hable usted.** |
| **Dígamelo en español.** | **No me lo diga en español.** |
| **Cómprenselo ustedes.** | **No se lo compren ustedes.** |

INFORMAL

| | |
|---|---|
| **Háblame.** | **No me hables.** |
| **Dímelo en español.** | **No me lo digas en español.** |

**2.** Note that the command form carries a written accent when a pronoun is added.

## ¿Cómo lo digo?

**7**  **Venden un todoterreno.** Cambien del negativo en el afirmativo.

1. No nos lo demuestre usted.
2. No me lo describa usted.
3. No se lo compre usted.
4. No lo conduzca usted.

**8** **Historieta** **En un restaurante mexicano**
Contesten según el modelo.

—Voy a llamar *al cocinero*.
—¡Buena idea! Llámalo.

1. Voy a escoger *el restaurante*.
2. Voy a invitarlos *a ustedes*.
3. Voy a invitarlos *a Conrado y Susana* también.
4. Voy a probar *los tamales*.
5. Voy a pedirle *la cuenta al mesero*.
6. Voy a dejarle *una propina al mesero*.

San Miguel de Allende

**9** **No, no.** Contesten las preguntas de la Actividad 8 con **¡Mala idea!** y el negativo.

—Voy a llamar *al cocinero*.
—¡Mala idea! No lo llames.

**10** 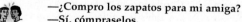 **Regalos para todos** Sigan el modelo.

—¿Compro los zapatos para mi amiga?
—Sí, cómpraselos.

1. ¿Compro la corbata para mi padre?
2. ¿Compro los aretes para mi hermana?
3. ¿Compro la camisa para mi hermano?
4. ¿Compro el pantalón para mi madre?
5. ¿Compro las botas para mí?
6. ¿Compro el reloj para ti?

MÉXICO

doscientos cuarenta y uno  241

---

## ANSWERS TO ¿Cómo lo digo?

---

### PRESENTATION

## Pronombres de complemento con el imperativo

**Step 1** It is a matter of teacher choice as to how thorough you wish to be in the presentation of this particular point, since one does not use the imperative a great deal until one is rather fluent. The only exception would be some fixed expressions such as: **deme, páseme, perdóneme, dígame.**

### PRACTICE

## ¿Cómo lo digo?

**7** – **10** Have students prepare all of these activities before going over them in class.

**8**, **9**, and **10** These can also be paired activities. Have the less able student read from the book and the more able student respond.

### Learning from Photos

*(page 241)* San Miguel de Allende es un precioso pueblo colonial. Es un destino turístico muy popular. En años recientes muchos europeos y norteamericanos jubilados han ido a vivir en San Miguel de Allende atraídos por los elegantes restaurantes y tiendas, museos y vibrante vida cultural.

**LEVELING**
**C:** Structure

241

## Recycling

These activities allow students to use the vocabulary and structure from this lesson in completely open-ended, real-life situations.

## PRESENTATION

Encourage students to say as much as possible when they do these activities. Tell them not to be afraid to make mistakes, since the goal of these activities is real-life communication. If someone in the group makes an error, allow the others to politely correct him or her. Let students choose the activities they would like to do.

You may wish to divide students into pairs or groups. Encourage students to elaborate on the basic theme and to be creative. They may use props, pictures, or posters if they wish.

**Note:** These activities have students practice their "survival skills" in Spanish in the types of real-life situations that they might encounter while on a trip. It is recommended that you not correct all errors made by the students as they do these activities. They would certainly make errors if they were communicating in real situations in a Spanish-speaking country.

# ¡Te toca a ti!

**Use what you have learned**

### 1 Alquilando un vehículo

✔ *Role play a conversation in a car rental agency*

Estás en una agencia de alquiler de autos en México D.F. Quieres recorrer el país y necesitas un vehículo. Tu compañero(a) es el o la agente. Preparen ustedes una conversación.

### 2 Unos consejos para conductores

✔ *Give advice about driving in Mexico*

Tu amigo(a) piensa conducir en México. Como tú ya has conducido allí y conoces las condiciones, contesta sus preguntas y dale buenos consejos. Después, tu amigo(a) te va a repetir los consejos que le diste.

Isla Mujeres

Mazatlán

### 3 Lo que tenemos y lo que quiero

✔ *Tell what you have and what you like*

Con tu compañero(a) hablen de los vehículos que tienen o que sus familias tienen. Descríbanlos e indiquen si les gustan o no. ¡Buenas noticias! Ustedes acaban de ganar la lotería. Pregúntenle a su profesor(a) cuánto dinero ganaron ustedes. Ahora, hablen de los nuevos vehículos que quieren comprar.

### 4 Viajando en carro

✔ *Describe a car trip in Mexico*

El joven de la **Conversación** en la página 236 estaba viajando por México con su familia. Imagina un viaje que estás haciendo ahora en carro. Cuenta los lugares que estás visitando y lo que estás viendo.

ANSWERS TO ¡Te toca a ti!

*Answers will vary.*

Gasolinera, Tepoztlán, Morelos

ESCRIBIR
## 5 En la gasolinera
✔ *Explain what you want someone to do*

Tienes que dejar tu carro para el servicio de rutina. Deja una nota diciéndole al (a la) empleado(a) lo que tiene que hacer.

ESCRIBIR

## 6 Carro de segunda mano
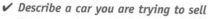
✔ *Describe a car you are trying to sell*

Tienes un carro viejo que quieres vender. Un(a) posible comprador(a) te ha mandado un e-mail pidiéndote una descripción del vehículo. Responde con otro e-mail diciéndole todo lo que puedas sobre tu magnífico carro, cuanto dinero quieres por él, etc.

Real del Monte

HABLAR

## 7 ¡Véndemelo!

✔ *Tell what you want and don't want*

Tú y tu compañero(a) mencionan cada artículo de ropa que el otro o la otra lleva y dile que te la venda. Usa el imperativo familiar. Por ejemplo: **Tu camisa, ¡véndemela!—No, no te la vendo.**

MÉXICO

*doscientos cuarenta y tres*  **243**

ANSWERS TO **¡Te toca a ti!**

*Answers will vary.*

# Assessment

## Resource Manager

Assessment Transparency A5.2
Online Quiz
Tests, pages 143–144 and 150–171
*ExamView® Assessment Suite*

## Assessment

This is a pretest for students to take before you administer the lesson test. Answer sheets for students to do these pages are provided in the transparencies. Note that each section is cross-referenced so students can easily find the material they have to review in case they made errors. You may wish to collect these assessments and correct them yourself or you may prefer to have the students correct themselves in class. You can go over the answers orally or project them on the overhead, using your Assessment Answers transparencies.

## Reaching All Students

### Non-Mastery Students
Encourage students who need extra help to refer to the yellow notes and review any section before answering the questions.

# Vocabulario

**1** **Completen con una palabra apropiada.**

1. Hay que parar cuando el _____ está en rojo.
2. Hay que respetar todas las _____ de tráfico.
3. Cien kilómetros por hora es el _____.
4. Cuando vamos a virar a la izquierda o a la derecha usamos las _____.

To review vocabulary, turn to page 234.

**2** **Den un sinónimo o equivalente.**

5. adelantar
6. el permiso de conducir
7. el peligro, la contingencia
8. ir en reversa
9. escribir su nombre
10. área al lado u orilla de la carretera

Mazatlán

## ANSWERS TO Assessment

**1**

1. semáforo
2. señales
3. límite de velocidad
4. intermitentes

**2**

5. rebasar
6. la licencia de conductor
7. el riesgo
8. retroceder
9. firmar
10. el arcén

# Assessment

# Conversación

**3** Contesten según la conversación.

11. ¿Qué está buscando el joven?
12. ¿Qué están ofreciendo hoy en la agencia?
13. ¿Por dónde estarán viajando el joven y su familia?
14. ¿Qué tipo de seguro está recomendando el agente?
15. ¿Por qué está pensando en un todoterreno el cliente?
16. ¿Cómo va a pagar los cargos el cliente?

To review the conversation, turn to page 236.

# Estructura

**4** Cambien en el imperfecto progresivo.

17. Yo visitaba la agencia de alquiler de coches.
18. Mis padres alquilaban un todoterreno.
19. El agente explicaba las condiciones.
20. Nosotros mirábamos los vehículos.

To review the progressive, turn to page 238.

**5** Completen en el presente progresivo.

21. Nosotros _____ un todoterreno. (alquilar)
22. Yo no _____ un todoterreno. (conducir)
23. ¿Tú lo _____? (ver)
24. El agente me _____ todo lo que debo hacer. (decir)

**6** Completen con los pronombres apropiados.

25. Ella quiere comprar_____. (el carro / a mí)
26. El agente está vendiendo_____. (el seguro / a la señora)
27. El todoterreno está rebasando_____. (el camión)
28. El camionero está leyendo_____. (la señal de tráfico)
29. Yo no quiero dar_____. (la tarjeta de crédito / al agente)
30. Y tú, ¡da_____! (las llaves / a mí)

To review pronoun placement, turn to pages 239–240 and 241.

## Assessment

After going over the Assessment, you may administer the test for **Lección 2, Capítulo 5.**

## Learning from Photos

*(page 244)* Mazatlán tiene unos veinte kilómetros de playas. La ciudad es famosa por su Carnaval, que se dice es el tercero más grande del mundo después de los de Río de Janeiro y Nueva Orleans. En la foto vemos un bulevar que une el pueblo viejo con su arquitectura del siglo XIX con la Zona Dorada donde están los elegantes hoteles modernos de la playa.

---

ANSWERS TO Assessment

**3**

11. El joven está buscando un vehículo que alquilar.
12. Hoy en la agencia están ofreciendo varios contratos, incluso uno con kilometraje ilimitado.
13. El joven y su familia estarán visitando a parientes en México.
14. El agente está recomendando el seguro contra todo riesgo.
15. El cliente está pensando en un todoterreno porque va a estar viajando por áreas rurales donde las carreteras no son muy buenas.
16. El cliente va a pagar los cargos con (una) tarjeta de crédito.

**4**

17. Yo estaba visitando la agencia de alquiler de coches.
18. Mis padres estaban alquilando un todoterreno.
19. El agente estaba explicando las condiciones.
20. Nosotros estábamos mirando los vehículos.

**5**

21. estamos alquilando
22. estoy conduciendo
23. estás viendo
24. está diciendo

**6**

25. comprár**melo**
26. vendiéndo**selo**
27. rebasándo**lo**
28. leyéndo**la**
29. dár**sela**
30. dá**melas**

## PREPARATION

### Resource Manager

Vocabulary Transparency V5.4
Audio Activities TE, pages 123–126
Audio CD 5, Tracks 25–28
Workbook, pages 85–86
Quiz, page 73
*ExamView® Assessment Suite*

### Bellringer Review

*Use BRR Transparency 5.7 or write the following on the board.*
**Escriban cinco oraciones sobre actividades playeras.**

## PRESENTATION

### Vocabulario para la lectura

**Step 1** You may wish to use some of the procedures presented in previous chapters.

Play a game of **Simón dice** with your students. **Simón dice toquen el hombro. Simón dice toquen la mano. Simón dice toquen el brazo. Simón dice toquen el abdomen. Simón dice toquen la pierna.** Kinesthetic and visual learners will especially benefit from this activity.

You may wish to use the editable PowerPoint® presentation available on this PowerTeach CD-ROM for additional vocabulary instruction and practice.

## Vocabulario para la lectura
**Wind surf: agua, aire y ¡diversión!**

Use your StudentWorks Plus CD for more practice.

- el tórax
- el hombro
- el pecho
- el músculo
- el brazo
- el abdomen
- la mano
- la pierna

las suelas
las sentadillas

- 2 X 6.5
- la vela
- el chaleco salvavidas
- la onda, la ola
- el calzón
- el salto
- la tabla

los tenis
los estiramien[tos]

Están haciendo ejercicios.
Están haciendo calentamiento.

El joven se resbaló.
La tabla dio unos brincos.
Se volteó.

### Más vocabulario

**los ligeros** los que no pesan mucho, los que pesan pocos kilos
**los pesados** los que tienen mucho peso, lo contrario de «ligeros»

**los novatos** los principiantes, lo contrario de «expertos»
**ejercitar** darle ejercicio a
**lastimar** hacerle daño, dañar, herir

246 doscientos cuarenta y seis

CAPÍTULO 5

## Reaching All Students

**Kinesthetic Learners**
Have kinesthetic learners dramatize the following: **hacer ejercicios, hacer sentadillas, hacer calentamiento, hacer estiramientos, resbalarse.**

## ¿Qué palabra necesito?

**1** **¿Qué es?** Identifiquen.

1.
2.

3.
4.

5.
6.
7.
8.
9.

10.

**2** **Historieta** **¿Qué habrá pasado?**
Contesten según se indica.

1. ¿Qué tenía la tabla? (una vela)
2. ¿Qué había saltado el joven? (la onda)
3. ¿Por qué se habrá caído de la tabla? (se habrá resbalado)
4. ¿Se había volteado? (sí)
5. ¿Por qué se había volteado? (había dado unos brincos fuertes)
6. ¿Por qué habrá llevado guantes para el wind surf? (para no lastimarse las manos)
7. ¿Qué ejercicios había hecho como calentamiento? (sentadillas y estiramientos)

**3** **Palabras emparentadas** Den una palabra relacionada.

1. estirar
2. pesar
3. sentar
4. brincar
5. calentar
6. resbaladizo

MÉXICO

---

### ¿Qué palabra necesito?

**1**, **2**, and **3** These activities can be gone over without previous presentation.

**Teacher NOTE**

The grammar points for this lesson are the pluperfect, future perfect and conditional perfect tenses. Note their introduction in **Actividad 2**.

---

## ANSWERS TO ¿Qué palabra necesito?

**1**
1. la tabla
2. la vela
3. los tenis
4. las sentadillas
5. la mano
6. el brazo
7. el músculo
8. el pecho
9. el abdomen
10. la onda, la ola

**2**
1. La tabla tenía una vela.
2. El joven había saltado la onda.
3. Se habrá caído de la tabla porque se habrá resbalado.
4. Sí, se había volteado.
5. Se había volteado porque había dado unos brincos fuertes.
6. Habrá llevado guantes para el wind surf para no lastimarse las manos.
7. Había hecho sentadillas y estiramientos como calentamiento.

**3**
1. los estiramientos
2. los pesados
3. las sentadillas
4. unos brincos
5. calentamiento
6. resbalarse

# Lectura

## National Standards

**Communication**
This selection will enable students to communicate about summer sports activities.

## PREPARATION

### Resource Manager

Audio Activities TE, page 127
Audio CD 5, Track 29
Workbook, page 87
Quiz, page 74

### Bellringer Review

*Use BRR Transparency 5.8 or write the following on the board.*
**Hagan una lista de todas las actividades de verano que ustedes conocen.**

## PRESENTATION

### Teacher NOTE

You may also introduce some of the **Estructura** section of this lesson as you are doing the readings or you may wish to do the **Estructura** all at once.

**Step 1** It is suggested that you have students read the article silently. This article should be of interest to the students, as wind surfing is an increasingly popular pastime.

## LEVELING
**E–A:** Reading

---

# Wind surf: agua, aire ¡y diversión!

### PARA PRACTICARLO

**Cerca del D.F.**
Presa Escondida, Hgo.
Valle de Bravo, Edo. de Méx.
Atlangatepec, Tlax.

**En la costa del Pacífico**
Puerto Vallarta, Jal.
Puerto Escondido, Oax.
Puerto Ángel, Oax.
Huatulco, Oax.
Ensenada, B.C.
Cabo San Lucas, B.C.
La Paz, B.C.
Bahía Negra, B.C.
Acapulco, Gro.

**En el Golfo de México**
Cancún, Q. Roo

**Para ti que te encanta pasártela súper con tus cuates[1] cerca del mar o de algún lago, haciendo deporte, ésta es una de las opciones con la que además de que te vas a sentir de maravilla, te vas a poner… ¡guauuuu!**

**Por Jorge Barajas Rocha**

El wind surf es un deporte que no sólo es divertidísimo, sino que en él ejercitas muchísimas partes del cuerpo, además de que como se tiene que practicar en el agua, puedes echarte unas asoleadas[2] y nadadas, ¡otra onda!

Poco a poco ha ido agarrando[3] más fuerza en México, y desde hace unos años existe un equipo profesional de wind surf que, por cierto, hizo un excelente papel en los Juegos Centroamericanos; últimamente se ha estado poniendo muy de moda en Valle de Bravo, Presa Escondida, Cancún y Puerto Vallarta porque son lugares que se prestan[4] muchísimo para que puedas practicarlo y volverte un verdadero campeón en este rollo[5].

Realmente, no necesitas de muchas cosas para poder hacer wind surf, sólo te hace falta una tabla con vela y, ¡listo! (Nada más

no se te olvide el lago, ¿eh?) Eso sí, es básico estar protegido para que no te vayas a lastimar a las primeras de cambio[6], ¿no? Así, te conviene usar wetsuit, que son trajes color neón para que

no te confundas con el agua (además de que guardan el calor de tu cuerpo), guantes especiales para que no te lastimes las manos, cinturón o arnés[7] (si es en forma de calzón, ¡mucho mejor!), chaleco salvavidas y tenis ligeros de suela blanda para que no te resbales.

Pero, ¿en qué consiste este deporte? El wind surf viene siendo algo así como una especialización del famosísimo "surfing", sólo que aquí tienes muchas más cosas de las que tienes que estar al pendiente porque a cada rato[8] andas en el aire dando unos brincos como para dejar a todo el mundo con el ojo cuadrado[9]. Lo fundamental del wind surf es aprender a controlar la vela para que el viento te lleve hacia donde tú quieras, así como aprovechar la fuerza del viento para tomar velocidad; obvio que también hay que saber manejar la tabla y mover tu cuerpo para que le hagas contrapeso[10] a la

---

[1] cuates   *amigos (México)*
[2] echarte unas asoleadas   *broncearte*
[3] agarrando   *grabbing*

[4] se prestan   *lend themselves*
[5] en este rollo   *este deporte*
[6] primeras de cambio   *primera vez*

[7] arnés   *harness*
[8] a cada rato   *a cada momento*
[9] con el ojo cuadrado   *amazed*
[10] contrapeso   *counterbalance*

---

### Pre-AP SkillBuilder

As students read these **Lecturas,** they will continue to develop the skills they need to be successful on the reading and writing sections of the AP exam.

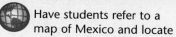

vela y así evitar que te voltees a cada rato. Aunque al principio te la pasas en el agua, el chiste es que no te desesperes y vayas mejorando[11] poco a poco. Acuérdate que nadie nace siendo un campeón en ningún deporte, sino que se va aprendiendo con el tiempo y la experiencia.

Lo prendidísimo[12] es que cada fin de semana se organizan competencias en las que hay que recorrer un circuito en plan de carreras, así que además de ponerse súper listo para la onda de los saltos, también hay que tener rapidez para ganar.

La edad para practicarlo no tiene que ser una en específico, sólo que mientras más chico[13] empieces, vas adquiriendo más elasticidad, coordinación, control de la vela y sentido del equilibrio. De todos modos, no tengas miedo de hacer osos[14] si estás empezando y mejor concéntrate en este rollo; sólo hay que tener mucha disciplina. Además, la verdad, no es tan complicado como parece y, eso sí, es divertidísimo.

De cualquier forma, tienes que prepararte muy bien: primero, hay que tener una condición física excelente y, segundo, muchísima fuerza en tus piernas, brazos y abdomen, que es lo que más ejercitas. Para eso, antes de entrar al agua, es muy conveniente que hagas un poco de calentamiento para que no vayas a tener problemas con tus músculos, que sólo así estarán listos para ponerlos a prueba; puedes hacer sentadillas, abdominales, lagartijas[15], estiramientos y torsiones de tronco.

## TIPS BÁSICOS

✳ **Mantén** el equilibrio en base a la velocidad y a la intensidad del viento.
✳ **Conserva** la ruta de la línea del viento.
✳ **No luches** contra el viento, sino ayúdate de él para ir en la dirección que quieras.
✳ **Si no puedes pararte** porque hay mucho viento, espérate a que baje un poco.
✳ **Sé** muy constante.

En México, hay varias asociaciones en las que puedes meterte para practicarlo más seguido dentro de diferentes categorías, por lo que igual encuentras un equipo de cuates que van desde los doce años hasta uno de gente mayor a los treinta años, además de que hay grupos de ligeros, pesados, masters y novatos. Como quien dice, ¡hay de todo para todos! Otra cosa de lo más padre[16] es que estás en pleno contacto con la natu-

raleza porque siempre vas a estar rodeado de viento, agua, sol y con unos paisajes a tu alrededor que de plano ¡no te los acabas[17]!, además de que el ambiente es de lo más

sano porque hay un buen de gente que le está entrando[18] al wind surf y a la que también le encanta todo ese rollo, así es que siempre vas a conocer gente muy prendida[19].

Sobre las partes del cuerpo que ejercitas, te sirve muchísimo para los brazos, piernas y tórax, aunque igual te fortalece los hombros, el pecho y las pompas[20]. Como quien dice, ¡todo!

Así que ya lo sabes, para pasarte unos fines de semana ¡otro rollo! en medio de un súper ambiente, haciendo ejercicio y agarrando un color envidiable, el wind surf es... ¡la mejor opción!

[11] mejorando   *improving*
[12] Lo prendidísimo   *Más importante*
[13] chico   *joven, pequeño*
[14] hacer osos   *cometer errores*
[15] lagartijas   *push-ups*
[16] padre   *nice (Mexico)*
[17] no te los acabas   *increíble*
[18] entrando   *practicando*
[19] prendida   *interesante*
[20] pompas   *buttocks*

MÉXICO

---

## Geography Connection

Have students refer to a map of Mexico and locate the places mentioned under **Para practicarlo.**

## Reaching All Students

### Visual Learners

Have visual learners reread the selection and make a list of all the parts of the body and a list of all the activities mentioned in the article.

## About the Spanish Language

This article has many words and expressions used almost exclusively by young people in Mexico. You may wish to point them out. Some are: **guau, este rollo, el ojo cuadrado, lo prendidísimo, lo más padre, no te lo acabas, prendida, pompas.**

### Group Activity

Have students work in small groups and make up a story about a day at the beach.

## Después de leer

### PRACTICE

## ¿Comprendes?

 **A** and **B** Have students prepare **Actividades A** and **B** as they are reading the **Lectura**.

## ¿Comprendes?

**A** Contesten.

1. ¿Existe un equipo profesional de wind surf en México?
2. ¿Necesitas de muchas cosas para hacer el wind surf?
3. ¿Hay que pensar en más cosas cuando uno hace el wind surf que cuando uno hace surfing (tabla)?
4. ¿Hay una edad específica para practicar el wind surf?

Baja California

**B** Contesten.

1. ¿Cuáles son algunas ventajas del wind surf?
2. ¿Cuáles son algunas cosas esenciales para hacer el wind surf?
3. ¿Por qué le conviene a uno llevar un wetsuit?
4. ¿Qué dice el artículo sobre la gente que practica el wind surf?

¡PURA Y SIMPLE!

Solicita el catálogo a:

## ANSWERS TO ¿Comprendes?

**A**

1. Sí, existe un equipo profesional de wind surf en México.
2. No, no necesitas de muchas cosas para hacer el wind surf—sólo te hace falta una tabla con vela.
3. Sí, hay que pensar en más cosas cuando uno hace el wind surf que cuando uno hace surfing, especialmente como usar la vela para controlar su dirección y aprovechar la fuerza del viento para tomar velocidad.
4. No, no hay ninguna edad específica para practicar el wind surf, sólo que mientras más chico empieces, vas adquiriendo más elasticidad, coordinación, control de la vela y sentido del equilibrio.

**B**

1. Algunas ventajas del wind surf incluyen la existencia de competencias en las que hay que recorrer un circuito en plan de carreras, el contacto con la naturaleza, y la oportunidad de conocer a muy buena gente.
2. Algunas cosas esenciales para hacer el wind surf son una condición física excelente y muchísima fuerza en tus piernas, brazos y abdomen.
3. Un wetsuit es de color neón para que no te confundas con el agua y también guarda el calor de tu cuerpo.
4. El artículo dice que la gente que practica el wind surf es muy prendida.

250

## Vocabulario para la lectura
### ¿Mis padres no me gustan?

Los padres y los hijos platican.
La madre le muestra mucho cariño a la hija.

Los niños están involucrados en una pelea.
Habrían tenido una disputa.

### Más vocabulario

**el acuerdo** resolución mutua, convenio
**el arete** adorno que se lleva en la oreja
**la confianza** seguridad en el buen
  carácter y honestad de uno
**la muestra** señal, indicio, indicación

**abundar** ser abundante, ser muchos
**bastar** ser bastante, suficiente
**llevar a cabo** acabar, llevar a una
  conclusión
**suceder** ocurrir, pasar

San Miguel de Allende

## ¿Qué palabra necesito?

**1**   **Los padres** Contesten según se indica.

1. ¿Qué les muestran a los hijos los padres? (mucho cariño)
2. ¿Con quiénes platican los padres? (con los hijos)
3. ¿Cuál es una muestra de cariño? (un beso)
4. ¿En qué tienen confianza los padres?
   (los amigos de los hijos)
5. ¿Qué le molesta a la madre?
   (el arete grande en la oreja de su hija)

**2**   **¿Cuál es la palabra?** Completen.

1. Hay que tener _____ en tus amigos.
2. Un beso es una _____ de cariño.
3. ¡_____, ya! No quiero oír más de esta disputa. Ya estoy
   harto.
4. Ellos están involucrados en una pelea y va a _____ algo malo
   si no llegan a un _____ para poner fin a su disputa.
5. Desgraciadamente _____ ejemplos de malos conductores.
   Hay muchos en las carreteras.
6. Un _____ es una joya.
7. Tiene que _____ lo que ha empezado.

MÉXICO

## Answers to ¿Qué palabra necesito?

**1**

1. Los padres les muestran mucho cariño a los hijos.
2. Los padres platican con los hijos.
3. Un beso es una muestra de cariño.
4. Los padres tienen confianza en los amigos de los hijos.
5. El arete grande en la oreja de su hija le molesta a la madre.

**2**

1. confianza
2. muestra
3. Basta
4. suceder, acuerdo
5. abundan
6. arete
7. llevar a cabo

---

### PREPARATION

#### Resource Manager

Vocabulary Transparency V5.5
Audio Activities TE, pages 128–129
Audio CD 5, Tracks 30–32
Workbook, page 88
Quiz, page 75
*ExamView® Assessment Suite*

#### Bellringer Review

*Use BRR Transparency 5.9 or write
the following on the board.*
**Escriban lo que sus padres
siempre les dicen que hagan.**

### PRESENTATION

## Vocabulario para la lectura

**Step 1** Present the new words
and have students repeat them
after you or the Audio CD.

**Step 2** You may wish to ask questions as you present the vocabulary. **¿Quiénes platican? ¿Qué le
muestra la madre a su hija? ¿En
qué están involucrados los niños?
¿Qué habrían tenido?**

### PRACTICE

## ¿Qué palabra necesito?

**1** , **2** Have students prepare
these activities and then go over
them in class.

#### About the Spanish Language

The verb **platicar** is used throughout Mexico and Central America.
You will also hear **charlar,
conversar,** and **contar.**

251

## Lectura

### National Standards

**Comparisons**

Students are helped to acquire an understanding of the concept of culture by contrasting aspects of American culture and the culture of Mexico.

**Comparisons**

Students will compare the conflicts Mexican youths may have with their parents and those that they have with their parents. They will most probably be interested to learn how much they have in common.

## PREPARATION

### Resource Manager

Audio Activities TE, pages 129–130
Audio CD 5, Track 33
Workbook, page 88
Quiz, page 76

## PRESENTATION

**Step 1** Before assigning the reading for homework, have students look at the title of the article, as well as the sub-heads throughout the article, and ask them to tell you briefly what the article is about.

**Step 2** Have students look for the information from **Actividades A, B,** and **C** and write the answers as they read the article at home.

## LEVELING

**E:** Reading

Tijuana, México

# ¿Mis padres no me gustan?

Cada persona es un mundo y cada familia es un universo distinto. Las familias de tus amigos también son diferentes: padres que discuten, que no te entienden o que son un dilema andando. Los padres suelen ser todo lo que menos esperas y hasta deseas tener la familia de alguno de tus amigos. Sin embargo, recuerda que no los conoces en realidad, si no, ¿por qué tu amiga quiere tener tus padres y no los de ella?

### Distintos tipos de padres

**1. Controla-todo**

Temen que sucedan catástrofes cuando los hijos salen de casa, incluso acompañados por amigos de confianza. No es para menos: las noticias están llenas de problemas como asaltos y secuestros[1]; además, las tentaciones (piensan ellos) abundan en las fiestas de adolescentes; por ejemplo las drogas y el alcohol; entre otros. ¿Solución? En general basta con hacerles sentir confianza por las personas con quienes sales. Además, es posible negociar con ellos la hora de llegada a casa, personas con quienes estás, lugares a donde te diviertes. Lo más importante es hacerles sentir que vas con gente que te cuidan y que no vas a cometer locuras[2]. Aprende a controlarte y cumple con los acuerdos a los que lleguen.

**2. Indiferentes**

Contrarios a los anteriores, parece que no les importa si sales, entras o no llegas a casa. Pero tampoco dan muchas muestras de afecto, lo que seguramente también es frustrante para todos. Algunos lo hacen porque asumen que la libertad te da más criterio para decidir por ti mismo, mientras otros simplemente no saben cómo mostrarte cariño. Cualquiera que sea el caso, acércate a ellos y platica sobre los temas que quieras tratar. Explícales que de vez en cuando es necesario que te expresen cuanto te quieren; que aún esperas la guía de personas con experiencia que te ayuden a decidir el mejor camino en la vida. Si aún así no reaccionan ante tu ánimo por convivir más con ellos, encuentra tutores en amigos, familiares y profesores, otros guías que con gusto te ayudan.

[1] secuestros   *kidnappings*
[2] cometer locuras   *do silly things*

### 3. Censura total

Simplemente nada les gusta: tu pelo, tu ropa, tus amigos, en fin, no les convence como eres. Estos detalles que a ti te parecen normales como tu forma de ser, no son los correctos desde el punto de vista de tus papás. Lo peor que puedes hacer es comenzar una pelea; es inútil porque son tan diferentes que esperan que estés de acuerdo con lo que piensan, mientras tú quieres seguir en desacuerdo con ellos y no ceder en sus exigencias. Así no llegan a ninguna parte. Lo más razonable es preguntar qué les molesta exactamente. En muchos casos se trata de cuestiones superficiales y sin mayor importancia, como el estilo de peinado, el color de la ropa o que te pongas un arete en el ombligo[3]. Recuérdales que ellos también fueron jóvenes, les gustaba la moda y querían ser especiales. Seguro recuerdan las críticas de tus abuelos y pueden llegar a alguna resolución.

### 4. Perfectos a morir

Te ponen expectativas tan altas que no crees alcanzarlas. Esperan que seas el mejor de la clase, que ganes los premios escolares, que entres a las mejores escuelas, que tengas un buen trabajo y que tengas tiempo para ellos el fin de semana—¡todo al mismo tiempo! Aclárales lo que esperas de tu vida y como piensas llevarlo a cabo. Si ellos quieren ayudarte, está bien, pero sólo tú puedes encontrar tu camino.

### 5. Padres solteros

Ser padre y madre a la vez no es cosa fácil: sacar adelante la familia así como tratar de arreglar la situación personal. Es comprensible que tenga poco tiempo para platicar contigo o que no tenga paciencia como antes. En este caso la situación familiar sigue un proceso más complicado, sólo te queda ser tolerante y cooperar en lo que puedas. Ayuda a hacer la comida, ordena tu cuarto, gasta lo menos posible y trata de no involucrarte en problemas. Como ves, el universo de padres es enorme y cada uno es diferente y tiene sus propias complicaciones. Las familias ideales no existen; la cuestión es saber sobrellevar[4] las situaciones de la mejor manera.

[3] ombligo *belly button*
[4] sobrellevar *to put up with*

MÉXICO

## Critical Thinking Activity

**Interpreting** Ask the students what the title of the article means. It appears ambiguous. Literally it asks: *Don't I like my parents?* But it also seems to ask: *Don't my parents like me?* Have students discuss how they interpret the title and if the content of the article supports their conclusion.

## Reaching All Students

Have an advanced learner give a summary in his or her own words of each section of this article. Then ask average students some questions about the summary. Have less able students give a summary based on the summary of the advanced learners.

## ADDITIONAL PRACTICE

You may wish to have students survey their friends about what type of parent(s) they have. If they know anyone with a hispanic background be sure to have them include his or her opinion.

## Después de leer

### PRACTICE

# ¿Comprendes?

**Note:** It is recommended that you allow students to look up the answers as they read rather than use the activities for factual recall.

**A** – **C** Have students write these activities for homework, then go over them the next day.

**D** You may wish to do this activity as a full-class discussion.

### Learning from Photos

*(page 254)* You may wish to ask students to describe the family in the photo.

---

# ¿Comprendes?

**A** **Los padres controla-todo** Contesten.

1. ¿De qué tienen miedo estos padres?
2. ¿De qué están llenas las noticias?
3. ¿Cuáles son las tentaciones que estos padres piensan que abundan en las fiestas?
4. ¿En quiénes debes hacer que tus padres sienten confianza?
5. ¿Cuáles son algunas cosas que puedes negociar con los padres?

**B** **Los padres indiferentes** Completen.

1. Estos padres generalmente no muestran mucho ____.
2. Ellos creen que la libertad te permite ____ mejor por ti mismo.
3. Tú debes acercarte a ellos y ____ sobre lo que te es importante.
4. Diles que esperas la ____ de personas con experiencia.

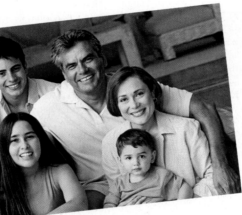

Una familia mexicana

**C** **¿Qué tipo de padre es?** Identifiquen: **censura total, perfectos a morir** o **soltero.**

1. Tiene que ser padre y madre a la vez.
2. No le gusta tu pelo, ni tu ropa, ni tus amigos.
3. Es razonable preguntarles lo que les molesta exactamente.
4. Quieren que entres en las mejores escuelas y muchas cosas más, todas al mismo tiempo.
5. Es buena idea recordarles que ellos también fueron jóvenes.
6. Es probable que no tengan tiempo para platicar contigo o que no tengan la paciencia de antes.

**D** **Opiniones** ¿Cuál de los tipos de padres consideras los más difíciles para los hijos, los que menos te gustarían tener? ¿Por qué?

---

## ANSWERS TO ¿Comprendes?

**A**

1. Estos padres temen que sucedan catástrofes cuando los hijos salen de casa.
2. Las noticias están llenas de problemas como asaltos y secuestros.
3. Las tentaciones que estos padres piensan que abundan en las fiestas son las drogas y el alcohol, entre otras.
4. Debes hacer que tus padres sienten confianza por las personas con quienes sales.
5. Es posible negociar con ellos la hora de llegada a casa, personas con quienes estás y lugares donde te diviertes.

**B**

1. cariño, afecto
2. decidir
3. platicar
4. guía

**C**

1. soltero
2. censura total
3. censura total
4. perfectos a morir
5. censura total
6. soltero

**D** *Answers will vary, but students should explain their choices with examples.*

# Estructura • Avanzada

Use your **StudentWorks** Plus
CD for more practice.

 **Pluscuamperfecto**
### Describing actions completed prior to other actions

**1.** The pluperfect tense is formed by using the imperfect tense of the auxiliary verb **haber** and the past participle.

| INFINITIVE | llegar | cumplir |
|---|---|---|
| yo | había llegado | había cumplido |
| tú | habías llegado | habías cumplido |
| él, ella, Ud. | había llegado | había cumplido |
| nosotros(as) | habíamos llegado | habíamos cumplido |
| *vosotros(as)* | *habíais llegado* | *habíais cumplido* |
| ellos, ellas, Uds. | habían llegado | habían cumplido |

**2.** The pluperfect tense is used in the same way in Spanish as it is in English. The pluperfect describes a past action completed before another past action.

> **El partido ya había empezado cuando llegaron algunos de los jugadores.**
> *The game had already begun when some of the players arrived.*

**3.** Note that both actions in the sentence above took place in the past. The action that took place first, *the game had already begun* is in the pluperfect. The action that followed it, *the players arrived,* is in the preterite.

Santa Clara del Cobre

## ¿Cómo lo digo?

Baja California Sur

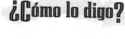 **Historieta** **En la playa** Cambien del presente perfecto en el pluscuamperfecto.

1. Ellos han ido a la playa.
2. Ha hecho mucho viento.
3. Alicia no ha querido hacer el wind surf.
4. Pero los amigos la han convencido.
5. Desgraciadamente, la plancha ha volteado.
6. Y Alicia se ha lastimado.
7. Pero se ha recuperado enseguida.
8. Y se ha subido a la plancha otra vez.

MÉXICO

*doscientos cincuenta y cinco* ⚙ **255**

## Answers to ¿Cómo lo digo?

1

1. Ellos habían ido a la playa.
2. Había hecho mucho viento.
3. Alicia no había querido hacer el wind surf.
4. Pero los amigos la habían convencido.
5. Desgraciadamente, la plancha había volteado.
6. Y Alicia se había lastimado.
7. Pero se había recuperado enseguida.
8. Y se había subido a la plancha otra vez.

### Learning from Photos

*(page 255 top right)* Este pueblo en Michoacán, Santa Clara del Cobre, fue famoso por sus depósitos de cobre, metal que los indígenas sabían trabajar antes de la llegada de los españoles.

### PREPARATION

#### Resource Manager

Workbook, pages 89–94
Audio Activities TE, pages 131–132
Audio CD 5, Tracks 34–37
Quizzes, pages 77–78
*ExamView® Assessment Suite*

#### Bellringer Review

*Use BRR Transparency 5.10 or write the following on the board.*
**Pongan las oraciones siguientes en el presente perfecto.**
1. Yo ___ mis tareas. (terminar)
2. Yo le ___. (hablar)
3. Él me ___ las tareas. (devolver)

### PRESENTATION

 **Pluscuamperfecto**

**¡OJO!** You may wish to intersperse the grammar as you present other parts of the lesson.

Of the tenses presented in this section, the one most frequently used is the conditional perfect. You may wish to go over the pluperfect and the future perfect very quickly.

**Step 1** Write the verb forms on the board and have students repeat them.

**Step 2** The easiest way to have students understand this concept is to imagine two events that took place last week. One took place on Thursday and the other one the previous Tuesday. The event on Tuesday occurred before the event on Thursday and would be in the pluperfect.

**Step 3** Call on students to read the model sentences.

**LEVELING**
**C:** Structure

**255**

## PRACTICE

# ¿Cómo lo digo?

**2**, **3**, and **4** Go over these activities quickly in class with books open. You may also want to have students prepare them for homework.

You may wish to use the editable PowerPoint® presentation available on this PowerTeach CD-ROM for additional grammar instruction and practice.

**2** **Ya lo habían hecho**
Contesten según el modelo.

¿Hacer los ejercicios? →
Pero ya los habían hecho.

1. ¿Prepararse?
2. ¿Hacer las sentadillas?
3. ¿Ejercitar los músculos?
4. ¿Comprar una tabla nueva?
5. ¿Ponerse el chaleco salvavidas?
6. ¿Saltar las ondas?

**3** **Y yo después…** Formen oraciones según el modelo.

Ellos salieron. Yo salí después. →
Ellos ya habían salido cuando yo salí.

1. Ellos compraron unos guantes. Yo compré unos guantes después.
2. Ellos llegaron a la playa. Yo llegué después.
3. Ellos hicieron calentamiento. Yo hice calentamiento después.
4. Ellos cayeron de la plancha. Yo caí de la plancha después.
5. Ellos se lastimaron. Yo me lastimé después.
6. Ellos volvieron a casa. Yo volví a casa después.

Acapulco, México

**4** **Historieta** **Andrés en Cabo San Lucas**
Completen con el pluscuamperfecto.

Roberto __1__ (estar) en Cabo San Lucas antes de ir a Acapulco. Él __2__ (conocer) esa playa antes de conocer la otra. Él __3__ (aprender) el surfing antes de hacer el wind surf. Roberto __4__ (practicar) otros deportes antes que estos. Pero ninguno le __5__ (gustar) tanto como el wind surf.

El Arco, Cabo San Lucas

---

## Answers to ¿Cómo lo digo?

**2**
1. Pero ya se habían preparado.
2. Pero ya las habían hecho.
3. Pero ya los habían ejercitado.
4. Pero ya la habían comprado.
5. Pero ya se lo habían puesto.
6. Pero ya las habían saltado.

**3**
1. Ellos ya los habían comprado cuando yo los compré.
2. Ellos ya habían llegado cuando yo llegué.
3. Ellos ya lo habían hecho cuando yo lo hice.
4. Ellos ya habían caído de la plancha cuando yo caí.
5. Ellos ya se habían lastimado cuando yo me lastimé.
6. Ellos ya habían vuelto a casa cuando yo volví a casa.

**4**
1. había estado
2. había conocido
3. había aprendido
4. había practicado
5. había gustado

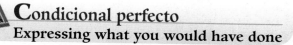

## Condicional perfecto
### Expressing what you would have done

**1.** The conditional perfect is formed by using the conditional of the auxiliary verb **haber** and the past participle.

| INFINITIVE | platicar | aprender |
|---|---|---|
| yo | habría platicado | habría aprendido |
| tú | habrías platicado | habrías aprendido |
| él, ella, Ud. | habría platicado | habría aprendido |
| nosotros(as) | habríamos platicado | habríamos aprendido |
| *vosotros(as)* | *habríais platicado* | *habríais aprendido* |
| ellos, ellas, Uds. | habrían platicado | habrían aprendido |

**2.** The conditional perfect is used in Spanish, as it is in English, to state what would have taken place had something else not interfered or made it impossible.

> **Yo habría hablado con mi padre pero él estaba muy ocupado.**
> *I would have talked to my father but he was very busy.*

> **Ella habría limpiado el cuarto pero tenía mucha tarea.**
> *She would have cleaned her room but she had a lot of homework.*

## ¿Cómo lo digo?

**5  Historieta  Paz en la familia**  Contesten personalmente.

1. ¿Habrías platicado con tus padres?
2. ¿Habrías escuchado sus consejos?
3. ¿Les habrías presentado tus amigos a tus padres?
4. ¿Habrías ayudado en la casa?
5. ¿Habrías regresado temprano de las fiestas?
6. ¿Les habrías mostrado mucho cariño?

**6  Ella lo habría hecho pero…**  Completen.

1. Ella _____ pero estaba ocupada. (estudiar)
2. Ella _____ a su madre pero no encontraba teléfono. (llamar)
3. Ella _____ un arete en la nariz pero sus padres le dijeron que no. (ponerse)
4. Ella _____ algo a su madre pero no la encontraba. (decir)
5. Ella _____ con el acuerdo pero se le olvidó. (cumplir)

**7  Ellos también**  Completen la Actividad 6 cambiando **ella** en **ellos**.

MÉXICO

---

### PRESENTATION

#### Condicional perfecto

**¡OJO!** As already mentioned, this tense is high frequency.

**Step 1**  Have students read the explanatory material aloud.

**Step 2**  Have students repeat the verb forms and model sentences.

### PRACTICE

## ¿Cómo lo digo?

**5**  This activity can be done without previous preparation.

**6** and **7**  Have students prepare these activities before going over them.

#### ADDITIONAL PRACTICE
Prepara una lista de las cosas que tú habrías hecho ayer pero no las hiciste porque desgraciadamente no tuviste tiempo suficiente.

#### LEVELING
**A:** Structure

---

## Answers to ¿Cómo lo digo?

**5**

1. Sí, (No, no) habría platicado con mis padres.
2. Sí, (No, no) habría escuchado sus consejos.
3. Sí, (No, no) se los habría presentado a mis padres.
4. Sí, (No, no) habría ayudado en la casa.
5. Sí, (No, no) habría regresado temprano de las fiestas.
6. Sí, (No, no) les habría mostrado mucho cariño.

**6**

1. habría estudiado
2. habría llamado
3. se habría puesto
4. habría dicho
5. habría cumplido

**7**

1. habrían estudiado
2. habrían llamado
3. se habrían puesto
4. habrían dicho
5. habrían cumplido

## PREPARATION

### Bellringer Review

*Use BRR Transparency 5.11 or write the following on the board.*

**Cambien en el futuro.**
1. Vamos a las Islas Canarias.
2. Mi amigo quiere bañarse en el mar.
3. Yo soy el guía.
4. Él compra algo en una tienda.

## PRESENTATION

### Futuro perfecto

**Step 1** Since this tense is rarely used, it is recommended that you not spend a great deal of time on it.

**Step 2** To have students understand the concept of the future perfect, tell them that two or more events can happen in the future. One will take place next Tuesday and the other, next Thursday. By the time the Thursday event takes place, the Tuesday one will have already taken place. For this reason it is expressed in the future perfect.

## PRACTICE

# ¿Cómo lo digo?

**8** You may go over this activity with books open.

### LEVELING
**E:** Structure

258

---

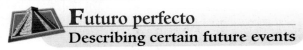

# Futuro perfecto
## Describing certain future events

**1.** The future perfect tense is formed by using the future tense of the auxiliary verb **haber** and the past participle.

| INFINITIVE | terminar | comer |
|---|---|---|
| yo | habré terminado | habré comido |
| tú | habrás terminado | habrás comido |
| él, ella, Ud. | habrá terminado | habrá comido |
| nosotros(as) | habremos terminado | habremos comido |
| *vosotros(as)* | *habréis terminado* | *habréis comido* |
| ellos, ellas, Uds. | habrán terminado | habrán comido |

**2.** The future perfect tense is used to express a future action that will be completed prior to another future action. Look at the example.

> **Pablo y Luisa no estarán en la playa. Habrán vuelto a la ciudad antes de llegar nosotros.**

**3.** Note that Pablo and Luisa will not be present at some time in the future. They will have already left before our arrival. Both actions are in the future but one precedes the other.

*Puerto Vallarta*

Los amigos habrán terminado el trabajo.

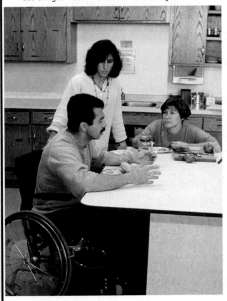

# ¿Cómo lo digo?

**8** **Historieta** **Antes de verme...** Contesten.

1. Antes de verme, ¿habrás hablado con tu amigo?
2. Antes de verme, ¿le habrás dicho algo?
3. Antes de verme, ¿le habrás explicado la situación?
4. Antes de verme, ¿te habrás calmado?
5. Antes de verme, ¿habrás pensado en todo?

---

## Learning from Photos

*(page 258 top)* Antes de la década de 1960 Puerto Vallarta era un tranquilo pueblo pesquero hasta que Hollywood lo descubrió. Rodaron una película famosa en el pueblo, *Night of the Iguana* con Elizabeth Taylor y Richard Burton, y así los turistas lo descubrieron. Ahora un millón y medio de turistas descienden en este pueblo del Pacífico cada año.

# Subjuntivo con expresiones indefinidas
## Expressing indefinite ideas

A number of words are made indefinite by adding **-quiera.** Note that with some words **quiera** is attached, while with others it is not.

**quienquiera** *whoever*          **cualquiera** *whatever*
**dondequiera** *wherever*          **como quiera** *however*
**adondequiera** *(to) wherever*          **cuando quiera** *whenever*

The subjunctive is used after indefinite expressions when uncertainty is implied.

**Quienquiera que seas, adondequiera que vayas y cuando quiera que salgas, como quiera que vayas y dondequiera que estés, espero que tengas suerte y que te diviertas.**

*Whoever you may be, wherever you may go and whenever you may leave, however you may go and wherever you may be, I wish you luck and hope you enjoy yourself.*

Un grupo mariachi, Xochimilco, México

## ¿Cómo lo digo?

**9** **Dondequiera que vayas** Completen.

1. Quienquiera que lo _____, nos lo debe decir. (saber)
2. Tú sabes que yo te ayudaré con cualquier problema que _____. (tener)
3. Dondequiera que tú _____, estaré a tu lado. (estar)
4. Cuando quiera que tú _____ mi ayuda, llámame. (necesitar)

MÉXICO

---

## ANSWERS TO ¿Cómo lo digo?

**8**

1. Sí, (No, no) habré hablado con mi amigo antes de verte.
2. Sí, (No, no) le habré dicho algo (nada) antes de verte.
3. Sí, (No, no) le habré explicado la situación antes de verte.
4. Sí, (No, no) me habré calmado antes de verte.
5. Sí, (No, no) habré pensado en todo antes de verte.

**9**

1. sepa
2. tengas
3. estés
4. necesites

## Subjuntivo con expresiones indefinidas

**Step 1** After reading the explanation in Item 1 to students, you may wish to put the expressions on the board and have students repeat them aloud.

**Step 2** Have students read the model sentence aloud with its translation.

### ADDITIONAL PRACTICE
Have students make up original sentences using a word such as **quienquiera** or **dondequiera.**

## PRACTICE

## ¿Cómo lo digo?

**9** This activity can be done immediately following the presentation.

### Learning from Photos
*(page 259)* Este grupo de mariachis está en el lago Xochimilco. En tiempos de los aztecas el pueblo de Xochimilco estaba conectado con Tenochtitlán por un terraplén o carretera elevada.

## About the Spanish Language

Se cree que la palabra **mariachi** viene del francés *marriage* porque en tiempos del emperador Maximiliano estos músicos tocaban durante las bodas de los franceses en México.

**LEVELING**

**A:** Structure

259

## PRESENTATION

 **Subjuntivo en cláusulas relativas**

**Step 1** After reading the explanation with students, have them repeat the model sentences.

**Step 2** Have the students give as many completions as possible.

Busco unos amigos que ___.
Espero encontrarme con
   alguien que ___.
Tengo unos amigos que ___.
He visto a alguien que ___.

### Learning from Photos

*(page 260)* El guía está mostrando una máscara ritual hecha de estuco que se encontró en las ruinas mayas de Kohunlich en Quintana Roo cerca de la frontera con Belice en la península de Yucatán.

### LEVELING

**A:** Structure

## Subjuntivo en cláusulas relativas
### Expressing the known and the unknown

1. A relative clause modifies or describes a noun. If the noun refers to a definite person or thing, the indicative is used in the relative clause. If the noun refers to an indefinite person or thing, the subjunctive is used in the relative clause.

> Tenemos un guía que conoce México muy bien.
> Queremos un guía que conozca México muy bien.

> Conozco a una persona que visita México con frecuencia.
> Estoy buscando una persona que visite México con frecuencia.

Note that the **a personal** is omitted when the noun is indefinite or follows **tener.**

2. The subjunctive is used in a relative clause that modifies a superlative statement or a negative expression.

> Es el templo más impresionante que exista en el mundo.
> No hay nadie que pinte como ella.

Kohunlich, Quintana Roo

## ¿Cómo lo digo?

**10** **Historieta** **El chofer** Sigan el modelo.

conducir bien →
**Buscamos un hombre que conduzca bien.**
**Conozco a un hombre que conduce bien.**

1. conocer las carreteras
2. poseer una licencia profesional
3. ser honesto
4. poder trabajar los fines de semana
5. tener mucha experiencia

Ciudad de México

**11** **Opiniones** Contesten.

1. ¿Son las playas de México las más bellas que haya en el mundo?
2. ¿Es el Museo Antropológico el mejor que exista?
3. ¿Es verdad que no hay ningún otro que sea tan interesante?
4. ¿No hay ninguna capital que sea tan bella como la Ciudad de México?
5. ¿Es verdad que no hay otra ciudad que valga la pena (de) visitar?

Bosque de Chapultepec, Ciudad de México

MÉXICO

*doscientos sesenta y uno* 261

## Recycling

These activities allow students to use the vocabulary and structure from this lesson in completely open-ended, real-life situations.

## PRESENTATION

Encourage students to say as much as possible when they do these activities. Tell them not to be afraid to make mistakes, since the goal of these activities is real-life communication. If someone in the group makes an error, allow the others to politely correct him or her. Let students choose the activities they would like to do.

You may wish to divide students into pairs or groups. Encourage students to elaborate on the basic theme and to be creative. They may use props, pictures, or posters if they wish.

**Note:** These activities have students practice their "survival skills" in Spanish in the types of real-life situations that they might encounter while on a trip. It is recommended that you not correct all errors made by the students as they do these activities. They would certainly make errors if they were communicating in real situations in a Spanish-speaking country.

### Learning from Photos

*(page 262)* El parque Alameda o Alameda Central es una oasis de verdura y espacio abierto en el centro mismo de la ciudad. Sigue siendo un lugar donde se celebran muchas festividades. En este mismo lugar tenían los aztecas su mercado o **tianguis**.

# ¡Te toca a ti!

**Use what you have learned**

### 1 Un deporte nuevo

✔ *Tell what sport you would have liked to play*

¿Qué deporte que nunca habías practicado te habría gustado practicar? ¿Por qué? Escribe un e-mail a un(a) deportista hispano(a) que practica ese deporte. Pregúntale todo lo que habrías querido saber del deporte.

Parque Alameda, Ciudad de México

### 2 Lugares para wind surf

✔ *Tell where windsurfing might be popular*

Un amigo quiere hacer wind surf en México. Mándale un e-mail con los nombres de algunos lugares que puedes recomendar.

### 3 Tipos de padres

✔ *Talk about your parents and tell your experiences*

Con tus compañeros, consideren los diferentes tipos de padres que describe el artículo y comenten según sus propias experiencias.

262 ✿ *doscientos sesenta y dos*

CAPÍTULO 5

ANSWERS TO ¡Te toca a ti!

*Answers will vary.*

### ESCRIBIR

## 4  Los padres perfectos

✔ *Tell what you would like from "perfect" parents*

Los padres siempre dicen lo que esperan de sus hijos. ¿Qué esperan los hijos de los padres? En unos párrafos describe las características que tendrían unos padres perfectos.

### HABLAR

## 5  De compras

✔ *Talk about what you would have done*

En un viaje a México, ¿qué habrías comprado en este mercado al aire libre? Piensa en todos los productos mexicanos que conoces y contesta con el condicional perfecto.

Guadalajara

### ESCRIBIR

## 6  Principiante

✔ *Talk about what you will have done*

Un amigo ha decidido empezar a hacer wind surf. Se fue a comprar el equipo necesario. ¿Qué habrá comprado? Prepara una lista.

### ESCRIBIR

## 7  E-mail al grupo

✔ *Discuss joining a sports team*

Quieres meterte en un grupo de aficionados de tu deporte favorito. Prepara un e-mail diciéndoles que quieres entrar en el grupo, el equipo que tienes, y hazles preguntas sobre donde practican el deporte, cuantos miembros hay y cualquier otra cosa importante. Haz algunas investigaciones en el Internet para encontrar a unos aficionados en un país hispano. Mándales tu e-mail.

**Spanish Online**
For more information about leisure-time activities in Mexico, go to **Web Explore** on the Glencoe Spanish Web site at glencoe.com.

MÉXICO

ANSWERS TO **¡Te toca a ti!**

*Answers will vary.*

---

## Writing Development

Have students keep a notebook or portfolio containing their best written work from each chapter. These selected writings can be based on assignments from the Student Textbook and the Workbook. The activities on this page are examples of writing assignments that may be included in each student's portfolio.

---

## Learning from Photos

*(page 263)* Los mercados son cubiertos o al aire libre. Los que están al aire libre tienden a funcionar solamente un día a la semana en la plaza principal del pueblo.

263

## Resource Manager

Assessment Transparency A5.3
Online Quiz
Tests, pages 145–171
*ExamView®* Assessment Suite

## Assessment

This is a pretest for students to take before you administer the lesson test. Answer sheets for students to do these pages are provided in the transparencies. Note that each section is cross-referenced so students can easily find the material they have to review in case they made errors. You may wish to collect these assessments and correct them yourself or you may prefer to have the students correct themselves in class. You can go over the answers orally or project them on the overhead, using your Assessment Answers transparencies.

## Reaching All Students

**Non-Mastery Students**
Encourage students who need extra help to refer to the yellow notes and review any section before answering the questions.

## Tutorial

You may wish to have students create mnemonic devices to help them learn the chapter vocabulary. This may be especially helpful for non-mastery students.

# Vocabulario

**1** **¿Cuál es la palabra?**

1. Los ejercicios como las sentadillas y los estiramientos que debes hacer antes de practicar un deporte.
2. Lo que uno debe llevar en caso de caerse al agua.
3. El que no es experto ni experimentado; el que es nuevo.
4. Hacerse daño, recibir una herida.

To review vocabulary, turn to pages 246 and 251.

**2** **Completen.**

5. La madre le muestra mucho _____ al niño, lo besa y lo abraza.
6. Va a _____ algo desagradable si ellos no ponen fin a su disputa.
7. Ya es suficiente. _____.
8. Su hijo siempre hace lo que debe hacer. Sus padres tienen mucha _____ en él.
9. El beso y el abrazo son _____ de cariño y afecto.

# Lectura

To review the article about windsurfing, turn to pages 248–249.

**3** **Contesten.**

10. ¿Cuáles son las tres partes del cuerpo que más ejercitas en el wind surf?
11. ¿Qué usas para protegerte las manos y los pies?

**4** **¿Sí o no?**

12. El estilo del peinado o el color de la ropa son cuestiones superficiales.
13. Para los padres solteros, ser madre y padre a la vez no es muy difícil.
14. Los padres «indiferentes» a veces simplemente no saben mostrar afecto.

To review the newspaper article about parents, turn to pages 252–253.

**264** *doscientos sesenta y cuatro*

CAPÍTULO 5

ANSWERS TO Assessment

**1**
1. el calentamiento
2. un chaleco salvavidas
3. el novato
4. lastimarse

**2**
5. cariño
6. suceder
7. Basta
8. confianza
9. muestras

**3**
10. Las tres partes del cuerpo que más ejercitas en el wind surf son las piernas, los brazos y el abdomen.
11. Usas guantes especiales y tenis ligeros de suela blanda para protegerte las manos y los pies.

**4**
12. Sí
13. No
14. Sí

# Estructura

**5** Completen con el pluscuamperfecto (pasado perfecto).

15. Yo nunca lo _____ antes. (ver)
16. Porque yo nunca _____ el wind surf. (hacer)
17. Nadie me _____. (enseñar)
18. Mis amigos sí que lo _____. (practicar)
19. Y tú no lo _____ antes tampoco. (conocer)

To review the pluperfect, turn to page 255.

**6** Contesten con el condicional perfecto según el modelo.

**Él habló. (yo)** →
**Pues yo no habría hablado.**

20. Ella llevó guantes. (tú)
21. Nosotros resbalamos. (ella)
22. Yo compré unos tenis nuevos. (él)
23. Tú hiciste calentamiento. (ellos)

To review the conditional perfect, turn to page 257.

**7** Escriban en el futuro perfecto.

24. Hablarás.
25. Sucederá.
26. Saldrán.

To review the future perfect, turn to page 258.

**8** Completen.

27. Quienquiera que _____ a México estará contento. (visitar)
28. Y adondequiera que _____ verá bellezas. (viajar)
29. Cuando yo vaya, buscaré un guía que _____ el país. (conocer)
30. Mi hermano conoce a un guía que lo _____ muy bien. (conocer)

To review indefinite ideas and expressing the known and unknown, turn to pages 259 and 260.

MÉXICO

Cabo San Lucas

**Spanish Online**
For more Chapter 5 test preparation, go to the Chapter 5 **Self-Check Quiz** on the Glencoe Spanish Web site at glencoe.com.

## Assessment

After going over the Assessment, you may administer the test for **Lección 3, Capítulo 5.**

### Learning from Photos

*(page 265)* Obviamente un excelente lugar para el windsurf, Cabo San Lucas es también famoso por la pesca deportiva. Está al extremo sur de la península de Baja California donde se unen las aguas del Mar de Cortés y las del Pacífico. Muchos cruceros hacen escala en Cabo San Lucas y los pasajeros pasan un día de turismo allí.

*doscientos sesenta y cinco* 265

---

ANSWERS TO **Assessment**

**5**
15. había visto
16. había hecho
17. había enseñado
18. habían practicado
19. habías conocido

**6**
20. Pues tú no los habrías llevado.
21. Pues ella no habría resbalado.
22. Pues él no los habría comprado.
23. Pues ellos no lo habrían hecho.

**7**
24. Habrás hablado.
25. Habrá sucedido.
26. Habrán salido.

**8**
27. visite
28. viaje
29. conozca
30. conoce

**¡OJO!** It is suggested that you share the following information with students before they begin their writing projects.

Es cierto que cuando escribes en inglés tu estilo de escribir es mucho más sofisticado que en español. Cuando escribes en español tienes que usar frases más sencillas. Si encuentras una idea muy complicada, piensa un momento en una manera más sencilla de expresarla.

¡Un consejo muy importante! No traduzcas del inglés al español. Si traduces cometerás sin duda un montón de errores. O lo que escribes será muy anglicanizado. Desde el principio, por difícil que sea, piensa siempre en español. Si una palabra inglesa te viene a la mente, piensa enseguida en una expresión española que exprese la misma idea. Usa el español que ya has aprendido aún si exige que te expreses de una manera sencilla. Trata de evitar usar un diccionario bilingüe porque casi siempre escogerás una palabra errónea.

Prepara siempre un borrador de tu escrito. Al terminarlo, ponlo al lado. Léelo de nuevo un poco más tarde y haz las revisiones que consideres necesarias. Luego léelo una vez más para buscar errores ortográficos y gramaticales. Ten mucho cuidado en verificar las terminaciones.

# Composición

Una de las técnicas que emplean los buenos escritores es la de resumir. Durante tu carrera académica tendrás que leer cantidades de escritos para sacar la información que necesitas. Luego tendrás que presentar esa información de forma abreviada pero sin omitir los datos de mayor importancia.

**TAREA 1** **Resumir** Has leído en este capítulo sobre la historia de México desde la prehistoria hasta la conquista. En esta tarea vas a resumir en un par de párrafos lo que aprendiste. Aquí tienes unos pasos a seguir.

### Antes de escribir

- Repasa lo que leíste sobre la historia de México.
- Apunta los datos de mayor importancia, por ejemplo: orígenes, civilizaciones, restos… etc.
- Ordena los apuntes en un orden lógico.

**Bosquejo** Prepara un bosquejo de tu resumen. Escribe el resumen.

**Repasar y revisar** Repasa el resumen para asegurarte que la información es precisa y que no hay faltas gramaticales.

**Corregir** Corrige cualquier falta gramatical u ortográfica.

**TAREA 2** **Descripción** Hay escritos formales e informales. Un escrito informal tradicional es la carta personal.

Obviamente, hay cartas formales también; cartas que se escriben a entidades del gobierno, cartas de condolescencia, etc. Pero ahora lo que vas a hacer es escribir una carta a un amigo o amiga. El tema será imaginario—a no ser que hayas visitado México y puedas escribir basado en tu propia experiencia—el tema es un viaje por México en automóvil. Para esta tarea puedes valerte de información de distintas partes del capítulo que acabas de leer. En particular debes releer: La geografía; Visitas históricas; Conversación; Periodismo *Wind surf*.

De estas lecturas puedes sacar algunas ideas para tu carta. Debes, otra vez, hacer apuntes de la información que creas más interesante para incluir en tu viaje de fantasía. Apunta también los adjetivos que van a dar vida a las descripciones de lugares y eventos.

Piensa en la persona a quien vas a escribir. ¿Es un amigo o amiga, un pariente, una persona mayor? Tienes que pensar en lo que le va a interesar a esa persona. Todas las cartas, formales e informales, siguen un mismo patrón. Hay tres partes de la carta:

- el encabezamiento—que contiene tu dirección y la fecha
- el cuerpo de la carta
- la conclusión

El saludo informal es algo como: **Querido Pablo; Querida Elena; Muy querida madre mía.** La conclusión o final de la carta tiene dos partes, la despedida y la firma.

Algunas conclusiones informales son: **Un abrazo de tu amiga que te quiere; Sinceramente; Afectuosamente.** La firma tiene que ser en tinta.

Ahora, escribe tu carta. Cuando termines, léela de nuevo y haz cualquier corrección necesaria.

**Pre-AP SkillBuilder**

The **tareas** in the **Composición** section provide students with valuable practice for the writing section of the AP exam.

**TAREA 3** **Escritura persuasiva** Ahora que has tenido alguna práctica con escribir cartas, tu próxima tarea será también una carta, pero esta vez una carta más formal con un propósito más importante. Leíste sobre los problemas ecológicos que están afectando negativamente las selvas de México y Centroamérica. El efecto dañino de la caza indiscriminada de animales y la deforestación. Hay muchos organismos nacionales e internacionales que se interesan en el tema. Vas a escribir una carta general exponiendo tus preocupaciones y tus sugerencias sobre como confrontar el problema. Vas a exponer tu opinión. Verifica que tu información es precisa. Emplea un tono razonable pero firme. Organiza tu exposición de esta manera.

- Descripción del problema, citando datos y fuentes de información
- Lo que tú crees que se debe hacer

Sigue el formato para una carta formal.

- Prepara tu bosquejo
- Repasa y revisa el bosquejo
- Corrige cualquier falta de ortografía o gramática

El saludo para este tipo de carta es: **Muy señores míos** (si es a una organización), o **Muy estimada señora Rodríguéz; Estimado Dr. López,** etc.

La despedida es: **Respetuosamente; Muy atentatmente, Atentamente.**

**TAREA 4** **Pidiendo información** Hoy día la carta formal o informal está cediendo el paso al e-mail para todos los propósitos excepto los más formales u oficiales. La gran ventaja del e-mail es que es instantáneo. La desventaja es que muchas veces los escribimos sin fijarnos bien si está completo y correcto. Lo primero que tienes que hacer con tu e-mail es llenar el título que le dice a quien lo recibe de qué se trata. El e-mail que vas a preparar se dirige a la oficina de turismo de México. En tu e-mail vas a pedir información sobre: lugares de interés turístico, documentos necesarios, seguros, transporte y seguridad. No te olvides de indicar adonde deben enviarte panfletos u otros materiales. Y al final de tu e-mail, dales las gracias anticipadas.

## Discurso

El buen orador es uno que sabe entusiasmar a su público. Primero tiene que comprender quien es su público, sus intereses y gustos. El buen orador trata de convencer a su público a aceptar su punto de vista. El buen orador sabe usar su voz, sabe cuando levantar la voz y cuando bajarla para tener el efecto deseado en sus oyentes. Sabe emplear el gesto de forma apropiada. Y es muy importante mirarles a los ojos a los que escuchan.

**TAREA 5** **Discurso persuasivo** Leíste el artículo sobre el windsurf. Sin duda tú tienes un deporte o pasatiempo favorito. Convence a tus compañeros de clase a participar en esa actividad. Explícales lo que es, como se juega y por qué a ti te gusta tanto.

# Vocabulario

## Vocabulary Review

The words and phrases in the **Vocabulario** have been taught for productive use in this chapter. They are summarized here as a resource for both student and teacher. This list also serves as a convenient resource for the **¡Te toca a ti!** activities on pages 230–231, 242–243, and 262–263. There are approximately twenty four cognates in this vocabulary list. Have students find them.

 **¡OJO!** You will notice that the vocabulary list here is not translated. This has been done intentionally, since we feel that by the time students have finished the material in the chapter they should be familiar with the meanings of all the words. If there are several words they still do not know, we recommend that they refer to the **Vocabulario** sections in the chapter or go to the dictionaries at the end of this book to find the meanings. However, if you prefer that your students have the English translations, please refer to Vocabulary Transparencies 5.1A, 5.1B, and 5.1C, where you will find all these words with their translations.

You may wish to use the editable PowerPoint® presentation available on this PowerTeach CD-ROM to have students view the chapter vocabulary in a Spanish-English, English-Spanish format.

## Vocabulario

### Lección 1 Cultura

el cacto
el desierto
la flor silvestre
el guacamayo
el jaguar
la caza
la deforestación
la fauna
la selva

el águila
el ajuste
el aliado
la bandera mexicana
el centauro
Mesoamérica
el resto
la serpiente
árido(a)
adelantado(a)
aterrador(a)
temible
desaparecer
devorar
juntarse

### Lección 2 Conversación

el arcén
el camión
el camionero
el cargo
la carretera
el cinturón de seguridad

el contrato
las intermitentes
el kilometraje ilimitado
la licencia de conductor
el límite de velocidad
el riesgo

el seguro
el semáforo
la señal de tráfico
la tarjeta de crédito
el todoterreno
abrochar

descansar
firmar
rebasar
retroceder

### Lección 3 Periodismo

**Wind surf: agua, aire y ¡diversión!**
el abdomen
el brazo
el hombro
la mano
el músculo
el pecho
la pierna
el tórax
el brinco
el calzón
el chaleco salvavidas
la onda, la ola
el salto

la tabla
la vela
el calentamiento
el ejercicio
los estiramientos
los ligeros
los novatos
los pesados
las sentadillas
las suelas
los tenis
resbalar(se)
voltear(se)
ejercitar
lastimar(se)

**¿Mis padres no me gustan?**
el acuerdo
el arete
el cariño
la confianza
la muestra
la pelea
involucrado(a)
abundar
bastar
llevar a cabo
mostrar (ue)
platicar
suceder

 **LITERARY COMPANION** *See pages 464–475 for literary selections related to Chapter 5. The activities for these readings will help you continue to practice your reading comprehension skills.*

# Videotur

## ¡Viva el mundo hispano!

Video can be a beneficial learning tool for the language student. Video enables you to experience the material in the textbook in a real-life setting. Take a vicarious field trip as you see people interacting at home, at school, at the market, etc. The cultural benefits are limitless as you experience the Spanish-speaking world while "traveling" through many countries. In addition to its tremendous cultural value, video gives practice in developing good listening and viewing skills. Video allows you to look for numerous clues that are evident in tone of voice, facial expressions, and gestures. Through video you can see and hear the diversity of the target culture and compare and contrast the Spanish-speaking cultures to each other and to your own.

### Episodio 1: La vida del Zócalo

Los bailarines son **concheros.** Su música y baile son de origen nahua y sus trajes fueron inspirados por los aztecas. Están enfrente del Palacio Nacional en el Zócalo, la plaza principal de la Ciudad de México. Aquí los españoles levantaron sus edificios sobre las ruinas de un templo azteca. Los aztecas gobernaron aquí hasta el siglo XV y los españoles desde el siglo XVI hasta el XIX.

### Episodio 2: Un carro y sus admiradores

Luis es taxista. Él lleva veinticuatro años como taxista, siempre manejando su carro favorito, su Vocho. Puedes ver Vochos en toda la Ciudad de México, en las grandes avenidas y en las pequeñas calles. El 70 por ciento de los taxis de la ciudad son Vochos. El primero fue construido en México en 1956 y el último en julio de 2003. Para muchos taxistas su Vocho no es sólo un carro, es un amigo y compañero.

### Episodio 3: La historia de Teotihuacán

Estas son las ruinas de una gran ciudad de 150.000 habitantes. Es Teotihuacán. Hace mil setecientos años allí construyeron templos y pirámides a sus dioses. Teotihuacán está a 30 millas al norte de la Ciudad de Mexico. Los arqueólogos descubren cada día artefactos de la gente que habitaba la ciudad. Pero, ¿qué les pasó? ¿Por qué desaparecieron? Todavía no sabemos.

MÉXICO

---

## Videotur

### VIDEO VHS/DVD

The Video Program for Chapter 5 includes three documentary segments of some interesting aspects of life in Mexico. You may wish to have students answer oral or written comprehension questions about the video segments.

You may wish to use the editable PowerPoint® presentation available on this PowerTeach CD-ROM to have students view and listen to a short segment of the video. Additional activities are also provided.

### ADDITIONAL PRACTICE

You may wish to bring in samples of indigenous Mexican music to share with the class. Have students compare and contrast this type of music with their favorite music.

# Planning for Chapter 6

## SCOPE AND SEQUENCE PAGES 270–319

### Topics
❖ The geography, history, and culture of Cuba, Puerto Rico, and the Dominican Republic

### Culture
❖ Synchronized swimming
❖ Educational programs in prisons in the Dominican Republic

### Functions
❖ How to express what people do for themselves
❖ How to express reciprocal actions
❖ How to make comparisons
❖ How to express *although* and *perhaps*
❖ How to express opinions and feelings about what has or had happened
❖ How to discuss contrary-to-fact situations

### Structure
❖ Reflexive verbs
❖ Reciprocal verbs
❖ Regular and irregular forms of comparatives and superlatives
❖ Stating like qualities
❖ The subjunctive with **aunque**
❖ The subjunctive with **quizás** and **tal vez**
❖ The present perfect subjunctive
❖ **Si** clauses

### National Standards
Communication Standard 1.1, pp. 270, 273, 285–289, 292, 293, 296, 297, 299, 302, 303, 310–313

Communication Standard 1.2, pp. 270, 274–283, 293–294, 303–306

Communication Standard 1.3, pp. 288, 299

Cultures Standard 2.1, pp. 270, 274, 276–280, 293–294, 477, 478, 479, 483

Connections Standard 3.1, pp. 270, 274–275

Connections Standard 3.2, pp. 294, 303–306, 308

Comparisons Standard 4.1, pp. 284–287, 298

Communities Standard 5.1, pp. 299, 485

*To read the ACTFL Standards in their entirety, see page T36.*

## PACING AND LEVELING

**Lección 1: Cultura**   *(5–7 days)*

**Lección 2: Conversación**   *(5–7 days)*

**Lección 3: Periodismo**   *(5–7 days)*

**Proficiency Tasks**   *(1–2 days)*

**Videotur**   *(1–2 days)*

**Literatura**   *(5–7 days)*

**LEVELING**
The following is an overall leveling of the sections of each chapter of **¡Buen viaje!** Level 3.

**EASY:** Conversación, Estructura • Repaso
**AVERAGE:** Cultura, Periodismo, Estructura • Avanzada
**CHALLENGING:** Literatura

Most parts of each lesson are also leveled for your convenience in the Teacher Notes in the Wraparound section of your Teacher Edition.

**E: Easy   A: Average   C: Challenging**
Please note that the material does not become progressively more difficult. Within each chapter there are easy and challenging sections.

# TEACHER RESOURCE GUIDE

| SECTION | PRINT RESOURCES | TECHNOLOGY RESOURCES |
|---|---|---|
| **Lección 1** | | |
| Lectura<br>  Vocabulario para la lectura<br>    (pp. 272–273)<br>  La geografía del Caribe<br>    (pp. 274–273)<br>  Historia (pp. 276–282)<br>  Comida (p. 283)<br>Estructura • Repaso<br>  Verbos reflexivos (p. 284)<br>  Verbos recíprocos (p. 287)<br>¡Te toca a ti! (pp. 288–289)<br>Assessment (pp. 290–291) | Audio Activities TE (pp. 133–142)<br>Workbook (pp. 95–100)<br>Quizzes (pp. 79–84)<br>Tests (pp. 173–176 and 183–204) | Vocabulary Transparencies V6.2–V6.3<br>Audio CD 6<br>*ExamView® Assessment Suite*<br>  glencoe.com<br>Assessment Transparency A6.1<br>PowerTeach<br>Vocabulary PuzzleMaker |
| **Lección 2** | | |
| Conversación<br>  Vocabulario para la<br>    conversación (p. 292)<br>  Un restaurante «típico»<br>    (p. 293)<br>Estructura • Repaso<br>  Comparativo y superlativo<br>    (pp. 295–296)<br>  Comparativo de igualdad<br>    (p. 298)<br>¡Te toca a ti! (p. 299)<br>Assessment (pp. 300–301) | Audio Activities TE (pp. 143–148)<br>Workbook (pp. 101–102)<br>Quizzes (pp. 85–87)<br>Tests (pp. 177–178 and 183–204) | Vocabulary Transparency V6.4<br>Audio CD 6<br>*ExamView® Assessment Suite*<br>  glencoe.com<br>Assessment Transparency A6.2<br>PowerTeach<br>Vocabulary PuzzleMaker |
| **Lección 3** | | |
| Lectura<br>  Vocabulario para la lectura<br>    (p. 302)<br>  Dos nadadoras isleñas<br>    avanzan (p. 303)<br>  Con la mira en pasar a<br>    Atenas (p. 303)<br>Lectura<br>  Vocabulario para la lectura<br>    (p. 304)<br>  Educación llega a la cárcel<br>    (p. 305)<br>Estructura • Avanzada<br>  Subjuntivo con **aunque**<br>    (p. 307)<br>  Subjuntivo con **quizás** y<br>    **tal vez** (p. 308)<br>  Presente perfecto y<br>    pluscuamperfecto del<br>    subjuntivo (p. 309)<br>  Cláusulas con **si** (p. 311)<br>¡Te toca a ti! (p. 313)<br>Assessment (pp. 314–315)<br><br>Proficiency Tasks (pp. 316–317)<br>**Videotur** (p. 319)<br><br>Literatura (pp. 476–487) | Audio Activities TE (pp. 149–157)<br>Workbook (pp. 103–106)<br>Quizzes (pp. 88–93)<br>Tests (pp. 179–204)<br>Audio Activities (pp. 236–243)<br>Tests (pp. 298–301) | Vocabulary Transparencies V6.5–V6.6<br>Audio CD 6<br>*ExamView® Assessment Suite*<br>  glencoe.com<br>Assessment Transparency A6.3<br>PowerTeach<br>Vocabulary PuzzleMaker<br>**¡Viva el mundo hispano!** Video<br>Video Activities<br>Audio CD 10 |

# Using Your Resources for Chapter 6

## Transparencies

**Map Transparencies** The full-color maps at the front of the Student Edition have been converted to transparency format.

**Bellringer Reviews** provide a quick review activity to begin each class.

**Vocabulary Transparencies** include the photos and art from the Student Edition pages, overlays with Spanish words, and Spanish/English vocabulary lists for each chapter.

**Assessment Transparencies** provide answer sheets and answers for the Assessment pages in the Student Edition.

**Fine Art** can be used to reinforce the topics introduced in the text and enrich your students' knowledge of Fine Art.

## Workbook and Audio Activities

### Writing Activities
The Workbook section includes numerous activities to reinforce each concept presented in the textbook. There are workbook pages for each of the following sections: vocabulary, culture, conversation, journalism, and structure. Varied activities provide several ways for students to practice and apply the material you have presented in class.

### Audio Activities
The Audio Activities pages in this booklet may be used to guide students through the listening and speaking activities provided on the Audio CDs. The script to the Audio CDs is also provided in the Audio Activities TE in the TeacherTools booklet if the teacher prefers to read the activities aloud. The Audio Activities provide listening and speaking practice to reinforce vocabulary, culture, conversation, structure, and literature.

# Assessment

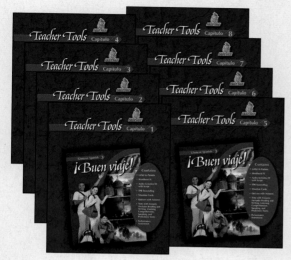

Several options for Assessment are offered with the **¡Buen viaje!** program. The TeacherTools booklets include the following Assessment pieces.

**Quizzes** There are quizzes for Vocabulary, Culture, Structure, Conversation, and Journalism.

**Tests** There is a Reading and Writing Test for each lesson in the chapter. In addition, there are two different Chapter Reading and Writing Tests—one for less able to average students and the other for above average to advanced students. There is also a Listening Comprehension Test, a Speaking Test, and a Proficiency Test at the end of each chapter.

**Spanish Online** Students can easily access our Self-Check Quizzes at glencoe.com.

**ExamView® Assessment Suite** Test Bank software for Macintosh and Windows makes creating, editing, customizing, and printing tests quick and easy.

## Passport to Success Notebook

- **Notetaking and Study Strategies** help students organize and internalize new information, allowing them to become more effective communicators in the target language.

- **Reading Strategies** take the mystery out of reading and give students the tools they need to become more effective readers.

- **Standardized Test Practice** in every chapter helps students improve their test-taking skills through the study of foreign language.

## TECHNOLOGY

 This all-in-one planner includes:

- Interactive Teacher Edition
- Lesson Planner with calendar

- Access to all program blackline masters
- Correlations to National Standards

**ExamView®** Assessment Suite The *ExamView® Assessment Suite* includes *Test Generator, Test Player,* and *Test Manager.*

- Use premade tests or build your own easily and quickly
- Customize tests using a full-feature editor

- Select questions from existing test banks
- Set up your own question test banks
- Disaggregate data

 All-in-one interactive Student Edition and student resources—a backpack solution

## Preview

In this chapter, students will learn about the geography, history, and culture of the Caribbean area. In the **Conversación** lesson students will learn how to describe good and bad restaurant experiences. They will read newspaper articles about sports and a prison education program in this chapter.

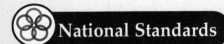

### National Standards

**Communication**

Students will communicate in spoken and written Spanish on the following topics:
- The culture, geography, and history of the Caribbean area
- Restaurants
- Sports
- A special prison education program

**Cultures**
- Students will learn about the geography, history, and culture of the Spanish-speaking countries of the Caribbean or Greater Antilles.

**Connections**

This chapter establishes a connection with the fields of history, geography, sports, and social sciences.

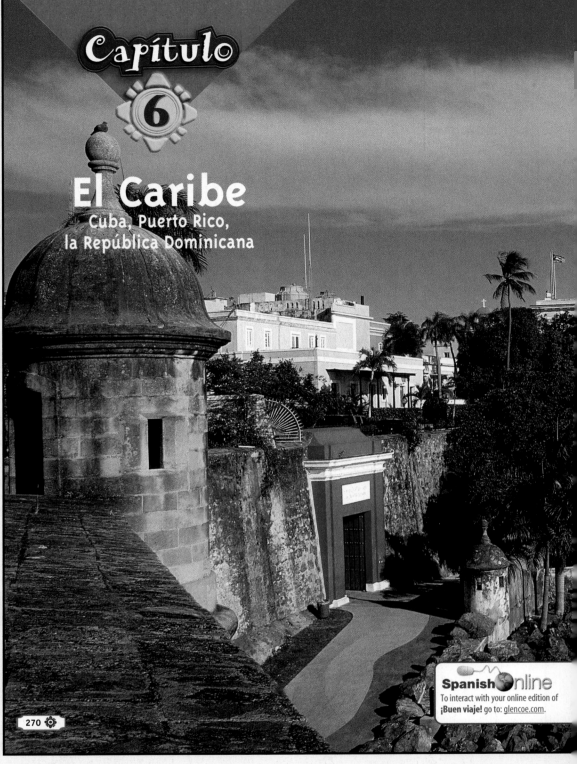

# Capítulo
## 6

# El Caribe
### Cuba, Puerto Rico, la República Dominicana

**Spanish Online**
To interact with your online edition of
¡**Buen viaje!** go to: glencoe.com.

270

**TeacherWorks**

All-In-One Planner and Resource Center

The TeacherWorks CD-ROM is an all-in-one planner and resource center. You may wish to use several of the following features as you plan and present the Chapter 6 material: Interactive Teacher Edition, Interactive Lesson Planner with Calendar, Point and Click Access to Teaching Resources including Hotlinks to the Internet and Correlations to the National Standards.

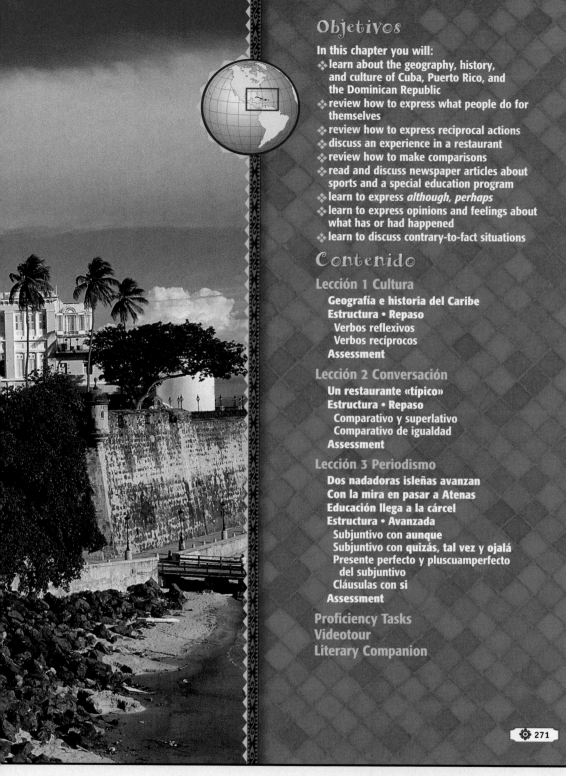

## Objetivos

In this chapter you will:

❖ learn about the geography, history, and culture of Cuba, Puerto Rico, and the Dominican Republic
❖ review how to express what people do for themselves
❖ review how to express reciprocal actions
❖ discuss an experience in a restaurant
❖ review how to make comparisons
❖ read and discuss newspaper articles about sports and a special education program
❖ learn to express *although, perhaps*
❖ learn to express opinions and feelings about what has or had happened
❖ learn to discuss contrary-to-fact situations

## Contenido

 271

## Assessment

**Quizzes:** There is a quiz for every vocabulary presentation, every reading, and every structure point.
**Tests:** To accompany ¡Buen viaje! Level 3 there is a Reading and Writing Test for each of the three lessons that make up a chapter. In addition, at the end of each chapter there are five tests.
• Two Reading and Writing Tests; one easy to intermediate; another intermediate to challenging.
• A Listening Comprehension Test
• A Speaking Test
• A Proficiency Test

## Spotlight on Culture

**La Fortaleza** (Palacio de Santa Carolina) se construyó en 1533 como fortaleza o fuerte. Pero como fortaleza resultó ser demasiado pequeña. Desde entonces ha sido la residencia del gobernador de Puerto Rico. Es el más antiguo de todos los palacios de gobernadores de las Américas.
 Para proteger sus galeones llenos de oro y plata en su ruta de las Américas a España, los españoles construyeron una serie de fortalezas en el Caribe. En San Juan levantaron fuertes y enormes muros. Hoy, las calles adoquinadas, los patios, balcones y plazas hacen del viejo San Juan un lugar lleno de encanto.

## LEVELING

The following is an overall leveling of the sections of each chapter of **¡Buen viaje!** Level 3.
**EASY:** Conversación, Estructura • Repaso
**AVERAGE:** Cultura, Periodismo, Estructura • Avanzada
**CHALLENGING:** Literatura
Most parts of each lesson are also leveled for your convenience.
**E:** Easy
**A:** Average
**C:** Challenging
 Please note that the material does not become progressively more difficult. Within each chapter there are easy and challenging sections.

## PREPARATION

### Resource Manager

Vocabulary Transparencies
  V6.2–V6.3
Audio Activities TE, pages 133–135
Audio CD 6, Tracks 1–4
Workbook, page 95
Quiz, page 79
*ExamView® Assessment Suite*

### Bellringer Review

*Use BRR Transparency 6.1 or write
the following on the board.*
**Contesten con un pronombre.**
**¿Viste a Diego anoche?**
**¿Hablaste a su hermano?**
**¿Te dijo algo nuevo?**
**¿Invitó a ti y a tu hermana a
la fiesta?**

## PRESENTATION

### Vocabulario para la lectura

**Step 1** Have students repeat the
new words, sentences, and definitions in unison after you or the
Audio CD.

**Step 2** You may wish to read the
new words and definitions to the
class or you may call on several
individuals to read them aloud.

**Step 3** Call on students to use the
new words in an original sentence.

**Step 4** Assign the activities on
page 273 for homework.

### Learning from Photos

*(page 272 center left)* La caña
de azúcar, importante en todo
el Caribe, llegó a Europa desde
Asia y el Medio Oriente en la
Edad Media. Los españoles y
portugueses la trajeron a las
Américas en los siglos XV y XVI.

## Vocabulario para la lectura

Use your **StudentWorks** Plus
CD for more practice.

el huracán
el galeón

Los vientos del huracán castigaban el galeón.
El galeón no se hundió.
Pero por poco se hunde.

el cacique
las cadenas

El cacique nunca se sometió a
  los españoles.
Nunca llevaría cadenas.

el cultivo
la caña de azúcar

Los agricultores se dedican al cultivo de la
  caña de azúcar.

el lechón asado

### Algunas frutas tropicales

el coco
la piña
el mango
la papaya

POWERTEACH
*Interactive*
Chalkboard

You may wish to
use the editable
PowerPoint® pre-
sentation available
on this PowerTeach
CD-ROM for additional vocabulary instruction and practice.

## Más vocabulario

**el cacique** jefe de los indígenas
**el/la ciudadano(a)** persona con los derechos y obligaciones de su nacionalidad
**la toma** acción de tomar posesión de algo como un territorio o una ciudad
**apartado(a)** retirado, distante, alejado

**desafecto(a)** opuesto, contrario, enemigo
**emprender** comenzar, empezar, iniciar como un viaje o aventura
**rebosar** abundar, contener demasiado
**reposar** descansar, posar sobre algo

## ¿Qué palabra necesito?

**1**  **Historieta   Los galeones** Contesten con **sí**.
1. ¿Los galeones se rebosaban de oro y tesoro?
2. ¿Los galeones emprendieron el viaje en la Habana?
3. ¿Había vientos muy fuertes?
4. ¿Era un huracán que se acercaba?
5. ¿Los vientos castigaban el galeón?

**2** **¿Cuál es la palabra?** Den la palabra cuya definición sigue.
1. habitante, persona con cierta nacionalidad
2. la ocupación, la conquista
3. descansar, estar encima de otra cosa
4. separado, aparte

La Habana, Cuba

Pinar del Río, Cuba

**3**  **Historieta   El cacique** Contesten según se indica.
1. ¿Quién era el jefe indígena? (el cacique)
2. ¿Se sometió el cacique a los españoles? (no)
3. ¿Quisieron ponerlo en cadenas los españoles? (sí)
4. ¿El cacique era desafecto al gobierno español? (sí)
5. ¿Él quería hispanizarse? (no)

**4** **Los agricultores** Completen con una palabra apropiada.

| divertirse | lechón | el mango | la piña |
| cultivar | la caña | el coco | frijoles |

1. Los agricultores van a _____ la tierra.
2. Ellos se dedican al cultivo de _____ de azúcar.
3. _____, _____ y _____ son frutas tropicales.
4. Los muchachos están cocinando un _____ asado.
5. Lo van a servir con arroz y _____.

EL CARIBE

## ¿Qué palabra necesito?

**1** You can go over the questions of **Actividad 1** as you present the vocabulary.

**2**, **3**, and **4** Have students prepare **Actividades 2, 3,** and **4** for homework. Go over them in class the next day with books open.

### Learning from Photos

*(page 273 bottom left)* Este señor está cortando la caña de azúcar con un machete. En Cuba la «zafra» o cosecha de la caña todavía se hace mayormente a mano y no con máquinas.

### Spanish Online

**Differentiation**

**Tutorial** The customizable **Vocabulary PuzzleMaker** can be used for each lesson or chapter to create crossword, word search, and jumble puzzles to reinforce vocabulary terms for non-mastery students.

**Enrichment** The customizable **Vocabulary PuzzleMaker** can also be used for each lesson or chapter to create more challenging puzzles for mastery students.

## ANSWERS TO ¿Qué palabra necesito?

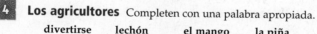

**1**
1. Sí, los galeones se rebosaban de oro y tesoro.
2. Sí, los galeones emprendieron el viaje en la Habana.
3. Sí, había vientos muy fuertes.
4. Sí, era un huracán que se acercaba.
5. Sí, los vientos castigaban el galeón.

**2**
1. el/la ciudadano(a)
2. la toma
3. reposar
4. apartado

**3**
1. El cacique era el jefe indígena.
2. No, el cacique no se sometió a los españoles.
3. Sí, los españoles quisieron ponerlo en cadenas.
4. Sí, el cacique era desafecto al gobierno español.
5. No, él no quería hispanizarse.

**4**
1. cultivar
2. la caña
3. El mango, la piña y el coco
4. lechón
5. frijoles

Lectura

## National Standards

**Cultures**
This reading familiarizes students with the geography, history, and culture of Spanish-speaking islands in the Caribbean.
**Connections**
Students increase their knowledge of geography and history.

## PREPARATION

### Resource Manager

Audio Activities TE, pages 135–139
Audio CD 6, Tracks 5–9
Workbook, pages 96–97
Quizzes, pages 80–83

## PRESENTATION

**Step 1** Have students read this selection silently, or call on individuals to read it aloud.

**Step 2** You can intersperse comprehension questions from **Actividad A** as you are going over this selection.

### History Connection

El hijo de Cristóbal Colón, Bartolomé Colón, fundó la ciudad de Santo Domingo en 1496. En la catedral de Santo Domingo hay un mausoleo donde se dice que se conservan los restos de Cristóbal Colón. En Sevilla se dice que sus restos están en la catedral de esta ciudad.

**LEVELING**
**E:** Reading

# Lectura

## La geografía del Caribe

Es común hablar del «Caribe», que es un mar, cuando nos referimos a las Antillas, un archipiélago constituido por miles de islas que forman tres grupos importantes. Estas son las Grandes Antillas, las Pequeñas Antillas y las Bahamas. Las islas en las que nos enfocamos aquí son tres de las cuatro que forman las Grandes Antillas, o sea, Cuba, Puerto Rico y la Española. La cuarta, Jamaica, es una isla y un país de habla inglesa.

### Reading Strategy
**Using background knowledge** When you are first assigned a reading, quickly look at the accompanying visuals to determine what the reading is about. Once you know what the topic is, spend a short time thinking about what you already know about it. If you do this, the reading will be easier to understand.

Cuba es la más grande de las Grandes Antillas y la que está más cerca de Norteamérica. Al este de Cuba se encuentra la Española, una isla compartida por dos repúblicas, Haití y la República Dominicana. Al este de la Española está Puerto Rico, la más pequeña del grupo. Las Grandes Antillas son mayormente montañosas y reposan sobre una cadena de montañas submarinas.

Santo Domingo, la República Dominicana

Una vista de Puerto Rico

La Habana, Cuba

**274** doscientos setenta y cuatro

CAPÍTULO 6

### Learning from Photos

*(page 274 top)* A pesar de ser la ciudad más antigua de las Américas, Santo Domingo también tiene sus edificios modernos.
*(page 274 center)* Esta vista de Puerto Rico está tomada desde las alturas. Puerto Rico es muy montañoso. Por todo el centro de la isla se extiende la Cordillera Central que alcanza casi 1.400 metros en cerro de Punta.
*(page 274 bottom)* En esta vista de la Habana destaca el Capitolio. Es el Capitolio de La Habana, no nacional. Anteriormente en el lugar había una ciénaga y después un jardín botánico. Después de décadas de construcción el Capitolio abrió sus puertas en 1926. El Capitolio representa el kilómetro cero de donde comienzan todas las carreteras del país.

Pinar del Río, Cuba

## Clima

Las Grandes Antillas se encuentran en la zona tropical. No obstante, el clima es tropical en los llanos pero subtropical en las áreas montañosas. Hay dos estaciones: la seca, de noviembre a mayo, y la húmeda, de junio a octubre. Comenzando en julio y hasta octubre, los huracanes, que nacen en el océano Atlántico, a veces castigan las costas de estas islas. En todas las Antillas la vegetación es exuberante. El clima es especialmente apropiado para el cultivo de la caña de azúcar, el café y el tabaco, productos importantes en las tres islas.

  **A** Contesten.

1. ¿Cuál es la diferencia entre el «Caribe» y las «Antillas»?
2. ¿En cuál de las Antillas se encuentran Cuba, Puerto Rico y la Española?
3. ¿Cuál de las islas está más cerca de la América del Norte?
4. En una de las islas hay dos repúblicas. ¿Cuál es la isla?
5. ¿Sobre qué se sitúan las Grandes Antillas?
6. ¿En qué zona climática se encuentran las Grandes Antillas?
7. En las Grandes Antillas hay áreas con clima subtropical. ¿Dónde están?
8. ¿Cómo se llaman las dos estaciones del año en las Antillas?
9. ¿Qué fenómeno meteorológico puede causar mucho daño en el Caribe?
10. ¿Cómo es la vegetación de la zona?

 EL CARIBE

Un huracán, San Juan, Puerto Rico

¡BIENVENIDOS A EL YUNQUE!
WELCOME TO EL YUNQUE!

doscientos setenta y cinco ❀ 275

### Learning from Photos

*(page 275 top)* El valle Mogotes está en Pinar del Río. Un mogote es un montículo aislado. Pinar del Río fue escenario de muchas batallas entre los españoles y los patriotas cubanos.

*(page 275 bottom)* Este bosque tropical al este de San Juan cubre unas 28.000 acres. Es el más pequeño de los bosques nacionales de Estados Unidos. Unos 15 metros de lluvia caen aquí cada año y la flora es muy diversa. El Yunque es también el área protegida más antigua de las Américas. Fue puesta bajo la protección de la Corona española en 1876. Este bosque no ha cambiado desde la llegada de Colón hace más de cinco siglos.

## ADDITIONAL PRACTICE

Ask students to describe what they see in the picture of the hurricane. **¿Sopla fuerte el viento? ¿Cómo o a cuántas millas por hora, crees? ¿Qué tipo de árboles son?**

**Pre-AP SkillBuilder**

As students read these **Lecturas,** they will develop the skills they need to be successful on the reading and writing sections of the AP exam.

---

## ANSWERS

**A**

1. El «Caribe» es un mar y las «Antillas» son un archipiélago.
2. Se encuentran Cuba, Puerto Rico y la Española en las Grandes Antillas.
3. Cuba está más cerca de Norteamérica.
4. En la Española hay dos repúblicas, Haití y la República Dominicana.
5. Las Grandes Antillas se sitúan sobre una cadena de montañas submarinas.

6. Las Grandes Antillas se encuentran en la zona tropical.
7. En las Grandes Antillas las áreas montañosas tienen clima subtropical.
8. Las dos estaciones del año en las Antillas se llaman la seca y la húmeda.
9. Los huracanes pueden causar mucho daño en el Caribe.
10. La vegetación de la zona es exuberante.

## PRESENTATION

*(cont'd)*

**Step 3** You can intersperse the questions from **Actividad B** as you go over this section of the **Lectura**.

### Learning from Photos

*(page 276 top)* La estatua es de Cristóbal Colón. Está en el parque Colón. Al fondo se ve la Catedral de las Américas. En 1521 se comenzó la construcción de esta, la primera catedral de las Américas.
*(page 276 bottom)* Estos petroglifos, tallados por los taínos, están en el Centro ceremonial indígena de Caguana en Puerto Rico. Es uno de los sitios arqueológicos más importantes del Caribe. Allí hay doce canchas de juego de pelota que tienen más de mil años de antigüedad.

### Spanish Online

The Glencoe World Languages Web site at glencoe.com provides Internet enrichment activities and links for students to investigate the Spanish-speaking world. Every chapter has a **WebQuest** activity and a **Self-Check Quiz**. The **Web Explore** section takes students to Spanish Web sites related to the chapter theme. Students can also click on **World News Online** to read current articles in Spanish-language newspapers.

## Historia

### La Española y la República Dominicana

Haití ocupa la parte occidental de la isla de la Española y la República Dominicana la oriental. Casi las dos terceras partes de la isla corresponden a la República Dominicana. En Haití se habla francés y en la República Dominicana se habla español.

En su primer viaje a las Américas en 1492 Cristóbal Colón llegó a la isla que los indígenas llamaban «Quisqueya» que quiere decir «Madre de todas las tierras». Él la llamó «La Española», y allí se estableció la primera colonia española en América.

Durante unos tres mil años hasta la llegada de Colón, venía gente de Sudamérica a las Antillas en canoa. El nombre que ellos se dieron a sí mismos era «taínos» que significaba «los buenos». Crearon una cultura basada en la agricultura. Los taínos de Quisqueya desaparecieron bajo el dominio de los españoles. Pero antes de someterse a los españoles muchos lucharon valientemente bajo el mando de ilustres caciques—nombre que se daba a gobernadores indígenas—como Guarionex y Cayacoa. En poco tiempo la isla se hispanizó totalmente.

La introducción del azúcar tuvo un tremendo impacto. Las plantaciones de caña necesitaban mucha mano de obra. Ya no había indígenas para hacer el trabajo y para sustituirlos, esclavizaron a africanos y los trajeron a las Antillas.

Durante casi dos siglos esta isla se vio sometida a ataques de piratas y corsarios[1] como «el Drake» y a disputas y acuerdos diplomáticos entre españoles, ingleses y franceses. La República Dominicana se independizó por fin en 1865.

[1] corsarios  *corsairs, privateers*

Santo Domingo, la República Dominicana

Estelas taínas

CAPÍTULO 6

### History Connection

Cristóbal Colón nació en 1446 en Génova, Italia. Entró al servicio de España en 1492. Obtuvo de Isabel la Católica tres carabelas: la Niña, la Pinta y la Santa María. Salió del puerto de Palos el 3 de agosto de 1492 en busca de una ruta más corta a las Indias. Llegó a tierra el 12 de octubre. En su primer viaje llegó a Cuba y a la isla que él nombró Hispaniola (la Española), hoy Haití y la República Dominicana.

En su segundo viaje descubrió Puerto Rico y otras islas de las Antillas Menores y volvió otra vez a La Española (Hispaniola). En 1498 recorrió la costa de la América del Sur desde la desembocadura del río Orinoco hasta Caracas.

**B** Contesten.

1. ¿En qué parte de la isla se encuentra la República Dominicana, este u oeste?
2. ¿Cuál ocupa más territorio, Haití o la República Dominicana?
3. ¿Qué quiere decir «Quisqueya»?
4. ¿Qué transporte emplearon los primeros habitantes para llegar a La Española?
5. ¿En qué se basaba la cultura de los taínos?
6. ¿Qué cultivo introdujeron los españoles a la isla?
7. ¿Quiénes sustituyeron a los indígenas en el trabajo forzado?
8. ¿Quién era «el Drake» y qué hicieron él y otros como él?
9. ¿Quiénes mantuvieron disputas sobre la isla durante muchos años?
10. ¿Qué significa el año 1865 en la historia de la República Dominicana?

La República Dominicana

Calle El Conde, Santo Domingo

EL CARIBE

**C** Identifiquen.

1. Guarionex y Cayacoa
2. El Drake

**D** Discutan.

Los taínos y otros indígenas de las Grandes Antillas casi desaparecieron. ¿Por qué?

doscientos setenta y siete 277

## Learning from Photos

*(page 277 bottom)* Esta calle es una de las más antiguas de Santo Domingo. Data del siglo XVI. Al oeste de la calle está la puerta de El Conde, parte de la antigua muralla. Hoy día es la entrada al parque Independencia, donde se declaró la independencia de la República Dominicana.

## About the Spanish Language

- «Quisqueya» es el nombre que los indígenas dieron a la isla de Santo Domingo, hoy Haití y la República Dominicana. El significado del nombre es «madre de todas las tierras». El nombre dado a Puerto Rico por sus indígenas era «Borinquén» o «Boriquén».

- Los santos varones se llaman «San»—San Felipe, San Antonio, San Francisco, San Isidro, San Diego. Las santas mujeres se llaman «Santa»—Santa Marta, Santa Teresa, Santa Bárbara, etc. La excepción son los santos varones cuyos nombres comienzan con «To... » o «Do... ». A éstos se les llama «Santo»—Santo Tomás, Santo Domingo, Santo Tomé, Santo Toribio. Una curiosa excepción se nota en Puerto Rico donde la gente llama a *Saint Thomas,* de las Islas Vírgenes, «San Tomás».

## ANSWERS

**B**

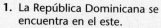

1. La República Dominicana se encuentra en el este.
2. La República Dominicana ocupa más territorio.
3. «Quisqueya» significa «Madre de todas las tierras».
4. Los primeros habitantes emplearon canoas para llegar a la Española.
5. La cultura de los taínos se basaba en la agricultura.
6. Los españoles introdujeron el cultivo del azúcar a la isla.
7. Los africanos esclavizados sustituyeron a los indígenas en el trabajo forzado.
8. «El Drake» era un corsario y él y otros como él sometieron la isla a ataques.
9. Los españoles, ingleses y franceses mantuvieron disputas sobre la isla durante muchos años.
10. En la historia de la República Dominicana, el año 1865 significa la independencia.

**C**

1. Guarionex y Cayacoa eran gobernadores indígenas de La Española.
2. «El Drake» era un corsario y él y otros como él sometieron la isla a ataques.

**D** *Answers will vary but may include:*

Los taínos y otros indígenas de las Grandes Antillas casi desaparecieron bajo el dominio de los españoles porque los españoles los hicieron trabajar demasiado, y porque enfermedades traídas del Viejo Mundo diezmaron a los habitantes de las Américas.

277

## PRESENTATION

*(cont'd)*

**Step 4** If you have any students from Puerto Rico in class, have them share some information about their knowledge of Puerto Rico. You may wish to have the class ask him or her questions in Spanish.

**Step 5** You may wish to go over this section orally and intersperse with questions to check comprehension.

### Learning from Photos

*(page 278 top)* El Palacio Rojo del Viejo San Juan fue construido a principios del siglo XIX y hoy sirve para oficinas del gobierno.

*(page 278 center)* Estos jóvenes en Ponce, la segunda ciudad de Puerto Rico, visten de traje tradicional con motivo de unas fiestas. El sombrero que llevan los varones se llama **jipijapa**.

*(page 278 bottom right)* Esta es una de las canchas en el Centro ceremonial indígena de Caguana. Según los historiadores españoles, los taínos jugaban un juego parecido al *soccer*. En este parque hay diez **bateyes** o canchas. El juego consistía en mantener la pelota en movimiento a base de rebotes con el hombro, cabeza, rodilla y codo.

*(page 278 bottom left)* Era fortaleza y casa de la familia de don Juan Ponce de León, conquistador y primer gobernador de Puerto Rico, pero él nunca vivió allí. Cuando la construyeron en 1521 él estaba en la Florida donde murió a manos de los indígenas.

### Puerto Rico

Puerto Rico, USA. Así dicen los anuncios turísticos. Puerto Rico es un Estado Libre Asociado de EE.UU. Los puertorriqueños son ciudadanos de EE.UU. como consecuencia de la guerra contra España en 1898.

Viejo San Juan, Puerto Rico

Ponce de León

Igual que en la Española, los taínos se establecieron en Puerto Rico, isla que ellos llamaban Borinquén—«Tierra del altivo señor». Los españoles llegaron durante el segundo viaje de Colón a las Américas. Uno de los colonizadores de La Española, un soldado que había luchado contra los moros en la toma de Granada, don Juan Ponce de León, se vio nombrado primer gobernador de la isla que los españoles llamaban Isla de San Juan Bautista. Con el correr del tiempo San Juan pasó a ser el nombre de la capital y Puerto Rico el de la isla. Igual que en La Española, la población indígena se fue disminuyendo a causa de batallas, maltratos y enfermedades.

En Puerto Rico, como en sus otras colonias, los españoles, a diferencia de otros colonizadores, no se mantienen apartados de los indígenas. En 1514 el Rey da permiso oficial para que los españoles se casen con indígenas y más tarde se celebran matrimonios entre españoles y africanas. La mezcla de blancos, taínos y negros es la base de la población actual no sólo de Puerto Rico, sino de Cuba y la República Dominicana también.

Ponce, Puerto Rico

Casa Blanca, Viejo San Juan, Puerto Rico

Cancha de pelota de los taínos, Puerto Rico

### Geography Connection

La ciudad de Ponce, Puerto Rico, lleva el nombre del primer gobernador de Puerto Rico, don Juan Ponce de León (1460–1521) quien desembarcó en Borinquén (Puerto Rico) en 1508, fundando la ciudad de San Juan. Ponce de León decubrió la Florida en 1512.

Al terminar la Guerra de Cuba de 1898 entre España y Estados Unidos, Puerto Rico se convierte en colonia estadounidense. Medio siglo después Puerto Rico se establece como Estado Libre Asociado[2] de Estados Unidos adquiriendo un alto grado de gobierno propio y conservando la ciudadanía norteamericana. Hoy día en Puerto Rico la gente se divide en tres grupos políticos: los independentistas, que quieren independizarse de Estados Unidos, los «populares», que quieren mantener el Estado Libre Asociado y los estadistas, que quieren que Puerto Rico se haga un estado de Estados Unidos.

[2] Estado Libre Asociado  *Commonwealth*

El Morro, San Juan, Puerto Rico

  **E** Completen.

1. Puerto Rico es un _____ de Estados Unidos.
2. Los puertorriqueños son _____ de Estados Unidos.
3. En 1898 hubo una guerra entre Estados Unidos y _____.
4. En tiempos de los taínos, la isla se llamaba _____.
5. Al principio los españoles llamaban a Puerto Rico, Isla de _____.
6. El resultado de la Guerra de Cuba para Puerto Rico fue que se convirtió en _____ de Estados Unidos.
7. Con el Estado Libre Asociado, los puertorriqueños mantienen su ciudadanía estadounidense y también tienen un alto grado de _____.

San Juan, Puerto Rico

  **F** Identifiquen.

1. Cristóbal Colón
2. Don Juan Ponce de León

Universidad de Puerto Rico

EL CARIBE

---

**ANSWERS**

**E**

1. Estado Libre Asociado
2. ciudadanos
3. España
4. Borinquén
5. San Juan Bautista
6. colonia
7. gobierno propio

**F**

1. Durante el segundo viaje de Cristóbal Colón a las Américas, los españoles llegaron a Puerto Rico.
2. Uno de los colonizadores de La Española, un soldado que había luchado contra los moros en la toma de Granada, don Juan Ponce de León se vio nombrado primer gobernador de Puerto Rico.

José Martí

## PRESENTATION

*(cont'd)*

**Step 6** If you have any students of Cuban descent you may have them share some things they know about Cuba.

**Step 7** After reading this selection, allow students to prepare **Actividades G** and **H** before going over them in class.

### Learning from Photos

*(page 280 top)* José Martí (1853–1895) nació en La Habana. Era hijo de un militar español. A los dieciséis años fue arrestado y encarcelado por los españoles por subversión. Después de un año fue exiliado a España donde estudió en Madrid y Zaragoza. Martí es el máximo héroe de la independencia de Cuba. Murió en una batalla. Además de héroe militar fue una importante figura literaria.

### Cuba

Cuba, la Perla de las Antillas, fue la más importante de las colonias españolas en el Caribe. Colón la descubrió en su primer viaje pero pasaron veinte años antes de que los españoles tomaran posesión de la isla. Durante la primera mitad del siglo XIX cuando la mayoría de las colonias españolas se independizaron, Cuba se mantuvo fiel a la metrópoli[3]. Pero comenzando en 1868 y durante los siguientes treinta años los cubanos lucharon contra la dominación española hasta que ganaron su independencia después de la intervención de Estados Unidos en 1898. Los héroes de la independencia, José Martí y Antonio Maceo, perdieron la vida en esa lucha.

En 1959 Fidel Castro, a la cabeza de un grupo revolucionario, derrocó al gobierno corrupto del dictador Fulgencio Batista y estableció el primer gobierno comunista en las Américas. Miles de cubanos, desafectos al gobierno castrista, salieron de Cuba para establecerse en Estados Unidos, Puerto Rico y España.

[3] metrópoli   *estado en relación con sus colonias*

Fidel Castro

Teatro García Lorca, La Habana, Cuba

 **G** ¿Sí o no?

1. De las colonias españolas del Caribe, Cuba fue la más importante.
2. Cuba se llamaba la Perla del Caribe.
3. Colón llegó a Cuba en su segundo viaje a las Américas.
4. Cuba se independizó al mismo tiempo que las otras colonias españolas.
5. Durante unos treinta años, los cubanos lucharon por su independencia.
6. En 1859 fue derrocado el gobierno de Batista.
7. Muchos cubanos desafectos al gobierno comunista salieron del país.

 **H** Identifiquen.

1. José Martí y Antonio Maceo
2. Fulgencio Batista
3. Fidel Castro

## ANSWERS

**G**

1. Sí
2. No, Cuba se llamaba la Perla de las Antillas.
3. No, Colón llegó a Cuba en su primer viaje.
4. No, Cuba se mantuvo fiel a la metrópoli durante la primera mitad del siglo XIX cuando la mayoría de las colonias españolas se independizaron.
5. Sí
6. No, en 1959 el gobierno de Batista fue derrocado.
7. Sí

**H**

1. José Martí y Antonio Maceo eran los héroes de la independencia. Ellos perdieron la vida en la lucha contra la dominación española.
2. Fulgencio Batista era el dictador que tenía un gobierno corrupto contra el cual lucharon Fidel Castro y un grupo revolucionario.
3. Fidel Castro derrocó al gobierno de Batista en 1959 y estableció el primer gobierno comunista en las Américas.

# Visitas históricas

## Cuba

Tienes que ver una de las ciudades más bellas de las Américas, San Cristóbal de La Habana, hoy simplemente, La Habana. Fundada en 1519, fue donde los galeones rebosando tesoro se reunían para emprender el viaje a España. Los españoles se dedicaron a hacer de La Habana la ciudad más fortificada de las Américas para protegerla de los ataques de ingleses y holandeses. La Habana colonial fue un centro de comercio, arte y cultura durante los siglos XVIII y XIX luciendo magníficas iglesias, residencias y otros edificios como la Catedral, el Castillo del Morro y el Castillo de la Real Fuerza, el edificio más antiguo de Cuba. Por su belleza y su enorme importancia histórica, la UNESCO ha declarado La Habana «Patrimonio de la Humanidad».

Santiago, Cuba

La Habana, Cuba

El Faro a Colón, Santo Domingo, la República Dominicana

## La República Dominicana

Tienes que visitar la ciudad más antigua de las Américas, Santo Domingo, con sus muchos monumentos coloniales. Pero al oeste de la ciudad verás un monumento moderno, el Faro a Colón. Este monumento se abrió al público en octubre de 1992 para celebrar el quinto centenario del primer viaje de Cristóbal Colón a las Américas. Es un faro grande en forma de cruz. De noche 157 luces se proyectan verticalmente y reflejan la cruz en el cielo. Durante más de un siglo, según los dominicanos, los restos de Colón reposaban en la Catedral de Santo Domingo (aunque los españoles dicen que están en la Catedral de Sevilla). En 1992 se trasladaron al Faro y más de un millón de personas lo han visitado. A pesar de lo impresionante que es el monumento, es también tema de controversia. Lo construyeron en medio de un barrio pobre de casas muy humildes. En un país donde el 40 por ciento de la población carece de electricidad se cuestiona el gasto de millones para iluminar el cielo con miles de vatios.

EL CARIBE

**Step 8** You may wish to assign groups to be responsible for each country. The group responsible for a particular country reports to the class. Have students divide into groups of four or five. A representative from each group will need to ask you for which country they are responsible and what important information they must report to the class

## Reaching All Students

### Visual Learners

You may wish to have visual learners make a chart or timeline summarizing important events and facts about the different groups described in this reading.

LECCIÓN I
**Cultura**

## PRESENTATION

*(cont'd)*

**Step 9** If you follow the procedures in **Step 8,** it is suggested that you have all students go over **Actividades I, J,** and **K** after each group has given its report.

### Learning from Photos

*(page 282 top)* La cueva Clara es la cueva principal de las cuevas de Camuy. Esta cueva tiene unos cincuenta y siete metros de alto. En ella hay impresionantes estalactitas y estalagmitas que los siglos han esculpido.

*(page 282 bottom)* La primera calle de la ciudad de Santo Domingo al principio se llamaba de la Fuerza, por encontrarse cerca de la Fortaleza. Su nombre actual, calle de las Damas, dicen, se la dieron porque por ella paseaban las damas de la virreina doña María de Toledo, esposa de don Diego Colón, hijo de Cristóbal Colón y primer virrey de las Indias.

### Geography Connection

Las Cavernas de Camuy están en Puerto Rico. Son enormes cavernas subterráneas que se forman con la erosión de la tierra por los ríos subterráneos. ¿Hay cavernas subterráneas en EE.UU.? ¿Dónde? ¿Cómo se llaman?

## Puerto Rico

Puerto Rico también tiene su preciosa capital colonial, San Juan. El Viejo San Juan es una verdadera joya. Pero si quieres visitar un monumento creado por la naturaleza, debes ir a ver las Cuevas de Camuy, no muy lejos de San Juan. En el Parque del Río Camuy existe un sistema de cavernas subterráneas, el tercero más grande del mundo. Allí, hasta la fecha, han descubierto dieciséis entradas y unos 11 kilómetros de pasajes subterráneos. Una de las cuevas, la Cueva Clara es más grande que un campo de fútbol. El río Camuy ha ido formando estas cavernas durante un millón de años. Un pequeño tranvía te llevará al Sumidero[4] Tres Pueblos donde puedes observar caer las aguas del río cientos de pies hasta el fondo del sumidero.

[4] Sumidero  *Sinkhole*

Cueva Clara, Parque de las Cavernas del Río Camuy          Puerto Rico

Calle de las Damas, Santo Domingo, la República Dominicana

 **Cuba**  ¿Sí o no?

1. Los galeones se reunían en La Habana para comenzar su viaje a España.
2. Los españoles fortificaron La Habana contra ataques de los indígenas.
3. En La Habana colonial el comercio, las artes y la cultura florecieron.
4. La Catedral es el edificio más antiguo de La Habana.
5. La UNESCO declaró a La Habana «Patrimonio de la Humanidad».

 **La República Dominicana**  Contesten.

1. ¿Cuál es un monumento moderno en la República Dominicana?
2. ¿Cuál es la ciudad más antigua de las Américas?
3. ¿Qué forma tiene el Faro a Colón?
4. ¿Cuándo se inauguró el Faro?
5. ¿Cuál es la controversia sobre los restos de Cristóbal Colón?

 **Puerto Rico**  Completen.

1. Las Cuevas de Camuy fueron creadas por la _____.
2. Allí hay 11 kilómetros de _____.
3. La Cueva Clara es más grande que un _____.
4. Puedes tomar un _____ para llegar al Sumidero Tres Pueblos.
5. El sistema de cavernas de Camuy es el _____ más extenso del mundo.

---

## ANSWERS

**I**

1. Sí
2. No, los españoles fortificaron La Habana contra ataques de los ingleses y holandeses.
3. Sí
4. No, el Castillo de la Real Fuerza es el edificio más antiguo de Cuba.
5. Sí

**J**

1. El Faro a Colón es un monumento moderno en la República Dominicana.
2. Santo Domingo es la ciudad más antigua de las Américas.
3. El Faro a Colón tiene la forma de una cruz.
4. El Faro a Colón se abrió al público en 1992.
5. Los españoles dicen que los restos de Colón están en la Catedral de Sevilla, pero los dominicanos dicen que los restos de Colón reposan en la Catedral de Santo Domingo.

**K**

1. naturaleza
2. pasajes subterráneos
3. campo de fútbol
4. pequeño tranvía
5. tercero

## Comida

Claro está que cada país tiene sus especialidades de cocina, pero hay algunos platos que se encuentran en los tres países. En los tres se prepara el arroz con frijoles, en Cuba se llaman «moros y cristianos», en Puerto Rico «arroz con habichuelas», y para los dominicanos es, sencillamente, «arroz con frijoles». También a todos les encanta el lechón asado. Y en los tres países uno puede comer deliciosas frutas tropicales como la papaya, el mango, la piña, el coco y la banana. No te sorprendas si encuentras que las frutas a veces cambian de nombre de un país a otro, como es el caso de la banana, que también se llama guineo, plátano y otros nombres. Ah, y para beber, no hay nada como un vasito de guarapo frío, guarapo, el jugo de la caña de azúcar, tan dulce como el azúcar mismo.

Ponce, Puerto Rico

**L** De todos los alimentos del Caribe que se han mencionado, ¿cuál crees que te gustaría más, y por qué?

## Anecdotario histórico-cultural

Beisbolista dominicano
Danny Bautista

**Criadero de beisbolistas** En las últimas décadas del siglo XIX se empezó a jugar béisbol en la República Dominicana. Los dueños de las azucareras promovían partidos entre empleados de los distintos ingenios[5]. Hoy es el deporte nacional. Desde muy pequeños los niños aprenden a jugar. La pequeña ciudad de San Pedro de Macorís, en particular, ha mandado muchos jugadores a las Grandes Ligas, jugadores como Sammy Sosa de los Cachorros de Chicago, Alfonso Soriano de los Yankees y Pedro Martínez de Boston. Y no es nada nuevo, de allí han venido estrellas del pasado como Juan Marichal y los hermanos Alou; Matty, Felipe y Jesús. Hoy día veintinueve equipos de las Grandes Ligas mantienen «academias» para jugadores jóvenes en la República Dominicana. Hay setenta y cuatro dominicanos en las Grandes Ligas y ciento cincuenta en las Ligas Menores. ¡Increíble para un país con una población de sólo ocho y medio millones!

[5] ingenios *lugares donde se convierte la caña en azúcar*

**M** Contesten.
1. ¿Cuál es el deporte nacional de la República Dominicana?
2. ¿Cómo llegó a ser el deporte nacional?
3. ¿Qué fama tiene San Pedro de Macorís?
4. ¿Qué mantienen en la República Dominicana las Grandes Ligas?

EL CARIBE

*doscientos ochenta y tres*  **283**

---

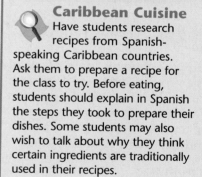
---

**ANSWERS**

 *Answers will vary.*

1. El deporte nacional de la República Dominicana es el béisbol.
2. En las últimas décadas del siglo XIX se empezó a jugar béisbol en la República Dominicana. Los dueños de las azucareras promovían partidos entre empleados de los distintos ingenios.
3. San Pedro de Macorís tiene la fama de haber mandado muchos jugadores a las Grandes Ligas como Sammy Sosa, Alfonso Soriano y Pedro Martínez.
4. Las Grandes Ligas mantienen «academias» para jugadores jóvenes en la República Dominicana.

# Estructura • **Repaso**

Use your **StudentWorks** Plus
CD for more practice.

## Verbos reflexivos

### Describing what people do for themselves

**1.** A verb is reflexive when the action is both executed and received by the subject.

**Me lavo.**     *I wash myself.*

**2.** Because the subject also receives the action of the verb an additional pronoun is required. This pronoun is called a reflexive pronoun.

| INFINITIVE | lavarse | bañarse |
|---|---|---|
| yo | me lavo | me baño |
| tú | te lavas | te bañas |
| él, ella, Ud. | se lava | se baña |
| nosotros(as) | nos lavamos | nos bañamos |
| *vosotros(as)* | *os laváis* | *os bañáis* |
| ellos, ellas, Uds. | se lavan | se bañan |

**3.** These verbs have a stem change in both the present and preterite tenses.

| | |
|---|---|
| despedirse | (i, i) |
| vestirse | (i, i) |
| divertirse | (ie, i) |
| sentirse | (ie, i) |
| dormirse | (ue, u) |

**4.** The reflexive pronoun is required only when the subject and recipient of the action are one and the same. If someone or something other than the subject receives the action of the verb, no reflexive pronoun is used.

**María se lava.**

**María lava el carro.**

**Papá se acuesta.**

**Papá acuesta al bebé.**

CAPÍTULO 6

---

## Resource Manager

Workbook, pages 98–100
Audio Activities TE, pages 140–142
Audio CD 6, Tracks 10–13
Quiz, page 84
*ExamView® Assessment Suite*

## Bellringer Review

*Use BRR Transparency 6.2 or write the following on the board.*

**¿Para qué se usa? Empareen.**
1. el jabón    a. quitarse la barba
2. la crema de afeitar    b. no quemarse
3. la toalla    c. lavarse
4. la pasta dentífrica    d. secarse
5. la crema protectora    e. lavarse el pelo
6. el champú    f. cepillarse los dientes

## PRESENTATION

 **Verbos reflexivos**

**Step 1** Write the forms of one of the verbs on the board. Circle the subject and the reflexive pronoun. Draw a line from the reflexive pronoun to the subject pronoun to indicate that they are the same.

## LEVELING

**E:** Structure

## Reaching All Students

### Kinesthetic Learners

As students read the sentences in Item 4, kinesthetic learners can dramatize washing themselves vs. washing something else. These dramatizations help students visualize and, therefore, understand the concept.

## Art Connection

You may wish to ask students to describe what they see in the works of Tony Capellán and Roberto Ulloa as shown on page 285. You may ask them what **arma de doble filo** means (*double or two edged sword,* something that can have both favorable and unfavorable consequences). You may wish to ask questions about the realia. **¿Dónde tiene lugar la exposición de arte dominicano? ¿Sobre qué pintaron los dos artistas? ¿Cómo se llaman los artistas? ¿En qué medio pintó Tony Capellán? ¿Y Roberto Ulloa? ¿Qué título lleva la obra de Ulloa? ¿Y la de Capellán?**

## ¿Cómo lo digo?

**1 Historieta** **Algunas costumbres mías**
Contesten.

1. ¿A qué hora te acuestas?
2. ¿Te duermes enseguida o pasas la noche dando vueltas en la cama?
3. ¿A qué hora te levantas?
4. ¿Te despiertas fácilmente?
5. ¿Te bañas o te duchas antes de acostarte o después de levantarte?
6. ¿Te desayunas antes de salir para la escuela?
7. ¿Te cepillas los dientes después de tomar el desayuno?
8. ¿Te pones un uniforme para ir a la escuela?
9. ¿Te vistes elegantemente para ir a la escuela?
10. ¿Te diviertes con tus amigos en la escuela?
11. ¿Te despides de tus amigos cuando sales de la escuela?

San Juan, Puerto Rico

**2 Historieta** **En Puerto Rico** Contesten.

1. ¿Te divertiste cuando estabas en Puerto Rico?
2. ¿Te sentiste en casa?
3. ¿Te vestiste de sport?
4. ¿Te pusiste el bañador para ir a la playa?
5. ¿Te pusiste una crema protectora en la playa?
6. ¿Te bronceaste?
7. ¿Te dormiste en la playa?
8. Al salir de Puerto Rico, ¿te despediste de tus nuevos amigos?

Acrílico sobre tela de Tony Capellán. Arma de doble filo

Arte dominicano en Puerto Rico

Medio mixto sobre tela de Roberto Ulloa. Niño Militar

EL CARIBE

doscientos ochenta y cinco ◆ **285**

**PRACTICE**

## ¿Cómo lo digo?

**1** and **2** It is suggested that you go over both activities orally in class. Students should not look at written answers when responding.

**1** Give students two or three minutes to look over this activity. Then call on individuals to respond.

**2** This activity can be done with books closed without prior preparation.

**Paired Activity**
**Actividad 2:** You may wish to have students work in pairs. One student reads all of the questions, the other answers, then they switch. Students then summarize the other person's answers using the reflexive in the third person.

**Hint:** Set a time limit and use the timer to keep students focused on the task.

ANSWERS TO ¿Cómo lo digo?

**1**

1. Me acuesto a las ___.
2. Me duermo enseguida./Paso la noche dando vueltas en la cama.
3. Me levanto a las ___.
4. No, no me despierto fácilmente./Sí, me despierto fácilmente.
5. Me baño (ducho) antes de acostarme (después de levantarme).
6. Sí, (No, no) me desayuno antes de salir para la escuela.

7. Sí, (No, no) me cepillo los dientes después de tomar el desayuno.
8. Sí, (No, no) me pongo un uniforme para ir a la escuela.
9. Sí, (No, no) me visto elegantemente para ir a la escuela.
10. Sí, (No, no) me divierto con mis amigos en la escuela.
11. Sí, (No, no) me despido de mis amigos cuando salgo de la escuela.

**2**

1. Sí, me divertí cuando estaba en Puerto Rico.
2. Sí, me sentí en casa.
3. Sí, me vestí de sport.
4. Sí, me puse el bañador para ir a la playa.
5. Sí, me puse una crema protectora en la playa.
6. Sí, me bronceé.
7. Sí, me dormí en la playa.
8. Sí, al salir de Puerto Rico, me despedí de mis nuevos amigos.

**285**

## PRACTICE

*(cont'd)*

**3**, **4**, and **5** You may wish to assign these activities for homework and go over them in class the next day.

### ADDITIONAL PRACTICE

Have students do the following activity: **Prepara el horario de tu rutina diaria. Compáralo con el de un(a) compañero(a) de clase.**

## Reaching All Students

### Kinesthetic Learners

You may wish to have kinesthetic and visual learners dramatize the following: **levantarse, ponerse la chaqueta, bañarse, acostarse, despertarse, desayunarse, dormirse, vestirse.** Have average and advanced learners narrate the actions.

You may wish to use the editable PowerPoint® presentation available on this PowerTeach CD-ROM for additional grammar instruction and practice.

**3** **Historieta** **El coronel** Completen con el presente.

El coronel __1__ (levantarse) y __2__ (vestirse) rápidamente. En estos días de guerra él __3__ (acostarse) muy tarde y __4__ (despertarse) pocas horas después. El coronel __5__ (ponerse) el uniforme. Hace tiempo que no __6__ (bañarse) ni __7__ (desayunarse) porque no hay tiempo ni posibilidad. Esta mañana él __8__ (entrevistarse) con el general. Los dos __9__ (sentarse). Después de una hora el general __10__ (ponerse) de pie y __11__ (despedirse) del coronel. La guerra no __12__ (detenerse).

**4** **No me dormí.** Escriban las oraciones en el pretérito.

1. Juan se acuesta a las diez y media.
2. Se duerme enseguida.
3. Desgraciadamente, yo no me duermo enseguida.
4. ¿A qué hora se acuestan ustedes?
5. ¿Y a qué hora se levantan?
6. Nosotros nos desayunamos en casa.
7. ¿Te desayunas en casa o en la escuela?
8. Juan se despide de sus padres antes de salir para la escuela.
9. Juan y sus amigos se divierten mucho en la escuela.

Santurce, Puerto Rico

**5** **Historieta** **¿Reflexivo o no?**

Completen con el pronombre si es necesario.

1. La señora _____ levanta temprano.
2. Después ella _____ despierta a su hijo.
3. Los dos _____ lavan el carro.
4. El hijo también _____ lava al perro.
5. Y después él _____ baña.
6. Los dos entran a la cocina y _____ desayunan.

CAPÍTULO 6

## ANSWERS TO ¿Cómo lo digo?

**3**
1. se levanta
2. se viste
3. se acuesta
4. se despierta
5. se pone
6. se baña
7. se desayuna
8. se entrevista
9. se sientan
10. se pone
11. se despide
12. se detiene

**4**
1. Juan se acostó a las diez y media.
2. Se durmió enseguida.
3. Desgraciadamente, yo no me dormí enseguida.
4. ¿A qué hora se acostaron ustedes?
5. ¿Y a qué hora se levantaron?
6. Nosotros nos desayunamos en casa.
7. ¿Te desayunaste en casa o en la escuela?
8. Juan se despidió de sus padres antes de salir para la escuela.
9. Juan y sus amigos se divirtieron mucho en la escuela.

**5**
1. se
2. *none*
3. *none*
4. *none*
5. se
6. se

# Verbos recíprocos
## Reciprocal actions

The subject of a reciprocal verb will always be two or more persons or things that simultaneously act upon each other. For this reason all reciprocal verbs are conjugated only in the plural, never in the singular.

**Rosa y yo nos conocemos.** *Rose and I know one another.*
**Ellos se vieron pero no se hablaron.** *They saw one another but they didn't speak to each other.*

In English the concept of reciprocity is often expressed by *each other* or *one another.*

## ¿Cómo lo digo?

**6** **Se conocieron en la fiesta.** Completen.

1. Él me vio y yo lo vi. Nosotros _____ en la tienda por departamentos.
2. Ella me conoció y yo la conocí. Nosotros _____ en la fiesta de Alejandro.
3. Ella le escribió a él y él le escribió a ella. Ellos _____ la semana pasada.
4. Él la quiere y ella lo quiere. Ellos _____.
5. El niño ayuda a la niña y la niña ayuda al niño. Los niños _____ mucho.
6. Carlos encontró a María y María encontró a Carlos. Ellos _____ por casualidad en la esquina de Sol y Mayor.

**7** **Historieta** **Se conocieron en San Pedro**
Completen.

Los dos jugadores, Roberto y Pepe __1__ (conocer) en San Pedro de Macorís. Pasaron años en qué no __2__ (ver). Pero sí que __3__ (escribir). Por fin __4__ (encontrar) en Nueva York con los Mets. Ellos __5__ (saludar) calurosamente. Son buenos amigos y __6__ (ayudar). Roberto dice: Pepe y yo __7__ (querer) como hermanos.

Los amigos no se hablan.
Ellos leen. San Juan

**287**

These activities allow students to use the vocabulary and structure from this lesson in completely open-ended, real-life situations.

Encourage students to say as much as possible when they do these activities. Tell them not to be afraid to make mistakes, since the goal of these activities is real-life communication. If someone in the group makes an error, allow the others to politely correct him or her. Let students choose the activities they would like to do.

You may wish to divide students into pairs or groups. Encourage students to elaborate on the basic theme and to be creative. They may use props, pictures, or posters if they wish.

**Note:** These activities have students practice their "survival skills" in Spanish in the types of real-life situations that they might encounter while on a trip. It is recommended that you not correct all errors made by the students as they do these activities. They would certainly make errors if they were communicating in real situations in a Spanish-speaking country.

### Learning from Photos

*(page 288 top)* En esta foto se ve una vista del puerto de La Habana. De aquí salían las embarcaciones españolas llenas de oro y plata. Los corsarios y piratas atacaban el puerto con frecuencia.

## Cultura

# ¡Te toca a ti!
**Use what you have learned**

La Habana, Cuba

### Geografía
✔ *Describe the geography of Puerto Rico, Cuba, and the Dominican Republic*

Con un(a) compañero(a) describe la geografía y el clima de las islas de las Grandes Antillas. ¿Se parecen a la geografía y al clima en donde tú vives? Haz una comparación.

### Las vacaciones
✔ *Write a suggestion about when to go to the Caribe*

Recibiste un e-mail de una amiga. Ella quiere ir a la República Dominicana, pero no sabe cuál sería la mejor época para su visita. Mándale un e-mail y dale una recomendación pensando en el clima y las estaciones del año.

San Juan, Puerto Rico

### Las Antillas
✔ *Make some comparisons between the islands of the Greater Antilles*

Describe algunas diferencias y semejanzas geográficas, históricas y políticas entre Puerto Rico, Cuba y la República Dominicana.

### ¿De qué país hablas?
✔ *Play a game and guess the country being discussed*

Tú vas a mencionar un lugar, monumento o evento en uno de los países de las Antillas. Tu compañero(a) tiene que adivinar cuál es el país. Si tu compañero(a) contesta correctamente, entonces él o ella te hará una pregunta a ti.

CAPÍTULO 6

**288** doscientos ochenta y ocho

ANSWERS TO ¡Te toca a ti!

*Answers will vary.*

### 5 La República Dominicana y el béisbol

✔ *Talk about the Dominican Republic and baseball*

Explícale como y por qué la República Dominicana es tan importante en cuanto al béisbol.

### 6 Tus rutinas

✔ *Compare your daily routines*

Por lo general hay una diferencia entre tu rutina de entre semana y tu rutina de fin de semana, ¿no? Dile a un(a) compañero(a) como son diferentes.

### 7 ¡Al Caribe!

✔ *Tell why you would like to visit the Greater Antilles*

En tus estudios de español ya has aprendido mucho sobre las islas del Caribe. En tus propias palabras explica por qué las quisieras visitar.

Villa Fundación, la República Dominicana

Guajataca, Puerto Rico

EL CARIBE

ANSWERS TO ¡Te toca a ti!

*Answers will vary.*

**Learning from Photos**

*(page 289 top)* Ask: **¿Quiénes son las jóvenes? ¿Dónde están? ¿Llevan uniforme? Describan el uniforme. Si es una escuela, ¿es una escuela mixta o sólo para muchachas? ¿Por qué no hay paredes ni ventanas en esta parte del edificio? ¿Qué pasa cuando hace frío?**

## Resource Manager

Assessment Transparency A6.1
Online Quiz
Tests, pages 173–176 and 183–204
*ExamView® Assessment Suite*

## Assessment

This is a pretest for students to take before you administer the lesson test. Answer sheets for students to do these pages are provided in the transparencies. Note that each section is cross-referenced so students can easily find the material they have to review in case they made errors. You may wish to collect these assessments and correct them yourself or you may prefer to have the students correct themselves in class. You can go over the answers orally or project them on the overhead, using your Assessment Answers transparencies.

## Reaching All Students

**Non-Mastery Students**
Encourage students who need extra help to refer to the yellow notes and review any section before answering the questions.

## Tutorial

You may wish to have students create mnemonic devices to help them learn the chapter vocabulary. This may be especially helpful for non-mastery students.

# Vocabulario

**1** **Completen con una palabra apropiada.**

To review vocabulary, turn to page 272.

1. Lo tomaron prisionero y lo llevaron a la prisión en _____.
2. Él tenía un espíritu independiente y nunca se _____ a los invasores.
3. Nunca colaboró con ellos, fue siempre _____ al gobierno.
4. Estaba muy cansado y buscaba donde _____ su cabeza.
5. Lo tenían en un lugar muy _____, muy lejos de todo.
6. Era un jefe de los indígenas, un _____ de gran fama.
7. Quería _____ su viaje aquel día pero no pudo a causa del viento.
8. Él luchó por la independencia para que sus hijos pudieran ser _____ de una nación independiente.
9. El clima de su bella isla era benévolo salvo cuando los _____ con sus tremendos vientos castigaban la isla.

La Habana, Cuba

## ANSWERS TO Assessment

**1**

1. cadenas
2. sometió
3. desafecto
4. reposar
5. apartado

6. cacique
7. emprender
8. ciudadanos
9. huracanes

# Lectura

**2** **Escojan.**

**10.** Hay _____ islas en las Grandes Antillas.

   **a.** dos    **b.** cuatro    **c.** ocho

**11.** Las Grandes Antillas, las Pequeñas Antillas y las Bahamas forman _____.

   **a.** un archipiélago    **b.** un istmo    **c.** una península

**12.** En el Caribe hay solamente _____ estaciones.

   **a.** dos    **b.** cuatro    **c.** seis

**13.** Los huracanes normalmente aparecen en _____.

   **a.** enero    **b.** abril    **c.** septiembre

> To review some geographical facts about the Caribbean, turn to pages 274–275.

**3** **Contesten.**

**14.** ¿Cómo llamaban los españoles a la isla que los taínos llamaban «Quisqueya»?

**15.** ¿Qué producto agrícola introdujeron los españoles a las Antillas?

**16.** Cuando ya no había indígenas para trabajar, ¿en qué continente encontraron los colonizadores más mano de obra?

**17.** ¿Cuáles son los tres partidos políticos de Puerto Rico?

**18.** ¿Por qué tuvieron que fortificar a La Habana los españoles?

**19.** ¿Por qué salieron muchos cubanos de su país después de 1959?

> To review some historical facts about the Caribbean, turn to pages 276–283.

# Estructura

**4** **Completen con el pronombre apropiado si es necesario.**

**20.** Yo _____ puse unos jeans para ir a la fiesta.

**21.** ¿A qué hora _____ acostaste anoche?

**22.** Hace tiempo que tú y yo _____ conocemos, ¿verdad?

**23.** Pero Ramón y Carolina _____ conocieron hace solamente una semana.

**24.** Ella _____ divirtió mucho en la fiesta.

**25.** Después de la fiesta nosotros _____ lavamos todos los platos y vasos.

> To review reflexive verbs, turn to pages 284 and 287.

---

ANSWERS TO Assessment

**10.** b
**11.** a
**12.** a
**13.** c

**14.** Los españoles la llamaban La Española.

**15.** Los españoles introdujeron el azúcar a las Antillas.

**16.** Cuando ya no había indígenas para trabajar, los colonizadores encontraron más mano de obra en África.

**17.** Los tres partidos políticos de Puerto Rico son los independentistas, los populares y los estadistas.

**18.** Los españoles tuvieron que fortificar a La Habana para protegerla de ataques de los ingleses y holandeses.

**19.** Muchos cubanos salieron de su país después de 1959 porque eran desafectos al gobierno castrista.

**20.** me
**21.** te
**22.** nos
**23.** se
**24.** se
**25.** *none*

## PREPARATION

### Resource Manager

Vocabulary Transparency V6.4
Audio Activities TE, pages 143–144
Audio CD 6, Tracks 14–16
Workbook, page 101
Quiz, page 85
*ExamView® Assessment Suite*

### Bellringer Review

*Use BRR Transparency 6.3 or write the following on the board.*
**Escriban una lista de todo lo que ustedes hacen por la mañana antes de salir de casa.**

## PRESENTATION

### Vocabulario para la conversación

**Step 1** You may wish to follow the suggestions outlined in previous chapters.

**Step 2** After presenting the vocabulary, have students use the new words in original sentences.

## PRACTICE

## ¿Qué palabra necesito?

**1** and **2** These activities can be done with books open. No previous preparation is necessary.

You may wish to use the editable PowerPoint® presentation available on this PowerTeach CD-ROM for additional vocabulary instruction and practice.

---

## Vocabulario para la conversación 🎧

Use your StudentWorks Plus CD for more practice.

cascos de guayaba y queso blanco

Los cascos de guayaba son más dulces que el queso.

un churrasco

A mí me gusta un buen churrasco.

### Más vocabulario

**la carne quemada** la carne bien hecha
**los dueños** los patronos, los jefes, los propietarios
**descortés** ineducado, grosero, no cortés
**lento(a)** contrario de «rápido»
**listo(a)** inteligente

**rico(a)** delicioso
**acompañar** ir con, juntarse
**evitar** eludir, evadir
**por colmo** para ser peor, para pasar el límite

## ¿Qué palabra necesito?

**1**  **Historieta** **Al restaurante**
Contesten según se indica.

1. ¿Adónde fuiste anoche? (a un restaurante)
2. ¿Quién te acompañó? (un buen amigo)
3. ¿Qué pediste? (un churrasco)
4. ¿Te gustó? (no)
5. ¿Por qué no te gustó? (estaba quemado)
6. De postre, ¿qué pidió tu amigo? (cascos de guayaba con queso blanco)
7. ¿Le gustó? (estaba muy rico)
8. ¿Y el servicio? (un poco lento)
9. ¿Evitarás volver al restaurante? (creo)

San Juan, Puerto Rico

**2** ¿Cuál es otra palabra? Den un sinónimo.

1. los amos o los propietarios
2. sabroso, gustoso
3. evadir, escaparse de
4. astuto, hábil
5. carne de res, biftec
6. juntarse, ir con otra persona

**292** 🌼 *doscientos noventa y dos*

CAPÍTULO 6

---

## ANSWERS TO ¿Qué palabra necesito?

**1**

1. Fui a un restaurante anoche.
2. Un buen amigo me acompañó.
3. Pedí un churrasco.
4. No, no me gustó.
5. No me gustó porque estaba quemado.

6. Mi amigo pidió cascos de guayaba con queso blanco.
7. Sí, le gustó—estaba muy rico.
8. El servicio fue un poco lento.
9. Sí, creo que evitaré volver al restaurante.

**2**

1. los dueños
2. rico
3. evitar
4. listo
5. un churrasco
6. acompañar

# Conversación

## Un restaurante «típico»

**Antonio** ¿Adónde fueron ustedes a comer anoche?

**Elena** Es mejor que no me preguntes. Fue la peor comida y un servicio tan malo que no lo puedes imaginar.

**Antonio** ¿Y dónde fue esto? Si aquí en la capital se come muy bien, mejor que en muchas partes. Y preparan nuestros platos caribeños tan ricos como ninguno.

**Elena** Pues, si yo fuera tan lista como tú, habría evitado el problema. Es verdad, muy pocas ciudades tienen tantos buenos restaurantes caribeños como aquí. Pero nosotros fuimos a un restaurante «argentino». Porque dicen que el «bife» argentino es el mejor del mundo, pedimos un churrasco.

**Antonio** Ah. Ustedes fueron a «El Gaucho Moncho», ¿verdad?

**Elena** Sí. ¿Cómo lo sabías?

**Antonio** Yo fui allí el otro día. Fue terrible. La carne era tan dura como una piedra. Además estaba quemada y tan seca como el desierto. Y el mesero… el hombre era tan lento y descortés que no le dejamos una propina. Y por colmo, los dueños del restaurante ni son argentinos ni han visitado nunca Argentina. Allí no hay nada auténtico. Esta noche vamos a un restaurante caribeño, «La flor de las Antillas». Ellos preparan nuestros platos mejor que nadie. ¿Quieres acompañarnos?

**Elena** Ay, Antonio. Lechón asado, tostones, bacalaítos[1]…

**Antonio** Ah, y lo mejor es que todo va acompañado de arroz con frijoles.

**Elena** ¡Cállate, Antonio! Se me hace agua la boca[2] sólo con pensarlo. Y de postre, cascos de guayaba y queso blanco. Tengo tanta hambre como un tigre. ¿A qué hora me buscas?

**Antonio** La mejor hora para comer allí es a las ocho. Te buscaré a las siete y media.

[1] bacalaítos *bits of fried codfish*
[2] Se me hace agua la boca *Makes my mouth water*

EL CARIBE

**Spanish Online**
To learn more about restaurants in the Caribbean, do the Chapter 6 **WebQuest** activity on the Glencoe Spanish Web site at glencoe.com.

La República Dominicana

*doscientos noventa y tres* 293

**Pre-AP SkillBuilder**
Listening to this conversation will give students the tools they need to succeed on the listening portion of the AP exam.

## Después de leer

### PRACTICE

## ¿Comprendes?

 **A** You can ask the questions from **Actividad A** as you are going over the **Conversación.**

**B** and **C** Allow students to prepare **Actividades B** and **C** before going over them in class.

### Learning from Photos

*(page 294)* You may wish to ask students to describe the restaurant in as much detail as possible.

Encourage students to learn more about the Spanish-speaking countries of the Caribbean by using the **Web Explore** feature at glencoe.com. Perhaps you can do this in class or in a lab if students do not have Internet access at home.

---

## ¿Comprendes?

 **A** Contesten.
1. ¿Dónde comió Elena anoche?
2. ¿Qué tipo de restaurante fue?
3. ¿Fue buena la comida?
4. ¿Qué tal el servicio?
5. ¿Comió Elena comida caribeña?
6. ¿Qué pidieron Elena y sus amigos?
7. ¿Les gustó?
8. ¿Ha comido Antonio en ese restaurante?
9. ¿Cuánto dejó de propina al mesero Antonio?
10. ¿Qué problemas tuvo con el mesero Antonio?
11. ¿Adónde va a comer Antonio esta noche?
12. ¿Qué tipo de comida sirven allí?

 **B** Expliquen y describan.
1. ¿Cómo sabía Antonio que Elena había comido en «El Gaucho Moncho»?
2. ¿Cómo era la carne que pidió Antonio en «El Gaucho Moncho»?
3. ¿Por qué dice Antonio que el lugar no es auténtico?
4. ¿Cuáles son algunos platos típicos de la comida caribeña?

**C** Completen.
1. La Flor de las Antillas es un _____ caribeño.
2. Los cascos de guayaba se sirven con _____.
3. _____ son pedacitos de bacalao frito en forma de panqueque.
4. Muchos platos cubanos, puertorriqueños y dominicanos vienen acompañados de _____.

Spanish Online
For more information about Caribbean foods, go to **Web Explore** on the Glencoe Spanish Web site at glencoe.com.

Un parque en Santo Domingo

CAPÍTULO 6

---

## ANSWERS TO ¿Comprendes?

**A**
1. Elena comió en «El Gaucho Moncho» anoche.
2. Fue un restaurante «argentino».
3. No, fue muy mala.
4. El servicio fue muy malo también.
5. No, Elena comió comida argentina.
6. Elena y sus amigos pidieron un churrasco.
7. No, no les gustó.
8. Sí, Antonio ha comido en ese restaurante.
9. Antonio no le dejó ninguna propina al mesero.

10. El mesero era muy lento y descortés.
11. Va a comer en «La flor de las Antillas».
12. Sirven comida caribeña allí.

**B**
1. Antonio sabía cuando ella dijo que había pedido churrasco y que fue terrible.
2. La carne era tan dura como una piedra, y estaba quemada y seca.
3. Dice que no es auténtico porque los dueños ni son argentinos ni han visitado nunca Argentina.

4. Son el lechón asado, tostones, bacalaítos, y arroz con frijoles.

**C**
1. restaurante
2. queso blanco
3. Bacalaítos
4. arroz y frijoles

# Estructura • Repaso

Use your **StudentWorks** Plus CD for more practice.

## Comparativo y superlativo—formas regulares
### Making comparisons

1. The comparative construction is used to compare one item with another. In English you add *-er* to short adjectives and the word *more* in front of longer adjectives. To form the comparative in Spanish, you place the word **más** before the adjective and **que** after the adjective.

> **Elena es más lista que Antonio.**
> **Ella come fuera más que yo.**
> **Ella conoce más restaurantes que nadie.**

2. When a pronoun follows the comparative construction, either the subject pronoun (**yo, tú, él, ella, usted, nosotros(as), ellos, ellas, ustedes**) or a negative word (**nadie**) is used.

> **Él dice que come más que yo.**
> **La verdad es que come más que nadie.**

3. The superlative expresses that which is the *most*. In English the suffix *-est* is added to short adjectives and *most* in front of longer adjectives. To form the superlative in Spanish, you use the definite article (**el, la, los, las**) plus **más** before the adjective. The adjective is usually followed by **de**.

> **La piña es la (fruta) más rica de todas.**
> **El helado de coco es el más sabroso de todos.**

The opposite of **más** is **menos** (*less*), **el menos** (*least*).

> **El pescado tiene menos grasa que la carne.**
> **Para mí, el helado de vainilla es el menos interesante de todos.**

San Juan, Puerto Rico

EL CARIBE

*doscientos noventa y cinco* 295

LECCIÓN 2
Conversación

## PREPARATION

### Resource Manager

Audio Activities TE, pages 146–148
Audio CD 6, Tracks 19–24
Workbook, page 102
Quiz, page 87
*ExamView® Assessment Suite*

### Bellringer Review

*Use BRR Transparency 6.5 or write the following on the board.*

**Empleen los siguientes adjetivos en una oración original.**

| | |
|---|---|
| sincero | fácil |
| rico | descortés |
| inteligente | listo |
| delicioso | |

## PRESENTATION

### Comparativo y superlativo— formas regulares

**Step 1** Guide students through the explanatory material.

**Step 2** Have students repeat the model sentences in unison.

POWERTEACH
Interactive
Chalkboard

You may wish to use the editable PowerPoint® presentation available on this PowerTeach CD-ROM for additional grammar instruction and practice.

LECCIÓN 2
# Conversación

## PRACTICE

## ¿Cómo lo digo?

 **1** This activity can be done with books closed without prior preparation.

**2** and **3** Have students prepare these activities and then go over them in class.

## PRESENTATION

### Comparativo y superlativo— formas irregulares

**Step 1** After going over this explanation, have students repeat the forms and the model sentences.

### LEVELING

**E:** Structure

## ¿Cómo lo digo?

**1** **Tu familia** **Preguntas personales** Contesten.

1. En tu familia, ¿quién es más alto(a) que tú?
2. ¿Quién come más que tú?
3. ¿Quién es más listo(a) que tú?
4. ¿Quién es menos listo(a) que tú?
5. ¿Quién es el (la) más listo(a) de la familia?
6. ¿Quién es el (la) más descortés de la familia?

**2** **El Caribe** Formen oraciones con el superlativo.

1. Cuba / isla / grande / Antillas
2. La Española /colonia /antigua / Américas
3. lechón /comida / típica / región
4. caña / producto / importante / país
5. taínos / indígenas / numerosos / Caribe

**3** **Comidas** Sigan el modelo.

guayaba / manzana / naranja (rico) →
**La guayaba es rica, la manzana es más rica que la guayaba, pero la naranja es la más rica de todas.**

1. el bife / el pollo / el pescado (delicioso)
2. el helado / la fruta / el flan (dulce)
3. el jamón / el chorizo / el marisco (caro)
4. los plátanos / las guayabas / los melones (fresco)
5. el arroz / las papas / el maíz (sabroso)

Una vista de la costa cubana

 ## Comparativo y superlativo—formas irregulares
### Making comparisons

**1.** The following adjectives have irregular comparative and superlative forms.

| | | | | | | |
|---|---|---|---|---|---|---|
| bueno | mejor | el /la mejor | | malo | peor | el /la peor |
| grande | mayor | el /la mayor | | pequeño | menor | el /la menor |

**Menor** and **mayor** refer to age and quantity. For size, use **más grande** or **más pequeño.**

**Ella es mayor que su hermano. (Tiene más años.)**
**Ella es más grande que su hermano. (Es más alta, etc.)**

**2. Mejor** and **peor** are also used as adverbs.

| | | | | | | |
|---|---|---|---|---|---|---|
| bien | mejor | el mejor | | mal | peor | el peor |

**José cocina mejor que yo.**
**De todos es él que cocina el mejor.**

ANSWERS TO  ¿Cómo lo digo?

**1** Answers will vary.

1. En mi familia, ___ es más alto(a) que yo.
2. ___ come más que yo.
3. ___ es más listo(a) que yo.
4. ___ es menos listo(a) que yo.
5. ___ es el (la) más listo(a) de mi familia.
6. ___ es el (la) más descortés de mi familia.

**2**

1. Cuba es la isla más grande de las Antillas.
2. La Española es la colonia más antigua de las Américas.
3. El lechón es la comida más típica de la región.
4. La caña de azúcar es el producto más importante del país.
5. Los taínos eran los indígenas más numerosos del Caribe.

**3**

1. El bife es delicioso, el pollo es más delicioso que el bife, pero el pescado es el más delicioso de todos.
2. El helado es dulce, la fruta es más dulce, pero el flan es el más dulce de todos.
3. El jamón es caro, el chorizo es más caro, pero el marisco es el más caro de todos.
4. Los plátanos son frescos, las guayabas son más frescas, pero los melones son los más frescos de todos.
5. El arroz es sabroso, las papas son más sabrosas, pero el maíz es el más sabroso de todos.

# ¿Cómo lo digo?

**4** **Tu clase de español** Contesten.

1. ¿Quién es el/la mejor estudiante de la clase?
2. ¿Quién recibe las mejores notas?
3. ¿Recibes tú las mejores notas?
4. ¿Quién es el/la mayor de la clase? ¿Cuántos años tiene?
5. ¿Quién es el/la menor de la clase y cuántos años tiene?

Villa Fundación, la República Dominicana

**5** **Los pacientes** Completen con un adverbio apropiado.

1. Don Ramón está _____ ahora; ya no está enfermo.
2. Doña Elena sigue enferma pero está _____ ahora; ya no le duele tanto.
3. Pero el señor Álvarez está _____ y los médicos están preocupados.
4. Y la señora Rosas se siente _____, pero no es nada grave.

EL CARIBE

**6** **Patricia perfecta** Escojan.

1. Patricia juega béisbol mejor que _____.
   a. ti          b. tú
2. Y ella juega mejor que _____ también.
   a. mi          b. yo
3. La verdad es que ella juega mejor que _____.
   a. nadie          b. alguien
4. Ella prefiere jugar béisbol más que _____.
   a. nada          b. algo

*doscientos noventa y siete* 297

---

## PRACTICE

# ¿Cómo lo digo?

**4**, **5**, **and** **6** Have students write these activities and then go over them in class.

### Learning from Photos

*(page 297 center)* You may wish to ask questions about the photo, such as: **¿Quién es el señor de pie? ¿Llevan uniforme los alumnos? ¿Cómo es el uniforme? ¿Es una escuela mixta o sólo para varones (muchachos)? ¿Por qué levanta la mano uno de los muchachos?** *(page 297 bottom)* La foto es de un partido de sófbol en las Olimpíadas, Estados Unidos contra Puerto Rico. Aunque Puerto Rico es un Estado Libre Asociado de Estados Unidos, participa en las Olimpíadas y los Juegos Panamericanos independientemente.

---

## ANSWERS TO ¿Cómo lo digo?

**4** *Answers will vary.*

1. ___ es el/la mejor estudiante de la clase.
2. ___ recibe las mejores notas.
3. Sí, (No, no) recibo las mejores notas.
4. ___ es el/la mayor de la clase. Tiene ___ años.
5. ___ es el/la menor de la clase y tiene ___ años.

**5**
1. bien
2. mejor
3. peor
4. mal

**6**
1. b
2. b
3. a
4. a

297

## PRACTICE

*(cont'd)*

# ¿Cómo lo digo?

**7** You can go over this activity without previous preparation. It can be done with books closed.

**8** and **9** Have students write these activities and then go over them in class.

## LEVELING

**A:** Structure

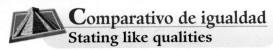

## Comparativo de igualdad
### Stating like qualities

1. Very often we compare two items that have the same characteristics. Such a comparison is called the comparison of equality. In English we use the expression *as . . . as.* In Spanish **tan… como** is used with either an adjective or an adverb.

> José es **tan** deportista **como** su hermana.
> Él juega **tan** bien **como** ella.

2. The comparison of equality can also be used with nouns. In English we use *as much as, as many as.* In Spanish the expression **tanto… como** is used with nouns. **Tanto** must agree with the noun it modifies.

> Ella tiene **tanta** fuerza **como** él.
> Ella ha ganado **tantos** campeonatos **como** él.

# ¿Cómo lo digo?

**7** **Historieta** **Al restaurante** Contesten.

1. ¿Ella tiene tanto dinero como tú?
2. ¿Ella es tan rica como tú?
3. ¿Ella va con tanta frecuencia al restaurante como tú?
4. ¿Ella va a tantos restaurantes como tú?
5. ¿Ella es tan aficionada a la cocina antillana como tú?

**8** **Historieta** **Los cocineros** Completen con expresiones de igualdad.

1. Él prepara _____ platos _____ ella.
2. Él ha cocinado para _____ personas _____ ella.
3. Ella usa _____ ingredientes _____ él.
4. Su restaurante es _____ popular _____ el de él.
5. Ella tiene _____ clientes _____ él.
6. Sus postres son _____ ricos _____ sus quesos.

**9** **Historieta** **Las Grandes Antillas**
Completen con expresiones de igualdad.

1. Puerto Rico es _____ montañosa _____ la República Dominicana.
2. Cuba tiene _____ playas _____ Puerto Rico.
3. En Santo Domingo hace _____ calor _____ en San Juan.
4. En Cuba se juega _____ béisbol _____ en Puerto Rico.
5. La República Dominicana cultiva _____ frutas _____ Puerto Rico.

San Juan, Puerto Rico

---

## ANSWERS TO ¿Cómo lo digo?

**7**

1. Sí (No), ella (no) tiene tanto dinero como yo.
2. Sí (No), ella (no) es tan rica como yo.
3. Sí (No), ella (no) va con tanta frecuencia al restaurante como yo.
4. Sí (No), ella (no) va a tantos restaurantes como yo.
5. Sí (No), ella (no) es tan aficionada a la cocina antillana como yo.

**8**

1. tantos, como
2. tantas, como
3. tantos, como
4. tan, como
5. tantos, como
6. tan, como

**9**

1. tan, como
2. tantas, como
3. tanto, como
4. tanto, como
5. tantas, como

# ¡Te toca a ti!
## Use what you have learned

### 1 En el peor de los restaurantes

✔ *Describe a horrendous restaurant experience*

Con un(a) compañero(a), vas a preparar la siguiente conversación. Acabas de comer quizás la peor comida de tu vida. No había nada bueno y el servicio era peor. Llama al dueño(a) (tu compañero[a]) para contarle todo lo que pasó. Tu compañero(a) dará tantas explicaciones como pueda.

### 2 Este restaurante me gustó.

✔ *Write about a good restaurant experience*

Anoche fuiste a un restaurante «auténtico» que te gustó muchísimo. Prepara un e-mail a un amigo diciéndole qué tipo de restaurante era. Describe el restaurante y dile lo que comiste y por qué te gustó tanto. Dile si tienes planes para volver en el futuro.

### 3 El menú

✔ *Write a menu for a Caribbean restaurant*

En tus estudios de español has aprendido los nombres de muchos platos típicos de la región caribeña. Con un(a) compañero(a), preparen un menú para un restaurante caribeño. No se olviden de los postres.

### 4 Una reservación

✔ *Make a restaurant reservation on the telephone*

Tú eres el/la cliente y tu compañero(a) trabaja en un restaurante caribeño. Llama por teléfono. Quieres hacer una reservación. Tienes que decirle para cuando, para cuantas personas, la hora, lo que prefieren comer, etc. Después cambien de rol.

EL CARIBE

*doscientos noventa y nueve*  **299**

## ANSWERS TO ¡Te toca a ti!

*Answers will vary.*

## Recycling

These activities allow students to use the vocabulary and structure from this lesson in completely open-ended, real-life situations.

## PRESENTATION

Encourage students to say as much as possible when they do these activities. Tell them not to be afraid to make mistakes, since the goal of these activities is real-life communication. If someone in the group makes an error, allow the others to politely correct him or her. Let students choose the activities they would like to do.

You may wish to divide students into pairs or groups. Encourage students to elaborate on the basic theme and to be creative. They may use props, pictures, or posters if they wish.

**Note:** These activities have students practice their "survival skills" in Spanish in the types of real-life situations that they might encounter while on a trip. It is recommended that you not correct all errors made by the students as they do these activities. They would certainly make errors if they were communicating in real situations in a Spanish-speaking country.

## Writing Development
Have students keep a notebook or portfolio containing their best written work from each chapter. These selected writings can be based on assignments from the Student Textbook and the Workbook. The activities on this page are examples of writing assignments that may be included in each student's portfolio.

## Assessment

### Resource Manager

Assessment Transparency A6.2
Online Quiz
Tests, pages 177–178 and 183–204
ExamView® Assessment Suite

### Assessment

This is a pretest for students to take before you administer the chapter test. Answer sheets for students to do these pages are provided in the transparencies. Note that each section is cross-referenced so students can easily find the material they have to review in case they made errors. You may wish to collect these assessments and correct them yourself or you may prefer to have the students correct themselves in class. You can go over the answers orally or project them on the overhead, using your Assessment Answers transparencies.

### Reaching All Students

**Non-Mastery Students**
Encourage students who need extra help to refer to the yellow notes and review any section before answering the questions.

---

## Assessment

# Vocabulario

**1** **Completen con una palabra apropiada.**

1. La comida estuvo muy _____, realmente sabrosa.
2. ¿La carne? Comimos un _____ argentino.
3. Me gusta la carne a término medio pero me la sirvieron _____. La habían cocinado demasiado.
4–5. De postre pedimos cascos de _____ con _____ blanco.

> To review vocabulary, turn to page 292.

**2** **Escriban la palabra cuya definición sigue.**

6. hacerle compañía a una persona, ir con él o ella
7. grosero o ineducado, desatento
8. para hacerlo aún peor
9. lo contrario de «rápido», que toma tiempo en funcionar
10. personas que son amos o propietarios de propiedades, tiendas, etc.

# Conversación

**3** **Contesten según la conversación.**

11. En la ciudad donde están Antonio y Elena, ¿qué tipo de comida preparan muy bien?
12. ¿A qué tipo de restaurante fue Elena anoche?
13. Cuando Antonio fue al restaurante, ¿qué problema había con la carne?
14. ¿Por qué no le dejó Antonio una propina al mesero?
15. ¿Por qué cree Antonio que «El Gaucho Moncho» no es auténtico?
16. ¿Qué postres servirán esta noche en «La Flor de las Antillas»?
17. ¿Con qué sirven arroz con frijoles?
18. ¿A qué hora irá Antonio a buscar a Elena?

> To review the conversation, turn to page 293.

---

## ANSWERS TO Assessment

**1**
1. rica
2. churrasco
3. quemada
4. guayaba
5. queso

**2**
6. acompañar
7. descortés
8. por colmo
9. lento
10. los dueños

**3**
11. En la ciudad donde están Antonio y Elena, preparan muy bien la comida caribeña.
12. Elena fue a un restaurante argentino anoche.
13. La carne era tan dura como una piedra y estaba quemada y tan seca como el desierto.
14. Antonio no le dejó ninguna propina al mesero porque era muy lento y descortés.

# Estructura

**4** **Completen con el comparativo o superlativo.**

**19–20.** Este restaurante es _____ caro _____ el otro. El otro es económico.

**21–22.** Hay más meseros aquí porque el restaurante es _____ grande _____ el otro.

**23–24.** El postre _____ delicioso _____ todos es el flan.

To review comparative and superlative, turn to pages 295 and 296.

**5** **Completen con el comparativo de igualdad.**

**25–26.** Puerto Rico es _____ montañoso _____ la República Dominicana.

**27–28.** Cuba tiene _____ vegetación tropical _____ Puerto Rico.

**29–30.** Ponce no tiene _____ habitantes _____ San Juan.

To review comparisons of equality, turn to page 298.

San Juan, Puerto Rico

EL CARIBE

---

ANSWERS TO Assessment

**4** **5**

15. Antonio cree que «El Gaucho Moncho» no es auténtico porque los dueños del restaurante ni son argentinos ni han visitado nunca Argentina.

16. Esta noche servirán cascos de guayaba y queso blanco de postre.

17. Sirven arroz con frijoles con todo.

18. Antonio irá a buscar a Elena a las siete y media.

**4**
19. más
20. que
21. más
22. que
23. más
24. de

**5**
25. tan
26. como
27. tanta
28. como
29. tantos
30. como

**302**

## PREPARATION

### Resource Manager

Vocabulary Transparency V6.5
Audio Activities TE, page 149
Audio CD 6, Tracks 25–26
Workbook, page 103
Quiz, page 88
*ExamView® Assessment Suite*

### Bellringer Review

*Use BRR Transparency 6.6 or write the following on the board.*
**Escriban una lista de deportes que saben en español.**

## PRESENTATION

### Vocabulario para la lectura

**Step 1** You may wish to use some of the procedures presented in previous chapters.

**Pre-AP SkillBuilder**

As students read these **Lecturas,** they will continue to develop the skills they need to be successful on the reading and writing sections of the AP exam.

You may wish to use the editable PowerPoint® presentation available on this PowerTeach CD-ROM for additional vocabulary instruction and practice.

---

## Vocabulario para la lectura 🎧

Use your StudentWorks *Plus* CD for more practice.

**Dos nadadoras isleñas avanzan
Con la mira en pasar a Atenas**

un clavado

el torneo de nado (natación)

la rutina libre

El torneo de nado está integrado por muchas atletas.
¡Ojalá que ganen el campeonato mundial!

### Más vocabulario

**la mira** intención, idea, propósito
**remozado(a)** renovado, modernizado
**zurdo(a)** que usa la mano izquierda

**encabezar** ir al frente, ir a la cabeza
**realizar** hacer, efectuar
**ubicarse** colocarse, situarse

### ¿Qué palabra necesito?

**1 Historieta** **El torneo de nado (natación)** Contesten.

1. ¿Qué tipo de torneo es? ¿De nado?
2. ¿La nadadora realiza clavados?
3. ¿Es ella experta en clavados?
4. ¿Se realizará la rutina libre hoy?
5. ¿Se realizará la rutina libre en la piscina municipal?

**2 Sóftbol femenino** Completen.

1. La pítcher lanza la pelota con la mano izquierda. Ella es _____.
2. Ella es la mejor jugadora y por eso _____ el equipo.
3. La _____ del equipo es su participación en los juegos Preolímpicos.
4. El equipo está _____ por muchas atletas muy buenas.
5. El estadio estaba en malas condiciones, pero ahora está totalmente _____.

---

## ANSWERS TO ¿Qué palabra necesito?

**1**
1. Sí, es un torneo de nado (natación).
2. Sí, la nadadora realiza clavados.
3. Sí, ella es experta en clavados.
4. Sí, se realizará la rutina libre hoy.
5. No, no se realizará la rutina libre en la piscina municipal.

**2**
1. zurda
2. encabeza
3. mira
4. integrado
5. remozado

San Juan, Puerto Rico

# Dos nadadoras isleñas avanzan

**EL DUETO** puertorriqueño integrado por Luna del Mar Aguilú y Leilani Torres se ubicó ayer en la posición 24 de entre 34 equipos al concluir con 81.000 la preliminar técnica del nado sincronizado de los Campeonatos Mundiales de Natación y Clavados que se celebrarán hasta el domingo 27 en Barcelona, España. Hoy se realizará la rutina libre.

# Con la mira en pasar a Atenas

**LA ESTELAR** zurda Jessica van der Linden Dávila encabeza el grupo de 18 jugadoras que integrarán el Equipo Nacional que participará desde el próximo lunes 21 en el torneo Preolímpico de Sóftbol Femenino en el remozado estadio Donna Terry de Guaynabo.

## ¿Comprendes?

**A** **Dos nadadoras isleñas** Contesten.

1. ¿En qué deporte participan Leilani y Luna del Mar?
2. ¿Los campeonatos son de natación y qué otra cosa?
3. ¿Cuántos equipos en total estuvieron en el preliminar de nado sincronizado?
4. ¿En qué lugar se encontró el equipo puertorriqueño?
5. ¿Dónde tuvo lugar el evento?
6. ¿Qué evento se realizará hoy?

**B** **A Atenas** Contesten.

1. ¿Cuántas jugadoras integran el equipo nacional de sóftbol?
2. ¿Cómo se llama la joven que encabeza el equipo?
3. ¿Con qué mano tira ella la pelota?
4. ¿En qué estadio y en qué pueblo van a jugar ellas?
5. ¿Qué han hecho con el estadio?

EL CARIBE

*trescientos tres* 303

---

ANSWERS TO ¿Comprendes?

**A**

1. Leilani y Luna del Mar participan en el nado sincronizado.
2. Los campeonatos son de natación y de clavados.
3. Treinta y cuatro equipos estuvieron en el preliminar de nado sincronizado.
4. El equipo puertorriqueño se encontró en la posición 24 al concluir la preliminar técnica.
5. El evento tuvo lugar en Barcelona, España.
6. Hoy se realizará la rutina libre.

**B**

1. Dieciocho jugadores integran el equipo nacional de sóftbol.
2. La joven que encabeza el equipo se llama Jessica van der Linden Dávila.
3. Ella tira la pelota con la mano izquierda.
4. Ellas van a jugar en el estadio Donna Terry de Guaynabo.
5. Han remozado el estadio.

---

## Lectura

### National Standards

**Communication**
This selection enables students to discuss athletics and important sporting events.

### PREPARATION

### Resource Manager

Audio Activities TE, page 150
Audio CD 6, Track 27
Quiz, page 89

### PRESENTATION

**Step 1** Have students read these selections silently as if they were actually reading the newspaper.

**Step 2** Tell students to read these selections once. Tell them to read the selections a second time as they look for the information requested in **Actividades A** and **B**. This can be done as a homework assignment.

### Después de leer

### PRACTICE

## ¿Comprendes?

**A** Go over the answers to **Actividades A** and **B** the next day.

### LEVELING
**E:** Reading

# Periodismo

## PREPARATION

### Resource Manager

Vocabulary Transparency V 6.6
Audio Activities TE, pages 151–152
Audio CD 6, Tracks 28–30
Quiz, page 90
*ExamView® Assessment Suite*

### Bellringer Review

*Use BRR Transparency 6.7 or write the following on the board.*
**Empleen cada una de las siguientes palabras en una oración original.**
　el cuaderno
　el lápiz
　la hoja de papel
　la carpeta
　la calculadora

## PRESENTATION

### Vocabulario para la lectura

**Step 1** You may wish to follow previous procedures for vocabulary presentation.

## PRACTICE

## ¿Qué palabra necesito?

**1** You may wish to go over this activity without any previous preparation.

**2** and **3** Have students prepare these activities before going over them in class.

---

## Vocabulario para la lectura
### Educación llega a la cárcel

(la pizarra)
(un sacapuntas)
(los reclusos)

### Más vocabulario

**el/la analfabeto(a)** el que no sabe leer ni escribir
**el conocimiento** entendimiento, lo que uno sabe o entiende
**la marginalidad** estado de separación de la sociedad
**conductual** respecto a la conducta
**imprescindible** esencial, indispensable, absolutamente necesario
**mediante** por medio de
**proclive** con tendencia o inclinación
**requerible** necesario
**manejar** usar, utilizar

Los reclusos están en la cárcel.
Aunque están en la cárcel, pueden seguir con sus estudios.

## ¿Qué palabra necesito?

**1** **Las clases** Contesten.

1. Están en la cárcel. ¿Qué son?
2. No saben leer ni escribir. ¿Qué son?
3. Aunque son reclusos, ¿con qué pueden seguir?
4. Tu lápiz no tiene punta. ¿Qué necesitas?

**2** **Los reclusos** Contesten.

1. Son _____ porque cometieron un crimen.
2. Están en la _____ con los otros prisioneros.
3. Algunos son muy _____ a la violencia.
4. Tenemos muchos problemas _____ con ellos. Su conducta es a veces peligrosa.
5. Es _____ mantener la disciplina y el orden.
6. Como no han tenido mucha instrucción, tienen un nivel de _____ muy bajo.
7. Queremos integrar a los reclusos a la sociedad porque ahora sufren de la _____.

**3** **Sinónimos** Expresen de otra manera.

1. Es *indispensable* mantener la disciplina estricta.
2. Ellos tienen problemas *de conducta*.
3. Pueden mejorar su vida *por medio de* la educación.
4. Yo sé que él lo sabrá *utilizar*.
5. Tienen todos los materiales *necesarios*.

**304** ⚙ *trescientos cuatro*

CAPÍTULO 6

---

## ANSWERS TO ¿Qué palabra necesito?

**1**
1. Los reclusos están en la cárcel.
2. Los analfabetos no saben leer ni escribir.
3. Aunque están en la cárcel, pueden seguir con sus estudios.
4. Necesito un sacapuntas cuando mi lápiz no tiene punta.

**2**
1. reclusos
2. cárcel
3. proclives
4. conductuales
5. imprescindible
6. conocimiento
7. marginalidad

**3**
1. imprescindible
2. conductuales
3. mediante
4. manejar
5. requeribles

## Listín Diario

# Educación llega a la cárcel de San Fco. de Macorís y Salcedo

Voz escrita de San Francisco y el Nordeste, No. 365, Edición 1, Rep. Dom.
—Por Francisco Taveras Ortíz

Con la firme convicción de que sólo mediante el recurso de la educación se reducen los niveles de pobreza y marginalidad social, se han implementado en la cárcel pública de esta ciudad de San Francisco de Macorís cinco grupos de estudiantes adultos (reclusos) cuyo nivel de conocimiento o son analfabetos o no han cursado el tercer ciclo (8vo.), lo mismo ha ocurrido en la cárcel para mujeres de Salcedo.

Se han integrado de acuerdo a sus niveles de conocimiento y han recibido todo el material requerible para que asistan al grupo con el material didáctico imprescindible, tales como módulos, tiza, lápices, sacapuntas, pizarras y los maestros facilitadores recibieron los entrenamientos necesarios para manejar con un mínimo de error los diferentes procesos que tienen que manejar, incluyendo situaciones conductuales.

Los reclusos que prestan servicio como facilitadores recibirán incentivos económicos y de otra naturaleza, a fin de motivarlos para garantizar el éxito de estos cursos. Para la implementación de los cursos se cuenta con la colaboración del Ayuntamiento Municipal y la Gobernación Provincial. Se organiza también un curso de inglés para una cantidad de 27 reclusos que lo solicitaron, lo que suma una matrícula estudiantil de reclusos y reclusas a un total de 151 educandos.

Se aprecia que al salir de las cárceles, estos reclusos podrán insertarse a la sociedad con un mejor nivel de conciencia, mayor nivel cultural y social, que les permitirá insertarse a la vida productiva y familiar con mayor capacidad y una actitud positiva hacia la vida. Podrían manejar con más ecuanimidad[1] los diferentes conflictos con los que encuentran en la vida.

De igual manera puede crearse un mejor clima de tranquilidad y sosiego[2] entre presidiarios[3] y presidiarias, servirle de ocupación y hasta de entretenimiento mientras estén allí y los puede convertir en hombres y mujeres de bien, y al volver a las calles podrían exhibir más entusiasmo y esperanza para la vida y sus familiares.

Es interés de la vicepresidente y secretaria de Estado de Educación, doctora Milagros Ortíz Bosch, combatir la pobreza y la marginalidad social a través de la educación, que es el único y más eficaz medio para lograrlo, en el entendido que a menor nivel de conocimiento son más críticos los niveles de pobreza y a mayor nivel de conocimiento mayores serán los niveles de riquezas tanto individual como para el país.

La vida sedentaria que llevan estos seres humanos, les hace proclives a delinquir, tanto dentro de las cárceles como cuando salen, pero al tenerlos ocupados, tienen menos tiempo para la holgazanería[4] y expresar actitudes negativas donde los más vulnerables resultan siempre ser los más débiles.

[1] ecuanimidad   *composure, calmness*
[2] sosiego   *tranquility*
[3] presidiarios   *inmates, convicts*
[4] holgazanería   *laziness*

EL CARIBE

*trescientos cinco* 305

---

Lectura

### PREPARATION

#### Resource Manager

Audio Activities TE, pages 152–154
Audio CD 6, Tracks 31–33
Workbook, page 103
Quiz, page 91

### PRESENTATION

**Step 1** You may wish to call on students to read this selection aloud.

**Step 2** You may wish to intersperse questions from **Actividad A** on page 306 as students read.

**Step 3** You may ask volunteers to summarize the article.

### LEVELING

**E:** Reading

## Después de leer

### PRACTICE

# ¿Comprendes?

**A**, **B**, and **C** Have students prepare these activities for homework, then go over them the next day.

---

### Learning from Photos

*(page 306 top)* El edificio se construyó como cárcel en 1866. Más tarde el edificio sirvió de alcaldía.

---

### Critical Thinking Activity

You may wish to have students discuss the following:
**¿Cómo se comparan las ideas del artículo con la idea de que el encarcelamiento es un castigo y nada más? ¿Tenemos programas de educación para los reclusos en Estados Unidos?**

---

## ¿Comprendes?

**A** **Historieta** **Educación en la cárcel** Contesten.

1. ¿En qué cárcel han implementado el programa?
2. ¿Cuántos grupos de estudiantes hay en San Francisco de Macorís?
3. ¿Cuál es el nivel de conocimiento de los estudiantes?
4. ¿Quiénes son los estudiantes?
5. ¿Qué recibieron los maestros entrenadores?
6. ¿Qué han usado para motivar a los reclusos que sirven de facilitadores?
7. ¿Qué organismos oficiales han colaborado en la implementación de los cursos?
8. Veintisiete reclusos solicitaron un curso. ¿Cuál es el curso?
9. ¿Cuál es el total de reclusos que participan en el programa?
10. Según el artículo, ¿qué les hace a los reclusos proclives a delinquir?

La cárcel más antigua de Puerto Rico, Arecibo

**B** **Expliquen** En sus propias palabras expliquen lo que quiere decir…

1. sólo mediante el recurso de la educación se reducen los niveles de pobreza y marginalidad social.
2. lo que suma una matrícula estudiantil de reclusos y reclusas a un total de 151 educandos.
3. al volver a las calles podrían exhibir más entusiasmo y esperanza para la vida y sus familiares.

**C** **Síntesis** La doctora Ortíz Bosch y el licenciado Taveras Ortíz creen que el programa tendrá un efecto muy importante para el país. ¿Cuál es? En pocas palabras describe lo que ellos esperan del programa.

---

## ANSWERS TO ¿Comprendes?

**A**

1. Han implementado el programa en la cárcel pública de la ciudad de San Francisco de Macorís.
2. Hay cinco grupos de estudiantes.
3. El nivel de conocimiento es bajo—o son analfabetos o no han cursado el tercer ciclo.
4. Los estudiantes son reclusos adultos.
5. Recibieron los entrenamientos necesarios para manejar con un mínimo de error los diferentes procesos que tienen que manejar, incluyendo situaciones conductuales.

6. Para motivar a los reclusos que sirven de facilitadores, han usado incentivos económicos y de otra naturaleza.
7. El Ayuntamiento Municipal y la Gobernación Provincial han colaborado en la implementación de los cursos.
8. Veintisiete reclusos solicitaron un curso de inglés.
9. Un total de 151 reclusos y reclusas participan en el programa.
10. La vida sedentaria les hace proclives a delinquir.

# Estructura • Avanzada

## Subjuntivo con aunque
### Expressing *although*

The conjunction **aunque** (*although*) may be followed by the subjunctive or the indicative depending upon the meaning of the sentence.

> **Ellas nadarán aunque haga mucho frío.**
> **Ellas nadarán aunque hace mucho frío.**

In the first example, the subjunctive is used to indicate that although it may not be cold now, they will swim even if it gets very cold. In the second example, the indicative is used to indicate that it actually is very cold but they will still swim.

La República Dominicana

## ¿Cómo lo digo?

**1** **Historieta** **¿Lo hacemos o no?**
Contesten con **aunque**.

1. No tienes un boleto. ¿Vas al concierto?
2. No sé si el carro tiene bastante gasolina. ¿Vas a ir en el carro?
3. Podría llover. ¿Vendrá Diana con nosotros?
4. Subieron los precios de las entradas. ¿Todavía vamos?
5. Y si hay mucho tráfico, ¿qué? ¿Iremos o no?
6. No sé si Paco Mendes va a tocar. ¿Vas a ir?
7. Tito no tiene dinero. ¿Lo vas a llevar al concierto?
8. Y si la profesora nos da tarea, ¿todavía vamos a ir?

**2** **Historieta** **Los reclusos**
Escojan la forma apropiada del verbo.

1. El profesor recibe un salario. Pero le gusta tanto su trabajo, el profesor enseñará aunque no le (pagan/paguen).
2. Les dieron materiales a los reclusos. Pero tienen tantas ganas de aprender que los reclusos estudiarán aunque no (tienen/tengan) materiales.
3. Los oficiales no visitan la cárcel hoy. Pero no importa. Van a dar clases hoy aunque no (vienen/vengan) los oficiales.
4. No hay duda que falta dinero. Pero siguen implementando los cursos aunque no (hay/haya) dinero.
5. El público se opone. El Secretario seguirá con el programa aunque el público no (quiere/quiera) que siga.

Carretera entre San Juan y Arecibo, Puerto Rico

EL CARIBE

*trescientos siete* **307**

---

LECCIÓN 3
**Periodismo**

### PREPARATION

#### Resource Manager

Workbook, pages 104–106
Audio Activities TE, pages 154–157
Audio CD 6, Tracks 34–40
Quizzes, pages 92–93
*ExamView® Assessment Suite*

#### Bellringer Review

*Use BRR Transparency 6.8 or write the following on the board.*
**Completen con el futuro.**
1. Ellos ___ inglés. (estudiar)
2. El profesor ___ benévolo. (ser)
3. Yo ___ a la clase. (asistir)
4. Yo ___ ayudar al profesor. (poder)
5. Él me ___ lo que quiere que yo haga. (decir)

### PRESENTATION

#### El subjuntivo con **aunque**

**Step 1** Have students read the explanatory material and model sentences aloud. Again emphasize the logic in the use of the subjunctive.

### PRACTICE

## ¿Cómo lo digo?

**1** Have students prepare this activity before going over it in class. **Expansion:** Have a student retell all the information in **Actividad 1** in his or her own words.

**2** You may wish to have students write **Actividad 2**. Students tend to pay more attention to what they are doing when they have to write it.

**LEVELING**
**A:** Structure

**307**

---

## Answers to ¿Cómo lo digo?

 **B** *Answers will vary.*

 **C** *Answers will vary.*

**1**
1. Voy al concierto aunque no tengo un boleto.
2. Voy a ir en el carro aunque no tenga bastante gasolina.
3. Diana vendrá con nosotros aunque llueva.
4. Todavía vamos aunque subieron los precios de las entradas.
5. Iremos aunque haya mucho tráfico.
6. Voy a ir aunque Paco Mendes no toque.
7. Lo voy a llevar al concierto aunque no tiene dinero.
8. Todavía vamos a ir aunque la profesora nos dé tarea.

**2**
1. paguen
2. tengan
3. vienen
4. hay
5. quiere

## PRESENTATION

 Subjuntivo con quizás, tal vez y ojalá

**Step 1** Have students read the explanation and the model sentences aloud.

## PRACTICE

### ¿Cómo lo digo?

**3** and **4** Have students prepare these activities before going over them in class.

### Learning from Photos

*(page 308 top)* A los turistas les encanta el Viejo San Juan, pero en el área metropolitana de San Juan hay modernos edificios enormes que albergan bancos y condominios, estadios y museos.
*(page 308 bottom)* Los dominicanos representan uno de los mayores grupos de inmigrantes a Estados Unidos, especialmente al noreste. Por eso el interés en aprender inglés es enorme. Las escuelas de idiomas—el inglés en particular—en la República Dominicana son un negocio importante.

### LEVELING

**E:** Structure

You may wish to use the editable PowerPoint® presentation available on this PowerTeach CD-ROM for additional grammar instruction and practice.

---

Use your StudentWorks Plus CD for more practice.

## Subjuntivo con quizás, tal vez y ojalá
### Statements with *perhaps* or *maybe*

**1.** The adverbs **quizá(s)**, *perhaps*, and **ojalá**, *I wish, would that*, are always followed by the subjunctive. Note that **ojalá** can be followed by either the present or the imperfect subjunctive.

> Quizás jueguen hoy.
> Ojalá (que) ganen el partido.
> Ojalá (que) ganaran.

**2.** The expression **tal vez**, *perhaps*, can be followed by either the subjunctive or the future indicative.

> Tal vez pierdan hoy.    Tal vez perderán.

### ¿Cómo lo digo?

**3** **Historieta** **Las atletas** Contesten según el modelo.

¿El torneo comenzará hoy? →
No sé. Quizás comience hoy.

1. ¿El torneo comenzará hoy?
2. ¿Tus hermanas participarán?
3. ¿Tu hermana mayor encabezará el equipo?
4. ¿Ellas ganarán el campeonato de clavados?
5. ¿Recibirán un trofeo?
6. ¿El entrenador estará contento?
7. ¿Irás tú a verlas?

San Juan, Puerto Rico

**4** **Tal vez...** Contesten con **tal vez**.

1. ¿Los reclusos van a estudiar inglés?
2. ¿Van a pagar a los profesores?
3. ¿Los facilitadores van a recibir incentivos?
4. ¿Los reclusos van a aprender mucho?
5. ¿El gobierno les va a ayudar?
6. ¿El programa va a tener éxito?

Santo Domingo, la República Dominicana

**Spanish Online**
For more information about these Caribbean countries, go to **Web Explore** on the Glencoe Spanish Web site at glencoe.com.

---

## Answers to ¿Cómo lo digo?

**3**
1. No sé. Quizás comience hoy.
2. No sé. Quizás participen.
3. No sé. Quizás encabece el equipo.
4. No sé. Quizás ganen el campeonato de clavados.
5. No sé. Quizás reciban un trofeo.
6. No sé. Quizás esté contento.
7. No sé. Quizás yo vaya a verlas.

**4**
1. Tal vez los reclusos estudien inglés./Tal vez los reclusos estudiarán inglés.
2. Tal vez paguen a los profesores./Tal vez pagarán a los profesores.
3. Tal vez los facilitadores reciban incentivos./Tal vez los facilitadores recibirán incentivos.
4. Tal vez los reclusos aprendan mucho./Tal vez los reclusos aprenderán mucho.
5. Tal vez el gobierno les ayude./Tal vez el gobierno les ayudará.
6. Tal vez el programa tenga éxito./Tal vez el programa tendrá éxito.

**Presente perfecto y pluscuamperfecto del subjuntivo**
**Expressing opinions and feelings about what has or had happened**

1. The present perfect subjunctive is formed by using the present subjunctive of the auxiliary verb **haber** and the past participle. Study the following forms of the present perfect subjunctive.

| INFINITIVE | hablar | comer | vivir |
|---|---|---|---|
| yo | haya hablado | haya comido | haya vivido |
| tú | hayas hablado | hayas comido | hayas vivido |
| él, ella, Ud. | haya hablado | haya comido | haya vivido |
| nosotros(as) | hayamos hablado | hayamos comido | hayamos vivido |
| vosotros(as) | hayáis hablado | hayáis comido | hayáis vivido |
| ellos, ellas, Uds. | hayan hablado | hayan comido | hayan vivido |

2. The present perfect subjunctive is used when the action in the dependent clause occurred before the action in the main clause.

> **Me alegro mucho de que tú hayas venido.**   *I'm very glad that you have come.*
> **Dudo que ellos lo hayan visto.**   *I doubt that they have seen it.*

Varadero, Cuba

3. The pluperfect subjunctive is formed with the imperfect subjunctive of the auxiliary verb **haber** and the past participle. Study the forms of the pluperfect subjunctive.

| INFINITIVE | hablar | comer | vivir |
|---|---|---|---|
| yo | hubiera hablado | hubiera comido | hubiera vivido |
| tú | hubieras hablado | hubieras comido | hubieras vivido |
| él, ella, Ud. | hubiera hablado | hubiera comido | hubiera vivido |
| nosotros(as) | hubiéramos hablado | hubiéramos comido | hubiéramos vivido |
| vosotros(as) | hubierais hablado | hubierais comido | hubierais vivido |
| ellos, ellas, Uds. | hubieran hablado | hubieran comido | hubieran vivido |

4. The pluperfect subjunctive is used after a verb in a past tense that requires the subjunctive, when the action of the verb in the subjunctive occurred prior to the action of the verb in the main clause.

> **Me sorprendió que ellos hubieran hecho tal cosa.**   *It surprised me that they had (would have) done such a thing.*

EL CARIBE

---

## PREPARATION

### Bellringer Review

*Use BRR Transparency 6.9 or write the following on the board.*
**Completen con el presente perfecto.**
1. Él ___ hace poco. (salir)
2. Yo no lo ___. (ver)
3. Mis padres me lo ___ muchas veces. (decir)
4. Tú lo ___, ¿no? (hacer)
5. Nosotros lo ___. (comer)

## PRESENTATION

 **Presente perfecto y pluscuamperfecto del subjuntivo**

**Step 1** Have students read the explanatory material aloud.

**Step 2** Have students repeat the model sentences and their translations.

### Learning from Photos

*(page 309)* Varadero, al este de La Habana es la playa más famosa de Cuba. La mitad de los hoteles de Cuba están allí. El pueblo de Varadero se estableció como lugar de veraneo a fines del siglo XIX.

**LEVELING**
**A–C:** Structure

**309**

LECCIÓN 3
**Periodismo**

## PRACTICE

## ¿Cómo lo digo?

**5** and **6** **Actividades 5** and **6** can be done without previous preparation.

**7** and **8** It is suggested that you have students prepare these activities before going over them.

## ¿Cómo lo digo?

**5** **Historieta** **Cursos en la cárcel** Contesten.

1. ¿Te sorprende que hayan establecido cursos en la cárcel?
2. ¿Te alegras de que hayan comprado materiales didácticos para los reclusos?
3. ¿Te sorprende que tantos reclusos hayan tomado el curso de inglés?
4. ¿Están contentos los profesores de estos cursos que la mayoría de los estudiantes hayan salido muy bien y que hayan recibido notas altas?

**6** **Confusión** Completen en el pasado.

1. Yo dudo que él lo _____. (hacer)
2. Y él duda que yo lo _____. (hacer)
3. ¿Es posible que nadie le _____ que yo lo he terminado? (decir)
4. Sí, es posible, porque nosotros dudamos que tú lo _____. (terminar)
5. Pues, me molesta que ustedes no _____ el trabajo que yo he hecho. (ver)

**7** **Me sorprendió** Sigan el modelo.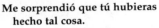

> **Me sorprende que tú hayas hecho tal cosa.** →
> **Me sorprendió que tú hubieras hecho tal cosa.**

1. Me sorprende que él haya participado en el evento.
2. Me sorprende que tú hayas nadado en el torneo.
3. Me sorprende que ellos no hayan ganado el trofeo.
4. Me sorprende que no hayan ido al campeonato mundial.
5. Me sorprende que eso te haya sido una sorpresa.

**8** **Historieta** **La Guardia Civil** Completen con el pluscuamperfecto del subjuntivo.

1. Temíamos que ellos _____. (volver)
2. Pero nos alegramos de que la Guardia Civil _____. (venir)
3. Yo dudaba que ellos _____ regresar a casa. (poder)
4. Nadie creía que los guardias civiles _____ a los ladrones. (arrestar)
5. Era increíble que ellos _____ a todos. (encontrar)

San Juan, Puerto Rico

## ANSWERS TO ¿Cómo lo digo?

**5**

1. Sí, (No, no) me sorprende que hayan establecido cursos en la cárcel.
2. Sí, (No, no) me alegro de que hayan comprado materiales didácticos para los reclusos.
3. Sí, (No, no) me sorprende que tantos reclusos hayan tomado el curso de inglés.
4. Sí, están contentos los profesores de estos cursos que la mayoría de los estudiantes hayan salido muy bien y que hayan recibido notas altas.

**6**

1. haya hecho
2. haya hecho
3. haya dicho
4. hayas terminado
5. hayan visto

**7**

1. Me sorprendió que él hubiera participado en el evento.
2. Me sorprendió que tú hubieras nadado en el torneo.
3. Me sorprendió que ellos no hubieran ganado el trofeo.

## Cláusulas con si
### Discussing contrary-to-fact situations

**1. Si** *(if)* clauses are used to express contrary-to-fact conditions. **Si** clauses conform to a specific sequence of tenses.

**Si tengo tiempo iré al torneo.**  *If I have time, I'll go to the tournament.*
**Si tuviera tiempo iría al torneo.**  *If I had time, I would go to the tournament.*
**Si hubiera tenido tiempo,**  *If I had had time, I would have*
**habría ido al torneo.**  *gone to the tournament.*

**2.** The sequence of tenses for **si** clauses is as follows:

| MAIN CLAUSE | SI CLAUSE |
|---|---|
| Future | Present indicative |
| Conditional | Imperfect subjunctive |
| Conditional perfect | Pluperfect subjunctive |

## ¿Cómo lo digo?

**9** **Yo** Contesten.

1. Si tienes el dinero, ¿irás a Puerto Rico?
2. Si tuvieras el dinero, ¿irías a Puerto Rico?
3. Si hubieras tenido el dinero, ¿habrías ido a Puerto Rico?
4. Si vas a Puerto Rico, ¿visitarás las cuevas de Camuy?
5. Si fueras a Puerto Rico, ¿visitarías las cuevas de Camuy?
6. Si hubieras ido a Puerto Rico, ¿habrías visitado las cuevas de Camuy?

ESTADO LIBRE ASOCIADO DE PUERTO RICO
**COMPAÑÍA DE PARQUES NACIONALES** 029032

**PARQUE DE LAS CAVERNAS DEL RÍO CAMUY, PUERTO RICO**

Admisión para **Adultos**: $10.00

**EXCURSIÓN A CUEVAS CLARAS**

El Viejo San Juan, Puerto Rico

*trescientos once*  **311**

**PRESENTATION**

 ## Cláusulas con si

**Step 1** Have students read the explanatory material.

**Step 2** Have students repeat the model sentences.

**Step 3** You may wish to write the sequence of tenses on the board and have students give more examples.

**PRACTICE**

## ¿Cómo lo digo?

**9** This activity can be done without previous preparation.

**LEVELING**
**C:** Structure

### Reaching All Students

Call on less able students to say what they would do if they won the lottery. Then call on more advanced learners to summarize what each would do.

---

## ANSWERS TO ¿Cómo lo digo?

4. Me sorprendió que no hubieran ido al campeonato mundial.
5. Me sorprendió que eso te hubiera sido una sorpresa.

**8**

1. hubieran vuelto
2. hubiera venido
3. hubieran podido
4. hubieran arrestado
5. hubieran encontrado

**9**

1. Si tengo el dinero iré a Puerto Rico.
2. Si tuviera el dinero iría a Puerto Rico.
3. Si hubiera tenido el dinero habría ido a Puerto Rico.
4. Si voy a Puerto Rico visitaré las cuevas de Camuy.
5. Si yo fuera a Puerto Rico visitaría las cuevas de Camuy.
6. Si yo hubiera ido a Puerto Rico habría visitado las cuevas de Camuy.

## Learning from Photos

*(page 312 top)* You may wish to ask questions about this photo. **¿Qué lleva el muchacho alto en la mano? ¿A qué deporte juegan ellos? Describan su uniforme.**

*(page 312 bottom)* Es la sede del gobierno nacional de la República Dominicana. Fue inaugurado en 1947 en tiempos del dictador Trujillo (1891–1961). Los presidentes dominicanos nunca han vivido allí. Se espera que ellos vivan en sus propias residencias.

**10** **Lo que haré, haría o habría hecho si...** Completen.

1. **invitar**

   Yo jugaré con el equipo si ellos me _____.

   Juana también jugaría si la _____.

   Y el sábado pasado, tú habrías jugado si te _____.

2. **permitir**

   Yo iré a los campeonatos si la profesora me _____.

   Ignacio también iría si la profesora le _____.

   Y ayer todos nosotros habríamos ido si la profesora nos _____.

3. **tener**

   Yo compraré las entradas si _____ bastante dinero.

   Ella también compraría las entradas si _____ bastante dinero.

   Y ustedes habrían comprado las entradas si _____ bastante dinero.

4. **dar**

   Yo asistiré si tú me _____ una entrada.

   Sé que tú asistirías si yo te _____ una entrada.

   Y mis amigos habrían asistido si alguien les _____ una entrada.

5. **jugar**

   Nosotros ganaremos si Teresa _____.

   Ellos ganarían si las hermanas Sánchez _____.

   Si Teresa _____ nosotros habríamos ganado ayer.

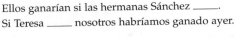

Santo Domingo

Palacio Nacional, Santo Domingo, la República Dominicana

**11** **¿Qué harías? Preguntas personales** Contesten.

1. Si cierran la escuela la semana que viene, ¿qué harás?
2. Si te dieran un carro nuevo, ¿adónde irías?
3. Si tú fueras un(a) gran atleta, ¿con qué equipo jugarías?
4. Si tú no hubieras decidido estudiar el español, ¿qué otra asignatura habrías escogido?
5. Si cualquier persona aceptara tu invitación a un baile, ¿a quién invitarías?
6. Si encuentras un millón de dólares en la calle, ¿qué harás?

## ANSWERS TO ¿Cómo lo digo?

**10**

1. invitan, invitara, hubieran invitado
2. permite, permitiera, hubiera permitido
3. tengo, tuviera, hubieran tenido
4. das, diera, hubiera dado
5. juega, jugaran, hubiera jugado

**11** *Answers will vary.*

1. Si cierran la escuela la semana que viene, ___.
2. Si me dieran un carro nuevo, iría a ___.
3. Si yo fuera un(a) gran atleta, jugaría con ___.
4. Si yo no hubiera decidido estudiar el español, habría escogido ___.
5. Si cualquier persona aceptara mi invitación a un baile, invitaría a ___.
6. Si yo encuentro un millón de dólares en la calle, trataré de devolverlo.

# ¡Te toca a ti!
**Use what you have learned**

## 1 Las atletas
HABLAR

✔ *Discuss female athletics in your school*

En tu escuela, ¿hay muchos equipos femeninos? ¿En qué deportes participan las muchachas? A los deportes para las muchachas, ¿se les da bastante énfasis, poco énfasis, demasiado énfasis? Con tu grupo discutan y digan sus opiniones. Den un breve resumen de sus opiniones a la clase.

## 2 Los reclusos ¿Rehabilitación o castigo?
HABLAR
ESCRIBIR

✔ *Discuss your opinions on the purpose of incarceration*

Algunas personas creen que las cárceles o penitenciarías deben ser para castigar a los reclusos por sus crímenes. Otros creen que el sistema debe enfocar en rehabilitar a los reclusos para reinsertarlos en la sociedad. Con tu grupo discutan los dos puntos de vista y expresen sus opiniones.

## 3 Una conversación
HABLAR

✔ *Talk about your favorite sports*

En tus estudios de español has aprendido mucho sobre varios deportes. Con un(a) compañero(a) discutan sus deportes favoritos. ¿Son ustedes aficionados a los mismos deportes o no?

Plaza las Américas, San Juan, Puerto Rico

EL CARIBE

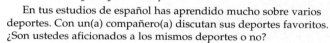

## 4 Un millón de dólares
HABLAR

✔ *Tell what you would do*

Di todo lo que harías si tuvieras un millón de dólares.

## 5 Les he sorprendido.
HABLAR

✔ *Tell some things you've done that surprised your friends*

¿Hay algunas cosas que haces o que te interesan que les sorprende a tus padres, parientes o amigos? Di lo que les sorprende o sorprendió.

*trescientos trece* 313

## Recycling

These activities allow students to use the vocabulary and structure from this lesson in completely open-ended, real-life situations.

### PRESENTATION

Encourage students to say as much as possible when they do these activities. Tell them not to be afraid to make mistakes, since the goal of these activities is real-life communication. If someone in the group makes an error, allow the others to politely correct him or her. Let students choose the activities they would like to do.

You may wish to divide students into pairs or groups. Encourage students to elaborate on the basic theme and to be creative. They may use props, pictures, or posters if they wish.

**Note:** These activities have students practice their "survival skills" in Spanish in the types of real-life situations that they might encounter while on a trip. It is recommended that you not correct all errors made by the students as they do these activities. They would certainly make errors if they were communicating in real situations in a Spanish-speaking country.

### Writing Development

Have students keep a notebook or portfolio containing their best written work from each chapter. These selected writings can be based on assignments from the Student Textbook and the Workbook. The activities on this page are examples of writing assignments that may be included in each student's portfolio.

**ANSWERS TO ¡Te toca a ti!**

*Answers will vary.*

### Learning from Photos

*(page 313)* Este es el centro comercial más grande del Caribe. Está en Hato Rey, una zona del área metropolitana de San Juan. Allí se encuentra toda clase de mercancía.

## Resource Manager

Assessment Transparency A6.3
Online Quiz
Tests, pages 179–204
*ExamView® Assessment Suite*

## Assessment

This is a pretest for students to take before you administer the chapter test. Answer sheets for students to do these pages are provided in the transparencies. Note that each section is cross-referenced so students can easily find the material they have to review in case they made errors. You may wish to collect these assessments and correct them yourself or you may prefer to have the students correct themselves in class. You can go over the answers orally or project them on the overhead, using your Assessment Answers transparencies.

## Reaching All Students

**Non-Mastery Students**
Encourage students who need extra help to refer to the yellow notes and review any section before answering the questions.

# Vocabulario

**1** **Completen.**

1. La pítcher no tira con la mano derecha porque es _____.
2. El equipo está _____ por quince jugadoras.
3. Laura es la capitán del equipo. Ella _____ el grupo.
4. Después de ganar todos los partidos ellos se _____ en la primera división.

**2** **Den otra palabra.**

5. Su participación es *indispensable* para que todo salga bien.
6. Ramón sabe *utilizar* los materiales muy bien.
7. Él tiene gran *entendimiento* de asuntos técnicos.
8. No obstante, él *no sabe leer ni escribir.*

To review vocabulary, turn to pages 302 and 304.

# Lectura

**3** **Contesten.**

9. ¿Por qué fueron a Barcelona Luna del Mar Aguilú y Leilani Torres?
10. ¿Qué ha pasado con el estadio Donna Terry?

To review the newspaper articles about sports, turn to page 303.

**4** **¿Sí o no?**

11. El programa en Salcedo es sólo para mujeres.
12. Un grupo de reclusos ha solicitado un curso de francés.
13. El propósito del programa es ayudar a reintegrar a los reclusos a la sociedad.

To review the newspaper article about education in jail, turn to page 305.

---

ANSWERS TO 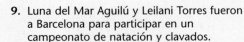 Assessment

 **1**
1. zurda
2. integrado
3. encabeza
4. ubicaron

**2**
5. imprescindible
6. manejar
7. conocimiento
8. es analfabeto

**3**
9. Luna del Mar Aguilú y Leilani Torres fueron a Barcelona para participar en un campeonato de natación y clavados.
10. Se ha remozado el estadio Donna Terry.

 **4**
11. No
12. No
13. Sí

**314**

# Estructura

**5** Escojan.

**14.** La temperatura está bajo cero.
  **a.** Ellos irán aunque hace mucho frío.
  **b.** Ellos irán aunque haga mucho frío.

**15.** No hay duda que Sandra va a jugar.
  **a.** No importa. Perderán aunque juega Sandra.
  **b.** No importa. Perderán aunque juegue Sandra.

**6** Completen con la forma apropiada del verbo.

**16.** ¡Ojalá los reclusos ____ a leer! (aprender)

**17.** Quizás ____ escribir a sus familiares. (poder)

**18.** Tal vez el programa ____ éxito. (tener)

**7** Completen en el pasado.

**19.** Ellos están contentos que nosotros ____ a tiempo. (llegar)

**20.** Me sorprendió que tú ____ tal cosa. (hacer)

**21.** Él te lo dijo. Francamente yo dudaba que él te lo ____. (decir)

**22.** ¿Te sorprende que ellos ____ tal programa? (empezar)

**8** Escojan.

**23.** Nosotros iremos si ellos nos ____.
  **a.** acompañan   **b.** acompañaran   **c.** hubieran acompañado

**24.** Pero Eloísa habría ido solamente si Paco la ____.
  **a.** acompaña   **b.** acompañara   **c.** hubiera acompañado

**25.** Y tú, ¿volverías temprano si yo ____ contigo?
  **a.** vuelvo   **b.** volviera   **c.** hubiera vuelto

To review **aunque**, turn to page 307.

To review expressions with **quizás** and **tal vez**, turn to page 308.

To review the present perfect and pluperfect subjunctive, turn to page 309.

To review **si** clauses, turn to page 311.

## Assessment

After going over the Assessment, you may administer the test for **Lección 3, Capítulo 6.**

**Spanish Online**
For more Chapter 6 test preparation, go to the Chapter 6 **Self-Check Quiz** on the Glencoe Spanish Web site at glencoe.com.

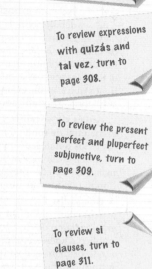

San Juan, Puerto Rico

EL CARIBE

*trescientos quince* 315

---

ANSWERS TO *Assessment*

**5**
**14.** a
**15.** a

**6**
**16.** aprendan
**17.** puedan
**18.** tenga/tendrá

**7**
**19.** hayamos llegado
**20.** hubieras hecho
**21.** hubiera dicho
**22.** hayan empezado

**8**
**23.** a
**24.** c
**25.** b

**¡OJO!** It is suggested that you share the following information with students before they begin their writing projects.

Es cierto que cuando escribes en inglés tu estilo de escribir es mucho más sofisticado que en español. Cuando escribes en español tienes que usar frases más sencillas. Si encuentras una idea muy complicada, piensa un momento en una manera más sencilla de expresarla.

¡Un consejo muy importante! No traduzcas del inglés al español. Si traduces cometerás sin duda un montón de errores. O lo que escribes será muy anglicanizado. Desde el principio, por difícil que sea, piensa siempre en español. Si una palabra inglesa te viene a la mente, piensa enseguida en una expresión española que exprese la misma idea. Usa el español que ya has aprendido aún si exige que te expreses de una manera sencilla. Trata de evitar usar un diccionario bilingüe porque casi siempre escogerás una palabra errónea.

Prepara siempre un borrador de tu escrito. Al terminarlo, ponlo al lado. Léelo de nuevo un poco más tarde y haz las revisiones que consideres necesarias. Luego léelo una vez más para buscar errores ortográficos y gramaticales. Ten mucho cuidado en verificar las terminaciones.

# Composición

Cada escrito tiene un propósito. El propósito de tu primera tarea es la de informar. Vas a compartir con otros la información que has obtenido de tus propias lecturas y experiencias. Vas a escribir un artículo de crónica. En este tipo de artículo normalmente se presenta la información en un orden cronológico.

**TAREA 1** **Escritura expositiva** Acabas de leer en detalle sobre la geografía, historia y cultura de tres países de habla española: Cuba, Puerto Rico y la República Dominicana. Tienes que seleccionar el tema en que vas a enfocar. Como lo que tienes que escribir es una crónica, obviamente la historia es lo indicado como tema.

**Antes de escribir** Primero debes releer el material de fondo. Entonces toma apuntes sobre los detalles de más importancia, siempre en orden cronológico. Si crees que necesitas más información, pregúntale a tu profesor(a) donde puedes encontrar recursos adicionales.

**Bosquejo** Prepara ahora un bosquejo del artículo para organizar tus ideas. Ahora piensa en el formato de tu crónica. Piensa en tu público. Quieres interesarle en el tema. Por eso lo primero que vas a escribir es una introducción.

La introducción tiene el propósito de atraer al público, a animarle a leer el artículo. Aquí hay algunas sugerencias:

- un detalle interesante
- una imagen que indica la idea central
- una descripción gráfica del lugar
- un retrato de la gente
- un evento que da impulso a la historia

Para la parte principal del artículo:

- Emplea detalles vivaces, escoge adjetivos fuertes.
- Describe los personajes importantes.
- Mantén el orden cronológico.
- Haz que los lectores se identifiquen con los personajes.

Para el final del artículo puedes emplear las mismas estrategias como para la introducción: un detalle interesante, una imagen, etc.

**Presentación** Escribe la crónica.

**Repasar y revisar** Revisa tu crónica para verificar si todo está escrito correctamente y si has incluido toda la información necesaria. Corrige cualquier error ortográfico o gramatical.

**TAREA 2** **Explicación** Un propósito de muchos escritos es la explicación de un evento o condición. Por lo que has leído de otros países de Latinoamérica sabes que las poblaciones indígenas son significativas en varios, pero no en el Caribe. En un breve escrito explica como es que desaparecieron casi por completo las poblaciones indígenas del Caribe. En tu escrito debes indicar:

- donde en el Caribe existían las poblaciones indígenas
- cuáles eran las poblaciones y de donde vinieron
- las características de las poblaciones
- la causa de su desaparición

**Antes de escribir** Antes de comenzar a escribir, piensa en como vas a organizar tu explicación. Determina los detalles que vas a incluir. Decide también en el tono de tu escrito. ¿Será simplemente expositivo o tendrá también un matiz emotivo? Cuando tengas todo decidido, prepara un borrador.

Revisa tu borrador para ver si estás satisfecho(a) con el contenido. ¿Está completo? ¿Falta algún detalle? ¿Son vívidas las descripciones? Cuando estás satisfecho(a) con el borrador léelo de nuevo y corrige cualquier error de gramática u ortografía. Ahora prepara tu versión final, revísala para que no haya errores. Corrige los errores que encuentres.

**Pre-AP SkillBuilder**
The **tareas** in the **Composición** section provide students with valuable practice for the writing section of the AP exam.

**TAREA 3** **Una biografía** Como ya sabes, una biografía es la historia de la vida de una persona real, no ficticia. Ya has escrito una biografía de una persona que tú mismo(a) has escogido. Ahora vas a limitarte a uno de los personajes que aparecen en el capítulo que acabas de leer. Para prepararte adecuadamente tendrás que hacer alguna investigación sobre la persona. Los personajes que aparecen en la lectura son: Guarionex, Cayacoa, Cristóbal Colón, «el Drake», don Juan Ponce de León, José Martí, Antonio Maceo y Fidel Castro.

**Antes de escribir** Escoge de la lista de personajes algunos que tú crees serán interesantes. Después busca a ver si existe bastante información sobre estas personas para poder escribir una biografía. Ahora escoge el individuo que más te interese. Prepara una lista de detalles que vas a incluir en tu biografía, por ejemplo: descripción física de la persona, su personalidad o carácter, su importancia histórica. Puedes seguir un orden cronológico, o puedes enfocar en uno de los detalles que creas más importante, su importancia histórica, por ejemplo. Trata de dar vida al personaje empleando adjetivos y adverbios vívidos.

## Discurso

El debate es similar a una competencia deportiva. Se juega para ganar y se gana obteniendo ventaja sobre el rival. Una forma de debate consiste en una proposición. Un grupo o individuo tiene que defender la proposición mientras que el otro lleva la contraria. Un ejemplo de proposición sería: *A los atletas profesionales se les paga demasiado.* Un grupo defiende la proposición y el otro se opone. Para debatir eficazmente hay que ordenar los argumentos y presentarlos enérgicamente. Algunas armas son la veracidad, el humor, el dramatismo y la emoción. En muchos debates se le otorga a cada partido una oportunidad de responder a los argumentos del rival. Por eso es importante tratar de adivinar cuales serán los argumentos que presentará el rival y poder contestar vigorosamente. El buen debatiente puede tomar cualquier posición, en pro o en contra de la proposición y defender su posición con éxito.

**TAREA 4** Para nuestro debate vamos a dividirnos en grupos de dos. La proposición es la siguiente: *El único propósito de las cárceles debe ser castigar a los criminales.* Una persona en cada grupo tiene que defender la proposición y la otra argüir en contra. Después de presentar los argumentos cada uno tendrá un minuto para refutar los argumentos del otro. La clase decidirá el ganador.

EL CARIBE

# Vocabulario

## Vocabulary Review

The words and phrases in the **Vocabulario** have been taught for productive use in this chapter. They are summarized here as a resource for both student and teacher. This list also serves as a convenient resource for the **¡Te toca a ti!** activities on pages 288–289, 299, and 313. There are approximately eleven cognates in this vocabulary list. Have students find them.

 You will notice that the vocabulary list here is not translated. This has been done intentionally, since we feel that by the time students have finished the material in the chapter they should be familiar with the meanings of all the words. If there are several words they still do not know, we recommend that they refer to the **Vocabulario** sections in the chapter or go to the dictionaries at the end of this book to find the meanings. However, if you prefer that your students have the English translations, please refer to Vocabulary Transparencies 6.1A, 6.1B, and 6.1C, where you will find all these words with their translations.

You may wish to use the editable PowerPoint® presentation available on this PowerTeach CD-ROM to have students view the chapter vocabulary in a Spanish-English, English-Spanish format.

### Lección 1  Cultura

**Geografía**
la caña de azúcar
el cultivo
el huracán
castigar

**Historia**
el cacique
la cadena
el/la ciudadano(a)
el galeón
la toma
apartado(a)
desafecto(a)
dedicarse
emprender
hundirse
rebosar
reposar
someterse
por poco

**Comidas**
el arroz con frijoles (habichuelas)
el coco
el lechón asado
el mango
la papaya
la piña

### Lección 2  Conversación

el casco de guayaba
el churrasco
el/la dueño(a)
el queso blanco

descortés
bien hecho(a)
lento(a)

listo(a)
quemado(a)
rico(a)

acompañar
evitar
por colmo

### Lección 3  Periodismo

**Deportes**
el campeonato
el clavado
la mira
el/la nadador(a)
el nado, la natación
la rutina libre
el torneo
mundial
remozado(a)
zurdo(a)
encabezar
integrar
realizar
ubicarse
ojalá

**Educación llega a la cárcel**
el/la analfabeto(a)
la cárcel
el conocimiento
la marginalidad
la pizarra
el recluso
el sacapuntas
conductual
imprescindible
mediante
proclive
requerible
manejar

 **LITERARY COMPANION** *See pages 476–487 for literary selections related to Chapter 6. The activities for these readings will help you continue to practice your reading comprehension skills.*

# UIDEOTUR
## ¡Viva el mundo hispano!

Video can be a beneficial learning tool for the language student. Video enables you to experience the material in the textbook in a real-life setting. Take a vicarious field trip as you see people interacting at home, at school, at the market, etc. The cultural benefits are limitless as you experience the Spanish-speaking world while "traveling" through many countries. In addition to its tremendous cultural value, video gives practice in developing good listening and viewing skills. Video allows you to look for numerous clues that are evident in tone of voice, facial expressions, and gestures. Through video you can see and hear the diversity of the target culture and compare and contrast the Spanish-speaking cultures to each other and to your own.

### Episodio 1: Viejo San Juan

La ciudad de San Juan fue fundada en 1508 por don Juan Ponce de León. Es una bella ciudad colonial. Sus calles adoquinadas y sus clásicos edificios son preciosos. Caminar por esas calles es hacer un viaje al pasado. A los sanjuaneros les encanta estar en la calle para ver a los amigos, hablar y disfrutar de su encantadora ciudad.

### Episodio 2: Las tejedoras

María es tejedora. Ella practica una arte con una larga historia en Puerto Rico. María hace ropa infantil que vende en ferias artesanales. Ella aprendió a tejer con su abuela y su madre. Todos los días ellas se reúnen en casa de María para tejer. La hija de María, Alondra, está aprendiendo a tejer también. Para ellas es una manera de ganar dinero, pero más importante aún, es la forma de conservar una tradición.

### Episodio 3: Visita al bosque tropical

Recientemente se estableció un programa llamado Ecoventure para dar a la gente de la ciudad la oportunidad de ver de cerca la naturaleza. Este grupo está visitando el Bosque de Toro Negro a pocas horas de San Juan. Toro Negro es un bosque tropical. Es la reserva más alta de Puerto Rico y tiene una enorme variedad de plantas y animales.

EL CARIBE

---

## VIDEO VHS/DVD

The Video Program for Chapter 6 includes three documentary segments of some interesting aspects of life in Puerto Rico. You may wish to have students answer oral or written comprehension questions about the video segments.

**POWERTEACH** *Interactive* Chalkboard

You may wish to use the editable PowerPoint® presentation available on this PowerTeach CD-ROM to have students view and listen to a short segment of the video. Additional activities are also provided.

# Planning for Chapter 7

## SCOPE AND SEQUENCE   PAGES 320–371

### Topics
❖ The geography, history, and culture of Venezuela and Colombia

### Culture
❖ Different kinds of teachers
❖ Gasoline in Colombia

### Functions
❖ How to use shortened forms of adjectives
❖ How to use articles
❖ How to use prepositional pronouns
❖ How to use **por** and **para**
❖ How to express duration of time using **hace** and **hacía**

### Structure
❖ Shortened forms of adjectives
❖ Special uses of definite and indefinite articles
❖ Addressing and referring to people with the definite article
❖ The definite article with the days of the week
❖ The definite article with clothing and parts of the body
❖ The indefinite article when telling one's profession
❖ Pronouns after prepositions
❖ **Por** versus **para**
❖ **Por** and **para** with expressions of time
❖ **Por** and **para** with the infinitive
❖ Other uses of **por** and **para**
❖ Expressing duration of time with **hace** and **hacía**

### National Standards
Communication Standard 1.1, pp. 320, 338, 339, 343, 344, 346, 347, 350, 354, 365

Communication Standard 1.2, pp. 320, 324–330, 344–345, 351–353, 354, 355–356

Communication Standard 1.3, pp. 339, 347, 365

Cultures Standard 2.1, pp. 320, 324, 326–329, 343–345, 490, 497

Connections Standard 3.1, pp. 320, 324–325, 355

Connections Standard 3.2, pp. 337, 351–356, 364

Comparisons Standard 4.1, pp. 332–337, 357–364

Communities Standard 5.1, pp. 330, 347, 365

*To read the ACTFL Standards in their entirety, see page T36.*

## PACING AND LEVELING

Lección 1: Cultura   *(5–7 days)*

Lección 2: Conversación   *(5–7 days)*

Lección 3: Periodismo   *(5–7 days)*

Proficiency Tasks   *(1–2 days)*

Videotur   *(1–2 days)*

Literatura   *(5–7 days)*

### LEVELING
The following is an overall leveling of the sections of each chapter of **¡Buen viaje!** Level 3.

**EASY:** Conversación, Estructura • Repaso
**AVERAGE:** Cultura, Periodismo, Estructura • Avanzada
**CHALLENGING:** Literatura

Most parts of each lesson are also leveled for your convenience in the Teacher Notes in the Wraparound section of your Teacher Edition.

**E: Easy   A: Average   C: Challenging**

Please note that the material does not become progressively more difficult. Within each chapter there are easy and challenging sections.

# TEACHER RESOURCE GUIDE

| SECTION | PRINT RESOURCES | TECHNOLOGY RESOURCES |
|---|---|---|
| **Lección 1** | | |
| Lectura<br>  Vocabulario para la lectura<br>    (p. 322)<br>  La geografía (pp. 324–325)<br>  Historia (pp. 326–330)<br>  Comida (p. 331)<br>Estructura • Repaso<br>  Adjetivos apocopados (p. 332)<br>  Usos especiales del artículo<br>    (p. 333)<br>  Artículo definido (pp. 334–335)<br>  Artículo con los verbos<br>    reflexivos (p. 336)<br>  Artículo indefinido (p. 337)<br>¡Te toca a ti! (pp. 338–339)<br>Assessment (pp. 340–341) | Audio Activities TE (pp. 159–168)<br>Workbook (pp. 107–112)<br>Quizzes (pp. 95–100)<br>Tests (pp. 205–207 and 215–235) | Vocabulary Transparency V7.2<br>Audio CD 7<br>*ExamView® Assessment Suite*<br>glencoe.com<br>Assessment Transparency A7.1<br>PowerTeach<br>Vocabulary PuzzleMaker |
| **Lección 2** | | |
| Conversación<br>  Vocabulario para la<br>    conversación (p. 342)<br>  Al museo y al teatro<br>    (pp. 344–345)<br>Estructura • Repaso<br>  Pronombres con preposición<br>    (p. 346)<br>¡Te toca a ti! (p. 347)<br>Assessment (pp. 348–349) | Audio Activities TE (pp. 169–172)<br>Workbook (pp. 113–115)<br>Quizzes (pp. 101–103)<br>Tests (pp. 208–209 and 215–235) | Vocabulary Transparency V7.3<br>Audio CD 7<br>*ExamView® Assessment Suite*<br>glencoe.com<br>Assessment Transparency A7.2<br>PowerTeach<br>Vocabulary PuzzleMaker |
| **Lección 3** | | |
| Lectura<br>  Vocabulario para la lectura<br>    (p. 350)<br>  Maestros de éste y otros<br>    mundos (pp. 351–352)<br>Lectura<br>  Vocabulario para la lectura<br>    (p. 354)<br>  La gasolina (p. 355)<br>Estructura • Avanzada<br>  **Por** y **para** (p. 357)<br>  **Por** y **para** con expresiones<br>    de tiempo (p. 359)<br>  **Por** y **para** con el infinitivo<br>    (p. 360)<br>  Otros usos de **por** y **para**<br>    (p. 361)<br>  **Hace** y **hacía** (p. 363)<br>¡Te toca a ti! (p. 365)<br>Assessment (pp. 366–367)<br><br>Proficiency Tasks (pp. 368–369)<br>**Videotur** (p. 371)<br><br>Literatura (pp. 488–501) | Audio Activities TE (pp. 173–180)<br>Workbook (pp. 116–118)<br>Quizzes (pp. 104–108)<br>Tests (pp. 210–235)<br>Audio Activities (pp. 244–253)<br>Tests (pp. 302–306) | Vocabulary Transparencies V7.4–V7.5<br>Audio CD 7<br>*ExamView® Assessment Suite*<br>glencoe.com<br>Assessment Transparency A7.3<br>PowerTeach<br>Vocabulary PuzzleMaker<br>**¡Viva el mundo hispano!** Video<br>Video Activities<br>Audio CD 10 |

# Using Your Resources for Chapter 7

## Transparencies

**Map Transparencies** The full-color maps at the front of the Student Edition have been converted to transparency format.

**Bellringer Reviews** provide a quick review activity to begin each class.

**Vocabulary Transparencies** include the photos and art from the Student Edition pages, overlays with Spanish words, and Spanish/English vocabulary lists for each chapter.

**Assessment Transparencies** provide answer sheets and answers for the Assessment pages in the Student Edition.

**Fine Art** can be used to reinforce the topics introduced in the text and enrich your students' knowledge of Fine Art.

## Workbook and Audio Activities

### Writing Activities
The Workbook section includes numerous activities to reinforce each concept presented in the textbook. There are workbook pages for each of the following sections: vocabulary, culture, conversation, journalism, and structure. Varied activities provide several ways for students to practice and apply the material you have presented in class.

### Audio Activities
The Audio Activities pages in this booklet may be used to guide students through the listening and speaking activities provided on the Audio CDs. The script to the Audio CDs is also provided in the Audio Activities TE in the TeacherTools booklet if the teacher prefers to read the activities aloud. The Audio Activities provide listening and speaking practice to reinforce vocabulary, culture, conversation, structure, and literature.

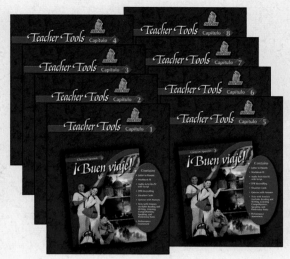

Several options for Assessment are offered with the **¡Buen viaje!** program. The TeacherTools booklets include the following Assessment pieces.

**Quizzes** There are quizzes for Vocabulary, Culture, Structure, Conversation, and Journalism.

**Tests** There is a Reading and Writing Test for each lesson in the chapter. In addition, there are two different Chapter Reading and Writing Tests—one for less able to average students and the other for above average to advanced students. There is also a Listening Comprehension Test, a Speaking Test, and a Proficiency Test at the end of each chapter.

**Spanish Online** Students can easily access our Self-Check Quizzes at glencoe.com.

**ExamView® Assessment Suite** Test Bank software for Macintosh and Windows makes creating, editing, customizing, and printing tests quick and easy.

## Passport to Success Notebook

- **Notetaking and Study Strategies** help students organize and internalize new information, allowing them to become more effective communicators in the target language.

- **Reading Strategies** take the mystery out of reading and give students the tools they need to become more effective readers.

- **Standardized Test Practice** in every chapter helps students improve their test-taking skills through the study of foreign language.

# TECHNOLOGY

 This all-in-one planner includes:

- Interactive Teacher Edition
- Lesson Planner with calendar
- Access to all program blackline masters
- Correlations to National Standards

**ExamView®** Assessment Suite The *ExamView® Assessment Suite* includes *Test Generator, Test Player,* and *Test Manager.*

- Use premade tests or build your own easily and quickly
- Customize tests using a full-feature editor
- Select questions from existing test banks
- Set up your own question test banks
- Disaggregate data

 All-in-one interactive Student Edition and student resources—a backpack solution

## Preview

In this chapter, students will learn about the geography, history, and culture of Venezuela and Colombia. In the **Conversación** section students will discuss an art exposition. Students will also read newspaper articles about different types of teachers and some dangers of gasoline.

### National Standards

**Communication**
Students will communicate in spoken and written Spanish on the following topics:
• The culture, geography, and history of Venezuela and Colombia
• Art, museums, and theater
• Different types of teachers
• Ecology and perils of gasoline

**Cultures**
Students will learn about geography, history, and culture in Venezuela and Colombia.

**Connections**
This chapter establishes a connection with the fields of history, geography, art, social studies, and science.

# Capítulo
## 7

# Venezuela y Colombia

**Spanish Online**
To interact with your online edition of **¡Buen viaje!** go to: glencoe.com.

320

**TeacherWorks**
All-In-One Planner and Resource Center

The TeacherWorks CD-ROM is an all-in-one planner and resource center. You may wish to use several of the following features as you plan and present the Chapter 7 material: Interactive Teacher Edition, Interactive Lesson Planner with Calendar, Point and Click Access to Teaching Resources including Hotlinks to the Internet and Correlations to the National Standards.

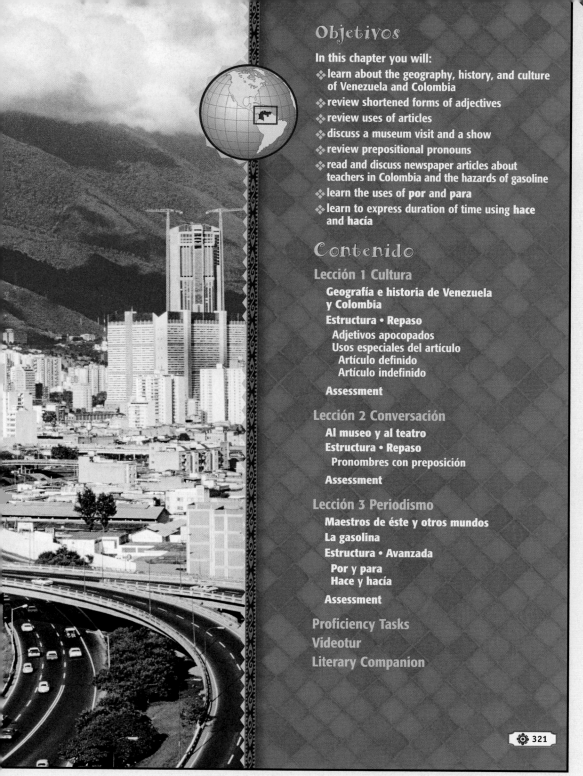

# Capítulo 7

## Objetivos

In this chapter you will:

- learn about the geography, history, and culture of Venezuela and Colombia
- review shortened forms of adjectives
- review uses of articles
- discuss a museum visit and a show
- review prepositional pronouns
- read and discuss newspaper articles about teachers in Colombia and the hazards of gasoline
- learn the uses of **por** and **para**
- learn to express duration of time using **hace** and **hacía**

## Contenido

## Assessment

**Quizzes:** There is a quiz for every vocabulary presentation, every reading, and every structure point.
**Tests:** To accompany ¡Buen viaje! Level 3 there is a Reading and Writing Test for each of the three lessons that make up a chapter. In addition, at the end of each chapter there are five tests.
- Two Reading and Writing Tests; one easy to intermediate; another intermediate to challenging.
- A Listening Comprehension Test
- A Speaking Test
- A Proficiency Test

 Spotlight on Culture

**Caracas** Esta enorme ciudad tiene más de 400 años de edad y unos 5 millones de habitantes. Es modernísima con impresionante arquitectura y una gran red de carreteras y autovías. Está en un valle angosto de 20 kilómetros de largo a una altura de 900 metros.

## LEVELING

The following is an overall leveling of the sections of each chapter of **¡Buen viaje!** Level 3.

**EASY:** Conversación, Estructura • Repaso
**AVERAGE:** Cultura, Periodismo, Estructura • Avanzada
**CHALLENGING:** Literatura

Most parts of each lesson are also leveled for your convenience.
**E:** Easy
**A:** Average
**C:** Challenging

  Please note that the material does not become progressively more difficult. Within each chapter there are easy and challenging sections.

## PREPARATION

### Resource Manager

Vocabulary Transparencies V7.2
Audio Activities TE, pages 159–160
Audio CD 7, Tracks 1–3
Workbook, page 107
Quiz, page 95
ExamView® Assessment Suite

### Bellringer Review

*Use BRR Transparency 7.1 or write
the following on the board.*
**Preparen una lista de los
términos geográficos que saben.**

## PRESENTATION

### Vocabulario para la lectura

**Step 1** Have students repeat the
new words and sentences in unison after you or the Audio CD.

**Step 2 Más vocabulario** You
may wish to give students the
definitions and have them give
the word being defined.

You may wish to
use the editable
PowerPoint® pre-
sentation available
on this PowerTeach
CD-ROM for additional vocabulary instruction and practice.

---

### Vocabulario para la lectura

Use your StudentWorks™ Plus
CD for more practice.

un bohío lacustre

Un bohío lacustre está construido
sobre pilotes.

la desembocadura

La desembocadura es donde el río
entra en el mar.

una caleta, una ensenada

un salto

unas mazorcas de maíz

una ciudad amurallada

una caída

las laderas de la montaña

Se cultiva el café en las laderas de la montaña.
El café es un producto importante de Colombia.

#### Más vocabulario

**la deuda** dinero que se debe a alguien
**la empresa** acción de dar principio a una obra
**la sequía** falta de lluvia durante largos períodos de tiempo
**cálido(a)** caluroso, muy caliente
**espeso(a)** que tiene mucha densidad; cosas muy próximas (cercanas) unas de otras
**fluvial** de un río
**imperante** que domina, que tiene el poder
**inolvidable** que no se puede olvidar
**lacustre** que vive en los bordes o en las aguas de un río
**asemejarse a** ser similar o semejante
**enriquecerse** hacerse uno rico, prosperar
**oprimir** someter por la violencia, poniendo uno debajo de la autoridad o dominio de otro
**sellar** llevar a una conclusión
**surgir** salir, aparecer, alcanzar algo cierta altura relativo a lo que le rodea

**322** ⚙ *trescientos veintidós*

CAPÍTULO 7

---

## Spanish Online

### Differentiation

**Tutorial** The customizable **Vocabulary PuzzleMaker** can be used for
each lesson or chapter to create crossword, word search, and jumble puzzles to reinforce vocabulary terms for non-mastery students.

**Enrichment** The customizable **Vocabulary PuzzleMaker** can also be
used for each lesson or chapter to create more challenging puzzles for
mastery students.

## ¿Qué palabra necesito?

**1 Cositas** Contesten.

1. ¿Es un bohío una casa elegante o humilde?
2. ¿Está en el desierto una casa lacustre?
3. ¿Sobre qué está construida una casa lacustre?
4. ¿Es una caleta o una ensenada una gran extensión de agua?
5. ¿Dónde entra el río en el mar?
6. ¿Cuál es el nombre que se le da a una ciudad alrededor de la cual hay murallas?
7. ¿Dónde crece el café?
8. ¿Tiene el salto una caída larga?
9. ¿Llueve mucho durante una sequía?
10. ¿De qué color es una mazorca de maíz?

A orillas del Orinoco, Venezuela

**2 Definiciones** Empareen.

1. cálido
2. la deuda
3. imperante
4. sellar
5. oprimir
6. enriquecerse

a. tiranizar
b. prosperar
c. dominante
d. caluroso
e. dinero debido
f. concluir

Bogotá, Colombia

**3 ¿Cuál es la palabra?** Completen.

1. Un bohío lacustre está construido sobre _____ en un _____.
2. El río Magdalena es navegable hasta Bogotá. Un barco _____ hace el viaje de Barranquilla a Bogotá.
3. Para él es una _____ nueva. ¡Ojalá que tenga éxito!
4. ¡Ojalá que se haga rico! Todos sabemos que tiene muchas ganas de _____.
5. Ella va a tomar una decisión para _____ el proyecto.
6. Son muy similares. El uno _____ mucho al otro.
7. La vegetación de una selva tropical es muy densa. Es muy _____.
8. El dictador _____ a sus súbditos.

VENEZUELA Y COLOMBIA

*trescientos veintitrés*  **323**

### PRACTICE

## ¿Qué palabra necesito?

**1** You can go over the questions of **Actividad 1** as you present the vocabulary.

**2** You can immediately do **Actividad 2** without previous preparation.

**3** Have students prepare **Actividad 3** before going over it in class.

### Learning from Photos

*(page 323 top right)* Sus varios tributarios hacen del Orinoco uno de los mayores ríos del mundo. Colón lo descubrió en 1498. Tiene 2.150 kilómetros de largo y una cuenca que cubre 25.000 kilómetros cuadrados. No fue hasta 1951 que se descubrió su fuente.
*(page 323 bottom left)* El Bogotá de hoy es veinte veces más grande de lo que era hace medio siglo. Se fundó en 1536 con el nombre de Santafé de Bogotá. Hoy sus siete millones viven en una capital a la vez moderna y colonial.

## ANSWERS TO ¿Qué palabra necesito?

**1**

1. Un bohío es una casa humilde.
2. No, una casa lacustre no está en el desierto. Está en un río o un lago.
3. Una casa lacustre está construida sobre pilotes.
4. No, una caleta o ensenada no es una gran extensión de agua.
5. La desembocadura es donde el río entra en el mar.
6. Una ciudad amurallada es el nombre que se le da a una ciudad alrededor de la cual hay murallas.
7. El café crece en las laderas de la montaña.
8. Sí, el salto tiene una caída larga.
9. No, no llueve mucho durante una sequía.
10. Una mazorca de maíz es amarilla.

**2**

1. d
2. e
3. c
4. f
5. a
6. b

**3**

1. pilotes, lago (río)
2. fluvial
3. empresa
4. enriquecerse
5. sellar
6. se asemeja
7. espesa
8. oprime

Lectura

## PREPARATION

### Resource Manager

Audio Activities TE, pages 161–163
Audio CD 7, Tracks 4–6
Workbook, pages 108–109
Quizzes, pages 96–99

## PRESENTATION

**Step 1** You may wish to have students read aloud and go over some paragraphs orally in class.

**Step 2** You can intersperse comprehension questions from **Actividad A** as you are going over this selection.

**Step 3** Go over **Actividad B** after reading this selection.

### LEVELING

**E:** Reading

### Learning from Photos

*(page 324 center)* El petróleo es la mayor fuente de riqueza para Venezuela. Se descubrió en 1914 y convirtió a Venezuela de un país pobre a uno de los más ricos de Sudamérica. Venezuela fue uno de los fundadores de OPEP (Organización de Países Exportadores del Petróleo).

**324**

# Lectura

## La geografía

### Venezuela

Venezuela en el nordeste del continente sudamericano es un país de grandes contrastes geográficos. Dos veces más grande que California es el único país sudamericano cuya costa se encuentra totalmente en el Caribe.

El río Orinoco y sus tributarios forman el sistema fluvial más importante de Sudamérica después de el del Amazonas. Una región de temperaturas cálidas la cuenca del Orinoco se encuentra bajo agua por unos seis meses del año y durante los otros seis sufre de una sequía severa sin una gotita de lluvia.

El Orinoco divide a Venezuela en dos partes iguales. Al sur está la Sierra de la Guayana, una vasta región remota de bellísimas mesetas de arenisca[1] que surgen de la verde selva tropical que cubre la mitad del país. Al norte del río se encuentran las grandes sabanas o llanos donde viven los llaneros cuya vida ganadera es muy similar a la de los gauchos argentinos. Más al norte hacia la costa está la región andina con sus ciudades donde vive la mayoría de la población venezolana.

No muy lejos de la capital, Caracas, está el lago Maracaibo, un lago rico en oro negro o sea petróleo. Venezuela es uno de los más importantes productores de petróleo del mundo.

Fue la región de Maracaibo adonde llegaron los primeros exploradores españoles. Encontraron a muchos indígenas que vivían en bohíos lacustres y que iban de un lugar a otro en canoas. Les hizo pensar en la ciudad italiana de canales, Venecia, y le dieron al territorio el nombre de «Venezuela» o «Venecia pequeña».

[1] arenisca *sandstone*

Sierra de la Guayana, Venezuela

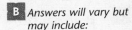
Yacimiento de petróleo en Trujillo, Venezuela

Caracas, Venezuela

## ANSWERS

**A**

1. Venezuela está en el nordeste del continente sudamericano.
2. Tiene costa en el Caribe.
3. Forman el sistema fluvial más importante de Sudamérica después de el del Amazonas.
4. El Orinoco divide a Venezuela en dos partes iguales.
5. Es una vasta región remota de bellísimas mesetas de arenisca.
6. Una verde selva tropical cubre la mitad del país.
7. Los llaneros viven en las grandes sabanas.
8. Están en la región andina al norte .
9. El lago Maracaibo es rico en petróleo.
10. Los primeros exploradores encontraron a muchos indígenas que iban en canoas. Les hizo pensar en la ciudad italiana de Venecia, y le dieron al territorio el nombre de «Venezuela» o «Venecia pequeña».

**B** *Answers will vary but may include:*

En la cuenca del Orinoco las temperaturas son elevadas. La cuenca se encuentra bajo agua por unos seis meses del año y sufre de una sequía severa durante los otros seis meses.

## Colombia

Se puede dividir Colombia en cuatro regiones geográficas, la costa, la sierra andina, los llanos al sureste del país y la selva tropical bañada por los afluentes de los ríos Orinoco y Amazonas. En los llanos viven los llaneros cuya vida se asemeja mucho a la de los gauchos de la Pampa argentina. Como su vecino, Venezuela, casi la mitad del país es selva tropical.

Barranquilla en la desembocadura del río Magdalena en la costa del Caribe es el puerto más importante del país. El Magdalena es uno de los ríos más largos del mundo y es navegable hasta la capital andina, Bogotá, a unos 8640 pies sobre el nivel del mar. El viaje en barco fluvial tarda nueve días.

Desde el punto de vista cultural y comercial la región andina se considera la más importante del país. Bogotá es el centro político e intelectual. Medellín, la capital de la región de Antioquia es una ciudad industrial que compite con Bogotá desde el punto de vista de importancia económica. Medellín goza de un clima ideal. Se llama «la ciudad de las flores, la amistad y la primavera eterna». Es la capital del mundo en el cultivo de orquídeas. Y en las laderas de las montañas antioqueñas se cultiva el famoso café colombiano.

Río Magdalena, Colombia

Medellín, Colombia

**A** **Venezuela** Contesten.

1. ¿Dónde está Venezuela?
2. ¿Dónde tiene costa?
3. ¿Qué forman el Orinoco y sus tributarios?
4. ¿En qué divide el Orinoco a Venezuela?
5. ¿Qué es la Sierra de la Guayana?
6. ¿Qué cubre la mitad de Venezuela?
7. ¿Quiénes viven en las grandes sabanas o llanos?
8. ¿Dónde está la mayoría de las ciudades venezolanas?
9. ¿Qué hay en el lago Maracaibo?
10. ¿Cómo recibió su nombre Venezuela?

**B** **El clima** Describan.

Describan el clima en la cuenca del Orinoco.

**C** **Colombia** Identifiquen.

1. las cuatro regiones geográficas de Colombia
2. los llaneros
3. Barranquilla
4. el río Magdalena
5. Bogotá
6. Medellín
7. el nombre que se le da a Medellín

Medellín, Colombia

**Step 4 Colombia** Go over **Actividad C** after students have finished reading this selection.

### Learning from Photos

*(page 324 left)* En esta región de la Guayana vive la mayoría de la población indígena de Venezuela. Gran parte de esta área está sin explorar. Aquí hay montañas llamadas «tepuis» con laderas casi verticales.

*(page 325 top)* El Magdalena y el Cauca, ambos con sus fértiles valles formados por las cordilleras, fluyen hacia el norte, se unen y desembocan en el Caribe.

*(page 325 center)* Medellín es la segunda ciudad de Colombia y la capital del departamento de Antioquia. Fue a principios del siglo XX cuando creció dramáticamente la ciudad a causa de la expansión del cultivo del café en la región. El centro de la ciudad es muy moderno.

*(page 325 bottom)* La Feria de las Flores es el evento más importante en Medellín y tiene lugar la primera semana de agosto. Cientos de campesinos desfilan por la ciudad cargados de preciosas flores.

**Pre-AP SkillBuilder**

As students read these **Lecturas,** they will develop the skills they need to be successful on the reading and writing sections of the AP exam.

## ANSWERS

**C**

1. Son la costa, la sierra andina, los llanos y la selva tropical.
2. Son las personas que viven en los llanos.
3. Barranquilla está en la desembocadura del río Magdalena en la costa del Caribe y es el puerto más importante de Colombia.
4. El Magdalena es uno de los ríos más largos del mundo y es navegable hasta la capital andina.
5. Es el centro político e intelectual de Colombia.
6. Es la capital de la región de Antioquia y es una ciudad industrial.
7. Se le llama «la ciudad de las flores, la amistad y la primavera eterna».

## PRESENTATION

*(cont'd)*

**Step 5** You may wish to have students read this section silently for homework.

---

### Learning from Photos

*(page 326 top)* Fue durante el reinado de Carlos I y el de su hijo Felipe II cuando el Imperio Español llegó a su mayor grandeza.

*(page 326 center)* Alonso de Ojeda fue uno de los primeros españoles que oyó nombrar la leyenda de «el Dorado».

*(page 326 bottom)* Taganga es un pequeño pueblo pesquero. Está en una preciosa bahía y es un centro de buceo.

---

Spanish Online

The Glencoe World Languages Web site at glencoe.com provides Internet enrichment activities and links for students to investigate the Spanish-speaking world. Every chapter has a **WebQuest** activity and a **Self-Check Quiz**. The **Web Explore** section takes students to Spanish Web sites related to the chapter theme. Students can also click on **World News Online** to read current articles in Spanish-language newspapers.

---

## Historia

### Unas anécdotas

Históricamente es Colombia el país que dio vida a la famosa leyenda de *El Dorado*. En el siglo XVI los españoles habían oído del rito de los muiscas, un grupo de los chibchas, en el cual cubrían el cuerpo de su jefe en polvo de oro. Este mito les entusiasmó a los españoles a explorar esta región. Con su afán de encontrar oro creían que aquí se enriquecerían grandiosamente.

El rey de España Carlos I, Carlos V de Austria, era soberano también de Alemania. Debía grandes cantidades de dinero a unos banqueros alemanes, los Welser. A causa de sus deudas, les concedió la conquista de Venezuela. Los Welser nombraron a Ambrosio Alfinger gobernador de Venezuela.

Este fundó la ciudad de Maracaibo en 1530. Alfinger tenía la reputación de ser muy cruel y siguió

Carlos I

explorando hasta que llegó a territorio que no le correspondía—territorio colombiano. Cayó mortalmente herido en 1533 en un encuentro con unos indígenas pero hay quienes creen que lo hirió uno de sus propios soldados. Un año más tarde llegó a Venezuela otra expedición alemana bajo el mando de Nicolás de Federman. Federman pasó tres años explorando nuevos territorios hasta llegar a la meseta de Bogotá. ¡Allí le esperaba una gran sorpresa!

Alonso de Ojeda fue el primer español (1530) que llegó a lo que hoy es Colombia cuando entró en Cartagena, pero enseguida fue expulsado por los indígenas. Otro explorador, Jiménez de Quesada salió del puerto de Santa Marta en 1536 para seguir el curso del río Magdalena y explorar el interior de Colombia. Subiendo montañas y cruzando torrentes Quesada encontró oro y esmeraldas y en 1537 fundó la ciudad de Santafé de Bogotá. ¡Al año siguiente recibió una sorpresa!

Alonso de Ojeda

Taganga, Magdalena, Colombia

---

## Reaching All Students

### Visual Learners

Have visual learners make a chart to share with the rest of the class, outlining the people mentioned in this reading and some important facts about each person.

Terminada la conquista de Perú salieron varias expediciones españolas a diferentes regiones. Un teniente de Pizarro, Sebastián de Benalcázar, fue a Quito y continuó hacia el norte donde fundó la ciudad de Popayán en Colombia y avanzó hasta la meseta de Bogotá. ¡Qué sorpresa! Allí encontró a Gonzalo Jiménez de Quesada, el fundador de Bogotá y al alemán Nicolás de Federman.

Gonzalo Jiménez de Quesada fue abogado de profesión y convenció a Benalcázar y a Federman de dejarle a él la empresa de completar la colonización de lo que sería la Nueva Granada. Y así fue.

En 1546 Carlos V suspendió los privilegios de los banqueros alemanes y nombró a Juan Pérez de Tolosa gobernador de Venezuela.

Playa Guacuco, Isla Margarita, Venezuela

**Step 6** Have students write the answers to **Actividades D** and **E** for homework.

**Step 7** You may wish to have more able students correct the false statements in **Actividad D.**

**Step 8** Call on students to read their descriptions aloud for **Actividad E.**

### Learning from Photos

(*page 327*) Isla Margarita es la más grande de las islas de Venezuela. Es un destino turístico para muchos venezolanos y extranjeros con bellas playas como esta e impresionantes reservas naturales incluso dos parques nacionales.

---

**D** **Anécdotas históricas** ¿Sí o no?

1. Los muiscas eran indígenas de Colombia que cubrían el cuerpo de su jefe de joyas preciosas.
2. El rey de España permitió a unos alemanes a conquistar Venezuela.
3. El rey era un buen amigo de estos alemanes.
4. Un «explorador» alemán llegó hasta Bogotá.
5. Jiménez de Quesada es el primer español que llegó a lo que hoy es Colombia.
6. Jiménez de Quesada navegó el río Magdalena de la costa al altiplano donde fundó la ciudad de Santafé de Bogotá.
7. Terminada la conquista de Perú, todos los hombres de Pizarro volvieron a España.

**E** **Personajes históricos** Identifiquen.

1. Carlos I o Carlos V
2. Ambrosio Alfinger
3. Alonso de Ojeda
4. Gonzalo Jiménez de Quesada
5. Sebastián de Benalcázar

VENEZUELA Y COLOMBIA

*trescientos veintisiete* 327

---

**ANSWERS**

**D**

1. No
2. Sí
3. No
4. Sí
5. No
6. Sí
7. No

**E**

1. El rey de España Carlos I también era Carlos V de Austria. Era soberano también de Alemania y debía grandes cantidades de dinero a unos banqueros alemanes, los Welser.
2. Ambrosio Alfinger fue nombrado gobernador de Venezuela por los Welser y fundó la ciudad de Maracaibo.

3. Alonso de Ojeda fue el primer español (1530) que llegó a lo que hoy es Colombia cuando entró en Cartagena, pero enseguida fue expulsado por los indígenas.
4. Jiménez de Quesada salió del puerto de Santa Marta en 1536 para explorar el interior de Colombia. Quesada encontró oro y esmeraldas y en 1537 fundó la ciudad de Santafé de Bogotá.

5. Sebastián de Benalcázar, un teniente de Pizarro, fue a Quito y continuó hacia el norte donde fundó la ciudad de Popayán en Colombia y avanzó hasta la meseta de Bogotá.

Plaza Simón Bolívar, Caracas, Venezuela

### La independencia

Simón Bolívar nació en Venezuela en 1783 de una familia noble y adinerada. Uno de los profesores del joven Simón tenía mucha influencia en su vida. Le explicaba que el rey de España gozaba de poder absoluto y que oprimía a sus súbditos. Le enseñaba las ideas liberales imperantes en Francia y EE.UU. A su tío no le gustaba que su sobrino aprendiera tales ideas y lo envió a estudiar en España. Pero Bolívar nunca se olvidó de lo que le había enseñado su antiguo profesor, Simón Rodríguez.

Bolívar volvió a Venezuela en 1810 para tomar parte en la rebelión contra los españoles. Fue nombrado coronel del ejército y para 1812 ya era general. En 1813 entró triunfante en Caracas donde derrotó a los españoles y recibió el título de «el Libertador».

Pero pronto llegaron refuerzos españoles y Bolívar tuvo que refugiarse en Santo Domingo. Allí organizó un nuevo ejército y desembarcó una vez más en Venezuela donde fue proclamado presidente de la República. Siguió la lucha por la independencia y en 1819, con mucha dificultad, atravesó los imponentes Andes. Derrotó a las fuerzas españolas y fundó la República de la Gran Colombia que hoy comprende Colombia, Venezuela y Ecuador. Aceptó la presidencia de la nueva república. Luego pasó a Perú donde selló la independencia sudamericana ganando las batallas de Junín y Ayacucho en 1824.

Después de su triunfo en Perú, el Libertador volvió a Colombia con su gran sueño de ver unido el continente sudamericano en una sola confederación que rivalizara con EE.UU. Pero al llegar a Colombia se dio cuenta de que había muchas disensiones políticas. Existían diferencias insolubles entre las distintas regiones. Bolívar tomó poderes dictatoriales para tratar de preservar la integridad de la Gran Colombia pero fue inútil. Se dividió en varias repúblicas y Bolívar murió en Santa Marta en la pobreza a los cuarenta y siete años de edad (1830), desilusionado de no haber realizado su sueño de ver al continente sudamericano convertido en una sola nación.

Boyacá, Colombia

---

## Después de la independencia

Tanto en Colombia como en Venezuela los años después de la independencia son muy conflictivos. Hubo intrigas políticas, épocas de mal gobierno, pronunciamientos[1] militares, guerras civiles e intervenciones extranjeras.

Si el siglo XIX fue conflictivo para las hermanas repúblicas, igual de conflictivo ha sido el siglo XX. Colombia ha tenido más de treinta y cinco cambios de gobierno y Venezuela más de veinticinco. Aunque ha habido algunos períodos cortos de relativa calma, ambos países han sufrido dictaduras militares, golpes de estado[2] y terrible violencia en el transcurso del siglo XX.

Las dos repúblicas latinoamericanas son países de jóvenes. La edad promedio[3] de Venezuela es de 22.6 años y la de Colombia es de 23.7 años. El futuro está en sus manos. Es para ellos sacar adelante a sus patrias y asegurar que las riquezas materiales y espirituales sean patrimonio de todos los que habitan estas bellas y vibrantes tierras.

[1] pronunciamientos   *uprisings*
[2] golpes de estado   *coups d'etat*
[3] promedio   *average*

Fuente de Oro, Colombia

**F**  **Simón Bolívar**  Den la siguiente información.

1. donde y en qué ambiente nació Bolívar
2. lo que aprendía de su profesor favorito
3. adonde lo mandó su tío a estudiar
4. lo que hizo al volver a Venezuela en 1810
5. el título que le dieron
6. por qué tuvo que refugiarse en Santo Domingo
7. lo que hizo en Santo Domingo
8. por donde siguió la lucha por la independencia al regresar de Santo Domingo
9. lo que era el gran sueño de Bolívar
10. donde murió y como

**G**  **Después de la independencia**  Den una lista de los problemas políticos con los cuales Colombia y Venezuela han enfrentado desde su independencia.

VENEZUELA Y COLOMBIA

*trescientos veintinueve* 329

Step 12  Call on a student to give a synopsis of Bolívar's biography.

Step 13  You may wish to have students merely read this section silently.

Step 14  Assign **Actividades F** and **G** for homework and go over them the next day.

### Learning from Photos

*(page 328 right)* La plaza Simón Bolívar está en el centro del sector histórico. Alrededor de la plaza hay edificios importantes como la Catedral, la «Casa amarilla»—una antigua cárcel—y muchos más. La plaza es un lugar favorito para todo tipo de oradores.

*(page 328 left)* Los estudiantes forman una enorme bandera colombiana ante el monumento a Bolívar en el lugar de la batalla de Boyacá que tuvo lugar el 7 de agosto de 1819 cuando Bolívar derrotó a las tropas españolas.

*(page 329)* La alcaldesa del pueblo de Fuente de Oro, a unos 150 kilómetros de Bogotá, desfila con los ciudadanos en una manifestación de protesta contra la violencia.

---

## ANSWERS

**F**

1. Nació en Venezuela en 1783 de una familia noble y adinerada.
2. Uno de sus profesores le explicaba que el rey de España gozaba de poder absoluto y que oprimía a sus súbditos. Le enseñaba las ideas liberales imperantes en Francia y EE.UU.
3. Su tío lo mandó a estudiar en España.
4. Bolívar tomó parte en la rebelión contra los españoles.
5. Recibió el título de «El Libertador».
6. Llegaron refuerzos españoles y Bolívar tuvo que refugiarse en Santo Domingo.
7. En Santo Domingo organizó un nuevo ejército.
8. Al regresar de Santo Domingo, siguió la lucha por la independencia en Venezuela y en 1819, con mucha dificultad atravesó los imponentes Andes.
9. El gran sueño de Bolívar era ver unido el continente sudamericano en una sola confederación que rivalizara con EE.UU.
10. Bolívar murió en Santa Marta en la pobreza a los cuarenta y siete años de edad (1830), desilusionado de no haber realizado su sueño de ver al continente sudamericano convertido en una sola nación.

**G**  *Answers will vary.*

329

## Visitas históricas

No puedes ir a Colombia sin visitar la bonita ciudad de Cartagena. La vieja ciudad colonial amurallada ha cambiado muy poco a través de los siglos. Tan bonita es la ciudad que UNESCO la ha declarado Patrimonio de la Humanidad. Si quieres descansar puedes ir a pasar un rato en las playas de Boca Chica. O puedes volar a la isla de San Andrés donde puedes disfrutar de playas de arena blanca fina bordeadas de palmeras bajo un cielo azul caribeño. Se dice que en una cueva de una caleta de San Andrés el pirata Henry Morgan enterró un tesoro de oro que vale un billón de dólares. Los turistas siguen buscándolo.

Cartagena, Colombia

San Andrés, Colombia

Tampoco puedes perder las dos capitales, Bogotá y Caracas. Cada una tiene avenidas anchas con rascacielos modernos y grandes centros comerciales. Y cada una tiene su pintoresco casco antiguo llamado «La Candelaria» en Bogotá.

Algo inolvidable en Venezuela es el Salto Ángel que toma su nombre del piloto norteamericano que en 1935 buscaba una montaña de oro cuando chocó su avioneta. Se dice que es él que descubrió el salto más alto del mundo con una altura total de más de 3.000 pies y una caída ininterrumpida de 2.648 pies— quince veces más alto que las cataratas del Niagara.

Caracas, Venezuela

Salto Ángel, Bolívar, Venezuela

## Comida

Si durante tus visitas tienes hambre… ¡a comer arepas! Tanto en Colombia como en Venezuela encontrarás arepas en todas partes. Son riquísimas tortas de maíz rellenas de jamón, queso, chorizo, pollo, frijoles y carne mechada.

En Colombia hay que probar un sancocho cuya preparación varía de una región a otra. Un buen sancocho es el sancocho paisa de Antioquia. Es una sopa espesa de carne de res y cerdo, yuca, papas, plátanos, mazorca y cilantro.

Y para tomar, jugo de frutas tropicales; jugo de guanábana, guayaba, papaya, mango, piña y melón. O una taza del famoso café colombiano. ¡Qué ricos!

Una arepa

Mérida, Venezuela

**National Standards**

**Communities**

If you have any students in class from Colombia or Venezuela, have them share some other foods with the class. You may also wish to have them bring in any popular music from their country to share with the class.

**Step 16** Assign **Actividades H** and **I** to be done at home and then go over them in class the next day.

**Learning from Photos**

*(page 331 center)* Mérida es la sede de la Universidad de los Andes, fundada en 1785. Es una ciudad culta, una comunidad académica y tranquila.

**H** **Lugares interesantes** Describan.

1. Cartagena
2. San Andrés
3. Bogotá y Caracas
4. Salto Ángel

 **I** **Platos típicos** Expliquen.

Expliquen la diferencia entre «arepas» que se comen en Colombia y Venezuela y «sancocho», un plato popular en Colombia.

Sancocho

## ANSWERS

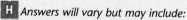 **H** *Answers will vary but may include:*

1. Cartagena es una vieja ciudad colonial amurallada. Es tan bonita que UNESCO la ha declarado Patrimonio de la Humanidad.
2. San Andrés es una isla con playas de arena blanca.
3. Bogotá y Caracas son capitales con rascacielos modernos y grandes centros comerciales.
4. El Salto Ángel en Venezuela es el salto más alto del mundo.

**I** *Answers may vary but may include:*

Las arepas son tortas de maíz rellenas de jamón, queso, chorizo, pollo, frijoles y carne mechada. El sancocho es una sopa espesa de carne de res y cerdo, yuca, papas, plátanos, mazorca y cilantro.

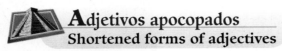

Use your **StudentWorks** CD for more practice.

# Estructura • Repaso

 **A**djetivos apocopados
### Shortened forms of adjectives

1. Several adjectives in Spanish have a shortened form when they precede a masculine singular noun. The **o** of the ending is dropped.

| | |
|---|---|
| bueno | La expedición tenía un **buen** jefe. |
| malo | Esa zona tenía muy **mal** aspecto. |
| primero | Pero allí establecieron el **primer** pueblo. |
| tercero | Fue el **tercer** intento de establecer un pueblo. |

2. The adjective **grande** becomes **gran** when it precedes a singular masculine or feminine noun. The form **gran** conveys the idea of *great* or *famous* rather than *big* or *large*.

| | |
|---|---|
| una **gran** mujer | a great woman |
| una mujer **grande** | a big woman |
| un **gran** hombre | a great man |
| un hombre **grande** | a big man |

Iglesia San Pedro Claver,
Cartagena, Colombia

3. **Alguno** and **ninguno** also drop the **o** before a masculine singular noun.

**Algún** día serán independientes. **Ningún** dictador tendrá poder.

4. The number **ciento** is shortened to **cien** before a masculine or feminine noun.

El rascacielos tiene más de **cien** pisos.
Y más de **cien** compañías tienen oficinas allí.

5. The word **Santo** becomes **San** before a masculine saint's name unless the name begins with **To-** or **Do-**.

| | | |
|---|---|---|
| **San Pedro** | **Santo Domingo** | **Santa Marta** |
| **San Diego** | **Santo Tomás** | **Santa Teresa** |

## ¿Cómo lo digo?

**1** **La guerra y la independencia** Completen.

1. Bolívar no es sólo un _____ general, es también un _____ héroe. (bueno, grande)
2. Pero el _____ héroe de la Independencia es Francisco de Miranda. (primero)
3. La Revolución francesa fue la _____ revolución del siglo. (primero)
4. Entre sus tropas había _____ traidor. (alguno)
5. Pero no tuvo _____ oportunidad para hacer daño. (ninguno)
6. En el _____ día de la batalla lo descubrieron. (tercero)
7. Y aunque fue un hombre _____ y fuerte, lo tomaron preso. (grande)
8. Lo llevaron a _____ Fernando. (Santo)
9. Él era un _____ hombre y tuvo muy _____ suerte. (malo, malo)
10. Lástima, porque él era de una familia _____. (bueno)

---

## LECCIÓN I
### Cultura

LECCIÓN I
## Cultura

### PREPARATION

#### Resource Manager

Workbook, pages 109–112
Audio Activities TE, pages 164–168
Audio CD 7, Tracks 7–14
Quiz, page 100
*ExamView® Assessment Suite*

#### Bellringer Review

*Use BRR Transparency 7.2 or write the following on the board.*
**Escriban una descripción corta de una persona.**

### PRESENTATION

**A**djetivos
apocopados

**¡OJO!** To avoid doing large segments of grammar at one time, you may wish to intersperse the grammar points as you are doing other sections of the lesson. If your students need to do the review grammar, you may wish to go over these points as you are doing the reading selection of this lesson. If you prefer, however, you can spend two or three class periods in succession doing the review grammar.

**Step 1** You may go over this point quickly, although it will need frequent reintroduction.

**Step 2** Read the explanation to students and have the entire class repeat the model expressions and adjective forms aloud.

### PRACTICE

## ¿Cómo lo digo?

**1** This activity can be done orally without prior preparation.

**332**

### ADDITIONAL PRACTICE
Lea un artículo en un periódico hispano sobre un acontecimiento que ha tenido lugar recientemente. Dé una descripción del protagonista o de los protagonistas del acontecimiento.

### LEVELING

**E:** Structure

### ANSWERS TO ¿Cómo lo digo?

**1**

1. buen, gran
2. primer
3. primera
4. algún
5. ninguna
6. tercer
7. grande
8. San
9. mal, mala
10. buena

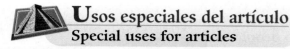

# Usos especiales del artículo
## Special uses for articles

In English an article is not used with an abstract noun or a noun used in a generic or general sense. In Spanish, however, the definite article is required before nouns used in a general sense and before abstract nouns. Compare the following sentences.

**Me gusta el café.** *I like coffee.*
**El café es un producto importante de Colombia.** *Coffee is an important product of Colombia.*
**El valor es una virtud.** *Bravery is a virtue.*

## ¿Cómo lo digo?

**2** **Un poco de geografía** Contesten.

1. ¿Son secos los desiertos?
2. ¿Tienen agua salada o agua dulce los océanos?
3. ¿Tienen agua salada o dulce los lagos?
4. ¿Tienen una vegetación densa y espesa las selvas tropicales?
5. ¿Son hispanohablantes los colombianos y venezolanos?

**3** **Las clases de ciencias** Completen.

En __1__ clases de ciencias aprendemos mucho. En __2__ clase de biología, por ejemplo, estudiamos __3__ amebas y __4__ paramecios. En la clase de química aprendemos algo sobre __5__ sustancias químicas y como afectan a __6__ seres humanos. __7__ hidrógeno y __8__ oxígeno son necesarios para la vida humana. En la clase de física estudiamos __9__ materia y __10__ energía.

VENEZUELA Y COLOMBIA

*trescientos treinta y tres* ✱ **333**

---

## ANSWERS TO ¿Cómo lo digo?

**2**

1. Sí, los desiertos son secos.
2. Los océanos tienen agua salada.
3. Los lagos tienen agua dulce.
4. Sí, las selvas tropicales tienen una vegetación densa y espesa.
5. Sí, los colombianos y venezolanos son hispanohablantes.

**3**

1. las
2. la
3. las
4. los
5. las
6. los
7. El
8. el
9. la
10. la

---

## PRESENTATION

### Usos especiales del artículo

**Step 1** Students are familiar with this construction and should have little difficulty with it.

**Step 2** Read the explanations to students and call on individuals (or the whole class) to read the model sentences.

**Step 3** Have students make up some additional examples.

## PRACTICE

## ¿Cómo lo digo?

**2** You may wish to go over this activity without prior preparation.

**3** Have students write this activity. Then go over it in class.

### Learning from Realia

*(page 333)* El café, que no es nativo de las Américas, fue introducido en Colombia en el siglo XVIII. Sólo Brasil produce más café que Colombia. Quindío es uno de los más importantes departamentos productores de café.

### LEVELING

**A:** Structure

You may wish to use the editable PowerPoint® presentation available on this PowerTeach CD-ROM for additional grammar instruction and practice.

**333**

## PRESENTATION

 **Artículo definido**

**Step 1** Read the explanations to the class and call on students to read the example sentences.

 **Artículo definido**
### Addressing and referring to people

1. The definite article must be used with titles in Spanish when speaking about someone.

   **El general Santander ganó las elecciones.**
   **La doctora Antúnez perdió.**

2. The article is not used with a person´s title when addressing the person.

   —**Buenos días, señor Solís.**
   —**Hasta mañana, doctora Antúnez.**

Caracas, Venezuela

## PRACTICE

## ¿Cómo lo digo?

**4** and **5** Have students open their books and do **Actividades 4** and **5.** If you perceive that the majority of the class experiences difficulty, assign the activities for homework and go over them again the next day.

### Learning from Photos

*(page 334)* You may wish to ask students the following questions about the photograph.
**¿Qué tipo de vehículo es?**
**¿Por qué están las letras al revés?**
**¿Qué querrá decir «rescate»?**

**LEVELING**

**E:** Structure

## Reaching All Students

Have students dramatize the conversation in **Actividad 4.** Have more able students summarize the conversations in their own words.

## ¿Cómo lo digo?

**4** **Historieta**  **En el consultorio de la médica**
Completen con el artículo cuando sea necesario.

—Buenos días, __1__ señor Gaona.

—Buenos días, __2__ señorita Flores.

—¿Cómo se siente usted hoy?

—Bastante bien, gracias. ¿Está __3__ doctora Antúnez?

—Lo siento. En este momento __4__ doctora Antúnez no está. Tuvo que ir a la clínica para una reunión con __5__ doctor Cela.

—¿Sabe usted a qué hora va a volver?

—Por lo general, __6__ doctora Antúnez vuelve de la reunión a las dos y media. Voy a llamarla por teléfono.

—¡Aló! __7__ señorita Vélez, ¿me puede hacer un favor? Cuando salga __8__ doctora Antúnez, dígale que me llame. Ah, está. Le hablaré. Soy yo, Marta Flores, __9__ doctora Antúnez. Estoy con __10__ señor Gaona. Quiere saber cuándo usted vuelve… Bien. Se lo diré. Lo siento, __11__ señor Gaona, pero __12__ doctora Antúnez no vuelve esta tarde. Pero lo puede atender mañana a las dos.

—Entonces vuelvo mañana. Muchas gracias, __13__ señorita Flores.

—Hasta mañana, __14__ señor Gaona.

**5** **¿Qué hace la doctora Antúnez?** Contesten.

1. ¿Quién busca a la doctora?
2. ¿Quién le habla al señor en el consultorio?
3. ¿Está la doctora o no?
4. ¿Dónde está la doctora?

5. ¿Con quién está ella?
6. ¿Quién llama por teléfono?
7. ¿Quién contesta el teléfono?
8. ¿Quién va a volver mañana?

ANSWERS TO **¿Cómo lo digo?**

**4**

1. *none*
2. *none*
3. la
4. la
5. el
6. la
7. *none*

8. la
9. *none*
10. el
11. *none*
12. la
13. *none*
14. *none*

**5**

1. El señor Gaona busca a la doctora.
2. La señorita Flores le habla al señor en el consultorio.
3. No, la doctora no está.
4. La doctora está en la clínica.
5. Ella está con el doctor Cela.
6. La señorita Flores llama por teléfono.
7. La señorita Vélez contesta el teléfono.
8. La doctora Antúnez va a volver mañana.

---

## Artículo con los días de la semana
### Referring to the days of the week

In Spanish, the definite article is used with days of the week to convey the meaning "on."

**Tengo clases los lunes.**      *I have classes on Mondays.*
**El domingo voy a Bogotá.**      *On Sunday I'm going to Bogotá.*

## ¿Cómo lo digo?

**6**   **¿Durante qué días?**   Contesten.

1. ¿Qué días tienes clase de español?
2. ¿Y qué días no tienes clases?
3. ¿Qué haces los sábados?
4. ¿Adónde vas los domingos?
5. Y esta semana, ¿qué haces el sábado?
6. Y, ¿adónde vas el domingo?
7. Algunas personas dicen que deben tener clases los sábados. Tú, ¿qué crees?

San Andrés, Colombia

VENEZUELA Y COLOMBIA

*trescientos treinta y cinco* 335

---

### PREPARATION

## Bellringer Review

*Use BRR Transparency 7.3 or write the following on the board.*
**Escriban.**
- los días de la semana
- los meses del año
- las estaciones

### PRESENTATION

### Artículo con los días de la semana

**Step 1** Since this is a review of a simple concept, you may wish to have students read the explanation and the model sentences silently and do the accompanying activity with books open without prior preparation.

## Learning from Photos

*(page 335)* You may wish to ask students the following questions about the photograph.
¿Qué tiempo hace?
¿Quiénes son los jóvenes?
¿Adónde van?
¿Llevan uniforme?
¿Cómo es el uniforme?

**LEVELING**

**E:** Structure

---

## ANSWERS TO ¿Cómo lo digo?

**6** *Answers will vary.*

1. Tengo clase de español los ___ y los ___.
2. No tengo clase los ___.
3. Los sábados yo ___.
4. Los domingos voy a ___.
5. El sábado ___.
6. El domingo voy a ___.
7. Creo que deben tener clases los sábados./ No creo que deban tener clases los sábados.

**335**

## PRESENTATION

### Artículo con los verbos reflexivos

**Step 1** Have individual students read the explanation aloud in Items 1 and 2.

**Step 2** Call on individuals to repeat the model sentences aloud.

## PRACTICE

## ¿Cómo lo digo?

**7** This activity can be done with books open.

---

### Learning from Photos

*(page 336 bottom)* You may wish to ask students the following questions about the photograph.
**¿Están en el campo o en la ciudad?**
**¿Qué llevan los que van a pie?**
**¿Qué montan los otros dos?**
**Describan la ropa que llevan.**

---

### LEVELING
**E:** Structure

## Artículo con los verbos reflexivos
### Clothing and parts of the body

1. In Spanish when you refer to parts of the body and articles of clothing, you use the definite article with the reflexive pronoun. Observe the following examples.

> **Yo me lavo las manos antes de comer.**       *I wash my hands before eating.*
> **Después de comer, me cepillo los dientes y me lavo la cara.**       *After eating, I brush my teeth and wash my face.*

2. Note also that the object noun is usually in the plural in English when the subject is plural. In Spanish, the noun is in the singular. Observe the following sentences.

> **Nosotros nos ponemos el casco para trabajar.**       *We put on our hardhats to work.*
> **Y nos quitamos la corbata y la gorra.**       *And we take off our ties and caps.*

Since each person has only one hardhat, one tie, and one cap, the singular form is used, not the plural.

## ¿Cómo lo digo?

**7** **Por la mañana** Completen.
1. Cuando me levanto, me lavo _____.
2. Y me cepillo _____.
3. Cuando hace frío, todos nos ponemos _____ para salir.
4. Cuando llegamos a la escuela, mi hermano y yo nos quitamos _____.
5. El profesor Pérez no ve muy bien y tiene que ponerse _____.

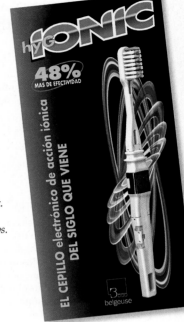

Amigos venezolanos

## ANSWERS TO ¿Cómo lo digo?

**7**

1. las manos, la cara, la boca
2. los dientes
3. el abrigo, la chaqueta, los guantes
4. el abrigo, la chaqueta, las botas, los guantes
5. los anteojos, los lentes

## Artículo indefinido
### Telling one's profession

1. The indefinite article is omitted in Spanish when the verb **ser** is followed by an unmodified noun referring to a profession. In English the indefinite article is used.

**El señor Welser fue banquero.** — Mr. Welser was a banker.
**La señora Robles es política.** — Mrs. Robles is a politician.
**Gonzalo Jiménez de Quesada fue abogado.** — Gonzalo Jiménez de Quesada was a lawyer.

2. However, the indefinite article must be used whenever the noun following the verb **ser** is modified.

**La doctora López es profesora.** — Doctor López is a teacher.
**La doctora López es una profesora buena.** — Doctor López is a good teacher.

### ¿Cómo lo digo?

8 **¿Qué y cómo?** Sigan el modelo.

la doctora Rosas (médica) →
¿Qué es la doctora Rosas?
Es médica. Y es una médica excelente.

1. el señor Garcés (electricista)
2. la señorita Bernales (bióloga)
3. el señor Martín (contable)
4. la señora Robles (ingeniera)
5. la señorita Chávez (periodista)
6. el señor Marcos (secretario)
7. la señora Ruíz (gobernadora)
8. el señor Funes (llanero)
9. la señorita Álvarez (astronauta)

For more information about Venezuela and Colombia, go to **Web Explore** on the Glencoe Spanish Web site at glencoe.com.

VENEZUELA Y COLOMBIA

*trescientos treinta y siete* 337

### PRESENTATION

#### Artículo indefinido

**Step 1** You may wish to have students read the explanation silently, then read the model sentences aloud in unison.

### PRACTICE

#### ¿Cómo lo digo?

8 This activity can be done without previous preparation.

**LEVELING**
**E:** Structure

Encourage students to learn more about Venezuela and Colombia by using the **Web Explore** feature at glencoe.com. Perhaps you can do this in class or in a lab if students do not have Internet access at home.

### ANSWERS TO ¿Cómo lo digo?

8

1. ¿Qué es el señor Garcés?
Es electricista. Y es un buen electricista.
2. ¿Qué es la señorita Bernales?
Es bióloga. Y es una buena bióloga.
3. ¿Qué es el señor Martín?
Es contable. Y es un buen contable.
4. ¿Qué es la señora Robles?
Es ingeniera. Y es una buena ingeniera.
5. ¿Qué es la señorita Chávez?
Es periodista. Y es una buena periodista.
6. ¿Qué es el señor Marcos?
Es secretario. Y es un buen secretario.
7. ¿Qué es la señora Ruíz?
Es gobernadora. Y es una buena gobernadora.
8. ¿Qué es el señor Funes?
Es llanero. Y es un buen llanero.
9. ¿Qué es la señorita Álvarez?
Es astronauta. Y es una buena astronauta.

337

## Recycling

These activities allow students to use the vocabulary and structure from this lesson in completely open-ended, real-life situations.

## PRESENTATION

Encourage students to say as much as possible when they do these activities. Tell them not to be afraid to make mistakes, since the goal of these activities is real-life communication. If someone in the group makes an error, allow the others to politely correct him or her. Let students choose the activities they would like to do.

You may wish to divide students into pairs or groups. Encourage students to elaborate on the basic theme and to be creative. They may use props, pictures, or posters if they wish.

**Note:** It is recommended that you not correct all errors made by the students as they do these activities. They would certainly make errors if they were communicating in real situations in a Spanish-speaking country.

### Learning from Photos

*(page 338)* Este es uno de cuarenta y tres parques nacionales en Venezuela. El salto Ángel y varios otros impresionantes saltos están en el Parque Nacional Canaima.

---

# ¡Te toca a ti!

**HABLAR**

## 1 La geografía de Venezuela y Colombia

✔ *Compare the geography of Venezuela and Colombia*

Venezuela y Colombia son dos repúblicas vecinas. Describe la geografía de estos dos países e indica como se asemejan.

Parque Nacional Canaima, Venezuela

**HABLAR**

## 2 La cuenca del Orinoco

✔ *Describe the interesting Orinoco Basin*

La cuenca del Orinoco es una región interesante. Di todo lo que sabes del río Orinoco y describe el clima de esta región. ¿Te gustaría vivir allí? ¿Por qué?

**HABLAR**

## 3 ¡Qué sorpresa para los tres!

✔ *Discuss a big surprise that took place in the history of Colombia*

Varios individuos llegaron a la meseta de Bogotá. ¿Quiénes fueron? ¿Qué es algo que no hubieran esperado al llegar a una región montañosa tan aislada en aquel entonces? Explica lo que pasó y como se resolvió el encuentro.

---

ANSWERS TO

*Answers will vary.*

HABLAR ESCRIBIR

### 4 Un gran héroe

✔ *Prepare a written and oral report about the great hero Simón Bolívar*

Prepara un reportaje escrito sobre el gran héroe Simón Bolívar. Estúdialo bien y prepárate para dar un reportaje oral a la clase sin tener que leer lo que has escrito.

HABLAR

### 5 Una visita

✔ *Tell what you would like to do if you went to Colombia or Venezuela*

Explica lo que visitarías si fueras a Colombia o Venezuela. Describe los lugares que te interesarían.

San Andrés, Colombia

ESCRIBIR

### 6 Algunas cosas históricas interesantes

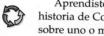

✔ *Write about some interesting historical events*

Aprendiste algunas cosas interesantes sobre la historia de Colombia y Venezuela. Prepara un escrito sobre uno o más de los siguientes:

• la influencia alemana en la conquista de Venezuela
• el descubrimiento del Salto Ángel
• el tesoro del corsario Morgan
• la leyenda de *El Dorado*

VENEZUELA Y COLOMBIA

*trescientos treinta y nueve* 🌼 **339**

ANSWERS TO ¡Te toca a ti!

*Answers will vary.*

## Resource Manager

Assessment Transparency A7.1
Online Quiz
Tests, pages 205–207 and 215–235
*ExamView®* Assessment Suite

## Assessment

This is a pretest for students to take before you administer the lesson test. Answer sheets for students to do these pages are provided in the transparencies. Note that each section is cross-referenced so students can easily find the material they have to review in case they made errors. You may wish to collect these assessments and correct them yourself or you may prefer to have the students correct themselves in class. You can go over the answers orally or project them on the over-head, using your Assessment Answers transparencies.

## Reaching All Students

**Non-Mastery Students**
Encourage students who need extra help to refer to the yellow notes and review any section before answering the questions.

# Vocabulario

**1** **Completen.**

1. Un _____ es una casa humilde.
2. Una casa _____ está construida sobre pilotes en un lago.
3. El café se cultiva en las _____ de la montaña.
4. La _____ es el dinero que uno le debe a otro.
5. Es una _____ horrible. No ha llovido en dos meses.
6. La _____ del río Magdalena está en Barranquilla. Allí entra en el mar.

**2** **Den la palabra cuya definición sigue.**

7. muy caluroso
8. llevar a una conclusión
9. denso
10. someter por la violencia

To review vocabulary, turn to page 322.

# Cultura

**3** **¿Sí o no?**

11. El río Orinoco es más largo y más importante que el Amazonas.
12. El río Magdalena en Colombia es navegable de Barranquilla a Bogotá. El viaje en barco fluvial toma nueve días.
13. Los llaneros viven solamente en Venezuela.
14. La mitad de Colombia, igual que Venezuela, es selva tropical.

To review some geographical facts, turn to pages 324–325.

**4** **Identifiquen.**

15. los Welser y Ambrosio Alfinger
16. Sebastián de Benalcázar
17. Gonzalo Jiménez de Quesada

To review some historical and cultural facts, turn to pages 326–329.

**5** **Contesten.**

18. ¿Qué aprendió Simón Bolívar de un profesor favorito?
19. ¿Qué hizo Bolívar al refugiarse en Santo Domingo?
20. ¿Cuál fue el gran sueño de Bolívar? ¿Lo realizó?

**340** trescientos cuarenta

CAPÍTULO 7

## ANSWERS TO Assessment

 **1**     **2**     **3**    **4**

1. bohío
2. lacustre
3. laderas
4. deuda
5. sequía
6. desembocadura

7. cálido
8. sellar
9. espeso
10. oprimir

11. No
12. Sí
13. No
14. Sí

15. Los Welser eran unos banqueros alemanes, a quienes el rey de España, Carlos I, debía grandes cantidades de dinero. Ellos nombraron a Ambrosio Alfinger gobernador de Venezuela. Este fundó la ciudad de Maracaibo en 1530. Alfinger tenía la reputación de ser muy cruel.

16. Sebastián de Benalcázar era un teniente de Pizarro, y fue a Quito y continuó hacia el norte donde fundó la ciudad de Popayán en Colombia y avanzó hasta la meseta de Bogotá.
17. Gonzalo Jiménez de Quesada era el fundador de Bogotá.

**6** Completen.

21. Si voy a Colombia quiero visitar _____.
22. Si voy a Venezuela quiero visitar _____.
23. Si voy a Colombia quiero comer _____.

To review sights and foods of Colombia and Venezuela, turn to pages 330–331.

# Estructura

**7** Completen.

24. Puede ser que es una señora grande pero es una _____ señora también.
25–26. El libro tiene más de _____ páginas pero no tiene _____ capítulos.
27–29. _____ Marta, _____ Diego y _____ Domingo son los nombres de ciudades.

To review shortened forms of adjectives, turn to page 332.

**8** Completen.

30. _____ petróleo es un producto muy importante de Venezuela.
31. Ustedes pueden quitarse _____ corbata si quieren.
32–33. —Hola, _____ doctor Jiménez. ¿Está _____ doctor Quesada?
34–35. Él es _____ banquero pero no sé si es _____ banquero bueno.

To review special uses of articles, turn to pages 333, 334, 335, 336, and 337.

## Assessment

After going over the Assessment, you may administer the test for **Lección 1, Capítulo 7.**

Caracas, Venezuela

VENEZUELA Y COLOMBIA

## ANSWERS TO Assessment

**5**

18. Simón Bolívar aprendió las ideas liberales imperantes en Francia y EE.UU. de un profesor favorito.
19. Al refugiarse en Santo Domingo, Bolívar organizó un nuevo ejército.
20. El gran sueño de Bolívar fue ver unido el continente sudamericano en una sola confederación.

**6** *Answers will vary but may include:*

21. Cartagena, las playas de Boca Chica, la isla de San Andrés, Bogotá, «La Candelaria»
22. Caracas, el Salto Ángel
23. arepas y sancocho

**7**

24. gran
25. cien
26. cien
27. Santa
28. San
29. Santo

30. El
31. la
32. *none*
33. el
34. *none*
35. un

## PREPARATION

### Resource Manager

Vocabulary Transparency V7.3
Audio Activities TE, pages 169–170
Audio CD 7, Tracks 15–17
Workbook, pages 113–114
Quiz, page 101
*ExamView® Assessment Suite*

### Bellringer Review

*Use BRR Transparency 7.4 or write
the following on the board.*
**Completen.**
1. A mí ___ gust___ mucho el
   teatro.
2. A mi hermano Juan ___
   interes___ mucho las artes
   plásticas.
3. A ti ___ gust___ ir al museo.
4. A mí ___ gust___ más los
   cuadros que las estatuas.
5. A nosotros ___ gust___ más el
   teatro pero a nuestros amigos
   Juana y Luis ___ gust___ más los
   filmes.

## PRESENTATION

Vocabulario para
la conversación

**Step 1** You may wish to follow
the suggestions outlined in previous chapters.

You may wish to
use the editable
PowerPoint® pre-
sentation available
on this PowerTeach
CD-ROM for additional vocabulary instruction and practice.

**342**

Vocabulario para la conversación 🎧

el alumbrado, la iluminación

el telón

el decorado, la decoración, la escenografía

el escenario

la taquilla, la boletería

la entrada, la localidad

el paraíso, el gallinero

el palco de platea

el patio de butacas, la butaca

### Más vocabulario

**el elenco** el conjunto o grupo de actores y
actrices en una obra
**el intermedio** el descanso entre dos actos
**el vestuario** la ropa que llevan los actores
**agotado(a)** que no queda

## ¿Qué palabra necesito?

**1** **Historieta** **En el teatro** Contesten según se indica.

1. Para ir al teatro, ¿dónde compra el público sus entradas?
   (en la taquilla)
2. ¿Dónde pueden sentarse?
   (en el patio, en el palco de platea o en el gallinero)
3. ¿Qué entradas son más caras?
   (las del patio)
4. ¿Qué pasa al empezar el espectáculo?
   (se levanta el telón)
5. ¿Quiénes entran en escena?
   (los actores y las actrices)
6. Por lo general, ¿hay un intermedio o un descanso?
   (sí, entre el segundo y el tercer acto)
7. ¿Qué pasa al terminar el espectáculo?
   (cae el telón)

Teatro Metropolitano de Medellín, Colombia

**2** **La palabra apropiada** Den la palabra cuya definición sigue.

1. lugar del teatro donde tiene lugar la acción de la obra o espectáculo
2. los decorados escénicos
3. todo relacionado con las luces
4. conjunto de los vestidos de los actores y actrices
5. conjunto de actores y actrices

**3** **Sinónimos** Den otra palabra.

1. el alumbrado          4. la entrada
2. el decorado           5. el descanso
3. la boletería

VENEZUELA Y COLOMBIA

*trescientos cuarenta y tres* **343**

### PRACTICE

## ¿Qué palabra necesito?

**1** **Actividad 1** can be done orally in class with books closed and no previous preparation.

**2** and **3** Have students prepare **Actividades 2** and **3** and go over them in class.

### Learning from Photos

*(page 343)* El Teatro Metropolitano de Medellín es moderno, inaugurado en 1987, con asientos para 1650 espectadores. Es la sede de la Orquesta Filarmónica de Medellín.

**ANSWERS TO** **¿Qué palabra necesito?**

**1**

1. Para ir al teatro, el público compra sus entradas en la taquilla.
2. Se pueden sentarse en el patio, en el palco de platea o en el gallinero.
3. Las del patio son más caras.
4. Al empezar el espectáculo, se levanta el telón.
5. Los actores y las actrices entran en escena.
6. Sí, hay un intermedio o un descanso entre el segundo y el tercer acto.
7. Al terminar el espectáculo, cae el telón.

**2**

1. el escenario
2. el decorado, la decoración, la escenografía
3. el alumbrado, la iluminación
4. el vestuario
5. el elenco

**3**

1. la iluminación
2. la decoración, la escenografía
3. la taquilla
4. la localidad
5. el intermedio

## National Standards

**Communication**
Students can discuss a visit to a museum and buy tickets to a theater performance.

---

## PREPARATION

### Resource Manager

Audio Activities TE, pages 170–171
Audio CD 7, Tracks 18–19
Workbook, page 114
Quiz, page 102

---

## PRESENTATION

### Conversación

**Step 1** Have students listen to the **Conversación** on the Audio CD.

**Step 2** Call on two students to read the **Conversación** aloud.

**Step 3** Have students make up questions about the conversation. They may call on whomever they want to answer their questions.

You may wish to use the editable PowerPoint® presentation available on this PowerTeach CD-ROM to have students listen to and repeat the Conversation. Additional activities are also provided.

---

## Al museo y al teatro 🎧
### En el Museo del Oro

**Ramón** En mi vida he visto yo tanto oro.
**Sandra** Es increíble, el museo, ¿no? Tiene la colección más grande de oro del mundo.
**Ramón** A mí me da la impresión de estar en un santuario religioso y aquí estamos en medio del bullicio y ajetreo[1] del centro de Bogotá.
**Sandra** A mí me da vergüenza hablar… hay tanto silencio.
**Ramón** Todos se quedan boquiabiertos y no pueden hablar.
**Sandra** ¿Te has fijado en la iluminación?
**Ramón** No puede haber lugar más brillante.
**Sandra** Todas estas máscaras, pulseras, anillos… resplandecen[2] como… pues no hay palabra para expresar lo que quiero decir.
**Ramón** ¡Qué artesanos eran los muisca!
**Sandra** Sí, y los quimbaya también.
**Ramón** Sandra, ¿sabes que ya son las dos y veinte y el museo se cierra a las dos y media? ¡Vamos ya!
**Sandra** La verdad es que no quiero salir.
*(Al salir del museo)*
**Ramón** Esta noche quisiera ver *Evita*. ¿Quieres ir conmigo?
**Sandra** ¿Al Teatro Colón? No creo que queden entradas. Estarán agotadas.
**Ramón** Pero, podemos intentar. A esta hora la taquilla estará abierta. Aun si tenemos que sentarnos en el gallinero.
**Sandra** Mara la vio la semana pasada y me dijo que el elenco era fabuloso— los cantantes, los actores, la orquesta…
**Ramón** ¿Vamos caminando hacia el teatro o quieres tomar el bus?
**Sandra** Vamos caminando.

[1] bullicio y ajetreo *hustle and bustle*
[2] resplandecen *they shine, glow*

---

### Pre-AP SkillBuilder

Listening to this conversation will give students the tools they need to succeed on the listening portion of the AP exam.

*(Al llegar a la taquilla)*

## En el teatro

**Ramón** ¿Tendría disponibles dos plazas para la función de esta noche?

**Taquillero** ¿Prefiere usted butacas de patio o de palco de platea?

**Ramón** ¿Quedan en el patio?

**Taquillero** Sí, pero solamente en las últimas filas.

**Ramón** Mejor luego un palco de platea.

**Taquillero** De acuerdo. Dos butacas en el palco de platea. Son setenta y cinco mil pesos.

**Ramón** ¿A qué hora se levanta el telón?

**Taquillero** A las veinte treinta.

**Ramón** Gracias. ¿Hay intermedio?

**Taquillero** Sí, entre el segundo y el tercer acto.

**Sandra** ¡Qué suerte! Tengo muchas ganas de ver *Evita*. Me encanta la canción «No llores por mí, Argentina».

**Spanish Online**
To learn more about museums in Venezuela and Columbia, do the Chapter 7 **WebQuest** activity on the Glencoe Spanish Web site at glencoe.com.

## ¿Comprendes?

**A El Museo del Oro** Contesten.

1. ¿Qué tiene el Museo del Oro?
2. ¿Qué impresión le da a uno?
3. ¿Dónde está ubicado el museo?
4. ¿Por qué hablan muy poco los visitantes al museo?
5. ¿Qué tipo de joyas hay en el museo?
6. ¿De quiénes son?
7. ¿A qué hora se cierra el museo?
8. ¿Cómo pasa el tiempo en el museo?

**B Una obra de teatro** ¿Sí o no?

1. Están presentando *El fantasma de la ópera* en el Teatro Colón.
2. Sandra cree que aún a última hora habrá muchas entradas disponibles.
3. Los dos deciden ir a la taquilla o boletería aún si quedan sólo localidades de patio.
4. El elenco de la semana pasada no fue muy bueno.
5. Había plazas disponibles en el patio pero sólo en las dos primeras filas.
6. Sandra y Ramón deciden tomar butacas en un palco de platea.
7. El telón cae a las veinte treinta.
8. No hay intermedio.

Teatro Colón, Bogotá

VENEZUELA Y COLOMBIA

## Después de leer

### PRACTICE

## ¿Comprendes?

**A** You can ask the questions from **Actividad A** as you are going over the **Conversación.**

**B** You may allow students to look up the answers to **Actividad B** if they can't recall them. You may also wish to have students correct the false statements.

**Group Activity** Have students work in groups and discuss a movie they saw recently.

### Learning from Photos

*(page 345 right)* Esta Tolima está en el Museo del Oro en Bogotá. El museo alberga más de 34.000 artefactos de oro precolombinos. Es el más importante museo de oro del mundo.

*(page 345 left)* La Orquesta Nacional de Colombia ensaya en el bello e histórico Teatro Colón que se inauguró en 1892 para conmemorar los 400 años desde la llegada de Colón.

## ANSWERS TO ¿Comprendes?

**A**

1. Tiene la colección más grande de oro del mundo.
2. Le da la impresión de estar en un santuario.
3. El museo está ubicado en el centro de Bogotá.
4. Los visitantes hablan muy poco cuando están en el museo porque todos se quedan boquiabiertos.
5. Hay máscaras, pulseras y anillos en el museo.
6. Las joyas son de los muisca y los quimbaya.
7. El museo se cierra a las dos y media.
8. El tiempo en el museo pasa rápido.

**B**

1. No
2. No
3. No
4. No
5. No
6. Sí
7. No
8. No

LECCIÓN 2

# Conversación

## PREPARATION

### Resource Manager

Audio Activities TE, page 172
Audio CD 7, Tracks 20–21
Workbook, pages 114–115
Quiz, page 103
*ExamView® Assessment Suite*

### Bellringer Review

*Use BRR Transparency 7.5 or write the following on the board.*
**Completen.**
1. Mi hermano ___ llama Enrique y ___ llamo ___.
2. ___ sentamos aquí y ___ sientan allí.
3. ___ diviertes mucho, ¿no?
4. ___ llaman Teresa y Magalí.
5. Yo no sé sus nombres. ¿Cómo ___ llaman ___?

## PRESENTATION

### Pronombres con preposición

**Step 1** You may wish to have students read the explanation silently, then read the model sentences aloud in unison.

## PRACTICE

## ¿Cómo lo digo?

**1** and **2** These activities can be done with books open or closed without prior preparation.

### LEVELING

**E:** Structure

**346**

---

# Estructura • Repaso

**P**ronombres con preposición
**Pronouns after prepositions**

*Use your StudentWorks Plus CD for more practice.*

**1.** A prepositional pronoun follows a preposition, **a, de, en, con, sin,** etc. In Spanish, the prepositional pronouns are the same as the subject pronouns except for **mí** and **ti** (**yo** and **tú**).

| SUBJECT PRONOUNS | PREPOSITIONAL PRONOUNS | SUBJECT PRONOUNS | PREPOSITIONAL PRONOUNS |
|---|---|---|---|
| yo | mí | nosotros(as) | nosotros(as) |
| tú | ti | *vosotros(as)* | *vosotros(as)* |
| él | él | ellos | ellos |
| ella | ella | ellas | ellas |
| Ud. | Ud. | Uds. | Uds. |

**Fernando vive cerca de mí.**
**Ellos siempre salen con nosotros.**
**Allí está Josefina. ¿Quién está con ella?**

**2.** The preposition **con** together with **mí** becomes **conmigo,** and **con** together with **ti** becomes **contigo.**

**Yo quería ir a la exposición contigo, pero saliste muy temprano.**
**¿Quieres ir conmigo mañana?**

## ¿Cómo lo digo?

**1** **Historieta** **En la exposición** Contesten con
**sí** y el pronombre apropiado.
1. Estas entradas, ¿son para ustedes?
2. Ese cuadro, ¿es de Botero?
3. ¿Para quién es el cuadro? ¿Para ti?
4. ¿Los videos son para los niños?
5. Después de la exposición, ¿quieres cenar conmigo?
6. ¿Papi reservó una mesa para ti y para mí?
7. ¿Sara va a la exposición contigo?

**2** **Historieta** **El viaje** Contesten según se indica.
Usen pronombres.
1. ¿Quién va a Caracas con usted? (la Sra. Ramírez)
2. ¿El carro es de la Sra. Ramírez? (sí)
3. ¿Los asientos de atrás son para los niños? (no)
4. ¿No? Entonces, ¿son para Tere y para mí? (sí)
5. Y tú, ¿quieres ir con nosotros? (no sé)
6. Pues, ¿quién va contigo? (Andrés)

*El patio, Fernando Botero*

CAPÍTULO 7

---

### Art Connection

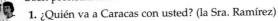

*(page 346)* Botero, el más famoso de los artistas colombianos, nació en Medellín en 1932. Tuvo su primera exposición a la edad de diecinueve años. Las figuras que aparecen en sus cuadros son casi siempre gordas.

## ANSWERS TO ¿Cómo lo digo?

**1**
1. Sí, son para nosotros.
2. Sí, es de él.
3. Sí, es para mí.
4. Sí, son para ellos.
5. Sí, quiero cenar contigo.
6. Sí, papi reservó una mesa para nosotros.
7. Sí, va conmigo.

**2**
1. La Sra. Ramírez va conmigo.
2. Sí, es de ella.
3. No, no son para ellos.
4. Sí, son para ustedes.
5. No sé si quiero ir con ustedes.
6. Andrés va conmigo.

# ¡Te toca a ti!

## Use what you have learned

### 1 Una visita al Museo del Oro

✔ *Discuss a wonderful experience in a museum*

La visita que hicieron Ramón y Sandra al Museo del Oro en Bogotá les entusiasmó mucho. En tus propias palabras, expresa lo que se sentían al visitar este museo y por qué.

### 2 Al teatro

✔ *Talk about getting theater tickets*

Estás en la taquilla de un teatro y quieres entradas para ti y algunos amigos. Ten una conversación con el/la taquillero(a), [tu compañero(a)].

### 3 Una visita personal

✔ *Tell about any visit you have made to a museum*

Es posible que alguna vez hayas visitado un museo. Describe tu visita —lo que viste, si te gustó, etc. Si no has visitado nunca un museo, trata de buscar información sobre un museo que no esté muy lejos de donde vives.

*Avenida Abraham Lincoln, Caracas, Venezuela*

Venezuela

### 4 Una obra teatral o una película

✔ *Tell about a night at the theater or movies*

Describe una experiencia que tuviste alguna vez o en un teatro o en un cine.

### 5 Un cartel para nuestro club dramático

✔ *Prepare a poster for your school's drama club*

El club dramático de tu escuela va a presentar una obra. La van a presentar dos veces—un viernes por la noche y un sábado por la noche. Prepara un cartel anunciando el evento e incluye toda la información necesaria.

VENEZUELA Y COLOMBIA

*trescientos cuarenta y siete* 347

---

 **Recycling**

These activities allow students to use the vocabulary and structure from this lesson in completely open-ended, real-life situations.

## PRESENTATION

Encourage students to say as much as possible when they do these activities. Tell them not to be afraid to make mistakes, since the goal of these activities is real-life communication. If someone in the group makes an error, allow the others to politely correct him or her. Let students choose the activities they would like to do.

You may wish to divide students into pairs or groups. Encourage students to elaborate on the basic theme and to be creative. They may use props, pictures, or posters if they wish.

## Art Connection

*(page 347 top)* Este cuadro nos da una impresión de la vida nocturna del centro de Caracas.

You may wish to use the editable PowerPoint® presentation available on this PowerTeach CD-ROM for additional grammar instruction and practice.

---

## ANSWERS TO ¡Te toca a ti!

*Answers will vary.*

## Writing Development

Have students keep a notebook or portfolio containing their best written work from each chapter. These selected writings can be based on assignments from the Student Textbook and the Workbook. The activities on this page are examples of writing assignments that may be included in each student's portfolio.

## Assessment

### Resource Manager

Assessment Transparency A7.2
Online Quiz
Tests, pages 208–209 and 215–235
*ExamView® Assessment Suite*

### Assessment

This is a pretest for students to take before you administer the lesson test. Answer sheets for students to do these pages are provided in the transparencies. Note that each section is cross-referenced so students can easily find the material they have to review in case they made errors. You may wish to collect these assessments and correct them yourself or you may prefer to have the students correct themselves in class. You can go over the answers orally or project them on the overhead, using your Assessment Answers transparencies.

### Reaching All Students

**Non-Mastery Students**
Encourage students who need extra help to refer to the yellow notes and review any section before answering the questions.

### Tutorial

You may wish to have students create mnemonic devices to help them learn the chapter vocabulary. This may be especially helpful for non-mastery students.

# Vocabulario

**1** **Den la palabra.**

1. la localidad
2. la boletería
3. la iluminación
4. los trajes de los actores
5. que no queda
6. el conjunto de actores en una obra

> To review vocabulary, turn to page 342.

**2** **Completen.**

7. No quedan entradas. Están _____.
8. No me gusta sentarme en el gallinero. Prefiero el _____ de butacas.
9. Hay un _____ corto entre los actos.
10. Al terminar el espectáculo el _____ cae.
11. Los señores compran sus entradas en la _____.

# Conversación

> To review the conversation, turn to pages 344–345.

**3** **Contesten.**

12. ¿Dónde está el Museo del Oro?
13. ¿Qué impresión le da a uno estar en este museo?
14. ¿Qué objetos de oro hay en el museo?
15. ¿Cuál es un grupo indígena de Colombia?

 ANSWERS TO Assessment

**1**     **2**    **3**

1. la entrada
2. la taquilla
3. el alumbrado
4. el vestuario
5. agotado(a)
6. el elenco

7. agotadas
8. patio
9. intermedio
10. talón
11. taquilla, boletería

12. El Museo del Oro está en el centro de Bogotá.
13. Estar en este museo le da la impresión de estar en un santuario religioso.
14. Hay máscaras, pulseras y anillos.
15. los muisca, los quimbaya

## 4 ¿Sí o no?

16. Después de visitar el museo Ramón y Sandra fueron al cine.
17. Las entradas estaban agotadas.
18. Ellos tuvieron que sentarse en el gallinero.
19. Las entradas más caras son las de las butacas del paraíso.
20. «No llores por mí, Argentina» es una canción del espectáculo *Evita.*

To review the conversation, turn to pages 344–345.

# Estructura

## 5 Contesten con pronombres.

21. ¿Son para *Juan* las entradas?
22. ¿Te habló de *los actores?*
23. ¿Han hablado con *ustedes?*
24. ¿Quieres ir *conmigo?*
25. ¿Es para *mí* esta máscara de «oro»?

To review prepositional pronouns, turn to page 346.

Bogotá, Colombia

VENEZUELA Y COLOMBIA

### Assessment

After going over the Assessment, you may administer the test for **Lección 2, Capítulo 7.**

### Learning from Photos

*(page 349)* Esta vista de Bogotá fue tomada desde la cordillera al este de la ciudad. La cordillera limita la expansión de la ciudad en esa dirección. Así es que va extendiéndose al oeste y al norte.

---

## ANSWERS TO Assessment

**4**

16. No
17. No
18. No
19. No
20. Sí

**5**

21. Sí, son para *él.*
22. Sí, me habló de *ellos.*
23. Sí, han hablado con *nosotros(as).*
24. Sí, quiero ir *contigo.*
25. Sí, es para *ti.*

349

LECCIÓN 3
# Periodismo

## PREPARATION

### Resource Manager

Vocabulary Transparency V7.4
Audio Activities TE, pages 173–174
Audio CD 7, Tracks 22–24
Workbook, page 116
Quiz, page 104
*ExamView® Assessment Suite*

### Bellringer Review

*Use BRR Transparency 7.6 or write the following on the board.*
**Escriban una lista de cosas que se ven en una sala de clase.**

## PRESENTATION

### Vocabulario para la lectura

**Step 1** You may wish to ask some additional questions to have students use the new words. **¿Hay un papelógrafo en la sala de clase? ¿Dónde está? ¿Hay muchos afiches en la sala de clase? ¿Dónde están? ¿Hay algunos profesores que son despistados? Y, ¿hay alumnos que son despistados? ¿Le agradeces a un amigo que ha hecho algo para ti? ¿Logras recibir buenas notas?**

## PRACTICE

## ¿Qué palabra necesito?

**1** This activity can be done without previous preparation.

**2** and **3** Have students prepare these activities and then go over them in class.

350

---

## Vocabulario para la lectura 🎧
### Maestros de éste y de otros mundos

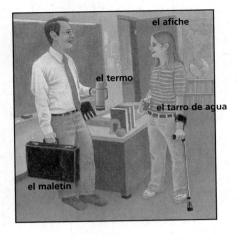

el afiche
el termo
el tarro de agua
el maletín

el papelógrafo

### Más vocabulario

**despistado(a)** desorientado, confuso
**detenidamente** lentamente, con cuidado, sin prisa
**agradecer** expresar gratitud
**desinflarse** salir el aire de un globo, una llanta, etc.
**lograr** alcanzar, obtener, conseguir

## ¿Qué palabra necesito?

**1**  **Yo** Contesten personalmente.

1. ¿Te gusta mirar afiches turísticos?
2. ¿Llevas un termo a la escuela?
3. ¿Siempre escribe tu profesor(a) de español en la pizarra o usa a veces un papelógrafo?
4. Yo sé que yo les agradezco a mis amigos si hacen algo por mí. Y tú, ¿les agradeces también si hacen algo por ti?
5. ¿Logras realizar todos tus sueños?
6. ¿Puedes ser una persona despistada o siempre sabes exactamente lo que estás haciendo y por qué?
7. ¿Haces tus tareas detenidamente?

**2** **Otra palabra** Den una palabra relacionada.

1. la pista
2. el papel
3. el agradecimiento
4. el logro

**3** **En mi sala de clase hay...** ¿Cuál es la palabra?

1. un trípode con papel grande donde el profesor escribe y dibuja
2. un tipo de botella que mantiene los líquidos o fríos o calientes
3. un cartel o papel grande con vistas de Venezuela

Use your **StudentWorks Plus™** CD for more practice.

350 ⚙ *trescientos cincuenta*

CAPÍTULO 7

---

## Answers to ¿Qué palabra necesito?

**1**

1. Sí, (No, no) me gusta mirar afiches turísticos.
2. Sí, (No, no) llevo un termo a la escuela.
3. Mi profesor(a) de español siempre escribe en la pizarra. Mi profesor(a) de español usa a veces un papelógrafo.
4. Sí, (No, no) les agradezco si hacen algo por mí.
5. Sí, (No, no) logro realizar todos mis sueños.
6. Yo puedo ser una persona despistada./Siempre sé exactamente lo que estoy haciendo y por qué.
7. Sí, (No, no) hago mis tareas detenidamente.

**2**

1. despistado(a)
2. el papelógrafo
3. agradecer
4. lograr

**3**

1. un papelógrafo
2. un termo
3. un afiche

## el COLOMBIANO

Medellín, Antioquia, Colombia

# Maestros de éste y otros mundos

Mañana se celebrará el tradicional Día del Maestro. Esta es la oportunidad de agradecerles a tus profesores por la labor que hacen a diario y por enseñarte tantas cosas. Como sabemos que ellos son muy diversos, te traemos este test (entre lo loco y lo más normal) para que descubras de qué tipo es tu maestro.

**1.** Lo primero que hace tu maestro (a) al llegar al salón es:
**a.** Dirigir unos ejercicios para despertar. Terminas saltando tanto que se te cae hasta la gomina[1].
**b.** Simplemente mira a todos detenidamente y saluda.
**c.** Antes de que puedas sacar tu cuaderno ya tiene el tablero sin un espacio más para escribir.

**2.** En el recreo él o ella:
**a.** Encabeza un buen juego de baloncesto, fútbol o lo que sea para estar en movimiento.
**b.** Revisa que todos coman su media mañana[2] y que todos logren abrir sus termos sin problema.
**c.** Se sienta con un grupo a hablar de las fórmulas matemáticas que se aplican en el patio de recreo.

**3.** Siempre lleva con él o ella:
**a.** Un tarro de agua, una mochila y un mapa del colegio, por si llega a perderse.
**b.** Un maletín lleno de libros, la lista de alumnos y un texto de frases para usar en clase.
**c.** Una caja extra de tizas de colores para evitar emergencias de último minuto.

**4.** Para explicar un tema como el movimiento de la Tierra, tu maestro:
**a.** Los lleva corriendo alrededor del colegio a las 12:00 del mediodía para que sientas de cerca lo que pasa en la Tierra.
**b.** Trae el globo terráqueo de la biblioteca que ya comenzó a desinflarse.
**c.** Llena el salón de afiches terrestres, mapas y en un segundo pinta un completo diagrama en el papelógrafo.

**5.** Si le regalas una manzana:
**a.** Se la come inmediatamente para recargar energías.
**b.** La guarda en su maletín para comérsela luego de ser debidamente pelada y lavada.
**c.** La usa como motivo para hacer un ejercicio en clase y pintar la manzana desde 20 ángulos diferentes.

[1] gomina    *hair gel*
[2] media mañana    *mid-morning snack*

VENEZUELA Y COLOMBIA

*trescientos cincuenta y uno* ✦ **351**

## Lectura

### 🌸 National Standards

**Communication**
Students will be able to describe personality traits.

### PREPARATION

## Resource Manager

Audio Activities TE, pages 174–175
Audio CD 7, Track 25
Workbook, page 116
*ExamView® Assessment Suite*

### PRESENTATION

**Step 1** Have students read this selection and take the quiz silently as if they were actually reading the newspaper. You may wish to assign this for homework.

**Step 2** If, however, you think students will find it funny, you may want to read the article in class.

**Step 3** You may wish to ask students in what category they put you. ¡Le toca a usted!

**LEVELING**
**E–A:** Reading

# Reaching All Students

## Kinesthetic Learners
You may wish to ask kinesthetic learners to work in a small group and make up a short skit about a true-life situation using the new vocabulary.

## Teacher NOTE
You may also introduce some of the **Estructura** section of this lesson as you are doing the readings or you may wish to do the **Estructura** all at once.

LECCIÓN 3
Periodismo

**Pre-AP SkillBuilder**

As students read these **Lecturas,** they will continue to develop the skills they need to be successful on the reading and writing sections of the AP exam.

6. En un paseo ecológico que hace a una montaña tu profesor(a).
   a. Planea más de 50 actividades para explorar el terreno y convertir a todos en un Róbinson.
   b. Lleva cargas de protector solar y repelente y prefiere analizar el sector desde la sombra y con la ayuda de su telescopio.
   c. Les cuenta a todos como encontró allí 678.000 especies de animales en sólo quince minutos.

## Respuestas

### Mayoría a:

Tu profe es de la llamada especie de los Súper Energizados. Son capaces de correr, saltar, dictar clase y aún así no pierden el entusiasmo. Aunque a veces son un poco despistados y exagerados, son capaces de contagiar a todos con su alegría. Para él o ella, su palabra clave es moverse.

### Mayoría b:

Aunque creas que es un poco tradicional y serio, este tipo de profesor quiere que aprendas y que aproveches el cole[3]. Si crees que a veces sus estrategias no son las mejores, habla con él o ella y te darás cuenta que es una persona simpática y maravillosa, que quiere sólo que seas una buena persona.

### Mayoría c:

Tu maestro(a) pertenece a los hiperactivos académicos que no quieren perder ni un minuto. A veces es difícil llevarles el ritmo, pero con él o ella logras conocer muchas cosas interesantes y sorprendentes. Con ellos es mejor que desayunes bien y que recargues tu cerebro.

[3] cole  *escuela*

## ¿Comprendes?

**A** **Historieta** **Los maestros** Contesten.

1. ¿Cuál es el motivo para el artículo?
2. ¿Quiénes son muy diversos, según el autor?
3. ¿Cuál es el propósito del «test»?
4. ¿De qué grados serán los maestros que describe el artículo?
5. ¿Cuántos tipos de maestros describe en total?

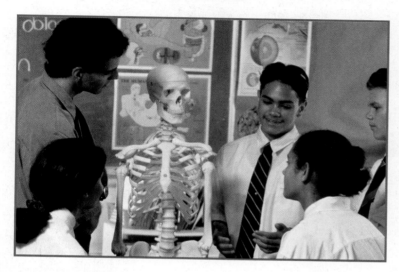

**B** **¿De qué tipo es?** Escojan.

**a. Súper energizado   b. Tradicional y serio   c. Híperactivo académico**

1. Lleva un mapa de la escuela y una mochila además de un tarro de agua.
2. En el recreo dirige algún deporte para que todos se muevan.
3. Durante un paseo ecológico tiene planeadas muchas actividades de exploración.
4. Al comenzar una clase tiene el tablero lleno de apuntes.
5. Para explicar el movimiento de la Tierra hace que los estudiantes corran alrededor de la escuela al mediodía.
6. A la hora del recreo se asegura de que todos los alumnos coman y les ayuda a abrir los termos.
7. Si le das una manzana la emplea para dar una lección.

**Después de leer**

> ### PRACTICE

## ¿Comprendes?

**A** and **B** You may wish to have students prepare **Actividades A** and **B** before going over them orally in class.

---

### Learning from Photos

*(page 353)* You may wish to ask students the following questions about the photograph.
**¿Dónde están estas personas?**
**¿Qué son ellos?**
**¿Qué tipo de clase será?**
**¿Qué es lo que miran?**

---

## ANSWERS TO ¿Comprendes?

**A**

1. El motivo del artículo es el tradicional Día del Maestro.
2. Los maestros son muy diversos.
3. El propósito del test es descubrir qué tipo de maestros tienes.
4. Los maestros que describe el artículo serán de una escuela elemental o primaria.
5. Describe tres tipos de maestros en total.

**B**

1. a
2. a
3. a
4. c
5. a
6. b
7. c

**353**

## National Standards

**Communication**
Students will be able to discuss some dangers that can be created by a chemical we use every day. They will also learn to identify some health problems.

## PREPARATION

### Resource Manager

Vocabulary Transparency V7.5
Audio Activities TE, pages 175–176
Audio CD 7, Tracks 26–28
Workbook, page 117
Quiz, page 106
ExamView® Assessment Suite

### Bellringer Review

*Use BRR Transparency 7.7 or write the following on the board.*
**Escriban una lista de enfermedades que ya han aprendido a identificar en español.**

## PRESENTATION

### Vocabulario para la lectura

**Step 1** Have students repeat the new vocabulary after you.

**Step 2** Call on students to read the new words and definitions.

## PRACTICE

# ¿Qué palabra necesito?

**1** You may wish to go over this activity without any previous preparation.

---

# Vocabulario para la lectura 🎧
**La gasolina**

la manguera

el depósito

un envase

## Más vocabulario

**el combustible** la gasolina o el gasoil
**la escasez** la insuficiencia, la falta
**el riesgo** el peligro
**la secuela** la consecuencia, el efecto, el resultado

# ¿Qué palabra necesito?

**1** **Historieta** **En la gasolinera** Completen.

1. La gasolinera vende gasolina y gasoil, dos tipos de _____.
2. Lo que pasa es que hay una _____ de gasolina, no hay bastante.
3. Los _____ de gasolina están vacíos.
4. Y la gente echa la gasolina en botellas y otros _____ inadecuados.
5. Y otros usan una _____ para sacar la gasolina de un coche para llevarla a otro.
6. Ellos corren el _____ de enfermarse o quemarse.
7. Una de las _____ de la enfermedad es la muerte.

Caracas, Venezuela

CAPÍTULO 7

---

POWERTEACH
*Interactive*
*Chalkboard*

You may wish to use the editable PowerPoint® presentation available on this PowerTeach CD-ROM for additional vocabulary instruction and practice.

ANSWERS TO  ¿Qué palabra necesito?

**1**
1. combustible
2. escasez
3. depósitos
4. envases
5. manguera
6. riesgo
7. secuelas

## EL COLOMBIANO

Medellín, Antioquia, Colombia

# LA GASOLINA

Con la actual situación de escasez de combustible, muchas personas se han visto obligadas a manipular la gasolina de una manera inusual. Algunos la transportan libremente en envases no adecuados, otros introducen mangueras en los tanques de los carros para sacarla y traspasarla a otro automóvil. Pero, ¿sabemos realmente lo que es la gasolina? ¿Estamos conscientes de los riesgos para la salud que implica su manipulación?

La gasolina es un destilado del petróleo preparado por fraccionamiento del crudo, que contiene hidrocarburos de diferentes tipos, y que se utiliza como combustible para vehículos. La intoxicación por ingestión de gasolina se asemeja a la del alcohol etílico, produciendo incoordinación, inquietud, excitación, confusión, desorientación, delirio y, por último, coma, el cual puede durar horas o días. La inhalación de concentraciones altas de vapores de gasolina, como la que sufren los trabajadores que limpian tanques de depósito si no toman las precauciones debidas, puede causar la muerte inmediata. Los vapores mencionados sensibilizan al miocardio (el músculo del corazón), al grado en el que cantidades muy pequeñas de la adrenalina que normalmente circula

en la sangre pueden desencadenar fibrilación ventricular, una arritmia de consecuencias fatales si no se revierte en segundos o pocos minutos. Las concentraciones altas de vapores de gasolina también ocasionan depresión rápida del sistema nervioso central y muerte por insuficiencia respiratoria. Si se inhalan concentraciones altas por varias horas, puede ocurrir neumonitis (inflamación del tejido pulmonar).

La intoxicación por estos hidrocarburos es consecuencia de inhalación de los vapores o de ingestión de la forma líquida. Esta última forma es la más peligrosa, porque los líquidos tienen baja tensión superficial y pueden ser broncoaspirados más facilmente en vías respiratorias por vómito o eructos[1]. La secuela más grave de la broncoaspiración es la nemonitis química complicada por neumonía bacteriana y edema pulmonar secundario. El sujeto muere por edema pulmonar hemorrágico en el término de las primeras 24 horas si no hay tratamiento.

Por último, la exposición por largo plazo a la gasolina tiene la posibilidad de causar leucemia[2], debido a que contiene cerca de 2% de benceno.

Como se puede apreciar, el manejo inadecuado de la gasolina no sólo puede producir quemaduras, sino otros trastornos potencialmente fatales, así que usémosla con el cuidado que merece[3].

[1] eructos  *burps*
[2] leucemia  *leukemia*
[3] merece  *it deserves*

## Lectura

### National Standards

**Connections**
Students further their knowledge of science and health by reading this article concerning the hazards of gasoline.

---

## PREPARATION

### Resource Manager

Audio Activities TE, page 177
Audio CD 7, Track 29
Workbook, page 117
Quiz, page 107

---

## PRESENTATION

**Step 1** You may wish to call on students to read some paragraphs aloud. You may have them read others silently. Or, you may wish to have students read the entire article silently.

**Step 2** You may wish to intersperse questions from **Actividad A** as students read.

## Learning from Photos

*(page 354 bottom right)* You may wish to ask students the following questions about the photograph.
**¿Es una bomba de gasolina?**
**¿Cuál es el combustible?**
**¿Para qué uso es?**

## Después de leer

### PRACTICE

# ¿Comprendes?

**A** It is suggested that you also have students write the answers to **Actividad A.**

**B** Give students a chance to prepare this activity before going over it in class.

**C** You may wish to go over this activity as a total class discussion.

# ¿Comprendes?

**A** **La gasolina** Contesten.

1. ¿Cuál es la «situación actual» a la que se refiere el autor?
2. ¿Cuáles son algunas formas «inusuales» que emplea la gente al manipular la gasolina?
3. Según el artículo, ¿cómo se define la gasolina?
4. ¿Qué produce la intoxicación por ingestión de gasolina?
5. ¿Qué puede causar la muerte inmediata?
6. ¿De qué muere la persona que sufre la broncoaspiración de gasolina en forma de líquido?
7. Como la gasolina contiene benceno, ¿qué puede causar la exposición a ella a largo plazo?

**B** **Poder verbal** En el artículo busquen todas las palabras que tienen que ver con la anatomía o enfermedades serias.

**C** **Síntesis** ¿Cuál es el mensaje o la idea principal del artículo que escribió el Dr. Salvetti?

## ANSWERS TO ¿Comprendes?

**A**

1. El autor se refiere a la escasez de combustible.
2. Algunas maneras inusuales de manipular la gasolina son transportarla libremente en envases no adecuados e introducir mangueras en los tanques de los carros para sacar y traspasar gasolina a otro automóvil.
3. Según el artículo, la gasolina se define como un destilado del petróleo preparado por fraccionamiento del crudo y que se utiliza como combustible para vehículos.
4. La intoxicación por ingestión de gasolina se asemeja a la del alcohol etílico, produciendo incoordinación, inquietud, excitación, confusión, desorientación, delirio y, por último, coma.
5. La inhalación de concentraciones altas de vapores de gasolina puede causar la muerte inmediata.

# Estructura • Avanzada

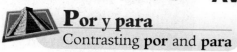

## Por y para
### Contrasting por and para

**1.** The prepositions **por** and **para** have specific uses in Spanish and are not interchangeable. They are often translated as *for*. However, **por** and **para** express many ideas in addition to *for*.

**2.** The preposition **para** is used to indicate destination or purpose.

| | |
|---|---|
| **El avión salió para Bogotá.** | *The plane left for Bogotá.* |
| **La manzana es para la maestra.** | *The apple is for the teacher.* |
| **Ella estudia para médica.** | *She is studying to be a doctor.* |

Bogotá, Colombia

**3.** The preposition **por,** in contrast to **para,** is less precise, conveying the idea of *through, by,* or *along,* rather than a specific destination.

| | |
|---|---|
| **Ellos viajaron por Colombia y Venezuela.** | *They traveled through Colombia and Venezuela.* |
| **El barco pasó por las costas de Panamá.** | *The ship passed by the shores of Panama.* |
| **El combustible pasó por la manguera.** | *The fuel went through the hose.* |

**4. Por** also can mean *on behalf of, in favor of,* and *instead of.*

| | |
|---|---|
| **Compré el afiche para mi hermano.** | *I bought the poster for my brother. (I´m going to give it to him as a gift.)* |
| **Compré el afiche por mi hermano.** | *I bought the poster for my brother. (He couldn´t go out to get it, so I went for him.)* |

**5.** The preposition **por** after the verbs **ir, mandar, volver,** and **venir** indicates purpose or intent.

| | |
|---|---|
| **El niño fue por agua.** | *The boy went for water.* |
| **Ellos mandaron por el médico.** | *They sent for the doctor.* |

VENEZUELA Y COLOMBIA

---

## ANSWERS TO ¿Comprendes?

**6.** La persona que sufre la broncoaspiración de gasolina en forma de líquido muere por edema pulmonar hemorrágico.

**7.** La exposición a gasolina a largo plazo puede causar leucemia.

**B** *Answers will vary.*

**C** *Answers will vary.*

---

## PREPARATION

### Resource Manager

Workbook, pages 117–118
Audio Activities TE, pages 178–180
Audio CD 7, Tracks 30–35
Quiz, page 108
ExamView® Assessment Suite

### Bellringer Review

*Use BRR Transparency 7.8 or write the following on the board.*
**Completen.**

1. Yo quiero ___ a Venezuela. (ir)
2. Yo quiero que tú ___ conmigo. (ir)
3. Yo quiero ___ a mis parientes que viven en Venezuela. (visitar)
4. Ellos quieren que yo ___ para el cumpleaños de mi prima. (estar)
5. ¿Qué dices? ¿Tú quieres ___ el viaje conmigo? (hacer)

## PRESENTATION

### Por y para

**Step 1** Have students read through the explanation once silently.

**Step 2** Call on individuals to read the explanatory material aloud and have all students repeat the model sentences aloud in unison.

**Step 3** Explain to students that the more they practice using **por** and **para,** the easier it will be. You may wish to explain to them, however, that it is a very tricky point and gives non-native speakers of Spanish some trouble. Some native speakers even have to decide whether it's **por** or **para.** Again, this is a point where practice makes "almost perfect."

### LEVELING
**C:** Structure

**357**

## PRACTICE

## ¿Cómo lo digo?

**1** and **2** You may wish to have students prepare these activities before going over them in class.

### Learning from Photos

(page 358 top) Como todos los pueblos y ciudades de Venezuela y Colombia, Bogotá tiene su Plaza Bolívar en pleno corazón de la ciudad. Aquí hay pocos vestigios de la colonia. La plaza, tristemente, ha sido escenario de violentos y trágicos episodios.
(page 358 bottom) Los domingos la Plaza Bolívar se cierra al tránsito y se llena de peatones, ciclistas y puestos de comida.

### FUN·FACTS

En Bogotá las «calles» van de este a oeste. Las «carreras» van de norte a sur.

You may wish to use the editable PowerPoint® presentation available on this PowerTeach CD-ROM for additional grammar instruction and practice.

---

## ¿Cómo lo digo?

**1** Historieta   **Catalina sale para Caracas.**
Contesten.

1. ¿Va a salir para Caracas Catalina?
2. ¿Va a viajar por Venezuela?
3. ¿Va a estudiar para médica en Caracas?
4. ¿Va a andar por la Plaza Bolívar?
5. ¿Va a comprar regalos para sus padres?
6. Algunos amigos necesitan regalos para una boda, ¿le dieron dinero para que los comprara por ellos?

Plaza Bolívar, Caracas, Venezuela

**2** Historieta   **El mercado**   Completen.

1. Hoy yo salí _____ el mercado a las ocho de la mañana.
2. Marta no pudo ir, así que yo fui _____ ella.
3. Cuando salí del mercado, di un paseo _____ el centro de Bogotá.
4. Pasé _____ las elegantes tiendas del Centro Internacional.
5. Entré en una de las tiendas y compré unas esmeraldas _____ mi madre.
6. Cuando volví a casa, el hijo de Marta vino _____ las cosas que yo le había comprado.

Casco viejo, Bogotá, Colombia

CAPÍTULO 7

---

## ANSWERS TO ¿Cómo lo digo?

**1**
1. Sí (No), Catalina (no) va a salir para Caracas.
2. Sí, (No, no) va a viajar por Venezuela.
3. Sí, (No, no) va a estudiar para médica en Caracas.
4. Sí, (No, no) va a andar por la Plaza Bolívar.
5. Sí, (No, no) va a comprar regalos para sus padres.
6. Sí, (No, no) le dieron dinero para que los comprara por ellos.

**2**
1. para
2. por
3. por
4. por
5. para
6. por

## Por y para con expresiones de tiempo
### Expressing duration

**1.** The preposition **para** is used to indicate a deadline, a specific end time.

| | |
|---|---|
| **Ellos tienen que estar en Maracaibo para el día ocho.** | *They have to be in Maracaibo by the eighth.* |

**2. Por** in contrast to **para,** is used to define a period of time.

| | |
|---|---|
| **Van a estar en Venezuela por una semana.** | *They are going to be in Venezuela for a week.* |

**3. Por** is also used to express an indefinite time.

| | |
|---|---|
| **Creo que ellos volverán por diciembre.** | *I think they´ll return around December.* |

## ¿Cómo lo digo?

**3** **¿Para cuándo y por cuánto tiempo?** Contesten.

1. ¿Pueden ustedes llegar para las ocho?
2. ¿Y pueden tener los resultados para mañana?
3. Cuando vienen ustedes mañana, ¿pueden quedarse aquí por una semana?
4. La última vez que vinieron, ustedes estuvieron por dos semanas, ¿no?
5. ¿Piensan ustedes volver otra vez por Navidad?

**4** **Historieta** **Bogotá** Completen.

Los españoles salieron __1__ las Américas en el siglo XV. Gobernaron en Sudamérica __2__ cuatro siglos. Viajaron __3__ todo el continente. Por eso, si haces un viaje __4__ Sudamérica hoy, verás la influencia española __5__ todas partes. __6__ ver ejemplos de esta influencia sólo tienes que caminar __7__ las calles del casco viejo de Caracas o Bogotá.

Yo tengo que preparar un informe sobre Colombia y salgo __8__ Bogotá mañana. Estaré allí __9__ una semana. Tengo dinero que me dio mi tía __10__ comprar unas esmeraldas. Ella no puede ir a Bogotá así es que yo las compraré __11__ ella. No puedo quedarme en Bogotá __12__ más de una semana. Tengo que estar en mi pueblo __13__ el viernes que viene cuando tengo examen.

La Candelaria, Bogotá, Colombia

---

## PRESENTATION

### Por y para con expresiones de tiempo

**Step 1** Have students read the explanation silently and then have them repeat the model sentences aloud.

## PRACTICE

## ¿Cómo lo digo?

**3** This activity can be done orally without prior preparation.

**4** You may wish to have students collaborate on this activity in pairs, giving them time in class to prepare it.
**Expansion:** Call on pairs to offer their choices for **Actividad 4** and ask them to defend their position.

### Learning from Photos

*(page 359)* Al este de la Plaza Bolívar comienza el barrio de la Candelaria, la parte más antigua de Bogotá, con muchas casas y edificios coloniales.

**LEVELING**
**C:** Structure

---

## Answers to ¿Cómo lo digo?

**3**

1. Sí, (No, no) podemos llegar para las ocho.
2. Sí, (No, no) podemos tener los resultados para mañana.
3. Sí, (No, no) podemos quedarnos allí por una semana.
4. Sí, (No, no) estuvimos por dos semanas.
5. Sí, (No, no) pensamos volver otra vez por Navidad.

**4**

| | |
|---|---|
| 1. para | 8. para |
| 2. por | 9. por |
| 3. por | 10. para |
| 4. por | 11. por |
| 5. por | 12. por |
| 6. Para | 13. para |
| 7. por | |

LECCIÓN 3
# Periodismo

## PRESENTATION

### Por y para con el infinitivo

**Step 1** Have students read the explanation and the model sentences aloud.

## PRACTICE

### ¿Cómo lo digo?

**5** This activity can be done orally with books closed immediately after the reading of Items 1–4.

**6** Give students a few minutes to look over this activity and then call on individuals to go over it orally.

### Learning from Photos

*(page 360 top)* Caracas goza de varias importantes bibliotecas. La más grande es la Biblioteca Nacional. La segunda es esta, la Biblioteca metropolitana Simón Rodríguez. Los estudiantes están en la sección de ciencias y tecnología.

## LEVELING

**C:** Structure

---

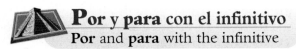

## Por y para con el infinitivo
### Por and para with the infinitive

1. When followed by an infinitive, **para** expresses purpose and means *in order to.*

| | |
|---|---|
| **Tengo que ir a la biblioteca para hacer mis investigaciones.** | *I have to go to the library (in order) to do my research.* |

2. When **por** is followed by an infinitive, it expresses what remains to be done.

| | |
|---|---|
| **Me queda mucho por hacer.** | *There is still a lot to do (to be done).* |

3. The expression **estar para** means *to be about to* or *to be ready to.*

| | |
|---|---|
| **Ellos están para salir pero no sé lo que van a hacer porque está para llover.** | *They are about (ready) to leave, but I don't know what they are going to do because it is about to rain.* |

4. The expression **estar por** means *to be inclined to.* It does not mean that the action will immediately take place.

| | |
|---|---|
| **Estoy por salir porque hace buen tiempo.** | *I'm in the mood to go out because the weather is nice.* |

Biblioteca metropolitana, Caracas, Venezuela

### ¿Cómo lo digo?

 **5** **¿Estás listo(a) o dispuesto(a)… ?** Contesten.

1. ¿Quieres ir a tu cuarto para estudiar?
2. ¿Tienes que preparar un informe para obtener una buena nota?
3. ¿Estás para trabajar o para divertirte?
4. Para el informe, ¿te queda mucho por hacer?
5. ¿Fuiste a la biblioteca por los libros que te hacían falta?
6. Yo estoy para salir. ¿Estás para salir también?

La Candelaria, Bogotá, Colombia

**6** **Historieta** **¿Listos?** Completen.

1. Ya nos bañamos y nos vestimos y estamos listos _____ salir.
2. ¡Ay, pero mira! Está _____ llover.
3. Tendremos que subir _____ el paraguas.
4. Queremos ir a la Candelaria para comer. _____ ir allí hay que tomar un taxi porque no hay un bus que pase _____ allí ahora.
5. ¿Crees que debo llamar _____ hacer una reservación?
6. Estamos _____ divertirnos. Después de comer vamos a bailar en La Cantina.

---

## ANSWERS TO ¿Cómo lo digo?

 **5**

1. Sí, (No, no) quiero ir a mi cuarto para estudiar.
2. Sí, (No, no) tengo que preparar un informe para obtener una buena nota.
3. Estoy para trabajar (divertirme).
4. Sí, (No, no) me queda mucho por hacer.
5. Sí, (No, no) fui a la biblioteca por los libros que me hacían falta.
6. Sí, (No, no) estoy para salir.

 **6**

1. para
2. para
3. por
4. Para, por
5. para
6. por

# Otros usos de por y para
Other uses of **por** and **para**

**1. Para** is used to express a comparison.

| | |
|---|---|
| **Para colombiano él habla muy bien el inglés.** | *For a Colombian, he speaks English very well.* |
| **Y para americano Roberto habla muy bien el español.** | *And for an American, Robert speaks Spanish very well.* |

**2. Por** is used to express means, manner, or motive.

| | |
|---|---|
| **La carta llegó por correo aéreo.** | *The letter arrived by air mail.* |
| **Bolívar y Miranda lucharon por la libertad.** | *Bolívar and Miranda fought for freedom.* |

**3. Por** is used to express in exchange for.

| | |
|---|---|
| **Él me pagó cien dólares por el trabajo que hice.** | *He paid me a hundred dollars for the work I did.* |
| **Él cambió pesos por dólares.** | *He exchanged pesos for dollars.* |

**4. Por** is also used to express an opinion or estimation.

| | |
|---|---|
| **Yo lo tomé por francés pero es español.** | *I took him for French but he is Spanish.* |

**5. Por** is used to indicate measure or number.

| | |
|---|---|
| **Los tomates se venden por kilo.** | *They sell tomatoes by the kilo.* |
| **Este avión vuela a 1.000 kilómetros por hora.** | *This plane flies 1,000 kilometers per hour.* |

Leticia, Colombia

VENEZUELA Y COLOMBIA

---

## PRESENTATION

### Otros usos de por y para

**Step 1** Have students read through Items 1–5. Then have the class repeat the model sentences aloud in unison.

---

**Learning from Photos**

*(page 361)* You may wish to ask students the following question about the photograph.
**¿Qué frutas y vegetales ven ustedes en la foto?**

---

**LEVELING**

**C:** Structure

---

## Reaching All Students

**Kinesthetic Learners**
To help kinesthetic learners practice some uses of **por** and **para**, turn the classroom into a map of South America. Write the name of each country on the board or on a piece of paper in the approximate spot where it would be located. Have students "travel" to different countries by walking to the spot where the name is written. «**Voy para Perú**». «**Viajo por Colombia**». «**Voy a estar en Colombia por tres semanas.**» Encourage students to use **por** and **para** to give additional information about this fictional voyage.

**361**

## PRACTICE

### ¿Cómo lo digo?

 **7**, **8**, and **9** You may wish to assign these activities for homework before going over them the following day. Call on more able students to defend their selections.

**¡OJO!** Since students can never get enough practice with **por** and **para**, you may wish to go over all the activities a second time.

---

### Learning from Photos

*(page 362 top right)* El teleférico de Mérida es uno de los más largos y más altos del mundo. Recorre 12.6 kilómetros desde la ciudad hasta la cima de Pico Espejo, un ascenso de 3.188 metros.

*(page 362 bottom left)* Estos edificios coloniales están en el centro histórico de Cartagena.

---

### ¿Cómo lo digo?

Mérida, Venezuela

**7** **Historieta** **La Sra. Sica** Completen.

1. _____ venezolana, la Sra. Sica sabe mucho de EE.UU.
2. Ella vino de Mérida en avión, un avión que volaba a 800 kilómetros _____ hora.
3. Antes de llegar aquí ella cambió sus bolívares _____ dólares.
4. Cuando conocí a la Sra. Sica por primera vez, yo la tomé _____ italiana. Ella es de ascendencia italiana pero hace años que su familia vive en Venezuela.
5. Le pedí a la Sra. Sica que me trajera unas figuras en madera y le di el dinero _____ ellas.
6. Hoy llegó un paquete _____ mí. Llegó _____ correo aéreo. Era de la Sra. Sica.

**8** **Un resumen** Contesten usando **por** o **para**.

1. ¿Cuál es el destino del bus? ¿Cartagena?
2. ¿A quién vas a dar los dulces? ¿Al niño?
3. Cuando vendiste el carro, ¿te dieron mil dólares?
4. ¿Es colombiano pero habla muy bien el inglés, ¿verdad?
5. ¿Cuándo piensas venir? ¿En abril?
6. ¿Te queda mucho o poco por hacer?
7. ¿Cuándo lo terminarás? ¿Mañana?
8. Ellos pasaron mucho tiempo en La Amazonia, ¿verdad?
9. ¿Cómo mandaron el paquete que acabas de recibir? ¿Correo aéreo?

Cartagena, Colombia

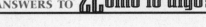

**9** **Un resumen** Escriban las oraciones con **por** o **para**.

1. Andan *en* el parque.
2. Mañana salen *con destino a* Maracaibo.
3. Los chicos van ahora *en la dirección de* la ciudad.
4. Tengo que estar allí *no más tarde de* las tres.
5. *A pesar de que es* viejo, viaja mucho.
6. Hay un montón de trabajo *que tengo que* terminar.
7. Papá no podía asistir, así que yo fui *en lugar de* él.
8. Los chicos corrieron *en* la calle.
9. Voy al mercado *en busca de* carne.
10. Mis padres lo pagaron *en vez de* mí.
11. *A pesar de que es* rico, no es generoso.
12. Nos gusta viajar *en* Colombia.
13. Estaremos en Cali *durante* siete días.

CAPÍTULO 7

---

### ANSWERS TO ¿Cómo lo digo?

**7**

1. Para
2. por
3. por
4. por
5. por
6. para, por

**8** *Answers will vary.*

1. Sí, el bus va para Cartagena.
2. Sí, son para él.
3. Sí, me dieron mil dólares por el carro.
4. Sí, para colombiano habla muy bien el inglés.
5. Sí, pienso venir por abril.
6. Me queda mucho (poco) por hacer.
7. Sí, lo terminaré para mañana.
8. Sí, estuvieron allí por mucho tiempo.
9. Sí, me lo mandaron por correo aéreo.

**9**

1. por
2. para
3. para
4. para
5. Para
6. por
7. por
8. por
9. por
10. por
11. Para
12. por
13. por

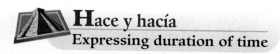

# Hace y hacía
## Expressing duration of time

**1.** The expression **hace** is used with the present tense to express an action that began sometime in the past but continues into the present.

> **¿Cuánto tiempo hace que estás aquí en Cali?**
> *How long have you been here in Cali?*
>
> **Hace un año que estoy aquí.**
> *I've been here for a year.*

**2.** Note that in English, the present perfect tense "has been" is used. But in Spanish, the present tense must be used. English uses the present perfect tense because the action began in the past. Spanish uses the present tense because the action actually continues into the present. Note too that **desde hace** as well as **hace** can be used.

> **Hace un año que estoy aquí.**
> *I've been here for a year.*
>
> **Estoy aquí desde hace un año.**
> *I've been here for a year.*

**3.** The expression **hacía** is used with the imperfect tense to express an action that had been in effect until something else interrupted it.

> **Hacía dos años que ellos vivían en Cali cuando se mudaron a Bogotá.**
> *They had been living in Cali for two years when they moved to Bogotá.*

Cali, Colombia

VENEZUELA Y COLOMBIA

## PRESENTATION

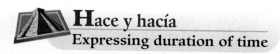 **Hace y hacía**

**Step 1** Have students read the explanations silently and then repeat the model sentences aloud.

**Step 2** Have students make up some additional examples.

### Learning from Photos

*(page 363)* Cali, en el valle del Cauca, fue fundada en 1533. La influencia africana es notable. Los españoles trajeron africanos a la región para trabajar en los cañaverales.

**LEVELING**

**C:** Structure

## ¿Cómo lo digo?

**10** **¿Cuánto tiempo hace?** Contesten.

1. ¿Cuánto tiempo hace que usted vive en la misma casa?
2. ¿Cuánto tiempo hace que usted conoce a su mejor amigo(a)?
3. ¿Cuánto tiempo hace que usted asiste a la misma escuela?
4. ¿Cuánto tiempo hace que usted estudia español?
5. ¿Cuánto tiempo hace que usted estudia con el mismo (la misma) profesor(a) de español?

Bogotá, Colombia

Caracas, Venezuela

**11**  **Actividades culturales**

Contesten según se indica.

1. ¿Cuánto tiempo hace que presentan la exposición? (dos semanas)
2. ¿Cuánto tiempo hace que están poniendo esa película? (sólo dos días)
3. ¿Cuánto tiempo hace que están exponiendo tus cuadros? (un mes)
4. ¿Cuánto tiempo hace que están construyendo el nuevo museo? (un año)
5. ¿Cuánto tiempo hace que no vas al cine? (mucho tiempo)

**12** **Historieta**  **Mi hermano José** Completen.

1. Hacía dos años que mi hermano José _____ francés cuando decidió que quería aprender el español. (estudiar)
2. Hacía mucho tiempo que él _____ que quería ir a Princeton cuando de repente decidió que quería ir a Harvard. (decir)
3. Hacía sólo dos días que él _____ de vacaciones cuando él conoció a Amalia. (estar)
4. Pero hacía un año entero que él _____ con Teresa cuando conoció a Amalia. (salir)
5. Y ahora, hace dos meses que él _____ con Amalia. (salir)
6. Hacía un mes que Teresa no le _____ cuando ella decidió que no estaba enfadada con él. (hablar)
7. Y ahora, hace un mes que Teresa _____ conmigo, el hermano mayor de Joselito. (salir)

**Spanish Online**

For more information about museums and places of interest in Colombia and Venezuela, go to **Web Explore** on the Glencoe Spanish Web site at glencoe.com.

---

## ANSWERS TO ¿Cómo lo digo?

**10** Answers will vary.

1. Hace ___ que yo vivo en la misma casa.
2. Hace ___ que yo conozco a mi mejor amigo(a).
3. Hace ___ que yo asisto a la misma escuela.
4. Hace ___ que yo estudio español.
5. Hace ___ que yo estudio con el mismo (la misma) profesor(a) de español.

**11**

1. Hace dos semanas que presentan la exposición.
2. Hace sólo dos días que están poniendo esa película.
3. Hace un mes que están exponiendo mis cuadros.
4. Hace un año que están construyendo el nuevo museo.
5. Hace mucho tiempo que no voy al cine.

**12**

1. estudiaba
2. decía
3. estaba
4. salía
5. sale
6. hablaba
7. sale

# ¡Te toca a ti!
**Use what you have learned**

## 1 HABLAR

### Los tipos de maestros
✔ *Discuss different types of teachers*

Con tus compañeros, consideren los tres tipos de maestros y piensen en cuales serán los que mejor enseñan. ¿Es posible que diferentes alumnos prefieran diferentes tipos de maestros?

Caracas, Venezuela

## 2 ESCRIBIR

### Un artículo de periódico
✔ *Write about your favorite teacher*

Un periódico de Venezuela te pide escribir un breve artículo sobre tu maestro(a) favorito(a). Quieren una opinión de un(a) alumno(a) estadounidense y te contactaron a ti porque tú sabes hablar español. En el artículo describe a la persona y explica por qué le aprecias tanto.

## 3 HABLAR

### Algo muy peligroso
✔ *Discuss the hazards of mishandling gasoline*

Acabas de leer un artículo serio escrito por un médico sobre los potenciales peligros de la gasolina. Da un resumen de lo que aprendiste en este artículo a un(a) amigo(a) que también estudia español.

## 4 ESCRIBIR

### ¡Cuidado!
✔ *Write an article in Spanish for your school newspaper*

El periódico de tu escuela quiere captar el interés de la población hispana en tu comunidad. Escribe un artículo para el periódico. El título de tu artículo será «¡Cuidado! La gasolina puede ser muy peligrosa».

## 5 HABLAR

### Ya hace mucho tiempo
✔ *Tell what you've been doing for a long time*

Trabaja con un(a) compañero(a). Van a hablar de las cosas que ya hace mucho tiempo que cada uno de ustedes las hace. A ver si ustedes suelen hacer las mismas cosas o no.

VENEZUELA Y COLOMBIA

*trescientos sesenta y cinco* ⚙ 365

---

## Recycling

These activities allow students to use the vocabulary and structure from this lesson in completely open-ended, real-life situations.

### PRESENTATION

Encourage students to say as much as possible when they do these activities. Tell them not to be afraid to make mistakes, since the goal of these activities is real-life communication. If someone in the group makes an error, allow the others to politely correct him or her. Let students choose the activities they would like to do.

You may wish to divide students into pairs or groups. Encourage students to elaborate on the basic theme and to be creative. They may use props, pictures, or posters if they wish.

### Learning from Photos

*(page 364 center left)* You may wish to ask students the following questions about the photograph on the left.
¿Cuántas películas dan?
¿Cuántas funciones hay por la noche?
¿A qué horas son las funciones nocturnas?
¿Qué quiere decir «continuado 10 a 4:45 y continuado 10 a 5»?

---

ANSWERS TO ¡Te toca a ti!

*Answers will vary.*

## Writing Development
Have students keep a notebook or portfolio containing their best written work from each chapter. These selected writings can be based on assignments from the Student Textbook and the Workbook. The activities on this page are examples of writing assignments that may be included in each student's portfolio.

Assessment

## Resource Manager

Assessment Transparency A7.3
Online Quiz
Tests, pages 210–235
ExamView® Assessment Suite

## Assessment

This is a pretest for students to take before you administer the lesson test. Answer sheets for students to do these pages are provided in the transparencies. Note that each section is cross-referenced so students can easily find the material they have to review in case they made errors. You may wish to collect these assessments and correct them yourself or you may prefer to have the students correct themselves in class. You can go over the answers orally or project them on the overhead, using your Assessment Answers transparencies.

## Reaching All Students

**Non-Mastery Students**
Encourage students who need extra help to refer to the yellow notes and review any section before answering the questions.

# Vocabulario

**1 Escriban con otra palabra.**

1. El profesor *consigue* que todos aprendamos.
2. Él nos explica todo *con mucho cuidado y muy lentamente.*
3. Pero él, a veces, anda un poco *desorientado.*
4. Él es un tipo sincero y yo le *expreso mi gratitud* por todo lo que hace por mí.

**2 Completen.**

5. Si el carro necesita _____ hay una gasolinera en la esquina.
6. Pero es difícil de conseguir porque hay una _____ de gasolina.
7. La gente lleva la gasolina en botellas y otros _____ inapropiados.
8. La _____ más grave de la enfermedad es la muerte.
9. Al manipular la gasolina siempre existe el _____ de un accidente.

To review vocabulary, turn to pages 350 and 354.

# Lectura

**3 Contesten.**

10. En Colombia hay un día cuando se debe agradecerles a los profesores por la labor que hacen. ¿Cómo se llama este día?
11. ¿Cuál es una actividad típica del maestro súper energizado?
12. ¿Cuál es una actividad típica del maestro tradicional y serio?

To review the article about teachers in Colombia, turn to pages 351–352.

**4 ¿Sí o no?**

13. No hay ningún problema con llevar el combustible en cualquier tipo de envase.
14. Hay gente que usa una manguera para sacar la gasolina de un vehículo para meterla en otro.
15. La exposición a la gasolina por mucho tiempo puede causar leucemia y otras enfermedades graves.

To review the article about the hazards of gasoline, turn to page 355.

CAPÍTULO 7

---

## ANSWERS TO Assessment

| 1 | 2 | 3 | 4 |
|---|---|---|---|
| 1. logra | 5. gasolina, gasoil, combustible | 10. el Día del Maestro | 13. No |
| 2. detenidamente | 6. escasez | 11. *Answers will vary.* | 14. Sí |
| 3. despistado | 7. envases | 12. *Answers will vary.* | 15. Sí |
| 4. agradezco | 8. secuela | | |
| | 9. riesgo | | |

# Estructura

**5** Completen con **por** o **para**.

16. Pensamos viajar _____ Colombia y Venezuela.
17. Mañana saldremos _____ Bogotá.
18. Fui a la agencia de viajes _____ los boletos.
19. Tengo los pasajes _____ mis padres, también.
20. Ellos no pudieron ir a la agencia, me dieron el dinero y yo los compré _____ ellos.
21. Tenemos que estar en Bogotá _____ el jueves, el cumpleaños de mi abuelo.
22. Y después estaremos allí _____ un par de semanas.

**6** Escojan.

23. ¿Cuánto tiempo (hace / hacía) que vives en Medellín?
24. (Hace / Hacía) un año que trabajaba allí cuando me aumentaron el sueldo.
25. (Hace / Hacía) mucho tiempo que no veo a mi familia.

**Spanish Online**
For more Chapter 7 test preparation, go to the Chapter 7 **Self-Check Quiz** on the Glencoe Spanish Web site at glencoe.com.

To review the uses of **por** and **para**, turn to pages 357, 359, 360, and 361.

To review the uses of **hace** and **hacía**, turn to page 363.

**Assessment**

After going over the Assessment, you may administer the test for **Lección 3, Capítulo 7**.

Caracas, Venezuela

VENEZUELA Y COLOMBIA

*trescientos sesenta y siete* 367

**ANSWERS TO** *Assessment*

**5**

16. por
17. para
18. por
19. para
20. por
21. para
22. por

**6**

23. hace
24. Hacía
25. Hace

# Proficiency Tasks

¡OJO! It is suggested that you share the following information with students before they begin their writing projects.

Es cierto que cuando escribes en inglés tu estilo de escribir es mucho más sofisticado que en español. Cuando escribes en español tienes que usar frases más sencillas. Si encuentras una idea muy complicada, piensa un momento en una manera más sencilla de expresarla.

¡Un consejo muy importante! No traduzcas del inglés al español. Si traduces cometerás sin duda un montón de errores. O lo que escribes será muy anglicanizado. Desde el principio, por difícil que sea, piensa siempre en español. Si una palabra inglesa te viene a la mente, piensa enseguida en una expresión española que exprese la misma idea. Usa el español que ya has aprendido aún si exige que te expreses de una manera sencilla. Trata de evitar usar un diccionario bilingüe porque casi siempre escogerás una palabra errónea.

Prepara siempre un borrador de tu escrito. Al terminarlo, ponlo al lado. Léelo de nuevo un poco más tarde y haz las revisiones que consideres necesarias. Luego léelo una vez más para buscar errores ortográficos y gramaticales. Ten mucho cuidado en verificar las terminaciones.

## Composición

Has leído descripciones de paisajes, ciudades y países de casi todo el mundo hispano. Cada una de las descripciones ha tenido el objetivo de hacerte ver como es el lugar. Los adjetivos han dado colorido y vida a las descripciones.

**TAREA 1 Escrito descriptivo** Ahora te toca a ti preparar una descripción de un lugar que tú conoces bien. Puede ser tu pueblo, tu escuela, tu casa o cualquier lugar que tú crees que pueda interesar a un lector. Sigue estos pasos preparativos:

- Piensa en el público que leerá tu escrito y en lo que le interesaría.
- Selecciona el lugar que vas a describir. Visualízalo en tu mente.
- Pon en orden lógico los aspectos que vas a describir: colocación, etc.
- Haz una lista de los adjetivos y adverbios que emplearás en tus descripciones.

Prepara un borrador. Cuando termines, léelo y haz cualquier cambio que creas necesario. Corrige cualquier error de gramática u ortografía. Decide si a la persona que lee tu escrito le interesará el contenido. Decide si falta algún detalle que podría hacer tu escrito más interesante para el lector o si debes eliminar algún detalle repetitivo o no interesante.

Prepara tu versión final. Una vez más revisa lo que has escrito y haz cualquier corrección de ortografía o gramática.

**TAREA 2 El diálogo** El diálogo o conversación entre personajes da vida a una historia o cuento. Cuando preparas un diálogo para una historia real, algo que tú has presenciado, trata de recordar exactamente lo que dijo cada persona. Si tu diálogo es parte de un cuento ficticio tendrás que inventar el diálogo. Imagínate que eres uno de los personajes y deja fluir tus palabras con respecto a la situación siempre desde el punto de vista del personaje. Ten en mente la edad de la persona, su historia personal y su personalidad y como estos aspectos pueden reflejarse en su forma de hablar. Acuérdate de que el diálogo debe representar el habla normal. En el habla normal la gente se interrumpe, habla en fragmentos y no presta atención a lo que dice la otra persona. Para estar seguro(a) de que tu diálogo suena natural, léelo en voz alta.

Ahora, tú vas a crear una conversación entre dos personas. Puede ser una conversación que tú has oído o en la que has participado o puede ser totalmente ficticia. Prepárate pensando en:

- la situación o el conflicto
- los personajes—limítate a solamente dos
- el lugar donde ocurre
- el tono de voz y la forma de hablar de las dos personas

Como haces con todos tus escritos, primero prepara un borrador, luego revísalo, haz las correcciones y después prepara la versión final.

**TAREA 3 La invitación** Uno de los escritos más comunes es la invitación a una celebración. Toda invitación debe contener cierta información. Debe indicar lo que se está celebrando, la fecha, la hora y el lugar de la celebración y de quien es la invitación. También se puede incluir otra información como la ropa que se debe llevar, formal o informal. Aquí tienes una lista de eventos y celebraciones: **el 5 de Mayo (México), el día de la Hispanidad 12 de Octubre (muchos países hispanos), el 4 de Julio (EE.UU.), tu cumpleaños.** Escoge uno de la lista o cualquier otro evento y prepara una invitación. Recuérdate de incluir toda la información necesaria. Recuerda también que si la persona a quien invitas es mayor tienes que usar **usted** y si es un(a) amigo(a) usas **tú.**

**Pre-AP SkillBuilder**

The **tareas** in the **Composición** section provide students with valuable practice for the writing section of the AP exam.

**TAREA 4** **La investigación** En tu carrera de alumno(a) tendrás que preparar escritos de investigación. Esto quiere decir que tendrás que encontrar la información necesaria de distintas fuentes tanto primarias como secundarias. Buscarás en bibliotecas y en Internet. Podrás entrevistar a expertos. Hay distintos tipos de escritos de investigación: resumen (se prepara un resumen de las opiniones de otros investigadores), evaluativo (se presenta una opinión y lo respalda con evidencia de fuentes primarias o secundarias), original (se hacen investigaciones originales sobre el tema y se informa sobre los resultados), o combinado (una combinación de dos o más de los anteriores). Los pasos a seguir son:

- Escoger un tema, uno que te interesa o que te ha sido asignado.
- Prepara un mínimo de cinco preguntas de investigación.

- Busca información sobre el tema.
- Determina el largo de tu escrito, cuanto vas a cubrir
- Toma apuntes.
- Haz un bosquejo.
- Prepara un borrador en base a tu bosquejo y apuntes.
- Escribe la introducción y conclusión.
- Indica tus fuentes.
- Revisa y corrige.

Ahora vas a hacer tu investigación. Ya sabes que el café es uno de los productos más importantes de Colombia. Pero, ¿qué sabes del café? ¿Originó en las Américas o no? ¿Dónde, aparte de Colombia, se cultiva? Prepara las preguntas que tu investigación va a contestar y haz tu investigación sobre el café. Si es posible, entrevista a alguien de Colombia para conocer su perspectiva del tema.

## Discurso

Has leído el artículo de *El Colombiano* entitulado *Maestros de éste y otros mundos*. Ahora te toca a ti a hablar de un maestro o maestra inolvidable.

**TAREA 5** Antes de comenzar tu descripción piensa en los maestros que has tenido y escoge a la persona sobre la que vas a hablar. Piensa en las características que la hacen inolvidable, puede ser por su personalidad, sus conocimientos, su simpatía u otra cosa. Piensa en los adjetivos que la describen mejor y habla del efecto que la persona ha tenido en ti. Trata de crear en tus oyentes una fiel imagen de la persona a quien estás describiendo. Cada uno de ustedes presentará a la clase tu **maestro(a) inolvidable.**

## Vocabulario

### Vocabulary Review

The words and phrases in the **Vocabulario** have been taught for productive use in this chapter. They are summarized here as a resource for both student and teacher. This list also serves as a convenient resource for the **¡Te toca a ti!** activities on pages 338–339, 347, and 365. There are approximately thirteen cognates in this vocabulary list. Have students find them.

**¡OJO!** You will notice that the vocabulary list here is not translated. This has been done intentionally, since we feel that by the time students have finished the material in the chapter they should be familiar with the meanings of all the words. If there are several words they still do not know, we recommend that they refer to the **Vocabulario** sections in the chapter or go to the dictionaries at the end of this book to find the meanings. However, if you prefer that your students have the English translations, please refer to Vocabulary Transparencies 7.1A, 7.1B, and 7.1C, where you will find all these words with their translations.

 You may wish to use the editable PowerPoint® presentation available on this PowerTeach CD-ROM to have students view the chapter vocabulary in a Spanish-English, English-Spanish format.

### Lección 1  Cultura

**Geografía**
el bohío
la caída
la caleta
la desembocadura
la ensenada
la ladera de la montaña
la mazorca de maíz
el pilote
el salto
la sequía
cálido(a)
espeso(a)
fluvial
lacustre
surgir

**Historia**
la deuda
la empresa
amurallado(a)
imperante
inolvidable
asemejarse a
enriquecerse
oprimir
sellar

### Lección 2  Conversación

el alumbrado
la boletería
la decoración
el decorado
el descanso

el elenco
la entrada
el escenario
la escenografía
el gallinero

la iluminación
el intermedio
la localidad
el palco de platea
el paraíso

el patio de butacas
el telón
el vestuario
agotado(a)

### Lección 3  Periodismo

**Maestros de éste y de otros mundos**
el afiche
el papelógrafo
el tarro de agua
el termo
despistado(a)
detenidamente
agradecer
desinflarse
lograr

**La gasolina**
el combustible
el depósito
el envase
la escasez
la manguera
el riesgo
la secuela
el tanque de gasolina

 **LITERARY COMPANION** *See pages 488–501 for literary selections related to Chapter 7. The activities for these readings will help you continue to practice your reading comprehension skills.*

# VIDEOTUR

## ¡Viva el mundo hispano!

**V**ideo can be a beneficial learning tool for the language student. Video enables you to experience the material in the textbook in a real-life setting. Take a vicarious field trip as you see people interacting at home, at school, at the market, etc. The cultural benefits are limitless as you experience the Spanish-speaking world while "traveling" through many countries. In addition to its tremendous cultural value, video gives practice in developing good listening and viewing skills. Video allows you to look for numerous clues that are evident in tone of voice, facial expressions, and gestures. Through video you can see and hear the diversity of the target culture and compare and contrast the Spanish-speaking cultures to each other and to your own.

### Episodio 1: El Libertador

Simón Bolívar, el Libertador, el héroe de la independencia no solamente de su nativa Venezuela pero de otros países de la América del Sur. Su sueño era crear una confederación de países sudamericanos. En 1810 declaró la independencia de Venezuela y luchó contra los españoles. Hoy en casi todos los pueblos de Venezuela hay una Plaza Bolívar y hasta el dinero lleva su nombre. La moneda nacional es el «bolívar».

### Episodio 2: La fábrica de chocolate

En la chocolatería San Moritz se prepara el chocolate, ricos dulces de chocolate, chocolate de excelentísima calidad. Se prepara en base de recetas europeas y de cacao venezolano. El cacao es el ingrediente más importante y no hay mejor cacao que el venezolano. En el siglo XIX el chocolate venezolano gozaba de fama mundial. Venezuela dominaba el mercado de chocolate. Se ha dicho que el chocolate hasta hace que la gente se enamore. Por algo lo llaman **comida de los dioses.**

### Episodio 3: Radio Chuspa

Este joven, Romel Junior, es locutor de radio. Trabaja en la emisora Radio Chuspa, 99.9 casi 100, la estación del pueblecito de Chuspa en la costa caribeña de Venezuela. Radio Chuspa emite las veinticuatro horas del día todos los días. Es la voz del pueblo para esta comunidad de mil personas. Hay programas de música, noticias locales, programas educativos y deportes, sobre todo el béisbol que es el deporte favorito de todo Chuspa.

VENEZUELA Y COLOMBIA

*trescientos setenta y uno* ✸ 371

# VIDEOTUR

**VIDEO VHS/DVD**

The Video Program for Chapter 7 includes three documentary segments of some interesting aspects of life in Venezuela. You may wish to have students answer oral or written comprehension questions about the video segments.

**POWERTEACH Interactive Chalkboard**

You may wish to use the editable PowerPoint® presentation available on this PowerTeach CD-ROM to have students view and listen to a short segment of the video. Additional activities are also provided.

# Planning for Chapter 8

## SCOPE AND SEQUENCE PAGES 372–415

### Topics
❖ The geography of the United States
❖ The history of the United States
❖ The culture of the United States

### Culture
❖ Growth of the Hispanic or Latino population in the United States
❖ A storm and mudslides in California

### Functions
❖ How to tell how actions are carried out
❖ How to express more activities in the present and past
❖ How to tell what was done or what is done in general

### Structure
❖ Adverbs ending in -mente
❖ -uir verbs in the past and present
❖ Passive voice
❖ Passive voice with se

### National Standards
Communication Standard 1.1, pp. 372, 375, 385–387, 391, 392, 395–397, 400, 404, 405, 409
Communication Standard 1.2, pp. 372, 376–383, 392–393, 401–402, 405–406
Communication Standard 1.3, pp. 387, 396, 397, 409
Cultures Standard 2.1, pp. 372, 376, 377, 381, 382, 383, 504, 507, 511, 514
Connections Standard 3.1, p. 372
Connections Standard 3.2, pp. 393, 401–402, 404–406
Comparisons Standard 4.1, pp. 407–408
Communities Standard 5.1, pp. 397, 409
Communities Standard 5.2, p. 387

*To read the ACTFL Standards in their entirety, see page T36.*

## PACING AND LEVELING

Lección 1: Cultura   *(5–7 days)*
Lección 2: Conversación   *(5–7 days)*
Lección 3: Periodismo   *(5–7 days)*

Proficiency Tasks   *(1–2 days)*
Videotur   *(1–2 days)*
Literatura   *(5–7 days)*

**LEVELING**
The following is an overall leveling of the sections of each chapter of ¡**Buen viaje!** Level 3.

**EASY:** Conversación, Estructura • Repaso
**AVERAGE:** Cultura, Periodismo, Estructura • Avanzada
**CHALLENGING:** Literatura

Most parts of each lesson are also leveled for your convenience in the Teacher Notes in the Wraparound section of your Teacher Edition.

**E: Easy     A: Average     C: Challenging**

Please note that the material does not become progressively more difficult. Within each chapter there are easy and challenging sections.

# TEACHER RESOURCE GUIDE

| SECTION | PRINT RESOURCES | TECHNOLOGY RESOURCES |
|---|---|---|
| **Lección 1** | | |
| Lectura<br>  Vocabulario para la lectura<br>    (p. 374)<br>  Historia de los hispanos o<br>    latinos en Estados Unidos<br>    (p. 376)<br>  Las comunidades<br>    (pp. 377–382)<br>  Comida (p. 383)<br>Estructura • Repaso<br>  Adverbios en **-mente** (p. 384)<br>¡Te toca a ti! (pp. 386–387)<br>Assessment (pp. 388–389) | Audio Activities TE (pp. 181–188)<br>Workbook (pp. 119–121)<br>Quizzes (pp. 109–112)<br>Tests (pp. 237–240 and 248–275) | Vocabulary Transparency V8.2<br>Audio CD 8<br>*ExamView® Assessment Suite*<br>  glencoe.com<br>Assessment Transparency A8.1<br>PowerTeach<br>Vocabulary PuzzleMaker |
| **Lección 2** | | |
| Conversación<br>  Vocabulario para la<br>    conversación (p. 390)<br>  Emisoras en español<br>    (p. 392–393)<br>Estructura • Repaso<br>  Verbos que terminan en **-uir**<br>    (p. 394)<br>¡Te toca a ti! (pp. 396–397)<br>Assessment (pp. 398–399) | Audio Activities TE (pp. 189–193)<br>Workbook (pp. 122–123)<br>Quizzes (pp. 113–115)<br>Tests (pp. 241–242 and 248–275) | Vocabulary Transparency V8.3<br>Audio CD 8<br>*ExamView® Assessment Suite*<br>  glencoe.com<br>Assessment Transparency A8.2<br>PowerTeach<br>Vocabulary PuzzleMaker |
| **Lección 3** | | |
| Lectura<br>  Vocabulario para la lectura<br>    (p. 400)<br>  Confirmado: un millón de<br>    hispanos (p. 401)<br>Lectura<br>  Vocabulario para la lectura<br>    (p. 403)<br>  Inesperada tormenta en<br>    Lancaster (pp. 405–406)<br>Estructura • Avanzada<br>  Voz pasiva (p. 407)<br>  Voz pasiva con **se** (p. 408)<br>¡Te toca a ti! (p. 409)<br>Assessment (pp. 410–411)<br>Proficiency Tasks (pp. 412–413)<br>**Videotur** (p. 415)<br>Literatura (pp. 502–517) | Audio Activities TE (pp. 194–202)<br>Workbook (pp. 124–127)<br>Quizzes (pp. 116–121)<br>Tests (pp. 243–275)<br>Audio Activities (pp. 254–267)<br>Tests (pp. 307–311) | Vocabulary Transparencies V8.4–V8.5<br>Audio CD 8<br>*ExamView® Assessment Suite*<br>  glencoe.com<br>Assessment Transparency A8.3<br>PowerTeach<br>Vocabulary PuzzleMaker<br>**¡Viva el mundo hispano!** Video<br>Video Activities<br>Audio CD 10 |

# Using Your Resources for Chapter 8

## Transparencies

**Map Transparencies** The full-color maps at the front of the Student Edition have been converted to transparency format.

**Bellringer Reviews** provide a quick review activity to begin each class.

**Vocabulary Transparencies** include the photos and art from the Student Edition pages, overlays with Spanish words, and Spanish/English vocabulary lists for each chapter.

**Assessment Transparencies** provide answer sheets and answers for the Assessment pages in the Student Edition.

**Fine Art** can be used to reinforce the topics introduced in the text and enrich your students' knowledge of Fine Art.

## Workbook and Audio Activities

### Writing Activities
The Workbook section includes numerous activities to reinforce each concept presented in the textbook. There are workbook pages for each of the following sections: vocabulary, culture, conversation, journalism, and structure. Varied activities provide several ways for students to practice and apply the material you have presented in class.

### Audio Activities
The Audio Activities pages in this booklet may be used to guide students through the listening and speaking activities provided on the Audio CDs. The script to the Audio CDs is also provided in the Audio Activities TE in the TeacherTools booklet if the teacher prefers to read the activities aloud. The Audio Activities provide listening and speaking practice to reinforce vocabulary, culture, conversation, structure, and literature.

Several options for Assessment are offered with the ¡Buen viaje! program. The TeacherTools booklets include the following Assessment pieces.

**Quizzes** There are quizzes for Vocabulary, Culture, Structure, Conversation, and Journalism.

**Tests** There is a Reading and Writing Test for each lesson in the chapter. In addition, there are two different Chapter Reading and Writing Tests—one for less able to average students and the other for above average to advanced students. There is also a Listening Comprehension Test, a Speaking Test, and a Proficiency Test at the end of each chapter.

**Spanish Online** Students can easily access our Self-Check Quizzes at glencoe.com.

**ExamView® Assessment Suite** Test Bank software for Macintosh and Windows makes creating, editing, customizing, and printing tests quick and easy.

## Passport to Success Notebook

- **Notetaking and Study Strategies** help students organize and internalize new information, allowing them to become more effective communicators in the target language.

- **Reading Strategies** take the mystery out of reading and give students the tools they need to become more effective readers.

- **Standardized Test Practice** in every chapter helps students improve their test-taking skills through the study of foreign language.

## TECHNOLOGY

 This all-in-one planner includes:

- Interactive Teacher Edition
- Lesson Planner with calendar
- Access to all program blackline masters
- Correlations to National Standards

**ExamView®** Assessment Suite  The *ExamView® Assessment Suite* includes *Test Generator, Test Player,* and *Test Manager.*

- Use premade tests or build your own easily and quickly
- Customize tests using a full-feature editor
- Select questions from existing test banks
- Set up your own question test banks
- Disaggregate data

 All-in-one interactive Student Edition and student resources—a backpack solution

# Capítulo 8

## Preview

In this chapter, students will learn about the geography, history, and culture of Hispanic people in the United States. In the **Conversación** section students will discuss media, technology, and communication. Students will also read newspaper articles about the increasing Hispanic or Latino population in the United States and the destruction caused by a storm in California.

### National Standards

#### Communication
Students will communicate in spoken and written Spanish on the following topics:
- The culture, geography, and history of the Hispanic or Latino population of the United States
- Spanish-language media in the United States
- Population statistics
- Storms and their consequences

#### Cultures
Students will learn about the many Hispanic or Latino influences on the demographics and culture of the United States.

#### Connections
This chapter establishes a connection with the fields of history, geography, technology, social studies, and meteorology.

# Capítulo 8

# Estados Unidos

**Spanish Online**
To interact with your online edition of ¡Buen viaje! go to: glencoe.com.

372

**TeacherWorks**
All-In-One Planner and Resource Center

The TeacherWorks CD-ROM is an all-in-one planner and resource center. You may wish to use several of the following features as you plan and present the Chapter 8 material: Interactive Teacher Edition, Interactive Lesson Planner with Calendar, Point and Click Access to Teaching Resources including Hotlinks to the Internet and Correlations to the National Standards.

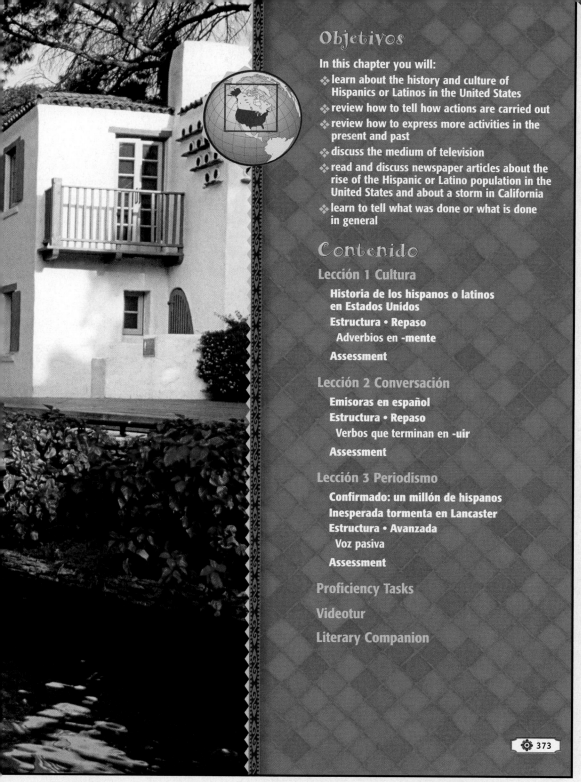

# Capítulo 8

## Objetivos

**In this chapter you will:**

❖ learn about the history and culture of Hispanics or Latinos in the United States
❖ review how to tell how actions are carried out
❖ review how to express more activities in the present and past
❖ discuss the medium of television
❖ read and discuss newspaper articles about the rise of the Hispanic or Latino population in the United States and about a storm in California
❖ learn to tell what was done or what is done in general

## Contenido

 373

## Assessment

**Quizzes:** There is a quiz for every vocabulary presentation, every reading, and every structure point.
**Tests:** To accompany **¡Buen viaje!** Level 3 there is a Reading and Writing Test for each of the three lessons that make up a chapter. In addition, at the end of each chapter there are five tests.
• Two Reading and Writing Tests; one easy to intermediate; another intermediate to challenging.
• A Listening Comprehension Test
• A Speaking Test
• A Proficiency Test

## Spotlight on Culture

**San Antonio, Texas** El paseo del Río pasa por el centro de la ciudad de San Antonio, Texas. Los indígenas payaya llamaban el río el Yanaguana. Los españoles llegaron allí el día de San Antonio en 1691 y nombraron el río en su honor. La ciudad se fundó más tarde cuando se estableció la misión San Antonio de Valero. La misión se conoce mejor como «el Álamo». Los primeros colonos vinieron de las Islas Canarias. San Antonio era la capital de Texas bajo los españoles.

## LEVELING

The following is an overall leveling of the sections of each chapter of **¡Buen viaje!** Level 3.
**EASY:** Conversación, Estructura • Repaso
**AVERAGE:** Cultura, Periodismo, Estructura • Avanzada
**CHALLENGING:** Literatura
Most parts of each lesson are also leveled for your convenience.
**E:** Easy
**A:** Average
**C:** Challenging
    Please note that the material does not become progressively more difficult. Within each chapter there are easy and challenging sections.

# PREPARATION

## Resource Manager

Vocabulary Transparency V8.2
Audio Activities TE, pages 181–182
Audio CD 8, Tracks 1–3
Workbook, page 119
Quiz, page 109
*ExamView® Assessment Suite*

## Bellringer Review

*Use BRR Transparency 8.1 or write the following on the board.*
**Den la forma femenina de cada adjetivo.**
   **grandioso**
   **general**
   **amable**
   **afectuoso**

# PRESENTATION

## Vocabulario para la lectura

**Step 1** Have students repeat the new sentences and definitions in unison after you or the Audio CD.

**Step 2** Have students open their books and read the vocabulary for additional reinforcement.

**Step 3** **Más vocabulario** You may wish to call on one or two students to read the definitions and on other students to give the word being defined.

## Learning from Photos

*(page 374 left)* El cuadro nos muestra un grupo de judíos españoles ante los monarcas Isabel y Fernando. A la derecha está el cardenal Cisneros, confesor de la reina y después su principal consejero. El Santo Oficio o Inquisición era responsabilidad del cardenal.

**374**

---

## Vocabulario para la lectura 🎧

Use your **StudentWorks** Plus
CD for more practice.

el noroeste, el nordoeste

ESTADOS UNIDOS

el noreste, el nordeste

el medio oeste

el suroeste, el sudoeste

el sudeste, el sureste

la frontera
MÉXICO

Los sefardíes son judíos.
Los sefardíes fueron expulsados de España durante la Inquisición.
Muchos sefardíes se radicaron en Nueva York.

### Más vocabulario

**el cese** acción de cesar, suspender o acabar algo
**la mano de obra** trabajadores
**los norteños** gente del norte
**el rito** el ritual, la ceremonia
**el vínculo** la unión, el lazo, lo que une
**fronterizo(a)** que está en la frontera entre dos países
**fundar** iniciar, establecer
**radicarse** establecerse, echar raíces
**superar** exceder, pasar, sobrepasar
**a escondidas** en secreto, clandestinamente

374 🌞 *trescientos setenta y cuatro*

CAPÍTULO 8

POWERTEACH
Interactive
Chalkboard

You may wish to use the editable PowerPoint® presentation available on this PowerTeach CD-ROM for additional vocabulary instruction and practice.

## ¿Qué palabra necesito?

**1 Historieta** **Los sefardíes** Contesten.

1. ¿De qué religión son los sefardíes?
2. ¿De qué país fueron expulsados?
3. ¿Cuándo?
4. ¿Adónde fueron a radicarse muchos descendientes de los originales sefardíes?
5. ¿Quiénes son los norteños?

**2 Otra palabra** Expresen de otra manera.

1. No había *trabajadores*.
2. El *lazo* más importante que tienen es la lengua.
3. Ellos *establecieron* muchas ciudades.
4. No las establecieron *en secreto*.
5. Ellos querían *echar raíces* en un pueblo fronterizo.
6. Es *una ceremonia* religiosa tradicional.
7. Ahora que hay *una pausa o suspensión* en los conflictos, está saliendo menos gente.
8. Dentro de poco la población dominicana en la ciudad de Nueva York va a *sobrepasar* la población puertorriqueña.

La frontera entre México y Estados Unidos, Laredo, Texas

ESTADOS UNIDOS

**3 Palabras emparentadas** Den una palabra relacionada.

1. la frontera
2. vincular
3. esconder
4. la fundación
5. cesar
6. súper
7. el ritual
8. el norte

**4** Identifiquen.

1. el estado en el cual vives
2. en qué parte de EE.UU. está
3. un estado del sudeste
4. un estado del sudoeste
5. un estado del noroeste
6. un estado del nordeste
7. un estado del medio oeste

## PRACTICE

## ¿Qué palabra necesito?

**1** **Actividad 1** can be gone over orally without previous preparation.

**2**, **3**, and **4** Have students prepare **Actividades 2, 3,** and **4** for homework and then go over them in class.

### Spanish Online

**Differentiation**

**Tutorial** The customizable **Vocabulary PuzzleMaker** can be used for each lesson or chapter to create crossword, word search, and jumble puzzles to reinforce vocabulary terms for non-mastery students.

**Enrichment** The customizable **Vocabulary PuzzleMaker** can also be used for each lesson or chapter to create more challenging puzzles for mastery students.

---

## ANSWERS TO ¿Qué palabra necesito?

**1**
1. Los sefardíes son judíos.
2. Los sefardíes fueron expulsados de España.
3. Fueron expulsados durante la Inquisición.
4. Muchos descendientes de los originales sefardíes fueron a radicarse en Nueva York.
5. Los norteños son gente del norte.

**2**
1. la mano de obra
2. vínculo
3. fundaron
4. a escondidas
5. radicarse
6. un rito
7. un cese
8. superar

**3**
1. fronterizo(a)
2. el vínculo
3. a escondidas
4. fundar
5. el cese
6. superar
7. rito
8. los norteños

**4** *Answers will vary but may include:*
1. Yo vivo en ___ (estado).
2. Mi estado está en el ___ de Estados Unidos.
3. Georgia, Carolina del Sur, Florida
4. Arizona, Utah, Wyoming
5. Washington, Montana, Oregon
6. Connecticut, Rhode Island, Nueva Jersey
7. Ohio, Iowa, Kansas

## Lectura

---

## PREPARATION

### Resource Manager

Audio Activities TE, pages 183–186
Audio CD 8, Tracks 4–7
Workbook, page 120
Quiz, page 110

---

## PRESENTATION

**Step 1** Call on individuals to read this selection aloud.

**Step 2** You can intersperse comprehension questions from **Actividad A** as you are going over this selection.

### Learning from Photos

*(page 376 right)* La estatua es de don Pedro Menéndez de Avilés quien fundó la ciudad de San Agustín. La nombró por el santo en cuyo día él llegó con sus soldados, el 28 de agosto. *(page 376 left)* El edificio es hoy Flagler College. Se construyó en 1888 como el Hotel Ponce de León en estilo renacentista español.

## LEVELING

**E:** Reading

---

# Lectura

## Historia de los hispanos o latinos en Estados Unidos

Todo el mundo sabe que los españoles descubrieron y colonizaron la mayor parte de Centro y Sudamérica. Menos conocido es el hecho de que los españoles también exploraron y colonizaron gran parte de la América del Norte.

Fueron españoles los primeros europeos que llegaron a la Florida, Carolina del Sur, Georgia, California, Colorado, Alabama, Texas, Arizona y Nuevo México, Misisipí, Nevada, Arkansas, Luisiana, Oklahoma, Kansas y las costas de Oregon y Washington. Los ingleses se establecieron por primera vez en Jamestown, Virginia, en 1607. Los españoles ya habían fundado la ciudad más antigua de Norteamérica, San Agustín, en la Florida en 1565.

Los primeros hispanohablantes llegaron a lo que hoy es EE.UU. en 1513. Y siguen llegando. Vienen de México y Centroamérica, del Caribe y de Sudamérica y de Europa.

San Agustín, la Florida

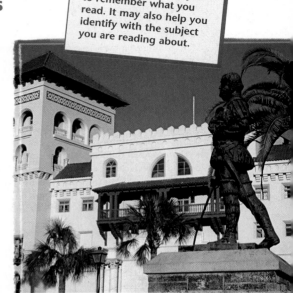
San Agustín, la Florida

**A** Contesten.

1. ¿Quiénes conquistaron y colonizaron gran parte de Sudamérica?
2. ¿Quiénes fueron los conquistadores de la América Central?
3. ¿Cuál fue la primera colonia inglesa en lo que hoy es EE.UU.?
4. ¿Cuándo la establecieron?
5. ¿Cuál es la ciudad más antigua de Norteamérica?
6. ¿Cuándo llegaron los primeros españoles a Norteamérica?
7. Mayormente, ¿qué áreas de EE.UU. exploraron y colonizaron los españoles?

CAPÍTULO 8

---

## ANSWERS

**A**

1. Los españoles conquistaron y colonizaron gran parte de Sudamérica.
2. Los españoles fueron los conquistadores de la América Central.
3. Jamestown, Virginia, fue la primera colonia inglesa en lo que hoy es EE.UU.
4. Establecieron Jamestown en 1607.
5. San Agustín, Florida, es la ciudad más antigua de Norteamérica, fundada en 1565.
6. Los primeros españoles llegaron a Norteamérica en 1513.
7. Los españoles mayormente exploraron y colonizaron el sur y el suroeste de EE.UU.

## Las comunidades

Obviamente, las primeras comunidades fueron las que fundaron los españoles desde la Florida hasta California por todo el suroeste: San Agustín, Florida (1565), San Juan, Nuevo México (1598), Santa Fe, Nuevo México (1610). Los españoles exploraron todo el territorio del suroeste comenzando en el siglo XVI. Gran número de exploradores y colonizadores llegaron al norte desde México. Todavía hoy, en pueblos y ciudades del suroeste, los hispanos o latinos constituyen la mayoría de la población. Estos no son inmigrantes. Estos son los descendientes de los primeros pobladores de la región.

### Los judíos

Fernando e Isabel expulsaron a los judíos de España en 1492. Los judíos españoles se llaman «sefardíes», nombre que viene de *Sefarad*, que quiere decir «España» en hebreo. Muchos sefardíes salieron de España, fueron a Holanda y, desde allí, viajaron al Caribe y a Norteamérica. En la ciudad de Nueva York hay una sinagoga sefardí que fue fundada en 1654 cuando Nueva York era New Amsterdam y pertenecía a Holanda. Recientemente se han descubierto en Nuevo México probables descendientes de judíos españoles que ni siquiera conocen su propia religión e historia pero que, a escondidas, han seguido ritos judíos heredados desde siglos atrás. Durante Pascua, por ejemplo, muchas familias sustituían tortillas de harina bien tostadas por *matzo*, el pan tradicional judío y encendían el candelabro de siete brazos, la *menorah*. Estos judíos probablemente vinieron desde México con los conquistadores después de haber salido de España. Tenían que celebrar su religión a escondidas por temor a represalias por las autoridades eclesiásticas ya que se suponía que eran conversos. Con el pasar del tiempo, sus descendientes mantuvieron las costumbres aunque olvidaron por qué las mantenían.

Santa Fe, Nuevo México

La sinagoga sefardí Shearith Israel, Nueva York

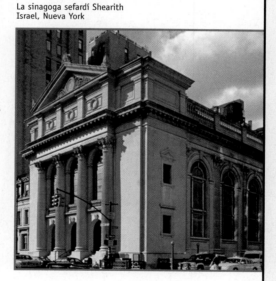

**B** ¿Sí o no?

1. Las primeras comunidades en lo que hoy es EE.UU. fueron fundadas por los ingleses.
2. Los españoles exploraron todo el territorio del sur comenzando en el siglo XVII.
3. Los sefardíes son judíos españoles expulsados de España durante el reinado de Fernando e Isabel.
4. Los sefardíes fueron solamente a Nueva York.

**C** ¿Judíos en Nuevo México?

En tus propias palabras, explica como parece que en Nuevo México hay gente de ascendencia hébrea sin saberlo.

ESTADOS UNIDOS

**Step 3** You may wish to go over **Las comunidades** orally in class or you may prefer to have students read it silently.

**Step 4** It is suggested, however, that you go over **Actividades B** and **C** orally. Many students are not aware of the Sephardic population in the United States.

### Learning from Photos

*(page 377 top right)* El hotel donde está esta sala se construyó en el lugar donde había unas fondas que servían a los viajeros que iban por el Camino Real que pasaba por Santa Fe.

*(page 377 bottom right)* Esta sinagoga, conocida también como la Sinagoga Hispano-Portuguesa, tiene más de 350 años. Fue fundada cuando Nueva York pertenecía a los holandeses.

### Pre-AP SkillBuilder

As students read these **Lecturas**, they will develop the skills they need to be successful on the reading and writing sections of the AP exam.

---

## ANSWERS

**B**

1. No, las primeras comunidades en lo que hoy es EE.UU. fueron fundadas por los españoles.
2. No, los españoles exploraron todo el territorio del suroeste comenzando en el siglo XVI.
3. Sí
4. No, los sefardíes fueron a Holanda, al Caribe y a Norteamérica.

**C** *Answers will vary.*

## PRESENTATION

*(cont'd)*

**Step 5** Because of the importance of the information in the remainder of the **Lectura,** it is suggested that you go over this material orally in class.

**Step 6** You may wish to intersperse additional comprehension questions such as **¿Cuándo había mexicanos en EE.UU.? ¿Cuándo vinieron? ¿Dónde se establecieron? Pero, ¿cuándo empezó a llegar la mayoría de los mexicanos? ¿De qué parte de México vinieron muchos? ¿Dónde se establecieron?**

### Learning from Photos

*(page 378 top right)* El parque Balboa en San Diego tiene varios museos y jardines. El estilo imita las construcciones coloniales de los españoles.
*(page 378 left)* Por más de medio siglo la gente de Brownsville celebra sus raíces mexicanas con festividades durante toda una semana con sus vecinos de Matamoros al otro lado de la frontera.
*(page 378 center)* El río Grande, o río Bravo, es la frontera entre Texas y México. El Paso está a un lado y Ciudad Juárez al otro. Es en realidad una ciudad dividida por el río.
*(page 378 bottom left)* Cada día miles y miles de vehículos cruzan la frontera entre Tijuana y California en ambas direcciones.

### Los españoles

En los siglos XIX y XX venían a Norteamérica inmigrantes de España igual que de tantos otros países. Muchos españoles vinieron durante los años después de la Guerra Civil española (1936–1939), algunos porque tenían que exiliarse, otros porque España estaba devastada y había mucha hambre. Había gente de todas las clases sociales incluso académicos de gran fama que, casi inmediatamente, se colocaron en prestigiosas universidades estadounidenses.

### Los mexicanos

Había mexicanos que llegaron a EE.UU. antes de que hubiera un Estados Unidos de América o un Estados Unidos Mexicanos. Vinieron a territorio que todavía pertenecía a la Corona española y se establecieron en grandes áreas del suroeste. Pero fue en los años posteriores a la Revolución mexicana (1910–1920) cuando salieron para el norte miles y miles de mexicanos, principalmente «norteños», gente del norte de México. Los primeros inmigrantes poblaron mayormente las regiones fronterizas en Texas, Arizona, Nuevo México y California.

El Paso, Texas

San Diego, California

Charro Days Fiesta, Brownsville, Texas

La frontera, Tijuana, México

## Spanish Online

The Glencoe World Languages Web site at glencoe.com provides Internet enrichment activities and links for students to investigate the Spanish-speaking world. Every chapter has a **WebQuest** activity and a **Self-Check Quiz**. The **Web Explore** section takes students to Spanish Web sites related to the chapter theme. Students can also click on **World News Online** to read current articles in Spanish-language newspapers.

Un desfile en Little Village, Chicago, Illinois

Misión San Carlos, Carmel, California

## Learning from Photos

*(page 379 top left)* La Villita es la parte más antigua de San Antonio. Aquí están el palacio del gobernador y otros edificios coloniales.

*(page 379 center)* Es el desfile de «Orgullo Mexicano» que se celebra cada año en Chicago.

*(page 379 top right)* Fray Junípero Serra fundó la misión de San Carlos Borromeo en Carmel en 1771 y está enterrado allí.

## Critical Thinking Activity

¿Por qué es importante saber hablar español e inglés si vives en una comunidad de mucha influencia hispana?

La política norteamericana con respecto a la inmigración variaba. Cuando se necesitaba mano de obra, especialmente en la agricultura, durante las dos guerras mundiales, por ejemplo, las puertas se abrían. Cuando había menos necesidad, los inmigrantes no eran bienvenidos. Hoy, inmigrantes mexicanos y los hijos de inmigrantes se encuentran en todas partes del país, de norte a sur, este a oeste, en Los Ángeles, Chicago, Nueva York, Denver, Houston y Seattle. De todos los grupos hispanos o latinos residentes en EE.UU. los mexicanos y sus descendientes forman el grupo más numeroso. De los cuarenta millones de hispanos o latinos en EE.UU. más de la mitad son de ascendencia mexicana.

**D** Contesten.

1. ¿Cuándo vinieron inmigrantes de España a EE.UU.?
2. ¿Por qué vinieron muchos después de la Guerra Civil?
3. ¿Hay muchos mexicanos que nacieron en territorio estadounidense antes de que fuera un Estados Unidos?
4. ¿Cuándo llegó una gran ola de mexicanos a Estados Unidos?
5. ¿De dónde salieron y dónde se establecieron?

**E** Describan la política norteamericana con respecto a la inmigración.

ESTADOS UNIDOS

*trescientos setenta y nueve* 379

---

## ANSWERS

**D**

1. En los siglos XIX y XX venían a Norteamérica inmigrantes de España.
2. Después de la Guerra Civil española, muchos españoles vinieron también, o porque tenían que exiliarse o porque las condiciones económicas en España eran muy malas.
3. Sí, hay muchos mexicanos que nacieron en territorio estadounidense antes de que fuera un Estados Unidos.

4. Después de la Revolución mexicana (1910–1920) una gran ola de mexicanos llegaron a Estados Unidos.
5. Salieron del norte de México y se establecieron en las regiones fronterizas en Texas, Arizona, Nuevo México y California.

**E** *Answers will vary but may include:*

La política norteamericana con respecto a la inmigración variaba. Cuando se necesitaba mano de obra, por ejemplo durante tiempos de guerra, las puertas se abrían. Cuando había menos necesidad, o menos trabajo, los inmigrantes no eran bienvenidos.

# LECCIÓN I
# Cultura

## PRESENTATION

*(cont'd)*

**Step 7** See suggestions on page 378.

**Step 8** As you finish each sub-topic, you may call on an individual to give a brief review of the material.

**Step 9** You may want to intersperse the following comprehension questions. **¿Cuándo pasó a formar parte de Estados Unidos Puerto Rico? ¿Son los puertorriqueños ciudadanos estadounidenses? ¿Vinieron muchos o pocos puertorriqueños antes de 1950? ¿Qué permitió a miles de puertorriqueños venir a Estados Unidos en busca de mejor vida? ¿A qué ciudad llegaron? ¿Siguen llegando muchos puertorriqueños hoy? ¿Dónde se han establecido la mayoría de los puertorriqueños?**

### Learning from Photos

*(page 380 bottom right)* Este desfile puertorriqueño tiene lugar cada año en junio. Unas 100,000 personas desfilan ante millones de espectadores por la Quinta Avenida.

*(page 380)* You may wish to ask students the following questions about the photograph. **¿Qué quiere decir «órdenes para afuera»? ¿Cuáles serán algunos jugos de frutas tropicales? ¿Qué serán «frituras»? ¿Es el letrero en más de un idioma?** Mofongo son bolas hechas de plátano verde con chicharrón y ajo. Los cuchifritos se preparan con partes del cerdo como la lengua, cuajo (estómago), oreja y plátano verde, ajo, y varias especias.

San Juan, Puerto Rico

## Los puertorriqueños

Con el cambio de bandera en 1898 Puerto Rico se encontró bajo la soberanía de EE.UU. Poco después, se les concedió la ciudadanía norteamericana. Antes de las décadas de 1940 y 1950 había puertorriqueños que venían al «continente» a trabajar o a estudiar, pero eran pocos. Eso cambió dramáticamente con el desarrollo de la aviación comercial. Vuelos baratos de San Juan a Nueva York trajeron miles de puertorriqueños que buscaban mejor vida en la gran ciudad. Cuando anteriormente llegaban menos de dos mil al año, ahora llegaban cuarenta y cinco mil. Aunque de nuevo son pocos los que llegan, siguen siendo el mayor grupo latino de Nueva York y el segundo mayor de EE.UU. Pero no están solamente en Nueva York sino en todo el país, mayormente en el nordeste, en ciudades como Boston, Filadelfia, Hartford y Jersey City. Muchos han salido de las ciudades para establecerse en los suburbios. Una interesante población puertorriqueña se encuentra en Hawaii. Han estado allí desde las primeras décadas del siglo XX. Se fueron allí para ayudar en establecer el cultivo de la piña. Otro dato interesante, la capital más antigua de EE.UU. es San Juan de Puerto Rico, fundada en 1521.

El Barrio, Nueva York

El desfile puertorriqueño, Nueva York

CAPÍTULO 8

## Reaching All Students

### Visual Learners

It may be useful for visual learners to look at or label a map while reading this selection.

## Los cubanos

En el siglo XIX, patriotas cubanos se preparaban para su lucha contra España desde Nueva York y la Florida. Cuba, a sólo unas 90 millas de la costa de la Florida, había visto el ir y venir de la gente en ambas direcciones... hasta años recientes.

Durante las décadas de los 30, 40 y 50, los músicos cubanos eran popularísimos en todo Estados Unidos. Nuestros abuelos bailaban rumbas, congas y boleros en las elegantes salas de fiestas o en casa escuchando la radio. Los norteamericanos iban a La Habana para pasar un fin de semana gozando de baile, espectáculos, sol y playa. Pero la Revolución cubana de 1959 resultó después en el cese de relaciones diplomáticas entre EE.UU. y la Cuba de Fidel Castro. Miles y miles de cubanos, particularmente de las clases acomodadas (adineradas), salieron de Cuba para radicarse en Miami y, más tarde, en otras partes del país, como Union City y West New York en Nueva Jersey, Atlanta y Nueva Orleans. Tuvieron que abandonar sus hogares, sus familiares, sus profesiones y sus raíces para comenzar de nuevo.

Carmen Miranda

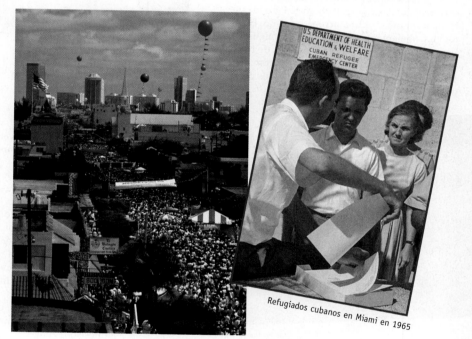

Calle Ocho Festival, Miami

Refugiados cubanos en Miami en 1965

ESTADOS UNIDOS

*trescientos ochenta y uno* 381

**Step 10** You may wish to intersperse the following comprehension questions. **¿A qué distancia está Cuba de Estados Unidos? ¿Quiénes eran popularísimos durante los años 30, 40 y 50? ¿Qué bailaban nuestros abuelos? ¿Adónde iban muchos turistas norteamericanos? ¿Cuándo? ¿Para qué? ¿Qué pasó después de la Revolución cubana en 1959? ¿Quién fue el jefe de esta revolución? ¿Dónde se radicaron muchos refugiados cubanos?**

### Learning from Photos

*(page 381 top right)* La foto es de una película de 1941 titulada *Week-end in Havana,* con la actriz brasileña Carmen Miranda, famosa por sus extravagantes tocados.

*(page 381 left)* La calle Ocho es el corazón de la Pequeña Habana de Miami. El festival que atrae un millón de gente se celebra al final de Carnaval. La gente disfruta de música, baile, espectáculos y comida tradicional.

*(page 381 right)* Los exiliados cubanos llegaron primero a Miami, pero después se establecieron en otras áreas como Atlanta y Nueva Jersey.

### Chapter Projects

**Newsletter** Have students create a Spanish-language newsletter for the classroom that reports on school and community events. Encourage students to include stories and perspectives from students with a Hispanic background.

## PRESENTATION

*(cont'd)*

**Step 11** You may wish to intersperse the following comprehension questions. **¿Dónde viven muchos dominicanos? ¿Por qué ha venido mucha gente de varios países de Centroamérica? ¿Qué han obligado a colombianos, chilenos y argentinos a salir de su país? ¿Cuál sería un gran error? ¿Cuáles son algunas diferencias entre los grupos hispanos o latinos que viven en Estados Unidos?**

**Step 12** You can go over **Actividad F** after students have finished reading this section.

### Learning from Photos

*(page 382 top right)* Washington Heights es un barrio de Manhattan. En el pasado la población era mayormente irlandesa, después judía, y hoy es el corazón de la comunidad dominicana de Nueva York.
*(page 382 center)* Columbia Road está en el barrio Adams-Morgan en Washington, D.C., un área de gran diversidad étnica con una significante población latina.

### Otros

Además de los grupos ya mencionados, hay muchos otros. Al nordeste han llegado gran número de dominicanos. Ellos constituyen hoy la mayor fuente de inmigrantes latinos para Nueva York. En esa ciudad sólo los puertorriqueños los superan numéricamente.

Los conflictos armados en Centroamérica resultaron en la emigración de gente que se escapaba de la violencia en El Salvador, Guatemala y Nicaragua. Muchos se fueron a California, otros a los estados del este. Se calcula que aproximadamente quinientos mil salvadoreños vinieron a EE.UU., la décima parte de la población de El Salvador. La violencia y los conflictos políticos también obligaron a colombianos, argentinos y chilenos a salir de su país para sentirse más seguros en el norte.

Sería una gran equivocación pensar que todos los hispanos o latinos son iguales. Hay diferencias raciales y culturales entre ellos. Hay quienes llevan sangre africana, europea, indígena o asiática. Cada grupo tiene sus propias costumbres y tradiciones. Hay quienes hablan solamente español o solamente inglés o ambos idiomas. Pero lo que comparten todos es una herencia común. El idioma, obviamente, es parte, aunque algunos lo hayan perdido. También los conceptos de honor y respeto, la importancia de los vínculos familiares y las relaciones personales son resultados de esta herencia.

Washington Heights, Nueva York

Columbia Road, Washington, D.C.

Unas dominicanas en Nueva York

**F** Identifiquen.
1. lo que pasó en 1898
2. cuando empezaron a venir miles y miles de puertorriqueños a EE.UU. y por qué
3. en qué parte de EE.UU. vivían muchos puertorriqueños
4. la influencia cubana en EE.UU. de los 30 hasta los 40 del siglo pasado
5. cuando vino la mayoría de los cubanos a EE.UU. y por qué
6. donde se establecieron
7. razones por la migración actual de muchas otras nacionalidades hispanas
8. por qué sería una gran equivocación pensar que todos los hispanos o latinos son iguales

## ANSWERS

**F**

1. En 1898 Puerto Rico se encontró bajo la soberanía de EE.UU.
2. Con el desarrollo de la aviación comercial en las décadas de 1940 y 1950, miles de puertorriqueños vivieron a EE.UU.
3. Venían a Nueva York, mayormente al nordeste, a ciudades como Boston, Filadelfia, Hartford y Jersey City.

4. Durante las décadas de los 30, 40 y 50, los músicos cubanos eran popularísimos en todo Estados Unidos.
5. Después de la Revolución cubana de 1959 cesaron las relaciones diplomáticas entre EE.UU. y Cuba y miles y miles de cubanos salieron de Cuba.
6. Se radicaron en Miami y, más tarde, en otras partes del país, como Union City y West New York en Nueva Jersey, Atlanta y Nueva Orleans.

7. Los conflictos armados en Centroamérica resultaron en la emigración de gente que se escapaba de la violencia en El Salvador, Guatemala y Nicaragua. La violencia y los conflictos políticos también obligaron a colombianos, argentinos y chilenos a salir de su país para sentirse más seguros en el norte.
8. Hay diferencias raciales y culturales entre los diferentes grupos de hispanos o latinos. Cada grupo tiene sus propias costumbres y tradiciones.

# Comida

Si visitas el barrio hispano de cualquiera de nuestras ciudades podrás disfrutar de una grata experiencia culinaria. No hace tantos años que la única comida hispana que podrías encontrar era la mexicana, y muchas veces comida mexicana poco auténtica. Eso ha cambiado radicalmente. Hoy puedes comerte un churrasco argentino, unas pupusas salvadoreñas, un pastel de choclo chileno, hasta chuño boliviano, comida heredada de los incas. Hay restaurantes en Estados Unidos donde uno puede probar especialidades de todas las repúblicas de las Américas. Y espero que te guste el arroz, porque no importa que el restaurante sea cubano, mexicano, puertorriqueño, centroamericano, colombiano, venezolano o dominicano, habrá arroz en el menú y, probablemente frijoles, aunque puede que se llamen habichuelas, fréjoles u otra cosa. ¡Moles mexicanos, asopaos caribeños, tamales, churrascos, arepas—una infinidad de sabores que nacieron en África, en Europa, en Oriente y en los pueblos indígenas de las Américas! Será una aventura para el paladar[1].

Desde hace ya medio milenio, han llegado y siguen llegando a Estados Unidos de todas partes del mundo hispánico, como de todos los rincones del planeta, gentes en busca de mejor vida, de un futuro más prometedor para sus hijos. Y todos ellos contribuyen a la prosperidad y a la grandeza de esta nación.

[1] el paladar  *palate*

Mole

Fort Myers, la Florida

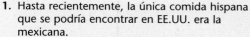

ESTADOS UNIDOS

Una arepa

Comida cubana

 **G**  Contesten.

1. Hasta recientemente, ¿cuál fue la única comida hispana que se podría encontrar en EE.UU.?
2. Pero hoy, ¿qué hay?
3. ¿Qué se sirve con muchos platos de muchos países diferentes?
4. ¿Cuáles son otros nombres para frijoles?
5. ¿De dónde son los asopaos?
6. ¿Cuáles son los orígenes de muchos platos hispanos?

*trescientos ochenta y tres* ❁ **383**

## Step 13
If you have some Latino students in class, have them share some information about their favorite dishes.

## ♻ Recycling

Have students recall and describe some foods they have learned about during their study of Spanish.

### Learning from Photos

*(page 383 top right)* El mole es una salsa que se prepara a base de chocolate, el chocolatl de los aztecas. Los aztecas bebían chocolate antes de la llegada de los españoles. Los españoles lo llevaron a Europa en el siglo XV.

*(page 383 bottom left)* La comida mexicana ahora se encuentra en todas partes de Estados Unidos.

## ANSWERS

**G**

1. Hasta recientemente, la única comida hispana que se podría encontrar en EE.UU. era la mexicana.
2. Pero hoy, hay el churrasco argentino, las pupusas salvadoreñas, el pastel de choclo chileno, el chuño boliviano y muchas otras comidas.
3. Se sirven arroz y frijoles con muchos platos de muchos países diferentes.
4. Otros nombres para frijoles son habichuelas y fréjoles.
5. Los asopaos son del Caribe.
6. Los orígenes de muchos platos hispanos son africanos, europeos, orientales y de los pueblos indígenas de las Américas.

**383**

## PREPARATION

### Resource Manager

Workbook, page 121
Audio Activities TE, pages 187–188
Audio CD 8, Tracks 8–9
Quizzes, pages 111–112
*ExamView® Assessment Suite*

### Bellringer Review

*Use BRR Transparency 8.2 or write the following on the board.*
**Escriban una oración sobre cada uno de los siguientes grupos.**
1. los mexicanos
2. los cubanos
3. los puertorriqueños
4. los dominicanos
5. los salvadoreños

## PRESENTATION

### Adverbios en -mente

**Step 1** Have students read the explanatory material and the model sentences.

### LEVELING

**E:** Structure

### Learning from Photos

*(page 384)* Los españoles construyeron esta fortaleza entre 1672 y 1695 para proteger la entrada a la ciudad de San Agustín, la ciudad más antigua de los Estados Unidos.

---

# Estructura • Repaso

Use your **StudentWorks** Plus CD for more practice.

## Adverbios en -mente
### Telling how actions are carried out

1. An adverb modifies a verb, an adjective, or another adverb. In Spanish, many adverbs end in **-mente**. To form an adverb from an adjective that ends in **-e** or in a consonant, you simply add **-mente** to the adjective. Study the following.

| ADJECTIVE | | ADVERB |
|---|---|---|
| decente<br>reciente<br>principal<br>general | **+ mente** | decentemente<br>recientemente<br>principalmente<br>generalmente |

2. To form an adverb from an adjective that ends in **-o**, add **-mente** to the feminine **-a** form of the adjective.

| FEMININE ADJECTIVE | | ADVERB |
|---|---|---|
| sincera<br>cariñosa | **+ mente** | sinceramente<br>cariñosamente |

3. When more than one adverb ending in **-mente** modifies a verb, only the last adverb carries the **-mente** ending. Study the following.

> **Él habló lenta y claramente.**
> **Yo se lo digo honesta y sinceramente.**

Castillo de San Marcos,
San Agustín, la Florida

**384** trescientos ochenta y cuatro

CAPÍTULO 8

You may wish to use the editable PowerPoint® presentation available on this PowerTeach CD-ROM for additional grammar instruction and practice.

## ¿Cómo lo digo?

 **1** **Los adverbios**
Formen adverbios de los
siguientes adjetivos.

1. posible
2. necesario
3. dramático
4. numérico
5. aproximado
6. solo
7. violento
8. serio
9. individual
10. sencillo

Austin, Texas

David Farragut

 **2** **Historieta** **Un héroe de ascendencia hispana**
Contesten cambiando los adjetivos en adverbios.

1. La familia de David Farragut vino _____ de España. (original)
2. Él luchó _____ durante la Guerra Civil en Norteamérica. (valiente)
3. Ascendió _____ hasta llegar a almirante. (rápido)
4. Siempre trataba a sus marineros _____. (decente)
5. Y ellos siempre lo trataban _____. (respetuoso)
6. Los historiadores _____ consideran a Farragut un héroe ejemplar.
(general)

 **3** **Historieta** **Ramón y Laura** Contesten con adverbios.

1. ¿Cómo habla Ramón? (rápido/nervioso)
2. ¿Y cómo contesta Laura? (lento/claro)
3. ¿Cómo conduce Laura? (cuidadoso/sano)
4. Y Ramón, ¿cómo conduce él? (peligroso/loco)
5. ¿Cómo se porta Laura? (respetuoso/discreto)
6. ¿Y cómo se porta Ramón? (descortés/tonto)

ESTADOS UNIDOS

*trescientos ochenta y cinco*  **385**

## ¿Cómo lo digo?

**1** – **3** These activities can
be done orally without prior
preparation.

### Learning from Photos

*(page 385)* El héroe de la
Guerra Civil norteamericana
(1807–1870) y primer
almirante de la flota era de
familia española de apellido
Ferragut, de Menorca, España.
Un antepasado, don Pedro
Ferragut, había servido al
rey don Jaime I de Aragón.

---

ANSWERS TO  **¿Cómo lo digo?**

**1**

1. posiblemente
2. necesariamente
3. dramáticamente
4. numéricamente
5. aproximadamente
6. solamente
7. violentamente
8. seriamente
9. individualmente
10. sencillamente

**2**

1. originalmente
2. valientemente
3. rápidamente
4. decentemente
5. respetuosamente
6. generalmente

**3**

1. Ramón habla rápida y nerviosamente.
2. Laura contesta lenta y claramente.
3. Laura conduce cuidadosa y sanamente.
4. Ramón conduce peligrosa y locamente.
5. Laura se porta respetuosa y discretamente.
6. Ramón se porta descortés y tontamente.

### Recycling

These activities allow students to use the vocabulary and structure from this lesson in completely open-ended, real-life situations.

## PRESENTATION

Encourage students to say as much as possible when they do these activities. Tell them not to be afraid to make mistakes, since the goal of these activities is real-life communication. If someone in the group makes an error, allow the others to politely correct him or her. Let students choose the activities they would like to do.

You may wish to divide students into pairs or groups. Encourage students to elaborate on the basic theme and to be creative. They may use props, pictures, or posters if they wish.

### Learning from Photos

*(page 386 top right)* Los ejecutivos posan ante una tienda que sirve principalmente a la comunidad hispana.

*(page 386 bottom left)* Los *mariachis* están tocando durante la celebración del Cinco de Mayo en la calle Olvera, el barrio histórico de Los Ángeles. El Cinco de Mayo conmemora la batalla de Puebla en 1862 cuando los mexicanos derrotaron las tropas francesas. ¿Qué ropa llevan ellos? ¿Cómo son los sombreros? ¿Qué instrumentos tocan?

*(page 387 top right)* Andrés Arturo García, famoso actor de cine, nació en La Habana. Cuando tenía cinco años su familia se trasladó a Miami.

---

LECCIÓN I
## Cultura

# ¡Te toca a ti!
### Use what you have learned

Dos ejecutivos latinos de Panorama City, California

### 1 HABLAR
### Una entrevista
✔ *Interview a Spanish speaking student in your class*

Si en la clase de español hay un(a) alumno(a) hispanohablante, dale una entrevista. Quieres saber de donde es él o ella o sus antepasados; la lengua que hablan en casa, cuanto tiempo o cuantas generaciones viven aquí, algunas costumbres que practican y algunas de sus comidas típicas.

### 2 HABLAR ESCRIBIR
### ¿Quiénes llegaron antes?
✔ *Discuss Hispanic influences in the early history of the United States*

Al estudiar la historia de Estados Unidos se pone mucho énfasis en las influencias anglosajonas. Pero la verdad es que habían estado los españoles en EE.UU. mucho antes de la llegada de los ingleses. Relata todo lo que sabes de las expediciones, exploraciones y fundaciones de los españoles.

Los mariachis, Los Ángeles, California

### 3 HABLAR
### ¿Quiénes llegaron cuándo?
✔ *Discuss the migration of the various Hispanic or Latin groups of the United States*

Dentro de EE.UU. hay muchos grupos diferentes de hispanohablantes. Han llegado en épocas diferentes y por motivos diferentes. En grupos de tres o cuatro personas, hablen de los diferentes grupos hispanos. Expliquen cuando vinieron a EE.UU. y por qué.

### 4 HABLAR
### Comunidades hispanohablantes
✔ *Discuss Hispanic and Latin communities near you*

Hay comunidades hispanohablantes cerca de donde tú vives. ¿De qué países son? ¿Conoces algunas de sus costumbres? ¿Cuáles?

---

## FUN FACTS

El nombre completo que los españoles dieron a Los Ángeles fue: El Pueblo de Nuestra Señora Reina de los Ángeles, probablemente porque llegaron al lugar el 1° de agosto de 1769, cuando los misioneros franciscanos celebraban la fiesta de Nuestra Señora de los Ángeles.

ANSWERS TO ¡Te toca a ti!

*Answers will vary.*

## Investigación

✔ *Do some research on a well-known Hispanic or Latin figure*

Mira la lista de hispanos o latinos notables de EE.UU. Están agrupados en varias categorías. Escoge una persona y prepara un breve informe sobre él o ella.

**Deportes** Nancy López, Pancho González, Roberto Clemente, Anthony Muñoz, Mary Jo Fernández, Jennifer Rodríguez

**Política/Finanzas** César Chávez, Benjamín Cardozo, Antonia Coello Novello, George Santayana, Rosario Marín

**Música** Gloria Estefan , Jon Secada, Selena, Ricky Martin

**Cine y teatro** Andy García, Rita Moreno, José Ferrer, Edward James Olmos, Raquel Welch, Penelope Cruz

Andy García

Mary Jo Fernández

César Chávez

## Contribuciones de los inmigrantes

✔ *Discuss the importance of contributions made by immigrants*

Describe el significado de lo siguiente: Desde hace ya medio milenio, han llegado a Estados Unidos y siguen llegando de todas partes del mundo hispánico, como de todas las regiones del mundo entero, gente en busca de mejor vida, de un futuro más prometedor para sus hijos. Y todos ellos contribuyen a la prosperidad y a la grandeza de esta nación.

ESTADOS UNIDOS

*trescientos ochenta y siete* 🌞 **387**

### Learning from Photos

*(page 387 center left)* Mary Jo Fernández nació en la República Dominicana de padre español. Representó a Estados Unidos en las Olimpíadas.
*(page 387 center right)* César Estrada Chávez (1927–1993), gran defensor de los braceros y organizador del sindicato de obreros agrícolas, nació y murió en Yuma, Arizona.

ANSWERS TO ¡Te toca a ti!

*Answers will vary.*

### Writing Development

Have students keep a notebook or portfolio containing their best written work from each chapter. These selected writings can be based on assignments from the Student Textbook and the Workbook. The activities on this page are examples of writing assignments that may be included in each student's portfolio.

# Assessment

## Resource Manager

Assessment Transparency A8.1
Online Quiz
Tests, pages 237–240 and 248–275
*ExamView® Assessment Suite*

## Assessment

This is a pretest for students to take before you administer the lesson test. Answer sheets for students to do these pages are provided in the transparencies. Note that each section is cross-referenced so students can easily find the material they have to review in case they made errors. You may wish to collect these assessments and correct them yourself or you may prefer to have the students correct themselves in class. You can go over the answers orally or project them on the over-head, using your Assessment Answers transparencies.

## Reaching All Students

### Non-Mastery Students

Encourage students who need extra help to refer to the yellow notes and review any section before answering the questions.

# Vocabulario

**1** **Completen con una palabra apropiada.**

*To review vocabulary, turn to page 374.*

1. Los españoles _____ pueblos y ciudades en las Américas.
2. Casi todas las religiones tienen sus _____ y ceremonias.
3. Ellos no podían volver a su país y tuvieron que _____ en Estados Unidos.
4. Lo que necesitamos aquí son trabajadores, mucha _____ de obra.
5. Los _____ son judíos que fueron expulsados de España durante la Inquisición.
6. A los mexicanos del norte de su país se les llama _____.
7. Hay muchos pueblos _____ de Tejas a California.
8. Todo el mundo sabía lo que estaban haciendo. No hicieron nada _____.
9. Ahora hay más calma porque ha habido un _____ en los conflictos.

# Lectura

**2** **¿Sí o no?**

*To review historical and cultural information, turn to pages 376–383.*

10. Muchos inmigrantes españoles llegaron a Estados Unidos durante la Guerra Civil española.
11. Los primeros europeos en lo que es EE.UU. llegaron a Virginia.
12. San Agustín en la Florida es la ciudad más antigua de Norteamérica.
13. Los españoles exploraron gran parte del suroeste de EE.UU.
14. Los asopaos son platos típicamente mexicanos.
15. La mayoría de los cubanos que vinieron después del establecimiento del gobierno castrista eran los pobres.

La Estrella de David de un cementerio de Las Vegas, Nuevo México

CAPÍTULO 8

## ANSWERS TO Assessment

**1**

1. fundaron, iniciaron, establecieron
2. ritos
3. radicarse, establecerse, echar raíces
4. mano
5. sefardíes
6. norteños
7. hispanos
8. a escondidas
9. cese

**2**

10. Sí
11. No
12. Sí
13. Sí
14. No
15. No

### 3 Contesten.

16. ¿Cuándo empezaron a venir muchos puertorriqueños al «continente», o sea Estados Unidos continental?

17. ¿Cuándo vinieron miles y miles de mexicanos?

18. ¿Dónde se radicaron ellos?

19. ¿Cuál fue un motivo para la emigración de colombianos, chilenos y centroamericanos?

20. ¿Por qué vinieron muchos cubanos a EE.UU. después de 1959?

To review historical and cultural information, turn to pages 376–383.

# Estructura

### 4 Completen con el adverbio.

21. Los inmigrantes vinieron _____ a la ciudad. (directo)

22. Algunos llegaron _____. (reciente)

23. Pero _____ ellos vivían en el campo. (antiguo)

24–25. Ahora están _____ y _____ adaptándose a la ciudad. (rápido, completo)

To review adverbs, turn to page 384.

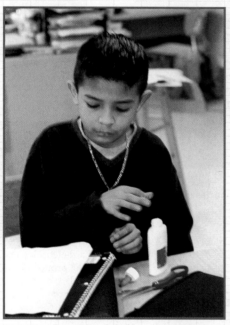

En una clase de inglés como segundo idioma, Golden Valley, Minnesota

ESTADOS UNIDOS

## Assessment

After going over the Assessment, you may administer the test for **Lección 1, Capítulo 8.**

## Learning from Photos

*(page 389)* You may wish to ask students: **¿En qué clase está el muchacho? ¿Qué hay en la mesa? ¿Qué creen que está haciendo?**

---

ANSWERS TO Assessment

### 3

16. Empezaron a venir muchos puertorriqueños al «continente», o sea Estados Unidos, cuando se desarrolló la aviación comercial y había vuelos relativamente baratos entre San Juan y Nueva York.

17. En los años posteriores a la Revolución mexicana (1910–1920), miles y miles de mexicanos vinieron.

18. Ellos se radicaron en las regiones fronterizas de Texas, Arizona, Nuevo México y California.

19. La violencia (los conflictos políticos) fue un motivo para la emigración de colombianos, chilenos, argentinos y centroamericanos.

20. Muchos cubanos vinieron a EE.UU. después de 1959 por el cese de relaciones diplomáticas entre EE.UU. y la Cuba de Fidel Castro.

### 4

21. directamente
22. recientemente
23. antiguamente
24. rápidamente
25. completamente

## PREPARATION

### Resource Manager

Vocabulary Transparency V8.3
Audio Activities TE, pages 189–190
Audio CD 8, Tracks 10–11
Workbook, page 122
Quiz, page 113
*ExamView® Assessment Suite*

### Bellringer Review

*Use BRR Transparency 8.3 or write the following on the board.*
**Usen cada palabra en una oración.**
   **el periódico**
   **la revista**
   **el diario**
   **el dominical**
   **la emisoria**
   **la radio**
   **la televisión**

## PRESENTATION

### Vocabulario para la conversación

**Step 1** You may wish to follow the presentation suggestions outlined in other chapters.

### Learning from Photos

You may wish to ask students about the photos.
*(page 390 top left)* **¿Dónde está la televidente? ¿Qué tiene en la mano? ¿Qué hay a la izquierda del televisor? ¿Son discos compactos? ¿Qué se ve en la pantalla?**
*(page 390 bottom right)* **¿Para qué país es el pronóstico del tiempo? ¿Para qué días es el pronóstico?**
*(page 390 bottom left)* **¿Como se llama el programa de noticias?**

## Vocabulario para la conversación 🎧

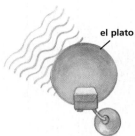

el plato

la antena parabólica

la televidente

el control remoto

La televidente está surfeando con el control remoto.
No quiere ver los anuncios televisivos.

la pantalla    el televisor

una grabadora DVD

Con la nueva tecnología se puede grabar un programa directamente del satélite.

una entrevista

la cámara

el micrófono

Ella está haciendo una entrevista.
La están transmitiendo en vivo.

NOTICIERO **60**

la mujer ancla    el ancla

Son anclas de un noticiero.
Durante su programa (emisión), incluyen las noticias internacionales y nacionales.

la meteoróloga

EL TIEMPO

martes    miércoles

La meteoróloga presenta (da) el pronóstico del tiempo.

### Más vocabulario

**el payaso** una persona cómica que les hace reír a todos
**el/la televidente** la persona que ve o mira la televisión

**la telenovela** una novela frecuentemente romántica, filmada y grabada para ser emitida por capítulos en la televisión

**390** ✦ *trescientos noventa*

CAPÍTULO 8

POWERTEACH
*Interactive*
Chalkboard

You may wish to use the editable PowerPoint® presentation available on this PowerTeach CD-ROM for additional vocabulary instruction and practice.

## ¿Cómo lo digo?

**1**  **Historieta** Contesten personalmente.

1. ¿Tienes un sistema de televisión por satélite? ¿Han instalado un plato o antena parabólica?
2. De vez en cuando, ¿grabas un programa que te gusta?
3. ¿Te gustan los anuncios televisivos?
4. ¿Surfeas los canales con tu control remoto cuando hay muchos anuncios?
5. Cada noche, ¿miras el noticiero en la televisión?
6. ¿Tienes un ancla o una mujer ancla predilecta?
7. ¿Miras la televisión para enterarte del pronóstico del tiempo?

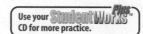

Use your **StudentWorks** Plus™
CD for more practice.

Una emisión de Univisión, Los Ángeles, California

**2**  **Emisiones televisivas** Completen.

1. Cuando el ancla entrevista a alguien fuera del estudio tiene que usar un _____.
2. A veces transmiten la entrevista _____ pero a veces la entrevista está pregrabada.
3. Los anclas presentan las noticias _____ y _____.
4. El _____ da el pronóstico del tiempo.
5. No tengo que levantarme para cambiar de canal porque tengo un _____.
6. Hay bastante publicidad por todas partes. No aguanto los _____.
7. En la televisión hispana hay muchos programas infantiles con tiras cómicas y _____.
8. Él no se fija nunca en un solo programa. Siempre está _____ los canales.

ESTADOS UNIDOS

**PRACTICE**

## ¿Qué palabra necesito?

**1** and **2** Assign these activities and then go over them in class.

### Learning from Photos

*(page 391 top right)* You may wish to ask students to describe the photograph. **¿Son jóvenes o mayores? ¿Dónde están? ¿Qué están haciendo? ¿Qué tipo de programa podría ser?** *(page 391 bottom left)* Univisión es la empresa de medios de comunicación en español más grande de Estados Unidos. Comenzó en 1961 con una emisora de UHF en San Antonio, Texas.

## Answers to ¿Qué palabra necesito?

**1**

1. Sí, (No, no) tengo un sistema de televisión por satélite. Sí, (No, no) han instalado un plato o antena parabólica.
2. Sí, de vez en cuando grabo un programa que me gusta.
3. Sí, (No, no) me gustan los anuncios televisivos.
4. Sí, (No, no) surfeo los canales con mi control remoto cuando hay muchos anuncios.
5. Sí, (No, no) miro el noticiero en la televisión cada noche.
6. Sí, (No, no) tengo un ancla o una mujer ancla predilecta.
7. Sí, (No, no) miro la televisión para enterarme del pronóstico del tiempo.

**2**

1. micrófono
2. en vivo
3. buenas, malas
4. meteorólogo
5. control remoto
6. anuncios
7. telenovelas
8. surfeando

391

## National Standards

**Communication**
Students discuss media and technology.

## PREPARATION

### Resource Manager

Audio Activities TE, pages 190–192
Audio CD 8, Tracks 12–13
Workbook, page 122
Quiz, page 114

## PRESENTATION

### Conversación

**Step 1** Divide the **Conversación** into three parts. Call on different pairs of students to read each section aloud. Have them use as much expression as possible.

**Step 2** You may wish to intersperse questions from **Actividad A** on page 393 as students go over the conversation in class.

### Learning from Photos

*(page 392)* You may wish to ask students to describe the house. **¿Cuántos pisos tiene la casa? ¿Es grande o pequeña? ¿Qué tipo de arquitectura es? ¿Qué hay enfrente de la casa a la derecha? ¿Dónde creen que está la casa? ¿Por qué?**
*(page 393)* You may wish to ask: **¿De qué es la foto? ¿Es para cable o satélite? ¿Qué tipo de antena es?**

## LEVELING

**E:** Conversation

## Emisoras en español 🎧

**Laura** Oye, Manuel. ¿Es verdad que ustedes no tienen cable en tu casa?

**Manuel** No, chica. Es que donde vivo no hay cable. Por eso acabamos de instalar un sistema de televisión por satélite. Recibimos hasta doscientos canales.

**Laura** ¿Cómo funciona? ¿Construyen una torre o algo así para recibir los programas?

**Manuel** No, es muy sencillo. Sólo necesitas una antena parabólica y no tener nada que obstruya la señal de satélite.

**Laura** ¿Ofrecen programas en español?

**Manuel** Muchos. Hay telenovelas, deportes, las últimas noticias nacionales e internacionales, el pronóstico del tiempo, series policíacas y *quiz shows*. Ofrecen paquetes de programas que incluyen películas nuevas, emisoras extranjeras—de España, México y otros países. Puedes hasta sustituir un «paquete» de programas por otro si así prefieres.

**Laura** ¿Sabes lo que a mí me gustaría ser? Mujer ancla de un noticiero. ¡Fíjate! Allí estoy ante las cámaras. Tomo el micrófono y les digo a los televidentes: «Los criminales huyeron de la policía, pero por muy pocas horas. Aquí los ven, capturados y camino de la cárcel. Les informa Laura Santiago, ancla de tu noticiero favorito y hasta mañana, querido público.» ¿Qué te parece?

## ADDITIONAL PRACTICE

If there are Spanish-language TV stations in your area, ask students to watch a program and then discuss it in class the following day.

## Pre-AP SkillBuilder

Listening to this conversation will give students the tools they need to succeed on the listening portion of the AP exam.

**Manuel** Laura, preciosa. Prendería mi grabadora DVD y te grabaría cada vez que aparecieras en la pantalla. Distribuiría los discos DVD con tu voz e imagen a todo el mundo para que los que no te pudieron ver en vivo tuvieran la oportunidad de saber lo «súper» que eres.

**Laura** Muy cómico. Gracias. Me voy a casa para ver unos cómicos de verdad en la tele y no un payaso como tú.

**Manuel** Ay, Laura, no te enojes conmigo. Estoy bromeando[1], no más. Perdóname.

**Laura** Perdonado. Pero verás… un día las cadenas de televisión más prestigiosas harán cualquier cosa para poder proyectar esta cara y esta voz a un público loco por verme.

**Manuel** ¿Loco? ¿El público o una persona a quien conozco muy bien?

**Laura** Manolito, si estuvieras ahora en la tele, yo tomaría el control remoto y empezaría a surfear como si estuviera tratando de evitar los anuncios. O, aún mejor, te apagaría enseguida.

[1] bromeando *joking*

## ¿Comprendes?

**A** Contesten.

1. ¿Qué sistema de televisión tiene Manuel? ¿Por qué?
2. ¿Puede recibir programas en español?
3. ¿Qué tipo de programas hay?
4. ¿Qué quisiera ser Laura?
5. ¿Qué quisiera hacer?
6. ¿Qué le dirá a su público al terminar su emisión?
7. ¿Qué haría Manuel cada vez que ella aparecía en la pantalla?
8. ¿Por qué distribuiría los discos DVD?
9. ¿Por qué usa Laura la palabra «payaso»?
10. Y, ¿qué haría Laura si «Manolito» estuviera ahora mismo en la tele?

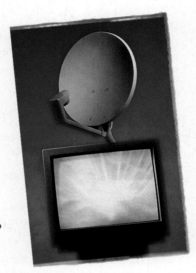

**Spanish Online**
For more information about Hispanic influence in the United States, go to **Web Explore** on the Glencoe Spanish Web site at glencoe.com.

## Después de leer

### PRACTICE

## ¿Comprendes?

**A** In addition to doing this activity orally in class, it ie suggested that you have students write the answers.

**POWERTEACH** *Interactive Chalkboard* — You may wish to use the editable PowerPoint® presentation available on this PowerTeach CD-ROM to have students listen to and repeat the Conversation. Additional activities are also provided.

---

## ANSWERS TO ¿Comprendes?

**A**

1. Manuel tiene un sistema de televisión por satélite porque donde vive no hay cable.
2. Sí, puede recibir programas en español.
3. Hay telenovelas, deportes, las últimas noticias nacionales e internacionales, el pronóstico del tiempo, series policíacas y *quiz shows*.
4. Laura quisiera ser mujer ancla de un noticiero.
5. Quisiera hablar por micrófono ante las cámaras.
6. Al terminar su emisión le dirá a su público, «Les informa Laura Santiago, ancla de tu noticiero favorito y hasta mañana, querido público.»

7. Manuel prendería su grabadora DVD y la grabaría cada vez que apareciera ella en la pantalla.
8. Distribuiría los discos DVD para que los que no la pudieron ver en vivo tuvieran la oportunidad de saber lo «súper» que es.
9. Laura usa la palabra «payaso» porque él estaba bromeando y ella se enojó con él.
10. Ella tomaría el control remoto y empezaría a surfear como si estuviera tratando de evitar los anuncios y la apagaría enseguida.

393

## PREPARATION

### Resource Manager

Audio Activities TE, pages 192–193
Audio CD 8, Tracks 14–15
Workbook, pages 122–123
Quiz, page 115
ExamView® Assessment Suite

### Bellringer Review

*Use BRR Transparency 8.4 or write the following on the board.*

**Completen en el presente y el pretérito.**

1. Yo lo ___ ayer y lo ___ hoy también. (comer)
2. Yo lo ___ ayer y lo ___ hoy también. (comprar)
3. Yo lo ___ ayer y lo ___ hoy también. (decir)
4. Él lo ___ ayer y lo ___ hoy también. (hacer)
5. Ella ___ ayer y ___ hoy también. (estar)

## PRESENTATION

### Verbos que terminan en -uir

**Step 1** Read the explanatory material aloud.

**Step 2** Call on students to read the verb forms and model sentences aloud.

**Step 3** Explain to students that if they pronounce these forms correctly, they will spell them correctly. Have them contrast the following.

| | |
|---|---|
| lee | huye |
| lee | oye |
| leen | leyeron |
| caen | cayeron |

### LEVELING

**E:** Structure

---

Use your StudentWorks Plus CD for more practice.

# Estructura • Repaso

### Verbos que terminan en -uir
**Discussing activities in the present and the past**

**1.** Verbs that end in **-uir** have a **y** in all forms of the present tense except **nosotros** and **vosotros** and in the third person singular and plural: **él, ella, usted, ellos, ellas, ustedes** of the preterite. Study these forms of the verb **construir**.

| | PRESENT | PRETERITE |
|---|---|---|
| yo | construyo | construí |
| tú | construyes | construiste |
| él, ella, Ud. | construye | construyó |
| nosotros(as) | construimos | construimos |
| vosotros(as) | *construís* | *construisteis* |
| ellos, ellas, Uds. | construyen | construyeron |

El señor Garcés construye casas de campo.
Él construyó la casa de los Romero.
Los señores Romero distribuyen libros de texto.

**2.** Other verbs ending in **-uir** are:

| | |
|---|---|
| destruir | to destroy |
| disminuir | to diminish, to lessen |
| distribuir | to distribute |
| huir | to flee, to escape |
| incluir | to include |
| obstruir | to obstruct |
| sustituir | to substitute |

**3.** Note that the verb **oír** follows the same pattern except for the **yo** form which is **oigo** in the present tense.

| oír | oigo | oyes | oye | oímos | *oís* | oyen |
|---|---|---|---|---|---|---|

**4.** The verbs **leer, oír,** and **caer** follow the pattern of the **-uir** verbs in the preterite tense.

| LEER | leí | leíste | leyó | leímos | *leísteis* | leyeron |
|---|---|---|---|---|---|---|
| OÍR | oí | oíste | oyó | oímos | *oísteis* | oyeron |
| CAER | caí | caíste | cayó | caímos | *caísteis* | cayeron |

Villa Viscaya, Miami, la Florida

POWERTEACH
*Interactive*
Chalkboard

You may wish to use the editable PowerPoint® presentation available on this PowerTeach CD-ROM for additional grammar instruction and practice.

## ¿Cómo lo digo?

**1** **Historieta** **Pantallas en el avión** Contesten según se indica.

1. ¿Hay pantallas de televisión en un avión? (sí)
2. En los aviones más viejos, ¿caen automáticamente? (sí)
3. En los aviones más modernos, ¿tiene cada pasajero su propia pantalla? (sí)
4. ¿Distribuyen los asistentes de vuelo audífonos para que los pasajeros puedan oír los programas? (sí)
5. ¿Incluyen las compañías el cargo de los audífonos en el costo del boleto (del pasaje)? (no)
6. Al escuchar los programas, ¿se disminuye el ruido del avión? (sí)
7. ¿Es posible que algunos pasajeros destruyan los audífonos? (sí)

**2** **Los constructores** Completen.

1. La compañía _____ edificios para emisoras de radio. (construir)
2. El año pasado, ellos _____ solamente dos. (construir)
3. Nosotros _____ hablar de ellos con frecuencia. (oír)
4. Parece que sus ganancias _____ bastante el año pasado. (caer)
5. Una explosión _____ uno de los edificios en construcción. (destruir)
6. El responsable de la explosión _____. (huir)
7. Hoy el banco _____ los dividendos de fin de año. (distribuir)
8. Los cheques no _____ nada extra para nadie. (incluir)

**3** **Historieta** **¿Qué oyes?** Completen con el presente de **oír.**

—Rosa, ¿qué __1__ tú?

—¿Yo? No __2__ nada.

—¿Que tú no __3__ nada? Pero Ramón y yo sí que __4__ algo.

—Es que ustedes __5__ algo que nadie más __6__.

—Pues todo el mundo __7__ algo, y tú no __8__ nada. Y tú tienes razón, ¿no?

**4** **¿Qué oíste?** Completen la conversación de la Actividad 3 con el pretérito de **oír.**

### ANSWERS TO ¿Cómo lo digo?

**1**
1. Sí, hay pantallas de televisión en un avión.
2. Sí, en los aviones más viejos, caen automáticamente.
3. Sí, en los aviones más modernos, cada pasajero tiene su propia pantalla.
4. Sí, los asistentes de vuelo distribuyen audífonos para que los pasajeros puedan oír los programas.
5. No, las compañías no incluyen el cargo de los audífonos en el costo del boleto (del pasaje).
6. Sí, al escuchar los programas se disminuye el ruido del avión.
7. Sí, es posible que algunos pasajeros destruyan los audífonos.

**2**
1. construye
2. construyeron
3. oímos
4. cayeron
5. destruyó
6. huyó
7. distribuye
8. incluyen

**3**
1. oyes
2. oigo
3. oyes
4. oímos
5. oyen
6. oye
7. oye
8. oyes

**4**
—Rosa, ¿qué oíste tú?
—¿Yo? No oí nada.
—¿Qué tú no oíste nada? Pero Ramón y yo sí que oímos algo.
—Es que ustedes oyeron algo que nadie más oyó.
—Pues todo el mundo oyó algo, y tú no oíste nada. Y tú tienes razón, ¿no?

395

## ♻ Recycling

These activities allow students to use the vocabulary and structure from this lesson in completely open-ended, real-life situations.

## PRESENTATION

Encourage students to say as much as possible when they do these activities. Tell them not to be afraid to make mistakes, since the goal of these activities is real-life communication. If someone in the group makes an error, allow the others to politely correct him or her. Let students choose the activities they would like to do.

You may wish to divide students into pairs or groups. Encourage students to elaborate on the basic theme and to be creative. They may use props, pictures, or posters if they wish.

### Learning from Photos

*(page 396)* Esta emisora, Radio WADO, es una de las más antiguas de habla española en Nueva York.

# ¡Te toca a ti!

**Use what you have learned**

### 1 Los programas favoritos

✔ *Discuss your favorite TV programs*

Haz una lista de tus programas favoritos en la tele e indica si son telenovelas, música, policiales (policíacos), noticieros, etc. Después, compara tu lista con la de tu compañero(a) y determinen cuales tienen en común y cuales son diferentes.

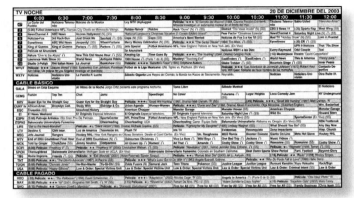

### 2 Para pensar

✔ *Give some opinions about soap operas*

A mi amigo le gusta ver las telenovelas, pero no quiere admitirlo. ¿Por qué? ¿Qué crees tú que será la razón?

### 3 El debate

✔ *Talk about radio and TV*

Hace muchos años, cuando llegó la televisión, decían que eso acabaría con la radio, que nadie escucharía la radio teniendo televisión. Todavía no ha ocurrido. Divide tu grupo en dos para debatir este tema: **Pronto morirá la radio, ¿verdad o mentira?** Presenten argumentos en pro y en contra.

Emisora puertorriqueña en un desfile, Nueva York

ANSWERS TO **¡Te toca a ti!**

*Answers will vary.*

## Un noticiero

✔ *Prepare a news broadcast*

Imagínate que eres ancla o ancla mujer para una emisora en español. Te ofrecieron el puesto porque eres bilingüe. Vas a presentar una noticia y sabes que les va a interesar mucho a tus televidentes. Primero, escribe lo que vas a presentar y luego preséntaselo a tu público—tu clase.

NOTICIERO **60**

*Emisora en español, San Antonio, Texas*

## Una entrevista

✔ *Interview one of your teachers in Spanish*

Vas a entrevistar a uno(a) de tus profesores(as) de español para una emisora de televisión local. Antes de comenzar la entrevista, tienes que escribir todas las preguntas que piensas hacerle a tu profesor(a). Algunas ideas son: ¿Por qué quería ser profesor(a)? ¿Le gusta? ¿Por qué sí o no?

**Writing Development**
Have students keep a notebook or portfolio containing their best written work from each chapter. These selected writings can be based on assignments from the Student Textbook and the Workbook. The activities on this page are examples of writing assignments that may be included in each student's portfolio.

ESTADOS UNIDOS

*trescientos noventa y siete* ✷ **397**

ANSWERS TO **¡Te toca a ti!**

*Answers will vary.*

# Assessment

## Resource Manager

Assessment Transparency A8.2
Online Quiz
Tests, pages 241–242 and 248–275
*ExamView® Assessment Suite*

## Assessment

This is a pretest for students to take before you administer the lesson test. Answer sheets for students to do these pages are provided in the transparencies. Note that each section is cross-referenced so students can easily find the material they have to review in case they made errors. You may wish to collect these assessments and correct them yourself or you may prefer to have the students correct themselves in class. You can go over the answers orally or project them on the overhead, using your Assessment Answers transparencies.

## Learning from Photos

*(page 398)* You may wish to ask: **¿Quiénes son los miembros de la familia? ¿Dónde están ellos? ¿En qué están sentados? ¿Quién está en el medio? ¿Qué están haciendo ellos? ¿Qué ven ustedes en la pantalla?**

## Reaching All Students

### Non-Mastery Students
Encourage students who need extra help to refer to the yellow notes and review any section before answering the questions.

# Vocabulario

**1 Completen.**

1. El televisor tiene una _____.
2–3. Los _____ pueden usar el _____ para cambiar de canal.
4. El _____ presenta las noticias nacionales e internacionales.
5–6. Ella va a entrevistar a varias personas en una calle del centro de la ciudad. Tienen que usar _____ y la emisora está transmitiendo la entrevista _____.
7. El _____ presenta el pronóstico del tiempo.
8. Mucha gente _____ los canales cuando no quieren ver los anuncios televisivos.

**2 Contesten.**

9. ¿Qué es una telenovela?
10. ¿Qué es un payaso?

To review vocabulary, turn to page 390.

# Conversación

**3 ¿Sí o no?**

11. La familia de Manuel tiene cable en casa.
12. Un ancla da el pronóstico del tiempo.
13. Los payasos toman parte en los *quiz shows*.
14. Laura quiere actuar en telenovelas.
15. Laura se sirve de su control remoto cuando quiere surfear los canales para no ver los anuncios televisivos.

To review the conversation, turn to pages 392-393.

## ANSWERS TO Assessment

**1**
1. antena parabólica
2. televidentes
3. control remoto
4. ancla
5. micrófono
6. en vivo
7. meteorólogo
8. surfea

**2**
9. Una telenovela es una novela frecuentemente romántica, filmada y grabada para ser emitida por capítulos en la televisión.
10. Un payaso es una persona cómica que les hace reír a todos.

**3**
11. No
12. No
13. No
14. No
15. Sí

# Estructura

**4** **Completen.**

16–17. Ellos los _____ ahora porque no los _____ ayer. (distribuir)

18. Ahora yo no _____ nada. (contribuir)

19–20. Ayer, yo no lo _____ y él no lo _____ tampoco. (oír)

To review verbs ending in **-uir** and other similar verbs, turn to page 394.

**5** **Escriban en el pretérito.**

21. Yo no oigo nada.

22. Teresa lee ese libro pero Pedro no lo lee.

23. Los asistentes distribuyen los papeles.

24. El vaso cae al suelo.

25. Nosotros destruimos los documentos.

Coral Gables, la Florida

ESTADOS UNIDOS

## Assessment

After going over the Assessment, you may administer the test for **Lección 2, Capítulo 8.**

## Learning from Photos

*(page 399)* Este elegante hotel abrió sus puertas en 1926. Tiene una preciosa torre que fue creada en imitación de la Giralda de la Catedral de Sevilla.

---

ANSWERS TO Assessment

 **4**       **5**

16. distribuyen

17. distribuyeron

18. contribuyo

19. oí

20. oyó

21. Yo no oí nada.

22. Teresa leyó ese libro pero Pedro no lo leyó.

23. Los asistentes distribuyeron los papeles.

24. El vaso cayó al suelo.

25. Nosotros destruimos los documentos.

LECCIÓN 3

# Periodismo

## PREPARATION

### Resource Manager

Vocabulary Transparency V8.5
Audio Activities TE, pages 194–195
Audio CD 8, Tracks 16–18
Workbook, page 124
Quiz, page 116
*ExamView® Assessment Suite*

### Bellringer Review

*Use BRR Transparency 8.5 or write the following on the board.*
**Completen.**
1. Yo lo haría si ___ tiempo. (tener)
2. Lo haré si ___ tiempo. (tener)
3. Lo habría hecho si ___ tiempo. (tener)
4. Ellos ___ si pueden. (venir)
5. Ellos ___ si hubieran podido. (venir)
6. Ellos ___ si pudieran. (venir)

## PRESENTATION

**Vocabulario para la lectura**

**Step 1** Have students repeat the words and definitions after you or the Audio CD.

## PRACTICE

## ¿Qué palabra necesito?

**1** This activity can be done without previous preparation.

**2** Let students prepare this activity before going over it in class.

---

## Vocabulario para la lectura 🎧
### Confirmado: un millón de hispanos

### Vocabulario

**la cifra** el número
**las divisas** monedas extranjeras
**el giro de dinero** instrumento o documento que se usa para mandar o enviar dinero
**agigantado(a)** muy grande

**advertir (ie, i)** informar de antemano, avisar
**aportar** llevar, contribuir
**involucrar** incluir
**suministrar** proveer, dar

## ¿Qué palabra necesito?

**1** **La población latina** Contesten.
1. ¿Está en aumento la cifra de hispanos o latinos en Estados Unidos?
2. ¿Están involucrados los latinos en muchos negocios diferentes?
3. ¿Han tomado pasos agigantados los latinos en la economía del país?
4. ¿Habían advertido los líderes de la comunidad latina que el gobierno no estaba reconociendo el aumento en la población latina?

**2** **Otra palabra** Expresen de otra manera.
1. Ellos *contribuyen* mucho al patrimonio nacional.
2. Es el gobierno que *provee* los números.
3. Yo les he *avisado* que las cifras van a cambiar.
4. Se puede enviar dinero en muchas *monedas extranjeras*.
5. La dueña está *muy metida* en su propio negocio.

Washington Heights, Nueva York

**A MÉXICO ENVÍA HASTA $500 POR SOLO $5.⁰⁰ AHORA AQUÍ**

De aquí se envían giros, Jackson Heights, Nueva York

**400** 🌸 *cuatrocientos*

CAPÍTULO 8

---

## ANSWERS TO ¿Qué palabra necesito?

**1**
1. Sí, la cifra de hispanos o latinos en Estados Unidos está en aumento.
2. Sí, los latinos están involucrados en muchos negocios diferentes.
3. Sí, los latinos han tomado pasos agigantados en la economía del país.
4. Sí, habían advertido los líderes de la comunidad latina que el gobierno no estaba reconociendo el aumento en la población latina.

**2**
1. Ellos *aportan* mucho al patrimonio nacional.
2. Es el gobierno que *suministra* los números.
3. Yo les he *advertido* que las cifras van a cambiar.
4. Se puede enviar dinero en muchas *divisas*.
5. La dueña está *involucrada* en su propio negocio.

# Confirmado: un millón de hispanos

**Néstor Cristancho**

Seguimos creciendo, pero hay que hacerlo con responsabilidad. Esa frase es síntesis de la reacción de las organizaciones hispanas de Nueva Jersey a propósito de la noticia del Censo de Estados Unidos donde se reconoce que la comunidad de origen latino es la minoría más grande del país.

En Nueva Jersey hay un millón de hispanos y este es el quinto estado del país con la quinta concentración más grande de negocios latinos, de acuerdo con los datos suministrados a este diario por la Cámara de Comercio Estatal.

«No nos sorprende esta noticia. Terminado el Censo de 2000, nosotros advertimos que no se estaba reconociendo con veracidad el número de hispanos que hay en Estados Unidos. Solamente en Nueva Jersey se afirmaba que había 160.000 dominicanos, y los datos nuestros indican que hay unos 24.000», dijo la Directora del Instituto de Estudios Latinos, María Teresa Feliciano.

Lo mismo sucedía con otras comunidades en este estado, como la cubana (160.000), la colombiana (140.000) y la peruana (180.000), en las que las cifras del Censo indicaban la mitad de las cifras reales.

«El hecho de que en un país de 280 millones de personas haya 40 millones, crea una obligación a las instituciones establecidas, a los partidos políticos y a las entidades privadas. Ellos deben compartir el poder político y jurídico, el acceso a los servicios, las asignaciones[1] federales y en el respeto de los derechos[2]», subrayó Feliciano.

**En economía**

En donde se ha marchado a pasos agigantados es en economía. De acuerdo con Daniel Jara, presidente de la Cámara de Comercio de Nueva Jersey se estima que las ventas netas de los negocios latinos suman 750.000.000 dólares.

Esos negocios aportan 180.000 empleos. Y en un promedio general, se ha establecido que hay 45.000 empresas latinas consolidadas en el mercado de este estado.

«La mayoría de los negocios latinos eran bodegas. Pero eso ya no sucede más. Los negocios son muy diversificados. Un gran sector está involucrado en comercio internacional y otro en el área de servicios. Y todo eso nos involucra en el desarrollo de la alta tecnología como los servicios de comunicación. Además tenemos un pequeño porcentaje involucrado en la fabricación de productos», explicó Jara.

En cuanto al aporte económico que los latinos hacen desde Nueva Jersey a sus países de origen, se ha establecido que los giros de dinero constituyen un 20 por ciento de las divisas de naciones latinoamericanas.

Así están las cosas, por lo que la directora del Instituto de Estudios Latinos, María Teresa Feliciano, advirtió que «nuestro crecimiento poblacional merece que seamos responsables socialmente.»

[1] asignaciones *entitlements*
[2] derechos *rights*

*cuatrocientos uno*  **401**

Lectura

**PREPARATION**

**Resource Manager**

Audio Activities TE, pages 195–196
Audio CD 8, Tracks 19–20
Workbook, page 124
Quiz, page 117

**PRESENTATION**

**Step 1** You may wish to just have students read this article for homework as if they were reading a regular newspaper article.

**Pre-AP SkillBuilder**

As students read these **Lecturas,** they will continue to develop the skills they need to be successful on the reading and writing sections of the AP exam.

## Learning from Photos

*(page 401)* En las décadas de 1960 y 1970 hubo una gran migración de cubanos a West New York, NJ, muy cerca de la ciudad de Nueva York. Ahora hay una comunidad hispana muy diversa allí como se ve en la foto.

Los antojitos son pequeñas porciones de comida similares a las tapas.

You may wish to ask: **Además de viajes, ¿qué otro servicio ofrece Vidal Travel? ¿A cuál de los países es más barato el viaje? ¿Por qué? ¿A cuál es más caro el viaje? ¿Cómo se llama el restaurante? ¿Qué tipo de comida sirven?**

## Después de leer

### PRACTICE

# ¿Comprendes?

**A** and **B** Students can respond orally to **Actividades A** and **B** in class.

**C** You may wish to do **Actividad C** as a full-class discussion.

---

### Learning from Photos

*(page 402 top)* You may wish to ask students the following questions about the photograph. **¿Cuántos restaurantes hay en la foto? ¿Qué tipos de negocios se ven en la foto? ¿Qué comida servirán en Habana Restaurant? ¿Cómo se llama la panadería?**

Ceviche es un plato de pescado o marisco crudo preparado con un adobo de jugo de limón, cebolla picada, chile picante y sal. Se verá la palabra escrita de varias maneras: **ceviche, seviche, cebiche, sebiche.** La forma considerada correcta es **ceviche.**

*(page 402 center)* You may wish to ask: **¿Cuántos muchachos hay en la clase? ¿Está sentada o de pie la maestra? ¿Qué hay en la pared? ¿Llevan uniforme los alumnos? ¿Qué hay detrás de la maestra? ¿Dónde está el muchacho con un lápiz en la mano?**

*(page 402 bottom)* El Banco Popular se fundó en Puerto Rico hace unos ochenta años. Tiene sucursales en los Estados Unidos en Nueva York, Illinois, California, Texas y la Florida.

---

# ¿Comprendes?

**A**  **Historieta**  **Un millón de hispanos**
Contesten.

1. ¿En qué estado hay un millón de hispanos?
2. ¿Cuál es la minoría más grande de EE.UU.?
3. ¿De dónde salió esa noticia?
4. ¿Cuántos estados tienen mayor concentración de negocios latinos que Nueva Jersey?
5. Según la Sra. Feliciano, ¿quiénes deben compartir el poder político y jurídico, el acceso a los servicios, etc.?
6. ¿Cuántos empleos aportan los negocios latinos en el estado?

West New York, Nueva Jersey

En una clase de inglés como segundo idioma, Cliffside Park, Nueva Jersey

**B**  **Más detalles**  Completen.

1. En el pasado, la mayoría de los negocios latinos eran _____.
2. Hoy hay unos _____ mil negocios latinos.
3. Se involucra la alta tecnología en el área de los servicios de _____.
4. Los latinos envían _____ de _____ a sus países de origen.
5. Estos giros llegan a ser el 20 por ciento de las _____ de algunos países latinoamericanos.

**C**  **Interpretación**  Expliquen.

1. En donde se ha marchado a pasos agigantados es en economía.
2. … nuestro crecimiento poblacional merece que seamos responsables socialmente.
3. … no se estaba reconociendo con veracidad el número de hispanos que hay en Estados Unidos.

West New York, Nueva Jersey

---

## ANSWERS TO ¿Comprendes?

**A**

1. En Nueva Jersey hay un millón de hispanos.
2. La comunidad de origen latino es la minoría más grande del país.
3. Esa noticia salió del Censo de Estados Unidos.
4. Cuatro estados tienen mayor concentración de negocios latinos que Nueva Jersey.
5. Según ella, los hispanos deben compartir el poder político y jurídico, el acceso a los servicios, etc.
6. Los negocios latinos aportan 180.000 empleos.

**B**

1. bodegas
2. 45.000
3. comunicación
4. giros, dinero
5. divisas

# Vocabulario para la lectura
## Inesperada tormenta en Lancaster

la tormenta

el relámpago

la ola de lodo

la inundación

La tormenta fue horrenda.
Había tanta lluvia que resultó en una inundación y una ola de lodo.
Los relámpagos asustaban a todos.

el socorrista

rescatar

el poste de teléfono

el soporte

el desvío

DETOUR AHEAD

Una señora fue atrapada en su carro al lado de un poste de teléfono.
Fue rescatada por un socorrista.

Los soportes del puente fueron dañados por las lluvias.
El camionero tuvo que tomar un desvío.

## Más vocabulario

**el desvío** el acto de tener que tomar otro camino
**súbito** de repente, rápidamente
**aflojar** debilitar, hacer flojo, quitar firmeza

**permanecer** quedar en un lugar
**reanudar** continuar algo después de una interrupción

ESTADOS UNIDOS

---

## PREPARATION

### Resource Manager

Vocabulary Transparency V8.4
Audio Activities TE, pages 197–198
Audio CD 8, Tracks 21–23
Workbook, page 125
Quiz, page 118
*ExamView® Assessment Suite*

### Bellringer Review

*Use BRR Transparency 8.6 or write the following on the board.*
**Usen cada palabra en una oración original.**
   la carretera
   la garita de peaje
   el carril
   la salida
   el rótulo
   el semáforo

## PRESENTATION

### Vocabulario para la lectura

**Step 1** Have students repeat the vocabulary words and definitions after you or the Audio CD.

**Step 2** You may wish to ask the following questions to enable students to use their new words.
**¿Cómo fue la tormenta? ¿Por qué había una inundación y una ola de lodo? ¿Había relámpagos? ¿En qué fue atrapada una señora? ¿Quién la rescató? ¿Qué tuvo que tomar el camionero? ¿Por qué tuvo que tomar un desvío?**

---

## ANSWERS TO ¿Comprendes?

 C

1. Los hispanos han tomado grandes pasos hacia adelante en el área económica con el crecimiento y la diversidad de empresas hispanas.

2. Un grupo con una población grande tiene poder político y económico y debe utilizar estos poderes para mejorar la sociedad.

3. Los números del Censo no reflejan el número de hispanos que hay en Estados Unidos.

## PRACTICE

# ¿Qué palabra necesito?

**1** **Actividad 1** can be done without previous preparation.

**2** and **3** Have students prepare **Actividades 2** and **3** and then go over them in class.

### Learning from Photos

*(page 404 bottom)* You may wish to ask: **¿Qué tiempo hace? ¿Hay muchas nubes? ¿Qué ven a la derecha de la foto?**

You may wish to use the editable PowerPoint® presentation available on this PowerTeach CD-ROM for additional vocabulary instruction and practice.

---

LECCIÓN 3
**Periodismo**

## ¿Qué palabra necesito?

**1**  **Historieta** **La tormenta** Contesten.

1. ¿A veces son súbitas las tormentas?
2. Durante las tormentas, ¿cae mucha lluvia?
3. ¿Tienes miedo de los relámpagos?
4. ¿La inundación fue causada por la lluvia?
5. ¿A veces se forma una ola de lodo?
6. ¿Puede enterrar un pueblo una ola de lodo?
7. ¿El poste de teléfono fue aflojado por el lodo?

**2**  **Historieta** **El rescate** Completen.

1. La señora fue _____ en su carro. No podía salir.
2. Pasaba un camión, y el _____ la vio.
3. Pronto llegó un _____ para salvarla.
4. Ella fue _____ por el socorrista.
5. La carretera fue dañada por el lodo. No se podía pasar y todos tuvieron que tomar un _____.
6. El puente estuvo en malas condiciones, los _____ fueron aflojados por el lodo.
7. Ellos tuvieron que _____ allí media hora hasta que todo estuviera seguro.
8. Luego pudieron _____ su viaje.

**3** **¿Cuál es la palabra?** Den la palabra cuya definición sigue.

1. una tempestad fuerte
2. el que rescata a las víctimas de un accidente o desastre natural
3. el conductor de un camión
4. un camino no previsto; no planeado
5. hacer débil
6. continuar de nuevo
7. de repente
8. lo que resulta de fuertes lluvias

---

## ANSWERS TO ¿Qué palabra necesito?

**1**
1. Sí, a veces las tormentas son súbitas.
2. Sí, cae mucha lluvia durante las tormentas.
3. Sí, (No, no) tengo miedo de los relámpagos.
4. Sí, la inundación fue causada por la lluvia.
5. Sí, a veces se forma una ola de lodo.
6. Sí, una ola de lodo puede enterrar un pueblo.
7. Sí, el poste de teléfono fue aflojado por el lodo.

**2**
1. atrapada
2. la
3. socorrista
4. rescatada
5. desvío
6. soportes
7. permanecer
8. reanudar

**3**
1. una tormenta
2. un socorrista
3. el camionero
4. un desvío
5. aflojar
6. reanudar
7. súbito, rápidamente
8. una inundación, una ola de lodo

## La Opinión

Los Ángeles

# Inesperada tormenta en Lancaster

### Fuertes lluvias causan torrentes que ponen en peligro vida de automovilistas

Una tormenta eléctrica dejó caer ayer fuertes lluvias, acompañadas de frecuentes relámpagos, en un área al este de Lancaster, lo que envió torrentes de agua y lodo a través del desierto.

Los súbitos torrentes de agua dejaron atrapada en su vehículo a una conductora que eventualmente fue rescatada por la tripulación de un helicóptero. El drama se desarrolló en vivo ante las cámaras del noticiero de la estación de televisión KABC Canal 7, que documentó como las olas de lodo avanzaban en el desierto, aflojando a su paso postes de teléfono y poniendo en peligro a la mujer que por un corto tiempo se vio atrapada en un automóvil azul. El piloto del cuerpo de bomberos del condado[1] aterrizó atrás de su automóvil y un socorrista salió de la aeronave, se acercó al lado del pasajero del automóvil y ayudó a la mujer a llegar al helicóptero, para evacuarla. La densa lluvia también fue reportada por el radar del área de Bakersfield y se informó de una precipitación en el desierto bajo, cerca de Palm Springs. Mientras tanto, los camioneros del sur de California y los conductores que se dirigían a Las Vegas fueron advertidos de que la carretera interestatal 15 estaba cerrada a la altura de Barstow, debido a una inundación relámpago que dañó al menos tres soportes del puente al sur de Baker. «Cualquiera que vaya a Las Vegas no va a poder pasar de Barstow,» dijo el agente de la Patrulla de Carreteras de California (CHP), Adam Cortinas. Dijo que la única alternativa era usar el desvío de 70 millas por la Interestatal 40 Este a la U.S. 95, y de allí a Las Vegas.

[1] condado *county*

ESTADOS UNIDOS

*cuatrocientos cinco*  405

---

Lectura

## National Standards

**Communication**
Students will be able to talk about a storm and its unpleasant consequences.

## PREPARATION

### Resource Manager

Audio Activities TE, page 199
Audio CD 8, Track 24
Workbook, page 126
Quiz, page 119

## PRESENTATION

**Step 1** Tell students to read the article once. Have them read it a second time as they look for the information in the activities. It is recommended that this be done as a homework assignment.

### Learning from Photos

*(page 405)* You may wish to ask:
**¿Ha llovido mucho o poco?**
**¿Qué le pasó al automóvil?**

**LEVELING**
**E:** Reading

Después de leer

## PRACTICE

## ¿Comprendes?

**A** This activity can be done without previous preparation.

**B** Allow students to look up the answers to this activity before going over it in class.

### Learning from Photos

*(page 406)* You may wish to ask: **¿Es un avión o un helicóptero? ¿Es civil o militar? ¿Es el mediodía? ¿Para qué se usa este helicóptero?**

---

KABC Canal 7 reportó que tres de los soportes del puente de 38 años en Oat Wash sobre la I-15 están seriamente dañados y que la acumulación de autos en la ruta alterna I-40 ayer por la tarde era de unas 27 millas de largo en un punto determinado. El agente de la CHP Tim Smith dijo a la estación que en el mejor de los casos, la I-15 se reabriría cerca de las 8:00 de anoche, y con más seguridad cerca de las 2:00 A.M. Sin embargo, Caltrans dijo que podría ser que no fuera sino hasta el mediodía de hoy que se reanudaría el tráfico de nuevo en la carretera I-15.

Caltrans reportó que los aguaceros en el desierto dejaron los lechos de los ríos² normalmente secos, llenos con aguas corrientes que dañaron las bases del puente Oat Wash Bridge, cinco millas al sur de

Baker. La oficina dijo que los conductores que no pueden pasar de Barstow a Oat Wash serán devueltos al sur en el camino Zzyzx Road.

La interestatal al norte en ese lugar permanecerá cerrada indefinidamente, pero quizás por corto tiempo, según la oficina.

² lechos de los ríos *riverbeds*

## ¿Comprendes?

**A** **El drama** Contesten.
1. ¿Dónde ocurrió la tormenta?
2. ¿Qué tipo de tormenta era?
3. ¿Qué le pasó a una conductora?
4. ¿Por quién fue rescatada?
5. ¿Cómo fue evacuada la señora?

**B** **La carretera** Completen.
1. El puente fue dañado _____ de Baker.
2. La inundación causó daño a tres o más _____.
3. Para llegar a Las Vegas tendrían que tomar un _____ de 70 millas.
4. El agente Smith indicó que la ruta I-15 no se abriría antes de las _____ de la noche.
5. Los lechos de los ríos en el desierto están normalmente _____.

---

## ANSWERS TO ¿Comprendes?

**A**
1. La tormenta ocurrió en un área al este de Lancaster.
2. Era una tormenta eléctrica.
3. Una conductora fue atrapada en su vehículo por los súbitos torrentes de agua.
4. Fue rescatada por la tripulación de un helicóptero.
5. El piloto del cuerpo de bomberos del condado aterrizó atrás de su automóvil y un socorrista salió de la aeronave, se acercó al lado del pasajero del automóvil y ayudó a la mujer a llegar al helicóptero, para evacuarla.

**B**
1. al sur de
2. soportes del puente
3. desvío
4. 8:00
5. secos

# Estructura • Avanzada

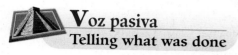 **Voz pasiva**
### Telling what was done

Use your **StudentWorks** Plus™ CD for more practice.

**1.** The true passive voice is used much less in Spanish than in English. In Spanish, the active voice is usually preferred.

| ACTIVE | PASSIVE |
|--------|---------|
| *The firefighter rescued the woman.* | *The woman was rescued by the firefighter.* |

**2.** The true passive in Spanish is formed by the verb **ser** followed by the past participle.

| El bombero rescató a la señora. | La señora fue rescatada por el bombero. |
|---|---|

**3.** Remember that the past participle agrees with the subject. The agent, the person or thing doing the action, is introduced by the preposition **por.** Note that **por** is replaced by **de** if emotion is expressed.

> Las víctimas fueron rescatadas por los socorristas.
> Los socorristas son admirados de todos.

**4.** The true passive is often found in newspapers, often in an elliptical (shortened) form.

> Puentes destruidos por olas de lodo
> Camionero rescatado por socorristas

## ¿Cómo lo digo?

**1** **Historieta** **La tormenta**
Cambien en la voz pasiva según el modelo.

> El lodo destruyó el puente. →
> El puente fue destruido por el lodo.

1. Las aguas atraparon al conductor.
2. El socorrista rescató al conductor.
3. Un helicóptero los llevó al pueblo.
4. La ola de lodo dañó los soportes de otro puente.
5. La policía paró el tráfico.
6. El gobierno cerró varias carreteras.
7. Un canal de televisión transmitió las noticias oficiales.
8. Todo el mundo admiró a los socorristas.

ESTADOS UNIDOS

Punta Arenas, Chile

## ANSWERS TO ¿Cómo lo digo?

**1**

1. El conductor fue atrapado por las aguas.
2. El conductor fue rescatado por el socorrista.
3. Ellos fueron llevados al pueblo por un helicóptero.
4. Los soportes de otro puente fueron dañados por la ola de lodo.
5. El tráfico fue parado por la policía.
6. Varias carreteras fueron cerradas por el gobierno.
7. Las noticias oficiales fueron transmitidas por un canal de televisión.
8. Los socorristas fueron admirados de todo el mundo.

### Learning from Photos

*(page 407)* Punta Arenas está en el extremo sur de Chile. En el siglo XIX fue uno de los puertos más importantes de Sudamérica. Antes del canal de Panamá, los barcos que iban del Atlántico al Pacífico casi siempre pasaban por Punta Arenas.

### Resource Manager

Workbook, pages 126–127
Audio Activities TE, pages 200–202
Audio CD 8, Tracks 25–28
Quizzes, pages 120–121
*ExamView®* Assessment Suite

### Bellringer Review

*Use BRR Transparency 8.7 or write the following on the board.*
**Completen en el pretérito.**
1. **La lluvia ____ una inundación. (causar)**
2. **La inundación ____ los postes de teléfono. (aflojar)**
3. **Una señora se ____ atrapada en su carro. (ver)**
4. **Los camioneros se ____ hacia la Interestatal 15. (dirigir)**
5. **Un portavoz ____ que la única alternativa era usar la Interestatal 40. (decir)**

## PRESENTATION

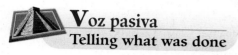 **Voz pasiva**

**Step 1** Have students read through the explanatory material aloud.

**Step 2** Have them repeat the verb forms and the model sentences.

## PRACTICE

## ¿Cómo lo digo?

**1** Give students a few minutes to prepare this activity and then go over it in class.

**LEVELING**

**A:** Structure

407

## PRESENTATION

 **Voz pasiva con se**

**Step 1** Have students repeat the explanatory material aloud, then repeat the model sentences aloud.

## PRACTICE

### ¿Cómo lo digo?

**2** and **3** These activities can be done orally with books closed after the explanatory material has been presented.

**Paired Activity**
Have students work in pairs. The first student begins a sentence in the active voice and the partner responds with the passive voice.

---

### Learning from Photos

*(page 408 top)* You may wish to ask students the following questions about the photograph. **¿Qué es el edificio en la foto? ¿Para qué va allí la gente?** *(page 408 center)* El Barrio es East Harlem. Se encuentra entre las calles 96 y 125 y la primera y quinta avenidas en la ciudad de Nueva York. Después de la Segunda Guerra Mundial hubo una gran migración de puertorriqueños a esta comunidad de Nueva York. En la foto vemos una típica **bodega** del Barrio. *(page 408 bottom)* You may wish to ask: **¿Qué bandera tiene el muchacho?**

---

## LEVELING

**A:** Structure

**408**

---

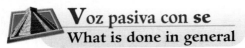

### Voz pasiva con se
#### What is done in general

**1.** The passive is more often expressed in Spanish by using the reflexive pronoun **se** with the third person singular or plural of the verb, especially when the agent, the person carrying out the action, is not stated. Note that the subject often follows the verb in this construction.

**Aquí se habla español.** *Spanish is spoken here.*
**Se envían giros de dinero.** *Money orders are sent.*
**Se reconce el aporte** *The economic contribution*
**económico.** *is recognized.*

The passive **se** construction is also used when the subject is indefinite.

**Se dice que las cifras** *They say (It is said) that*
**son correctas.** *the figures are correct.*

Punta Arenas, Chile

El Desfile puertorriqueño, Nueva York

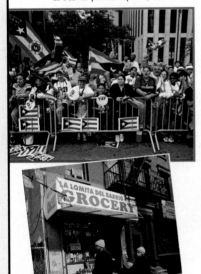

### ¿Cómo lo digo?

**2** **Historieta** **El censo** Completen con **se** y el verbo.

1. _____ datos veraces y confiables. (necesitar)
2. Primero _____ personal cualificado. (buscar)
3. Después _____ les _____ una preparación intensiva. (dar)
4. _____ de casa en casa recogiendo datos. (ir)
5. Todos los datos _____ en computadoras. (entrar)
6. La información _____ a Washington. (enviar)
7. Allí _____ los datos y _____ informes. (estudiar, preparar)
8. Entonces _____ al público. (informar)
9. La información _____ por la prensa o la televisión. (recibir)

**3** **Es igual.** Cambien de una forma pasiva a la otra.

1. La bodega se abrió temprano.
2. El giro fue enviado.
3. Todos los giros fueron recibidos.
4. Se vendieron muchos ese día.
5. Se estableció otro negocio cerca de la bodega.
6. La apertura fue anunciada por la radio.
7. También se reportó en la tele.
8. Pero después de unos meses las puertas fueron cerradas.
9. Bastante dinero fue perdido.

Nueva York

**408** cuatrocientos ocho

CAPÍTULO 8

---

### ANSWERS TO ¿Cómo lo digo?

**2**
1. se necesitan
2. se busca
3. se, da
4. Se va
5. se entran
6. se envía
7. se estudian, se preparan
8. se informa
9. se recibe

**3**
1. La bodega fue abierta temprano.
2. Se envió el giro.
3. Se recibieron todos los giros.
4. Muchos fueron vendidos ese día.
5. Otro negocio fue establecido cerca de la bodega.
6. Se anunció la apertura por la radio.
7. Fue reportada en la tele también.
8. Pero se cerraron las puertas después de unos meses.
9. Se perdió bastante dinero.

# ¡Te toca a ti!
## Use what you have learned

**1** HABLAR

### Hispanos o latinos en mi estado
✔ *Identify the Hispanic or Latino populations in your state*
En el primer artículo leíste las cifras de las comunidades latinas o hispanas en el estado de Nueva Jersey. Identifica las nacionalidades de los hispanohablantes de tu estado. ¿Está en aumento la población latina?

**2** HABLAR

### Los pequeños negocios
✔ *Discuss the businesses of new arrivals in your country*
    Muchos inmigrantes, después de algún tiempo en EE.UU., establecen pequeños negocios que no requieren mucho capital. Con tu grupo, hablen de los tipos de negocios que han establecido inmigrantes en su comunidad, el aporte económico que llevan a la comunidad, el número de empleos que proveen, etc. Contacten a los dueños para averiguar de posibles oportunidades de empleo.

Union City, Nueva Jersey

La Pequeña Habana, Miami, la Florida

**3** HABLAR

### El futuro de la población latina o hispana
✔ *Discuss the future role of the Latino population in the U.S.*
La población latina o hispana en EE.UU. está aumentando mucho. Según el último censo los latinos constituyen la minoría más grande del país. Esto tiene mucha importancia en la política y en la economía del país y en el poder de la comunidad latina. Discute los inevitables cambios que saldrán de este incremento poblacional.

**4** ESCRIBIR

### Tormentas y otros desastres naturales
✔ *Write about any type of natural disaster you experienced*
    En un par de párrafos describe una experiencia dramática que tú o alguien en tu familia haya experimentado en una tormenta, huracán, tornado, etc. Describe especialmente el impacto emocional.

**5** ESCRIBIR

### Los socorristas
✔ *Write a letter of thanks to the members of your community's rescue squad*
Cada comunidad tiene su brigada de socorristas. Muchos de estos socorristas son voluntarios. Imagínate que en tu comunidad había un accidente horrible o un desastre natural. Como siempre acudieron los socorristas para socorrer y rescatar a las víctimas. Escríbeles una carta agradeciéndoles por todo lo que hicieron.

San Antonio, Texas

ESTADOS UNIDOS

*cuatrocientos nueve* ✦ **409**

---

## ANSWERS TO ¡Te toca a ti!

*Answers will vary.*

---

### Writing Development
Have students keep a notebook or portfolio containing their best written work from each chapter. These selected writings can be based on assignments from the Student Textbook and the Workbook. The activities on this page are examples of writing assignments that may be included in each student's portfolio.

---

### ♻ Recycling
These activities allow students to use the vocabulary and structure from this lesson in completely open-ended, real-life situations.

### PRESENTATION

Encourage students to say as much as possible when they do these activities. Tell them not to be afraid to make mistakes, since the goal of these activities is real-life communication. If someone in the group makes an error, allow the others to politely correct him or her. Let students choose the activities they would like to do.

    You may wish to divide students into pairs or groups. Encourage students to elaborate on the basic theme and to be creative. They may use props, pictures, or posters if they wish.

POWERTEACH
**Interactive Chalkboard**

You may wish to use the editable PowerPoint® presentation available on this PowerTeach CD-ROM for additional grammar instruction and practice.

## Vocabulario

① **Den otra palabra.**

1. Han tomado pasos *muy grandes.*

2–3. Es el gobierno que *provee los números* que nos ayudan a tomar decisiones apropiadas.

4. Ellos han *contribuido* mucho a nuestra cultura.

5. Se puede enviar giros en muchas *monedas diferentes.*

② **Completen.**

6. Las fuertes lluvias causaron una _____.

7. Una señora fue _____ en su carro y fue rescatada por los socorristas.

8. Había una ola de lodo que destruyó una parte de la carretera. La carretera fue cortada y los conductores tuvieron que tomar un _____.

9. Las aguas _____ el soporte del poste de teléfono. Por poco se cae.

10. Durante una _____ hay relámpagos, viento, truenos y fuertes lluvias.

To review vocabulary, turn to pages 400 and 403.

La Florida

CAPÍTULO 8

---

### Resource Manager

Assessment Transparency A8.3
Online Quiz
Tests, pages 243–275
*ExamView®* Assessment Suite

### Assessment

This is a pretest for students to take before you administer the lesson test. Answer sheets for students to do these pages are provided in the transparencies. Note that each section is cross-referenced so students can easily find the material they have to review in case they made errors. You may wish to collect these assessments and correct them yourself or you may prefer to have the students correct themselves in class. You can go over the answers orally or project them on the overhead, using your Assessment Answers transparencies.

### Learning from Photos

*(page 410)* You may wish to ask: **¿Qué tiempo hace? ¿Hace sol? ¿Hay una tormenta? ¿Hace viento? ¿Es la orilla de un río o del mar?**

### Reaching All Students

**Non-Mastery Students**
Encourage students who need extra help to refer to the yellow notes and review any section before answering the questions.

---

## ANSWERS TO Assessment

 ①
1. agigantados
2. suministra
3. las cifras
4. aportado
5. divisas

 ②
6. inundación, ola de lodo
7. atrapada
8. desvío
9. aflojaron, debilitaron
10. tormenta eléctrica

③
11. La comunidad de origen latino ya es la minoría más grande del país.
12. Tres comunidades hispanas del estado de Nueva Jersey son la cubana, la dominicana, la peruana, la puertorriqueña, etc.
13. La Cámara de Comercio Estatal fue la fuente de donde obtuvieron los datos para el artículo.

**410**

# Assessment

## Lectura

**3** Contesten.

11. ¿Cuál es la minoría más grande de Estados Unidos ahora?
12. ¿Cuáles son tres comunidades hispanas del estado de Nueva Jersey?
13. ¿Cuál fue la fuente de donde obtuvieron los datos para el artículo?

**4** ¿Sí o no?

14. La tormenta llegó lentamente.
15. Un hombre quedó atrapado en su automóvil.
16. La persona atrapada fue rescatada por helicóptero.
17. Los soportes de un puente fueron dañados por una ola de lodo.

## Estructura

**5** Cambien en la voz pasiva según el modelo.

Un relámpago causó el incendio. →
El incendio fue causado por un relámpago.

18. La ola de lodo atrapó a la víctima.
19. La policía cerró la carretera.
20. La inundación destruyó los puentes.
21. La gente respeta a los socorristas.

**6** Completen con el pasivo con **se**.

22. En esa bodega _____ periódicos. (vender)
23. Pero no _____ giros. (enviar)
24. La puerta _____ a las ocho. (abrir)
25. Y la puerta _____ a las cuatro de la tarde. (cerrar)

To review the reading **Confirmado**, turn to page 401.

To review the reading **Inesperada tormenta**, turn to pages 405–406.

To review the true passive voice, turn to page 407.

To review the **se** construction, turn to page 408.

### Assessment

After going over the Assessment, you may administer the test for **Lección 3, Capítulo 8.**

### Learning from Photos

(*page 411*) Los tableros de ajedrez están en la calle Ocho de la Pequeña Habana. You may wish to ask students the following questions about the photograph. **¿Son jóvenes o mayores los jugadores? ¿Qué juegan ellos? ¿Están en un edificio o en la calle?**

La Pequeña Habana,
Miami, la Florida

ESTADOS UNIDOS

**Spanish Online**
For more Chapter 8 test preparation, go to the Chapter 8 **Self-Check Quiz** on the Glencoe Spanish Web site at glencoe.com.

*cuatrocientos once* **411**

---

## ANSWERS TO Assessment

**4**

14. No
15. No
16. Sí
17. Sí

**5**

18. La víctima fue atrapada por la ola de lodo.
19. La carretera fue cerrada por la policía.
20. Los puentes fueron destruidos por la inundación.
21. Los socorristas son respetados de la gente.

**6**

22. se venden
23. se envían
24. se abre
25. se cierra

**¡OJO!** It is suggested that you share the following information with students before they begin their writing projects.

Es cierto que cuando escribes en inglés tu estilo de escribir es mucho más sofisticado que en español. Cuando escribes en español tienes que usar frases más sencillas. Si encuentras una idea muy complicada, piensa un momento en una manera más sencilla de expresarla.

¡Un consejo muy importante! No traduzcas del inglés al español. Si traduces cometerás sin duda un montón de errores. O lo que escribes será muy anglicanizado. Desde el principio, por difícil que sea, piensa siempre en español. Si una palabra inglesa te viene a la mente, piensa enseguida en una expresión española que exprese la misma idea. Usa el español que ya has aprendido aún si exige que te expreses de una manera sencilla. Trata de evitar usar un diccionario bilingüe porque casi siempre escogerás una palabra errónea.

Prepara siempre un borrador de tu escrito. Al terminarlo, ponlo al lado. Léelo de nuevo un poco más tarde y haz las revisiones que consideres necesarias. Luego léelo una vez más para buscar errores ortográficos y gramaticales. Ten mucho cuidado en verificar las terminaciones.

# Composición

Uno de los tipos de escrito que se ve con frecuencia es la narrativa. La narrativa narra sucesos o acciones que cambian con el paso del tiempo: por lo general tiene personajes, escenario y trama. La narrativa puede ser ficticia o puede basarse en hechos reales.

**TAREA 1** **Escrito narrativo** Tú vas a preparar una narrativa. Puedes inventar una ficción si quieres o igual puedes contar la historia de algo que te ha pasado a ti mismo(a). Puede ser algún viaje que hiciste con la familia, una mudanza, un evento que te ha impresionado. Una vez escogido el tema, piensa en todo lo que tiene que ver con el tema, todos los detalles que te vienen a la mente, deja correr tu imaginación. Apunta todas esas ideas. Si vas a escribir sobre algo personal expresa tus sentimientos. Ahora haz un bosquejo de tu narrativa. Piensa en **la introducción, el cuerpo** y **la conclusión.** Repasa tu bosquejo. ¿Aparece todo lo que quieres decir? ¿El orden tiene lógica? Ahora debes preparar tu borrador. Usa un lenguaje sencillo pero vivaz. Lo más importante es la claridad. Recuerda que la introducción debe agarrar al lector, hacerle querer leer tu narrativa. Cuando estés satisfecho(a) escribe tu versión final. Repásalo y corrige cualquier error de gramática u ortografía.

**TAREA 2** **Texto expositivo** Un texto expositivo tiene la función principal de explicar algo o de hablar de algo para que otras personas lo conozcan o lo comprendan. El texto expositivo transmite información. Un texto expositivo debe presentar su información clara y ordenadamente. Las características más importantes son el orden, la objetividad y la claridad. Al preparar tu texto expositivo ten en mente el tema, la organización y el público al que te diriges.

Tu tema será: *La televisión hispana en mi comunidad.* Busca un canal que emite en español. Estudia y apunta la programación, es decir el tipo de programas que emite, como deportes, telenovelas, noticieros, etc. Escoge un tipo de programa, el noticiero, por ejemplo. Entonces mira unos cuantos noticieros y toma nota del contenido. Compara este noticiero con los noticieros emitidos en inglés. ¿Cubren las mismas noticias? ¿Hay más información sobre Latinoamérica en el noticiero hispano? ¿Informan sobre la comunidad hispana local? ¿Son similares los anclas de noticieros en inglés y en español? Apunta cualquier contrastes que notas. Cuando tienes toda la información que necesitas, prepara un bosquejo de tu informe. Repásalo y haz las correcciones necesarias.

**Pre-AP SkillBuilder**

The **tareas** in the **Composición** section provide students with valuable practice for the writing section of the AP exam.

# Discurso

Una entrevista es un diálogo basado en preguntas y respuestas. El propósito es obtener información para cualquiera de una variedad de fines.

**TAREA 3** **Entrevista** Tú vas a entrevistar a un miembro de la comunidad hispana o latina de tu pueblo o ciudad. Lo primero que harás es pensar en lo que será de interés al público, porque tu siguiente tarea será preparar un escrito sobre la entrevista. Escoge el tema o temas que quieres cubrir en la entrevista. Después, prepara una serie de preguntas. Evita preguntas que se puedan contestar con un sencillo sí o no. Identifica y pide permiso para la entrevista a la persona con quien hablarás. Infórmale del propósito de la entrevista. Asegúrate de que cada pregunta tiene un enfoque. Algunos ejemplos de preguntas son:

- ¿De dónde es la persona y cómo llegó a EE.UU.?
- ¿Cómo era su vida en su país de origen?
- ¿Qué le sorprendió más de EE.UU.?

Al entrevistar a la persona debes mostrar gran interés en lo que dice. Toma apuntes, o igual puedes grabar la entrevista. Cuando termines, da las gracias a la persona y dile que le enviarás una copia del escrito.

**TAREA 4** **Redacción de la entrevista** Tienes tus apuntes o tu grabación. Vas a preparar una versión escrita de la entrevista. Hay varios pasos a seguir. Debes tener una introducción. Primero, tienes que indicar el propósito de la entrevista e identificar a la persona entrevistada. Puedes dar una descripción de la persona, una descripción física y también de su personalidad. Si la entrevista fue grabada, debes corregir errores de pronunciación o gramática, tanto tuyos como los de la persona entrevistada. Puedes indicar la actitud de la persona durante la entrevista, por ejemplo:

**Ella pensó largamente antes de contestar.** O, **Obviamente el recuerdo le puso triste.**

Como siempre, prepara un borrador del escrito. Léelo cuidadosamente y haz correcciones. Entonces prepara tu versión final. Luego preséntala a la clase.

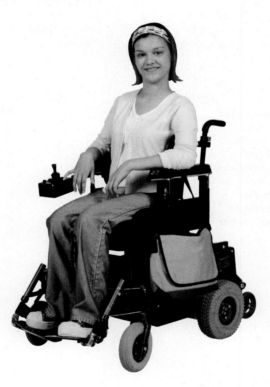

ESTADOS UNIDOS

# Vocabulario

## Vocabulary Review

The words and phrases in the **Vocabulario** have been taught for productive use in this chapter. They are summarized here as a resource for both student and teacher. This list also serves as a convenient resource for the **¡Te toca a ti!** activities on pages 386–387, 396–397, and 409. There are approximately ten cognates in this vocabulary list. Have students find them.

**¡OJO!** You will notice that the vocabulary list here is not translated. This has been done intentionally, since we feel that by the time students have finished the material in the chapter they should be familiar with the meanings of all the words. If there are several words they still do not know, we recommend that they refer to the **Vocabulario** sections in the chapter or go to the dictionaries at the end of this book to find the meanings. However, if you prefer that your students have the English translations, please refer to Vocabulary Transparencies 8.1A, 8.1B, and 8.1C, where you will find all these words with their translations.

You may wish to use the editable PowerPoint® presentation available on this PowerTeach CD-ROM to have students view the chapter vocabulary in a Spanish-English, English-Spanish format.

### Lección 1  Cultura

el cese
la Inquisición
la mano de obra
el/la norteño(a)
el rito
el sefardí
el vínculo
el medio oeste
el nordeste, el noreste
el nordoeste, el noroeste

el sudeste, el sureste
el sudoeste, el suroeste
fronterizo(a)
fundar
poblar (ue)
radicarse
superar
a escondidas

### Lección 2  Conversación

el ancla
la mujer ancla
la antena parabólica
la cámara
el control remoto
la emisión
la entrevista
la grabadora DVD
el/la meteorólogo(a)
el micrófono

las noticias
el noticiero
la pantalla
el payaso
el plato
el pronóstico del tiempo
la telenovela
el/la televidente
el televisor

grabar
surfear (los canales)
transmitir
en vivo

### Lección 3  Periodismo

**Confirmado**
la cifra
las divisas
el giro de dinero
agigantado(a)
advertir (ie, i)
aportar
involucrar
suministrar

**Inesperada tormenta**
el camionero
el desvío
la inundación
la ola de lodo
el poste de teléfono
el relámpago
el socorrista
el soporte
la tormenta
aflojar
asustar
atrapar
reanudar
rescatar

**LITERARY COMPANION** *See pages 502–517 for literary selections related to Chapter 8. The activities for these readings will help you continue to practice your reading comprehension skills.*

### Tutorial

You may wish to have students create mnemonic devices to help them learn the chapter vocabulary. This may be especially helpful for non-mastery students.

# VIDEOTUR
## ¡Viva el mundo hispano!

Video can be a beneficial learning tool for the language student. Video enables you to experience the material in the textbook in a real-life setting. Take a vicarious field trip as you see people interacting at home, at school, at the market, etc. The cultural benefits are limitless as you experience the Spanish-speaking world while "traveling" through many countries. In addition to its tremendous cultural value, video gives practice in developing good listening and viewing skills. Video allows you to look for numerous clues that are evident in tone of voice, facial expressions, and gestures. Through video you can see and hear the diversity of the target culture and compare and contrast the Spanish-speaking cultures to each other and to your own.

### Episodio 1: Justo Lamas en concierto

Justo Lamas es argentino. Él viaja por todo Estados Unidos dando conciertos de su música en escuelas a través del continente. Los muchachos aprenden las canciones en las clases de español. En los conciertos los chicos participan y cantan con Justo, son parte del espectáculo. Justo cree que estudiar otros idiomas es maravilloso, nos ayuda a conocer a otra gente y otras culturas.

### Episodio 2: Arte e identidad

Poli da clases en *Self-help Graphics*, una organización que fomenta las artes en la comunidad en Los Ángeles Este. Ellos tienen talleres para artistas establecidos y clases para principiantes. *Self-help Graphics* se fundó en 1973 cuando sólo tenían un camión. Hoy presentan exposiciones en todo el país y hasta en Europa y Japón. Ellos creen que las artes son importantes para dar una voz a los jóvenes latinos.

### Episodio 3: Espíritu salsero

Este señor es Alberto Torres. Él se crió en Puerto Rico y Nueva York. Su pasión es salsa, un tipo de música y baile que viene del Caribe, con raíces en Cuba, Puerto Rico y África. Salsa es cada día más y más popular en Estados Unidos. Hay diferentes estilos de salsa, estilo Nueva York, Los Ángeles y hasta un estilo que incorpora el *Hip Hop* y *R & B*. Pero sobre todo, ¡salsa es para bailar!

ESTADOS UNIDOS

*cuatrocientos quince* 🔅 415

### VIDEO VHS/DVD

The Video Program for Chapter 8 includes three documentary segments of some interesting aspects of life in the United States. You may wish to have students answer oral or written comprehension questions about the video segments.

POWERTEACH
*Interactive*
Chalkboard

You may wish to use the editable PowerPoint® presentation available on this PowerTeach CD-ROM to have students view and listen to a short segment of the video. Additional activities are also provided.

# Preview

All literary selections are optional. You may wish to skip them or present them very thoroughly. In some cases you may have students read the selection quickly just to get a general idea of the selection.

¡OJO! The exposure to literature early in one's study of another language should be a pleasant experience. As students read these selections, it is not necessary for them to understand every word. Explain to them that they should try to enjoy the experience of reading literature in a new language. As they read they should look for the following:
- who the main characters are
- what they are like
- what they are doing—the plot
- what happens to them— the outcome of the story

## Literary Companion

These literary selections develop reading and cultural skills and introduce you to Hispanic literature. They are organized to coincide with the chapters presented in the text. For example, **Literatura española** is designed to be done in conjunction with **Capítulo 1, España.**

Biblioteca, Universidad de México

### Pre-AP SkillBuilder

Reading these literary selections and doing the activities that follow will help students develop the reading comprehension skills necessary to be successful on the reading and literature sections of the AP exam.

### Learning from Photos

*(page 417)* This photo shows the **Biblioteca Central** of the **Universidad Nacional de México.** It is the most spectacular building on the campus. The beautiful mosaics depicting different periods of Mexican history and scientific achievements were done by Juan O'Gorman.

# Teaching the Readings

**Context:** Explain to students that one of the tactics that they will use to guess the meaning of unknown words is guessing from context. Tell them not to worry if they encounter a word that they do not know. They can often guess the meaning from the entire sentence. Point out to them that they do not understand everything when they read in their own language, but, unconsciously, they guess from the context. Such guessing can be based on: plain common sense, knowledge of the world around us, use of synonyms or antonyms in the text surrounding the unknown word or expression.

**Glosses:** These also help students read, of course. However, you may ask your students to hide them at first and see if they can guess the meaning of the words glossed.

**Word derivation:** It may be difficult at first, but students should be asked whenever possible what familiar word they can recognize in a derived word or expression.

### Literary Companion

**Reading Focus**

**Developing Reading Comprehension Skills**

**¡Buen viaje!** Level 3 teaches reading skills as it teaches language, culture, and an appreciation for literature. The **Literary Companion** exposes students to a rich mix of Spanish-language literary selections from several genres including short stories, poetry, and novels. Each reading uses only structures that the students have already studied. Vocabulary is pretaught to facilitate comprehension.

## PREPARATION

### Resource Manager

Audio Activities TE, pages 203–204
Audio CD 9, Tracks 1–2
Tests, pages 277–280
*ExamView® Assessment Suite*

## PRESENTATION

### Vocabulario para la lectura

**Step 1** Present the vocabulary using the Vocabulary Transparency.

**Step 2** These words are of quite high frequency so you may want to ask the following questions to have students use the words. **¿A quién abrazó el señor? Y ella, ¿lo besó? ¿Lloraron los dos? ¿Lloraron de alegría o de tristeza? ¿Qué tomó el joven de su bolsillo? ¿Dónde arrojó las monedas? ¿Puede ser muy peligrosa para un navío una tormenta?**

**Step 3 Más vocabulario** Have a student read the new word and its definition.

**Step 4** You may wish to ask the following questions. **¿Tienen fama los héroes por sus hazañas? ¿Te da pena ver sufrir a la gente? ¿Quién hace cosas estúpidas? ¿Cuáles son algunas tareas cotidianas que tienes? ¿Sujetaron los romanos a los invasores? ¿Se rindieron los invasores?**

# *Una ojeada a la poesía*

## Vocabulario para la lectura 🎧

El señor abrazó a su mujer.
Ella lo besó.
Los dos lloraron.

El joven tomó las monedas de su bolsillo.
Las arrojó al río.

### Más vocabulario

**las hazañas** hechos ilustres o heroicos
**el mudo** el que no puede hablar
**la pena** la tristeza, el dolor
**el rumbo** la dirección, el sentido
**el torpe** persona no muy inteligente, tonta, un poco estúpida
**cotidiano(a)** diario, de todos los días

**filial** del hijo
**necio(a)** tonto, estúpido
**rendir (i, i)** vencer, someter a alguien a su dominio, obligar a alguien a entregar algo
**sujetar** dominar, someter

## ¿Qué palabra necesito?

**1 Historieta  Un día triste** Contesten.

1. ¿Desmontó el señor de su caballo?
2. ¿Fue a abrazar a su mujer?
3. ¿Su mujer lo besó?
4. ¿Estaban tristes los dos?
5. ¿Empezaron a llorar?
6. Y el joven, ¿qué tomó de su bolsillo?
7. ¿Dónde las arrojó?

**2 Otra palabra** Expresen de otra manera.

1. Él es un tipo un poco *tonto*.
2. ¡Qué *tristeza* verlos sufrir tanto!
3. No te puede contestar oralmente porque *no puede hablar*.
4. No es una parte de su rutina *diaria*.
5. No le da ningún miedo y no va a cambiar *su dirección*.
6. *Las cosas heroicas* de él le han hecho famoso.
7. *La tempestad* no le va a hacer cambiar el rumbo del *barco*.
8. Él los *dominó* en muy poco tiempo.
9. Es un río *de mucha agua*.

Sitges

LITERATURA ESPAÑOLA

*cuatrocientos diecinueve* 419

## Literary Companion

### PRACTICE

## ¿Qué palabra necesito?

**1** You can go over **Actividad 1** orally without previous preparation.

**2** Have students prepare **Actividad 2** and then go over it in class.

## Answers to ¿Qué palabra necesito?

**1**

1. Sí, el señor desmontó de su caballo.
2. Sí, fue a abrazar a su mujer.
3. Sí, su mujer lo besó.
4. Sí, los dos estaban tristes.
5. Sí, empezaron a llorar.
6. El joven tomó las monedas de su bolsillo.
7. Las arrojó al río.

**2**

1. torpe
2. pena
3. es mudo
4. cotidiana
5. su rumbo
6. Las hazañas
7. La tormenta, navío
8. sujetó
9. caudal(oso)

419

**¡OJO!** You can select certain selections to be studied or you can do them all.

### National Standards

**Cultures**
Students experience, discuss, and analyze an excerpt from the famous Spanish epic poem *El Cid*.

## PREPARATION

### Resource Manager

Audio Activities TE, page 204
Audio CD 9, Track 3
Tests, pages 277–280
*ExamView® Assessment Suite*

## PRESENTATION

### Introducción

**Step 1** Have students read the **Introducción** aloud.

**Step 2** Have students identify the following.
**Rodrigo Díaz de Vivar**
**el rey Alfonso**
**Babieca**
**Burgos**
**Valencia**

### Lectura *El Cid*

**Step 1** Read the poem aloud to the class or have them listen to the Audio CD.

**Step 2** You may have a student with a flair for drama act out each verse as you say it.

**Step 3** Have the class repeat the poem in unison.

**Step 4** Go over **Actividad A** on page 425.

---

# El Cid

Autor anónimo[1]

**Introducción** *El cantar del mío Cid* es el poema épico de la literatura española. El poema canta las hazañas del Cid, el gran héroe nacional de España. El Cid en árabe significa «Señor». El Cid es en realidad Rodrigo Díaz de Vivar. Nació en el siglo XI en el pequeño pueblo de Vivar, cerca de Burgos. Un buen hombre y padre de familia, él vivió felizmente con su mujer y sus dos hijos. Pero un día a causa de un conflicto entre él y el rey Alfonso, tuvo que dejar a su familia y abandonar la ciudad de Burgos. El Cid montó a su caballo Babieca, salió de Burgos y anduvo por los campos de Castilla donde luchó valientemente contra los árabes hasta llegar a Valencia donde conquistó a los árabes. Reunido con su familia reinó en Valencia hasta su muerte en 1099.

La escena solemne y conmovedora del trocito del poema que sigue describe la pena y tristeza del Cid cuando tiene que despedirse y separarse de su familia.

[1] anónimo *anonymous*

Burgos

## El Cid

El Cid a doña Jimena—íbala a abrazar;
doña Jimena al Cid—la mano va a besar
llorando de los ojos—que no sabe qué hacer.
Y él a las niñas—tornólas a mirar (catar)
5   «a Dios vos acomiendo—y al padre espiritual;
ahora nos partimos°—Dios sabe el ajuntar°.»
Llorando de los ojos—que no visteis atal°,
así parten unos de otros—como la uña de la carne°.

partimos *salimos*
ajuntar *when we'll be together again*
no... atal *such as you have never seen*
carne *flesh*

Valencia

**420** cuatrocientos veinte

LITERARY COMPANION CAPÍTULO 1

---

## LEVELING
**E–A:** Reading

## El libro de buen amor

El Arcipreste de Hita

**Introducción**  El Arcipreste de Hita, Juan Ruiz, es el autor del libro más leído de la literatura española de la Edad Media[1]. Lo que sabemos de su vida son los datos autobiográficos que puntualiza en su obra.

Nació en Alcalá de Henares hacia 1283. Fue clérigo pero por un conflicto que tuvo con el Arzobispo de Toledo, pasó mucho tiempo en la prisión. Su *libro de buen amor* es un retrato[2] de la sociedad de su tiempo. Es una «comedia humana» de la Edad Media en la cual el autor nos presenta el espectáculo de la vida cotidiana–los hábitos, caracteres y vicios de todas las clases sociales. En el trozo que sigue nos da sus ideas sobre la importancia del dinero.

[1] Edad Media  *Middle Ages*
[2] retrato  *portrait, description*

### El libro de buen amor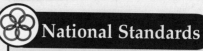

Mucho hace el dinero, mucho es de amar;
Al torpe hace bueno y hombre de prestar°,
Hace correr al cojo° y al mudo hablar;
El que no tiene manos, dinero quiere tomar.
5   Sea un hombre necio o rudo labrador,
El dinero le hace hidalgo° y sabidor°,
Cuanto más algo tiene,° tanto es de más valor;
El que no ha dinero, no es de sí señor.

hombre de prestar  *man of means*
cojo  *crippled*

hidalgo  *noble person*
sabidor  *wise person*
Cuanto… tiene  *The more one has*

Alcalá de Henares

LITERATURA ESPAÑOLA

*cuatrocientos veintiuno*  ✦ 421

### Literature Connection

Ask students if from their study of English literature they can tell with what work they would compare *El libro de buen amor (Canterbury Tales).* Have them tell in Spanish what they know about the *Canterbury Tales.*

---

421

**Cultures**

Students experience, discuss, and analyze a beautiful poem of Spanish literature, *Coplas,* by Jorge Manrique.

## PRESENTATION

### Introducción

**Step 1** You may wish to have students read this **Introducción** silently.

### Lectura *Coplas*

**Step 1** Have students read the poem aloud. Ask them the difference between:
  **ríos caudales**
  **ríos medianos**
  **ríos más chicos**

Then have them give the symbolism. How would they relate this symbolism to their own lives?

**Step 2** Ask students: **¿Cuál es el mensaje importante de esta poesía?**

**Step 3** Have students write the answer to **Actividad F** on page 426.

### LEVELING

**E–A:** Reading

---

## Coplas

Jorge Manrique

**Introducción** Jorge Manrique (1440–1479) fue poeta y guerrero. Como tantos caballeros de su tiempo se dedicó a las armas y a las letras.

*Coplas por la muerte de su padre* es su poesía más conocida. No es sólo una hermosa elegía filial. Es también una profunda y melancólica meditación sobre la vida humana.

El fragmento que sigue es una alegoría en la cual el autor compara nuestras vidas con los ríos.

### *Coplas*

Nuestras vidas son los ríos
que van a dar en la mar,
  que es el morir;
allí van los señoríos°                          señoríos  *los de la clase alta*
5  derechos a se acabar
  y consumir;
allá los ríos caudales,
allí los otros, medianos
  y más chicos;
10  allegados°, son iguales                      allegados  *al llegar*
los que viven por sus manos
  y los ricos.

Navarra

---

## Literature Connection

Ask students if they know what a metaphor—**metáfora**—is.
Explain: **Cuando el poeta dice «A es B», es una metáfora.** Have them find **una metáfora** in this poem. (**Nuestras vidas son los ríos.**)

# Canción del pirata

**Introducción** José de Espronceda (1808–1842) nació durante un viaje que hacían sus padres de Madrid a Badajoz en Extremadura poco antes de empezar la Guerra de la Independencia contra las tropas de Napoleón. Espronceda fue un espíritu libre y su vida siguió siendo un viaje. Durante toda su vida viajó mucho y a los dieciocho años fue a Lisboa donde se dice que arrojó al río Tajo las dos pesetas que tenía en el bolsillo para no «entrar en tan gran ciudad con tan poco dinero».

Es poeta romántico y los temas esenciales de su poesía son el amor y la libertad. Al tema de la libertad se unen los de la aventura y la rebeldía como veremos en el trocito que sigue.

Río Tajo en Lisboa

Badajoz, Extremadura

## Canción del pirata

—Navega, velero° mío, sin temor,
que ni enemigo navío,
ni tormenta, ni bonanza°
tu rumbo a torcer° alcanza,
5  ni a sujetar tu valor.
   Veinte presas°
   hemos hecho
   a despecho°
   del inglés,
10  y han rendido
   sus pendones
   cien naciones
   a mis pies.
   Que es mi barco mi tesoro,
15  que es mi Dios la libertad,
   mi ley, la fuerza y el viento,
   mi única patria, la mar.

velero *swift sailing vessel*

bonanza *calm sea*
torcer *turn back*

presas *prizes, captured ships*
a despecho *in spite*

### National Standards

**Cultures**
Students experience, discuss, and analyze a well-known poem from the Romantic period in Spanish literature, *Canción del pirata*, by José de Espronceda.

## PRESENTATION

### Introducción

**Step 1** Tell students to read the **Introducción** silently and relate the information to what the poet says in the poem.

### Lectura *Canción del pirata*

**Step 1** Have students listen to the Audio CD and have them pay particular attention to the rhythm.

**Step 2** You may wish to allow students to tell in English the information they get from the first **estrofa.** What is the pirate telling us?

**Step 3** After reading **estrofa 2,** have students tell in English what he has accomplished.

**Step 4** Have them relate in their own words the pirate's philosophy from **estrofa 3.**

**Step 5** Go over **Actividad D** on page 425.

### LEVELING
**A–C:** Reading

### National Standards

**Cultures**
Students experience, discuss, and analyze a poem by a poet who is famous for saying a great deal in very few words, *Cosas del tiempo*, by Ramón de Campoamor.

## PRESENTATION

### Introducción

**Step 1** Read the **Introducción** to the class or paraphrase it.

### Lectura *Cosas del tiempo*

**Step 1** Call on students with a dramatic flair to act out the meaning of the poem.

**Step 2** Have the class read the poem aloud and ask: **¿Se reconocen o no? ¿Por qué no?**

### LEVELING
**E:** Reading

### Literature Connection

Ramón de Campoamor se hizo famoso por sus poesías presentadas en tres colecciones —*Doloras* (1846), *Humoradas* (1886) y *Pequeños poemas* (1873–1892). *Cosas del tiempo* es una humorada. El mismo Campoamor dijo de estas poesías: «¿Qué es una humorada? Un rasgo intencionado. ¿Y dolora? Una humorada convertida en drama. ¿Y pequeño poema? Una dolora amplificada».

Las humoradas son todas muy cortas. Los temas de las humoradas son satíricos, amorosos y morales.

Varias humoradas tienen la forma de pareados, es decir, dos versos unidos y aconsonantados.

---

### Cosas del tiempo
Ramón de Campoamor

**Introducción** Ramón de Campoamor (1817–1901) nació en un pueblecito de Asturias en el norte de España. Estudió medicina pero su verdadera carrera eran las letras. Es un poeta que tiene el don[1] de decir mucho en muy pocas palabras.

Para los jóvenes, la juventud es eterna. A ver lo que dice Ramón de Campoamor sobre este tema. Y en muy pocas palabras.

[1] don *gift*

Asturias

### Cosas del tiempo

Pasan veinte años; vuelve él,
Y al verse, exclaman él y ella:
(—¡Santo Dios! ¿Y éste es aquél?… )
(—¡Santo Dios! ¿Y ésta es aquélla?)

---

## ANSWERS TO ¿Comprendes?

**A**

1. No se sabe quién escribió el poema épico *El cantar del mío Cid*—fue un autor anónimo.
2. En realidad, el Cid es Rodrigo Díaz de Vivar.
3. Nació en Vivar, cerca de Burgos, España.
4. Hubo un conflicto entre él y el rey.
5. Al salir de Burgos, el Cid montó a su caballo Babieca, salió de Burgos y anduvo por los campos de Castilla donde luchó valientemente contra los árabes.
6. Conquistó a los árabes en Valencia.
7. La escena es solemne y conmovedora.
8. Al despedirse el uno de la otra, el Cid y su mujer se abrazaron y se besaron.
9. Dios va a proteger a su mujer y a sus hijas.
10. Es como la uña parte o separa de la carne.

## ¿Comprendes?

Burgos

**A** *El cantar del mío Cid* Contesten.
1. ¿Quién escribió el poema épico *El cantar del mío Cid*?
2. ¿Quién es el Cid en realidad?
3. ¿Dónde nació?
4. ¿Por qué tuvo que salir de Burgos?
5. Al salir de Burgos, ¿qué hizo?
6. ¿Dónde conquistó a los árabes?
7. ¿Cómo es la escena de la despedida del Cid?
8. ¿Qué hicieron el Cid y su mujer al despedirse el uno de la otra?
9. Según el Cid, ¿quién va a proteger a su mujer y a sus hijas?
10. ¿Cómo describe el autor la pena de la familia del Cid?

**B** *El libro de buen amor* ¿Sí o no?
1. Muy poca gente lee este poema.
2. Hay elementos autobiográficos en la obra del Arcipreste de Hita.
3. El Arcipreste, Juan Ruiz, fue clérigo y su obra es muy religiosa.
4. En su obra él pinta la sociedad de su tiempo.
5. Según el poeta, el dinero no hace nada. No tiene ninguna importancia.

**C** *El libro de buen amor* Contesten.
1. Según el autor, ¿cómo es el torpe que tiene dinero?
2. ¿Qué puede hacer el cojo?
3. ¿Qué puede hacer el mudo?
4. ¿En qué se convierte un hombre necio o rudo labrador?
5. ¿Qué significa «El que no ha dinero, no es de sí señor»?

**D** *Canción del pirata* ¿Cómo lo expresa Espronceda?
1. Anda, capitán, y no tengas miedo.
2. El barco de un enemigo
   Una tempestad o una mar calma
   nada te puede hacer cambiar de dirección
   y nada puede disminuir tu valor.
3. Hemos capturado (tomado posesión de) mucho a pesar de los ingleses.
4. Muchas naciones nos han tenido que entregar sus banderas.

Islas Canarias

LITERATURA ESPAÑOLA

*cuatrocientos veinticinco* 425

---

### 3 PRACTICE

## ¿Comprendes?

**A–D** You may wish to do each activity immediately after reading the corresponding poem. It is suggested that you have students prepare them before going over them in class.

**Literary Companion**
Reading Focus
**Developing Reading Comprehension Skills**
These **¿Comprendes?** activities reinforce students' reading comprehension and critical thinking skills.

---

ANSWERS TO ¿Comprendes?

**B**
1. No
2. Sí
3. No
4. Sí
5. No

**C**
1. Es un hombre de prestar.
2. El cojo puede correr.
3. El mudo puede hablar.
4. Se convierte en hidalgo y sabidor.
5. Significa que un hombre que no tiene dinero tiene que servir a otros.

**D**
1. Navega, velero mío, sin temor
2. que ni enemigo navío,
   ni tormenta, ni bonanza
   tu rumbo a torcer alcanza,
3. Veinte presas
   hemos hecho
   a despecho
   del inglés,
4. y han rendido
   sus pendones
   cien naciones
   a mis pies.

## National Standards

**Communities**

Students are encouraged to use their Spanish for a creative writing experience: a short story based on *Cosas del tiempo.*

---

**E** **Cosas del tiempo** Contesten.

1. ¿Quién vuelve?
2. ¿A quién ve?
3. ¿Cuánto tiempo hace que no se ven?
4. ¿Se reconocen?
5. ¿Han cambiado?
6. ¿Qué dice cada uno para indicar que el otro ha cambiado?

**F** **Coplas**

En tus propias palabras, comenta sobre la filosofía de Jorge Manrique. Compara lo que dice él y lo que dice el Arcipreste de Hita en su *Libro de buen amor.*

**G** **Mi opinión**

De las poesías que acabas de leer, decide cual es tu favorita—cual te gustó más. Explica por qué te gustó o por qué te gustó más que las otras. ¿Cuál es el mensaje que recibiste al leer tu poesía favorita? ¿Cómo relacionas esta poesía con tu propia vida?

**H** **Analizando y haciendo comparaciones**

¿Estás de acuerdo con la filosofía de Jorge Manrique sobre la vida y la muerte? ¿Crees que todos somos iguales en la muerte? ¿Somos iguales también en la vida? ¿Qué diría el Arcipreste de Hita sobre esta última pregunta?

**I** **Visualizando y describiendo**

Si tienes talento artístico, dibuja un retrato describiendo el tema de una de las poesías que acabas de leer. Luego, en forma oral o escrita, da una descripción de tu retrato.

**J** **Describiendo**

En un grupo, escriban un cuento breve en el que el personaje principal es un señor o una señora bastante mayor. La persona ve a alguien que cree reconocer pero ya hace muchos años que no se ven. En su cuento contesten (a) las siguientes preguntas. ¿Dónde se encuentran? ¿Se reconocen? ¿Cómo? ¿Qué dicen? ¿Cómo se habían conocido antes?

---

**ANSWERS TO** **¿Comprendes?**

**E**

1. Un hombre vuelve.
2. Ve a una mujer.
3. Hace veinte años que no se ven.
4. Sí, se reconocen.
5. Sí, han cambiado.
6. ¡Santo Dios! ¿Y éste(a) es aquél(la)?

**F** *Answers will vary.*

**G** *Answers will vary.*

**H** *Answers will vary.*

**I** *Answers will vary.*

**J** *Answers will vary.*

# *Prosa*  El niño al que se le murió el amigo 🎧

## Vocabulario para la lectura

la valla, la cerca

el quicio de la puerta

el pozo

los juguetes

las canicas

el polvo

El niño estiró los brazos.    Y puso los codos en las rodillas.

## ¿Qué palabra necesito?

**1**  **Historieta**  **El niño en el jardín**  Contesten.

1. ¿Qué hay alrededor del jardín?
2. ¿Hay un pozo en el jardín?
3. ¿Dónde está sentado el niño?
4. ¿Tiene juguetes?
5. ¿Juega (a las) canicas el niño?
6. ¿Dónde puso los codos?
7. ¿Piensa en algo cuando pone los codos en las rodillas?
8. Cuando se levantó, ¿qué estiró el niño?

LITERATURA ESPAÑOLA

*cuatrocientos veintisiete* ⚙ **427**

## Literary Companion

### PREPARATION

#### Resource Manager

Audio Activities TE, page 206
Audio CD 9, Tracks 6–7
Test, pages 277–280
*ExamView® Assessment Suite*

### PRESENTATION

**Vocabulario para la lectura**

**Step 1**  You may wish to follow some suggestions outlined in previous sections.

**Step 2**  You can intersperse questions from **Actividad 1** as you present the vocabulary.

### About the Spanish Language

- The title of this short story is an example of what used to be called the "dative of interest." The indirect object pronoun **le** in the title refers to the **niño** of the title. Roughly translated, the title might be "The little boy whose friend died on him."
- There are a few idiomatic expressions you may wish to review with students: **darse cuenta, de repente,** and **acabar con. Darse cuenta** is, of course, *to be aware of* or *to notice.* **De repente** is *all of a sudden* or *suddenly.* **Acabar con** is *to do away with* or *to destroy.*

---

## Answers to ¿Qué palabra necesito?

**1**

1. Hay una valla (una cerca) alrededor del jardín.
2. Sí, hay un pozo en el jardín.
3. El niño está sentado en el quicio de la puerta.
4. Sí, tiene juguetes.
5. Sí, el niño juega (a las) canicas.

6. Puso los codos en las rodillas.
7. Sí, piensa en algo cuando pone los codos en las rodillas.
8. Cuando se levantó, el niño estiró los brazos.

### National Standards

**Cultures**

Students experience, discuss, and analyze an excerpt from a contemporary Spanish short story, *El niño al que se le murió el amigo*, by Ana María Matute.

## PREPARATION

### Resource Manager

Audio Activities TE, pages 207–208
Audio CD 9, Tracks 8–9
Test, pages 277–280
*ExamView® Assessment Suite*

## PRESENTATION

### Introducción

**Step 1** You may call on a student to read the **Introducción** aloud as the others follow.

### Lectura *El niño al que se le murió el amigo*

**Note:** You may wish to present this lovely story thoroughly using the following outline.

**Step 2** Give students a brief oral résumé of the selection in Spanish.

**Step 3** Ask some questions about your résumé.

**Step 4** Call on individuals to read about four or five sentences each, then ask comprehension questions of other students.

**Step 5** Upon completion of the reading, ask approximately ten questions, the answers to which give a unified review of the story. Direct each question to a different student.

**Step 6** Call on a student to give a summary of the story in his or her own words.

**428**

---

## *El niño al que se le murió el amigo*

Ana María Matute

**Introducción** Ana María Matute nació en la capital española en 1926. Hizo sus estudios en las dos principales ciudades de su país, Madrid y Barcelona. Su primera novela, *Los Abel,* se publicó en 1947. Diez años más tarde se publicó *Los niños tontos,* donde aparece *El niño al que se le murió el amigo.* En 1996 ella ingresó en la Real Academia Española.

A veces algo ocurre en la vida de un niño y de repente el niño pasa a ser algo más, casi una persona mayor. A ver lo que le pasó al niño en este cuento de Ana María Matute.

## *El niño al que se le murió el amigo* 🎧

Una mañana se levantó y fue a buscar al amigo, al otro lado de la valla. Pero el amigo no estaba, y, cuando volvió, le dijo la madre: «El amigo se murió. Niño, no pienses más en él y busca otros para jugar». El niño se sentó en
5 el quicio de la puerta, con la cara entre las manos y los codos en las rodillas.

«Él volverá», pensó. Porque no podía ser que allí estuviesen las canicas, el camión y la pistola de hojalata°, y el reloj aquel que ya no andaba, y el amigo no viniese
10 a buscarlos. Vino la noche, con una estrella muy grande, y el niño no quería entrar a cenar. «Entra niño, que llega el frío», dijo la madre. Pero, en lugar de entrar, el niño se levantó del quicio y se fue en busca del amigo, con las canicas, el camión, la pistola de hojalata y el reloj que no
15 andaba. Al llegar a la cerca, la voz del amigo no le llamó, ni le oyó en el árbol, ni en el pozo. Pasó buscándole toda la noche. Y fue una larga noche casi blanca, que le llenó de polvo el traje y los zapatos. Cuando llegó el sol, el niño, que tenía sueño° y sed, estiró los brazos y pensó:
20 «Qué tontos y pequeños son esos juguetes. Y ese reloj que no anda, no sirve para nada». Lo tiró al pozo, y volvía a la casa, con mucha hambre. La madre le abrió la puerta, y dijo: «Cuánto ha crecido este niño, Dios mío, cuánto ha crecido». Y le compró un traje de hombre, porque el que
25 llevaba le venía muy corto.

**hojalata** *tin*

**tenía sueño** *estaba cansado*

---

## Literature Connection

La autora describe emociones, sentimientos y estados mentales en poquísimas palabras. Busque en el cuento las frases que describen los siguientes estados de ánimo del niño:

**Confusión:** «Él volverá», pensó. Porque no podía ser que allí estuviesen... »
**Comprensión:** «Qué tontos y pequeños son esos juguetes... »
**Resignación:** «Lo tiró al pozo, y volvió a la casa, con mucha hambre.»
**Madurez:** «Cuánto ha crecido este niño... »

## ¿Comprendes?

**A** **¿Qué pasó? Buscando hechos** Contesten.

1. Cuando se levantó el niño, ¿a quién fue a buscar?
2. ¿Adónde fue a buscarlo?
3. ¿Estaba el amigo?
4. ¿Qué le aconsejó la madre?
5. ¿Dónde se sentó el niño?

**B** **Lo que hizo el niño** Completen.

1. El niño creía que volvería su _____.
2. Creía que vendría a buscar sus _____.
3. El niño se quedó afuera y no entró a _____.
4. La madre dijo que entrara porque hacía _____.
5. En lugar de entrar, el niño se fue _____ del amigo.

Málaga, Andalucía

**C** **Interpretando** Comenten.

1. Hay un momento en que el fin de la inocencia parece ocurrir. ¿Cuál es?
2. Hay una frase casi poética, que no tiene sentido literal. ¿Qué querrá decir: «Y fue una larga noche casi blanca, que le llenó de polvo el traje y los zapatos»?
3. Interpreta la frase de la madre al final del cuento.
4. ¿Crees que el traje que llevaba el niño realmente le quedaba corto? Explica.

**D** **Describiendo causas y efectos** No es solamente la muerte de un(a) amigo(a) la que puede doler. La separación duele mucho también. Lo más común es que nos mudamos de un pueblo y perdemos a los amigos o que un buen amigo tiene que mudarse con la familia. ¿Esto te ha pasado a ti? Describe como te sentiste.

**E** **Reflexionando** Para muchos de nosotros ha habido un evento que nos ha marcado el final de la niñez. Piensa en el momento en que dejaste de ser niño(a) y descríbelo en español.

LITERATURA ESPAÑOLA

---

## Literary Companion

### Después de leer

## PRACTICE

### ¿Comprendes?

**D and E** Have students select the activity they would like to do. These can be done individually or in small groups. You may wish to have one student or group report to the class concerning each topic.

---

**ANSWERS TO** **¿Comprendes?**

**A**

1. Cuando el niño se levantó, fue a buscar al amigo.
2. Fue a buscarlo al otro lado de la valla.
3. No, no estaba.
4. La madre le aconsejó no pensar más en su amigo. Le aconsejó buscar a otros para jugar.
5. El niño se sentó en el quicio de la puerta.

**B**

1. amigo
2. juguetes
3. cenar
4. frío
5. en busca

**C** *Answers will vary.*

**D** *Answers will vary.*

**E** *Answers will vary.*

## PREPARATION

### Resource Manager

Audio Activities TE, page 209
Audio CD 9, Tracks 10–11
Test, pages 281–284
*ExamView® Assessment Suite*

## PRESENTATION

### Vocabulario para la lectura

**Step 1** Show the Vocabulary Transparency and have students repeat the new words and sentences that accompany the illustrations.

**Step 2** Intersperse the questions from **Actividad 1** as you present the vocabulary.

## PRACTICE

### ¿Qué palabra necesito?

**1** You can intersperse these questions as you are presenting the new vocabulary.

**2** Have students prepare **Actividad 2** and then go over it in class.

### FUN·FACTS

La papa o patata se cultivó por primera vez en la región andina. Los antiguos incas la cultivaban. Hoy los científicos y agrónomos se preocupan por la falta de variedad en la papa que se cultiva en Europa y América. Ellos van a Perú y Bolivia para asegurar que otras variedades antiguas se conserven en caso de alguna plaga que pudiera acabar con las pocas variedades que se están cultivando.

**430**

---

# Una ojeada a la poesía

## Vocabulario para la lectura

el amo
la frente
un ave
el sudor
labrar

El amo quiere que el joven trabaje.
El joven indio está labrando la tierra.
Tiene una mirada taciturna, melancólica.
Está sudando (transpirando).

### Más vocabulario

**el amo** el jefe, el patrón, el dueño
**el ave (f.)** el pájaro

**el leño** la madera
**ignorar** no saber

## ¿Qué palabra necesito?

**1** **La tierra** Contesten.

1. ¿Qué está haciendo el joven?
2. ¿Quién quiere que él trabaje así?
3. ¿Qué expresión tiene el indio en la cara?
4. ¿Está sudando?
5. ¿Dónde tiene el sudor?

**2** **Una expresión equivalente** Expresen de otra manera.

1. El indio está *trabajando en el campo*.
2. Su *patrón* es bastante cruel.
3. El indio trabaja duro y está *transpirando*.
4. Tiene *una expresión* triste.
5. Él *no conoce* las grandezas pasadas de su gente.
6. Él está cargando *madera*.
7. Hay *un pájaro* encima del leño.

**430**  *cuatrocientos treinta*

LITERARY COMPANION CAPÍTULO 2

---

## ANSWERS TO ¿Qué palabra necesito?

**1**

1. El joven está labrando la tierra.
2. El amo quiere que el joven trabaje así.
3. Tiene una mirada taciturna, melancólica.
4. Sí, está sudando.
5. Tiene sudor en la frente.

**2**

1. El indio está *labrando la tierra*.
2. Su *amo* es bastante cruel.
3. El indio trabaja duro y está *sudando*.
4. Tiene *una mirada* triste.
5. Él *ignora* las grandezas pasadas de su gente.
6. Él está cargando *un leño*.
7. Hay *un ave* encima del leño.

# ¡Quién sabe!

José Santos Chocano

**Introducción** José Santos Chocano (1875–1934) nació en Perú. Su vida tumultuosa fue en realidad una novela dramática. Él viajó mucho por Latinoamérica y España. En sus poesías Chocano cantó las hazañas de su gente y describió la naturaleza americana: los volcanes, la cordillera andina y las selvas misteriosas.

Chocano se sentía inca. Él quería ser indio y español a la vez. Esa fusión de lo indígena y lo español la sentía en sus venas porque una de sus abuelas descendía de un capitán español y la otra era de una familia inca. La voz del poeta era la de un mestizo que conocía a su gente y su tierra. Se declaró a sí mismo cantor «autóctono[1] y salvaje» de la América hispanohablante. —Walt Whitman tiene el Norte, pero yo tengo el Sur—dijo Chocano.

En el primer poema, un fragmento de *Tres notas del alma indígena,* Chocano le habla al indio de hoy. Le pregunta si se ha olvidado de la grandeza de su pasado, cuando los indios eran dueños de las Américas. La respuesta del indio, «¡Quién sabe, señor!» significa que se niega a opinar. Es una contestación típica del habla del indio.

El segundo poema se llama *Nostalgia.* Tiene una tonalidad romántica y un tema autobiográfico. El poeta refleja sobre su vida tumultuosa.

[1] autóctono *indigenous*

Parque Nacional Huascarán, Perú

Cuzco, Perú

## ¡Quién sabe!

—Indio que labras con fatiga
tierras que de otros dueños son:
¿Ignoras tú que deben tuyas
ser, por tu sangre y tu sudor?
5  ¿Ignoras tú que audaz codicia°,
siglos atrás te las quitó?
¿Ignoras tú que eres el Amo?
—¡Quién sabe, señor!

—Indio de frente taciturna
10  y de pupilas sin fulgor°.
¿Qué pensamiento es el que escondes°
en tu enigmática° expresión?
¿Qué es lo que buscas en tu vida?
¿Qué es lo que imploras a tu Dios?
15  ¿Qué es lo que sueña tu silencio?
—¡Quién sabe, señor!

audaz codicia *bold greed*

sin fulgor *without a spark*
escondes *hide*
enigmática *puzzling*

LITERATURA DE LOS PAÍSES ANDINOS

*cuatrocientos treinta y uno* 431

## About the Spanish Language

La palabra **sudar** equivale al inglés *to sweat.* **Transpirar** es un poco más fino, es como *perspire.* El sustantivo *sweat* es **el sudor** y *perspiration* es **la transpiración.**

**LEVELING**
**E–A:** Reading

### Lectura *Nostalgia*

**Step 1** Ask students: **¿Qué significa** *nostalgia?* If they cannot answer in Spanish, let them tell you in English.

**Step 2** Before reading the poem, have students look at the questions of **Actividad D** on page 434. These questions will help students understand the poem.

**Step 3** As you read the poem, intersperse the questions from **Actividad D** and have students answer.

**Step 4** Go over **Actividades E** and **F** on page 434.

### LEVELING

**A:** Reading

## *Nostalgia*

Hace ya dos años
que recorro el mundo.
¡He vivido poco!
¡Me he cansado mucho!

5  Quien vive de prisa no vive de veras:
quien no echa raíces no puede dar frutos.

Ser río que corre, ser nube que pasa,
sin dejar recuerdos ni rastro ninguno,
es triste, y más triste para quien se siente
10  nube en lo elevado, río en lo profundo.

Quisiera ser árbol mejor que ser ave,
quisiera ser leño mejor que ser humo;
   y al viaje que cansa
   prefiero el terruño°:
15  la ciudad nativa con sus campanarios°,
arcaicos balcones, portales vetustos°
y calles estrechas, como si las casas
tampoco quisieran separarse mucho...

terruño *native land*
campanarios *bell towers*
vetustos *old, dilapidated*

Rastros en la arena

## La victoria de Junín: Canto a Bolívar

José Joaquín Olmedo

**Introducción** El poeta ecuatoriano José Joaquín Olmedo (1790–1847) nació en Guayaquil. Es uno de los más importantes poetas latinoamericanos de la época de la independencia. Admiró mucho el heroísmo de Simón Bolívar, el gran libertador, y después de la batalla de Junín en agosto de 1824 escribió los primeros trescientos versos de su poema *La victoria de Junín: Canto a Bolívar*. Después de la batalla de Ayacucho en diciembre del mismo año añadió unos seiscientos versos más. Estas dos batallas en las que lucharon Simón Bolívar y el mariscal Sucre fueron decisivas para la independencia de la América del Sur.

En su poema Olmedo hace aparecer a Huayna Capac al frente de las tropas victoriosas. En los versos que siguen, Huayna Capac habla de la crueldad de los españoles durante la conquista. Y refiere a varios personajes históricos. El insolente y vil aventurero es Francisco Pizarro. El iracundo sacerdote es el padre Valverde quien estaba con Pizarro cuando capturó a Atahualpa. Y el rey poderoso es el rey Fernando de España.

Guayaquil, Ecuador

### La victoria de Junín: Canto a Bolívar

No hay punto en estos valles y estos cerros
que no mande tristísimas memorias.
Torrentes mil de sangre se cruzaron
aquí y allí; las tribus numerosas
5   al ruido del cañón se disiparon;
y los restos mortales de mi gente
aun a las mismas rocas fecundaron°.
Más allá un hijo° expira entre los hierros°
de su sagrada majestad indignos...
10  un insolente y vil aventurero
y un iracundo sacerdote fueron
de un poderoso rey los asesinos...
¡tantos horrores y maldades tantas
por el oro que hollaban° nuestras plantas!

Parque Bolívar, Guayaquil, Ecuador

fecundaron *fertilized*
un hijo *Atahualpa*
hierros *weapons*

hollaban *trampled on*

LITERATURA DE LOS PAÍSES ANDINOS

*cuatrocientos treinta y tres* ✦ 433

## National Standards

**Cultures**
Students experience, discuss, and analyze a poem dealing with the struggle for independence, *La victoria de Junín: Canto a Bolívar* by the Ecuadorian poet José Joaquín Olmedo.

## PRESENTATION

### Introducción

**Step 1** You may wish to have students read the **Introducción** silently. To understand the poem they have to know the references to Pizarro, Valverde and el rey Fernando.

**Lectura** *La victoria de Junín: Canto a Bolívar*

**Note:** You may wish to present this poem only to your most able students.

**Step 1** Before having students read the poem in its original, have them read the paraphrased version in **Actividad G** on page 435. This will help them understand the poem.

**Step 2** Go over **Actividad G** and have students look for and read aloud the original of each paraphrased version.

### History Connection

This poem has historical references to battles of the conquest, Pizarro, el padre Valverde, and el rey Fernando de España.

**LEVELING**
**C:** Reading

433

## CAPÍTULO 2 Literatura

**Después de leer**

### PRACTICE

**Note:** Suggestions for presenting these activities appear with each individual poem.

**A–F** It is also suggested that you have students write the answers to these activities.

### Literary Companion
*Reading Focus*

**Developing Reading Comprehension Skills**

These **¿Comprendes?** activities reinforce students' reading comprehension and critical thinking skills.

---

## ¿Comprendes?

**A ¡Quién sabe!** Contesten.
1. ¿Qué hace el indio hasta estar rendido (muy cansado)?
2. ¿Cuáles son tres cosas que es posible que el indio no sepa?
3. ¿Cómo contesta el indio?
4. ¿Sabemos si el indio tiene las respuestas a las preguntas?

**B ¡Quién sabe!** Interpretando
1. ¿Por qué le dice el autor al indio que las tierras deben ser suyas por su sangre y su sudor?
2. El autor le pregunta al indio si sabe que ya hace siglos una audaz codicia le quitó sus tierras. ¿A qué o a quiénes se refiere el autor?
3. ¿Por qué habrá escrito el autor «el amo» con letra mayúscula?

**C ¡Quién sabe!** Parafraseando Contesten.
1. ¿Cómo describe José Santos Chocano a los indios?
2. ¿Cómo dice Chocano... ?
   El indio parece melancólico.
   Parece que no tiene alegría ni esperanza.
   Tiene una mirada vaga.
   Parece que está pensando en algo pero no se lo revela a nadie.

**D Nostalgia** Buscando información Contesten.
1. ¿Hace cuánto tiempo que el poeta recorre el mundo?
2. ¿Ha vivido poco o mucho?
3. ¿Se ha cansado mucho o poco?
4. ¿Parece que el poeta está triste o contento?
5. ¿Quién no vive de veras?
6. ¿Quién no puede dar frutos?
7. ¿Prefiere el poeta ser árbol o ave?
8. ¿Prefiere ser leño o humo?
9. ¿Qué prefiere a un viaje?

**E Nostalgia** Describiendo Describan la ciudad nativa que nos presenta el poeta.

**F Nostalgia** Hagan lo siguiente.
1. Preparen una lista de cosas que nos presenta el poeta que indican estabilidad.
2. Preparen una lista de cosas que nos presenta el poeta que indican inestabilidad.
3. En sus propias palabras expresen como a su parecer quisiera vivir el poeta para ser feliz.

**434** *cuatrocientos treinta y cuatro*

LITERARY COMPANION CAPÍTULO 2

Cuzco, Perú

---

## ANSWERS TO ¿Comprendes?

**A**
1. El indio labra las tierras de otros dueños hasta estar rendido (muy cansado).
2. 1) Que las tierras deben ser suyas, 2) que siglos atrás, los españoles les quitaron las tierras a los indígenas, y 3) que es el amo de la tierra que labra.
3. El indio contesta—¡Quién sabe, señor!
4. No, no sabemos si el indio las tiene.

**B** *Answers will vary.*

**C** *Answers will vary.*

**D**
1. Hace dos años que el poeta recorre el mundo.
2. Ha vivido poco.
3. Se ha cansado mucho.
4. Parece que el poeta está triste.

5. Quien vive de prisa no vive de veras.
6. Quien no echa raíces no puede dar frutos.
7. El poeta prefiere ser árbol.
8. Prefiere ser leño.
9. Prefiere el terruño al viaje.

**E** La ciudad nativa que nos presenta el poeta es vieja y tiene campanarios, arcaicos balcones, portales vetustos y calles estrechas.

**F**
1. frutos, recuerdos, rastro, árbol, leño, terruño, la ciudad nativa
2. prisa, no echar raíces, río, correr, nube, ave, humo, viaje, separación
3. *Answers will vary.*

## G  *La victoria de Junín*  Parafraseando

Busquen como expresa el poeta las siguientes ideas.

1. Hay muy tristes memorias por todas partes de la región.
2. Muchos han derramado su sangre aquí.
3. Muchos grupos indígenas han tratado de huir al oír el cañón de los españoles.
4. Muchos cayeron muertos sin poder huir.
5. Perdió su vida un hijo inca en manos de unos indignos.
6. Los asesinos eran un aventurero y un sacerdote enviados por un rey que tenía mucho poder.
7. Los indígenas sufrieron mucho por el deseo de los españoles de obtener oro.

## H  *¡Quién sabe!*  Haciendo conexiones

Ernest Lewald dice en su libro *Latinoamérica: Sus culturas y sociedades*: «Según los investigadores antropológicos, el indio latinoamericano añadió a su estoicismo y rutina de tiempos precolombinos el silencio y la introversión tan propia de pueblos subyugados. Ha sido muy fácil observar que el indio en la actualidad se muestra inaccesible y pasivo frente al hombre moderno, aunque es locuaz y cooperativo dentro de su grupo comunal». ¿Cómo coinciden las palabras del poeta José Santos Chocano con las observaciones de los investigadores antropológicos?

Cuzco, Perú

## I  *¡Quién sabe!*  Buscando mensajes

Las obras de la mayoría de los intelectuales o de los escritores latinoamericanos tienen algún mensaje para el pueblo. En estos versos, ¿qué le está diciendo el poeta al indio? ¿Quiere Chocano que el indio acepte su situación con una resignación fatalista?

## J  *Nostalgia*  Identificando emociones y sentimientos

En su poema *Nostalgia*, Santos Chocano nos dice mucho sobre su filosofía de vida. En tus propias palabras cuenta su filosofía. Luego haz algunos comentarios. ¿Qué opinas? El poeta, ¿ha sido feliz o no? ¿Está satisfecho de su vida?

## K  *Nostalgia*  Dando opiniones

Refleja un poco sobre tu filosofía de vida. ¿Estás de acuerdo con Santos Chocano cuando dice «Quien vive de prisa no vive de veras», «quien no echa raíces no puede dar frutos»? Comenta.

**G–K** All of these activities incorporate higher skills. You may wish to present them as full-class discussion activities. Have students say as much as they can. Involve as many as possible and encourage them to have a good "give and take" session.

LITERATURA DE LOS PAÍSES ANDINOS

*cuatrocientos treinta y cinco*  **435**

---

## ANSWERS TO ¿Comprendes?

### G

1. «No hay punto en estos valles y estos cerros que no mande tristísimas memorias.»
2. «Torrentes mil de sangre se cruzaron aquí y allí;»
3. «las tribus numerosas al ruido del cañón se disiparon;»
4. «y los restos mortales de mi gente aun a las mismas rocas fecundaron.»
5. «Más allá un hijo expira entre los hierros de su sagrada majestad indignos . . .»
6. «un insolente y vil aventurero y un iracundo sacerdote fueron de un poderoso rey los asesinos . . .»
7. «¡tantos horrores y maldades tantas por el oro que hollaban nuestras plantas!»

**H–K** *Answers will vary.*

## PREPARATION

### Resource Manager

Audio Activities TE, page 212
Audio CD 9, Tracks 14–15
Test, pages 281–284
*ExamView® Assessment Suite*

## PRESENTATION

### Vocabulario para la lectura

**Step 1** You may wish to follow some suggestions from previous sections for the presentation of the vocabulary.

## PRACTICE

## ¿Qué palabra necesito?

**1** After going over **Actividad 1** call on one or more students to retell the information in their own words.

**2** Have students prepare **Actividad 2** and then go over it in class.

**Juego** Since there are quite a few definitions in this section, you may wish to play the following game.
**Les voy a dar una definición.
Denme la palabra.**
   mover algo tirándolo por el
      suelo
   no pesa mucho
   una roca grandísima, enorme
   lugar de donde sacamos
      piedras
   un animal doméstico
   las noticias
   el mensaje

**436**

---

## *Prosa*  Los comentarios reales

### Vocabulario para la lectura 🎧

una choza
un carro
un buey
una cuesta

Los indígenas subían y bajaban las cuestas.
Arrastraban grandes piedras.
Los bueyes tiraban del carro.

#### Más vocabulario

**los avisos** noticias o consejos que se comunican a alguien
**la cantera** sitio de donde se sacan piedras
**las nuevas** las noticias
**la peña** roca o piedra enorme
**el pósito** lugar comunal donde todos depositaban y almacenaban sus cereales y granos
**el recaudo** palabra antigua por recado, mensaje
**ligero** que no pesa mucho, ágil, rápido
**de palabra** oral(mente)

Chinchero, Perú

### ¿Qué palabra necesito?

**1  Historieta   Durante el imperio incaico**
Contesten según se indica.

1. ¿En qué vivían los indígenas más humildes? (chozas)
2. ¿Dónde guardaban sus cereales? (en un pósito)
3. ¿A quién pertenecía el pósito? (al ayllu, a la comunidad)
4. ¿Para qué necesitaban piedras del tamaño de una peña? (construir fortalezas)
5. ¿De dónde sacaban las piedras? (de una cantera)
6. ¿Subían y bajaban las cuestas los hombres? (Sí)
7. ¿Qué arrastraban? (grandes piedras)
8. ¿Por qué no tiraban los bueyes de un carro? (en aquel entonces no había ni bueyes ni carros)

**2  ¿Cuál es la palabra?**  Den la palabra cuya definición sigue.

1. una casa bastante humilde
2. una roca de gran tamaño
3. terreno en pendiente
4. un mensaje
5. noticias o consejos que se comunican a otro
6. tirar de una cosa para moverla
7. que no pesa mucho, que se mueve con rapidez

---

## Answers to ¿Qué palabra necesito?

**1**

1. Los indígenas más humildes vivían en chozas.
2. Guardaban sus cereales en un pósito.
3. El pósito pertenecía al ayllu, a la comunidad.
4. Necesitaban piedras del tamaño de una peña para construir fortalezas.
5. Sacaban las piedras de una cantera.
6. Sí, los hombres subían y bajaban las cuestas.
7. Arrastraban grandes piedras.
8. No tiraban los bueyes de un carro porque en aquel entonces no había ni bueyes ni carros.

**2**

1. una choza
2. una peña
3. la cantera
4. un recaudo
5. los avisos
6. arrastrar
7. ligero

## Los comentarios reales

**Introducción** El primer escritor de importancia mundial nacido en las Américas fue el Inca Garcilaso de la Vega (1539–1616). Su padre era un capitán español y su madre una princesa incaica. Él escribió *Los comentarios reales* que apareció en 1609. Una segunda parte con el título *Historia general del Perú* salió después de su muerte en 1617. *Los comentarios reales* se consideran una fuente importantísima en el estudio de la civilización de los incas. Describe el Imperio de los incas, sus leyendas, costumbres y monumentos.

Aquí tenemos dos fragmentos de *Los comentarios reales*.

Machu Picchu, Perú

## Los comentarios reales

Chasqui llamaban a los correos que había puestos por los caminos para llevar con brevedad los mandatos del rey y traer las nuevas y avisos que por sus reinos y provincias, lejos o cerca, hubiese
5 de importancia. Para lo cual tenían a cada cuarto de legua° cuatro o seis indios mozos y ligeros, los cuales estaban en dos chozas para repararse° de las inclemencias del cielo. Llevaban los recaudos por su vez, ya los de una choza, ya los de la otra, los unos miraban a la una parte del camino, y los otros a la otra, para descubrir
10 los mensajeros antes que llegasen a ellos, a apercibirse° para tomar el recaudo, porque no se perdiese tiempo alguno.

Llamáronlos chasqui, que quiere decir trocar°, o dar y tomar, que es lo mismo, porque trocaban, daban y tomaban de uno en otro, y de otro en otro, los recaudos que llevaban. No les llamaron «cacha», que
15 quiere decir mensajeros, porque este nombre lo daban al embajador o mensajero propio que personalmente iba de un príncipe al otro, o del señor al súbdito°. El recaudo o mensaje que los chasquis llevaban era de palabra, porque los indios del Perú no supieron escribir. Las palabras eran pocas, y muy concertadas, porque no
20 se trocasen, y por ser muchas no se olvidasen.

legua *three and a half miles*

repararse *protegerse*

apercibirse *become aware of*

trocar *to trade*

súbdito *subject*

❖ ❖ ❖

LITERATURA DE LOS PAÍSES ANDINOS

*cuatrocientos treinta y siete* 437

**National Standards**

**Cultures**
Students experience, discuss, and analyze a literary genre given the name «Tradiciones» by its Peruvian creator Inca Garcilaso de la Vega.

**PREPARATION**

**Resource Manager**

Audio Activities TE, pages 213–214
Audio CD 9, Tracks 16–17
Test, pages 281–284

**PRESENTATION**

**Introducción**

**Step 1** You can have students read the **Introducción** silently.

**Lectura** *Comentarios reales*

**Step 2** You may wish to have students read some sections just silently and go over some others orally in class.

**Step 3** You can intersperse **Actividades A–C** on page 439 as you are going over the reading.

**LEVELING**

**A:** Reading

Maravillosos edificios hicieron los Incas, reyes del Perú, en fortalezas, en templos, en casas reales, en pósitos y en caminos como se muestran hoy por las ruinas que de ellas han quedado; aunque mal se puede ver por los cimientos lo que fue todo el edificio.

25 La obra mayor y más soberbia, que mandaron hacer para mostrar su poder y majestad, fue la fortaleza del Cuzco, cuyas grandezas son increíbles a quien no las ha visto, y al que las ha visto y mirado con atención, le hacen imaginar, y aun creer, que son hechas por vía de encantamiento°, y que las hicieron demonios° y no hombres, porque

30 la multitud de las piedras, tantas y tan grandes, (que son más peñas que piedras) causa admiración imaginar, como las pudieron cortar de las canteras de donde se sacaron, porque los indios no tuvieron hierro ni acero° para cortar ni labrarlas; pues pensar como las trajeron al edificio, es dar en otra dificultad, porque no tuvieron

35 bueyes, ni supieron hacer carros, ni hay carros que las puedan sufrir, ni bueyes que basten a tirarlas. Llevábanlas arrastrando a fuerza de brazos con gruesas maromas°; ni los caminos por donde las llevaban eran llanas, sino sierras muy ásperas, con grandes cuestas por do° las subían y bajaban a pura fuerza de hombres.

encantamiento *enchantment*
demonios *devils*

acero *steel*

maromas *thick ropes*
do *donde*

Cuzco, Perú

## ¿Comprendes?

**A Los chasquis** Contesten.
1. ¿Quiénes eran los chasquis?
2. ¿Qué llevaban?
3. ¿Cómo eran los chasquis?
4. ¿En qué se quedaban para protegerse de las inclemencias del tiempo?
5. ¿Por qué miraban siempre una parte del camino?
6. ¿Querían recibir el recado rápido para no perder tiempo?
7. ¿Qué era un cacha?
8. ¿Por qué eran orales los mensajes de los chasquis?
9. ¿Eran largos o cortos los mensajes?

**B Haciendo comparaciones**
Expliquen en sus propias palabras la diferencia entre un chasqui y un cacha.

**C Fortaleza** ¿Verdad o falso?
1. Los incas hicieron maravillosos edificios.
2. Aún las ruinas de los edificios muestran su grandeza.
3. Mirando las ruinas se puede ver lo que fue todo el edificio.
4. La obra mayor de los incas es la fortaleza del Cuzco.
5. Las grandezas de la fortaleza del Cuzco son increíbles sólo a los que no las han visto.
6. La fortaleza fue construida de piedras pequeñas.
7. Algunas de las piedras son tan grandes que se parecen más a peñas que piedras.
8. Sabemos como los incas pudieron sacar estas piedras gigantescas de la cantera.
9. Trajeron las piedras al edificio que construían en carros tirados de bueyes.
10. Los caminos en las sierras por donde tenían que llevar las piedras tenían grandes cuestas.

Machu Picchu, Perú

**D Usando la imaginación**
Imagínate que estabas en Ecuador o Perú durante la época de los incas. Escríbele una carta a un(a) amigo(a) diciéndole todo lo que viste, todo lo que te fascinó, y todo lo que encontraste increíble.

**E Haciendo investigaciones**
Si a ti te interesa el tema indígena y si te es posible, lee una o sólo una parte de las siguientes novelas, *Huasipungo,* del ecuatoriano Jorge Icaza y *Aves sin nido* de la peruana Clorinda Matto de Turner. Son novelas fantásticas pero te advertimos que no son muy fáciles.

Machu Picchu, Perú

LITERATURA DE LOS PAÍSES ANDINOS

*cuatrocientos treinta y nueve* ✿ 439

**Después de leer**

### PRACTICE

## ¿Comprendes?

**A and B** You may also wish have students write **Actividades A and B.**

**D and E Actividades D and E** are optional.

---

## ANSWERS TO ¿Comprendes?

**A**
1. Los chasquis eran los correos.
2. Llevaban los mandatos del rey y nuevas y avisos importantes.
3. Los chasquis eran mozos y ligeros.
4. Se quedaban en chozas para protegerse de las inclemencias del tiempo.
5. Siempre miraban una parte del camino para ver si llegaban unos mensajeros.
6. Sí, querían recibir el recado rápido para no perder tiempo.
7. Un cacha era un embajador o mensajero propio de un príncipe, o de un señor.
8. Los mensajes de los chasquis eran orales porque los indígenas de Perú no sabían escribir.
9. Los mensajes eran cortos.

**B** *Answers will vary.*

**C**
1. Verdad
2. Verdad
3. Falso
4. Verdad
5. Falso
6. Falso
7. Verdad
8. Falso
9. Falso
10. Verdad

**D** *Answers will vary.*

**439**

# Una ojeada a la poesía

## Vocabulario para la lectura 🎧

### Más vocabulario

**la pena** sentimiento de tristeza, dolor, lástima
**la pulpería** tipo de bodega o colmado
**la víbora** culebra venenosa
**atrevido(a)** intrépido, osado, audaz
**hondo(a)** profundo
**pelear** luchar, combatir, batallar
**procurar** tratar, hacer esfuerzos

## ¿Qué palabra necesito?

**1** **Historieta** **Una quinta** Contesten.

1. ¿Es una quinta un tipo de finca o estancia?
2. ¿Tiene una quinta animales y árboles?
3. ¿Tiene un árbol ramas y gajos?
4. ¿Tienen algunos árboles raíces profundas?
5. ¿Qué fruta produce la higuera?
6. ¿Es bonita la copa de algunos árboles?
7. ¿Hacen las aves sus nidos en un árbol?
8. A veces, ¿hay que tener cuidado con las víboras?
9. ¿Son algunas víboras bastante atrevidas?
10. ¿Se arrastran las víboras por el suelo?

**2** **¿Cuál es la palabra?** Completen.

1. El _____ nada en el mar.
2. El _____ sale de una rama.
3. La higuera da _____.
4. En Argentina es una _____; en otras partes es una bodega o un colmado.

Una pulpería, Patagonia, Argentina

LITERARY COMPANION CAPÍTULO 3

## ANSWERS TO ¿Qué palabra necesito?

**1**

1. Sí, una quinta es un tipo de finca o estancia.
2. Sí, una quinta tiene animales y árboles.
3. Sí, un árbol tiene ramas y raíces.
4. Sí, algunos árboles tienen raíces profundas.
5. El higo y el ciruelo son dos árboles frutales.

6. Sí, la copa de un ciruelo es bonita.
7. Sí, las aves hacen sus nidos en un árbol.
8. Sí, a veces hay que tener cuidado con las víboras.
9. Sí, algunas víboras son bastante atrevidas.
10. Sí, las víboras se arrastran por el suelo.

**2**

1. pez
2. gajo
3. higos
4. pulpería

## La araucana

**Alonso de Ercilla y Zúñiga**

**Introducción** El primer poema de gran valor literario escrito en el continente americano es *La araucana* de Alonso de Ercilla y Zúñiga (1533–1594). Ercilla llegó a las Américas de España a los veintiún años y tomó parte en la conquista de Perú. Más tarde pasó a Chile donde luchó contra los belicosos araucanos. Mientras peleaba, escribía, y así surgió el primer poema épico americano. El autor dedicó el poema al rey de España, Felipe II. En la dedicatoria del poema le declaró al rey que los acontecimientos del poema representaban la verdad histórica. La obra *La araucana* fue la primera en la que apareció el autor como actor en la epopeya y la primera que cantó acontecimientos o eventos no del pasado sino todavía en curso.

En la estrofa que sigue, Ercilla describe a los indígenas que lo esperaban a su llegada a Chile—los araucanos.

### La araucana

Son de gestos robustos, desbarbados°,
bien formados los cuerpos y crecidos,
espaldas grandes, pechos levantados,
recios° miembros, de nervios bien fornidos
5  ágiles, desenvueltos°, alentados°,
animosos, valientes, atrevidos,
duros en el trabajo, y sufridores
de fríos mortales, hambres y calores.

desbarbados *without body hair*

recios *fuertes*
desenvueltos *confident*
alentados *brave, gallant*

Chile

LITERATURA DE LOS PAÍSES DEL CONO SUR

*cuatrocientos cuarenta y uno*  **441**

---

### Learning from Photos

*(page 441)* Aquí vemos un grupo de indígenas mapuche, descendientes de los araucanos de Chile. Están delante de la Moneda, celebrando el recibo de fondos del gobierno que les ayudarán a desarrollar pueblos indígenas en el sur del país. Los mapuche viven en comunidades entre los ríos Salado y Toltén.

**¡OJO!** You can select certain selections to be studied or you can do them all.

### National Standards

**Cultures**
Students experience, discuss, and analyze a short segment of the Latin American epic poem *La araucana* by Alonso de Ercilla y Zúñiga.

## PREPARATION

### Resource Manager

Audio Activities TE, page 216
Audio CD 9, Tracks 20–22
Test, pages 285–290
*ExamView®* Assessment Suite

## PRESENTATION

### Introducción

**Step 1** Before having students read the **Introducción,** tell them: **Hay algo único sobre el poema *La araucana*. Después de leer esta Introducción me van a decir lo que es.**

### Lectura *La araucana*

**Step 1** You may wish to have students read the poem silently.

**Step 2** Have them write out **Actividades A** and **B** on page 445.

### LEVELING

**E:** Reading

# CAPÍTULO 3 Literatura

## National Standards

**Cultures**
Students experience, discuss, and analyze the most important poem of the **literatura gauchesca,** *Martín Fierro,* by the Argentine José Hernández.

## PRESENTATION

### Introducción

**Step 1** Given the importance of this piece of literature, you may wish to go over this **Introducción** orally in class, interspersing comprehension questions such as: **¿Dónde y cuándo nació José Hernández? ¿De qué ascendencias era? ¿Adónde fue a vivir a los dieciocho años? ¿Qué le pasó allí? ¿Qué hizo al reubicarse en Buenos Aires?**

**Step 2** Have students write answers to **Actividad C** on page 445.

**Cross-Cultural Comparison**
You may wish to point out to students that this work is read and studied by all Argentine students. It is one of their literary favorites.

---

## Martín Fierro

José Hernández

**Introducción** José Hernández nació el 10 de noviembre de 1834 no muy lejos de Buenos Aires. En sus venas corría sangre española, irlandesa y francesa. Cuando tenía dieciocho años su padre lo llevó consigo al sur de la provincia de Buenos Aires que en aquel entonces era una región primitiva poblada de caballos salvajes. Se dice que allí Hernández «se hizo gaucho y aprendió a jinetear». Él vivió en la campaña nueve años. En 1856 se reubicó en Buenos Aires y trabajó en el periodismo. Un poco más tarde ingresó en el ejército.

Con la acción de Ayacucho bajo el mando de Simón Bolívar y Sucre, se consumó la Independencia de América. Pero medio siglo después siguieron las batallas en los campos de la provincia de Buenos Aires y el ejército cumplía una función penal arreando gauchos arbitrariamente. Hernández escribió el *Martín Fierro* para denunciar el regimen del dictador Rosas y esta conscripción ilegal de los gauchos.

El protagonista, al principio, es impersonal—un gaucho cualquiera. Después como el autor iba imaginándolo con más precisión, su protagonista llegó a ser Martín Fierro —el individuo Martín Fierro.

La primera edición del poema salió en 1872 y enseguida fue un éxito tremendo. Se vendieron más de cien mil ejemplares. Se vendió aún en pulperías rurales donde nunca antes se había vendido libro alguno. Para el gaucho, Martín Fierro fue una descripción de su propia existencia en su propia lengua. Para el público más culto el *Martín Fierro* fue una obra literaria cuyo tema tiene raíces profundas en la vida de su nación. El *Martín Fierro* se considera el mejor y más elocuente de todos los poemas gauchescos.

En el trozo que sigue Martín nos habla y nos dice lo que es ser gaucho. ¡A ver!

Las pampas, Argentina

## Martín Fierro

Soy gaucho, y entiendaló
como mi lengua lo explica:
para mí la tierra es chica
y pudiera ser mayor°;
5  ni la víbora me pica
ni quema mi frente el sol.

Nací como nace peje°,
en el fondo de la mar;
naides° me puede quitar
10  aquello que Dios me dio:
lo que al mundo truje° yo
del mundo lo he de llevar.

Mi gloria es vivir tan libre
como el pájaro del cielo;
15  no hago nido en este suelo,
ande hay tanto que sufrir;
y naides me ha de seguir
cuando yo remuento° el vuelo.

Yo no tengo en el amor
20  quien me venga con querellas;
como esas aves tan bellas
que saltan de rama en rama,
yo hago en el trébol° mi cama
y me cubren las estrellas.

25  Y sepan cuantos escuchan
de mis penas el relato,
que nunca peleo ni mato
Sino por necesidá,
y que a tanta alversidá°
30  sólo me arrojó el mal trato.

Y atienda° la relación
que hace un gaucho perseguido°,
que padre y marido ha sido
empeñoso° y diligente,
35  y sin embargo la gente
lo tiene por un bandido.

Un gaucho

y pudiera ser mayor *it would still be small to me*

peje *pez*

naides *nadie*

truje *traje*

remuento (remonto) *take off*

trébol *clover*

alversidá *adversidad*

atienda *keep in mind*
perseguido *persecuted*

empeñoso *persistent*

**Lectura** *Martín Fierro*

**Step 1** Have students listen to the Audio CD with books closed.

**Step 2** Have them listen again and follow along in their books.

**Step 3** Call on a student to read **una estrofa**. Ask questions such as:

**Estrofa 1:** ¿Qué significa: «ni la víbora me pica/ni quema la frente mi sol»? (**Soy fuerte y nada me puede hacer daño.**)

**Estrofa 2:** ¿Qué significa: «Nací como nace el peje, en el fondo de la mar»? (**Nací libre.**)

**Step 4** Have students prepare **Actividades D** and **E** on page 445.

**LEVELING**
**A–C:** Reading

## National Standards

**Cultures**

Students experience, discuss, and analyze the poem *La higuera* by the Uruguayan Juana de Ibarbourou.

## PREPARATION

### Resource Manager

Audio Activities TE, pages 217–218
Audio CD 9, Tracks 23–24
Test, pages 285–290
ExamView® Assessment Suite

## PRESENTATION

**Lectura** *La higuera*

**Step 1** Have students listen to the Audio CD or read the poem to the class with as much expression and emotion as possible.

**Step 2** After reading the entire poem, have students give in Spanish a general idea of the meaning they get from the poem.

**Step 3** Have them go over **Actividades F, G,** and **H** on pages 445–446.

**LEVELING**

**A:** Reading

---

### La higuera

Juana de Ibarbourou

**Introducción** Juana de Ibarbourou nació en 1895 en un pueblo pequeño de Uruguay donde pasó su adolescencia en pleno contacto con la naturaleza que siempre está presente en su poesía donde aparecen prados y bosques, árboles, frutas y flores. Ella lleva la naturaleza en sí de tal modo que una vez llegó a decir: «Estoy convencida de que en una vida ancestral, hace ya miles de años, yo tuve raíces y gajos, y di flores... » El poema que sigue *La higuera* es de gran fuerza emotiva.

Una higuera

### *La higuera* 🎧

Porque es áspera y fea;
Porque todas sus ramas son grises.
Yo le tengo piedad a la higuera.

En mi quinta hay cien árboles bellos:
5      Ciruelos redondos,
       Limoneros rectos
Y naranjos de brotes° lustrosos.

brotes *buds*

       En las primaveras,
Todos ellos se cubren de flores
10     En torno a la higuera.

Y la pobre parece tan triste
con sus gajos torcidos° que nunca
de apartados capullos° se visten...

torcidos *twisted, bent*
capullos *buds, blooms*

       Por eso
15  Cada vez que yo paso a su lado
Digo, procurando
Hacer dulce y alegre mi acento:
—Es la higuera el más bello
de los árboles todos del huerto.

20     Si ella escucha,
si comprende el idioma en que hablo,
¡Qué dulzura tan honda hará nido
en su alma sensible de árbol!

Higos

       Y tal vez, a la noche,
25  cuando el viento abanique° su copa,
Embriagada° de gozo le cuente:
—Hoy a mí me dijeron hermosa.

abanique *fans*
Embriagada *Drunk*

---

ANSWERS TO ¿Comprendes?

**A**

1. *La araucana* es el primer poema épico americano.
2. Ercilla tomó parte en la conquista de Perú. Más tarde pasó a Chile donde luchó contra los belicosos araucanos.
3. Mientras peleaba, escribía su poema.
4. En la dedicatoria del poema le declaró al rey que los acontecimientos del poema representaban la verdad histórica.
5. La obra *La araucana* fue la primera en la que apareció el autor como actor en la epopeya y la primera que cantó acontecimientos o eventos no del pasado sino todavía en curso.

**B** gestos robustos, desbarbados, cuerpos bien formados y crecidos, espaldas grandes, pechos levantados, miembros recios (fuertes), de nervios bien fornidos, ágiles, desenvueltos, alentados, animosos, valientes, atrevidos, duros en el trabajo, y sufridores de fríos mortales, hambres y calores

## ¿Comprendes?

**A** *La araucana* **Buscando información** Contesten.
1. ¿Qué es La *araucana*?
2. ¿Dónde luchó Ercilla?
3. ¿Qué hacía mientras peleaba?
4. ¿Qué le declaró al rey en la dedicatoria del poema?
5. ¿Qué tiene de único en su género el poema?

**B** *La araucana* **Categorizando**

Hagan una lista de las características físicas y de los atributos de los araucanos.

**C** **José Hernández** **Buscando información** Den la información.
1. donde nació
2. donde vivió y pasó su adolescencia
3. lo que poblaba esta región en aquel entonces
4. lo que se hizo Hernández
5. lo que hacía de ilegal el ejército
6. el motivo de Hernández en escribir el poema
7. como empezó y cambió el protagonista
8. lo que es el *Martín Fierro* para el gaucho
9. lo que es el *Martín Fierro* para el lector culto

**D** *Martín Fierro* **Parafraseando** Expliquen lo que nos dice el autor.
1. para mí la tierra es chica
   y pudiera ser mayor
2. ni la víbora me pica
   ni quema mi frente el sol
3. Nací como nace el peje
4. lo que al mundo truje yo
   del mundo lo he de llevar

**E** *Martín Fierro* **Analizando** Contesten.
1. ¿Cómo y por qué se compara Martín Fierro a sí mismo con un pájaro?
2. ¿Por qué pelea o mata el gaucho Martín Fierro?
3. ¿Qué ha sido el gaucho?
4. Sin embargo, ¿cómo lo considera la gente?

**F** **Juana de Ibarbourou**

Expliquen la importancia de la naturaleza en la vida y en la obra de Juana de Ibarbourou.

**Después de leer**

### PRACTICE

#### ¿Comprendes?

**A–F** These activities can be interspersed with the individual reading.

 **Literary Companion**
**Developing Reading Comprehension Skills**
These **¿Comprendes?** activities reinforce students' reading comprehension and critical thinking skills.

---

ANSWERS TO ¿Comprendes?

**C**

1. José Hernández nació no muy lejos de Buenos Aires.
2. Cuando tenía dieciocho años, fue a vivir al sur de la provincia de Buenos Aires.
3. En aquel entonces era una región primitiva poblada de caballos salvajes.
4. Hernández se hizo gaucho.
5. El ejército arreaba gauchos arbitrariamente para la conscripción en el ejército.
6. Hernández escribió el poema para denunciar el régimen del dictador Rosas y esta conscripción.
7. El protagonista empezó impersonal—un gaucho cualquiera. El protagonista cambió a ser Martín Fierro—el individuo.
8. Para el gaucho, *Martín Fierro* es una descripción de su propia existencia en su propia lengua.
9. Para el lector culto, *Martín Fierro* es una obra literaria cuyo tema tiene raíces profundas en la vida de su nación. Se considera el mejor y más elocuente de todos los poemas gauchescos.

**D** *Answers will vary but may include:*

1. Le gustan los espacios abiertos.
2. No le molestan las condiciones duras de la pampa.
3. Es muy natural para él estar donde está.
4. Todo lo que es de él va a quedarse con él.

**E** *Answers will vary.*

**F** *Answers will vary.*

**445**

## PRACTICE

*(cont'd)*

**I** and **L** You may wish to wait until you have finished all the readings before going over **Actividades I** and **L**. You can do these as a full-class discussion.

**J** You may wish to have some students read the narrative they write for **Actividad J**.

**K** **Actividad K** is optional. You may have students who enjoy drawing and choose to do this activity share their drawing and describe it to the class.

**G** *La higuera* Describan.
1. la higuera
2. los ciruelos
3. los limoneros
4. los naranjos

Una huerta en Chile

**H** *La higuera* **Buscando información** Contesten.
1. ¿Qué le dice la poeta al pasar por la higuera? ¿Cómo se lo dice?
2. ¿Cómo se sentirá la higuera si comprende el idioma de la poeta?
3. ¿Qué dirá la higuera embriagada de gozo? ¿Cuál es otro verbo que la poeta podría haber usado en vez de «dijeron»?

**I** *Martín Fierro* **Expresando tus sentimientos y emociones**

¿Cómo te sientes al leer este trozo de el *Martín Fierro*? ¿Puedes compadecerte de la pena de Martín Fierro? ¿Por qué? En tu opinión, ¿qué tipo de persona es? Para ti, ¿hay una injusticia grave? ¿Cuál es?

**J** *Martín Fierro* **Escribiendo una narración**

En forma de prosa, describe al gaucho Martín Fierro.

**K** *La higuera* **Visualizando y dibujando**

Si te gusta dibujar, dibuja lo que ves al leer *La higuera*. Luego describe tu dibujo.

**L** *La higuera* **Buscando emociones y sentimientos**

Indica en qué sentido es el tono del poema *La higuera* tierno, afectuoso, cariñoso, sensible y joven.

---

ANSWERS TO ❧*¿Comprendes?*❧

**G**
1. La higuera es áspera y fea, y todas sus ramas son grises.
2. Los ciruelos son redondos y bellos.
3. Los limoneros son rectos y bellos.
4. Los naranjos son bellos y de brotes lustrosos.

**H**
1. Dice, de una manera dulce y alegre, —Es la higuera el más bello de los árboles todos del huerto.
2. Si la higuera comprende el idioma de la poeta, se sentirá dulce, feliz.
3. La higuera dirá, —Hoy a mí me dijeron hermosa. La poeta podría haber usado **llamaron** en vez de **dijeron**.

**I** *Answers will vary.*

**J** *Answers will vary.*

**K** *Answers will vary.*

**L** *Answers will vary.*

# *Prosa*   Historia de dos cachorros de coatí y dos cachorros de hombre

## Vocabulario para la lectura 🎧

El señor llevaba el caballo de la soga.
El señor iba descalzo.

### Más vocabulario

**descalzo(a)** sin zapatos
**encaminarse a** dirigirse a, marcharse hacia
**soltar (ue)** dejar ir, dar salida o libertad

## PREPARATION

### Resource Manager

Audio Activities TE, pages 219–220
Audio CD 9, Tracks 25–26
Test, pages 285–290
*ExamView® Assessment Suite*

## PRESENTATION

### Vocabulario para la lectura

**Step 1** You may wish to use some suggestions from previous sections to present the vocabulary.

## PRACTICE

# ¿Qué palabra necesito?

**1** Intersperse these questions as you are presenting the new vocabulary.

**2** Have students prepare **Actividad 2** and then go over it in class.

---

# ¿Qué palabra necesito?

**1** **Historieta** **El señor del taller** Contesten.

1. ¿Al señor le gustaba trabajar en su taller?
2. ¿Tenía muchas herramientas?
3. ¿Había una jaula en el taller?
4. ¿Era de alambre la jaula?
5. ¿Tenía el señor un gallo en la jaula?
6. ¿Cantaba el gallo?
7. De noche, ¿armaba el señor una trampa?
8. ¿Armaba la trampa para atrapar ratones?

**2** **Animales** Completen.

1. Muchos animales, tales como un coatí, tiene cuatro _____ y una _____ larga. Muchas veces andan con la _____ levantada.
2. La parte del animal donde están la boca y la nariz es _____.
3. Un perrito que tiene sólo seis semanas es un _____.
4. Los _____ cantan y las _____ ponen huevos.
5. Muchos árboles pierden sus _____ en el otoño.
6. Él nunca anda _____ porque hay muchas víboras.
7. Él nunca _____ el caballo. Lo lleva de una _____.
8. El señor y su caballo _____ a la finca.

---

## ANSWERS TO ¿Qué palabra necesito?

**1**

1. Sí, al señor le gustaba trabajar en su taller.
2. Sí, tenía muchas herramientas.
3. Sí, había una jaula en el taller.
4. Sí, la jaula era de alambre.
5. Sí, el señor tenía un gallo en el gallinero.
6. Sí, el gallo cantaba.
7. Sí, el señor armaba una trampa de noche.
8. Sí, armaba la trampa para atrapar ratones.

**2**

1. patas, cola, cola
2. el hocico
3. cachorro
4. gallos, gallinas
5. hojas
6. descalzo
7. monta, soga
8. se encaminan

## Historia de dos cachorros de coatí y dos cachorros de hombre

Horacio Quiroga

**Introducción** Horacio Quiroga (1878–1937) es considerado uno de los más importantes cuentistas de la literatura hispana. Él nació en Salto, Uruguay, de una familia bastante acomodada. Pero Quiroga pasó una gran parte de su vida en la provincia argentina de Misiones, una región de clima agobiante y densa vegetación tropical. Muchos de sus cuentos tratan de las realidades y peligros de la jungla. La tragedia y la muerte son temas que recurren en sus cuentos. Pero el cuento que sigue *La historia de dos cachorros de coatí y dos cachorros de hombre* es de su colección *Cuentos de la selva*—una serie de cuentos encantadores de tono más liviano[1] que como dice el autor mismo «son para los niños de todas las edades y de todas las tierras».

[1] liviano *light*

Provincia de Misiones, Argentina

### Historia de dos cachorros de coatí y dos cachorros de hombre

Había una vez un coatí que tenía tres hijos. Vivían en el monte comiendo frutas, raíces y huevos de pajaritos. Cuando estaban arriba de los árboles y sentían un gran ruido, se tiraban al suelo de cabeza y salían corriendo con la cola levantada.

5 Una vez que los coaticitos fueron un poco más grandes, su madre los reunió un día arriba de un naranjo y les habló así:

—Coaticitos: ustedes son bastante grandes para buscarse la comida solos. Deben aprenderlo, porque cuando sean viejos andarán siempre solos, como todos los coatís. El mayor de ustedes, que es

10 muy amigo de cazar cascarudos°, puede encontrarlos entre los palos podridos°, porque allí hay muchos cascarudos y cucarachas. El segundo, que es gran comedor de frutas, puede encontrarlas en este naranjal; hasta diciembre habrá naranjas. El tercero, que no quiere comer sino huevos de pájaros, puede ir a todas partes, porque en

15 todas partes hay nidos de pájaros. Pero que no vaya nunca a buscar nidos al campo, porque es peligroso.

cascarudos *beetles*
podridos *rotten*

LITERATURA DE LOS PAÍSES DEL CONO SUR

*cuatrocientos cincuenta y uno* ◉ **449**

**PREPARATION**

### Resource Manager

Audio Activities TE, pages 220–222
Audio CD 9, Tracks 27–28
Test, pages 285–290

**PRESENTATION**

### Introducción

**Step 1** You may just have students read this **Introducción** silently.

**Lectura** *Historia de dos cachorros de coatí y dos cachorros de hombre*

**Step 1** This short story is presented in its entirety. Due to its length, you will most probably want students to read some sections silently at home. You may wish to go over some sections that you consider particularly appealing orally in class and give them a more in-depth treatment.

**Step 2** Call on individuals to give a brief synopsis of some of the sections.

**Step 3** Intersperse **Actividades A, B,** and **C** on page 455 as you are going over the story. Also have students write the answers to these activities.

### LEVELING
**A:** Reading

**449**

—Coaticitos: hay una sola cosa a la cual deben tener gran miedo. Son los perros. Yo peleé una vez con ellos. Y sé lo que les digo: por eso tengo un diente roto. Detrás de los perros vienen siempre los
20 hombres con un gran ruido, que mata. Cuando oigan cerca este ruido, tírense de cabeza al suelo, por alto que sea el árbol. Si no lo hacen así los matarán con seguridad de un tiro°.

    *tiro* shot

Así habló la madre. Todos se bajaron entonces y se separaron, caminando de derecha a izquierda, y de izquierda a derecha, como
25 si hubieran perdido algo, porque así caminan los coatís.

El mayor quería comer cascarudos, buscó entre los palos podridos y las hojas de los yuyos, y encontró tantos, que comió hasta quedarse dormido. El segundo, que prefería las frutas a cualquier cosa, comió cuantas naranjas quiso, porque aquel naranjal estaba dentro del
30 monte, como pasa en el Paraguay y Misiones, y ningún hombre vino a incomodarlo. El tercero que era loco por los huevos de pájaro, tuvo que andar todo el día para encontrar únicamente dos nidos; uno de tucán, que tenía tres huevos, y uno de tórtola, que tenía sólo dos. Total cinco huevos chiquitos, que eran muy poca comida; de modo
35 que al caer la tarde el coaticito tenía tanta hambre como de mañana, y se sentó muy triste a la orilla del monte. Desde allí veía al campo, y pensó en la recomendación de su madre.

¿Por qué no querrá mamá —se dijo— que vaya a buscar nidos al campo?
40 Estaba pensando así cuando oyó, muy lejos, el canto de un pájaro.

—¡Qué canto tan fuerte! —dijo admirado—. ¡Qué huevos tan grandes debe tener ese pájaro!

El canto se repitió. Y entonces el coatí se puso a correr por entre el monte, cortando camino, porque el canto había sonado muy a su
45 derecha. El sol caía ya, pero el coatí volaba con la cola levantada. Llegó a la orilla del monte, por fin, y moró el campo. Lejos vio la casa de los hombres, y vio un hombre con botas que llevaba un caballo de la soga. Vio también un pájaro muy grande que cantaba y entonces el coaticito se golpeó la frente y dijo:
50 —¡Qué zonzo° soy! Ahora ya sé qué pájaro es ése: es un gallo; mamá me lo mostró un día desde arriba de un árbol. Los gallos tienen un canto lindísimo, y tienen muchas gallinas que ponen huevos. ¡Si yo pudiera comer huevos de gallina!

    *zonzo* foolish

Es sabido que nada gusta tanto a los bichos° chicos del monte como
55 los huevos de gallina. Durante un rato el coaticito se acordó de las recomendaciones de su madre. Pero el deseo pudo más, y se sentó a la orilla del monte, esperando que cerrara bien la noche para ir al gallinero.

    *bichos* bugs

La noche cerró por fin, y entonces, en punta de pie y paso a paso,
60  se encaminó a la casa. Llegó allá y escuchó atentamente: no se sentía
el menor ruido. El coaticito, loco de alegría porque iba a comer cien,
mil, dos mil huevos de gallina, entró en el gallinero, y lo primero
que vio bien en la entrada fue un huevo que estaba solo en el suelo.
Pensó un instante en dejarlo para el final, como postre porque era un
65  huevo muy grande; pero la boca se le hizo agua, y clavó los dientes
en el huevo.

Apenas mordió, ¡TRAC!, un terrible golpe en la cara y un
inmenso dolor en el hocico.

—¡Mamá, mamá! —gritó, loco de dolor, saltando a todos lados.
70  Pero estaba sujeto, y en ese momento oyó el ronco ladrido° de          ronco ladrido *hoarse bark*
un perro.

❖ ❖ ❖

Mientras el coatí esperaba en la orilla del monte que cerrara bien
la noche para ir al gallinero, el hombre de la casa jugaba sobre la
gramilla° con sus hijos, dos criaturas rubias, de cinco y seis años,          gramilla *grass lawn*
75  que corrían riendo, se caían, se levantaban riendo otra vez, y volvían
a caerse. El padre se caía también, con gran alegría de los chicos.
Dejaron por fin de jugar porque ya era de noche, y el hombre dijo
entonces:

—Voy a poner la trampa para cazar a la comadreja° que viene          comadreja *weasel*
80  a matar los pollos y robar los huevos.

Y fue y armó la trampa. Después comieron y se acostaron. Pero
las criaturas no tenían sueño, y saltaban de la cama del uno a la del
otro y se enredaban° en el camisón. El padre, que leía en el comedor,          se enredaban *got tangled up with*
los dejaba hacer. Pero los chicos de repente se detuvieron en sus
85  saltos y gritaron:

—¡Papá! ¡Ha caído la comadreja en la trampa! ¡Tuké está ladrando!
¡Nosotros también queremos ir papá!

Fueron. ¿Qué vieron allí? Vieron a su padre que se agachaba
teniendo al perro con una mano, mientras con la otra levantaba por
90  la cola a un coatí, un coaticito chico aún, que gritaba con un chillido°          chillido *shriek*
rapidísimo y estridente como un grillo°.          grillo *cricket*

—¡Papá, no lo mates! —dijeron las criaturas—. ¡Es muy chiquito!
¡Dánoslo para nosotros!

—Bueno, se los voy a dar —respondió el padre—. Pero cuídenlo
95  bien, y sobre todo no se olviden de que los coatís toman agua como
ustedes. Esto lo decía porque los chicos habían tenido una vez un
gatito montés al cual a cada rato le llevaban carne, que sacaban de
la fiambrera°; pero nunca le dieron agua, y se murió.          fiambrera *food cabinet*

En consecuencia pusieron al coatí en la misma jaula del gato
100  montés, que estaba cerca del gallinero, y se acostaron todos otra vez.

Y cuando era más de medianoche y había un gran silencio, el
coaticito, que sufría mucho por los dientes de la trampa, vio, a la luz
de la luna, tres sombras que se acercaban con gran sigilo. El corazón
le dio un vuelco° al pobre coaticito al reconocer a su madre y sus dos          vuelco *tumble*
105  hermanos que lo estaban buscando.

—¡Mamá, mamá! —murmuró el prisionero en voz muy baja
para no hacer ruido—. ¡Estoy aquí! ¡Sáquenme de aquí! ¡No quiero
quedarme, ma... má...! —y lloraba desconsolado.

Pero a pesar de todo estaban contentos porque se habían
110  encontrado, y se hacían mil caricias en el hocico.

Se trató en seguida de hacer salir al prisionero. Probaron primero
cortar el alambre tejido, y los cuatro se pusieron a trabajar con los
dientes; mas no conseguían nada. Entonces a la madre se le ocurrió
de repente una idea, y dijo:

115  —¡Vamos a buscar las herramientas del hombre! Los hombres
tienen herramientas para cortar fierro. Se llaman limas°. Tienen tres          limas *files*
lados como las víboras de cascabel. Se empuja y se retira. ¡Vamos
a buscarla!

Fueron al taller del hombre y volvieron con la lima. Creyendo que
120  uno solo no tendría fuerzas bastantes, sujetaron la lima entre los tres
y empezaron el trabajo. Y se entusiasmaron tanto, que al rato la jaula
entera temblaba con las sacudidas° y hacía un terrible ruido. Tal ruido          sacudidas *jolt, shake*
hacía, que el perro se despertó, lanzando un ronco ladrido. Mas los
coatís no esperaron a que el perro les pidiera cuenta de ese escándalo
125  y dispararon al monte, dejando la lima tirada.

Al día siguiente, los chicos fueron temprano a ver a su nuevo
huésped, que estaba muy triste.

—¿Qué nombre le pondremos? —preguntó la nena a su hermano.
¡Ya sé! —respondió el varoncito—. ¡Le pondremos *Diecisiete!*

130  ¿Por qué *Diecisiete?* Nunca hubo bicho en el monte con nombre
más raro. Pero el varoncito estaba aprendiendo a contar, y tal vez le
había llamado la atención aquel número.

El caso es que se llamó *Diecisiete.* Le dieron, pan, uvas, chocolate,
carne, langostas, huevos, riquísimos huevos de gallina. Lograron
135  que en un solo día se dejara rascar° la cabeza; y tan grande es la          rascar *scratch*
sinceridad del cariño de las criaturas, que al llegar la noche, el coatí
estaba casi resignado con su cautiverio°. Pensaba a cada momento          cautiverio *captivity*
en las cosas ricas que había para comer allí, y pensaba en aquellos
rubios cachorros de hombre que tan alegres y buenos eran.

140 Durante dos noches seguidas, el perro durmió tan
cerca de su jaula, que la familia del prisionero no se
atrevió a acercarse, con gran sentimiento. Cuando la
tercera noche llegaron de nuevo a buscar la lima para
dar libertad al coaticito, éste les dijo:

145 —Mamá, yo no quiero irme más de aquí. Me dan
huevos y son muy buenos conmigo. Hoy me dijeron
que si me portaba bien me iban a dejar suelto° muy pronto.
Son como nosotros. Son cachorritos también, y jugamos juntos.

Los coatís salvajes quedaron muy tristes, pero se resignaron,
150 prometiendo al coaticito venir todas las noches a visitarlo.

Efectivamente, todas las noches, lloviera o no, su madre y sus
hermanos iban a pasar un rato con él. El coaticito les daba pan por
entre el tejido del alambre, y los coatís salvajes se sentaban a comer
frente a la jaula.

155 Al cabo de quince días, el coaticito andaba suelto y él mismo se
iba de noche a su jaula. Salvo algunos tirones de orejas que se llevaba
por andar cerca del gallinero todo marchaba bien. Él y las criaturas
se querían mucho y los mismos coatís salvajes, al ver lo buenos que
eran aquellos cachorritos de hombre, habían concluido por tomar
160 cariño a las dos criaturas.

Hasta que una noche muy oscura, en que hacía mucho calor y
tronaba°, los coatís salvajes llamaron al coaticito y nadie les respondió.
Se acercaron muy inquietos y vieron entonces, en el momento en
que casi lo pisaban una enorme víbora que estaba enroscada° en
165 la entrada de la jaula. Los coatís comprendieron en seguida que
el coaticito había sido mordido° al entrar, y no había respondido a
su llamado, porque acaso ya estaba muerto. Pero lo iban a vengar
bien. En un segundo, entre los tres, enloquecieron a la serpiente
de cascabel, saltando de aquí para allá, y en otro segundo cayeron
170 sobre ella, deshaciéndole la cabeza a mordiscos.

Corrieron entonces adentro, y allí estaba en efecto el coaticito,
tendido, hinchado°, con las patas temblando y muriéndose. En
balde° los coatís salvajes lo movieron: lo lamieron° en balde por todo
el cuerpo durante un cuarto de hora. El coaticito abrió por fin la boca
175 y dejó de respirar, porque estaba muerto.

suelto *loose*

tronaba *thundered*

enroscada *entwined*

mordido *bitten*

hinchado *swollen*
En balde *In vain*
lamieron *they licked*

Los coatís son casi refractarios°, como se dice, al veneno de las víboras. No les hace casi nada el veneno, y hay otros animales como la mangosta°, que resisten muy bien el veneno de las víboras. Con toda seguridad el coaticito había sido mordido en una arteria o en
180 una vena, porque entonces la sangre se envenena en seguida, y el animal muere. Esto le había pasado al coaticito.

Al verlo así, su madre y sus hermanos lloraron un largo rato. Después, como nada más tenían que hacer allí, salieron de la jaula, se dieron vuelta para mirar por última vez la casa donde tan feliz
185 había sido el coaticito, y se fueron otra vez al monte.

Pero los tres coatís, sin embargo, iban muy preocupados, y su preocupación era ésta: ¿qué iban a decir los chicos, cuando, al día siguiente, vieran muerto a su querido coaticito? Los chicos lo querían muchísimo, y ellos, los coatís, querían también a los cachorros rubios.
190 Así es que los tres coatís tenían el mismo pensamiento, y era evitarles ese gran dolor a los chicos.

Hablaron un largo rato y al fin decidieron lo siguiente: el segundo de los coatís, que se parecía mucho al menor en cuerpo y en modo de ser, iba a quedarse en la jaula, en vez del difunto°. Como estaban
195 enterados de muchos secretos de la casa, por los cuentos del coaticito, los chicos no conocerían nada; extrañarían un poco algunas cosas, pero nada más.

Y así pasó en efecto. Volvieron a la casa, y un nuevo coaticito reemplazó al primero, mientras la madre y el otro hermano se
200 llevaban sujeto a los dientes el cadáver del menor. Lo llevaron despacio al monte, y la cabeza colgaba, balanceándose, y la cola iba arrastrando por el suelo.

Al día siguiente los chicos extrañaron, efectivamente, algunas costumbres raras del coaticito. Pero como éste era tan bueno y
205 cariñoso como el otro, las criaturas no tuvieron la menor sospecha. Formaron la misma familia de cachorritos de antes, y, como antes, los coatís salvajes venían noche a noche a visitar al coaticito civilizado, y se sentaban a su lado a comer pedacitos de huevo que él les guardaba, mientras ellos le contaban la vida de la selva.

refractarios *resistant*

mangosta *mongoose*

difunto *dead one*

## ANSWERS TO ¿Comprendes?

**A**

1. Había tres hijos en la familia de coatís.
2. Vivían en el monte y comían frutas, raíces y huevos de pajaritos.
3. Al mayor le dijo que podría encontrar cascarudos entre los palos podridos. Al segundo le dijo que podría encontrar frutas en el naranjal. Al tercero le dijo que podría ir a todas partes para encontrar huevos en nidos de pájaros.
4. No pueden ir nunca a buscar nidos al campo porque es peligroso.

5. Deben tener gran miedo a los perros porque detrás de ellos vienen siempre los hombres con un gran ruido, que mata. (una escopeta)
6. El mayor quería comer cascarudos. El segundo prefería frutas. El tercero quería comer huevos.
7. El tercer cachorro, atraído por el canto de un pájaro, fue al campo, y encontró un gallinero.
8. Se atrapó el hocico en una trampa.

**B**

1. Era un hombre, y dos hijos, de cinco y seis años.
2. El padre pone la trampa para cazar a la comadreja que viene a matar los pollos y robar los huevos.
3. Los niños saben que la comadreja ha caído en la trampa porque su perro está ladrando.
4. No les permite andar descalzos porque arma la trampa.
5. Ven un coatí en la trampa.
6. Los niños le ruegan a su padre que no mate al coatí y que se lo dé a ellos.

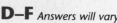
## ¿Comprendes?

**A La familia de coatís** Den la siguiente información.
1. el número de hijos en la familia de coatís
2. donde vivían y lo que comían
3. como les enseñó su madre a buscar la comida solos
4. adonde no pueden ir nunca a buscar nidos
5. al que deben tener gran miedo y por qué
6. lo que le gustaba comer a cada uno de los cachorros
7. adonde fue el tercer cachorro atraído por el canto de un pájaro
8. lo que le pasó

**B Buscando información** Contesten.
1. ¿Cómo era la familia que vivía en la casa?
2. ¿Por qué pone la trampa el padre?
3. ¿Cómo saben los niños que la comadreja ha caído en la trampa?
4. ¿Por qué no les permite el padre andar descalzos de noche?
5. ¿Qué ven en la trampa?
6. ¿Qué le ruegan a su padre los niños?
7. ¿Dónde pusieron al coaticito?
8. ¿Qué hicieron su mamá y sus hermanos para tratar de liberar al coaticito de su jaula?
9. ¿Qué nombre le dieron los niños al coaticito y qué le dieron de comer?

**C ¿Qué pasó?** Contesten.
1. ¿Por qué no pudo la familia del «prisionero» visitarlo?
2. ¿Por qué dijo el coaticito, «Mamá, yo no quiero irme más de aquí»?
3. Los coatís salvajes quedaron muy tristes, ¿pero qué se resignaron a hacer? Y, ¿qué hicieron?
4. Al cabo de quince días, ¿qué hacía el coaticito?
5. Pero durante una noche muy oscura, ¿qué pasó?
6. ¿Cómo encontraron los coatís salvajes al coaticito «civilizado»? ¿Qué le había pasado?
7. Los tres coatís estaban muy tristes. Pero estaban muy preocupados también. ¿Por quiénes estaban preocupados? ¿Por qué razón?
8. ¿Qué decidieron hacer? ¿Cómo y adónde llevaron el cadáver?
9. ¿Cómo era la vida después para el coatí «civilizado»?
10. ¿Cómo era la vida después para los coatís «salvajes»?

**D Buscando la idea principal**
Explica el significado del título de este cuento.

**E Analizando**
Analiza como Quiroga emplea las palabras «civilizado» y «salvaje». ¿Quiénes son civilizados y quiénes son salvajes? ¿Por qué? En el cuento, ¿hay mucha diferencia entre el comportamiento civilizado y salvaje? Busca ejemplos de comportamiento muy civilizado o humano de parte de los «salvajes». ¿Es posible que Quiroga nos dé un mensaje? ¿Cuál es?

### PRACTICE

## ¿Comprendes?

**A–C** Assign these activities as students are reading the story.
**D and E** You can go over **Actividades D** and **E** as a full-class discussion.

---

**ANSWERS TO ¿Comprendes?**

7. Pusieron al coaticito en una jaula.
8. La mamá y sus hermanos probaron primero cortar el alambre tejido. Se pusieron a trabajar con los dientes. Luego usaron una lima, una herramienta para cortar hierro (fierro).
9. Los niños le dieron el nombre *Diecisiete*. Le dieron pan, uvas, chocolate, carne, langostas, huevos y riquísimos huevos de gallina.

**C**

1. Durante dos noches seguidas, el perro durmió tan cerca de su jaula, que la familia del prisionero no se atrevió a acercarse.
2. Porque le gusta vivir allí. Siempre come muy bien y los niños son muy buenos con él.
3. Se resignaron a visitarlo todas las noches.
4. Al cabo de quince días, el coaticito andaba suelto y él mismo se iba de noche a su jaula.
5. Los coatís salvajes llamaron al coaticito y nadie les respondió.

6. Los coatís encontraron al coaticito tendido, hinchado, con las pata temblando y muriéndose. Una víbora le había mordido.
7. Los coatís estaban muy preocupados por los hijos.
8. Decidieron dejar al segundo hijo en la jaula para reemplazar al coatí muerto.
9. La vida era como antes para el coatí «civilizado».
10. La vida era como antes para los coatís «salvajes».

**D–F** *Answers will vary.*

455

## PREPARATION

### Resource Manager

Audio Activities TE, page 223
Audio CD 9, Tracks 29–30
Test, pages 291–293
*ExamView® Assessment Suite*

## PRESENTATION

Vocabulario para la lectura

**Step 1** You may wish to ask the following additional questions as you present the vocabulary. **¿Dónde se sentó la muchacha? ¿Qué daba sombra? ¿Qué miró la muchacha? ¿Empezó a reír?**

## PRACTICE

## ¿Qué palabra necesito?

**1** You can go over these questions as you present the vocabulary.

# Una ojeada a la poesía

## Vocabulario para la lectura

llorar
el ramo
la sombra

La señora se sentó a la sombra del árbol.
Miró el ramo de flores y empezó a llorar.

**Más vocabulario**

**el rumbo** la dirección, el sentido
**dichoso(a)** afortunado, que tiene suerte

## ¿Qué palabra necesito?

**1** **¿Cuál es la palabra?** Contesten.

1. ¿Da sombra el árbol?
2. ¿Es bonito el ramo de flores?
3. ¿Anda la señora sin rumbo?
4. ¿Llora ella?
5. ¿Mira su ramo de flores?
6. ¿Qué opinas? ¿Es dichosa la señora?
7. ¿Es dichosa la persona que encuentra la felicidad?

## ANSWERS TO ¿Qué palabra necesito?

**1**

1. Sí, el árbol da sombra.
2. Sí, el ramo de flores es bonito.
3. Sí, la señora anda sin rumbo.
4. Sí, ella llora.
5. Sí, mira su ramo de flores.
6. No, la señora no es dichosa.
7. Sí, la persona que encuentra la felicidad es dichosa.

## Lo fatal • Canción de otoño en primavera

Rubén Darío

Monumento a Rubén Darío

**Introducción** Rubén Darío (1867–1916) tiene fama de ser el príncipe de los poetas de las Américas. Su verdadero nombre es Félix Rubén García Sarmiento. Nació en una aldea pequeña de Nicaragua y cuando tenía sólo ocho meses sus padres lo abandonaron y fue recogido por una tía. Aprendió a leer y escribir muy temprano. Un joven pobre y angustiado, anduvo por muchos países de América y Europa sin echar raíces en ninguno. Trabajó en varias revistas y periódicos importantes. Vivió intensamente y volvió a su patria donde murió a los cuarenta y nueve años.

Rubén Darío pudo resumir muchas corrientes literarias—antiguas, modernas, clásicas, románticas, simbolistas y decadentes. Se dice que vivió de la poesía y para la poesía.

Los dos poemas que siguen reflejan la tristeza y pena que sintió el poeta durante toda su vida.

### Lo fatal

Dichoso el árbol que es apenas° sensitivo,
y más piedra dura, porque ésa ya no siente,
pues no hay dolor más grande que el dolor de ser vivo,
ni mayor pesadumbre° que la vida consciente.
5　　Ser, y no saber nada, y ser sin rumbo cierto,
y el temor de haber sido y un futuro terror...
y el espanto° seguro de estar mañana muerto,
y sufrir por la vida y por la sombra y por
　　lo que no conocemos y apenas sospechamos,
10　y la carne que tienta con sus frescos racimos,
y la tumba que aguarda con sus fúnebres ramos,
y no saber adónde vamos,
¡ni de dónde venimos... !

**apenas** *scarcely*

**pesadumbre** *grief, pain*

**espanto** *fright, terror*

### Canción de otoño en primavera 🎧

Juventud, divino tesoro
¡ya te vas para no volver!
Cuando quiero llorar, no lloro,
y a veces lloro sin querer...

LITERATURA CENTROAMERICANA

*cuatrocientos cincuenta y siete* ⚙ 457

---

**LEVELING**

**A–C:** Readings *Lo fatal* and *Canción de otoño en primavera*

---

**¡OJO!** You can select certain selections to be studied or you can do them all.

### ✿ National Standards

**Cultures**
Students experience, discuss, and analyze two poems, *Lo fatal* and *Canción de otoño en primavera,* by the famous Nicaraguan modernist poet Rubén Darío.

### PREPARATION

### Resource Manager

Audio Activities TE, pages 224–226
Audio CD 9, Tracks 31–35
Test, pages 291–293
*ExamView® Assessment Suite*

### PRESENTATION

**Introducción**

**Step 1** Call on a student to give a brief overview of Darío's life.

**Lectura** *Lo fatal*

**Step 1** Have students listen to the Audio CD.

**Step 2** Read the poem to the class with as much expression as possible. The expression can help with comprehension.

**Step 3** Intersperse questions from **Actividad A** on page 458.

**Lectura** *Canción de otoño en primavera*

**Step 1** Call on a student with good pronunciation to read the poem aloud.

**Step 2** Ask: **¿Va a volver la juventud? A veces, ¿qué pasa cuando el poeta quiere llorar? Y a veces, ¿cuándo llora? ¿Puedes explicar por qué?**

457

# CAPÍTULO 4 · Literatura

Después de leer

## PRACTICE

¿Comprendes?

**A, B,** and **C** You can go over **Actividades A, B,** and **C** as you are presenting the poems.

---

## ¿Comprendes?

**A Lo fatal** Contesten según el poeta.
1. ¿Por qué es dichoso el árbol?
2. ¿Por qué es aún más dichosa una piedra dura?
3. ¿Cuál es el dolor más grande?
4. ¿Qué es la vida consciente?

**B Lo fatal**
Al leer este poema, ¿cuáles son las emociones y los sentimientos que les evoca? ¿Alguna vez te has sentido como el poeta?

**C Canción de otoño en primavera**
Expliquen.
1. lo que simboliza el otoño
2. lo que simboliza la primavera
3. lo que es la juventud
4. lo que le pasa a la juventud

**D Comparando y analizando**
En el poema *Lo fatal,* ¿a quién está comparando Rubén Darío un árbol y una piedra? ¿Por qué?

**E Interpretando emociones y sentimientos**
Leer el poema *Lo fatal* no es ni fácil ni alegre. El poeta nos habla no sólo de su tristeza sino de su verdadero sufrimiento interior—de sus pesadumbres. En tus propias palabras, por sencillas que sean, expresa lo que el poeta te está diciendo. ¿Cómo te está hablando?

Nicaragua

LITERARY COMPANION CAPÍTULO 4

---

ANSWERS TO ¿Comprendes?

**A**
1. El árbol es dichoso porque es apenas sensitivo —no puede sentir el sufrimiento de la vida y la muerte.
2. Una piedra dura es aún más dichosa porque no siente nada.
3. El dolor más grande es el de ser vivo.
4. La vida consciente es una pesadumbre.

**B** *Answers will vary.*

**C**
1. El otoño simboliza la llegada de la vejez.
2. La primavera simboliza la juventud.
3. La juventud es un divino tesoro.
4. La juventud se va para nunca volver.

**D** Rubén Darío está comparándose a sí mismo a un árbol y una piedra. Pero estos son dichosos porque no sienten nada y no sufren. Pero Rubén Darío sufre mucho. Él siente mucha pesadumbre.

## F Conectando la literatura con la vida

De lo que has aprendido sobre la vida de Rubén Darío, ¿puedes comprender el tono triste y deprimente de su poema *Lo fatal*? ¿Por qué es así?

## G Buscando la idea principal

Explica por qué el poeta le daría el título *Lo fatal* a este poema.

## H Dando opiniones personales

Todavía eres muy joven, pero, ¿qué te parece? ¿Se va la juventud muy de prisa o no? ¿Quisieras más tiempo para disfrutar de la juventud? ¿Esperas que no pase muy rápido? ¿Por qué?

## I Debatiendo

Trabajen en grupos de cuatro. Dos de ustedes van a decir que la juventud es un tesoro divino. Otros dos van a hablar en contra—que la juventud no es un tesoro. Preparen su debate.

Managua, Nicaragua

LITERATURA CENTROAMERICANA

**459**

## PRESENTATION

### Vocabulario para la lectura

**Step 1** You may use some previous suggestions for the presentation of the vocabulary.

**Step 2** You may wish to ask the following questions. **¿Qué se cultiva en una milpa? ¿Durante la cosecha, ¿plantan el maíz o lo recogen? ¿Brilla la candela? ¿Cuál es más grande, una llama o una chispa? ¿Es una iglesia o un templo un lugar sagrado? ¿Son tus abuelos y bisabuelos tus antepasados? ¿Qué opinas? ¿Desperdician los indígenas el maíz?**

## PRACTICE

# ¿Qué palabra necesito?

Have students study the vocabulary for homework and prepare **Actividad 1.** Then go over it the next day in class.

Una milpa, Guatemala

## *Prosa* me llamo Rigoberta Menchú y así me nació la conciencia

## Vocabulario para la lectura

la milpa

la cosecha del maíz

un brillo

una llama

una chispa

la candela

### Más vocabulario

**el antepasado** abuelo, ancestro
**el/la ladino(a)** mestizo(a) o indio(a) que habla español y que se ha adaptado a costumbres urbanas
**compuesto(a)** hecho(a), producido(a)

**sagrado(a)** venerable, santo(a), con valor religioso
**desperdiciar** perder, malgastar
**herir (i, i)** causar daño, lastimar

# ¿Qué palabra necesito?

**1**    **La naturaleza** Completen.

1. Los recursos naturales son limitados, no se deben _____.
2. Los indígenas respetan el agua y la tierra porque creen que son cosas _____.
3. Los indígenas también respetan a sus abuelos y otros _____.
4. Ellos prefieren los productos naturales, no los productos _____ por máquinas.
5. No puedo ver sin la luz que nos da _____.
6. Nunca debemos _____ o lastimar a nadie.
7. Los campesinos tienen que _____ bien los campos si quieren una cosecha buena.
8. El _____ del maíz es importante para los indígenas.
9. La tierra destinada al cultivo del maíz es la _____.
10. De vez en cuando una _____ pequeña puede causar un incendio que tiene grandes _____.

## ANSWERS TO ¿Qué palabra necesito?

**1**

1. desperdiciarlos, perderlos, malgastarlos
2. sagradas
3. antepasados
4. compuestos
5. la candela
6. herir
7. labrar
8. cultivo
9. milpa
10. chispa, consecuencias

## me llamo Rigoberta Menchú y así me nació la conciencia

Rigoberta Menchu

**Introducción** En muchas partes de Latinoamérica la población indígena es significativa, y en algunos países, mayoritaria. A pesar de lo numerosa que es la población indígena, su participación en la vida económica y social nacional es frecuentemente muy limitada. Las poblaciones indígenas se ven marginadas. Muchas veces son víctimas de pobreza y discriminación. Siempre ha habido defensores de los indígenas, como Fray Bartolomé de las Casas en el México del siglo XVI. Pero hoy, desde México hasta Tierra del Fuego, son los mismos indígenas los que luchan por la justicia y por sus derechos.

Rigoberta Menchú pertenece a los quichés, grupo indígena de Guatemala, descendientes de los mayas. Ella nació en 1959 en la pequeña aldea de Chimel en el estado guatemalteco de El Quiché en el norte del país.

A los veintitrés años de edad Rigoberta Menchú contó la historia de su vida a Elizabeth Burgos quien la redactó tal como se la contó Rigoberta. Dice Burgos:

*«La historia de su vida es más un testimonio sobre la de Guatemala. Por ello es ejemplar, puesto que encarna la vida de todos los indios del continente americano. Lo que ella dice a propósito de su vida, de su relación con la naturaleza, de la vida, la muerte, la comunidad, lo encontramos igualmente entre los indios norteamericanos, los de América Central y los de Sudamérica.»*

Rigoberta Menchú ha luchado por los derechos de los indígenas, no sólo de Guatemala, sino de toda la América. En 1992 ella recibió el Premio Nóbel de la Paz.

En la selección de su libro *me llamo Rigoberta Menchú y así me nació la conciencia* ella nos habla de la importancia de la naturaleza en la vida de los quichés.

La selección comienza con unas frases del *Popul Vuh,* el libro sagrado de los quichés de Guatemala que data del sigo XVI.

Guatemala

LITERATURA CENTROAMERICANA

---

### 🌸 National Standards

**Cultures**

- Students increase their understanding of the concept of culture by learning of the customs and traditions of the Quiché peoples of Guatemala, as described by Rigoberta Menchú, and contrasting these customs and traditions with their own.
- Students experience, discuss and analyze an expressive product of the culture: the selection from *me llamo Rigoberta Menchú y así me nació la conciencia,* by Rigoberta Menchú and Elizabeth Burgos.

## PREPARATION

### Resource Manager

Audio Activities TE, pages 226–228
Audio CD 9, Tracks 36–38
Test, pages 291–293
*ExamView® Assessment Suite*

---

## About the Spanish Language

The word **ladino** has different meanings in different parts of the Hispanic world. The word is used to refer to the Judeo-Spanish dialect based upon sixteenth-century Spanish that is still heard in many parts of the world. In Central America **ladino** usually refers to mestizos who speak only Spanish.

## Literature Connection

🖋 Rigoberta Menchú's book is an example of an "as told to" work. Elizabeth Burgos transcribed and edited the work by Menchú. It should be noted, however, that she tried to maintain the original flavor and feeling of the narrative provided by Menchú.

**461**

## PRESENTATION

**Lectura** *me llamo Rigoberta Menchú y así me nació la conciencia*

**Step 1** Have students read the questions in **Actividad A** on page 463 so that they can look for the information as they read the selection.

**Step 2** Select students to read portions of the selection aloud to the class. Remind them that this is a first person narrative.

**Step 3** After each student has read his or her portion of the text, call on another student to tell in his or her own words what was read to them.

**Cross-Cultural Comparison**
The *Popol Vuh*, the sacred book of the Quiché, is the most important document of the religion, mythology, and history of the Quiché. The conquistador Pedro de Alvarado destroyed the original.
It was rewritten in Spanish by a converted Quiché shortly after the conquest.

## LEVELING
**E:** Reading

### me llamo Rigoberta Menchú y así me nació la conciencia

*Tojil, en la oscuridad que le era propicia, con una piedra golpeó el cuero de su sandalia, y de ella, al instante, brotó una chispa, luego un brillo y en seguida una llama y el nuevo fuego lució esplendoroso. (Popol Vuh)*

Entonces también desde niños recibimos una educación diferente de la que tienen los blancos, los ladinos. Nosotros, los indígenas, tenemos más contacto con la naturaleza.

... respetamos una serie de cosas de la naturaleza.

5 Las cosas más importantes para nosotros. Por ejemplo, el agua es algo sagrado. La explicación que nos dan nuestros padres desde niños es que no hay que desperdiciar el agua, aunque haya. El agua es algo puro, es algo limpio y es algo que da vida al hombre. Sin el agua no se puede vivir, tampoco hubieran podido vivir nuestros antepasados... Tenemos tierra.

10 Nuestros padres nos dicen «Hijos, la tierra es la madre del hombre porque es la que da de comer al hombre.» Y más nosotros que nos basamos en el cultivo, porque nosotros los indígenas comemos maíz, frijol y yerbas del campo y no sabemos comer, por ejemplo, jamón o queso, cosas compuestas con aparatos, con máquinas. Entonces se considera que la tierra es la madre

15 del hombre. Y de hecho nuestros padres nos enseñan a respetar esa tierra. Sólo se puede herir la tierra cuando hay necesidad. Esa concepción hace que antes de sembrar nuestra milpa, tenemos que pedirle permiso a la tierra.

Cuando se pide permiso a la tierra, antes de cultivarla, se hace una ceremonia... En primer lugar se le pone una candela al representante de la

20 tierra, del agua, del maíz, que es la comida del hombre. Se considera, según los antepasados, que nosotros los indígenas estamos hechos de maíz. Estamos hechos del maíz blanco y del maíz amarillo, según nuestros antepasados. Entonces, eso se toma en cuenta. Y luego la candela, que representa al hombre como un hijo de la naturaleza, del universo. Entonces, se ponen esas

25 candelas y se unen todos los miembros de la familia a rezar. Más que todo pidiéndole permiso a la tierra, que dé una buena cosecha. También se reza a nuestros antepasados, mencionándoles sus oraciones, que hace tiempo, hace mucho tiempo existen.

## ¿Comprendes?

**A Costumbres quichés** Contesten.

1. ¿Qué reciben los indígenas que es diferente de lo que reciben los blancos o los ladinos?
2. ¿Con qué tienen más contacto y qué respetan más?
3. ¿Por qué tiene el agua tanta importancia para ellos?
4. Para ellos, ¿qué es la tierra? ¿Por qué?
5. ¿Qué comen? Y, ¿qué no comen los indígenas?
6. ¿Qué se hace antes de cultivar la milpa?
7. ¿Cómo es la ceremonia?
8. Según los antepasados, ¿de qué están hechos los indígenas?
9. Cuando rezan, ¿qué le piden a la tierra?
10. ¿A quiénes más rezan?

**B Haciendo una entrevista**

Imagínate un voluntario del Cuerpo de Paz en Guatemala. Acabas de llegar y estás entrevistando a un miembro del grupo quiché; tu compañero(a). En la entrevista hazle preguntas sobre su vida diaria, sus costumbres y tradiciones basadas en lo que has aprendido en el libro de Rigoberta Menchú. Tu compañero(a) contestará tus preguntas.

Lago Atitlán, Guatemala

### National Standards

**Comparisons**
Ask students to compare the attitudes of nonindigenous peoples and indigenous peoples such as the Quiché toward the cultivation of the land and the use of natural resources such as water.

### FUN·FACTS

In 1998 an American anthropologist questioned a number of assertions found in Rigoberta Menchú's book. He accused her of fabricating or seriously exaggerating many of the episodes in the book. Her claim that she only learned Spanish as an adult, for example, seemed to be refuted by nuns who claimed to have taught her as a child in church schools. Nevertheless, the conditions and descriptions of village life related by her are, it is agreed, accurate.

**Después de leer**

### PRACTICE

### ¿Comprendes?

**A** You may wish to have students reread the selection and prepare this activity for homework.

---

**ANSWERS TO** ¿Comprendes?

**A**

1. Los indígenas reciben una educación que es diferente de la que reciben los blancos o los ladinos.
2. Tienen más contacto con la naturaleza y la respetan más.
3. El agua es algo sagrado porque es pura, es algo limpio y es algo que da vida al hombre.
4. Para ellos, la tierra es la madre del hombre porque es la que da de comer al hombre.
5. Los indígenas comen maíz, frijol y yerbas del campo; no saben comer jamón o queso, o sea cosas compuestas con máquinas.
6. Antes de cultivar la milpa, se hace una ceremonia.
7. En la ceremonia, se le pone una candela a cada representante de la tierra, del agua, del maíz y se unen todos los miembros de la familia a rezar.
8. Según los antepasados, los indígenas están hechos de maíz.
9. Cuando rezan, le piden a la tierra que dé una buena cosecha.
10. También rezan a sus antepasados.

**B** *Answers will vary.*

**463**

# Una ojeada a la poesía

## Vocabulario para la lectura 🎧

Las abejas extraen néctar de las flores.
Del néctar hacen miel.

El cura va a bendecir a todos.
El cura acaricia al bebé.
Él lo bendice también.
Él tiene una cara (faz) angelical.

El día declina en alta mar.

Los labradores están cosechando los vegetales.

El ave remonta su vuelo.

## Más vocabulario

**la agonía**  los últimos momentos antes de morir
**la hiel**  la amargura, los trabajos, las adversidades
**las lozanías**  los tiempos de vigor, la robustez, la fuerza
**el ocaso**  la puesta del sol, la decadencia, el final de la vida
**la plegaria**  el rezo, la oración
**aleve**  traidor, infiel
**áureo(a)**  dorado
**fallido(a)**  frustrado, no logrado, no conseguido
**inmerecido(a)**  injusto, no merecido
**rudo(a)**  duro, tosco, riguroso

## ¿Qué palabra necesito?

**1**  **Historieta**  **El día se acaba.** Completen.

1. El día se acaba. Se pone el sol. Es el _____.
2. Y el camino a casa no es bueno. Es un camino _____.
3. Pero allí comeremos sabrosas tostadas con _____.
4. Esa miel que _____ las abejas de las flores es muy dulce.
5. ¡Mira! Los campesinos acaban de _____ las papas.
6. Ay, los últimos rayos del sol me _____ la cara.

**2**  **¡Se dice así!**  Expresen de otra manera.

1. El religioso *consagra* la obra del filántropo.
2. Por poco se ve *frustrada* la obra.
3. Las quejas no son válidas; son *injustas*.
4. Si una ciudad tiene vida, estas son *épocas de vigor*.
5. Con estas renovaciones, la ciudad tiene una nueva *cara*.

**3**  **¿Cuál es la palabra?** Completen.

1. Salimos en el barco ayer y hoy estamos en _____.
2. Mientras tanto las aves _____ su vuelo.
3. Pero es un día triste porque presenciamos la _____ del abuelo que pronto morirá.

LITERATURA MEXICANA

## Literature Connection

El romance es una composición corta frecuentemente narrativa. El romance tiene versos de 16 sílabas divididos en dos hemistiquios de ocho. Un romance de menos de ocho sílabas es un romancillo. Al romance de once sílabas se le llama romance heróico.

El romancero es el conjunto de romances o un grupo particular de romances que tratan de un tema determinado.

Además de romances fronterizos o moriscos hay romances históricos en que aparece un personaje de la antigua historia de España como el Cid, por ejemplo. Hay también romances líricos que son de tema más libre e imaginativo.

---

## ANSWERS TO ¿Qué palabra necesito?

**1**
1. ocaso
2. rudo, tosco, duro, riguroso
3. miel
4. extraen
5. cosechar
6. acarician

**2**
1. bendice
2. fallida
3. inmerecidas
4. las lozanías
5. faz

**3**
1. las olas
2. tumbos
3. remontan
4. agonía

¡OJO! You can select certain selections to be studied or you can do them all.

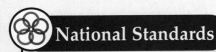

## National Standards

**Cultures**
Students experience, discuss, and analyze the poem *En paz* by Amado Nervo.

## PREPARATION

### Resource Manager

Audio Activities TE, pages 230–231
Audio CD 9, Tracks 41–43
Test, pages 294–297
*ExamView®* Assessment Suite

## PRESENTATION

### Introducción

**Step 1** Call on a student to read the **Introducción** aloud.

### Lectura *En paz*

**Step 1** Read the poem once aloud to students or play the Audio CD. Call on individual students to read the stanzas.

## Critical Thinking Activity

**Thinking skills: making inferences** Los poetas con frecuencia utilizan la primavera y el invierno como metáfora. Usan estas estaciones del año para representar otra cosa. ¿Qué es lo que representan? ¿Por qué? Explique.

**LEVELING**

**E:** Reading

---

**Introducción** Amado Nervo (1870–1919) nació en México. Estudió para sacerdote en el Seminario de Jacona, pero en 1891 dejó la carrera religiosa. Entró en el servicio diplomático de su país a principios del siglo XX y pasó gran parte de su vida en Madrid, París, Buenos Aires y Montevideo, donde murió mientras servía de embajador de México en Uruguay. Aunque el autor escribió en varios géneros, se destacó como poeta. En las poesías de su madurez se le nota una preocupación por la muerte y el amor.

## *En paz* 🎧

Muy cerca de mi ocaso, yo te bendigo, Vida,
porque nunca me diste ni esperanza fallida
ni trabajos injustos, ni pena inmerecida;

   porque veo al final de mi rudo camino
5  que yo fui el arquitecto de mi propio destino;
que si extraje las mieles o la hiel de las cosas,
fue porque en ellas puse hiel o mieles sabrosas;
cuando planté rosales, coseché siempre rosas.

   …Cierto, a mis lozanías va a seguir el invierno;
10  ¡mas° tú no me dijiste que mayo fuese eterno!
   Hallé sin duda largas las noches de mis penas;
mas no me prometiste tú sólo noches buenas;
y en cambio tuve algunas santamente serenas…

   Amé, fui amado, el sol acarició mi faz.
15  ¡Vida, nada me debes! ¡Vida, estamos en paz!

*mas pero*

---

 ## Literary Analysis

1. **La personificación es la atribución de vida o acciones o cualidades propias del ser racional a las cosas inanimadas, incorpóreas o abstractas. En este poema Amado Nervo se refiere a algo abstracto como si fuera persona. ¿Qué es lo que el poeta personifica?**

2. Ask students to cite as many examples of figurative language used in the poem as they can. They may cite: **mi ocaso; el final de mi rudo camino; arquitecto de mi propio destino.** Then have students interpret the terms.

## En Durango comenzó

Autor anónimo

**Introducción** El corrido es una composición popular mexicana. El corrido tiene un carácter muy descriptivo. Hay muchos tipos de corridos. Algunos hablan de hechos y eventos locales. Otros de personajes legendarios y de momentos históricos. Los más famosos cuentan relatos de la Revolución mexicana. El corrido que sigue, *En Durango comenzó*, trata de Pancho Villa, una figura importante de la revolución.

### En Durango comenzó

En Durango comenzó
su carrera de bandido
En cada golpe que daba
Se hacía el desaparecido°

*Se hacía el desaparecido He played a disappearing act*

5  Cuando llegó a La Laguna
Robó la estación de Horizonte
Del entonces lo seguían
Por los pueblos y los montes

Un día ya en el nordeste
10  Entre Tirso y la Boquilla
Se encontraban acampanadas°
Las fuerzas de Pancho Villa

*acampanadas in great danger*

Gritaba Francisco Villa
El miedo no lo conozco
15  Que viva Pancho Madero
Y que muera Pascual Orozco

Gritaba Francisco Villa
En su caballo tordillo°
En la bolsa traigo plata
20  Y en la cintura casquillo°.

*tordillo dapple-gray*

*casquillo empty shells, cartridges*

Pancho Villa

LITERATURA MEXICANA

cuatrocientos sesenta y siete  467

---

 **National Standards**

**Cultures**
Students experience, discuss, and analyze an expressive product of the culture, the Mexican **corrido**, *En Durango comenzó*.

## PRESENTATION

**Lectura** *En Durango comenzó*

**Step 1** You may wish to have students take turns reading portions of the **corrido**.

### FUN·FACTS

Zapata's slogan «**Es preferible morir de pie que vivir de rodillas**» was adopted as a watchword by the Republicans during the Spanish Civil War.

**LEVELING**
**E–A:** Reading

## Critical Thinking Activity

**Thinking skills: evaluating information** Emiliano Zapata continued fighting in the South even after Pancho Villa was forced to retire from politics in the North. Zapata said, «**Es preferible morir de pie que vivir de rodillas**». Explain the meaning of this sentence.

---

## History Connection

Doroteo Arango (1879–1923), conocido como Francisco «Pancho» Villa, fue una de las grandes figuras de la Revolución mexicana. Se unió al ejército de Francisco Madero para derrocar a don Porfirio Díaz y conquistó las ciudades norteñas de Chihuahua y Ciudad Juárez. Después de la muerte de Madero pactó con Carranza, se enemistó con él y más tarde se alió con Emiliano Zapata. Murió asesinado en Parral, Chihuahua.

## National Standards

**Cultures**
Students experience, discuss, and analyze the poem *Para entonces* by Manuel Gutiérrez Nájera.

## PREPARATION

### Resource Manager

Audio Activities TE, pages 232–233
Audio CD 9, Tracks 44–45
Test, pages 294–297
*ExamView® Assessment Suite*

## PRESENTATION

### Introducción

**Step 1** Have the students read the **Introducción** silently.

**Step 2** You may wish to ask questions about the **Introducción**. **¿En qué ciudad nació y murió el poeta? ¿Con qué movimiento literario se le identifica? ¿Escribió solamente poesías? ¿Era muy viejo cuando murió?**

### Lectura *Para entonces*

**Step 1** Read the poem aloud to the class or play the Audio CD.

**Step 2** Ask the more dramatic readers to take turns reading each verse aloud.

**Step 3** After each verse ask questions such as: **¿A qué hora del día quiere morir? ¿Dónde quiere estar a la hora de morir? ¿A qué quiere que parezca el momento de la muerte? ¿Qué es lo único que quiere oír al momento de morir? ¿Qué no quiere oír? ¿Qué son las áureas redes?**

### LEVELING

**E–A:** Reading

---

**Introducción** Manuel Gutiérrez Nájera (1859–1895) nació y murió en la capital de México. Murió muy joven, a los treinta y seis años. Fue uno de los iniciadores del movimiento literario conocido como *El modernismo.* Aunque es más famoso como poeta, también escribió en prosa. El poema que sigue tiene especial significado cuando uno piensa en la edad que tenía el poeta cuando falleció.

### Para entonces

Quiero morir cuando decline el día,
en alta mar y con la cara al cielo;
donde parezca un sueño la agonía,
y el alma, un ave que remonta el vuelo.

5    No escuchar en los últimos instantes,
ya con el cielo y con el mar a solas,
más voces ni plegarias sollozantes°
que el majestuoso tumbo de las olas.

    Morir cuando la luz, triste, retira
10  sus áureas redes° de la onda verde,
y ser como ese sol que lento expira:
algo muy luminoso que se pierde.

    Morir, y joven: antes que destruya
el tiempo aleve la gentil corona;
15  cuando la vida dice aún: «¡soy tuya!»,
¡aunque sepamos bien que nos traiciona!

*sollozantes sobbing*

*redes nets*

---

## Learning from Photos

*(page 469 top)* La vista es del Zócalo y la imagen es de Emiliano Zapata, uno de los héroes de la revolución. El primero de enero de 1994, en el estado de Chiapas, un grupo de campesinos indígenas de ascendencia maya ocupó varios pueblos reclamando la autonomía, la dignidad y las necesidades básicas. Los rebeldes tomaron el nombre del héroe—zapatistas.
*(page 469 bottom)* Esta histórica foto se tomó en la Ciudad de México poco después de entrar en ella estos dos líderes de la revolución. Zapata luchó en el sur y Villa en el norte. Pancho Villa está en el centro de la foto con uniforme militar. Zapata está a su izquierda con grandes bigotes y el gran sombrero sobre la rodilla.

## ¿Comprendes?

**A** *En paz* Escojan.

1. ¿A quién se dirige el poeta en este poema?
   a. A Dios.
   b. A la muerte.
   c. A la vida.

2. ¿Por qué dice el poeta «muy cerca de mi ocaso»?
   a. Habla por la tarde y se va a poner el sol.
   b. Se están acercando sus días finales.
   c. Él vive muy cerca de allí.

3. ¿Qué quiere decir el autor cuando dice que es «arquitecto de su propio destino»?
   a. Toma responsabilidad por lo bueno y lo malo de su vida.
   b. Está contento con los edificios que ha construido.
   c. Siempre ha sabido adonde dirigirse.

**B** *En paz* Contesten.

1. ¿Tenía el autor noches de pena?
2. ¿Cómo las encontró?
3. ¿Tuvo sólo noches de pena?
4. ¿Qué dice el poeta en cuanto al amor?

Ciudad de México

Pancho Villa,
Emiliano Zapata
y sus seguidores

**C** *En Durango comenzó* Contesten.

1. ¿Dónde comenzó Pancho Villa su carrera?
2. ¿Qué carrera comenzó?
3. ¿Qué robó al llegar a La Laguna?
4. ¿Quiénes lo seguían?
5. ¿Dónde lo seguían?
6. ¿Dónde se encontraban acampanadas las fuerzas de Pancho Villa?
7. ¿Qué gritó Pancho Villa?
8. ¿En qué estaba montado?
9. ¿Qué tenía en la bolsa?
10. ¿Y en la cintura?

**D** *En Durango comenzó* ¿Cómo lo dice el corrido?

1. Pancho Villa les causaba daño a sus enemigos, las autoridades del gobierno.
2. Pero las autoridades no lo pudieron encontrar.
3. Yo no tengo miedo de nada ni temo a nadie.

LITERATURA MEXICANA

*cuatrocientos sesenta y nueve*  469

---

**ANSWERS TO** ¿Comprendes?

**A**

1. c
2. b
3. a

**B**

1. Sí, el autor tenía noches de pena.
2. Las encontró largas.
3. No, también tuvo algunas noches santamente serenas.
4. El poeta dice que amó y fue amado.

**C**

1. Pancho Villa comenzó su carrera en Durango.
2. Comenzó su carrera de bandido.
3. Al llegar a La Laguna, robó la estación de Horizonte.
4. Las autoridades lo seguían.
5. Lo seguían por los pueblos y los montes.
6. Las fuerzas de Pancho Villa se encontraban acampanadas entre Tirso y la Boquilla.
7. Pancho Villa gritó «El miedo no lo conozco/Que viva Pancho Madero/Y que muera Pascual Orozco».
8. Estaba montado en su caballo tordillo.
9. En la bolsa tenía plata.
10. Y en la cintura tenía casquillo.

**D**

1. «En cada golpe que daba».
2. «Se hacía el desaparecido».
3. «El miedo no conozco».

## Art Connection

Este cuadro de Diego Rivera es sólo uno de varios que tratan de la figura legendaria de Emiliano Zapata (1873–1919).

**E** *En Durango comenzó*

Preparen una lista de todos los lugares mencionados en el corrido y búsquenlos en un mapa de México.

**F** *Para entonces*  Escojan.

1. El autor prefiere morir…
   **a.** al amanecer.     **b.** al anochecer.     **c.** a la medianoche.
2. Él compara el momento de la muerte con…
   **a.** el sueño.     **b.** una batalla.     **c.** el mar.
3. Y hace una comparación del alma con…
   **a.** una ola.     **b.** un ave.     **c.** una red.
4. Él dice que el tiempo es…
   **a.** gentil.     **b.** traidor.     **c.** luminoso.
5. Las *áureas redes* son…
   **a.** las coronas.     **b.** las plegarias.     **c.** los rayos del sol.

**G** **Buscando la idea principal**

En tus propias palabras resume la idea principal de cada poema.

**H** **Metáforas y símiles**

Ya sabes lo que es una *metáfora* y un *símil*. Ahora busca en los versos que has leído por lo menos tres ejemplos de cada uno.

**I** *En paz* **Llegando a conclusiones**

Amado Nervo dice que la vida no le debe nada y que «estamos en paz». Explica por qué el poeta ha llegado a esa feliz conclusión.

**J** *Para entonces* **Haciendo observaciones**

Manuel Gutiérrez Nájera escribe *Para entonces* cuando es bastante joven. ¿De qué trata el poema? ¿Qué quiere el poeta? ¿Es posible que el poeta esté prediciendo algo? ¿Qué?

**K** *En Durango comenzó* **Escribiendo una biografía**

En un párrafo escribe todo lo que aprendiste sobre Pancho Villa en el corrido *En Durango comenzó*.

*Emiliano Zapata de Diego Rivera*

## ANSWERS TO ¿Comprendes?

**E** Students should locate the following places on a map of Mexico: Durango, La Laguna, Horizonte, Tirso, la Boquilla.

**F**
1. b
2. c
3. b
4. a
5. c

**G** Answers will vary but should indicate that dying young is preferable to dying in old age.

**H** Answers will vary but should include some of the following: mi ocaso, el invierno, mayo, el alma, un ave, áureas redes, la gentil corona.

**I** Answers will vary: Dice que la vida nunca le dio ni esperanza fallida ni trabajos injustos, ni pena inmerecida. Él fue el arquitecto de su propio destino.

**J** Answers will vary but should indicate that the poet prefers to die young and that he might be predicting his own death at age thirty-six.

**K** Answers will vary.

470

## *Prosa*  Como agua para chocolate

### Vocabulario para la lectura

un caldo
una gota
colar

rociar

vaciar
una cucharada
la miel

batir

el turrón

### Más vocabulario

**la clara**  parte blanca del huevo, contrario de yema
**el carmín**  ingrediente para dar color rojo a la comida
**ajeno(a)**  de otra persona
**flojo(a)**  no muy sólido, no firme
**azucarar**  cristalizarse
**destrozar**  arruinar
**empanizar**  tomar forma
**de golpe**  de repente, sin anuncio ni preparación

---

### National Standards

**Cultures**
The custom of having the youngest daughter of a well-to-do Mexican family dedicate her life to caring for her mother is a foreign concept to most American students. This is a good opportunity to discuss ways in which elderly relatives are cared for in the United States and in other cultures with which students may be familiar.

## PREPARATION

### Resource Manager

Audio Activities TE, page 233
Audio CD 9, Track 46
Test, pages 294–297
*ExamView® Assessment Suite*

## PRESENTATION

### Vocabulario para la lectura

**Step 1**  Have students repeat the new words several times after you or the Audio CD.

**Step 2**  Have students study the new words and prepare **Actividades 1** and **2** on page 472.

**Step 3**  The next day call on several students to read the new words and definitions aloud before going over the vocabulary activities.

---

## Vocabulary Expansion

- **Caldo** is a broth or stock made from chicken or beef, etc. **Sopa** originally had to include bread. Until recently, field workers in Andalucía were served a **sopa** or **gazpacho** consisting simply of olive oil, vinegar, water, and bread.
- **Turrón** usually refers to the almond nougat candy bricks that are a typical Christmas treat in Spain and Latin America. In this story, however, the **turrón** is the frosting or the icing on the wedding cake being prepared by Nacha.

**471**

## PRACTICE

# ¿Qué palabra necesito?

**1** and **2** These activities are not difficult and can be done orally in class.

### Learning from Photos

*(page 472)* Lo que se ve aquí es solo un fragmento del mural titulado *Civilización huasteca* que Rivera pintó en 1950. Está en el Palacio Nacional en México, D.F.

### History Connection

Much of the action of this novel occurs during the period of the Mexican Revolution, which began with the fall of the Porfirio Díaz regime in 1911. Mexico suffered an extended period of upheaval from 1911 until the 1920s. Legendary figures of the Revolution include Francisco (Pancho) Villa and Emiliano Zapata. In 1916 some of Villa's troops crossed the border and attacked Columbus, New Mexico. President Wilson ordered General Pershing to pursue Villa and capture him. The Americans chased Villa throughout Chihuahua for eleven months but never found him. The expedition failed.

## ADDITIONAL PRACTICE

You may wish to show the film version of *Como agua para chocolate*. It was quite popular in the United States and should be readily available.

---

# ¿Qué palabra necesito?

**1** **La receta** Completen.

1. El pastel no está muy firme; al contrario, está muy _____.
2. Y es de color _____, un rojo muy brillante.
3. No usamos azúcar. Le echamos _____ para hacerlo dulce.
4. Y vamos a echar poquísimo jugo de limón, sólo dos o tres _____.
5. Es necesario _____ el caldo para que no quede mucha grasa.
6. Para hacer merengue el cocinero tiene que _____ los huevos y para hacer nata es necesario _____ la crema.
7. Esta receta lleva sólo _____ de los huevos, no las yemas.
8. No debemos arruinar o _____ la propiedad _____, es decir, la propiedad de otros.

**2** **Palabras relacionadas** Den una palabra relacionada.

1. el azúcar
2. golpear
3. vacío
4. el colador
5. el destrozo

*El cultivo del maíz*
de Diego Rivera

---

ANSWERS TO **¿Qué palabra necesito?**

**1**

1. flojo
2. carmín
3. miel
4. gotas
5. colar
6. batir, batir
7. la clara
8. destrozar, ajena

**2**

1. azucarar
2. de golpe
3. vaciar
4. colar
5. destrozar

## Como agua para chocolate

**Laura Esquivel**

**Introducción** *Como agua para chocolate* es la primera novela de esta autora mexicana. La novela se publicó en 1989 y enseguida llegó a ser número uno en ventas en México. Se ha traducido al inglés y a muchos otros idiomas. Se hizo de la novela una popularísima película del mismo nombre.

La protagonista de la novela es Tita, la hija menor de Mamá Elena, matriarca de la familia. Tita se enamora de un joven, Pedro Muzquiz, pero Mamá Elena se opone y le obliga a Tita a seguir la vieja tradición de quedarse la hija menor en casa y no casarse nunca, quedarse, como decía la gente, «para vestir santos». Mamá Elena le propone al padre de Pedro que su hijo se case con Rosaura, la hermana mayor de Tita.

En el fragmento que sigue, Tita está en la cocina con Nacha, de ochenta y cinco años, vieja sirvienta de la familia. Mamá Elena le ha ordenado a Tita a ayudarle a Nacha a preparar el pastel de boda de Pedro y Rosaura. La vieja Nacha también se ha quedado para «vestir santos».

### Como agua para chocolate
#### Para el fondant:

*800 gramos de azúcar granulado*

*60 gotas de jugo de limón más bastante agua para disolver*

*Se ponen en una cacerola, el azúcar y el agua al fuego sin dejar de moverla hasta que empieza a hervir. Se cuela en otra cacerola y se vuelve*

5 *a poner al fuego agregándole el limón hasta que toma punto de bola floja, limpiando de vez en cuando los bordes de la cacerola con un lienzo° húmedo para que la miel no se azucare; cuando ha tomado el punto anteriormente indicado se vacía en otra cacerola húmeda, se rocía por encima y se deja enfriar un poco.*

10 *Después, con una espátula de madera, se bate hasta que se empaniza.*

*Para aplicarlo, se le pone una cucharada de leche y se vuelve a poner al fuego para que se deslíe, se pone después una gota de carmín y se cubre con él únicamente la parte superior del pastel.*

> lienzo *cloth*

LITERATURA MEXICANA

---

## ADDITIONAL PRACTICE

You may wish to ask additional comprehension questions such as:

**¿Cuáles son los ingredientes del turrón?**

**¿Qué edad tiene Nacha?**

**¿Cuál fue la ilusión de Nacha al preparar cada uno de los banquetes de boda?**

## About the Spanish Language

The recipe that opens the reading is an excellent example of the passive voice **se** construction. You may wish to ask students to identify each use of this construction in the recipe.

**473**

## PRESENTATION

*(cont'd)*

**Lectura** *Como agua para chocolate*

**Step 1** You may wish to have students read the selection silently.

**Step 2** Call on students to read aloud, or you may wish to have the silent reading suffice and not do the reading selection intensively.

**Step 3** You may wish to ask students to figure out the meaning from the context of some difficult words and phrases such as: **doble esfuerzo, entró de golpe, no valía la pena llorar, ¡Vaya que había llegado!, repelar, una reverenda tontería, no tuvo ánimos, no los complacería.**

## FUN FACTS

Pedro and Tita's sister Rosaura will be married in church. However, they will have to have a civil ceremony as well in order to be legally wed. Mexico and some other Latin American countries require a civil ceremony. Families are, of course, free to have a religious ceremony in addition to the civil one.

## Critical Thinking Activity

**Thinking Skills: evaluating information**
Students may have heard that Hispanic culture is **machista** or male-dominated. Yet there are examples of very strong women in this novel, evident in this short selection. You may wish to ask students to select one of the women and give their impressions of her character and personality.

---

15 Nacha se dio cuenta de que Tita estaba mal, cuando ésta le preguntó si no le iba a poner el carmín.

—Mi niña, se lo acabo de poner, ¿no ves el color rosado que tiene?

—No…

—Vete a dormir, niña, yo termino el turrón. Sólo las ollas saben los hervores° de su caldo, pero yo adivino los tuyos, y ya deja de llorar,
20 que me estás mojando° el fondant y no va a servir, anda, ya vete.

Nachita cubrió de besos a Tita y la empujó fuera de la cocina. No se explicaba de dónde había sacado nuevas lágrimas°, pero las había sacado y alterado con ellas la textura del turrón. Ahora le costaría doble esfuerzo dejarlo en su punto. Ya sola se dio a la tarea de terminar con el turrón lo más pronto posible, para irse a dormir. El turrón se
25 hace con 10 claras de huevo y 500 gramos de azúcar batidos a punto de hebra° fuerte.

Cuando terminó se le ocurrió darle un dedazo° al fondant para ver si las lágrimas de Tita no habían alterado el sabor, pero, sin saber
30 por qué, a Nacha le entró de golpe una gran nostalgia. Recordó uno a uno todos los banquetes de boda que había preparado para la familia de la Garza con la ilusión de que el próximo fuera el suyo. A sus 85 años no valía la pena llorar, ni lamentarse de que nunca hubieran llegado ni el esperado banquete ni la esperada boda, a pesar
35 de que el novio sí llegó, ¡vaya que había llegado! Sólo que la mamá de Mamá Elena se había encargado de ahuyentarlo°. Desde entonces se había conformado con gozar de las bodas ajenas y así lo hizo por muchos años sin repelar. No sabía por qué lo hacía ahora. Sentía que era una reverenda tontería, pero no podía dejar de hacerlo. Cubrió
40 con el turrón° lo mejor que pudo el pastel y se fue a su cuarto, con un fuerte dolor de pecho. Lloró toda la noche y a la mañana siguiente no tuvo ánimos para asistir a la boda.

Tita hubiera dado cualquier cosa por estar en el lugar de Nacha, pues ella no sólo tenía que estar presente en la iglesia, se sintiera
45 como se sintiera, sino que tenía que estar muy pendiente° de que su rostro no revelara la menor emoción. Creía poder lograrlo siempre y cuando su mirada no se cruzara con la de Pedro. Ese incidente podría destrozar toda la paz y tranquilidad que aparentaba°.

Sabía que ella, más que su hermana Rosaura, era el centro de
50 atención. Los invitados, más que cumplir con un acto social, querían regodearse° con la idea de su sufrimiento, pero no los complacería, no. Podía sentir claramente cómo penetraban por sus espaldas los cuchicheos° de los presentes a su paso.

—¿Ya viste a Tita? ¡Pobrecita, su hermana se va a casar con su
55 novio! Yo los vi un día en la plaza del pueblo, tomados de la mano. ¡Tan felices que se veían!

**474** ✦ *cuatrocientos setenta y cuatro*

---

**hervores** *boiling; figuratively, heartaches*

**mojando** *wetting*

**lágrimas** *tears*

**hebra** *thread*

**darle un dedazo** *stick a finger*

**ahuyentarlo** *driving him away*

**turrón** *icing (in this context)*

**pendiente** *aware*

**aparentaba** *it feigned*

**regodearse** *to take delight in*

**cuchicheos** *whisperings*

LITERARY COMPANION CAPÍTULO 5

---

## ANSWERS TO ¿Comprendes?

**A**

1. El carmín es lo que le dio el color rosado al fondant.
2. Nacha se dio cuenta de que Tita no estaba bien cuando esta le preguntó si no le iba a poner el carmín. Tita no podía notar el color rosado que ya tenía.
3. Las lágrimas de Tita alteraron la textura del turrón.
4. Nacha le metió un dedo (un dedazo) al fondant para probar el sabor.
5. La «reverenda tontería» es sentirse tan triste ahora.

## ¿Comprendes?

**A Historieta** **El fondant de Nacha** Contesten.

1. ¿Qué es lo que le dio el color rosado al fondant?
2. ¿Qué le indicó a Nacha que Tita no estaba bien?
3. Algo alteró la textura del turrón. ¿Qué?
4. ¿Qué le metió Nacha al fondant para probar el sabor?
5. ¿Cuál es la «reverenda tontería» a la que se refiere Nacha?

**B Nachita** Completen.

1. La receta con que comienza este fragmento es para ____.
2. Nachita le dio muchos ____ a Tita y la echó de la cocina.
3. Nacha quería terminar pronto con el turrón, porque tenía ganas de ____.

Una pastelería, Baja California, México

**C En otras palabras** ¿Qué quiere decir… ?

1. Sólo las ollas saben los hervores de su caldo, pero yo adivino los tuyos…
2. … la mamá de Mamá Elena se había encargado de ahuyentarlo.
3. Tita hubiera dado cualquier cosa por estar en el lugar de Nacha…
4. Los invitados… querían regodearse con la idea de sus sufrimientos…

**D Interpretando**

Explica el significado de la siguiente frase: «Tita sabía que ella, más que su hermana Rosaura, era el centro de atención».

**E Dando opiniones personales**

¿Qué te parece la tradición de mantener a la hija menor soltera para que se quedara en casa a cuidar de su madre? Comenta.

**F Describiendo**

Explica en tus propias palabras lo que le hizo la mamá de Mamá Elena a Nacha hace muchos años.

Después de leer

**PRACTICE**

## ¿Comprendes?

**Note:** As you go over **Actividades A, B** and **C,** let students read their answers from their papers.

**A and C** You may wish to go over **Actividades A** and **C** again and have students answer freely.

LITERATURA MEXICANA

*cuatrocientos setenta y cinco* 🌣 **475**

---

**ANSWERS TO** **¿Comprendes?**

**B**

1. fondant
2. besos
3. llorar

**C** *Answers will vary.*

**D** *Answers will vary.*

**E** *Answers will vary.*

**F** Hace muchos años, la mamá de Mamá Elena hizo que Nacha nunca se casara, para que pudiera cuidarle a la mamá hasta su muerte, o «vestir santos».

## PREPARATION

### Resource Manager

Audio Activities TE, pages 236–237
Audio CD 10, Tracks 1–2
Test, pages 298–301
*ExamView® Assessment Suite*

## PRESENTATION

### Vocabulario para la lectura

**Step 1** Present the vocabulary using the Vocabulary Transparency.

**Step 2 Más vocabulario** Call on students to read each new word and its definition.

**Step 3** You may wish to ask questions such as: **¿Crees que es importante tener mucha plata? ¿Dónde se encuentran las palmas? ¿Cuándo vas a la playa? ¿Es cortés arrojar papeles al suelo? ¿Prefieres las galletas dulces o las saladas? ¿Es una virtud la valentía?**

## PRACTICE

### ¿Qué palabra necesito?

**1** Call on a student to retell the **Historieta** in his or her own words.

**2** and **3** These activities can be done with books open and no previous preparation.

### About the Spanish Language

La **galleta** *(cracker/biscuit)* es un tipo de pan duro. También significa una bofetada o golpe a la cara con la mano abierta. En algunas partes de Latinoamérica **colgar la galleta** quiere decir despedir a alguien de su empleo.

---

# *Una ojeada a la poesía*
## Vocabulario para la lectura 🎧

el dinero, la plata    las galletas

La joven corrió.
El joven dio un paso atrás.

Allí en la playa vimos las palmas, las yerbas y las flores.

### Más vocabulario

**el alma** el espíritu, la esencia
**el engaño** la mentira, la falsedad, la ilusión
**la hazaña** acción o gesto heroico

**la valentía** calidad de valiente
**arrojar** lanzar, tirar, echar
**echar** tirar, expulsar, lanzar

### ¿Qué palabra necesito?

**1 Historieta  La compra** Expresen de otra manera.
1. El muchacho quería comer y fue a comprar *un tipo de pan duro.*
2. No tenía *mucho dinero,* pero las galletas eran baratas.
3. Tenía mucha prisa, así es que *anduvo muy rápidamente.*
4. Él no *retrocedió.* Siguió adelante.

**2 La flora** Contesten.
1. ¿Viste muchas palmas en la playa? (sí)
2. ¿También había flores? (no)
3. ¿Crecen muchas yerbas allí? (pocas)

**3 El malo** Completen.
1. No quiero verlo. Si lo veo en mi casa lo voy a ＿＿＿ enseguida.
2. Lo que él dijo no es verdad, es un ＿＿＿, una mentira.
3. Porque él es una bestia, no tiene ＿＿＿.

LITERARY COMPANION CAPÍTULO 6

---

## ANSWERS TO ¿Qué palabra necesito?

**1**
1. El muchacho quería comer y fue a comprar *una galleta.*
2. No tenía *mucha plata,* pero las galletas eran baratas.
3. Tenía mucha prisa, así es que *corrió.*
4. Él no *dio un paso atrás.* Siguió adelante.

**2**
1. Sí, vi muchas palmas en la playa.
2. No, no había flores.
3. No, crecen pocas yerbas allí.

**3**
1. echar, arrojar, tirar, expulsar, lanzar
2. engaño
3. alma

## Búcate plata

Nicolás Guillén

**Introducción** El poeta Nicolás Guillén (1902–1989) nació en Camagüey, Cuba. Muy temprano introdujo en sus versos el folklore afrocubano. Es el mejor cultivador de este género. Su poesía a la vez nos ofrece magníficas escenas costumbristas y un fervoroso ataque contra la explotación del negro antillano.

En *Búcate plata* Guillén emplea el habla de los negros cubanos. En el poema la mujer lamenta no poder gozar de las comodidades que tienen otros. Ella siente pena por el hombre, pero «hay que comer». Ella le llama «mi negro». En las Antillas, decirle a una persona querida «mi negro» o «mi negra» es expresarle cariño.

### Búcate plata

Búcate plata,
búcate plata,
porque no doy un paso má;
etoy a arró con galleta,
5  na má

Yo bien sé como etá tó,
pero viejo, hay que comer:
búcate plata,
búcate plata,
10  porque me voy a correr.

Depué dirán que soy mala,
y no me querrán tratar°,
pero amor con hambre, viejo,
¡qué va!
15  Con tanto zapato nuevo,
¡qué va!
Con tanto reló, compadre,
¡qué va!
Con tanto lujo°, mi negro,
20  ¡qué va!

Camagüey, Cuba

*tratar tener alguna relación con una persona*

*lujo opulencia, riqueza*

LITERATURA DEL CARIBE

*cuatrocientos setenta y siete* ✹ **477**

**CAPÍTULO 6 Literatura**

**¡OJO!** You can select certain selections to be studied or you can do them all.

**National Standards**

**Cultures**
Students experience, discuss, and analyze the poem *Búcate plata* by the Cuban poet Nicolás Guillén.

## PREPARATION

### Resource Manager

Audio Activities TE, pages 237–239
Audio CD 10, Tracks 3–5
Test, pages 298–301
*ExamView® Assessment Suite*

## PRESENTATION

**Introducción**

**Step 1** Call on students to read the **Introducción** aloud. You can have the other students listen with books closed or follow along in their books.

**Lectura** *Búcate plata*

**Step 1** Before going over the selection, have students read **Actividades A–D** on page 480 so that they can look for the information as they read the poem.

**LEVELING**
**E–A:** Reading

## ADDITIONAL PRACTICE

You may wish to ask these questions to help students understand the poem: **¿Qué es lo que la mujer quiere que el hombre busque? ¿Qué es lo que ella no va a dar? (un paso más) ¿Qué es lo que la mujer ha estado comiendo con la galleta? (arroz) ¿Qué más come? (nada) Si ella abandona al hombre, ¿qué va a decir la gente?**

### About the Spanish Language

El título del poema da el primer ejemplo de una característica del habla caribeña o sea la aspiración de la *s* en ciertas posiciones. Búcate por búscate, má por más, etoy por estoy. Pídales a los alumnos que busquen otros ejemplos en el poema.

**477**

**Introducción** Ensayista, poeta y sobre todo patriota cubano, José Martí (1853–1895) luchó y dio su vida por la independencia de su país. Estudió en España, en Zaragoza. Amigo de la «madre patria» pero enemigo de su política colonialista, comenzó su lucha a los dieciséis años cuando fue arrestado y exiliado. Mantuvo la lucha desde varios países hispanoamericanos y Estados Unidos. Martí fue una rara combinación de poeta y hombre de acción. Se le considera una de las preeminentes figuras literarias de las Américas. Murió en la batalla de Dos Ríos en mayo de 1895.

Martí escribió cuarenta y seis *Versos sencillos.* He aquí un fragmento del verso I.

## Versos sencillos

**I**

Yo soy un hombre sincero
De donde crece la palma.
Y antes de morirme quiero
Echar mis versos del alma.

5    Yo vengo de todas partes,
Y hacia todas partes voy:
Arte soy entre las artes,
En los montes, monte soy.

Yo sé los nombres extraños
10   De las yerbas y las flores,
Y de mortales engaños,
Y de sublimes dolores.

Pinar del Río, Cuba

**478** 🌼 *cuatrocientos setenta y ocho*

LITERARY COMPANION CAPÍTULO 6

---

## National Standards

**Cultures**
Students experience, discuss, and analyze the poem *Versos sencillos* by the Cuban essayist, poet, and patriot José Martí.

## PRESENTATION

### Introducción

**Step 1** As you go over the **Introducción** you may wish to ask questions such as: **Además de poesía, ¿qué escribía Martí? ¿Para qué causa murió? ¿Qué país era** *la madre patria?* **¿Cuántos años tenía cuando lo tomaron preso? ¿Dónde estuvo en el exilio? ¿Dónde y cuando murió?**

### Lectura *Versos sencillos*

**Step 1** Ask students to think about the meaning of these lines: *Arte soy entre las artes/En los montes, monte soy.*

**Step 2** Read the poem aloud or have the students listen to the audio CD.

**Step 3** Call on individual students to read aloud a verse at a time. Ask questions: **¿Dónde es que crece la palma? ¿Qué tipo de hombre dice él que es? ¿Qué quiere hacer antes de su muerte? ¿Dónde están sus versos? ¿De dónde viene y adónde va? ¿Qué es el poeta en los montes? Y entre las artes, ¿qué es? ¿Cuáles son las cosas que él sabe?**

## History Connection

⏳ José Martí es el prohombre de la independencia cubana. El aeropuerto de la Habana lleva su nombre. Los cubanos de todas las ideologías lo consideran su héroe.

**LEVELING**
**E:** Reading

## Music Connection

🎵 If a recording of *Guantanamera* is available, have students identify Martí's verse.

**GUANTANAMERA**
*música de José Fernández Díaz, adaptado de los Versos sencillos de José Martí*

Yo soy un hombre sincero
De donde crecen las palmas

Yo soy un hombre sincero
De donde crecen las palmas
Y antes de morirme quiero
Echar mis versos del alma

CORO:
*Guantanamera Guajira
Guantanamera
Guantanamera Guajira
Guantanamera*

## A Bolívar

Luis Lloréns Torres

**Introducción** El poeta y periodista puertorriqueño Luis Lloréns Torres (1876–1944) hizo sus estudios primarios y secundarios en Puerto Rico. Después estudió en las universidades de Barcelona y Granada en España.

Regresó a Puerto Rico en 1901 donde comenzó su actividad como autor. En gran parte de la poesía de Luis Lloréns Torres se encuentran el costumbrismo y el folklore del campo puertorriqueño. Pero en el poema que sigue canta de las hazañas del gran héroe latinoamericano Simón Bolívar.

### A Bolívar 🎧

Político, militar, héroe, orador y poeta
y en todo grande. Como las tierras libertadas por él,
que no nació hijo de patria alguna
sino que muchas patrias nacieron hijas dél.

5    Tenía la valentía del que lleva una espada,
tenía la cortesía del que lleva una flor,
y entrando en los salones arrojaba la espada,
y entrando en los combates arrojaba la flor.

Los picos del Ande no eran más a sus ojos,
10   que signos admirativos de sus arrojos.
Fue un soldado poeta. Fue un poeta soldado.

Y cada pueblo libertado, era una hazaña del poeta
y era un poema del soldado.
Y fue crucificado.

SIMÓN BOLÍVAR
EL LIBERTADOR

Estatua de Simón Bolívar

LITERATURA DEL CARIBE

## National Standards

**Cultures**
Students experience, discuss, and analyze the poem *A Bolívar* by the Puerto Rican poet and journalist Luis Lloréns Torres.

## PREPARATION

### Resource Manager

Audio Activities TE, pages 239–240
Audio CD 10, Tracks 6–7
Test, pages 298–301
*ExamView® Assessment Suite*

## PRESENTATION

### Introducción

**Step 1** Call on a student to read aloud the **Introducción.**

**Step 2** Ask questions about the **Introducción: ¿Qué escribía Lloréns Torres? ¿En qué países hizo sus estudios? ¿Cómo se contrasta este poema con la mayoría de los poemas del poeta?**

### Lectura *A Bolívar*

**Step 1** Have students listen to the Audio CD or give a dramatic reading of the poem to the class.

**Step 2** Call on individual students to read a stanza each of the poem.

**Step 3** Ask questions about the poem: **¿Qué dice el poeta que los Andes eran para Bolívar? Explica. ¿Cuáles son las dos aparentes contradicciones que aparecen en el poema? Con lo que sabes de la vida de Bolívar, ¿por qué crees que termina el poema diciendo que «fue crucificado»?**

**LEVELING**

**A:** Reading

### Learning from Photos

*(page 478)* La provincia de Pinar del Río, en el oeste de la isla, es un área montañosa. A principios del siglo XVIII, colonos de las Islas Canarias poblaron la región y comenzaron el cultivo del tabaco. Después vinieron los franceses que cultivaban el café. La provincia fue uno de los últimos refugios para la población indígena de Cuba.

Después de leer

## 3 PRACTICE

¿Comprendes?

**F and G** Students may do these activities with books open.

### Learning from Photos

*(page 480)* La Catedral de Nuestra Señora de la Merced está en la Plaza de los Trabajadores que tiene en su centro una ceiba viejísima. La catedral data de 1748. Debajo de la catedral hay unas catacumbas con esqueletos a la vista.

¿Comprendes?

**A** *Búcate plata* Pareen.

| | |
|---|---|
| 1. arroz | a. búcate |
| 2. nada más | b. arró |
| 3. búscate | c. tó |
| 4. está | d. na má |
| 5. después | e. etá |
| 6. todo | f. depué |
| 7. reloj | g. reló |

**B** *Búcate plata* Contesten.
1. ¿Qué es lo que le pide la mujer al hombre?
2. ¿Qué es lo único que ella come ahora?
3. ¿Qué va a hacer ella si las cosas no cambian?
4. ¿Qué ve ella que la hace sentir mal?

**C** *Búcate plata* Expliquen el significado.
1. … no doy un paso má;
2. Depué dirán que soy mala, y no me querrán tratar,
3. pero amor con hambre, viejo, ¡qué va!
4. Yo bien sé como etá tó.

**D** *Búcate plata* Busquen donde indica…
1. que ella comprende que las cosas son difíciles
2. que ella va a abandonar a «su viejo»
3. que la gente hablará mal de ella
4. que otros tienen mucho

**E** *Versos sencillos* Contesten.
1. Dice el poeta que es de «donde crece la palma». ¿Dónde será?
2. ¿Qué quiere hacer él antes de morir?
3. ¿Dónde se encuentran sus versos?
4. ¿Qué sabe el poeta?

**F** *A Bolívar* Completen.
1. Además de militar, Bolívar fue _____, _____, _____ y _____.
2. Bolívar era tan grande como las _____ que él libertó.
3. Bolívar tiraba la _____ cuando entraba en un salón.
4. Y tiraba una _____ al entrar en un combate.

Camagüey, Cuba

ANSWERS TO ¿Comprendes?

**A**
1. b
2. d
3. a
4. e
5. f
6. c
7. g

**B**
1. La mujer le pide al hombre que busque dinero.
2. Ella come sólo arroz con galleta.
3. Si las cosas no cambian, ella va a salir.
4. Ella ve que otras personas tienen zapatos nuevos, relojes y más lujo.

**C** Answers will vary.

**D**
1. «Yo bien sé como etá tó,»
2. «porque me voy a correr.»
3. «Depué dirán que soy mala,/ y no me querrán tratar,»
4. «Con tanto zapato nuevo,/¡qué va!/Con tanto reló, compadre,/¡qué va!/Con tanto lujo, mi negro,/¡qué va!»

**E**
1. Será un país tropical.
2. Antes de morir, quiere escribir poesía.
3. Sus versos se encuentran en su alma.
4. El poeta sabe los nombres extraños de las yerbas, de las flores, de mortales engaños y de sublimes dolores.

## G Interpretando Expliquen.

**1.** La mujer en *Búcate plata* le dice al hombre:

> Depué dirán que soy mala,
> y no me querrán tratar,
> pero amor con hambre, viejo,
> ¡qué va!

¿Cómo interpretas tú las palabras de la mujer?

**2.** En el *Verso I* de los *Versos sencillos,* Martí dice lo siguiente:

> Yo vengo de todas partes y hacia todas partes voy:
> Arte soy entre las artes,
> En los montes, monte soy.

¿Cómo interpretas tú estas frases?

**3.** En *A Bolívar,* Lloréns Torres dice:

> … que no nació hijo de patria alguna
> sino que muchas patrias nacieron hijas dél.

¿Qué crees tú que quiere decir el poeta?

## H Dando opiniones

De los tres poemas que leíste, ¿cuál te gustó más y por qué? Explica con algún detalle.

## I Dialogando

En el poema *Búcate plata,* la señora le habla al hombre. Con un(a) compañero(a), entablen la conversación que tiene lugar entre los dos.

## J Interpretando y analizando

¿Qué emociones sientes al leer *Búcate plata*? ¿Puedes compadecer *(sympathize)* con la señora? ¿Y con el hombre? ¿Cuál será la causa de los problemas que le traen tanta pena a la señora?

## K Narrando

Escribe en forma de prosa todo lo que leíste en *Versos sencillos* de José Martí.

## L Analizando

En *A Bolívar* aprendiste algunas características de la personalidad de Bolívar. Descríbelas.

**Literary Companion**

Developing Reading Comprehension Skills
These **¿Comprendes?** activities reinforce students' reading comprehension and critical thinking skills.

---

ANSWERS TO **¿Comprendes?**

**F**
1. político, héroe, orador, poeta
2. tierras/naciones
3. espada
4. flor

**G** *Answers will vary but may include:*
1. Ella cree que la gente va a hablar mal de ella y no tendrán trato con ella, pero es difícil estar enamorada cuando tiene hambre.

2. El poeta se adapta a todo. Puede estar cómodo en cualquier situación.
3. Que Bolívar fue el padre de muchos países sudamericanos.

**H** *Answers will vary.*

**I** *Answers will vary.*

**J** *Answers will vary.*

**K** *Answers will vary.*

**L** *Answers will vary but should include:* Era valiente y cortés. Fue poeta y soldado.

481

## CAPÍTULO 6 · Literatura

## PREPARATION

### Resource Manager

Audio Activities TE, page 240
Audio CD 10, Track 8
Test, pages 298–301
*ExamView® Assessment Suite*

## PRESENTATION

### Vocabulario para la lectura

**Step 1** You may wish to use some of the previous suggestions to present the vocabulary.

### Geography Connection

Puerto Rico es una isla relativamente pequeña. En forma más o menos rectangular, tiene menos de doscientos kilómetros de largo y unos sesenta de ancho. La población es de unos 3.5 millones. La isla es bastante montañosa. Una cordillera atraviesa el centro de Puerto Rico del este al oeste. El tabaco fue, durante muchos años, uno de los productos más importantes de Puerto Rico.

---

## *Prosa*  Mi padre

### Vocabulario para la lectura 🎧

la sien
el barril de macarelas
el mentón
la cicatriz

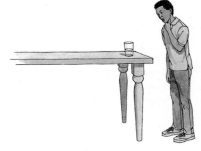

Los hombres tallaban con una baraja.

El joven tragó algo.

#### Más vocabulario

**el aliento**  la respiración
**el/la cobarde**  una persona sin valentía
**el escalofrío**  una sensación de frío, a veces debido al terror
**la hazaña**  una acción importante o heroica
**el temor**  el miedo

**la virtud**  una cualidad moral
**aturdido(a)**  lento por el efecto del alcohol o similar
**envidiar**  querer algo que tiene otra persona
**a hurtadillas**  furtivamente, a escondidas, sin que nadie se dé cuenta

### ¿Qué palabra necesito?

**1**  **Historieta**  **León tiene miedo.** Completen.

1. León tiene miedo de todo, es un _____.
2. Se le ve el _____ en los ojos.
3. Y le dan _____ como si hiciera mucho frío.
4. Ni puede respirar, le falta el _____.
5. Le gusta escuchar los cuentos de las _____ de los héroes.
6. Pobre León, les _____ a los héroes porque no puede ser como ellos.

**2**  **¿Cuál es la palabra?**  Den la palabra cuya definición sigue.

1. un conjunto de pedazos de cartón que se usa para el póker y otros juegos
2. un objeto grande, de madera, que se usa para guardar vinos, pescado, etc.
3. la marca que queda después de curarse una herida
4. en estado confuso, sin todas sus facultades
5. la fuerza o el valor moral, la integridad
6. de manera furtiva, sin dejar que se note
7. hacer que una cosa pase por la boca

---

### FUN FACTS

La baraja de póker tiene 52 naipes. La española tiene 48. La baraja de póker tiene **corazones, diamantes,** etc. La española tiene **bastos, copas, espadas** y **oros.** Hay nueve naipes por cada uno de los cuatro **palos** *(suits)* de la baraja española.

### ANSWERS TO ¿Qué palabra necesito?

**1**
1. cobarde
2. temor
3. escalofríos
4. aliento
5. hazañas
6. envidia

**2**
1. baraja
2. un barril
3. la cicatriz
4. aturdido(a)
5. la virtud
6. a hurtadillas
7. tragar

## Mi padre

Manuel del Toro

Universidad de Puerto Rico

**Introducción** Este cuento es del autor puertorriqueño, Manuel del Toro. Apareció por primera vez en *Asomante,* la revista literaria de la facultad de graduados de la Universidad de Puerto Rico.

La obra literaria de Manuel del Toro no es abundante. Como tantos otros intelectuales hispanos, el señor del Toro se ha dedicado a otros intereses profesionales sin perder su vocación de escritor.

En el cuento que sigue veremos a un «guapo», un bravucón que trata de impresionar a los demás con su fanfarronería. Y veremos a un valiente de verdad.

El niño del cuento aprende una importante lección sobre la verdad y las apariencias.

### Mi padre

De niño siempre tuve el temor de que mi padre fuera un cobarde. No porque le viera correr seguida de cerca por un machete como vi tantas veces a Paco el Gallina y a Quino Pascual. ¡Pero era tan

5 diferente a los papás de mis compañeros de clase! En aquella escuela de barrio donde el valor era la virtud suprema, yo bebía el acíbar° de ser el hijo de un hombre que ni siquiera usaba cuchillo. ¡Cómo envidiaba a mis compañeros que relataban una y otra vez sin cansarse nunca de las hazañas de sus progenitores°! A Perico Lugo

10 le dejaron por muerto en un zanjón° con veintitrés tajos de perrillo°. Felipe Chaveta lucía una hermosa herida desde la sien hasta el mentón.

15 Mi padre, mi pobre padre, no tenía ni una sola cicatriz en el cuerpo. Acababa de comprobarlo con gran pena mientras nos bañábamos en el río aquella tarde sabatina° en que como de costumbre veníamos de voltear las talas de tabaco°. Ahora seguía yo sus pasos hundiendo mis pies descalzos en el tibio polvo del camino y haciendo sonar mi

20 trompeta. Era ésta un tallo de amapola° al que mi padre con aquella mansa habilidad para todas las cosas pequeñas había convertido en trompeta con sólo hacerle una incisión longitudinal.

Al pasar frente a La Aurora me dijo:

—Entremos aquí. No tengo cigarros para la noche.

acíbar *amargura, disgusto*

progenitores *padres*

zanjón *zanja o abertura larga en la tierra*

tajos de perrillo *el corte con un cuchillo*

sabatina *del sábado*

talas de tabaco *tobacco stalks*

tallo de amapola *poppy stem*

### About the Spanish Language

La palabra **manso** significa *benigno, suave, apacible* y *pacífico.* Cuando se aplica a un animal, quiere decir *dócil, sin bravura ni valentía.* En las corridas de toros, el toro **manso** es devuelto a los corrales porque no es valiente, y no se le puede torear. ¿Qué querrá decir el autor cuando habla de la **mansa habilidad** de su padre?

### Learning from Photos

*(page 483)* La universidad tiene varios recintos a través de la isla. El más importante es este, en Río Piedras. La universidad se fundó a principios del siglo XX y hoy tiene más de 25.000 estudiantes y un distinguido profesorado. Entre los que han enseñado aquí figuran Pablo Casals y don Juan Ramón Jiménez.

**PREPARATION**

### Resource Manager

Audio Activities TE, pages 241–243
Audio CD 10, Tracks 9–10
Test, pages 298–301
*ExamView® Assessment Suite*

**PRESENTATION**

**Introducción**

**Step 1** You may wish to explain that: **Un bravucón es una persona que presume de valiente sin serlo y la fanfarronería es la presunción u ostentación de alguna calidad que la persona cree que posee.**

**Step 2** You may wish to ask questions about the **Introducción. ¿Dónde publicó el autor este cuento? ¿Qué tipo de publicación es Asomante? ¿Se gana la vida el autor con su obra literaria?**

**Lectura** *Mi padre*

**Step 1** You may wish to give the students a preview of the story. For example: **En este cuento un niño le acompaña a su padre a una tienda donde hay muchos bravucones. El niño tiene miedo porque cree que su padre no es valiente, pero va a aprender la verdad.**

**LEVELING**
**A–C:** Reading

483

## PRESENTATION

*(cont'd)*

**Step 2** Because of the length of this short story you may wish to have students read it at home and be prepared to discuss it in class.

**Step 3** Ask students if there was any vocabulary they found difficult to understand and clarify this vocabulary for them.

**Step 4** In class have individual students read selected portions of the story and intersperse questions from **Actividad B** on page 486.

### About the Spanish Language

- El **jíbaro** en las Antillas se refiere al campesino, sus costumbres, etc. En Puerto Rico, el **jíbaro** es un campesino blanco, generalmente del interior, de la montaña. En la región del Amazonas en la América del Sur el **jíbaro** o **jívaro** es miembro de una tribu indígena conocida por su costumbre de prepara como trofeo las cabezas de enemigos, reduciéndolas al tamaño de un puño.
- Es bastante común **comerse** la **d** del participio pasado de los verbos de la primera conjugación, los que terminan en **-ar: hablao** por **hablado, desarmao** por **desarmado.** En algunas regiones como Madrid, por ejemplo, esto no es mal visto. En otras partes se considera inculto. Entre los madrileños **castizos,** se le considera **cursi** (pretencioso) a la persona que pronuncia esta **d.** Se burlan de ellos, diciendo: «Sí, y ha comido bacalado en Bilbado» (bacalao/Bilbao). El tragar la **d** del participio pasado de los verbos en **-er** e **-ir** es considerado inculto en todas partes; **comío** por **comido, salío** por **salido,** etc.
- En la línea 3, el hijo dice: «... por poco me trago la trompeta.» Aunque la narración está en el pasado, después de la expresión **por poco** siempre se usa el presente del verbo.

25 Del asombro por poco me trago la trompeta. Porque papá nunca entraba a La Aurora, punto de reunión de todos los guapos del barrio. Allí se jugaba baraja, se bebía ron y casi siempre se daban tajos. Unos tajos de machete que convertían brazos nervudos en cortos muñones°. Unos tajos largos de navaja que echaban afuera
30 intestinos y se entraba la muerte.

muñones *lo que queda de un brazo o pierna amputada*

   Después de dar las buenas tardes, papá pidió cigarros. Los iba escogiendo uno a uno con fruición° de fumador, palpándolos° entre los dedos y llevándolos a la nariz para percibir su aroma. Yo, pegado al mostrador forrado de zinc, trataba de esconderme entre los pantalones
35 de papá. Sin atreverme a tocar mi trompeta, pareciéndome que ofendía a los guapetones hasta con mi aliento, miraba a hurtadillas de una a otra esquina del ventorrillo°. Acostado sobre la estiba de arroz° veía a José el Tuerto comer pan y salchichón echándole los pellejos al perro sarnoso° que los atrapaba en el aire con un ruido
40 seco de dientes. En la mesita del lado tallaban con una baraja sucia Nolasco Rivera, Perico Lugo, Chus Maurosa y un colorado que yo no conocía. En un tablero colocado sobre un barril se jugaba dominó. Un grupo de curiosos seguía de cerca las jugadas. Todos bebían ron.

fruición *placer, anticipación de un placer*
palpándolos *tocando algo con las manos para saber como es*

ventorrillo *bodega*
estiba de arroz *montón de sacos de arroz*
sarnoso *mangy*

   Fue el colorado el de la provocación. Se acercó a donde estaba
45 papá alargándole la botella de la que ya todos habían bebido.

   —Dése un palo°, don.

   —Muchas gracias, pero yo no puedo tomar.

   —Ah, ¿conque me desprecia porque soy un pelao°?

   —No es eso, amigo. Es que no puedo tomar. Déselo usted en
50 mi nombre.

Dése un palo *Toma*

pelao *nadie*

   —Este palo se lo da usted... se lo echo por la cabeza.

   Lo intentó pero no pudo. El empellón° de papá lo arrojó contra el barril de macarelas. Se levantó aturdido por el ron y por el golpe y palpándose el cinturón con ambas manos dijo:

empellón *empujón, golpe para mover a una persona*

55   —Está usted de suerte, viejito, porque ando desarmao.

   —A ver, préstenle un cuchillo. —Yo no lo podía creer pero era papá el que hablaba.

LITERARY COMPANION CAPÍTULO 6

### Group Activity

This story lends itself to a skit. You may wish to assign parts to different students, e.g. el padre, el niño, el colorado, José el Tuerto, etc.

Todavía al recordarlo un escalofrío me corre por el cuerpo. Veinte
manos se hundieron en las camisetas sucias, en los pantalones raídos,
60 en las botas enlodadas°, en todos los sitios en que un hombre sabe
guardar su arma. Veinte manos surgieron ofreciendo en silencio de
jíbaro encastado° el cuchillo casero, el puñal de tres filos, la sevillana
corva… °

   —Amigo, escoja el que más le guste.

65    —Mire, don, yo soy un hombre guapo pero usté es más que yo.
Así dijo el colorado y salió de la tienda con pasito lento.

   Pagó papá sus cigarros, dio las buenas tardes y salimos. Al bajar
el escaloncito escuché al Tuerto decir con admiración:

   —Ahí va un macho completo.

70    Mi trompeta de amapola tocaba a triunfo. ¡Dios mío que llegue el
lunes para contárselo a los muchachos!

**enlodadas** *muddy*

**jíbaro encastado** *un puro y legítimo campesino puertorriqueño*

**cuchillo casero, puñal de tres filos, sevillana corva** *tres tipos de cuchillo*

## ¿Comprendes?

**A No era cobarde.** Completen.
1. El niño creía que posiblemente su padre era un _____.
2. A Paco el Gallina y a Quino Pascual muchas veces les corrían detrás con un _____.
3. El padre del niño era muy _____ a los padres de sus amigos.
4. La virtud más importante para los niños de la escuela era el _____.
5. Y el padre del niño no usaba _____.

San Juan, Puerto Rico

LITERATURA DEL CARIBE

*cuatrocientos ochenta y cinco*  **485**

---

### Learning from Photos
*(page 485)* Aquí se ve una calle en el Viejo San Juan con el fuerte de San Felipe del Morro al fondo. De todas las ciudades de Estados Unidos, esta es la más antigua. El Viejo San Juan está en una pequeña isla conectada con el resto de San Juan y la isla por puentes.

---

### ⚘ National Standards

**Communities**
• Students will use the language beyond the school setting by creating faxes to the political parties in Puerto Rico.
• Students are also encouraged to arrange interviews with older Puerto Rican residents of their community to find out their feelings toward independence, statehood, and commonwealth status for the island.

## Después de leer

### PRACTICE

#### ¿Comprendes?

**A–D** Have students reread the selection at home and write the answers to **Actividades A–D.** Go over them in class.

**Group Activity**
Puerto Rico is a commonwealth of the United States. Various nonbinding plebiscites have been held in Puerto Rico to help determine its future status, i.e., independence, statehood, or continued commonwealth status. Have students work in groups to:
1. Develop e-mails in Spanish for each of the major political parties in Puerto Rico—**Partido Popular** (commonwealth), **Partido Nuevo Progresista** (statehood), **Partido Independentista** (independence)—requesting information about their party and its position on Puerto Rico's status.
2. Try to arrange interviews with older Puerto Ricans about their feelings regarding independence, statehood, and commonwealth. The group should prepare questions beforehand and check them for correctness.

## Literary Companion

**Developing Reading Comprehension Skills**

These **¿Comprendes?** activities reinforce students' reading comprehension and critical thinking skills.

**B  Las cicatrices**  Contesten.

1. ¿Qué les había quitado Nolasco Rivera a unos guardias insulares?
2. ¿Qué le dejaron en el cuerpo de Perico Lugo?
3. ¿Qué tenía Felipe Chaveta entre la sien y el mentón?
4. ¿Cuántas cicatrices llevaba el padre del niño?
5. ¿En qué día de la semana ocurrió este incidente?
6. ¿Qué acababan de hacer padre e hijo antes de bañarse?

**C  Lo que ocurrió en La Aurora**  Escojan.

1. ¿De qué era la trompeta del niño?
   a. De parte de una planta.
   b. De madera y metal.
   c. De papel.
2. ¿Dónde consiguió el niño la trompeta?
   a. La compró en La Aurora.
   b. Su padre se la hizo.
   c. El niño la encontró en la escuela.
3. ¿Por qué entró el padre en La Aurora?
   a. Para jugar baraja.
   b. Para tomar ron.
   c. Para comprar cigarros.
4. ¿Quiénes se reunían en La Aurora?
   a. Los bravucones del barrio.
   b. Los alumnos de la escuela.
   c. Los músicos del pueblo.
5. ¿Qué es lo que palpaba y olía el padre?
   a. Las talas de tabaco.
   b. Los cigarros.
   c. Las macarelas.
6. ¿Con qué frecuencia entraba el padre a La Aurora?
   a. Nunca entraba.
   b. De vez en cuando.
   c. Todas las noches.
7. ¿Qué hacía José el Tuerto?
   a. Jugaba baraja.  b. Dormía.  c. Comía.
8. ¿Cuántas personas jugaban baraja?
   a. Tres.  b. Cuatro.  c. Cinco.
9. ¿Qué le ofrece uno de los hombres al padre?
   a. Un trago de ron.  b. Un cigarro.  c. Un árbol.
10. ¿Por qué no acepta el padre?
   a. Porque no fuma.  b. Porque no bebe.  c. Porque no tiene hambre.

Amapolas

## ANSWERS TO ¿Comprendes?

**B**

1. Nolasco Rivera había desarmado a dos guardias insulares.
2. Le dejaron veintitrés tajos de perrillo.
3. Felipe Chaveta tenía una herida/una cicatriz entre la sien y el mentón.
4. El padre del niño no llevaba ninguna cicatriz.
5. Este incidente ocurrió un sábado.
6. Antes de bañarse, padre e hijo acababan de voltear las talas de tabaco.

**C**

1. a    6. a
2. b    7. c
3. c    8. b
4. a    9. a
5. b    10. b

**D** **Analizando** ¿Qué querrá decir… ?

1. ¡Dése un palo!
2. … ando desarmao.
3. … usted es más guapo que yo.
4. Ahí va un macho completo.
5. Mi trompeta de amapola tocaba a triunfo.

**E** **Describiendo** Describan.

En tus propias palabras, describe La Aurora en detalle.

**F** **Identificando con un protagonista**

Imagínate que eres el niño del cuento. ¿Qué les vas a decir a tus amiguitos cuando vuelvas a la escuela?

Remedios, Villa Clara, Cuba

**G** **Discutiendo un problema serio**

Hoy en día la «bravuconería» es un problema serio. En un grupo, discutan el problema de la «bravuconería» en su escuela o en la ciudad o pueblo donde viven. Piensen en ejemplos, en el efecto que tiene sobre otros y lo que se puede hacer para combatirla.

---

## Learning from Photos

*(page 487)* El pueblo de Remedios en la Provincia de Villa Clara fue declarado monumento nacional. Es uno de los pueblos más antiguos de Cuba (1514). En el pueblo hay edificios coloniales de más de trescientos años. En 1682 un sacerdote declaró que el pueblo estaba poseído por demonios. La Inquisición vino y quemó tantos edificios como gente. Muchos abandonaron el pueblo y crearon uno nuevo no muy lejos, Santa Clara.

## Music Connection

Esta canción *Amapola* fue popularísima en toda Latinoamérica. Hoy, la flor tiene muy mala reputación ya que de ella se extrae la pasta de la que se hacen la heroína y otros narcóticos.

Amapola lindísima amapola
Será siempre mi alma tuya sola.
Yo te quiero amada niña mía
Igual que ama la flor la luz del día.
Amapola lindísima amapola
No seas tan ingrata y ámame,
Amapola, amapola
Cómo puedes tú vivir tan sola.

---

**ANSWERS TO** ¿Comprendes?

**D**

1. ¡Toma un trago!
2. No tengo arma.
3. Usted es más valiente que yo.
4. Ese señor es un hombre valiente.
5. Yo tocaba mi trompeta con alegría por la victoria de mi papá.

**E** *Answers will vary but should include descriptors such as:* sucio, peligroso, hombres violentos, borrachos,

**F** *Answers will vary.*

**G** *Answers will vary.*

**487**

## PREPARATION

### Resource Manager

Audio Activities TE, pages 244–245
Audio CD 10, Tracks 11–12
Test, pages 302–306
*ExamView® Assessment Suite*

## PRESENTATION

### Vocabulario para la lectura

**Step 1** Present the new vocabulary with the Vocabulary Transparency or the Audio CD.

**Step 2** Ask questions about the illustrations on page 488. **¿Quién será la señora? ¿A quién balancea ella en las rodillas? ¿Qué lleva la cara de la señora? ¿Cómo son las manos? ¿Qué está usando el señor? ¿Qué hay en el suelo?**

**Step 3** Call on students to read the new words and their definitions in **Más Vocabulario.**

# Una ojeada a la poesía

## Vocabulario para la lectura 🎧

Los maderos con la sierra asierran la madera y el aserrín cae al suelo.

La abuela balancea al niño en las rodillas.
Su cara lleva hondas arrugas y sus manos son trémulas.

### Más vocabulario

**el alfeñique, alfandoque** pastas dulces
**el desengaño** la desilusión, la decepción
**la llaneza** la sencillez, la modestia, la franqueza
**la senda** el camino, la forma o manera
**fragoso(a)** duro, difícil, áspero
**mudo(a)** silencioso, que no tiene voz
**mustio(a)** triste, melancólico
**turbio(a)** confuso, oscuro, opaco
**yerto(a)** rígido, muerto
**alzar** levantar
**animarse** entusiasmarse, darse vigor o energía
**empañar** oscurecer, hacer difícil de ver
**morar** residir, vivir, habitar
**pregonar** anunciar en voz alta

## ¿Qué palabra necesito?

**1** **Historieta** **Los maderos** Contesten.

1. ¿Quiénes asierran la madera? ¿Los maderos?
2. ¿En el suelo hay mucho aserrín?
3. ¿Piden alfeñique para comer?
4. ¿También piden alfandoque?

**2** **Historieta** **La abuela** Completen.

1. Vemos en la cara de la abuela muchas _____.
2. Las arrugas son _____.
3. Y las manos están _____. No están quietas.
4. Ella _____ a su nieto en las rodillas.
5. El niño está _____. No dice nada, mantiene el silencio.

**3** **¿Cómo se dice?** Expresen de otra manera.

1. *La desilusión* le causó mucha pena.
2. Tenía la cara *triste*.
3. Se miró en el espejo pero su imagen parecía *oscurecida*.
4. No pudo moverse la mano que se quedó *inmóvil*.

**4** **Historieta** **El pregonero** Completen.

1. El pregonero era un hombre sencillo. Su _____ le hacía querido del pueblo.
2. Él iba por el pueblo para _____ en voz alta las noticias del gobierno.
3. Tenía que _____ la voz para que la gente le oyera.
4. No _____ en el pueblo más de cien personas.
5. Él subía y bajaba las calles anchas y las _____ angostas.
6. Algunos caminos eran muy _____, difíciles para caminar.
7. Pero podía _____ con la idea de que su trabajo era importante para el pueblo.

Venezuela

LITERATURA DE VENEZUELA Y COLOMBIA

### PRACTICE

## ¿Qué palabra necesito?

**1** Call on a student to retell **Actividad 1** in his or her own words.

**2** These activities can be done without previous preparation or as homework.

### ADDITIONAL PRACTICE
You may wish to ask these questions to have students practice their new words.

¿Prefieres la llaneza en tus amigos?

¿Qué usan los carpinteros en su trabajo?

¿Es mejor morar en el campo o en la ciudad?

¿Te gusta caminar por las sendas en el campo?

¿Te has quedado mudo alguna vez?

¿Quién en tu familia tiene arrugas en las manos?

### Learning from Photos
*(page 489)* El 90 por ciento de Venezuela está a menos de cien metros sobre el nivel del mar. No obstante, hay grandes áreas montañosas especialmente en el estado de Mérida. En estos pueblos los campesinos cultivan sus tierras como lo hicieron sus antepasados indígenas Timote-Cuica, miembros de una avanzada cultura precolombina.

---

ANSWERS TO ¿Qué palabra necesito?

 **1**

1. Sí, los maderos asierran la madera.
2. Sí, hay mucho aserrín en el suelo.
3. Sí, piden alfeñique para comer.
4. Sí, también piden alfandoque.

**2**

1. arrugas
2. hondas
3. trémulas
4. balancea
5. mudo

 **3**

1. *El desengaño* le causó mucha pena.
2. Tenía la cara *mustia*.
3. Se miró en el espejo pero su imagen parecía *empañada/turbia*.
4. No pudo moverse la mano que se quedó *yerta*.

**4**

1. llaneza
2. pregonar
3. alzar
4. moraban
5. sendas
6. fragosos
7. animarse

**489**

## National Standards

**Cultures**

Students experience, discuss, and analyze the poem *Los maderos de San Juan* by the Colombian writer José Asunción Silva.

## PREPARATION

### Resource Manager

Audio Activities TE, pages 245–247
Audio CD 10, Tracks 13–14
Test, pages 302–306
*ExamView® Assessment Suite*

## PRESENTATION

### Introducción

**Step 1** Have students read the Introducción silently to themselves. Then ask questions about it: **¿Era el poeta de una familia pobre? ¿Cuál iba a ser su profesión al principio? ¿A qué se dedicó después? ¿Cuántos años tenía cuando murió? ¿Cómo murió? ¿Dónde se sitúa su obra?**

**Step 2** You may wish to point out to students that the traditional rhyme is quite gory. Ask them to indicate the "scary" lines. You may also wish to point out that many traditional fairy tales are also quite violent. Ask them if they can identify any.

### Lectura *Los maderos de San Juan*

**Step 1** Have students listen to the traditional rhyme on the Audio CD with books open.

**490**

---

# Los maderos de San Juan

José Asunción Silva

**Introducción**  El escritor colombiano José Asunción Silva nació en Bogotá en 1865. Murió muy joven, a los treinta y un años. Era de una familia acomodada. Estudió para diplomático, profesión que pronto abandonó a favor de los negocios. Pero tampoco tuvo éxito en ese campo. Su obra literaria se sitúa entre el romanticismo y el modernismo. En 1896 se suicidó. El poema de Asunción Silva toma como punto de partida una canción tradicional para niños. He aquí la canción tradicional.

> Los maderos de San Juan
> piden pan, no les dan.
> Piden queso, les dan hueso,
> se le atora en el pescuezo°
> 5  Y se sientan a llorar
> en la puerta del zaguán°
> Riqui, riqui, riqui trán.
> Aserrín, aserrán,
> Los maderos de San Juan
> 10  piden pan y no les dan,
> piden queso y les dan hueso.
> Les asierran el pescuezo.
> Riqui, riqui, riqui trán.

se le atora en el pescuezo *gets stuck in their throats*

zaguán *entry hall*

**490** cuatrocientos noventa

LITERARY COMPANION CAPÍTULO 7

---

**LEVELING**

**A:** Reading

### Learning from Photos

*(page 490)* Bogotá queda al pie del Cerro de Monserrate (3.160 metros). Hay un teleférico que sube al cerro y también un funicular. En lo alto hay una iglesia con la estatua del *Señor Caído,* a la que se le atribuyen muchos milagros. Alrededor de la iglesia hay restaurantes, cafés y puestos donde venden comida y artesanía.

## Los maderos de San Juan

… Y aserrín
aserrán,
los maderos
de San Juan
15      piden queso,
piden pan;
los de Roque,
Alfandoque;
los de Rique,
20      Alfeñique;
los de Trique,
Triquitrán.
¡Triqui, triqui, triqui, tran!
25      ¡Triqui, triqui, triqui, tran!…

Y en las rodillas duras y firmes de la abuela
con movimiento rítmico se balancea el niño,
y entrambos agitados y trémulos están…
La abuela se sonríe con maternal cariño,
30 mas cruza por su espíritu como un temor extraño
por lo que en el futuro, de angustia y desengaño,
los días ignorados del nieto guardarán…

Los maderos
de San Juan
35      piden queso,
piden pan;
¡Triqui, triqui, triqui, tran!

¡Esas arrugas hondas recuerdan una historia
de largos sufrimientos y silenciosa angustia!,
40 y sus cabellos blancos como la nieve están;
… de un gran dolor el sello marcó la frente mustia,
y son sus ojos turbios espejos que empañaron
los años, y que a tiempo las formas reflejaron
de seres y de cosas que nunca volverán…

Then ask the questions in **Actividad A** on page 494.

**Step 2** Play the Audio CD of the Silva poem and have students listen with books closed.

**Step 3** Replay the audio and have students follow along with books open.

**Step 4** Have the class recite the refrain while you read to them the "narrative" verses.

### Learning from Photos

*(page 491)* You may wish to ask:
**¿Será la madre o la abuela del bebé? ¿Por qué? ¿Dónde está sentado el bebé? ¿Está contento o triste el bebé? ¿Y la señora?**

## PRESENTATION

*(cont'd)*

**Step 5** Ask questions after each verse: **1. ¿Dónde balancea la abuela al niño? ¿Cómo se sonríe ella? ¿Qué le causa un temor extraño? 2. ¿Qué le recuerdan las arrugas? ¿Cón que compara el poeta el pelo de la abuela? ¿Qué se reflejan en sus ojos? 3. ¿Dónde dormirá la abuela? ¿Qué escuchará el nieto en el futuro?**

**Step 6** Have students prepare **Actividades B** and **C** on page 494.

### Learning from Photos

*(page 493)* El parque es el segundo más grande de los parques nacionales cubriendo unos 30.000 km². La principal atracción es el Salto Ángel. Dentro del parque está el pequeño pueblo de Canaima con su población de indígenas pemones.

### FUN·FACTS

You may wish to explain to students that the *Real Academia Española de la Lengua* was founded in 1713 with the mission of preserving and protecting the purity of the Spanish Language. It publishes a dictionary, a grammar and other works of a similar nature.

---

45         … Los de Roque,
        Alfandoque…
        ¡Triqui, triqui, triqui, tran!

Mañana, cuando duerma la abuela, yerta y muda,
lejos del mundo vivo, bajo la oscura tierra,
50 donde otros, en la sombra, desde hace tiempo están,
del nieto a la memoria, con grave voz que encierra
todo el poema triste de la remota infancia,
pasando por las sombras del tiempo y la distancia,
de aquella voz querida las notas volverán…

55         … Los de Rique,
        Alfeñique…
        ¡Triqui, triqui, triqui, tran!…

En tanto, en las rodillas cansadas de la abuela
con movimiento rítmico se balancea el niño,
60 y entrambos agitados y trémulos están…
La abuela se sonríe con maternal cariño,
mas cruza por su espíritu como un temor extraño
por lo que en el futuro, de angustia y desengaño,
los días ignorados del nieto guardarán…

65         … Los maderos
        de San Juan
        piden queso,
        piden pan;
        los de Roque,
70         Alfandoque;
        los de Rique,
        Alfeñique;
        los de Trique,
        Triquitrán,
75         ¡Triqui, triqui, triqui, tran!

## Silva a la agricultura de la zona tórrida

Andrés Bello

ANDRÉS BELLO
1781-1865

**Introducción** Andrés Bello nació en Caracas, Venezuela en 1781. Murió en Santiago de Chile en 1865. Simón Bolívar fue su discípulo. Fue diplomático, jurista y gran educador. Fue el primer rector de la Universidad Nacional de Chile y tuvo gran influencia en el desarrollo cultural del país.

Quizás su mayor fama es la de filólogo. Su *Principios de Ortología* y sobre todo su *Gramática Castellana* son obras importantísimas y perdurables. La Real Academia Española de la Lengua lo nombró miembro honorario. En Hispanoamérica se le considera un líder intelectual de la independencia y el maestro de las generaciones modernas hispanoamericanas.

Como poeta, sus dos poemas fundamentales son *Alocución a la Poesía* y *Silva a la agricultura de la zona tórrida*. En este poema Bello dice que ya que la guerra se ha ganado, hay que construir la paz en una dedicación constante al cultivo del espíritu y del campo de América.

## Silva a la agricultura de la zona tórrida (fragmento)

¡Oh, jóvenes naciones, que ceñida°
alzáis sobre el atónito occidente
de tempranos laureles la cabeza!
honrad el campo, honrad la simple vida
5 del labrador, y su frugal llaneza.
Así tendrán en vos perpetuamente
la libertad morada,
y freno la ambición, y la ley templo.
Las gentes a la senda
10 de la inmortalidad, ardua y fragosa,
se animarán, citando vuestro ejemplo.
La emulará celosa
vuestra posteridad; y nuevos nombres
añadiendo la fama
15 a los que ahora aclama,
¡hijos son éstos, hijos,
(pregonará a los hombres)
de los que vencedores superaron
de los Andes la cima;
20 de los que en Boyacá, los que en la arena
de Maipó, y en Junín, y en la campaña
gloriosa de Apurima,
postrar supieron al león de España!

ceñida *crowned*

Parque Nacional Canaima, Venezuela

LITERATURA DE VENEZUELA Y COLOMBIA

*cuatrocientos noventa y tres*  **493**

---

## PRESENTATION

### Introducción

**Step 1** Andrés Bello is a figure of enormous importance in Latin America. You may wish to read the **Introducción** aloud and ask questions: **¿Dónde y cuándo nació Andrés Bello? ¿Quién fue uno de sus discípulos? Además de educador, ¿qué era Andrés Bello? ¿En qué país tuvo gran influencia en la vida cultural? ¿Cuáles son dos libros muy importantes que él escribió? En Hispanoamérica, ¿qué se le considera Andrés Bello? ¿Cuáles son sus dos poemas más importantes? ¿Cuál es el «mensaje» de *Silva a la agricultura de la zona tórrida*?**

**Step 2** Tell students that the following is only a very small portion of a very lengthy poem.

### Lectura *Silva a la agricultura de la zona tórrida*

**Step 1** Have students listen to the Audio CD with books closed.

**Step 2** Have them listen again with books open.

**Step 3** Call on individual students to read a few lines and ask questions: **¿Cuáles son las jóvenes naciones? ¿Qué es lo que alzan? ¿Qué deben honrar las jóvenes naciones? ¿Dónde tendrán la libertad morada y la ley templo?**

### LEVELING

**C:** Reading

## National Standards

**Cultures**
Students experience, discuss, and analyze the poem *Silva a la agricultura de la zona tórrida* by the Venezuelan educator, philologist, and legislator, Andrés Bello.

**493**

## PRESENTATION

*(cont'd)*

**Step 4** Have students prepare **Actividades D, F, G,** and **I** on pages 494 and 495.

## ¿Comprendes?

**A** **Los maderos de San Juan** Contesten.
1. En la canción tradicional, ¿qué piden los maderos?
2. ¿Cuándo les dan hueso?
3. ¿Qué ocurre cuando tragan el hueso?
4. ¿Qué hacen en la puerta del zaguán?
5. ¿Qué hacen para quitarse el hueso?

**B** **Los maderos de San Juan** Completen.
1. Los maderos de esta versión, además de pan y queso piden _____ y _____.
2. Las dos personas que aparecen en el poema son el niño y la _____.
3. La abuela lleva al niño sobre las _____.
4. En la cara tiene la abuela _____.
5. Y el pelo de la abuela es _____.

**C** **Los maderos de San Juan** Interpretando
Interpreten en sus propias palabras.
1. La abuela se sonríe con maternal cariño,
   mas cruza por su espíritu como un temor extraño
   por lo que en el futuro, de angustia y desengaño,
   los días ignorados del nieto guardarán…
2. Y son sus ojos turbios espejos que empañaron
   los años, y que a tiempo las formas reflejaron
   de seres y de cosas que nunca volverán…
3. Mañana, cuando duerma la abuela, yerta y muda,
   lejos del mundo vivo, bajo la oscura tierra,
   donde otros, en la sombra, desde hace tiempo están,
   del nieto a la memoria, con grave voz que encierra
   todo el poema triste de la remota infancia,
   pasando por las sombras del tiempo y la distancia
   de aquella voz querida las notas volverán…

**D** **Silva a la agricultura de la zona tórrida**
Contesten.
1. ¿Cuáles serán las «jóvenes naciones» a las que refiere el poeta?
2. ¿De qué tienen ceñida la cabeza?
3. ¿Qué representa el laurel?
4. ¿Qué deben honrar las jóvenes naciones, según el poeta?
5. Según el poeta, si las naciones los honran, entonces ¿qué ocurrirá con la libertad?
6. ¿Y con la ambición?
7. ¿Y con la ley?
8. ¿Cómo es el camino que lleva a la inmortalidad?
9. Cuando dice el autor, «hijos son éstos, hijos… » ¿a quiénes se refiere como padres?

**494** ✺ *cuatrocientos noventa y cuatro*

LITERARY COMPANION CAPÍTULO 7

## ANSWERS TO ¿Comprendes?

**A**
1. Los maderos piden pan y queso.
2. Les dan hueso cuando piden queso.
3. Cuando tragan el hueso, se les atora en el pescuezo.
4. Se sientan a llorar en la puerta del zaguán.
5. Les asierran el pescuezo.

**B**
1. alfandoque, alfeñique
2. abuela
3. rodillas
4. arrugas (hondas)
5. blanco

**C**
1. *Answers will vary.*
2. *Answers will vary.*
3. *Answers will vary.*

**D**
1. Las «jóvenes naciones» serán los países americanos nuevamente independientes de España.
2. Tienen la cabeza ceñida de tempranos laureles.
3. El laurel representa la victoria (contra España).
4. Las jóvenes naciones deben honrar el campo y la simple vida del labrador, y su frugal llaneza.
5. Según el poeta, si las naciones los honran, la libertad tendrá morada en ellas.
6. Tendrán la ambición en freno.
7. Tendrán la ley en templo.
8. El camino que lleva a la inmortalidad es ardua y fragosa.
9. El autor se refiere a los vencedores que superaron al león de España, o sea, a los americanos que lucharon por la independencia.

**E** *Los maderos de San Juan* **Símiles y metáforas**

Te acuerdas que el símil es la comparación de una cosa con otra, «tu cabello es como el oro». La metáfora es una figura retórica que consiste en una comparación tácita, «la primavera de la vida». Busca todos los ejemplos de símil y metáfora que puedas en *Los maderos de San Juan*.

**F** *Silva a la agricultura de la zona tórrida* **Interpretando**

Boyacá, Maipó, Junín y Apurima fueron escenarios de famosas batallas. Sabiendo eso, interpreta el siguiente verso:

¡… de los que vencedores superaron
de los Andes la cima;
de los que en Boyacá, los que en la arena
de Maipó, y en Junín, en la campaña
gloriosa de Apurima,
postrar supieron al león de España!

**G** *Silva a la agricultura de la zona tórrida* **El mensaje**

Acabas de leer sólo un fragmento del poema muy largo, *Silva a la agricultura de la zona tórrida*. No obstante, en este fragmento se nota el mensaje del autor. Con un(a) compañero(a), revisen el fragmento y digan, en su opinión, cual es el mensaje.

**H** *Los maderos de San Juan*
**Dando opiniones personales**

*Los maderos de San Juan* se basa en una canción infantil. ¿Tiene un tema feliz? ¿Cuál es el tono del poema? ¿Te sorprende que se base en algo infantil? ¿Por qué?

**I** *Silva a la agricultura de la zona tórrida*
**Contando un mensaje en forma de carta**

Andrés Bello les está hablando a las nuevas naciones latinoamericanas que recientemente recibieron su independencia. En forma de una carta, diles a estas naciones lo que Bello les sugiere hacer.

Caracas, Venezuela

LITERATURA DE VENEZUELA Y COLOMBIA

*cuatrocientos noventa y cinco* 495

**ANSWERS TO ¿Comprendes?**

**E** *Answers will vary but should include:* cabellos como la nieve, ojos son espejos, el tiempo y la distancia son sombras.

**F** *Answers will vary but should indicate that those who crossed the Andes and won the battles of Boyacá, Junín and Apurima were able to defeat the Spaniards.*

**G** *Answers will vary but should emphasize that the land and those who till the soil should be honored and serve as a model for future generations.*

**H** *Answers will vary but should indicate that the poem is sad or melancholy.*

**I** *Answers will vary.*

## PREPARATION

### Resource Manager

Audio Activities TE, pages 248–249
Audio CD 10, Tracks 15–16
Test, pages 302–306
*ExamView® Assessment Suite*

## PRESENTATION

### Vocabulario para la lectura

**Step 1** You may wish to follow some of the suggestions given for previous vocabulary sections.

## PRACTICE

### ¿Qué palabra necesito?

**1** You may wish to call on volunteers to contribute to the description asked for in **Actividad 1.**

**2** **Actividad 2** can be done orally immediately following the presentation of the vocabulary.

### Vocabulary Expansion

You may wish to give students the following additional dental vocabulary.
- **el puente**
- **la corona**
- **la ortodoncia**
- **la banda**
- **los tirantes (braces)**
- **el soporte ortodóntico**

---

## *Prosa*  Un día de éstos
### Vocabulario para la lectura 🎧

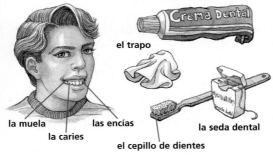

la pasta dentífrica, el dentífrico
el trapo
la muela
la caries
las encías
el cepillo de dientes
la seda dental

el gabinete del dentista
el cabezal
la pinza
la cacerola
la fresa
el sillón
la escupidera
el borde
la gaveta
la mesa

### Más vocabulario

**la gaveta** cajón de un escritorio o armario
**el trapo** pedazo de tela viejo o roto
**enjuto(a)** flaco, muy delgado
**tibio(a)** ni muy caliente ni muy frío
**amanecer** empezar el día

**apresurarse** acelerar, ir rápido, darse prisa
**enjuagar** limpiar la boca con agua
**girar** dar vueltas
**pulir** dar brillo a una cosa

### ¿Qué palabra necesito?

**1** **El gabinete del dentista** Describan lo que ven en el gabinete del dentista.

**2** **Historieta** **El diente de oro** Sustituyan otra palabra.
1. El dentista era un hombre *flaco.*
2. Él *daba brillo* a un diente de oro.
3. Usaba un *pedazo de tela* para pulir el diente.
4. *Daba vueltas* al diente para mirarlo.
5. Cuando terminó, lo metió en *un cajón* del escritorio.

---

## ANSWERS TO ¿Qué palabra necesito?

**1**

**1.** *Answers will vary but may include:*
un cabezal, una escupidera, una pinza, un sillón, una fresa, una gaveta, una mesa, una cacerola.

**2**

1. enjuto
2. pulía
3. trapo
4. Giraba
5. una graveta

## Un día de éstos

Gabriel García Márquez

**Introducción** Gabriel García Márquez nació en Aracataca, Colombia, en 1928. Ha sido periodista en Bogotá y Cartagena y ha trabajado también en Italia, España y México. García Márquez escribió cuentos cortos para los periódicos antes de escribir novelas. Se le considera uno de los más importantes novelistas de nuestros tiempos. *Cien años de soledad* y *El amor en los tiempos del cólera* son dos de sus novelas más importantes. García Márquez recibió el Premio Nóbel de Literatura en 1982.

En el cuento *Un día de éstos* el autor evoca la época de «la violencia» en Colombia. En los diez años después de 1948 murieron más de 300.000 personas, víctimas de una lucha fratricida. En este cuento, el dentista tiene la oportunidad de hacer sufrir al alcalde, hombre a quien él odia.

### Un día de éstos

El lunes amaneció tibio y sin lluvia. Don Aurelio Escovar, dentista sin título y buen madrugador°, abrió su gabinete a las seis. Sacó de la vidriera una dentadura postiza° montada aún en el molde de yeso° y puso sobre la mesa un puñado de instrumentos que ordenó

5 de mayor a menor, como en una exposición. Llevaba una camisa a rayas, sin cuello, cerrada arriba con un botón dorado, y los pantalones sostenidos con cargadores° elásticos. Era rígido, enjuto° con una mirada que raras veces correspondía a la situación, como la mirada de los sordos.

10 Cuando tuvo las cosas dispuestas sobre la mesa rodó la fresa hacia el sillón de resortes y se sentó a pulir la dentadura postiza. Parecía no pensar en lo que hacía, pero trabajaba con obstinación, pedaleando en la fresa incluso cuando no se servía de ella.

**madrugador** *early riser*

**dentadura postiza** *set of false teeth*
**yeso** *plaster*

**cargadores** *suspenders*
**enjuto** *lean*

### National Standards

**Cultures**
Students experience, discuss, and analyze the short story *Un día de éstos* by the Nobel Prize-winning Colombian author, Gabriel García Márquez.

## PREPARATION

### Resource Manager

Audio Activities TE, pages 249–253
Audio CD 10, Tracks 17–19
Test, pages 302–306
*ExamView*® Assessment Suite

## PRESENTATION

### Introducción

**Step 1** Present the **Introducción** and write important information and dates on the board.
**Step 2** Ask: **¿Dónde y cuándo nació? ¿Cómo ha trabajado y dónde? ¿Cuáles son las dos novelas más famosas de García Márquez? ¿Qué premio recibió? ¿Cuál es el fondo histórico de este cuento?**

**LEVELING**
**A:** Reading

497

## PRESENTATION

*(cont'd)*

**Lectura** *Un día de éstos*

**Step 1** Have students close their books and listen to the Audio CD.

**Step 2** Read the beginning paragraphs to students as they follow along.

**Step 3** Call on three students to read the parts of the **dentista,** his son, and the **alcalde** with as much expression as possible.

**Step 4** As you go over the reading, you may wish to ask some rather general questions that have students seek the main ideas without having to give minute and unnecessary detail. Some questions you may want to ask are: **¿Cómo estaba el tiempo? ¿Cómo estaba vestido el dentista? ¿Por qué parecía que el dentista no pensaba en lo que hacía? ¿Quién vino a hablarle? ¿Qué le dijo su hijo? ¿Qué le contestó el dentista?**

**Step 5** Then do **Actividad A** on page 500.

**Step 6** With more able groups, you may wish to ask the more analytical question in the Literary Analysis at the bottom of page 499.

---

15    Después de las ocho hizo una pausa para mirar el cielo por la ventana y vio dos gallinazos° pensativos que se secaban al sol en el caballete° de la casa vecina. Siguió trabajando con la idea de que antes del almuerzo volvería a llover. La voz destemplada de su hijo de once años lo sacó de su abstracción.

—Papá.

20    —¿Qué?

—Dice el alcalde que si le sacas una muela.

—Dile que no estoy aquí.

Estaba puliendo un diente de oro. Lo retiró a la distancia del brazo y lo examinó con los ojos a medio cerrar. En la salita de espera volvió

25    a gritar su hijo.

—Dice que sí estás porque te está oyendo.

El dentista siguió examinando el diente. Sólo cuando lo puso en la mesa con los trabajos terminados, dijo:

—Mejor.

30    Volvió a operar la fresa. De una cajita de cartón donde guardaba las cosas por hacer, sacó un puente° de varias piezas y empezó a pulir el oro.

—Papá.

—¿Qué?

35    Aún no había cambiado de expresión.

—Dice que si no le sacas la muela te pega un tiro°.

Sin apresurarse, con un movimiento extremadamente tranquilo, dejó de pedalear en la fresa, la retiró del sillón y abrió por completo la gaveta inferior de la mesa. Allí estaba el revólver.

40    —Bueno. —dijo. —Dile que venga a pegármelo.

Hizo girar el sillón hasta quedar de frente a la puerta, la mano apoyada en el borde de la gaveta. El Alcalde apareció en el umbral°. Se había afeitado la mejilla izquierda, pero en la otra, hinchada y dolorida, tenía una barba de cinco días. El dentista vio en sus ojos

45    marchitos muchas noches de desesperación. Cerró la gaveta con la punta de los dedos y dijo suavemente:

—Siéntese.

—Buenos días —dijo el Alcalde.

—Buenos —dijo el dentista.

50    Mientras hervían los instrumentos, el Alcalde apoyó el cráneo en el cabezal de la silla y se sintió mejor. Respiraba un olor glacial. Era un gabinete pobre: una vieja silla de madera, la fresa de pedal y una vidriera con pomos de loza°. Frente a la silla, una ventana con un cancel de tela° hasta la altura de un hombre. Cuando sintió que el

55    dentista se acercaba el Alcalde afirmó los talones y abrió la boca.

**gallinazos** *buzzards*

**caballete** *chimney cowl*

**puente** *dental bridge*

**te pega un tiro** *he'll shoot you*

**umbral** *doorway*

**pomos de loza** *small porcelain bottles*
**cancel de tela** *cloth screen*

Don Aurelio Escovar le movió la cara hacia la luz. Después de observar la muela dañada, ajustó la mandíbula con una cautelosa presión de los dedos.

—Tiene que ser sin anestesia —dijo.

60 —¿Por qué?

—Porque tiene un absceso.

El Alcalde lo miró a los ojos. —Está bien —dijo, y trató de sonreír. El dentista no lo correspondió. Llevó a la mesa de trabajo la cacerola con los instrumentos hervidos y los sacó del agua con unas pinzas frías, todavía sin apresurarse. Después rodó la escupidera con la punta del zapato y fue a lavarse las manos en el aguamanil°. Hizo todo sin mirar al Alcalde. Pero el Alcalde no lo perdió de vista.

aguamanil *washstand*

Era un cordal inferior°. El dentista abrió las piernas y apretó la muela con el gatillo° caliente. El Alcalde se aferró° a las barras de

70 la silla, descargó toda su fuerza en los pies y sintió un vacío helado en los riñones°, pero no soltó un suspiro. El dentista sólo movió la muñeca. Sin rencor, más bien con una amarga ternura, dijo:

—Aquí nos paga veinte muertos°, teniente.

cordal inferior *bottom wisdom tooth*
gatillo *forceps*
se aferró *clung to, grasped*
riñones *kidneys*

El Alcalde sintió un crujido° de huesos en la mandíbula y sus ojos

75 se llenaron de lágrimas. Pero no suspiró hasta que no sintió salir la muela. Entonces la vio a través de las lágrimas. Le pareció tan extraña a su dolor, que no pudo entender la tortura de sus cinco noches anteriores.

muertos *deaths (you have caused)*
crujido *crackle, creak*

Inclinado sobre la escupidera, sudoroso°, jadeante°, se desabotonó

80 la guerrera° y buscó a tientas° el pañuelo en el bolsillo del pantalón. El dentista le dio un trapo limpio.

—Séquese las lágrimas —dijo.

sudoroso *sweaty*
jadeante *panting*
guerrera *military jacket*
a tientas *groping*

El Alcalde lo hizo. Estaba temblando. Mientras el dentista se lavaba las manos, vio el cielo raso desfondado° y una telaraña°

85 polvorienta con huevos de araña° e insectos muertos. El dentista regresó secándose las manos. —Acuéstese —dijo— y haga buches de agua de sal.

cielo raso desfondado *broken ceiling*
telaraña *spider web*
araña *spider*

El Alcalde se puso de pie, se despidió con un displicente saludo militar, y se dirigió a la puerta estirando las piernas, sin abotonarse

90 la guerrera.

—Me pasa la cuenta —dijo.

—¿A usted o al municipio?

El Alcalde no lo miró. Cerró la puerta, y dijo, a través de la red° metálica:

red *screen*

95 —Es la misma vaina°.

misma vaina *misma molestia*

---

**Step 7** Have students explain in their own words the italicized elements:

**El alcalde trató de sonreír. El dentista** *no lo correspondió.*

**Hizo todo sin mirar al alcalde.**

**Pero el alcalde** *no lo perdió de vista. Sus ojos se llenaron de lágrimas.*

**Step 8** Have students look for the original wording of the following:

**El alcalde agarró las barras de la silla.**

**No suspiró.**

**Estaba sudando (transpirando).**

**Tenía dificultad en respirar.**

## Literature Connection

 Una novela famosa de Gabriel García Márquez es *El amor en los tiempos del cólera*, publicada en 1985. Florentino Ariza está enamorado de Fermina Daza pero ella decide casarse con uno de los hombres más ricos de su ciudad, el doctor Juvenal Urbino. Por más de cincuenta años Fermina Daza y el doctor Urbino llevan su vida juntos. Y Florentino Ariza tiene su vida también pero en su corazón se queda fiel a Fermina y no se casa. Cuando muere el doctor Urbino, se reúnen Florentino y Fermina a bordo de un barco llamado *Nueva Fidelidad*.

---

## Critical Thinking Activity

**Thinking skills: evaluating information** After giving students the information on page 501 concerning *Cien años de soledad,* have them express in their own words what they think **realismo mágico** is.

## Literary Analysis

 ¿Qué puede simbolizar la teleraña polvorienta con huevos de araña e insectos muertos?

**499**

**Después de leer**

## PRACTICE

**A** You may wish to intersperse questions from **Actividad A** while the reading is taking place.

**B, C** Volunteers may be called upon to do **Actividades B** and **C.** For reinforcement you may wish to assign these activities for homework.

---

### Learning from Photos

*(page 500)* You may wish to ask students the following questions about the photograph. **¿Dónde están ellos? ¿Qué es el señor? ¿Es el paciente una persona mayor? ¿Lleva guantes el dentista? ¿Por qué? ¿Qué le estará enseñando el dentista al niño?**

---

## ¿Comprendes?

**A El dentista** Contesten.
1. ¿Qué le dice al dentista su hijo?
2. ¿Qué quiere el dentista que su hijo le diga al alcalde?
3. ¿Qué le va a hacer el alcalde si no le saca la muela?
4. ¿Qué tomó el dentista de la gaveta inferior de su mesa?
5. Según el dentista, ¿cómo tenía que sacarle la muela?
6. ¿Qué le dijo el dentista al alcalde que hiciera?

**B Describiendo** Describan.
1. al dentista
2. el gabinete del dentista
3. al alcalde mientras el dentista le sacaba la muela

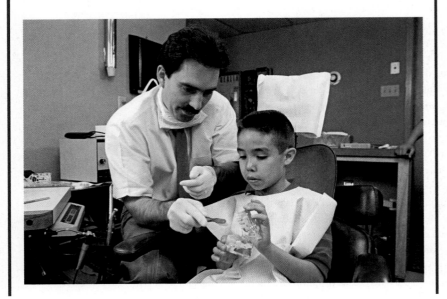

---

## ANSWERS TO ¿Comprendes?

**A**
1. El hijo le dice al dentista que el alcalde quiere que le saque una muela.
2. El dentista quiere que le diga al alcalde que él no está.
3. El alcalde le va a pegar un tiro si no le saca la muela.
4. El dentista tomó un revólver de la gaveta inferior de su mesa.
5. Según el dentista, tenía que sacarle la muela sin anestesia por haber un absceso.
6. Le dijo que se acostara y que hiciera buches de agua de sal.

**B**
1. *Answers will vary.*
2. *Answers will vary.*
3. *Answers will vary.*

**C**
1. *Answers will vary.*
2. *Answers will vary.*
3. *Answers will vary.*

## C Interpretando  Interpreten estas frases de la conversación entre el dentista y el alcalde.

1. Aquí nos paga veinte muertos, teniente.
2. Séquese las lágrimas.
3. —Me pasa la cuenta.
   —¿A usted o al municipio?
   —Es la misma vaina.

## D Analizando  La tensión

Entre el dentista y el alcalde existe mucha tensión. Prepara una lista de las acciones que introduce el autor para indicar esta tensión.

## E Conectando la literatura con la realidad histórica

En un párrafo corto, explica como García Márquez critica la corrupción que existe en el gobierno.

## F Debatiendo

En un grupo de cuatro, preparen un debate sobre este tema: ¿Son justos o aceptables los deseos de venganza y el comportamiento del dentista o no? Dos de ustedes tomarán la parte afirmativa y los otros dos la negativa.

DRA. JOSEFINA FEBRES MORETTI
ODONTOLOGO DE LA U.C.V.
ODONTOLOGIA GENERAL E INFANTIL
RAYOS X

LITERATURA DE VENEZUELA Y COLOMBIA

**D–F** Allow students to select the activities in which they wish to participate.

## Literature Connection

*Cien años de soledad* es la obra más famosa de Gabriel García Márquez. La primera edición apareció en mayo de 1967. Ha sido traducida a muchos idiomas. Para el latinoamericano, la historia del pueblo de Macondo y la de la familia Buendía son una alegoría de su continente. La novela trata de siete generaciones de esta familia—pero no en orden cronológico. La novela es una serie tras otra de episodios y eventos inesperados—todos contados con el sentido de humor genial y singular de García Márquez.

La novela es una alegoría trágica sobre la condición humana. Es la historia de toda una familia que pasa de la inocencia a la destrucción. El autor ha creado un lugar mítico—Macondo—donde tiene lugar la historia mágica de la familia Buendía, que simboliza la explotación y la corrupción de un pueblo concreto de Hispanoamérica. Dice Ramón Xiaru en su ensayo «Crisis del realismo»: «*Cien años de soledad* es la novela de una tierra y de una familia, de la tierra y de los hombres. La magia predomina en la novela; una magia hecha de tierra y sueño que es también mito y leyenda más que historia. Acaso lo más extraordinario de *Cien años de soledad* sea la capacidad de narrar con un realismo preciso y hasta transformar la realidad en leyenda sin que la leyenda pierda bulto de realidad».

---

**ANSWERS TO ¿Comprendes?**

**D** *Answers will vary.*

**E** *Answers will vary.*

**F** *Answers will vary.*

### Learning from Photos

*(page 501)* You may wish to ask questions about the plaque: **¿Cuál es la profesión de la Dra. Febres? ¿En qué se especializa ella? ¿Qué significará U.C.V.?** (la Universidad Central de Venezuela)

## PREPARATION

### Resource Manager

Audio Activities TE, pages 254–255
Audio CD 10, Tracks 20–21
Test, pages 307–311
*ExamView® Assessment Suite*

### PRESENTATION

#### Vocabulario para la lectura

**Step 1** Have students repeat the words and sentences after you.

**Step 2** Ask questions about the illustrations: ¿Ante qué se celebró la misa? ¿De qué material es el altar? ¿Qué rodean el altar? ¿De quién es la esquela? ¿Qué es el ave grande? ¿Qué tiene en las garras? ¿Para qué se usa una grúa?

**Step 3** Call on individual students to read the new words and their definitions in **Más vocabulario.**

# Una ojeada a la poesía

## Vocabulario para la lectura 🎧

el mármol
el cirio

**la misa**

Se celebró la misa ante un altar de mármol rodeado de cirios.

las garras de águila
el papagayo
la cumbre

En la cumbre del monte el águila metió sus garras en el papagayo.

la grúa

la esquela

FERNANDO BUSTAMANTE FERNÁNDEZ
FALLECIÓ EN MADRID
EL DÍA 17 DE DICIEMBRE DE 2003
a los sesenta y tres años de edad
D. E. P.
Esposa, María del Carmen; madre, Concepción; madre política, Avelina; hijos, Elena, Cristina y Fernando; hermanos, hermanos políticos, sobrinos, primos y demás familia
RUEGAN una oración por su alma.
El entierro tendrá lugar hoy día 19, a las once cuarenta y cinco horas, desde el tanatorio de la M-30 (sala 3) al cementerio de Nuestra Señora de la Almudena.

el guisado
el molcajete
la masa
el chile colorado
el ajo
las hojas

el quetzal

### Más vocabulario

**el camarote** lugar en un barco donde se pone la cama
**la cordura** buen juicio, prudencia, circunspección
**el penacho** grupo de plumas que tienen algunas aves en la parte superior de la cabeza

**el rostro** la cara
**el romero** una hierba fragante
**arrancar** quitar, sacar con violencia una cosa de su lugar
**fallecer** morir
**velar** pasar la noche al cuidado de un muerto

LITERARY COMPANION CAPÍTULO 8

## ¿Qué palabra necesito?

**1** Historieta **En el monte** Expresen de otra manera.

1. El águila subía hasta *el pico* de la montaña.
2. Allí sacó sus *uñas curvas* para atacar.
3. Abajo había *un ave de colores brillantes* que iba a ser su víctima.

**2** Historieta **El muerto** Completen.

1. El moribundo había ____ a causa de un accidente.
2. Él era el operador de una enorme ____ que levantaba grandes cargas.
3. Los amigos lo ____ toda la noche.
4. No había luz eléctrica, la única luz era de unos ____.
5. Mañana saldrá una ____ en el periódico para anunciar su muerte.
6. Y habrá una ____ en su memoria en la iglesia.

**3** **¿Cuál es la palabra?** Identifiquen.

1. donde uno duerme en un barco
2. el buen sentido, lo contrario de «locura»
3. una hierba aromática
4. quitar con fuerza
5. una piedra muy bella que se usa para monumentos

**4** **¿Cuál es la palabra?** Contesten.

1. ¿Qué llevaba el rey en la cabeza?
2. ¿De qué ave eran las plumas del penacho?
3. ¿Qué tipo de chile usaban los cocineros?
4. ¿Qué usaban para mezclar los ingredientes?

**5** **La cocina** Identifiquen.

1.  2.
3.
4.

### PRACTICE

## ¿Qué palabra necesito?

**3** and **4** Intersperse questions from **Actividades 3** and **4** while presenting the new vocabulary.

**1**, **2**, and **5** **Actividades 1, 2,** and **5** may be prepared at home and gone over in class.

---

## ANSWERS TO ¿Qué palabra necesito?

**1**

1. El águila subía hasta *la cumbre* de la montaña.
2. Allí sacó sus *garras* para atacar.
3. Abajo había *un papagayo* que iba a ser su víctima.

**2**

1. fallecido
2. grúa
3. velaban
4. cirios
5. esquela
6. misa

**3**

1. en el camarote
2. la cordura
3. un romero
4. arrancar
5. el mármol

**4**

1. El rey llevaba un penacho en la cabeza.
2. Las plumas del penacho eran del quetzal.
3. Las mujeres usaban el chile colorado.
4. Ellas usaban un molcajete para mezclar los ingredientes.

**5**

1. la masa
2. la hoja
3. el ajo
4. el guisado

**503**

¡OJO! You can select certain selections to be studied or you can do them all.

## National Standards

**Cultures**
Students experience, discuss, and analyze the poem *Requiem* by the Spanish poet José Hierro.

---

## PREPARATION

### Resource Manager

Audio Activities TE, pages 256–260
Audio CD 10, Tracks 22–24
Test, pages 307–311
*ExamView® Assessment Suite*

---

## PRESENTATION

### Introducción

**Step 1** You may wish to have students read the **Introducción** silently. Then ask the following questions. **¿Vivió José Hierro solamente en Madrid? ¿Cuáles son los dos tipos de poesía que escribió? ¿Cuánto tiempo duró su vida literaria? ¿Cómo era España cuando Hierro escribió *Requiem*? ¿Qué tuvieron que hacer miles de españoles?**

### Lectura *Requiem*

**Step 1** The poem is quite long and somewhat difficult. You may wish to assign the poem to be read at home.

**Step 2** Ask the students for any words that were not in the **Vocabulario** that were difficult and go over them with the class.

**Step 3** Play the Audio CD of the poem.

---

## Requiem

José Hierro

José Hierro con Juan Carlos, rey de España

**Introducción** José Hierro nació en Madrid en 1922. Aunque madrileño por nacimiento, vivió muchos años en Santander en el norte del país. Su obra poética se divide en dos grupos: de reportaje o narrativa y alucinaciones. Durante su vida literaria de más de medio siglo recibió varios premios, incluso el *Príncipe de Asturias* en 1981. José Hierro murió en 2002. Cuando Hierro escribió *Requiem*, España, pobre y devastada, todavía no se había recuperado de su guerra civil. Miles de españoles salieron del país para encontrar trabajo en el extranjero. En *Requiem* el poeta reflexiona ante la esquela de un inmigrante español muerto a consecuencia de un accidente laboral en Estados Unidos.

### Requiem 🎧

Manuel del Río, natural°
de España, ha fallecido el sábado
11 de mayo, a consecuencia
de un accidente. Su cadáver
5  está tendido° en D´Agostino
Funeral Home, Haskell, New Jersey.
Se dirá una misa cantada
A las 9:30, en St. Francis.

Es una historia que comienza
10 con sol y piedra, y que termina
sobre una mesa, en D´Agostino,
con flores y cirios eléctricos.
Es una historia que comienza
en una orilla del Atlántico.
15 Continúa en un camarote
De tercera, sobre las olas
—sobre las nubes—de las tierras
sumergidas ante Platón.
Halla en América su término
20 con una grúa y una clínica,
con una esquela y una misa
cantada, en la iglesia St. Francis.

natural *nativo*

tendido *stretched out*

La costa de Nueva Jersey

LITERARY COMPANION CAPÍTULO 8

---

## History Connection

⏳ The occasion for the photo was Hierro´s award of the **Premio Cervantes**, the equivalent in the Spanish-speaking world of the Nobel Prize for Literature. Hierro was imprisoned after the Spanish Civil War from 1939–1944 by the Franco regime, the very group that supported the restoration of the monarchy with Juan Carlos as king.

## Learning from Photos

*(page 504)* El estado de Nueva Jersey tiene una población total de más de ocho millones. La población latina es superior al millón. Es decir que una de cada ocho personas es latina.

**504**

Al fin y al cabo°, cualquier sitio
da lo mismo para morir:
25  el que se aroma de romero,
el tallado° en piedra o en nieve,
el empapado° de petróleo.
Da lo mismo que un cuerpo se haga
piedra, petróleo, nieve, aroma.
30  Lo doloroso no es morir
acá o allá…

    *Requiem aeternam,*
Manuel del Río. Sobre el mármol
en D´Agostino, pastan toros
35  de España, Manuel, y las flores
(funeral de segunda, caja
que huele a abetos° del invierno),
cuarenta dólares. Y han puesto
unas flores artificiales
40  entre las otras que arrancaron
al jardín…*Liberame Domine
de morte aeterna*…Cuando mueran
James o Jacob verán las flores
que pagaron Giulio o Manuel…

45  Ahora descienden a tus cumbres
garras de águila. *Dies irae.*
Lo doloroso no es morir
*Dies illa* acá o allá;
sino sin gloria…
50      Tus abuelos
fecundaron la tierra toda,
la empapaban de la aventura.
Cuando caía un español
se mutilaba el universo.
55  Los velaban no en D´Agostino
Funeral Home, sino entre hogueras,
entre caballos y armas. Héroes
para siempre. Estatuas de rostro
borrado°. Vestidos aun
60  sus colores de papagayo
de poder y de fantasía.

al fin y al cabo *when all is said and done*

tallado *engraving*

empapado *oils anointed to the dying, a Roman Catholic rite*

abetos *spruce*

Un águila

borrado *impreciso, desaparecido*

---

**Step 4** Have individual students read one verse at a time and verify comprehension by asking questions such as: **¿De dónde era Manuel del Río? ¿Dónde está su cuerpo? ¿Dónde comienza y termina la historia de Manuel del Río?**

**Step 5** Intersperse questions from **Actividad A** on page 508.

## LEVELING
**C:** Reading

**505**

Él no ha caído así. No ha muerto
por ninguna locura hermosa.
(Hace mucho que el español
65  muere de anónimo y cordura,
o en locuras desgarradoras°
entre hermanos: cuando acuchilla
pellejos de vino° derrama
sangre fraterna.) Vino un día
70  porque su tierra es pobre. El mundo
—*Liberame Domine*—es patria.
Y ha muerto. No fundó ciudades.
No dio su nombre a un mar. No hizo
más que morir por diecisiete
75  dólares (él los pensaría
en pesetas) *Requiem aeternam.*
Y en D´Agostino lo visitan
los polacos, los irlandeses,
los españoles, los que mueren
80  en el week-end.

     *Requiem aeternam.*
Definitivamente todo
ha terminado. Su cadáver
está tendido en D´Agostino
85  Funeral Home. Haskell, New Jersey.
Se dirá una misa cantada
por su alma.
     Me he limitado
a reflejar aquí una esquela
90  de un periódico de New York.
Objetivamente. Sin vuelo
en el verso. Objetivamente.
Un español como millones
de españoles. No he dicho a nadie
100  que estuve a punto de llorar.

desgarradoras *heartbreaking*

pellejos de vino *wineskins*

## Tamalada

**Introducción** Ángela de Hoyos nació en México, en el pueblo de Coahuila. Cuando ella era muy joven, su familia se mudó a San Antonio, Texas. Su poesía ha sido reconocida internacionalmente. Ha recibido premios en Alemania, Argentina, India e Italia tanto como en Estados Unidos. Ángela de Hoyos es una de las más famosas intérpretes de la poesía «chicana». La poeta con frecuencia emplea el inglés y el español en el mismo poema—lo que se ve en *Tamalada.* Una tamalada es una reunión de familiares o amigos para preparar tamales. Significa mucho más que la simple preparación de un plato.

### *Tamalada*

(a literary bouquet
for Diamantina Sanchez-Hatch
to honor our Azteca-Mexica
ancestors responsible for this
5    delicacy)

… more than the know-how
it's the cariño-love
that goes
into the makings for this feast:

10   El nixtamal°. Las hojas. Carne de puerco.
Chile colorado. El ajo. Comino°…

It's the symphony in the kitchen:
la cuchara canta
el molcajete baila
15   to the concert of hands at work
mixing el guisado: it's the hum of life
unhurried; the ballet of
fingers, spreading
—with patience of the saints—
20       each tiny blanket,
         colchitao de masa
upon the water-softened husk of corn;
then comes the filling, now the folding,
and into the pot of steaming broth…

*Tamalada* de Carmen Lomas Garza

nixtamal   *masa de maíz muy especial*
Comino   *Cumin (a spice)*

colchita   *rolled-out dough*

### National Standards

**Cultures**
Students experience, discuss, and analyze the poem *Tamalada* by the Mexican American poet Ángela de Hoyos.

## PRESENTATION

### Introducción

**Step 1** You may wish to have students read the **Introducción** silently.

**Step 2** Explain to students that **chicano** is a term used by many Mexican Americans to identify Americans of Mexican heritage. The term is controversial, however, considered offensive by some and positive by others.

### Lectura *Tamalada*

**Step 1** Have students listen to the Audio CD of the poem.

**Step 2** Call on individual students to read verses of the poem.

**Step 3** Intersperse questions from **Actividades D** and **E** as the poem is being read.

### LEVELING
**E:** Reading

## Learning from Photos

*(page 507)* You may wish to ask students the following questions about the photograph. **¿Cuántas generaciones se ven en el cuadro? ¿En qué cuarto están ellos? ¿Qué hay en la pared? ¿Qué hay en el suelo? Describe lo que están haciendo las diferentes personas.**

507

**A** and **B** Assign **Actividades A** and **B** as homework and then go over them in class.

## About the Spanish Language

El tamal es la más conocida, pero hay muchas variaciones de esta comida de origen indígena. Por ejemplo, en Puerto Rico hay **pasteles** que se preparan con una masa de plátano en lugar de maíz, envueltos en hojas de plátano. Las **hallacas** en Venezuela se hacen con una masa de maíz y una envoltura de plátano.

## Learning from Photos

*(page 509 bottom)* You may wish to ask students the following questions about the photograph. **¿Qué tipos de negocios ven ustedes en la foto? ¿Qué hacen o venden en cada uno? ¿Cómo se llama la taquería? ¿Por qué?**

---

25 ¡Ay! los tamalitos de azúcar,
de puerco, de gallina, de frijoles
con queso...

these tamalli°
danzantes
30 full of grace
that go
mano a mano a mano
—from la bella Diamantina
to Teri to Carol to Sylvia to Stella to Sheila—
35 on a journey towards completion

these tamalli, that His Majesty
the Emperor—in his sandals of
gold and precious stones, his
quetzal-plumed penacho—
40 would come down
from His-Royal-Highness throne,
Moctezuma Xocoyotzin
would come down
expressly
45 these tamalli
to praise

tamalli  *corn bread wrapped in leaves (In Aztec-Nahuatl)*

### ¿Comprendes?

**A** *Requiem* Contesten.
1. ¿Qué le motivó al poeta a escribir la poesía?
2. ¿Qué causó la muerte de Manuel del Río?
3. ¿Dónde nació Manuel?
4. ¿En qué país murió?
5. ¿Cuál era su religión?
6. ¿En qué orilla del Atlántico comienza la historia?
7. Y, ¿en qué orilla termina?

**B** *Requiem* Completen.
1. Manuel del Río vino a América en _____.
2. Viajó en un camarote de _____ clase.
3. Un _____ causó la muerte de Manuel.
4. El trabajo de Manuel le pagaba _____ dólares.
5. El pueblo donde está la funeraria se llama _____ en el estado de _____.

---

### ANSWERS TO ¿Comprendes?

**A**
1. La muerte de un inmigrante español le motivó al poeta a escribir la poesía.
2. Un accidente causó la muerte de Manuel del Río.
3. Manuel nació en España.
4. Murió en Estados Unidos.
5. Manuel era cristiano (católico).
6. La historia comienza en la orilla española del Atlántico.
7. Termina en la orilla americana.

**B**
1. un barco
2. tercera
3. accidente
4. diecisiete dólares
5. Haskell, Nueva Jersey

**C**
1. *Answers will vary but should indicate that Manuel´s story ends with a crane, a hospital, an obituary and a sung mass in St. Francis Church.*
2. *Answers will vary but should say that when James or Jacob dies they´ll see the flowers that were paid for by others like them.*
3. *Answers will vary but should say that Manuel did not die a hero like his forebears engaged in adventure.*

**508**

## C Requiem Interpreten.

1. Halla en América su término con una grúa y una clínica, con una esquela y una misa cantada, en la iglesia St. Francis.
2. Cuando mueran James o Jacob verán las flores que pagaron Giulio o Manuel.
3. Él no ha caído así. No ha muerto por ninguna locura hermosa.

## D Tamalada Contesten.

1 ¿A quién le dedica la poesía?
2. Para la poeta, ¿qué es más importante que la técnica?
3. ¿Qué carnes van a usar?
4. ¿Cuáles son tres tipos de tamal que preparan?
5. ¿Quién es Moctezuma Xocoyotzin?

## E Tamalada Expliquen.

¿Qué es lo que va «mano a mano a mano» de Diamantina a Teri a Carol a Sylvia a Sheila? ¿Qué hace cada una de ellas?

## F Buscando hechos biográficos

Describe todo lo que aprendiste de la vida de Manuel del Río al leer el poema *Requiem*.

## G Haciendo comparaciones

Con un(a) compañero(a), relean *Requiem* y busquen ejemplos que contrastan los españoles que vinieron a las Américas en la antigüedad con los que vinieron en épocas modernas.

## H Haciendo conexiones

En un grupo, piensen en *Tamalada* y discutan la importancia de actividades similares y ejemplos en otras culturas y en sus propias familias y comunidades.

## I Haciendo investigaciones en la comunidad

Busca a una persona de ascendencia mexicana en tu comunidad y pide una receta para tamales. Después, con un(a) compañero(a) visita un mercado local para ver si allí tienen todos los ingredientes necesarios.

Austin, Texas

## J Dando opiniones

¿Te gustó leer *Tamalada*? ¿Qué te parece el uso de los dos idiomas en la poesía?

LITERATURA HISPANA EN ESTADOS UNIDOS

*quinientos nueve*  **509**

---

**C, E, and F** Assign **Actividades C, E,** and **F** as homework and then go over them in class.

**G** Assign **Actividad G** as a paired activity. Provide time for preparation then have pairs present to the class.

**H** Engage the class in the discussion outlined in **Actividad H.**

**I** Assign **Actividad I** only if feasible. An alternative would be to have students look for ingredients via internet.

**Reading Focus** **Literary Companion**

**Developing Reading Comprehension Skills**
These **¿Comprendes?** activities reinforce students' reading comprehension and critical thinking skills.

---

ANSWERS TO **¿Comprendes?**

**D**

1. Le dedica la poesía a Diamantina Sanchez-Hatch.
2. Para la poeta, el cariño es más importante que la técnica.
3. Van a usar carne de puerco y pollo.
4. Preparan tamales de puerco, de gallina, y de frijoles con queso.
5. Moctezuma Xocoyotzin era el rey azteca-mexica.

**E** *Answers will vary but should indicate that the* tamalli *go from hand to hand with each person contributing to the finished* tamal.

**F** *Answers will vary but may include these facts: he was born in Spain, he died the 11th of May in an accident, he came from Spain by ship in third class, he was paid seventeen dollars.*

**G** *Answers will vary.*

**H** *Answers will vary.*

**I** *Answers will vary.*

**J** *Answers will vary.*

## PRESENTATION

### Vocabulario para la lectura

**Step 1** You may wish to use some suggestions from previous sections to present the vocabulary.

# *Prosa*  La casa en Mango Street

## Vocabulario para la prosa 🎧

Mamá cuece la avena y la menea con una cuchara de palo.

La señora dibuja un águila y luego con hilo y aguja la crea en la tela.

### Más vocabulario

**la comadre**  la vecina, la amiga
**el pulmón**  el órgano de la respiración

**disgustado(a)**  malhumorado, descontento, molesto
**largarse**  escaparse, abandonar a alguien

## ¿Qué palabra necesito?

**1  Historieta  En la cocina**  Contesten.

1. ¿Qué cuece la señora?
2. ¿Con qué menea la avena?
3. ¿De qué es la cuchara?

**2  Los vecinos**  Completen.

1. Esa señora vecina es una _____ de mi tía.
2. Ella necesita _____ y una _____ para poder coser la camisa.
3. Ese vecino es artista y quiere un lápiz porque va a _____ una figurita.
4. Él tiene una enfermedad del _____ y le es difícil respirar.
5. Él se _____ una noche y abandonó a su familia
6. Todo el mundo está muy _____ con el hombre y nadie le habla.

## ANSWERS TO ¿Qué palabra necesito?

**1**

1. La señora cuece la avena.
2. Menea la avena con una cuchara.
3. La cuchara es de palo.

**2**

1. comadre
2. hilo, aguja
3. dibujar
4. pulmón
5. largó
6. disgustado

## La casa en Mango Street

Sandra Cisneros

**Introducción** La novelista, cuentista y poeta Sandra Cisneros nació en Chicago en 1954, una de siete hijos de una familia mexicana de escasos recursos económicos. Durante su niñez su familia se mudó a México y regresó a Chicago varias veces. Esta experiencia hizo que la autora se sintiera sin raíces. Estos sentimientos se reflejan en su obra *The House on Mango Street* (1983) donde la autora rememora las experiencias y conflictos que enfrenta una mujer latina.

Estudió en la Loyola University y la Universidad de Iowa y ha enseñado en escuelas secundarias y en varias universidades en California, Michigan y Nuevo México.

*La casa en Mango Street* ha recibido elogios de críticos, académicos, mayores y adolescentes. En la obra, Cisneros nos presenta a Esperanza, una jovencita pobre que, más que nada, quiere su propio cuarto y una casa bonita.

Cisneros escribió *La casa en Mango Street* en inglés. Fue traducida al español por Elena Poniatowska, una importante autora mexicana.

El fragmento que sigue es el capítulo titulado «Bien águila». Esperanza está en la cocina con su madre.

### La casa en Mango Street 🎧
#### Bien águila

—Yo pude haber sido alguien, ¿sabes?—dice mi madre y suspira. Toda su vida ha vivido en esta ciudad. Sabe dos idiomas. Puede cantar una ópera. Sabe reparar la tele. Pero no sabe qué metro tomar para ir al centro. La tomo muy fuerte de la mano mientras esperamos a que
5  llegue el tren.

Cuando tenía tiempo dibujaba. Ahora dibuja con hilo y aguja pequeños botones de rosa, tulipanes de hilo de seda. Algún día le gustaría ir al ballet. Algún día también, ver una obra de teatro. Pide discos de ópera en la biblioteca pública y canta con pulmones
10  aterciopelados° y poderosos como glorias azules.

Hoy, mientras cuece la avena, es Madame Butterfly hasta que suspira y me señala con la cuchara de palo. —Yo pude haber sido alguien, ¿sabes? Ve a la escuela, Esperanza. Estudia macizo°—. Esa Madame Butterfly era una tonta. Menea la avena. Fíjate en mis
15  comadres. Se refiere a Izaura, cuyo marido se largó°, y a Yolanda, cuyo marido está muerto. —Tienes que cuidarte solita— dice moviendo la cabeza.

Y luego, nada más porque sí:

—La vergüenza es mala cosa, ¿sabes? No te deja levantarte. ¿Sabes
20  por qué dejé la escuela? Porque no tenía ropa bonita. Ropa no, pero cerebro sí.

—¡Ufa!— dice disgustada, meneando de nuevo—. Yo entonces era bien águila.

aterciopelados *velvety*

macizo *duro*

se largó *se fue, salió*

---

### National Standards

**Cultures**
Students experience, discuss, and analyze an excerpt from the novel *La casa en Mango Street* by the Mexican American author Sandra Cisneros.

## PREPARATION

### Resource Manager

Audio Activities TE, pages 262–264
Audio CD 10, Tracks 27–29
Test, pages 307–311
*ExamView®* Assessment Suite

## PRESENTATION

### Introducción

**Step 1** Call on two students to read aloud the **Introducción,** each reading one part.

**Step 2** Ask questions about the **Introducción: ¿Qué tipos de literatura escribe la autora? ¿Su familia era rica? ¿Vivió ella solamente en Estados Unidos? ¿Dónde estudió? ¿Dónde ha enseñado ella? ¿Escribió *La casa en Mango Street* en español o en inglés?**

### Lectura *La casa en Mango Street*

**Step 1** This selection is short and contains much dialogue. Have students listen to the Audio CD.

**Step 2** Assign three students to read the story aloud. Each one should take a part: the narrator, the mother, and the daughter. Ask them to read with expression.

**Step 3** Read the entire selection to the class interspersing questions from **Actividad A** on page 512.

---

**LEVELING**
**E:** Reading

**511**

## Después de leer

### PRACTICE

¿Comprendes?

**B** Have students write the answers to **Actividad B.**

**C** Ser «águila» es ser una persona de mucha viveza y perspicacia. For **Actividad C,** ask students to figure out what the expression means and why it has that meaning.

**D** You may wish to use **Actividad D** as a discussion topic having students present their opinions to the class.

---

### Learning from Photos

*(page 512)* You may wish to ask students the following questions about the photograph. **¿Dónde están las dos mujeres? ¿Qué hace la señora mayor? ¿Qué llevan las dos para no ensuciarse?**

---

## ¿Comprendes?

**A La madre de Esperanza** Contesten.
1. ¿Cuántas lenguas puede hablar la madre?
2. ¿Qué puede hacer ella con la televisión?
3. ¿Por qué la hija la toma de la mano?
4. ¿Qué puede cantar la señora?
5. ¿Cuáles son dos cosas que a la madre le gustaría hacer?
6. ¿Qué es lo que la madre pide en la biblioteca?
7. ¿Qué escucha la madre en la cocina mientras cuece la avena?
8. ¿Qué opinión tiene la madre de Madame Butterfly?
9. ¿Qué le pasó a Izaura?
10. Y, ¿qué le pasó a Yolanda?

**B Interpretando** ¿Por qué dice lo siguiente la madre de Esperanza?
1. Ve a la escuela, Esperanza. Estudia macizo.
2. Tienes que cuidarte solita.
3. La vergüenza es mala cosa, ¿sabes? No te deja levantarte. ¿Sabes por qué dejé la escuela? Porque no tenía ropa bonita. Ropa no, pero cerebro sí.

**C Interpretando y analizando**
El capítulo de *La casa en Mango Street* que leíste se titula *Bien águila.* Sabes que el águila es un ave, pero aquí se usa la palabra como adjetivo. ¿Qué querrá decir que una persona es muy *águila?*

**D Dando opiniones**
Para ti, ¿cuál es el mensaje más importante de lo que leíste de *La casa en Mango Street?*

---

## ANSWERS TO ¿Comprendes?

**A**
1. La madre puede hablar dos idiomas (lenguas).
2. Sabe reparar la televisión.
3. La toma de la mano porque la madre no sabe qué metro tomar para ir al centro.
4. La señora puede cantar una ópera.
5. Le gustaría ir al ballet y ver una obra de teatro.
6. En la biblioteca, la madre pide discos de ópera.
7. Mientras cuece la avena, la madre escucha Madame Butterfly.
8. Opina que Madame Butterfly era una tonta.
9. El marido de Izaura se largó.
10. El marido de Yolanda está muerto.

**B**
1. *Answers will vary but should say that Esperanza should go to school and study hard.*
2. *Answers will vary but should indicate that the mother says Esperanza will have to learn to take care of herself alone.*
3. *Anwers will vary but should indicate that it´s terrible to be ashamed or embarrassed, it doesn´t let you get ahead. The mother didn´t go to school because she didn´t have pretty clothes but she had a brain.*

**C** *Answers will vary, but the idea is that the person is intelligent, quick, "sharp"; characteristics of the eagle.*

**D** *Answers will vary.*

## *Prosa*  Cuando era puertorriqueña

## Vocabulario para la lectura

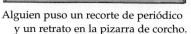

"El Día"
el recorte de periódico
el retrato
la pizarra de corcho

Alguien puso un recorte de periódico
y un retrato en la pizarra de corcho.

la mata de berenjenas

las llamas

recostar

estrechar la mano

Los niños se recostaron contra la pared.
La profesora le estrechó la mano al
alumno.

### Más vocabulario

**el becado** la persona que recibe una beca (scholarship)
**cálido(a)** caluroso, afectuoso
**alzar** levantar

## ¿Qué palabra necesito?

**1  Historieta  En la clase** Contesten.

1. ¿Quién le estrechó la mano al alumno?
2. ¿De qué era la pizarra?
3. ¿Dónde pusieron un retrato?
4. ¿Qué más había en la pizarra de corcho?
5. ¿Quiénes estaban recostados contra la pared?
6. Cuando llamaron su nombre, ¿qué alzó la niña?
7. ¿Por qué no tenía que pagar la matrícula su familia?

**2  Historieta  En el campo** Completen.

1. En el jardín tenían una mata de _____.
2. Estaban quemando la hierba y se veían las _____.
3. La temperatura subía, era un día muy _____.

LITERATURA HISPANA EN ESTADOS UNIDOS

*quinientos trece* ✿ 513

---

---

## National Standards

**Cultures**

Students experience, discuss, and analyze an excerpt from the memoirs *Cuando era puertorriqueña* by the Puerto Rican American author Esmeralda Santiago.

## PREPARATION

### Resource Manager

Audio Activities TE, pages 266–267
Audio CD 10, Tracks 32–33
Test, pages 307–311
*ExamView® Assessment Suite*

## PRESENTATION

### Introducción

**Step 1** Have students read the **Introducción** silently to themselves.

**Step 2** Ask questions about the **Introducción: ¿Dónde nació la autora? ¿Cuántos años tenía cuando fue a Nueva York? ¿A qué escuelas asistió? ¿Qué tiempo del verbo usa la autora en el título?**

**Step 3** Call on students to provide a brief resumé of the author's life.

### Lectura *Cuando era puertorriqueña*

**Step 1** Because the selection is fairly long, assign the story to be read at home.

**Step 2** Read parts of the story to the class aloud. Stop frequently to ask the questions in **Actividad A** on page 516.

**Step 3** Call on students to read selected parts of the story.

### LEVELING

**A:** Reading

---

## *Cuando era puertorriqueña*

*Esmeralda Santiago*

Vista de Puerto Rico

**Introducción** Esmeralda Santiago nació en un pueblecito de Puerto Rico, una de once hermanos. A los trece años se mudó a Nueva York con su madre y sus hermanos. Asistió a una escuela intermedia en Brooklyn y se ganó entrada a la prestigiosa Performing Arts High School en Manhattan. Más tarde se graduó de la Universidad de Harvard con altos honores. Notarán que el título de su libro autobiográfico es *Cuando era puertorriqueña*. Santiago, como tantos otros emigrantes, reconoce que cuando vuelve a su lugar de origen, ya no es lo que era. Ya no es puertorriqueña, pero tampoco es completamente americana.

En el fragmento que sigue la joven describe su entrevista para la Performing Arts High School y, en el epílogo, una visita a la escuela después de haberse graduado.

La autora escribió el libro originalmente en inglés. Más tarde ella misma lo tradujo al español.

### *Cuando era puertorriqueña* 🎧

Nos recostamos contra la pared. Enfrente de nosotras había una pizarra de corcho con recortes de periódico acerca de graduados de la escuela. En las orillas, alguien había escrito en letras de bloque, «P.A.» y el año cuando el actor, bailarín o músico se había graduado.

5 Cerré mis ojos y traté de imaginar un retrato de mí contra el corcho y la leyenda «P. A. 66» en la orilla.

La puerta al otro lado del pasillo se abrió, y la señora vestida de pardo sacó la cabeza.

—¿Esmeralda?

10 —¡Presente! Quiero decir, aquí—alcé la mano.

Me esperó hasta que entré al salón. Había otra muchacha adentro, a quien me presentó como Bonnie, una estudiante en la escuela.

—¿Sabes lo que es una pantomima?—preguntó la señora. Señalé con la cabeza que sí—. Bonnie y tú son hermanas decorando

15 el árbol de Navidad.

Bonnie se parecía mucho a Juanita Marín, a quien yo había visto por última vez cuatro años antes. Decidimos donde poner el árbol invisible, y nos sentamos en el piso y actuamos como que estábamos sacando las decoraciones de una caja y colgándolas en las ramas.

20 Mi familia nunca había puesto un árbol de Navidad, pero yo me acordaba de como una vez yo ayudé a Papi a ponerle luces de colores alrededor de una mata de berenjenas que dividía nuestra parcela de la de doña Ana. Empezamos por abajo, y le envolvimos el cordón eléctrico con las lucecitas rojas alrededor de la mata hasta que no

25 nos quedaba más. Entonces Papi enchufó° otro cordón eléctrico con

enchufó *plugged in*

**514** ✿ *quinientos catorce*

LITERARY COMPANION CAPÍTULO 8

---

### History Connection

La época cuando vino la autora a Nueva York corresponde a la gran migración de puertorriqueños a la ciudad en las décadas de 1950 y 1960. Porque son ciudadanos estadounidenses, los puertorriqueños pueden viajar libremente entre la isla y el continente.

más luces, y seguimos envolviéndolo hasta que las ramas se doblaban con el peso y la mata parecía estar prendida en llamas.

30 En un ratito se me olvidó dónde estaba, y que el árbol no existía, y que Bonnie no era mi hermana. Hizo como que me pasaba una decoración bien delicada y, al yo extender la mano para cogerla, hizo como

35 que se me cayó y se rompió. Me asusté de que Mami entraría gritándonos que le habíamos roto una de sus figuras favoritas. Cuando empecé a recoger los fragmentos delicados de cristal invisible, una voz nos

40 interrumpió y dijo:

—Gracias.

Bonnie se paró, sonrió y se fue.

La señora elegante estiró su mano para que se la estrechara.

—Notificaremos a tu escuela en unos días. Mucho gusto

45 en conocerte.

Les estreché la mano a las tres señoras, y salí sin darles la espalda, en una neblina silenciosa, como si la pantomima me hubiera quitado la voz y el deseo de hablar.

De vuelta a casa, mami me preguntaba qué había pasado, y yo

50 le contestaba, «Ná. No pasó ná,» avergonzada de que, después de tantas horas de práctica con Missis Johnson, Mister Barone y Mister Gatti, después del gasto de ropa y zapatos nuevos, después de que Mami tuvo que coger el día libre sin paga para llevarme hasta Manhattan, después de todo eso, no había pasado la prueba y nunca

55 jamás saldría de Brooklyn.

### Epílogo: un día de éstos

*El mismo jíbaro° con diferente caballo. (refrán puertorriqueño)*

Diez años después de mi graduación de Performing Arts High School, volví a visitar la escuela. Estaba viviendo en Boston, una

60 estudiante becada en la universidad de Harvard. La señora alta y elegante de mi prueba se había convertido en mi mentora durante mis tres años en la escuela.

(Le habla la señora.)

—Déjame contarte otra historia, entonces. El primer día de tu

65 primer año, no llegaste a la escuela. Llamamos a tu casa. Me dijiste que no podías venir a la escuela porque no tenías qué ponerte. Yo no estaba segura de si estabas bromeando°. Pedí hablar con tu mamá,

jíbaro *campesino puertorriqueño*

bromeando *joking*

**Step 4** You may wish to have a pair of students act out the scene of the Christmas tree pantomime on pages 514–515.

**A** Ask the questions as you read the story to the class.

**B** and **C** Have students complete **Actividades B** and **C** at home and go over answers in class.

**D** **Actividad D** can be a discussion activity. Call on students to give their interpetation and allow the class to discuss.

y tú tradujiste lo que ella dijo. Necesitaba llevarte a un sitio para que le interpretaras. Primero no me querías decir a dónde, pero luego admitiste que iban para el departamento de asistencia pública. Estabas llorando, y te tuve que asegurar que tú no eras la única estudiante en la escuela que recibía asistencia pública. Al otro día, llegaste feliz y contenta. Y ahora, aquí estás, casi graduándote de Harvard.

—Gracias por hacer esa llamada.

—Y gracias a ti por venirme a visitar. Pero ahora, tengo una clase—se paró, elegante como siempre—. Cuídate.

Su abrazo cálido, fragante a perfume caro, me sorprendió.

—Gracias—le dije a su espalda.

Anduve los pasillos de la escuela, buscando el salón donde había cambiado mi vida. Quedaba al frente del laboratorio del maestro de ciencia, unas puertas más abajo del pizarrón encorchado donde alguien con letra bonita todavía escribía «P. A.» seguido por el año del graduado.

—Un día de éstos—me dije a mí misma—. Un día de éstos.

## ¿Comprendes?

**A Esmeralda** Contesten.

1. ¿Dónde se recostaron las estudiantes?
2. ¿Qué había enfrente de ellas?
3. ¿De qué eran los recortes en la pizarra de corcho?
4. Para Esmeralda, ¿qué significaría «66» en la pizarra?
5. ¿Cuándo alzó la mano Esmeralda?
6. ¿Quién era Bonnie?
7. ¿Qué le preguntó la señora a Esmeralda?
8. ¿Alrededor de qué ponían lucecitas Esmeralda y su papá?
9. ¿A quiénes les estrechó la mano Esmeralda?
10. ¿Qué separaba las parcelas de doña Ana y los Santiago?

LITERARY COMPANION CAPÍTULO 8

---

**ANSWERS TO** ¿Comprendes?

**A**

1. Las estudiantes se recostaron contra la pared.
2. Enfrente de ellas había una pizarra de corcho con recortes de periódico.
3. Los recortes en la pizarra de corcho eran acerca de graduados de la escuela.
4. La leyenda «66» significaría el año en que se iba a graduarse Esmeralda.
5. Esmeralda alzó la mano cuando la llamó una señora vestida de pardo.
6. Bonnie era una estudiante en la escuela.
7. La señora le preguntó a Esmeralda si sabía lo que es una pantomima.
8. Esmeralda y su papá ponían lucecitas alrededor de una mata de berenjenas.
9. Esmeralda les estrechó la mano a las tres señoras para quienes (las que) había hecho la pantomima.
10. Una mata de berenjenas dividía (separaba) las parcelas de doña Ana y los Santiago.

## B Buscando hechos Completen.

1. La pantomima consistía en decorar un _____ de _____.
2. En la pantomima, Esmeralda y Bonnie pretendían ser _____.
3. Las ramas de la mata de berenjena se doblaban con el peso de las _____.
4. Con tantas luces la mata parecía estar en _____.
5. La señora dijo que en unos días ellos notificarían a la _____ de Esmeralda.
6. Cuando su madre le preguntó lo que había pasado, Esmeralda contestó que _____.

## C Interpretando

1. ¿Por qué se sentía avergonzada la niña cuando la madre le preguntó qué había pasado?
2. ¿Qué significa el refrán *El mismo jíbaro con diferente caballo*?
3. En el epílogo la señora le dice a Esmeralda que no estaba segura de si estaba bromeando. ¿Bromeando de qué?
4. ¿Por qué le dice Esmeralda a la señora *Gracias por hacer esa llamada*?
5. Las últimas palabras del libro son «Un día de éstos». ¿Qué querrá decir ella?

## D Interpretando

En el epílogo a *Cuando era puertorriqueña* Esmeralda Santiago vuelve a su escuela y dice que busca «el salón donde había cambiado mi vida». Explica lo que ella quiere decir.

## E Debatiendo

En un grupo, piensen en las selecciones que leyeron. Todas tratan de la experiencia del inmigrante en Estados Unidos. ¿Cuáles son las diferencias y las semejanzas que notan ustedes? ¿Hay algo que todos tienen en común, o no? ¿Cuál de las selecciones le afectó más a cada uno(a) de ustedes? ¿Cuál le gustó más y por qué?

Nueva York

LITERATURA HISPANA EN ESTADOS UNIDOS

*quinientos diecisiete* 517

---

ANSWERS TO ¿Comprendes?

**B**

1. árbol, Navidad
2. hermanas
3. luces
4. llamas
5. escuela
6. no había pasado nada—«Ná. No pasó ná».

**C**

1. La niña se sentía avergonzada porque pensaba que no había pasado su prueba.
2. *Answers will vary.*
3. No estaba segura de si estaba bromeando cuando dijo que no había ido el primer día a la escuela porque no tenía que ponerse.
4. Le agradece a la señora por haberle llamado para averiguar por qué no asistió a la escuela ese día, porque su ayuda cambió su vida.

5. Que un día de estos ella también estará en la pizarra.

**D** *Answers will vary.*

**E** *Answers will vary.*

# Handbook

# Verb Charts

## REGULAR VERBS

| INFINITIVO | hablar *to speak* | comer *to eat* | vivir *to live* |
|---|---|---|---|
| PRESENT PARTICIPLE | hablando | comiendo | viviendo |
| PAST PARTICIPLE | hablado | comido | vivido |

## SIMPLE TENSES

| INDICATIVE | hablar *to speak* | comer *to eat* | vivir *to live* |
|---|---|---|---|
| PRESENT | hablo | como | vivo |
| | hablas | comes | vives |
| | habla | come | vive |
| | hablamos | comemos | vivimos |
| | habláis | coméis | vivís |
| | hablan | comen | viven |
| IMPERFECT | hablaba | comía | vivía |
| | hablabas | comías | vivías |
| | hablaba | comía | vivía |
| | hablábamos | comíamos | vivíamos |
| | hablabais | comíais | vivíais |
| | hablaban | comían | vivían |
| PRETERITE | hablé | comí | viví |
| | hablaste | comiste | viviste |
| | habló | comió | vivió |
| | hablamos | comimos | vivimos |
| | hablasteis | comisteis | vivisteis |
| | hablaron | comieron | vivieron |
| FUTURE | hablaré | comeré | viviré |
| | hablarás | comerás | vivirás |
| | hablará | comerá | vivirá |
| | hablaremos | comeremos | viviremos |
| | hablaréis | comeréis | viviréis |
| | hablarán | comerán | vivirán |
| CONDITIONAL | hablaría | comería | viviría |
| | hablarías | comerías | vivirías |
| | hablaría | comería | viviría |
| | hablaríamos | comeríamos | viviríamos |
| | hablaríais | comeríais | viviríais |
| | hablarían | comerían | vivirían |

| SUBJUNCTIVE | hablar<br>*to speak* | comer<br>*to eat* | vivir<br>*to live* |
|---|---|---|---|
| PRESENT | hable<br>hables<br>hable<br>hablemos<br>habléis<br>hablen | coma<br>comas<br>coma<br>comamos<br>comáis<br>coman | viva<br>vivas<br>viva<br>vivamos<br>viváis<br>vivan |
| PAST | hablara<br>hablaras<br>hablara<br>habláramos<br>hablarais<br>hablaran | comiera<br>comieras<br>comiera<br>comiéramos<br>comierais<br>comieran | viviera<br>vivieras<br>viviera<br>viviéramos<br>vivierais<br>vivieran |

## COMPOUND TENSES

| INDICATIVE | | | | |
|---|---|---|---|---|
| PRESENT<br>PERFECT | he<br>has<br>ha<br>hemos<br>habéis<br>han | hablado | comido | vivido |
| PLUPERFECT | había<br>habías<br>había<br>habíamos<br>habíais<br>habían | hablado | comido | vivido |
| FUTURE<br>PERFECT | habré<br>habrás<br>habrá<br>habremos<br>habréis<br>habrán | hablado | comido | vivido |
| CONDITIONAL<br>PERFECT | habría<br>habrías<br>habría<br>habríamos<br>habríais<br>habrían | hablado | comido | vivido |

## SUBJUNCTIVE

| | | | | |
|---|---|---|---|---|
| **PRESENT PERFECT** | haya<br>hayas<br>haya<br>hayamos<br>hayáis<br>hayan | hablado | comido | vivido |
| **PLUPERFECT** | hubiera<br>hubieras<br>hubiera<br>hubiéramos<br>hubierais<br>hubieran | hablado | comido | vivido |

## DIRECT COMMANDS

### INFORMAL *(TÚ AND VOSOTROS FORMS)*

| | | | |
|---|---|---|---|
| **AFFIRMATIVE** | habla (tú)<br>hablad | come (tú)<br>comed | vive (tú)<br>vivid |
| **NEGATIVE** | no hables<br>no habléis | no comas<br>no comáis | no vivas<br>no viváis |

### FORMAL

| | | | |
|---|---|---|---|
| | (no) hable Ud.<br>(no) hablen Uds. | (no) coma Ud.<br>(no) coman Uds. | (no) viva Ud.<br>(no) vivan Uds. |

## STEM-CHANGING VERBS

| FIRST CLASS | -ar verbs | | -er verbs | |
|---|---|---|---|---|
| | e → ie | o → ue | e → ie | o → ue |
| **INFINITIVE** | **sentar**[1] *to seat* | **contar**[2] *to sell* | **perder**[3] *to loose* | **poder**[4] *to be able* |
| **PRESENT PARTICIPLE** | sentando | contando | perdiendo | pudiendo |
| **PAST PARTICIPLE** | sentado | contado | perdido | podido |
| **INDICATIVE** | | | | |
| **PRESENT** | siento<br>sientas<br>sienta<br>sentamos<br>sentáis<br>sientan | cuento<br>cuentas<br>cuenta<br>contamos<br>contáis<br>cuentan | pierdo<br>pierdes<br>pierde<br>perdemos<br>perdéis<br>pierden | puedo<br>puedes<br>puede<br>podemos<br>podéis<br>pueden |
| **SUBJUNCTIVE** | | | | |
| **PRESENT** | siente<br>sientes<br>siente<br>sentemos<br>sentéis<br>sienten | cuente<br>cuentes<br>cuente<br>contemos<br>contéis<br>cuenten | pierda<br>pierdas<br>pierda<br>perdamos<br>perdáis<br>pierdan | pueda<br>puedas<br>pueda<br>podamos<br>podáis<br>puedan |

[1] *Cerrar, comenzar, despertar, empezar,* and *pensar* are similar.

[2] *Acordar, acostar, almorzar, apostar, colgar, costar, encontrar, jugar, mostrar, probar, recordar, rogar,* and *volar* are similar.

[3] *Defender* and *entender* are similar.

[4] *Disolver, doler, envolver, llover,* and *volver* are similar; however their present participles are regular—*disolviendo, doliendo, envolviendo, lloviendo, volviendo.*

| SECOND AND THIRD CLASSES | | | |
|---|---|---|---|
| | second class | | third class |
| | e → ie, i | o → ue, u | e → i, i |
| **INFINITIVE** | **sentir**[5] <br> *to regret* | **dormir**[6] <br> *to sleep* | **pedir**[7] <br> *to ask for, request* |
| **PRESENT PARTICIPLE** | sintiendo | durmiendo | pidiendo |
| **PAST PARTICIPLE** | sentido | dormido | pedido |
| **INDICATIVE** | | | |
| **PRESENT** | siento <br> sientes <br> siente <br> sentimos <br> sentís <br> sienten | duermo <br> duermes <br> duerme <br> dormimos <br> dormís <br> duermen | pido <br> pides <br> pide <br> pedimos <br> pedís <br> piden |
| **PRETERITE** | sentí <br> sentiste <br> sintió <br> sentimos <br> sentisteis <br> sintieron | dormí <br> dormiste <br> durmió <br> dormimos <br> dormisteis <br> durmieron | pedí <br> pediste <br> pidió <br> pedimos <br> pedisteis <br> pidieron |
| **SUBJUNCTIVE** | | | |
| **PRESENTE** | sienta <br> sientas <br> sienta <br> sintamos <br> sintáis <br> sientan | duerma <br> duermas <br> duerma <br> durmamos <br> durmáis <br> duerman | pida <br> pidas <br> pida <br> pidamos <br> pidáis <br> pidan |
| **IMPERFECT** | sintiera <br> sintieras <br> sintiera <br> sintiéramos <br> sintierais <br> sintieran | durmiera <br> durmieras <br> durmiera <br> durmiéramos <br> durmierais <br> durmieran | pidiera <br> pidieras <br> pidiera <br> pidiéramos <br> pidierais <br> pidieran |

[5] *Mentir, preferir,* and *sugerir* are similar.

[6] *Morir* is similar; however, the past participle is irregular—*muerto.*

[7] *Conseguir, despedir, elegir, freír, perseguir, reír, sonreír, repetir,* and *seguir* are similar. Past participle of *freír* is *frito.*

## IRREGULAR VERBS

| | **andar** *to walk, to go* |
|---|---|
| PRETERITE | anduve, anduviste, anduvo, anduvimos, anduvisteis, anduvieron |

| | **caber** *to fit* |
|---|---|
| PRESENT | quepo, cabes, cabe, cabemos, cabéis, caben |
| PRETERITE | cupe, cupiste, cupo, cupimos, cupisteis, cupieron |
| FUTURE | cabré, cabrás, cabrá, cabremos, cabréis, cabrán |
| CONDITIONAL | cabría, cabrías, cabría, cabríamos, cabríais, cabrían |

| | **caer**[8] *to fall* |
|---|---|
| PRESENT | caigo, caes, cae, caemos, caéis, caen |

| | **conocer** *to know, to be acquanted with* |
|---|---|
| PRESENT | conozco, conoces, conoce, conocemos, conocéis, conocen |

| | **dar** *to give* |
|---|---|
| PRESENT | doy, das, da, damos, dais, dan |
| PRESENT SUBJUNCTIVE | dé, des, dé, demos, deis, den |
| PRETERITE | di, diste, dio, dimos, disteis, dieron |

| | **decir** *to say, to tell* |
|---|---|
| PRESENT PARTICIPLE | diciendo |
| PAST PARTICIPLE | dicho |
| PRESENT | digo, dices, dice, decimos, decís, dicen |
| PRETERITE | dije, dijiste, dijo, dijimos, dijisteis, dijeron |
| FUTURE | diré, dirás, dirá, diremos, diréis, dirán |
| CONDITIONAL | diría, dirías, diría, diríamos, diríais, dirían |
| DIRECT COMMAND (TÚ) | di |

[8] Spelling changes are found in the present participle—*cayendo;* past participle—*caído;* and preterite—*caí, caíste, cayó, caímos, caísteis, cayeron.*

| | estar    *to be* |
|---|---|
| **PRESENT** | estoy, estás, está, estamos, estáis, están |
| **PRESENT SUBJUNCTIVE** | esté, estés, esté, estemos, estéis, estén |
| **PRETERITE** | estuve, estuviste, estuvo, estuvimos, estuvisteis, estuvieron |

| | haber    *to have* |
|---|---|
| **PRESENT** | he, has, ha, hemos, habéis, han |
| **PRESENT SUBJUNCTIVE** | haya, hayas, haya, hayamos, hayáis, hayan |
| **PRETERITE** | hube, hubiste, hubo, hubimos, hubisteis, hubieron |
| **FUTURE** | habré, habrás, habrá, habremos, habréis, habrán |
| **CONDITIONAL** | habría, habrías, habría, habríamos, habríais, habrían |

| | hacer    *to do, to make* |
|---|---|
| **PAST PARTICIPLE** | hecho |
| **PRESENT** | hago, haces, hace, hacemos, hacéis, hacen |
| **PRETERITE** | hice, hiciste, hizo, hicimos, hicisteis, hicieron |
| **FUTURE** | haré, harás, hará, haremos, haréis, harán |
| **CONDITIONAL** | haría, harías, haría, haríamos, haríais, harían |
| **DIRECT COMMAND (TÚ)** | haz |

| | incluir[9]    *to include* |
|---|---|
| **PRESENT** | incluyo, incluyes, incluye, incluimos, incluís, incluyen |

| | ir[10]    *to go* |
|---|---|
| **PRESENT** | voy, vas, va, vamos, vais, van |
| **PRESENT SUBJUNCTIVE** | vaya, vayas, vaya, vayamos, vayáis, vayan |
| **IMPERFECT** | iba, ibas, iba, íbamos, ibais, iban |
| **PRETERITE** | fui, fuiste, fue, fuimos, fuisteis, fueron |
| **DIRECT COMMAND (TÚ)** | ve |

[9] Spelling changes are found in the present participle—*incluyendo;* and preterite—*incluyó, incluyeron.* Similar are *atribuir, constituir, contribuir, distribuir, fluir, huir, influir,* and *sustituir.*

[10] A spelling change is found in the present participle—*yendo.*

| **oír**[11] | *to hear* |
|---|---|
| PRESENT | oigo, oyes, oye, oímos, oís, oyen |

| **poder** | *to be able* |
|---|---|
| PRESENT PARTICIPLE | pudiendo |
| PRETERITE | pude, pudiste, pudo, pudimos, pudisteis, pudieron |
| FUTURE | podré, podrás, podrá, podremos, podréis, podrán |
| CONDITIONAL | podría, podrías, podría, podríamos, podríais, podrían |

| **poner** | *to put, to place* |
|---|---|
| PAST PARTICIPLE | puesto |
| PRESENT | pongo, pones, pone, ponemos, ponéis, ponen |
| PRETERITE | puse, pusiste, puso, pusimos, pusisteis, pusieron |
| FUTURE | pondré, pondrás, pondrá, pondremos, pondréis, pondrán |
| CONDITIONAL | pondría, pondrías, pondría, pondríamos, pondríais, pondrían |
| DIRECT COMMAND (TÚ) | pon |

| **producir** | *to produce* |
|---|---|
| PRESENT | produzco, produces, produce, producimos, producís, producen |
| PRETERITE | produje, produjiste, produjo, produjimos, produjisteis, produjeron |

| **querer** | *to wish, to want* |
|---|---|
| PRETERITE | quise, quisiste, quiso, quisimos, quisisteis, quisieron |
| FUTURE | querré, querrás, querrá, querremos, querréis, querrán |
| CONDITIONAL | querría, querrías, querría, querríamos, querríais, querrían |

| **saber** | *to know* |
|---|---|
| PRESENT | sé, sabes, sabe, sabemos, sabéis, saben |
| PRESENT SUBJUNCTIVE | sepa, sepas, sepa, sepamos, sepáis, sepan |
| PRETERITE | supe, supiste, supo, supimos, supisteis, supieron |
| FUTURE | sabré, sabrás, sabrá, sabremos, sabréis, sabrán |
| CONDITIONAL | sabría, sabrías, sabría, sabríamos, sabríais, sabrían |

[11] Spelling changes are found in the present participle—*oyendo;* past participle—*oído;* and preterite—*oí, oíste, oyó, oímos, oísteis, oyeron.*

| | salir — *to leave, to go out* |
|---|---|
| PRESENT | salgo, sales, sale, salimos, salís, salen |
| FUTURE | saldré, saldrás, saldrá, saldremos, saldréis, saldrán |
| CONDITIONAL | saldría, saldrías, saldría, saldríamos, saldríais, saldrían |
| DIRECT COMMAND (TÚ) | sal |

| | ser — *to be* |
|---|---|
| PRESENT | soy, eres, es, somos, sois, son |
| PRESENT SUBJUNCTIVE | sea, seas, sea, seamos, seáis, sean |
| IMPERFECT | era, eras, era, éramos, erais, eran |
| DIRECT COMMAND (TÚ) | sé |

| | tener — *to have* |
|---|---|
| PRESENT | tengo, tienes, tiene, tenemos, tenéis, tienen |
| PRETERITE | tuve, tuviste, tuvo, tuvimos, tuvisteis, tuvieron |
| FUTURE | tendré, tendrás, tendrá, tendremos, tendréis, tendrán |
| CONDITIONAL | tendría, tendrías, tendría, tendríamos, tendríais, tendrían |
| DIRECT COMMAND (TÚ) | ten |

| | traer[12] — *to bring* |
|---|---|
| PRESENT | traigo, traes, trae, traemos, traéis, traen |
| PRETERITE | traje, trajiste, trajo, trajimos, trajisteis, trajeron |

| | valer — *to be worth* |
|---|---|
| PRESENT | valgo, vales, vale, valemos, valéis, valen |
| FUTURE | valdré, valdrás, valdrá, valdremos, valdréis, valdrán |
| CONDITIONAL | valdría, valdrías, valdría, valdríamos, valdríais, valdrían |

[12] Spelling changes are found in the present participle—*trayendo;* and the past participle—*traído.*

| | **venir** *to come* |
|---|---|
| **PRESENT PARTICIPLE** | viniendo |
| **PRESENT** | vengo, vienes, viene, venimos, venís, vienen |
| **PRETERITE** | vine, viniste, vino, vinimos, vinisteis, vinieron |
| **FUTURE** | vendré, vendrás, vendrá, vendremos, vendréis, vendrán |
| **CONDITIONAL** | vendría, vendrías, vendría, vendríamos, vendríais, vendrían |
| **DIRECT COMMAND (TÚ)** | ven |

| | **ver** *to see* |
|---|---|
| **PAST PARTICIPLE** | visto |
| **PRESENT** | veo, ves, ve, vemos, veis, ven |
| **IMPERFECT** | veía, veías, veía, veíamos, veíais, veían |

T he Spanish-English Dictionary contains all productive and receptive vocabulary from Levels 1, 2, and 3. The numbers following each productive entry indicate the chapter and lesson in which the word is introduced. For example, **3.2** in dark print means that the word was taught in this textbook **Capítulo 3, Lección 2.** A reference to LC means the word was taught in this textbook in the Literary Companion section. A light print number preceded by I means that the word was introduced in *¡Buen viaje!,* Level 1. A light print number preceded by II means that the word was introduced in *¡Buen viaje!,* Level 2. BV refers to the introductory *Bienvenidos* lessons in Level 1. If there is no number following an entry, this means that the word or expression is there for receptive purposes only.

## A

**a** at; to
**a bordo de** aboard, on board, II: 7.1
**a eso de** at about (time), I: 4.1
**a fines de** at the end of
**a la española** Spanish style
**a lo menos** at least
**a menudo** often, II: 3.2
**a pie** on foot, I: 4.1
**a plazos** in installments
**a propósito** by the way
**a solas** alone
**a tiempo** on time, I: 11.1
**a veces** sometimes, I: 7.1
**a ver** let's see
**abandonar el cuarto** to check out, II: 6.1
**abarrotes: la tienda de abarrotes** grocery store, II: 4.2
la **abdicación** abdication
el **abdomen** abdomen, **5.3**
la **abeja** bee, II: 8.1; LC5
el/la **abogado(a)** lawyer, II: 14.1
**abordar** to get on, board
**abrazar** to hug, LC1
el **abrigo** overcoat, II: 4.1
**abril** April, BV
**abrir** to open, I: 8.2
**abrochado(a)** fastened, **3.3**
**abrochar** to buckle, **5.2**
**abrocharse** to fasten, II: 7.1
**abrocharse el cinturón de seguridad** to fasten one's seatbelt, II: 7.1
la **abuela** grandmother, I: 6.1
el **abuelo** grandfather, I: 6.1
los **abuelos** grandparents, I: 6.1
**abundante** plentiful
**abundar** to abound, **5.3**
**aburrido(a)** boring, I: 2.1
**aburrir** to bore
el **abuso** abuse
**acabar de** to have just (done something), II: 8.1

la **academia** academy, school
**acariciar** to caress
el **acceso** access
el **accidente** accident, II: 8.1
la **acción** action
el **aceite** oil, I: 14.2; II: 2.2
**acelerar** to accelerate
**aceptar** to accept
la **acera** sidewalk, II: 9.1
**acerca de** about, concerning
**acercarse(a)** to approach
**acertar (ie)** to guess right
**acogedor** welcoming (personality), **2.3**
**acomodado(a)** well-off, rich, **2.1**
**acomodar** to accommodate
el **acompañamiento** accompaniment
**acompañar** to accompany, **6.2**
**aconsejar** to advise
**acostarse (ue)** to go to bed, I: 12.1
el **acrílico** acrylic
la **actividad** activity
**activo(a)** active
el **acto** act (of a play)
el **actor** actor, I: 10.2
la **actriz** actress, I: 10.2
la **actuación** behavior
**actualmente** at the present time
la **acuarela** watercolor
**acuático(a): el esquí acuático** water-skiing, I: 9.1
el **acueducto** aqueduct
el **acuerdo** agreement, **5.3**
**de acuerdo** OK, all right; in agreement
**acuñar** to coin, mint
**adaptar** to adapt
**adecuado(a)** adequate, **3.3**
**adelantado(a)** advanced, **5.1**
**adelantar** to overtake, pass (car), II: 11.2
**adelante** ahead
**además** moreover; besides
**además de** in addition to
la **adicción** addiction

**adiós** good-bye, BV
**adivinar** to guess
**admirar** to admire
**admitir** to admit, II: 8.2
la **adolescencia** adolescence
el/la **adolescente** adolescent, teenager
**¿adónde?** where?, I: 1.1
el **adoquín** paving stone
**la callejuela de adoquines** paved stone alley, **4.1**
la **adoración** adoration
**adorar** to adore
**adornar** to adorn
el **adorno** ornament
la **aduana** customs, I: 11.2
la **adversidad** adversity
**advertir (ie)** to warn; to notice, **8.3**
**aérea: la línea aérea** airline
**aeróbico(a)** aerobic
el **aerodeslizador** hydrofoil
el **aeropuerto** airport, I: 11.1; **1.2**
**afeitarse** to shave, I: 12.1
**la crema de afeitar** shaving cream, I: 12.1
el **afiche** poster, **7.3**
**aficionado(a)** fond of, I: 10.1
el/la **aficionado(a)** fan (sports)
**aflojar** to loosen, **8.3**
**afortunado(a)** fortunate
**africano(a)** African
**afroamericano(a)** African American
las **afueras** outskirts, II: 9.1
la **agencia** agency
**la agencia de empleos** employment agency
el/la **agente** agent, I: 11.1
**el/la agente de aduana** customs agent, I: 11.2
**el/la agente de policía** police officer
**agigantado(a)** huge, **8.3**
la **agonía** throes of death, agony, LC5
**agosto** August, BV

**agotado(a)** sold out, **7.2**

**agradable** pleasant, **2.3**

**agradecer** to appreciate to thank, **7.3**

**agregar** to add, II: 10.2

**agrícola** agricultural

el/la **agricultor(a)** farmer, II: 9.2

**agrio(a)** sour, **2.1**

el **agua** (f.) water, I: 9.1

  **el agua corriente** running water

  **el agua mineral** mineral water, I: 12.2

  **esquiar en el agua** to water-ski, I: 9.1

el **aguacate** avocado, II: 10.2

el **águila** (f.) eagle, **5.1**

la **aguja** needle, LC8

el **agujero** hole

  **ahora** now, I: 4.2

  **ahorrar** to save

el **aire** air, II: 11.1

  **al aire libre** outdoor (adj.)

el **aire acondicionado** air conditioning, II: 6.2

el **ajedrez** chess, II: 5.1

  **ajeno(a)** another's, LC5

el **ají** chili pepper

el **ajo** garlic, I: 14.2; II: 2.2; **1.1**; LC8

el **ajuar de novia** trousseau

  **ajustar** to adjust

el **ajuste** adjustment, **5.1**

  **al** to the

  **al aire libre** outdoor (adj.)

  **al bordo de** alongside, on the banks of (river)

  **al contrario** on the contrary

  **al lado de** beside, II: 5.2

  **al máximo** at the most

  **al principio** at the beginning

el **alambre** wire, LC3

  **alarmarse** to be alarmed

el/la **albañil** bricklayer, II: 14.1

la **alberca** swimming pool, I: 9.1; **1.1**

el **albergue para jóvenes (juvenil)** youth hostel, I: 12.2

el **álbum** album

la **alcachofa** artichoke, I: 14.2; II: 2.2

el **alcalde** mayor, II: 14.1

la **alcaldesa** mayor

la **alcaldía** city hall, II: 14.1

  **alcanzar** to reach, attain, **2.3**

el **alcázar** fortress

el **alcohol** alcohol

el **alcoholismo** alcoholism

la **alegoría** allegory

  **alegrarse de** to be glad about, II: 13.1

  **alegre** happy

la **alegría** happiness

  **alejado(a)** remote

el **alemán** German (language), I: 2.2

la **alergia** allergy, I: 8.2

  **aleve** treacherous, LC5

el **alfandoque** almond-flavored sugar paste, LC7

el **alfeñique** almond-flavored sugar paste, LC7

la **alfombra** rug, **1.1**

el **álgebra** algebra, I: 2.2

  **algo** something, I: 5.2

  **¿Algo más?** Anything else?, I: 5.2

el **algodón** cotton, II: 12.1; **3.2**

  **alguien** someone

  **algunos(as)** some, I: 4.1

el/la **aliado(a)** ally, **5.1**

la **alianza** alliance

el **aliento** breath, LC6

el **alimento** food, I: 14.2; II: 2.2

  **allá** there

  **allí** there

el **alma** soul, LC6

  **almacenar** to store

la **almeja** clam, I: 14.2; II: 2.2

la **almendra** almond, **1.1**

la **almohada** pillow, II: 6.2; **1.1**

  **almorzar (ue)** to eat lunch

el **almuerzo** lunch, I: 5.2

  **tomar el almuerzo** to have, eat lunch

  **alojarse** to stay, lodge

la **alpargata** sandal

  **alquilar** to rent, II: 5.2

  **alrededor de** around, I: 6.2

los **alrededores** outskirts

el **altar** altar, LC8

  **alternar** to alternate

el **altiplano** high plateau, II: 7.2

la **altitud** altitude, II: 7.2

  **altivo** arrogant, haughty

  **alto(a)** tall, I: 1.1; high, II: 4.2; **3.1**

  **en voz alta** aloud

  **la nota alta** high grade, I: 4.2

la **altura** height; altitude, II: 7.2

el **alumbrado** lighting, **7.2**

el/la **alumno(a)** student, I: 1.1

  **alzar** to raise, LC7; LC8

el **amanecer** dawn, daybreak

  **amanecer** to start the day, LC7

  **amar** to love

la **amargura** bitterness

  **amarillo(a)** yellow, I: 3.2

  **amazónico(a)** Amazonian

  **ambicioso(a)** hardworking, I: 1.1

el **ambiente** environment; atmosphere

la **ambulancia** ambulance, II: 8.1

  **ambulante** itinerant

la **América Central** Central America

la **América del Norte** North America

la **América del Sur** South America

  **americano(a)** American, I: 1.1

el/la **amigo(a)** friend, I: 1.1

el **amo** landlord, LC2

el **amor** love

  **amplio(a)** ample, wide, **1.2**

  **amurallado(a)** walled, **7.1**

  **una ciudad amurallada** walled city, **7.1**

el/la **analfabeto(a)** illiterate person, **6.3**

el **análisis** analysis

  **analítico(a)** analytical

  **analizar** to analyze

  **anaranjado(a)** orange, I: 3.2

el/la **anarquista** anarchist

  **ancho(a)** wide, II: 4.1

la **anchoa** anchovy

  **anciano(a)** old, I: 6.1

el/la **anciano(a)** old person

el/la **ancla** news anchor, **8.2**

  **la mujer ancla** female news anchor, **8.2**

  **andaluz(a)** Andalusian

  **andante: el caballero andante** knight errant

el **andén** railway platform, I: 13.1; II: 1.1

  **andino(a)** Andean

la **anécdota** anecdote

  **angelical** angelical, LC5

  **angosto(a)** narrow, II: 9.1

el **anillo** ring, II: 4.1

el **animal** animal

  **el animal doméstico** farm animal, II: 9.2

  **el animal tallado** carved animal, **4.1**

  **animarse** to take heart, LC7

el **aniversario** anniversary

  **anoche** last night, I: 9.2

el **anochecer** dusk, nightfall

el **anorak** parka, I: 9.2

la **Antártida** Antarctic

el **ante** suede, **3.2**

  **tela de ante (gamuza)** fabric made of suede

  **anteayer** the day before yesterday

  **antemano** beforehand

la **antena: la antena parabólica** satellite dish, **8.2**

  **antenupcial** prenuptial

los **anteojos de sol** sunglasses, I: 9.1

el **antepasado** ancestor, LC4

**antes de** before, I: 5.1

el **antibiótico** antibiotic, I: 8.2

**anticipación: de anticipación** ahead of time

**anticuado(a)** antiquated

la **antigüedad** antiquity

**antiguo(a)** old, ancient, II: 5.1

la **antipatía** dislike

**anular** to cancel (a flight)

**anulado(a)** cancelled, annulled (*adj.*), **1.2**

**anunciar** to announce

el **anuncio** announcement; II: 7.1; advertisement, II: 14.2

  **el anuncio televiso** television commercial

  **dar anuncios to make** announcements, II: 7.1

**añadir** to add, II: 10.2

el **año** year, BV

  **el año pasado** last year, I: 9.2

  **cumplir… años** to be . . . years old

  **este año** this year, I: 9.2

  **tener… años** to be . . . years old, I: 6.1

el **Año Nuevo** New Year, II: 13.2

  **¡Próspero Año Nuevo!** Happy New Year!, II: 13.2

**apagar** to turn off, 3.1

el **aparato** appliance, device, II: 3.2

el **aparcamiento** parking lot

**aparcar** to park, II: 11.2

**aparecer** to appear

la **apariencia** appearance

**apartado(a)** distant, **6.1**

el **apartamento** apartment, I: 6.2

  **la casa de apartamentos** apartment house, I: 6.2

**apasionado(a)** passionate

el **apellido** last name

la **apendicitis** appendicitis

la **apertura** opening

  **la apertura de clases** beginning of the school year

**apetecer** to hunger for

  **¿Qué te apetece?** What are you hungry for?

**aplaudir** to applaud, I: 10.2

el **aplauso** applause, I: 10.2

  **dar aplausos** to applaud, II: 10.2

  **recibir aplausos** to receive applause, I: 10.2

**aplicar** to apply

**aportar** to contribute, **8.3**

el **apóstol** apostle

**apoyar** to support, **2.1**

**aprender** to learn, I: 5.1

**apresurarse** to hurry, LC7

**apretar (ie)** to squeeze, to tighten, **3.2**

**apropiado(a)** appropriate

la **aptitud** aptitude

el **apunte: tomar apuntes** to take notes, I: 4.2

**aquel, aquella** that

  **en aquel entonces** at that time

**aquí** here

  **Aquí tiene (tienes, tienen)…** Here is (are) . . .

  **por aquí** right this way

el/la **árabe** Arab

**aragonés(esa)** from Aragon (Spain)

el **árbol** tree

  **el árbol de Navidad** Christmas tree, II: 13.2

el **arcén** shoulder (of a road), **5.2**

el **archipiélago** archipelago

el **arcipreste** archpriest

el **arco** arc

el **área** (*f.*) area

la **arena** sand, I: 9.1

el **arete** earring, II: 4.1; **5.3**

**argentino(a)** Argentine, I: 2.1

el **argumento** plot

**árido(a)** arid, **5.1**

  **el desierto árido** arid desert

la **aritmética** arithmetic, I: 2.2

el **arma** (*f.*) weapon

el **armario** closet, II: 6.2

la **arqueología** archeology

  **arqueológico(a)** archaeological

el/la **arqueólogo(a)** archaeologist

el/la **arquitecto(a)** architect, II: 14.1

**arrancar** to pull out (up), LC8

**arrastrar** to drag, LC2

el **arreglo** adjustment

**arrogante** arrogant

**arrojar** to throw, to hurl, LC1; LC6

el **arroyo** stream, brook

el **arroz** rice, I: 5.2

  **el arroz con frijoles (habichuelas)** rice with beans, **6.1**

la **arruga** wrinkle

  **arrugar** to wrinkle

  **arrugarse** to wrinkle, **3.2**

**arruinar** to ruin, LC5

el **arsenal** arsenal

el **arte** (*f.*) art, I: 2.2

  **las bellas artes** fine arts

el **artefacto** artifact

**artesano(a)** artisan (*adj.*)

el/la **artista** artist, I: 10.2

**artístico(a)** artistic

el **arzobispo** archbishop

**asado(a)** roasted

**asar** to roast, I: 10.1

la **ascendencia** background

  **de ascendencia mexicana (peruana, etc.)** of Mexican (Peruvian, etc.) ancestry

**ascender** to rise

el **ascensor** elevator, I: 6.2

**asegurar** to assure

**asemejarse a** to be similar to, **7.1**

el **aseo** restroom, II: 7.1

**aserrar** to saw, LC7

el **aserrín** sawdust, LC7

**así** so; thus

el **asiento** seat, I: 11.1

  **el número del asiento** seat number, I: 11.1

la **asignatura** subject, discipline, I: 2.1

el/la **asistente de vuelo** flight attendant, I: 11.2

**asistir** to attend

el **asno** donkey

el **aspa** sail (of a windmill)

el **aspecto** aspect

**áspero(a)** rough

el/la **aspirante** candidate, II: 14.2

la **aspirina** aspirin, I: 8.2

**astuto(a)** astute

**asustar** to scare, **8.3**

**asustarse** to be frightened

**atacar** to attack

el **ataque** attack

la **atención: prestar atención** to pay attention, I: 4.2

**atender (ie)** to assist, wait on (customer), II: 4.1

**atento(a)** polite, courteous

**aterrador(a)** terrifying, **5.1**

el **aterrizaje** landing, II: 7.2

**aterrizar** to land, I: 11.2

el/la **atleta** athlete

**atlético(a)** athletic

la **atmósfera** atmosphere

las **atracciones** amusement park rides, II: 5.2

  **el parque de atracciones** amusement park, II: 5.2

**atractivo(a)** attractive

**atrapar** to catch, I: 7.2; to trap, **8.3**

**atrás** behind, in the rear

**atravesar (ie)** to cross

**atrevido(a)** bold, LC3

el **atún** tuna, I: 5.2

**aturdido(a)** reckless, LC6

**audaz** audacious

los **audífonos** earphones, II: 7.1

**aumentar** to increase

el **aumento** increase

aun  even
aún  yet
aunque  although
áureo(a)  golden, LC5
el  auricular  telephone receiver, II: 3.2; headphone, II: 7.1
austral  former Argentine unit of currency; southern, **3.1**
auténtico(a)  authentic
el  autobús  bus, I: 10.1
   **perder el autobús (la guagua, el camión)**  to miss the bus, I: 10.1
el  autocar  shuttle (airport), **1.2**
automáticamente  automatically, II: 7.1
el  automóvil  automobile
la  autopista  highway, II: 11.2; **1.2**
el/la  autor(a)  author, I: 10.2
la  autoridad  authority
autorizado(a)  authorized
el  autorretrato  self-portrait
la  autovía  highway, II: 11.2
los  auxilios: los primeros auxilios  first aid
el  avance  advance
el  ave  (f.) bird, LC2
la  avena  oats, LC8
la  avenida  avenue, II: 9.1
la  aventura  adventure
la  avería  breakdown
averiado(a)  broken down
la  aversión  aversion
la  aviación  aviation
el  avión  airplane, I: 11.1
el  avión de reacción  jet, II: 7.2
la  avioneta  small airplane, II: 7.2
avisar  to advise
el  aviso  advice, LC2
ayer  yesterday, I: 9.2
   **ayer por la mañana**  yesterday morning, I: 9.2
   **ayer por la tarde**  yesterday afternoon, I: 9.2
la  ayuda  assistance, help
ayudar  to help, I: 13.1; II: 1.1
el  azafrán  saffron
el  azúcar  sugar, II: 10.1
azucarar  to sugar, LC5
azul  blue, I: 3.2
azul oscuro  dark blue

**B**

el  bache  pothole
el  bachillerato  bachelor's degree
la  bacteria  bacteria
la  bahía  bay
bailar  to dance, I: 4.2

el  baile  dance
bajar  to lower; to go down, I: 9.2; to get off, I: 13.2; II: 1.2
   **bajar(se) del tren**  to get off the train, I: 13.2; II: 1.2
   **bajar las maletas**  to take the luggage down, II: 6.1
bajo: bajo cero  below zero, I: 9.2
bajo(a)  short, I: 1.1; low, I: 4.2
la  nota baja  low grade, I: 4.2
la  planta baja  ground floor, I: 6.2
balancear  to balance
el  balcón  balcony, **2.1**
la  ballena  whale, **3.1**
el  balneario  beach resort, I: 9.1
el  balón  ball, I: 7.1
   **tirar el balón**  to throw (kick) the ball, I: 7.2
el  baloncesto  basketball, I: 7.2
la  banana  banana, II: 10.2
la  banca  banking
bancario(a)  banking, **4.2**
   **la tarjeta bancaria**  bankcard
el  banco  bank, II: 12.2
la  banda  music band
la  banda elástica  elastic band
la  bandeja  tray, II: 7.1
la  bandera  flag
   **la bandera mexicana**  Mexican flag, **5.1**
el  bandido  bandit
el  bando  team
el  bañador  bathing suit, I: 9.1
bañarse  to take a bath, I: 12.1
la  bañera  bathtub, II: 6.2
el  baño  bathroom, I: 6.2; bath
   **el cuarto de baño**  bathroom, I: 6.2
   **el traje de baño**  bathing suit, I: 9.1
barato(a)  cheap, inexpensive, I: 3.2
la  barba  beard
el/la  barbero(a)  barber, II: 12.1
la  barra  bar
   **la barra de jabón**  bar of soap, I: 12.2
   **la barra de sujeción**  handrail, **1.3**
el  barril de macarelas  barrel of mackerel, LC6
el  barrio  neighborhood, II: 9.1
basado(a)  based (on)
basar  to base
basarse  to be based
la  báscula  scale, I: 11.1
la  base  base, I: 7.2; basis
básico(a)  basic
el  básquetbol  basketball, I: 7.2

la  cancha de básquetbol  basketball court, I: 7.2
bastante  enough, rather, quite, I: 1.1
bastar  to suffice, to be enough, **5.3**
el  bastón  ski pole, I: 9.2
la  batalla  battle
el  bate  bat, I: 7.2
el/la  bateador(a)  batter, I: 7.2
batear  to hit (baseball), I: 7.2
la  batería  battery
batir  to beat, LC5
el  batú  Taíno Indian game
el  baúl  trunk, II: 11.1
el  bautizo  baptism
el/la  bebé  baby
beber  to drink, I: 5.1
la  bebida  beverage, drink, II: 7.1
la  beca  scholarship
el  becado  person with a scholarship, LC8
el  béisbol  baseball, I: 7.2
   **el campo de béisbol**  baseball field, I: 7.2
   **el juego de béisbol**  baseball game, I: 7.2
   **el/la jugador(a) de béisbol**  baseball player, I: 7.2
el/la  beisbolista  baseball player
belicoso(a)  aggressive, warlike, **3.1**
la  belleza  beauty
bello(a)  beautiful, pretty, I: 1.1; **2.1**
   **las bellas artes**  fine arts
bendecir  to bless, LC5
la  bendición  blessing
el  beneficio  benefit
la  berenjena  eggplant, I: 14.2; II: 2.2, **1.1**
   **la mata de berenjenas**  eggplant bush, LC8
besar  to kiss, LC1
bíblico(a)  biblical
la  bicicleta  bicycle
   **ir en bicicleta**  to go by bike, I: 12.2
bien  fine, well, BV
   **muy bien**  very well, BV
los  bienes y servicios  goods and services
la  bienvenida: dar la bienvenida  to welcome, I: 11.2
el  bife  beef
el  biftec  steak, I: 14.2; II: 2.2
bilingüe  bilingual
el  billete  ticket, : 11.1; bill (currency), II: 12.2; **4.2**
   **un billete grande (pequeño)**  large (small)

denomination bill

**el billete de ida y vuelta** round-trip ticket, I: 13.1; II: 1.1

**el billete sencillo** one-way ticket, I: 13.1; II: 1.1

la **biografía** biography

la **biología** biology, I: 2.2

**biológico(a)** biological

el/la **biólogo(a)** biologist

el **bizcocho** cake, II: 13.1

**blanco(a)** white, I: 3.2

el **blanqueador** bleach

el **bloc** notebook, writing pad, I: 3.1

**bloquear** to stop, block, I: 7.1

el **blue jean** jeans, I: 3.2

la **blusa** blouse, I: 3.2; **3.2**

**una blusa rayada (de rayos)** striped blouse

la **boca** mouth, I: 8.2

**boca abajo** face down, II: 3.1

**boca arriba** face up, II: 3.1

la **boca del metro** subway entrance, II: 9.**1**

la **bocacalle** intersection, II: 11.2

el **bocadillo** sandwich, I: 5.1

la **bocina** horn, II: 11.1

**tocar la bocina** to honk the horn

la **boda** wedding, II: 13.1; **4.3**

el **bohío** hut, shack, **4.1; 7.1**

**un bohío lacustre** hut on river (lake)

la **bola** ball

la **boletería** ticket window, I: 9.2; **7.2**

el **boleto** ticket, I: 9.2

el **bolígrafo** ballpoint pen, I: 3.1

la **bolsa** bag, I: 5.2

**la bolsa de plástico** plastic bag, II: 4.2

el **bolsillo** pocket, I: 4.1; **2.2; 3.2**

**bonito(a)** pretty, I: 1.1

**boquiabierto(a)** open-mouthed

el **borde** border, side, shoulder (road), LC7

**bordear** to border

**borrascoso(a)** stormy, **3.1**

la **bota** boot, I: 9.2; **3.2**

**botas de cuero** leather boots

**botas de tacón alto** high-heeled boots

**botar** to throw, **4.1**

**botar la pelota** to throw the ball, **4.1**

el **bote** can, I: 5.2; boat, II: 5.2

la **botella: la botella de agua mineral** bottle of mineral water, I: 12.2

el **botón** button (on a machine),

II: 3.1; **4.2;** (on clothing), II: 4.1; **3.2; 3.3**

**un botón abrochado** buttoned button

**un botón desabrochado** unbuttoned button

el **botones** bellhop, II: 6.1

la **bragueta** zipper (on pants), **3.2**

el **brazo** arm, I: 7.1; **5.3;** branch (of candelabra, menorah, etc.), II: 13.2

**breve** brief

**brillante** bright

**brillar** to shine, I: 9.1

el **brillo** brightness, LC4

el **brinco** bounce, **5.3**

**dar unos brincos** to be bounced off

el **bronce** bronze, I: 10.2

**bronceado(a)** tan

**bronceador(a): la loción bronceadora** suntan lotion, I: 9.1

**bucear** to dive; to scuba, I: 9.1

el **buceo** diving, underwater swimming, I: 9.1

**buen** good

**estar de buen humor** to be in a good mood, I: 8.1

**Hace buen tiempo.** The weather is nice., I: 9.1

la **buenaventura** fortune

**bueno(a)** good, I: 1.2

**Buenas noches.** Good evening., BV

**Buenas tardes.** Good afternoon., BV

**Buenos días.** Hello, Good morning., BV

**sacar una nota buena** to get a good grade, I: 4.2

**tener buena pinta** to look good (food), II: 4.2

el **buey** ox, LC2

la **bufanda** scarf, II: 4.1; **3.2**

**una bufanda de cuadros** checkered scarf

el **bufete del abogado** law firm, II: 14.1

el **bulevar** boulevard, II: 9.1

el **bus** bus, I: 4.1

**el bus escolar** school bus, I: 4.1

**busca: en busca de** in search of

**buscar** to look for, I: 3.1

la **butaca** seat (theater), I: 10.1; **7.2**

**el patio de butacas** orchestra seat, **7.2**

el **buzón** mailbox, II: 12.2

**C**

el **caballero** knight; gentleman, man, II: 4.1

**el caballero andante** knight errant

**la tienda de ropa para caballeros** men's clothing shop, II: 4.1

el **caballete** easel

el **caballito** carousel horse, II: 5.2

el **caballo** horse, LC1

**pasear a caballo** to go horseback riding

el **cabello** hair, II: 12.1

**caber** to fit, II: 7.1

la **cabeza** head, I: 7.1

el **cabezal** cushion, pillow, LC7

la **cabina** cabin, II: 7.1

**la cabina de mando (vuelo)** cockpit, II: 7.1

el **cacahuete (cacahuate)** peanut

la **cacerola** saucepan, II: 10.2, LC5

el **cachorro** cub, LC3

el **cacique** chief, **6.1**

el **cacto** cactus, **5.1**

**cada** each, every, I: 1.2

el **cadáver** cadaver

la **cadena** chain (necklace), II: 4.1; shackles, **6.1**

**la cadena de oro** gold chain, II: 4.1

**caerse** to fall, drop, II: 7.1

el **café** coffee, BV; café, I: 5.1

**el café al aire libre** outdoor café

**el café con leche** coffee with milk, I: 5.1

**el café solo** black coffee, I: 5.1

la **cafetería** cafeteria

la **caída** fall, 7.1

**la caída de agua** waterfall

la **caja** cash register, I: 3.1; box, II: 4.2

el/la **cajero(a)** teller, II: 12.2; cashier, II: 14.1

el **cajero automático** automatic teller; **4.2**

los **calamares** squid, II: 10.2

los **calcetines** socks, I: 3.2

la **calculadora** calculator, I: 3.1

**calcular** to calculate

el **cálculo** calculus, I: 2.2

el **caldo** broth, sauce, LC5

el **calentamiento** warmup, **5.3**

**calentarse (ie)** to heat

la **caleta** cove, **7.1**

la **calidad** quality

**cálido(a)** warm, hot (weather), **7.1;** LC8

la **calificación** qualification

la **calle** street, I: 6.2

**la calle de sentido único** one-way street, II: 11.2

**la calle peatonal** pedestrian street

la **callecita** narrow street, alley, II: 9.1

la **callejuela** alley

**la callejuela de adoquines** paved stone alley, **4.1**

el **calor: Hace calor.** It's hot., I: 9.1

la **caloría** calorie

**caluroso(a)** hot (climate), **2.1**

el **calzado** footwear, **3.2**

**una tienda de calzado** footwear store

el **calzón** shorts, **5.2**

**calzar** to take, wear (shoe size), I: 3.2

la **cama** bed, I: 8.1

**guardar cama** to stay in bed, I: 8.1

**hacer la cama** to make the bed, II: 6.2

la **cámara** camera, **8.2**

la **camarera** maid, II: 6.2

el/la **camarero(a)** waiter, waitress, I: 5.1

los **camarones** shrimp, I: 14.2; II: 2.2

el **camarote** cabin (of a boat), LC8

**cambiar** to change; exchange, II: 12.2; **4.2**

**cambiar de tren** to change trains (transfer), I: 13.2; II: 1.2

**cambiar las toallas** to change the towels, II: 6.2

el **cambio** change, exchange, I: 12.2

**la casa de cambio** foreign exchange office, II: 12.2

**el tipo (la tasa) de cambio** exchange rate, II: 12.2; **4.2**

el/la **cambista** money changer, II: 12.2

el **camello** camel, II: 13.2

la **camilla** stretcher, II: 8.1

**caminar** to walk, II: 5.1

**caminar por la senda** to walk along the path, II: 5.2

la **caminata: dar una caminata** to take a hike, I: 12.2

el **camino** trail, path

el **camión** bus (Mexico), I: 10.1, truck, **5.2**

el/la **camionero(a)** truck driver, **5.2**; **8.3**

la **camisa** shirt, I: 3.2; **3.2**

la **camisa de mangas cortas** short-sleeved shirt, II: 4.1

la **camisa de mangas largas** long-sleeved shirt, II: 4.1

la **camiseta** T-shirt, undershirt, I: 3.2

la **campaña** campaign

el/la **campeón(ona)** champion, II: 5.1

el **campeonato** championship, **6.3**

el/la **campesino(a)** farmer, peasant, II: 9.2

el **campo** country; field, I: 9.2

**el campo de béisbol** baseball field, I: 7.2

**el campo de fútbol** soccer field, I: 7.1

**la casa de campo** country home

**canadiense** Canadian

el **canal** channel (TV); water channel

la **canasta** basket, I: 7.2

la **cancha** court, I: 7.2

**la cancha cubierta** enclosed court, I: 9.1

**la cancha de básquetbol** basketball court, I: 7.2

**la cancha de tenis** tennis court, I: 9.1

la **canción** song

la **candela** candle, LC4

el/la **candidato(a)** candidate, II: 14.2

la **canica** marble (toy), LC1

la **canoa** canoe

**cansado(a)** tired, I: 8.1

**cantar** to sing, I: 4.2

el **cante jondo** traditional flamenco singing

la **cantera** quarry, LC2

la **cantidad** amount

el **canto** singing

la **caña: la caña de azúcar** sugarcane, **6.1**

el **cañón** canyon

el **capacho** cloth shopping bag

la **capital** capital

el/la **capitán** captain

el **capítulo** chapter

el **capó** hood (automobile), II: 11.1

la **cara** face, I: 12.1; LC5

la **carabela** caravel, a fifteenth century Spanish or Portuguese sailing ship, **1.1**

el **carácter** character

la **característica** characteristic

el **carbohidrato** carbohydrate

la **cárcel** prison, **6.3**

**cardinal: los puntos cardinales** cardinal points

la **cardiología** cardiology

el/la **cardiólogo(a)** cardiologist

el **cardo** thistle

el **cargo** charge (money), **4.2; 5.2**

el **Caribe** Caribbean

**el mar Caribe** Caribbean Sea

el/la **caricaturista** caricaturist

la **caries** tooth decay, LC7

el **cariño** care, **5.3**

el **carmín** carmine, LC5

la **carne** meat, I: 5.2

**la carne de res** beef, I: 14.2; II: 2.2

la **carnicería** butcher shop, meat market, II: 4.2

**caro(a)** expensive, I: 3.2

la **carpeta** folder, I: 3.1

el/la **carpintero(a)** carpenter, II: 14.1

la **carrera** race, career

la **carretera** highway, II: 11.2; **5.2**

el **carril** lane (of highway), II: 11.2

el **carrito** cart (shopping), II: 4.2; (airplane), II: 7.1

**empujar el carrito** to push the cart, II: 4.2

el **carro** car, I: 4.1; wagon, LC2

**el carro deportivo** sports car, II: 11.1

**en carro** by car, I: 4.1

la **carta** letter, II: 12.2

**la carta de recomendación** letter of recommendation

la **cartera** wallet, **2.2**

el/la **carterista** pickpocket, **2.2**

la **casa** home, house, I: 6.2

**en casa** at home

**la casa de apartamentos (departamentos)** apartment house, I: 6.2

**la casa de campo** country home, II: 9.2

**la casa privada (particular)** private house, I: 6.2

la **casa de cambio** foreign exchange office, II: 12.2; **4.2**

**casado(a): estar casado(a)** to be married

**casarse** to get married, II: 13.1

el **casco** shell, peel

**el casco de guayaba** guava shell (peel), **6.2**

el **casete** cassette, I: 4.2

**casi** almost, practically

el **caso** case, II: 7.1

**castellano(a)** Castilian

**castigar** to punish, **6.1**

el **castigo** punishment

el **castillo** castle

el **catarro** cold (illness), I: 8.1

**tener catarro** to have a cold, I: 8.1

el/la **cátcher** catcher, I: 7.2
la **catedral** cathedral
la **categoría** category
**católico(a)** Catholic
**catorce** fourteen, BV
**caudal(oso)** abundant
　**un río caudal(oso)** abundant
　river, LC1
la **causa** cause
**causar** to cause; **2.3; 4.1**
la **caza** hunt, **5.1**
la **cazuela** pot, II: 10.1
el **CD** compact disc
el **CD-ROM** CD-ROM, II: 3.1
la **cebolla** onion, II: 10.1
la **cédula** documentation, **4.3**
la **celebración** celebration
**celebrar** to celebrate, II: 13.1
**célebre** famous
la **célula** cell
**celular: el teléfono celular**
　cell phone, II: 3.2
la **cena** dinner, I: 5.2
**cenar** to have dinner
la **ceniza** ash, **2.3**
el **centauro** centaur, **5.1**
el **centavo** penny
**central** central
el **centro** downtown, II: 5.1;
　center
**cepillarse** to brush one's hair,
　I: 12.1
　**cepillarse los dientes** to
　　brush one's teeth, I: 12.1
el **cepillo** brush, I: 12.2
　**el cepillo de dientes**
　　toothbrush, I: 12.2; LC7
la **cerca** fence, LC1
**cerca de** near, I: 6.2
**cercano(a)** nearby, close
el **cerdo** pig (pork), I: 14.2; II: 2.2
el **cereal** cereal, I: 5.2; grain, II: 9.2
la **ceremonia** ceremony, II: 13
**cero** zero, BV
**cerrar (ie)** to close, II: 8.2
　**cerrar la herida** to close the
　　wound, II: 8.2
el **cerro** hill, **3.1**
el **cese** ceasing, stopping, **8.1**
　**el cese de fuego** ceasefire
la **cesta** basket (jai alai)
el **cesto** basket, I: 7.2
la **chabola** shack
el **chaleco** vest
el **chaleco salvavidas** life jacket,
　II: 7.1; **5.3**
el **chalet** chalet
el **champú** shampoo, I: 12.2
**¡Chao!** Good-bye!, BV
el **chaparrón** downpour, **3.1**
la **chaqueta** jacket, I: 3.2; **3.2**

**charlar** to chat
el **chasqui** messenger
la **chaucha** string beans
el **cheque** check (money), **4.2**
　**el cheque de viajero**
　　traveler's check, II: 12.2
la **chequera** checkbook, **4.2**
el/la **chico(a)** boy (girl)
el **chile colorado** red chili, LC8
**chileno(a)** Chilean
la **chimenea** chimney
la **china** orange (fruit)
el **chisme** gossip
la **chispa** spark, LC4
**¡chist!** shh!
**chocar,** to crash, **1.3**
el **choclo** corn, **2.1**
el **chocolate: de chocolate**
　chocolate (adj.), I: 5.1
el **chófer** chauffeur
el **chorizo** pork and garlic
　sausage, II: 10.1
la **choza** hut, LC2
　**la choza de paja** straw hut, **4.1**
la **chuleta** chop, II: 10.1
　**la chuleta de cerdo** pork
　　chop, II: 10.1
el **churrasco** barbecue, **6.2**
el **churro** (type of) doughnut
la **cicatriz** scar, LC6
el **ciclismo** cycling
el **cielo** sky, I: 9.1; **2.3**
　**un cielo despejado** clear sky
la **ciencia-ficción** science fiction
las **ciencias** science, I: 2.2
　**las ciencias naturales**
　　natural sciences
　**las ciencias políticas**
　　political science
　**las ciencias sociales** social
　　sciences, I: 2.2
el/la **científico(a)** scientist
**científico(a)** scientific
**cien(to)** one hundred, I: 3.2
el **cierre** clasp, fastener, **3.2**
**cierto: Es cierto que...** It is
　certain that . . .
**cierto(a)** certain
la **cifra** number, stat, **8.3**
**cinco** five, BV
**cincuenta** fifty, I: 2.2
el **cine** movie theater, I: 10.1
la **cinta** ribbon
el **cinturón** belt, II: 4.1; **3.2**
　**el cinturón de seguridad**
　　seat belt, II: 7.1; **5.2**
**circular** to circulate, travel,
　drive
el **círculo** circle
la **circunspección**
　circumspection, LC8

el **cirio** wax candle, LC8
el **ciruelo** plum, LC3
el/la **cirujano(a)** surgeon, II: 8.2
　**el/la cirujano(a)**
　　**ortopédico(a)** orthopedic
　　surgeon, II: 8.2
**cítrico(a)** citric
la **ciudad** city, II: 9.1
el/la **ciudadano(a)** citizen, **6.1**
**clandestinamente** secretly
la **claridad** clarity
el **clarinete** clarinet
la **clara** egg white, LC5
**claro(a)** clear
　**¡Claro!** Certainly!, Of course!
　**¡Claro que no!** Of course not!
la **clase** class (school), I: 2.1; class
　(ticket), I: 13.1; II: 1.1; kind, type
　**la apertura de clases**
　　beginning of the school year
　**la sala de clase** classroom,
　　I: 4.1
　**el salón de clase** classroom,
　　I: 4.1
　**primera clase** first class,
　　I: 13.1; II: 1.1
　**segunda clase** second class,
　　I: 13.1; II: 1.1
**clásico(a)** classic
**clasificar** to classify
el **clavado** dive (water), **6.3**
la **clave de área** area code, II: 3.2
el **claxon** horn, II: 11.1
el **clero** clergy
el **clic** click
el/la **cliente** customer, I: 5.1; hotel
　guest, II: 6.1
el **clima** climate
**climático(a)** climatic
la **clínica** clinic
el **club** club, I: 4.2
　**el Club de español** Spanish
　　Club, I: 4.2
el **coatí** coati, a raccoonlike
　animal in Central and South
　America, LC3
el/la **cobarde** coward, LC6
el/la **cobrador(a)** collector
　(financial), **3.3**
**cobrar** to charge
　**cobrar el cheque** to cash the
　　check, II: 12.2; **4.2**
la **cocción** cooking
**cocer (ue)** to cook, LC8
el **coche** car, I: 4.1; train car,
　I: 13.2; II: 1.2
　**el coche deportivo** sports
　　car, II: 11.1
　**en coche** by car, I: 4.1
el **coche-cafetería** cafeteria
　(dining) car, I: 13.2; II: 1.2

el **coche-cama** sleeping car, I: 13.2; II: 1.2

el **coche-comedor** dining car, I: 13.2; II: 1.2

el **coche deportivo** sports car, II: 11.1

el **cocido** stew

la **cocina** kitchen, I: 6.2
**cocinar** to cook, II: 10.1

el/la **cocinero(a)** cook, I: 14.1; II: 2.1; **1.1**

el **coco** coconut, II: 10.2; **6.1**

el **cóctel** cocktail party

el **código** code, password, **4.2**

el **codo** elbow, II: 8.1, LC1

la **coincidencia** coincidence

el/la **cojo(a)** crippled, lame, LC1
**cojo(a)** lame

el **cola** soda, soft drink, I: 5.1

la **cola** line (queue), I: 10.1; tail (animal), LC3
**hacer cola** to line up, to stand in line, I: 10.1

el/la **colaborador(a)** collaborator
**colar** to strain, LC5

la **colchita** dough, LC8

la **colección** collection
**coleccionar** to collect, II: 5.1

el/la **coleccionista** collector, II: 5.1

la **colecta: hacer una colecta** to take up a collection

el **colector** collector

el **colegio** school, I: 1.1

el **colesterol** cholesterol

el **colgador** clothes hanger, II: 6.2
**colgar (ue)** to hang, hang up, **4.1**

la **coliflor** cauliflower, II: 10.1

la **colina** hill, **1.1**

el **colmado** grocery store, II: 4.2

la **colocación** placement
**colocar** to put, place
**colombiano(a)** Colombian, I: 1.1

la **colonia** suburb, colony
**colonial** colonial, **2.1**

el **color** color, I: 3.2
**de color** colored
**de color marrón** brown, I: 3.2
**¿De qué color es?** What color is it?, I: 3.2

la **comadre** friend, neighbor, LC8

el/la **comandante** pilot, captain, I: 11.2

el **combustible** fuel, **7.3**

la **comedia** comedy

el **comedor** dining room, I: 6.2
**comenzar (ie)** to begin
**comer** to eat, 5.1
**comercial: la zona comercial** business district, II: 9.1

el/la **comerciante** businessperson, II: 14.1

el **comercio** business

el **comestible** food, I: 14.2; II: 2.2
**cómico(a)** funny, I: 1.1

la **comida** food, meal, I: 5.2

la **comisaría** police station, **2.2**

la **comisión** commission

el **comité** committee
**como** like; as; since, I: 1.2
**¿cómo?** how?, what?, I: 1.1
**¿Cómo está… ?** How is …?, I: 8.1
**¡Cómo no!** Of course!

la **comodidad** comfort
**compacto(a): el disco compacto** compact disk, CD, I: 4.2

el/la **compañero(a)** friend, I: 1.2

la **compañía** company

la **comparación** comparison
**comparar** to compare

el **compartimiento** compartment, I: 13.2; II: 1.2
**el compartimiento sobre la cabeza** overhead compartment, II: 7.1
**el compartimiento superior** overhead compartment, II: 7.1
**compartir** to share, **3.3**

la **competencia** competition

la **competición** competition, contest
**competir (i, i)** to compete
**completar** to complete
**completo(a)** full (train), I: 13.2; II: 1.2
**a tiempo completo** full time (adj.), II: 14.2
**componer** to compose
**comportarse** to behave

la **composición** composition

la **compra** buying, II: 4.1
**comprar** to buy, I: 3.1

las **compras** shopping; purchases, II: 4.2
**hacer las compras** to go shopping, II: 4.2
**ir de compras** to go shopping, to shop, I: 5.2
**comprender** to understand, I: 5.1
**comprometerse** to get engaged

el **compromiso** engagement
**compuesto(a)** compound, LC4

la **computadora** computer, II: 3.1
**común** common

la **comunicación** communication
**comunicarse** to communicate with each other, II: 3.1

la **comunidad** community
**con** with
**con cuidado** carefully, cautiously, II: 11.1
**con frecuencia** often, II: 3.2
**con mucha plata** rich
**¿Con quién?** with whom?
**con retraso** with a delay, I: 13.2; II: 1.2
**con una demora** with a delay, late, I: 11.1

el **concierto** concert
**conciliar** to reconcile

el/la **conde(sa)** count(ess)

la **condición** condition

el **condimento** seasoning

el **condominio** condominium, II: 9.1
**conducir** to drive, II: 11.1

la **conducta** conduct

el/la **conductor(a)** driver, II: 11.1; **1.1**
**conductual** with regard to conduct, **6.3**
**conectar** to connect

la **conexión** connection

la **conferencia** lecture

la **confianza** confidence, **5.3**
**confirmar** to confirm

la **confitería** café, tearoom
**Conforme.** Agreed., Fine., I: 14.2; II: 2.2
**confrontar** to confront
**confuso(a)** confusing
**congelado(a): los productos congelados** frozen food, I: 5.2

el **congelador** freezer, II: 10.1

el **conjunto** set, collection
**conmovedoro(a)** moving, touching
**conocer** to know, to be familiar with, I: 11.1

el/la **conocido(a)** acquaintance

el **conocimiento** knowledge, understanding, **6.3**

el **conjunto** set, group, **7.2**

la **conquista** conquest

el **conquistador** conquerer
**conquistar** to conquer

la **consecuencia** consequence
**conseguir (i, i)** to get, obtain

el/la **consejero(a) de orientación** guidance counselor

el **consejo** advice, **2.3**
**consentir (ie, i)** to allow, tolerate
**conservar** to save
**considerar** to consider
**consiguiente: por consiguiente** consequently

**consistir (en)** to consist of
**constitucional** constitutional
**construir** to construct
la **consulta del médico** doctor's office, I: 8.2
**consultar** to consult, I: 13.1; II: 1.1
el **consultorio** medical office, I: 8.2
el/la **consumidor(a)** consumer
el **consumo** consumption
**consumir** to consume
la **contabilidad** accounting
el/la **contable** accountant, II: 14.1
el **contacto** touch
**contagioso(a)** contagious
la **contaminación** pollution
**contaminado(a)** polluted
**contaminar** to pollute
**contar (ue)** to count, 2.1
**contemporáneo(a)** contemporary
**contener (ie)** to contain
**contento(a)** happy, I: 8.1; 3.3
la **contestación** answer, response
el **contestador automático** answering machine, II: 3.2
**contestar** to answer, II: 3.2
el **continente** continent
la **contingencia** contingency
**continuar** to continue, I: 7.2
**contra** against, I: 7.1
**contrario(a)** opposite
**contrario de** opposite of
**lo contrario** the opposite
**contrastar** to contrast
el **contrato** contract, 5.2
**contribuir** to contribute
el **control** inspection, I: 11.1
**el control remoto** remote control, 8.2
**el control de pasaportes** passport inspection, I: 11.1
**el control de seguridad** security check, I: 11.1
el/la **controlador(a)** air traffic controller
**controlar** to control
**convencer** to convince
**conveniente** convenient
el **convenio** pact
el **convento** convent
la **conversación** conversation
**conversar** to talk, speak
el **convertible** convertible, II: 11.1
**convertir (ie, i)** to convert, transform
la **coordinación** coordination
la **copa** cup, goblet, LC3
**la Copa mundial** World Cup
la **copia** copy

**copiar** to copy
el/la **co-piloto** copilot, I: 11.2
la **copla** couplet
el **corazón** heart
la **corbata** tie, I: 3.2; **3.2**
el **cordero** lamb, I: 14.2; II: 2.2
la **cordillera** mountain range, II: 7.2
el **cordón** lace, shoelace **3.2**
el **cordoncillo** piping (embroidery)
la **cordura** prudence, LC8
la **coreografía** choreography
**coreográfico(a)** choreographic
la **córnea** cornea
el **coro** choir, chorus
la **corona** crown, **1.1**
el **correo** mail; post office, II: 12.2
**el correo aéreo** airmail, II: 12.2
**el correo electrónico** e-mail, electronic mail, II: 3.1
**el correo ordinario** regular mail, II: 12.2
**correr** to run, I: 7.2; LC6
la **correspondencia** correspondence
**corriente: el agua corriente** running water
**cortar** to cut, II: 8.1; **1.1**
**cortarse el pelo** to get one's hair cut
la **corte** court, II: 14.1
el **corte de pelo** haircut, II: 12.1
el **cortejo** courtship, **4.3**
**cortés** courteous
la **cortesía** courtesy, BV
**corto(a)** short, I: 3.2
**el pantalón corto** shorts, I: 3.2
**las mangas cortas (largas)** short (long) sleeves, II: 4.1
la **cosa** thing
la **cosecha** crop, harvest, II: 9.2
**la cosecha del maíz** corn harvest
**cosechar** to harvest, II: 9.2
**coser** to sew
la **costa** coast
**costar (ue)** to cost, I: 3.1
**costarricense** Costa Rican
la **costilla** rib, II: 10.1
la **costumbre** custom
la **costura** sewing
**cotidiano(a)** daily, LC1
el **cráter** crater
la **creación** creation
**crear** to create
**crecer** to grow, increase, **3.3**

el **crecimiento** growth
**crédito: la tarjeta de crédito** credit card, I: 14.1; II: 2.1
**creer** to believe, I: 8.2; to think so
la **crema: la crema de afeitar** shaving cream, I: 12.1
**la crema dentífrica** toothpaste, I: 12.2
**la crema protectora** sunblock, I: 9.1
la **cremallera** zipper, **3.2**
**criar** to raise, II: 9.2
la **criatura** creature
**una criatura mítica** mythical creature
el **crimen** crime, **2.2**
**criollo(a)** Creole
el **criollo** a person of Spanish descent born in Latin America
**cristalizarse** to crystallize, LC5
**cristiano(a)** Christian
el **cruce** crossing, intersection, II: 11.2
**el cruce de peatones** crosswalk, II: 9.1
el **crucigrama** crossword puzzle, II: 5.1
**llenar un crucigrama** to do a crossword puzzle, II: 5.1
la **crueldad** cruelty
**cruzar** to cross, II: 9.1
el **cuaderno** notebook, I: 3.1
la **cuadra** (city) block, II: 11.2
el **cuadro** painting, I: 10.2
**cuadros: a cuadros** check, plaid
**de cuadros** checkered, **3.2**
**una bufanda de cuadros** checkered scarf
**¿cuál?** which?, what?, BV
**¿Cuál es la fecha de hoy?** What is today's date?, BV
**¿cuáles?** which ones?, what?
**cualquier** any
**cuando** when, I: 4.2
**¿cuándo?** when?, I: 4.1
**cuanto: en cuanto a** in regard to
**¿cuánto?** how much?, I: 3.1
**¿A cuánto está(n)… ?** How much is (are) …?, I: 5.2
**¿Cuánto es?** How much does it cost?, I: 3.1
**¿Cuánto cuesta(n)… ?** How much do(es) . . . cost?, I: 3.1
**¿cuántos(as)?** how many?, I: 2.1
**¿Cuántos años tienes?** How old are you?
**cuarenta** forty, I: 2.2
el **cuarto** room, bedroom, I: 6.2; quarter, I: 2.2

**el cuarto de baño** bathroom, I: 6.2

**el cuarto de dormir** bedroom

**el cuarto doble** double room, II: 6.1

**el cuarto sencillo** single room, II: 6.1

**menos cuarto** a quarter to (the hour), I: 2.2

**y cuarto** a quarter past (the hour), I: 2.2

**cuarto(a)** fourth, I: 6.2

**cuatro** four, BV

**cuatrocientos(as)** four hundred, I: 3.2

**cubano(a)** Cuban

**cubanoamericano(a)** Cuban American

**cubierto(a)** covered, **2.3**

**cubrir** to cover

la **cuchara** tablespoon, I: 14.1; II: 2.1

   **la cuchara de palo** wooden spoon, LC8

la **cucharada** spoonful, LC5

la **cucharita** teaspoon, I: 14.1; II: 2.1

el **cuchillo** knife, I: 14.1; II: 2.1

el **cuello** neck, II: 4.1

la **cuenca** basin

la **cuenta** bill, check, I: 5.1

la **cuenta corriente** checking account, II: 12.2; 4.2

la **cuenta de ahorros** savings account

el/la **cuentista** short-story writer

el **cuento** story

la **cuerda** string (instrument); cord, rope, **2.1**

el **cuero** leather, **3.2**

   **botas de cuero** leather boots

   **tela de cuero** leather fabric

el **cuerpo** body, II: 8.1

el **Cuerpo de Paz** Peace Corps

la **cuesta** hill, LC2

el **cuestionario** questionnaire

**¡cuidado!** careful!

   **con cuidado** carefully

   **el cuidado intensivo** intensive care

   **tener cuidado** to be careful

**cuidar** to raise, look after, care for

**culminar** to culminate, **4.3**

**cultivar** to cultivate, to grow, II: 9.2; **2.1**

el **cultivo** cultivation, growing, II: 9.2; **6.1**

**culto(a)** cultured

**cultural** cultural

la **cumbre** top, LC8

el **cumpleaños** birthday, I: 6.1

   **¡Feliz cumpleaños!** Happy birthday!, II: 13.1

**cumplir: cumplir… años** to be . . . years old, I: 6.1

el **cupé** coupe, II: 11.1

el **cura** priest, LC5

la **cura** cure, treatment

el/la **curandero(a)** folk healer

**curar** to heal, get well

**cursi** flashy (person), **3.3**

el **curso** course, class, I: 2.1

   **el curso obligatorio** required course

   **el curso opcional** elective course

## D

la **dama** lady-in-waiting, woman

   **la dama de honor** maid of honor, II: 13.1

las **damas** checkers, II: 5.1

la **danza** dance

**dañar** to hurt

**daño: hacerse daño** to hurt oneself, II: 8.1

**dar** to give, I: 4.2

   **dar a** to open onto, look out on

   **dar a entender** to imply

   **dar auxilio** to help

   **dar énfasis** to emphasize

   **dar la mano** to shake hands

   **dar la vuelta** to turn around

   **dar las doce** to strike twelve, II: 13.2

   **dar un examen** to give a test, I: 4.2

   **dar un paseo** to take a walk, II: 5.2

   **dar un paso** to take a walk, LC6

   **dar una fiesta** to give (throw) a party, I: 4.2

   **dar una representación** to put on a performance, I: 10.2

**datar** to date

los **datos** data, information, II: 3.1

   **entrar los datos** to enter, keyboard information, II: 3.1

**de** of, from, for, BV

   **de… a…** from (time) to (time), I: 2.2

   **de joven** as a young person

   **De nada.** You're welcome., BV

   **de ninguna manera** by no means, I: 1.1

   **¿De parte de quién?** Who's calling?, II: 3.2

   **de repente** suddenly

   **de vez en cuando** sometimes

**debajo (de)** under, below, II: 7.1

**deber** must; should; to owe

**debilitar** to debilitate

la **debutante** debutante, **4.3**

la **década** decade

la **decadencia** decadence

la **decepción** deception

el **deceso** death, **4.3**

**decidir** to decide

**décimo(a)** tenth, I: 6.2

**decir** to say, I: 13

   **¡Diga!** Hello! (answering the telephone [Spain]), I: 14.2; II: 2.2

**decisivo(a)** decisive

**declarar** to declare

**declinar** to decline

la **decoración** decoration; scenery (of a play), set, **7.2**

el **decorado** scenery (of a play), set, **7.2**

**decorado(a)** decorated

**decorar** to decorate

**dedicarse** to devote oneself, II: 14.1; **6.1**

el **dedo** finger, II: 4.1

el **defecto** fault, flaw

**defender (ie)** to defend

la **definición** definition

**definir** to define

**definitivamente** once and for all

la **deforestación** deforestation, **5.1**

**dejar** to leave (something), I: 14.1; II: 2.1; to let, allow

   **dejar un mensaje** to leave a message, II: 3.2

**del** of the, from the

**delante de** in front of, I: 10.1

**delantero(a)** front (adj.)

**delgado(a)** thin

**delicado(a)** delicate

**delicioso(a)** delicious

**demás** other, rest

**demasiado** too (much)

la **demografía** demography

el/la **demógrafo(a)** demographer

la **demora: con una demora** with a delay, I: 11.1; **1.2**

**demostrar (ue)** to demonstrate

el **dénim** denim, **3.2**

   **tela de dénim** denim fabric

la **densidad** density

**dentífrico(a): la pasta (crema) dentífrica** toothpaste, I: 12.2; LC7

el/la **dentista** dentist
**dentro de** within
**dentro de poco** soon
la **denuncia** report (police), denunciation, **2.2**
**deparar** to supply
el **departamento** apartment, I: 6.2; department, II: 14.2
    **la casa de departamentos** apartment house, I: 6.2
    **el departamento de recursos humanos** human resources department, II: 14.2
**depender (ie) (de)** to depend (on)
el/la **dependiente(a)** salesperson, I: 3.1
el **deporte** sport, I: 7.1
    **el deporte de equipo** team sport
    **el deporte individual** individual sport
**deportivo(a)** (related to) sports, I: 6.2
    **la emisión deportiva** sports program (TV), I: 6.2
el **depósito** deposit; tank (at a gas station), **7.3**
el **derecho** right
**derecho(a)** right, I: 7.1
    **a la derecha** to the right, I: 5.2
**derecho** straight (ahead), II: 11.2
    **seguir derecho** to go straight, II: 11.2
la **dermatología** dermatology
el/la **dermatólogo(a)** dermatologist
**derramar** to spill
**derrotar** to defeat
**desabrochado(a)** unbuttoned, **3.3**
**desafecto(a)** hostile, **6.1**
**desagradable** unpleasant
**desamparado(a): los niños desamparados** homeless children
**desaparecer** to disappear, **5.1**
**desarrollado(a)** developed, advanced
el **desarrollo** development
el **desastre** disaster
**desastroso(a)** disastrous
**desayunarse** to eat breakfast, I: 12.1
el **desayuno** breakfast, I: 5.2
    **tomar el desayuno** to eat breakfast, I: 12.1
**descalzo(a)** shoeless, LC3
**descansar** to rest, **5.2**
el **descanso** intermission, **7.2**

el **descapotable** convertible, II: 11.1
el/la **descendiente** descendant
**descolgar (ue)** to pick up (the telephone), II: 3.2
**descortés** impolite, **6.2**
**describir** to describe
**descubrir** to discover
el **descuento** discount
**desde** since, from
**desear** to want, wish, I: 3.2; **4.3**
    **¿Qué desea Ud.?** May I help you? (in a store), I: 3.2
los **desechos** waste
**desembarcar** to disembark, **I: 11.2**
la **desembocadura** mouth (of a river), **7.1**
**desembocar** to lead, go (one street into another), II: 9.1; to empty
el **desengaño** disappointment, LC7
el **desenlace** conclusion
el **deseo** desire
el **desierto** desert, **5.1**
    **el desierto árido** arid desert
la **desilusión** disillusionment
**desinflarse** to deflate, **7.3**
**desorientado(a)** disoriented
**despachar** to sell, I: 8.2
**despacio** slowly
**despegar** to takeoff (airplane), I: 11.2
el **despegue** take-off (airplane), II: 7.2
**despejado(a)** clear (weather), **2.3**
**desperdiciar** to waste, to squander, LC4
**despertarse (ie)** to wake up, I: 12.1
**despistado(a)** off-track, lost, **7.3**
**después (de)** after, I: 5.1; later
**destilado(a)** distilled
el **destino** destination, I: 11.1
    **con destino a** to
**destrozar** to shatter, LC5
la **destrucción** destruction, **2.3; 4.1**
**desvanecer** to dissipate, **2.3**
la **desventaja** disadvantage
el **desvío** detour, **8.3**
el **detalle** detail
**detenidamente** carefully, thoroughly, **7.3**
el **detergente** detergent, II: 4.2
**determinar** to determine
**detrás de** behind, II: 5.2
la **deuda** debt, **7.1**
**devolver (ue)** to return (something), I: 7.2; **4.3**

**devorar** to devour, **5.1**
el **día** day, BV
    **Buenos días.** Good morning., BV
    **el Día de los Reyes** Epiphany (January 6), II: 13.2
    **hoy (en) día** nowadays, these days
    **¿Qué día es (hoy)?** What day is it (today)?, BV
la **diagnosis** diagnosis, I: 8.2
el **diálogo** dialogue
el **diamante** diamond
**diario(a)** daily
**dibujar** to draw, LC8
el **dibujo** drawing
**dichoso(a)** lucky, LC4
**diciembre** December, BV
**diecinueve** nineteen, BV
**dieciocho** eighteen, BV
**dieciséis** sixteen, BV
**diecisiete** seventeen, BV
el **diente** tooth
    **cepillarse los dientes** to brush one's teeth, I: 12.1
    **el cepillo de dientes** toothbrush, I: 12.2
la **dieta** diet
**diez** ten
la **diferencia** difference
**diferente** different
**difícil** difficult, I: 2.1
la **dificultad** difficulty
el/la **difunto(a)** deceased, **4.3**
    **¡Diga!** Hello! (telephone), I: 14.2; II: 2.2
    **diminuto(a)** tiny, minute
la **dinamita** dynamite
el **dinero** money, I: 14.1; II: 2.1; **4.2;** LC6
    **el dinero en efectivo** cash, II: 12.2
    **el giro de dinero** money order, **8.3**
**¡Dios mío!** Gosh!
el/la **diplomado(a)** graduate
**diplomático(a)** diplomatic
el **diputado: congreso de diputados** house of representatives
la **dirección** direction; address
    **en dirección a** toward
las **direccionales** turn signals, II: 11.1
**directo(a)** direct
el/la **director(a)** director, principal
**dirigir** to direct
    **dirigirse a** to address
la **disciplina** subject area (school), I: 2.2
el **disco** dial (of telephone), II: 3.2

el **disco compacto** compact disk, CD, I: 14.2; II: 3.1
**discutir** to discuss
el/la **diseñador(a)** designer
el **diseño** design
**disfrutar** to enjoy
**disgustado(a)** tasteless, LC8
**disponible** available
la **disputa** quarrel, argument
el **disquete** disk, diskette, I: 3.1
la **distancia** distance
**distinto(a)** different, distinct
**distraer** to distract
la **distribución** distribution
la **distribuidora** parking meter that dispenses tickets
**distribuir** to pass out, distribute, II: 7.1
la **diversión** amusement
**divertido(a)** fun, amusing
**divertirse (ie, i)** to enjoy oneself, I: 12.2
**dividir** to divide
las **divisas** foreign currency, **8.3**
la **división** division
**divorciarse** to get divorced
**doblado(a)** dubbed, I: 10.1
**doblar** to turn, II: 11.2
**doble: el cuarto doble** double room, II: 6.1
**dobles** doubles, I: 9.1
**doce** twelve, BV
la **docena** dozen, II: 4.2
el/la **doctor(a)** doctor
la **documentación** documentation
el **documento** document, II: 3.1
el **dólar** dollar, **4.2**
**doler (ue)** to hurt, I: 8.2
**Me duele(n)…** My . . . hurt(s) me, I: 8.2
el **dolor** pain, ache, I: 8.1
**el dolor de cabeza** headache, I: 8.1
**el dolor de estómago** stomachache, I: 8.1
**el dolor de garganta** sore throat, I: 8.1
**Tengo dolor de…** I have a pain in my . . . , I: 8.2
**doméstico(a): los animales domésticos** farm animals, II: 9.2
**la economía doméstica** home economics, I: 2.2
**dominar** to dominate
el **domingo** Sunday, BV
**dominicano(a)** Dominican, I: 2.1
**la República Dominicana** Dominican Republic

el **dominio** control, authority
el **dominó** dominos, II: 5.1
**don** courteous way of addressing a man
**donar** to donate, **2.3**
**donde** where, I: 1.2
**¿dónde?** where?, I: 1.2
**doña** courteous way of addressing a woman
**dorado(a)** golden
**dormido(a)** asleep
el/la **dormilón(ona)** sleepyhead
**dormir (ue, u)** to sleep
**el saco de dormir** sleeping bag, I: 12.2
**dormirse (ue, u)** to fall asleep, I: 12.1
el **dormitorio** bedroom, I: 6.2
**dos** two, BV
**doscientos(as)** two hundred, I: 3.2
la **dosis** dose, I: 8.2
el/la **dramaturgo(a)** playwright
**driblar** to dribble, I: 7.2
la **droga** drug
la **drogadicción** drug addiction
la **ducha** shower, I: 12.1
**tomar una ducha** to take a shower, I: 12.1
la **duda** doubt
**dudar** to doubt
**dudoso(a)** doubtful
**duele(n): Me duele(n) mucho.** It (They) hurt(s) me a lot., II: 8.2
el/la **dueño(a)** owner, **4.3; 6.2**
**dulce** sweet, **3.1**
**el pan dulce** sweet roll, I: 5.1
la **duración** duration
**durante** during
**durar** to last, II: 13.2
**duro(a)** hard, difficult, I: 2.1
el **DVD** digital video disk (DVD)

la **ebullición** boiling
**echar** to throw, LC6
**echar la carta (en el buzón)** to mail the letter, II: 12.2
**echar (tomar) una siesta** to take a nap
**echarle flores** to pay someone a compliment
**echar raíces** to put down roots
la **ecología** ecology
**ecológico(a)** ecological
la **economía** economics; economy

la **economía doméstica** home economics, I: 2.2
**económico(a)** economical, I: 12.2
la **ecuación** equation
**ecuatoriano(a)** Ecuadorean, I: 2.1
la **edad** age
el **edificio** building, II: 9.1
la **educación** education
**la educación física** physical education, I: 2.2
**educar** to educate
**efectivo: el dinero en efectivo** cash
el **efecto** effect
**efectuar** to carry out
**efectuarse** to take place, **4.3**
el/la **egresado(a)** graduate, **3.3**
**ejemplo: por ejemplo** for example
el **ejercicio** exercise, **5.3**
**hacer los ejercicios** to exercise
**ejercitar** to exercise (a body part), **5.3**
el **ejército** army
el **ejote** string beans
**el** the (m. sing.), I: 1.1
**él** he, I: 1.1
la **electricidad** electricity
el/la **electricista** electrician, II: 14.1
**eléctrico(a)** electric
**electrónico(a): el correo electrónico** e-mail, electronic mail
el **elefante** elephant
el **elefante marino** elephant seal, **3.1**
la **elegancia** elegance
**elegante** elegant, II: 13.1
el **elemento** element
el **elenco** cast (of a play), **7.2**
la **elevación** elevation
**elevado(a)** elevated, high
el **elevador** elevator, II: 6.1
**elevar** to elevate
**eliminar** to eliminate
**ella** she, I: 1.1
**ellos(as)** they, I: 2.1
el **elote** corn (Mex.)
**eludir** to elude
el/la **embajador(a)** ambassador
la **embarcación** boat, **1.3**
**embarcar** to board, I: 11.2
**embarque: la tarjeta de embarque** boarding pass, I: 11.1
**la puerta de embarque** departure gate
el **embotellamiento** traffic jam, **1.2**
la **emergencia** emergency, II: 7.1

la **sala de emergencia**
emergency room, II: 8.1
la **emisión** program (TV), I: 6.2;
**8.2;** emisión
**la emisión deportiva**
sports program, I: 6.2
**emitir** to emit
la **emoción** emotion
**emocional** emotional
**empalmar** to connect
**empanizar** to rise (bread), LC5
**empañar** to blur, LC7
**empatado(a)** tied (score), I: 7.1
**El tanto queda empatado.**
The score is tied., I: 7.1
**empezar (ie)** to begin, I: 7.1
el/la **empleado(a)** employee, clerk,
I: 3.1
**emplear** to employ
el **empleo** employment, job
**la solicitud de empleo**
job application, II: 14.2
**emprender** to undertake (a
journey), **6.1**
la **empresa** business;
undertaking, **7.1**
el/la **empresario(a)** entrepreneur,
businessperson
**empujar** to push, II: 4.2; **2.2**
**empujar el carrito** to push
the cart, II: 4.2
**en** in; on
**en aquel entonces** at that
time
**en caso de** in case of
**en efectivo: el dinero en
efectivo** cash, **4.2**
**en punto** on the dot, sharp,
I: 4.1
**en sí** in itself
el/la **enamorado(a)** sweetheart, lover
**en vivo** live, **8.2**
**encabezar** to lead, to head up,
**6.3**
**encaminarse a** to set out for,
LC3
**encantador(a)** charming
**encantar** to delight
**encargarse** to take charge
**encender (ie)** to light, II: 13.2
**encestar** to put in (make) a
basket, I: 7.2
la **enchilada** enchilada, BV
las **encías** gums (of the mouth),
LC7
**encima (de)** above
**por encima de** above, I: 9.1
**encogerse** to shrink, **3.2**
**encontrar (ue)** to find; **4.3**
**encontrarse (ue)** to meet
la **encuesta** survey

**endosar** to endorse, II: 12.2
el/la **enemigo(a)** enemy
la **energía** energy
**enero** January, BV
**enfadado(a)** angry
el **énfasis: dar énfasis** to
emphasize
**enfatizar to** emphasize
la **enfermedad** illness
la **enfermería** nursing
el/la **enfermero(a)** nurse, II: 8.2
**enfermo(a)** sick, I: 8.1
el/la **enfermo(a)** sick person, I: 8.1
**enfrente de** in front of
el **enganche** down payment
el **engaño** deception, LC6
**¡Enhorabuena!**
Congratulations!, II: 13.1
**enjuagar** to rinse out, LC7
**enjuto(a)** lean, skinny, LC7
el **enlace** union
**enlatado(a)** canned
**enlazar** to join; connect, **1.2**
**enorme** enormous
**enriquecerse** to get rich, **7.1**
la **ensalada** salad, I: 5.1
**enseguida** right away,
immediately, I: 5.1
**enseñar** to teach, I: 4.1; to
show, II: 4.1
**entablar** to start, begin
el **entendimiento** understanding
**entero(a)** entire, whole
**enterrar (ie)** to bury
el **entierro** burial; **4.3**
**entonces** then
**en aquel entonces** at that time
la **entrada** inning, I: 7.2;
admission ticket, I: 10.1; **7.2;**
entrance, II: 5.2
**entrar** to enter, I: 4.1
**entrar en escena** to come (go)
on stage, I: 10.2
**entre** between, I: 7.1
**entregar** to deliver
el **entrenamiento** training
**entretenido(a)** entertaining
la **entrevista** interview, II: 14.2; **8.2**
el/la **entrevistador(a)** interviewer,
II: 14.2
**entrevistar** to interview
**entusiasmado(a)** enthusiastic
**entusiasmarse** to become
enthusiastic
el **envase** gas can, **7.3**
el/la **envejeciente** aging person
**enviar** to send
**envidiar** to envy, LC6
**envuelto(a)** wrapped
el **episodio** episode
la **época** period of time, epoch, **2.1**

el **equilibrio** equilibrium
el **equipaje** baggage, luggage,
I: 11.1
**el equipaje de mano** carry-
on luggage, I: 11.1
el **equipo** team, I: 7.1; equipment
**el deporte de equipo** team
sport, I: 7.2
el **equivalente** equivalent
**erróneo(a)** wrong, erroneous
la **erupción** eruption, **2.3**
la **escala** stopover, II: 7.2
**hacer escala** to stop over,
make a stop, II: 7.2
la **escalera** stairway, I: 6.2
la **escalera mecánica** escalator,
II: 9.1
los **escalofríos** chills, I: 8.1, LC6
**escamotear** to secretly take
**escapar** to escape
el **escaparate** shop window, II: 4.1
la **escasez** shortage, **7.3**
**escaso(a)** scarce, **2.1**
la **escena** stage
**entrar en escena** to come
(go) on stage, I: 10.2
el **escenario** scenery, set
(theater), I: 10.2; **7.2**
el **escenografía** scenery (of a
play), set, **7.2**
**escoger** to choose
**escolar** (related to) school, I: 2.1
**el bus escolar** school bus,
I: 4.1
**el horario escolar** school
schedule
**la vida escolar** school life
**los materiales escolares**
school supplies, I: 3.1
**esconder** to hide
**escondido(a)** hidden
**a escondidas** secretly, **8.1**
**espeso(a)** thick, dense, **7.1**
**escribir** to write, I: 5.1
**escuchar** to listen (to), I: 4.2
el **escudero** squire, knight's
attendant
la **escuela** school, I: 1.1
**la escuela intermedia**
middle school
**la escuela primaria**
elementary school
**la escuela secundaria** high
school, I: 1.1
**la escuela superior** high
school
el/la **escultor(a)** sculptor, I: 10.2
la **escultura** sculpture
la **escupidera** spit cup, LC7
**ese(a)** that
**esencial** essential

la **esmeralda** emerald
**eso** that (one)
**a eso de** at about (time),
I: 4.1
**esos(as)** those
el **espacio** space
el **espagueti** spaghetti
la **espalda** back (body), **3.3**
**espantoso(a)** frightful,
frightening
la **España** Spain
el **español** Spanish (language),
I: 2.2
**español(a)** Spanish *(adj.)*
la **espátula** palette knife,
spatula
la **especia** spice
**especial** special
la **especialidad** specialty,
specialization
el/la **especialista** specialist, II: 14.1
**especializar** to specialize
**especialmente** especially
el **espectáculo** show, I: 10.2
**ver un espectáculo** to see a
show, I: 10.2
el/la **espectador(a)** spectator,
I: 7.1
el **espejo** mirror, I: 12.1
**espera: la sala de espera**
waiting room, I: 13.1; II: 1.1
**esperar** to wait (for), I: 11.1; to
hope, **2.3**
**espontáneo(a)** spontaneous
la **esposa** wife, spouse, I: 6.1
el **esposo** husband, spouse, I: 6.1
el **espíritu** spirit
la **esquela** obituary, **4.3;**
announcement, LC8
el **esquí** skiing, I: 9.2; ski
**el esquí acuático** water
skiing, I: 9.1
el/la **esquiador(a)** skier, I: 9.2
**esquiar** to ski, I: 9.2
**esquiar en el agua** to
water-ski, I: 9.1
la **esquina** corner, II: 9.1
**establecer** to establish, **1.1**
**establecerse** to settle
el **establecimiento** establishment
la **estación** season, BV; station,
I: 10.1
**la estación de esquí** ski
resort, I: 9.2
**la estación de ferrocarril**
train station, I: 13.1; II: 1.1
**la estación del metro**
subway station, I: 10.1
**la estación de servicio**
service station, II: 11.1
el **estacionamiento** parking

**estacionar** to park
la **estadía** stay
el **estadio** stadium, I: 7.1
la **estadística** statistic
el **estado** state
el **estado del banco** bank
statement
**Estados Unidos** United States
**estadounidense** from the
United States
**estampado(a)** printed, **3.3**
la **estancia** ranch (Argentina)
**estar** to be, I: 4.1
**¿Está… ?** Is . . . there?, II: 3.2
**estar cansado(a)** to be tired,
II: 8.1
**estar contento(a) (triste, etc.)**
to be happy (sad, etc.), II: 8.1
**estar de buen (mal) humor**
to be in a good (bad) mood,
II: 8.1
**estar enfermo(a)** to be sick
**estar nervioso(a)
(tranquilo[a])** to be
nervous (calm), II: 8.1
**estar resfriado(a)** to have a
cold, I: 8.1
**estatal** pertaining to state *(adj.)*
la **estatua** statue, I: 10.2
**este(a)** this
el **este** east
la **estela** stone monument, **4.1**
**estereofónico(a)** stereo
el **estilo** style
**estimado(a)** esteemed
los **estiramientos** stretches, **5.3**
**estirar** to stretch, LC1
**esto** this (one)
el **estoicismo** stoicism
el **estómago** stomach, I: 8.1
**estornudar** to sneeze, I: 8.1
**estos(as)** these
la **estrategia** strategy
**estrechar la mano** to shake
hands, LC8
**estrecho(a)** narrow, II: 4.1
la **estrella** star
la **estrofa** stanza
la **estructura** structure
el/la **estudiante** student
**el/la estudiante de
intercambio** exchange
student
**la residencia para
estudiantes** student
housing, dormitory, II: 3.2
**estudiantil** (relating to)
student
**estudiar** to study, I: 4.1
el **estudio** study, II: 14
la **estufa** stove, II: 10.1

**estupendo(a)** stupendous
**eterno(a)** eternal
**étnico(a)** ethnic
el **euro** euro (currency)
la **Europa** Europe
**europeo(a)** European
**evadir** to evade
**evitar** to avoid, **6.2**
**exactamente** exactly
**exacto(a)** exact
**exagerado(a)** exaggerated
**exagerar** to exaggerate
el **examen** test, exam, I: 4.2
**examinar** to examine, I: 8.2
la **excavación** excavation
**excavar** to dig, excavate
**exceder** to exceed
**excelente** excellent
la **excepción** exception
**exclamar** to exclaim
**exclusivamente** exclusively
la **exhibición** exhibition
**exigir** to demand
la **existencia** existence
**existir** to exist
el **éxito** success
la **expedición** expedition
la **experiencia** experience
**experimentar** to experiment
el/la **experto(a)** expert, I: 9.2
**explicar** to explain, I: 4.2
el/la **explorador(a)** explorer
la **explosión** explosion
**exportar** to export
la **exposición (de arte)** (art)
exhibition, I: 10.2
la **expresión** expression
**el modo de expresión** means
of expression
la **extensión** extension
**extraer** to extract, LC5
**extranjero(a)** foreign
**el país extranjero** foreign
country, I: 11.2
el/la **extranjero(a)** foreigner
**en el extranjero** abroad
**extraordinario(a)**
extraordinary
**extravagante** strange
**extraviarse** to get lost, to go
astray, **4.3**
el **extravío** going astray, **4.3**
**extremo(a)** extreme
**exuberante** exuberant

la **fábrica** factory, II: 9.1
**fabricado(a)** manufactured

**fabuloso(a)** fabulous
**fácil** easy, I: 2.1
**facilitar** to facilitate
el **facsímil** fax, II: 3.1
la **factura** bill, II: 6.1; **4.2;** invoice
**facturar el equipaje** to check luggage, I: 11.1
la **facultad** school (of a university)
la **faja** sash
la **falda** skirt, II: 3.2
**fallecer** to die, **4.3;** LC8
el **fallecimiento** death, **4.3**
**fallido(a)** failed, LC5
**falso(a)** false
la **falta** lack
la **fama: tener fama de** to have the reputation of
la **familia** family, I: 6.1
**familiar** (related to the) family
el **familiar** relative, **4.3**
**famoso(a)** famous, I: 1.2
**fantástico(a)** fantastic, I: 1.2
el/la **farmacéutico(a)** druggist, pharmacist, I: 8.2
la **farmacia** drugstore, I: 8.2
**fascinar** to fascinate
la **fatiga** fatigue
la **fauna** fauna, **5.1**
**Favor de (+ infinitive)** Please (+ verb), II: 11.1
**favorito(a)** favorite, II: 11
el **fax** fax, II: 3.1
**mandar (transmitir) un fax** to send a fax, to fax, II: 3.1
la **faz** face, LC5
**febrero** February, BV
la **fecha** date, BV
**¿Cuál es la fecha de hoy?** What is today's date?, BV
la **felicidad** happiness
**¡Felicitaciones!** Congratulations!, II: 13.1
**felicitar** to congratulate, **4.3**
**feliz** happy
**¡Feliz cumpleaños!** Happy birthday!, II: 13.1
**¡Feliz Hanuka!** Happy Chanukah!, II: 13.2
**¡Feliz Navidad!** Merry Christmas!, II: 13.2
**feo(a)** ugly, I: 1.1
el **ferrocarril** railroad, I: 13.1, II: 1.1
**la estación de ferrocarril** train station, I: 13.1, II: 1.1
**festejar** to celebrate; **4.3**
la **ficción** fiction
la **ficha** piece (game), II: 5.1; registration card, II: 6.1
**ficticio(a)** fictitious

la **fiebre** fever, I: 8.1
**tener fiebre** to have a fever, I: 8.1
**fiel** faithful
la **fiesta** party, II: 13.1
**dar una fiesta** to give (throw) a party, I: 4.2
la **fiesta de las luces** The Festival of Lights, II: 13.2
la **figura** figure
**figurativo(a)** figurative
**fijar** to fix
**fijo(a)** fixed
la **fila** row (of seats); line (queue), I: 10.1
el **filete** fillet
**filial** childlike, filial, LC1
el **film** film, I: 10.1
**filmar** to film
el **fin** end
**a fines de** at the end of
**el fin de semana** weekend, BV
el **final: al final (de)** at the end (of)
**financiero(a)** financial
las **finanzas** finances
la **finca** farm, II: 9.2
**fino(a)** fine
**firmar** to sign, II: 12.2; **5.2**
la **firmeza** firmness
la **física** physics, I: 2.1
**físico(a): la educación física** physical education, I: 2.2
**flaco(a)** skinny, I: 1.2
**flamenco(a)** flamenco
la **flauta** flute
**flechar** to become enamored of (to fall for)
**flojo(a)** loose. LC5
la **flor** flower, **5.1**
**la flor silvestre** wildflower, **5.1**
**fluvial** fluvial, riverlike, **7.1**
el **folleto** pamphlet
el **fondo** fund
el/la **fontanero(a)** plumber, II: 14.1
la **forma** shape
**formar** to make up, form
el **formulario** form, II: 8.2
**llenar un formulario** to fill out a form, II: 8.2
**fornido(a)** husky
el **forro** covering (clothing), **3.2**
la **fortaleza** strength
la **fortificación** fortification
la **foto** photo
la **fotografía** photograph
el/la **fotógrafo(a)** photographer
**fracasar** to fail, **3.3**
la **fractura** fracture, II: 8.1
el **fragmento** fragment
**fragoso(a)** rough, LC7

el **francés** French, I: 2.2
**franco(a)** frank, candid, sincere
la **franqueza** frankness
el **frasco** jar, II: 4.2
la **frase** phrase, sentence
la **frazada** blanket, II: 6.2
**frecuentemente** frequently
**freír (i, i)** to fry, I: 14.1; II: 2.1
los **frenos** brakes, II: 11.1
la **frente** forehead, II: 8.1; LC2
la **fresa** cutter, LC7; strawberry
**fresco(a)** fresh, II: 4.2
el **frijol** bean, I: 5.2
**los frijoles negros** black beans, II: 10.2
**arroz con frijoles (habichuelas)** rice with beans, **6.1**
el **frío: Hace frío.** It's cold., I: 9.2
**frito(a)** fried, I: 5.1
**las papas fritas** French fries, I: 5.1
la **frontera** border
**fronterizo(a)** frontier, border (*adj.*), **8.1**
el **frontón** wall (of a jai alai court)
la **fruta** fruit, I: 5.2
la **frutería** fruit store, II: 4.2
el **fuego** fire, II: 10.2
**a fuego lento** on a low flame, heat
**quitar (retirar) del fuego** to take (something) off the heat, II: 10.2
la **fuente** source
**fuerte** strong, **4.1**
la **fuerza** strength; force
**fumar: la sección de (no) fumar** (no) smoking area, I: 11.1
**la señal de no fumar** no smoking sign, II: 7.1
la **función** performance, I: 10.2; function
el **funcionamiento** functioning
el/la **funcionario(a)** city hall employee, II: 14.1
la **fundación** foundation
**fundado(a)** founded, established
**fundar** to found, establish, **8.1**
la **furia** fury
**furioso(a)** furious
**furtivamente** furtively
la **fusión** fusion
el **fútbol** soccer, I: 7.1
**el campo de fútbol** soccer field, I: 7.1
el **futbolín** table soccer, II: 5.1
el **futuro** future

## G

la **gabardina** raincoat, II: 4.1
el **gabinete** cabinet
  **el gabinete del dentista** dentist's cabinet, LC7
las **gafas de sol** sunglasses, I: 9.1
el **gajo** broken branch, LC3
el **galán** beau, heartthrob
la **galaxia** galaxy
el **galeón** galleon, **6.1**
la **galería comercial** shopping mall
el **galón** gallon
  **gallardo(a)** gallant, fine-looking
la **galleta** cracker, cookie LC6
la **gallina** hen, II: 9.2; LC3
el **gallinero** top gallery (of a theater), **7.2;** hen house, LC3
el **gallo** rooster, LC3
las **gambas** shrimp, II: 10.2
la **gamuza** antelope, chamois, **3.2**
la **ganadería** cattle, **3.1**
el **ganado** cattle, II: 9.2; **3.1**
  **ganar** to win, I: 7.1; to earn
  **ganar la vida** to earn one's living
la **ganga** bargain
el **garaje** garage, I: 6.2
la **garantía** guarantee
  **garantizar** to guarantee, to ensure
la **garganta** throat, I: 8.1
la **garita de peaje** toll booth, II: 11.2
la **garra** claw
  **la garra de águila** eagle claw, LC8
el **gasoil** diesel fuel
la **gasolina** gasoline, II: 11.1
la **gasolinera** service station, 11.1
  **gastar** to spend
el/la **gato(a)** cat, I: 6.1
el **gaucho** gaucho, Argentine cattle handler, **3.1**
la **gaveta** drawer, LC7
el/la **gemelo(a)** twin
la **generación** generation
  **general: en general** generally
  **por lo general** in general, usually
  **generalmente** usually, generally
el **género** genre
  **generoso(a)** generous, I: 1.2
la **gente** people
la **geografía** geography, I: 2.2
la **geometría** geometry, I: 2.2

**geométrico(a)** geometric
  **gerencial** managerial
el/la **gerente** manager, II: 14.1
el **gesto** gesture
el **gigante** giant
el **gimnasio** gymnasium
la **ginecología** gynecology
el/la **ginecólogo(a)** gynecologist
la **gira** tour, I: 12.2
  **girar** to turn, LC7
el **glaciar** glacier, **3.1**
el **globo** balloon, II: 5.2
el/la **gobernadora** governor
el **gobierno** government, II: 14.1
  **el gobierno estatal** state government
  **el gobierno federal** federal government
  **el gobierno municipal** municipal government
el **gol: meter un gol** to score a goal, I: 7.1
el **golfo** gulf
el **golpe** coup (overthrow of a government); blow
  **de golpe** suddenly, LC5
  **golpear** to hit, I: 9.2
la **goma** tire, II: 11.1; rubber, **3.2**
  **la suela de goma** rubber sole
la **goma de borrar** eraser, I: 3.1
  **gordo(a)** fat, I: 1.2
la **gorra** cap, hat, I: 3.2
la **gota** drop, LC5
  **la gota de agua** drop of water
  **gozar** to enjoy
la **grabadora DVD** DVD player, **8.2**
  **grabar** to record, **8.2**
  **Gracias.** Thank you., BV
  **gracioso(a)** funny, I: 1.1
el **grado** degree (temperature), I: 9.2; grade
  **graduarse** to graduate
la **gramática** grammar
el **gramo** gram
  **gran, grande** big, large, great
  **las Grandes Ligas** Major Leagues
el **grano** grain
la **grasa** fat
  **grave** serious, grave
el/la **griego(a)** Greek
la **gripe** flu, I: 8.1
  **gris** gray, I: 3.2
  **grosero(a)** rude
la **grúa** crane (construction), LC8
el **grupo** group
el **guacamayo** macaw, **5.1**
la **guagua** bus (Puerto Rico, Cuba), I: 10.1

el **guante** glove, I: 7.2
  **guapo(a)** handsome, I: 1.1
  **guardar** to guard, I: 7.1; to keep, save, II: 3.1
  **guardar cama** to stay in bed, I: 8.1
el/la **guardia** police officer
  **guatemalteco(a)** Guatemalan
la **guayaba** guava
  **el casco de guayaba** guava (peel), **6.2**
la **guerra** war, **1.1**
la **guerrilla** band of guerrillas
el/la **guía** tour guide; guide
la **guía telefónica** telephone book, II: 3.2
el **guisado** stew, LC8
el **guisante** pea, I: 5.2
la **guitarra** guitar
  **gustar** to like, to be pleasing
el **gusto** pleasure; taste
  **Mucho gusto.** Nice to meet you.

## H

  **haber** to have (in compound tenses)
la **habichuela** bean, I: 5.2
  **la habichuela tierna** string bean
  **las habichuelas negras** black beans, II: 10.2
  **arroz con habichuelas (frijoles)** rice with beans, **6.1**
la **habitación** bedroom, room, II: 6.1
el/la **habitante** inhabitant, **2.3**
  **habla: los países de habla española** Spanish-speaking countries
  **hablar** to speak, talk, I: 3.1
  **hace: Hace... años** . . . years ago
  **Hace buen tiempo.** The weather is nice., I: 9.1
  **Hace calor.** It's hot., I: 9.1
  **Hace frío.** It's cold., I: 9.2
  **Hace mal tiempo.** The weather is bad., II: 9.1
  **Hace sol.** It's sunny., I: 9.1
  **hacer** to do, make
  **hacer caso** to pay attention
  **hacer cola** to line up, I: 10.1
  **hacer la cama** to make the bed, II: 6.2
  **hacer falta** to need, **3.2**
  **Te hace falta un número mayor** You need a bigger size.

**hacer juego** to match (clothes), **3.2**
  **La chaqueta y la blusa hacen juego.** The jacket and the blouse match.
**hacer la maleta** to pack one's suitcase
**hacer las compras** to shop, II: 4.2
**hacer las tareas** to do homework, II: 3.1
**hacer preguntas** to ask questions, II: 14.2
**hacer un viaje** to take a trip, I: 11.1
**hacer una llamada telefónica** to make a telephone call, II: 3.2
**hacerse daño** to hurt oneself, II: 8.l
**hacia** toward
la **hacienda** ranch
**hallar** to find
la **hamaca** hammock, **4.1**
**hambre: tener hambre** to be hungry, I: 14.1; II: 2.1
la **hamburguesa** hamburger, I: 5.1
**Hanuka** Chanukah, II: 13.2
  **¡Feliz Hanuka!** Happy Chanukah!, II: 13.2
**harmonioso(a)** harmonious
**hasta** until, BV
  **¡Hasta luego!** See you later!, BV
  **¡Hasta mañana!** See you tomorrow!, BV
  **¡Hasta pronto!** See you soon!, BV
**hay** there is, there are, BV
  **hay que** one must
  **Hay sol.** It's sunny., I: 9.1
  **No hay de qué.** You're welcome., BV
la **hazaña** feat, deed, LC1; LC6
**hebreo(a)** Hebrew, II: 13.2
**hecho(a)** made
**bien hecho(a)** well-done, **6.2**
  **la carne bien hecha (quemada)** well-done meat
**helado(a): el té helado** iced tea, I: 5.1
el **helado** ice cream, I: 5.1
  **el helado de chocolate** chocolate ice cream, I: 5.1
  **el helado de vainilla** vanilla ice cream, I: 5.1
el **helicóptero** helicopter, II: 7.2
el **hemisferio norte** northern hemisphere
el **hemisferio sur** southern hemisphere

la **herencia** inheritance
la **herida** wound, II: 8.1
el/la **herido(a)** injured person
**herir (i, i)** to injure, to wound, **5.3**, LC4
la **hermana** sister, I: 6.1
el **hermano** brother, I: 6.1
**hermoso(a)** beautiful, pretty, I: 1.1
el/la **héroe** hero
**heróico(a)** heroic
la **herramienta** tool, LC3
**hervir (ie, i)** to boil, II: 10.1
el **hidrofoil** hydrofoil
el **hiel** sorrow, LC5
la **hierba** grass, **3.1**
la **higiene** hygiene
**higiénico(a): el papel higiénico** toilet paper, I: 12.2
el **higo** fig, LC3
la **higuera** fig tree, LC3
la **hija** daughter, I: 6.1
el **hijo** son, I: 6.1
  **los hijos** children, I: 6.1
el **hilo** thread, LC8
**hinchado(a)** swollen, II: 8.1; LC7
el **hipermercado** hypermarket, II: 4.2
la **hipoteca** mortgage, **4.2**
**hispano(a)** Hispanic
**hispanoamericano(a)** Spanish-American
**hispanohablante** Spanish-speaking
el/la **hispanohablante** Spanish speaker
la **historia** history, I: 2.2; story
el/la **historiador(a)** historian
**histórico(a)** historical
la **historieta** short story
el **hobby** hobby, II: 5.1
el **hocico** snout, LC3
el **hogar** home, **3.3**
la **hoja** leaf, LC3; LC8
  **la hoja de papel** sheet of paper, I: 3.1
**¡Hola!** Hello!, BV
el **hombre** man
  **¡hombre!** good heavens!, you bet!
el **hombro** shoulder, II: 8.1; **5.3**
**hondo(a)** deep, LC3
la **honestidad** honesty
**honesto(a)** honest, I: 1.2
el **hongo** mushroom, **2.3**
el **honor** honor
la **hora** hour; time
  **¿A qué hora?** At what time?, I: 2.2
  **la hora de la cena** dinner hour

la **hora de salida** departure hour
el **horario** schedule, I: 13.1; II: 1.1
  **el horario escolar** school schedule
la **horchata** cold drink made from milk, sugar, cinnamon, and rice
la **hornilla** stove burner, II: 10.1
el **hornillo** portable stove, II: 10.1
el **horno** oven, II: 10.1
el **horno de microondas** microwave oven, II: 10.1
**horrible** horrible
**hospedarse** to lodge, stay
el **hospital** hospital, II: 8.1
la **Hostia** Host (religious)
el **hostal** inexpensive hotel, I: 12.2
el **hotel** hotel, II: 6.1
**hoy** today, BV
  **hoy (en) día** nowadays, these days
el **huarache** sandal
la **huelga** strike
  **en huelga** on strike, **1.2**
el/la **huerto(a)** vegetable garden, orchard, II: 9.2; **3.1**
el **hueso** bone, II: 8.2
el/la **huésped** guest, II: 6.1
el **huevo** egg, I: 5.2
**huir** to flee, **1.1**
**humano(a): el ser humano** human being
**húmedo(a)** humid
**humilde** humble
el **humo** smoke
el **humor** mood, I: 8.1
  **estar de buen humor** to be in a good mood, I: 8.1
  **estar de mal humor** to be in a bad mood, I: 8.1
**hundirse** to sink, **6.1**
el **huracán** hurricane, **6.1**
**a hurtadillas** by stealth, LC6
el **huso horario** time zone

el **icono** icon
**ida: de ida y vuelta** round-trip (ticket), I: 13.1; II: 1.1
la **idea** idea
**ideal** ideal, I: 1.2
el/la **idealista** idealist
**identificar** to identify
**idílico(a)** idyllic
el **idioma** language
la **iglesia** church, **4.3**
**ignorar** to ignore, LC2
**igual** equal, alike

**igual que** like, as
la **iluminación** lighting, **7.2**
la **ilusión** illusion
**ilustre** distinguished, illustrious
la **imagen** image
la **imaginación** imagination
**imaginado(a)** imagined, dreamed of
**imaginar** to imagine
**imaginario(a)** imaginary
**impar: el número impar** odd number
**imperante** imperial, commanding **7.1**
el **imperativo** imperative
el **impermeable** raincoat, II: 4.1
la **implementación** implementation
**importante** important
**importar** to be important
**imposible** impossible
**imprescindible** indispensable, **6.3**
**impresionar** to affect, influence
la **impresora** printer, II: 3.1
**inaugurar** to inaugurate
el/la **inca** Inca
la **inclinación** inclination
**incluido(a): ¿Está incluido el servicio?** Is the tip included?, I: 5.1
**incluir** to include, I: 5.1
**increíble** incredible
la **independencia** independence
la **indicación** indication
el **indicador: el tablero indicador** scoreboard, I: 7.1
**indicar** to indicate, I: 11.1
el **indicio** sign, token, **5.3**
**indígena** indigenous
el/la **indígena** indigenous person, **2.1**
**indio(a)** Indian
**indispensable** indispensable
**individual** individual
**el deporte individual** individual sport
el **individuo** individual
la **indumentaria** clothing, outfit, **3.1**
**industrial: la zona industrial** industrial area, II: 9.1
**ineducado(a)** rude
la **inferencia** inference
**infiel** unfaithful
la **influencia** influence
la **información** information
**informar** to inform, I: 13.2; II: 1.2
la **informática** computer science, I: 2.2
el **informe** report

la **ingeniería** engineering
el/la **ingeniero(a)** engineer, II: 14.1
el **inglés** English, I: 2.2
el **ingrediente** ingredient
**ingresar** to make a deposit (bank)
**inhospital** inhospitable
**inhóspito(a)** desolate, inhospitable
**iniciar** to initiate
**injusto(a)** unjust
**inmediatamente** immediately
**inmediato(a)** immediate
**inmenso(a)** immense
**inmerecido(a)** undeserved, LC5
la **innovación** innovation
**inocente** innocent
el **inodoro** toilet, II: 6.2
**inolvidable** unforgettable, **7.1**
la **Inquisición** the Spanish Inquisition, **8.1**
la **inundación** flood, **8.3**
**insistir** to insist
**insolente** insolent
**inspeccionar** to inspect, I: 11.1
la **instalación** installation
**instantáneo(a)** instantaneous
el **instante** instant
la **instrucción** instruction, **4.2**
el **instrumento** instrument
**el instrumento musical** musical instrument
la **insuficiencia** insufficiency
**insuficiente** insufficient
**integrar** to integrate, **6.3**
**íntegro(a)** integral
**inteligente** intelligent, I: 2.1
la **intención** intention
el **intercambio** exchange
**el/la estudiante (alumno[a]) de intercambio** exchange student
el **interés** interest; (bank) interest
**la taza de interés** interest rate, **4.2**
**interesante** interesting, I: 2.1
**interesar** to interest
**intergaláctico(a)** intergalactic
el **intermedio** intermission, **7.2**
**intermedio(a): la escuela intermedia** middle school
el **intermitente** turn signal (of a car), **5.2**
**internacional** international
el **Internet** Internet, II: 3.1
la **interpretación** interpretation
el/la **intérprete** interpreter
**interrumpir** to interrupt
la **interrupción** interruption
**intervenir** to intervene
**íntimo(a)** intimate, close

**intrépido(a)** intrepid
la **introducción** introduction
**introducir** to insert, II: 3.2; **4.2**
**introducir la tarjeta telefónica** to insert the phone card, II: 3.2
**invadir** to invade, **1.1**
el/la **invasor(a)** invader, **1.1.**
el **invento** invention
**inverso(a)** reverse
la **investigación** investigation
el/la **investigador(a)** researcher
el **invierno** winter, BV
la **invitación** invitation
el/la **invitado(a)** guest
**invitar** to invite, I: 6.1
**involucrado(a)** involved in, caught up in, **5.3**
**involucrar** to include, **8.3**
la **inyección** injection, shot, I: 8.2
**poner una inyección** to give a shot
**ir** to go, I: 4.1
**ir a (+ infinitive)** to be going to (do something)
**ir a pie** to go on foot, to walk, I: 4.1
**ir de compras** to go shopping, I: 5.2
**ir en bicicleta** to go by bicycle, I: 12.2
**ir en carro (coche)** to go by car, I: 4.1
**ir en tren** to go by train
**iracundo(a)** angry
la **irrigación** irrigation
la **isla** island
**italiano(a)** Italian
**izquierdo(a)** left, I: 7.1
**a la izquierda** to the left, II: 5.2

el **jabón** soap, I: 12.2
**la barra (pastilla) de jabón** bar of soap, I: 12.2
el **jaguar** jaguar, **5.1**
**jamás** never
el **jamón** ham, I: 5.1
el **jardín** garden, I: 6.2
**el jamón serrano** smoked ham, **1.1**
el/la **jardinero(a)** outfielder, I: 7.2
la **jaula** cage, II: 5.2, LC3
el/la **jefe(a)** boss
el **jet** jet
**jinetear** to break in (horses)
el **jonrón** home run, I: 7.2

**joven** young, I: 6.1
  **de joven** as a young person
el/la **joven** youth, young person, I: 10.1
la **joya** jewel, II: 4.1; **1.1**
la **joyería** jewelry store, II: 4.1
la **judía verde** green bean, I: 5.2
los **judíos** Jewish people
el **juego** game
  **el juego de béisbol** baseball game, I: 7.2
  **el juego de tenis** tennis game, I: 9.1
  **el juego de video** video game, II: 5.1
  **los Juegos Olímpicos** Olympic Games
  **la sala de juegos** game arcade, II: 5.1
el **jueves** Thursday, BV
el/la **juez** judge, II: 14.1
el/la **jugador(a)** player, I: 7.1
  **el/la jugador(a) de béisbol** baseball player, I: 7.2
  **jugar (ue)** to play, I: 7.1
  **jugar (al) béisbol (fútbol, baloncesto, etc.)** to play baseball (soccer, basketball, etc.), I: 7.1
el **jugo** juice
  **el jugo de naranja** orange juice, I: 12.1
el **juguete** toy, LC1
el **juicio** judgment
  **a juicio de** in the judgment of, **3.3**
**julio** July, BV
la **jungla** jungle
**junio** June, BV
**juntarse** to join, **5.1**
**juntos(as)** together
**juvenil: el albergue juvenil** youth hostel, I: 12.2
la **juventud** youth

el **kilo** kilogram, I: 5.2
el **kilometraje** distance in kilometers
  **el kilometraje ilimitado** unlimited kilometers, **5.2**
el **kilómetro** kilometer

la **the** (*f. sing.*), **I: 1.1; it, her** (*pron.*)

---

el **labio** lip, II: 8.1
el **laboratorio** laboratory
**labrar** to plow, LC2
**lacustre** on the shore of a river or lake, **7.1**
  **un bohío lacustre** hut on a river
la **ladera** slope (of a hill or mountain)
  **la ladera de la montaña** mountain side, **7.1**
el/la **ladino(a)** indigenous person who speaks Spanish and has adopted urban customs, LC4
el **lado** side
  **al lado de** beside, next to, II: 5.2
el **lago** lake, II: 5.2
la **lágrima** tear, LC7
el **lamento** lament
la **lana** wool, II: 12.1; **3.2**
  **la tela de lana** wool fabric
la **langosta** lobster, I: 14.2; II: 2.2
la **lanza** lance
el/la **lanzador(a)** pitcher, I: 7.2
**lanzar** to throw, I: 7.1; to launch
la **lapicera** pencil holder, **3.3**
el **lápiz** pencil, I: 3.1
**largarse** to move away, LC8
**largo(a)** long, I: 3.2
**a lo largo** along, lenthwise, **1.1**
**de largo recorrido** long distance (trip)
**las** the, them
la **lástima: ser una lástima** to be a pity (a shame)
**lastimar** to injure, **5.3**
  **lastimarse** to get hurt, II: 8.1
la **lata** can, I: 5.2
**lateral** side (*adj.*), I: 13.2; II: 1.2
el **latín** Latin, I: 2.2
**latino(a)** Latin (*adj.*)
**Latinoamérica** Latin America, I: 1.1
**latinoamericano(a)** Latin American
el **lavabo** washbasin, II: 6.2; restroom, II: 7.1
el **lavado** laundry, II: 12.1
la **lavandería** laundromat
**lavar: la máquina de lavar** washing machine, II: 12.1
**lavarse** to wash oneself, I: 12.1
  **lavarse los dientes** to brush one's teeth, I: 12.1
el **lazo** tie
**le** to him, to her; to you
la **lección** lesson, I: 4.2
la **leche** milk
  **el café con leche** coffee with milk, I: 5.1

---

el **lechón** suckling pig
  **el lechón asado** roast suckling pig, **6.1**
la **lechuga** lettuce, I: 5.2
la **lectura** reading
  **leer** to read, I: 5.1
la **legumbre** vegetable
**lejos** far, II: 12.2
la **lengua** language, I: 2.2
el **lenguaje** language
la **lenteja** lentil
**lentamente** slowly
**lento(a)** slow, II: 10.2; **6.2**
el **leño** wood, LC2
el **león** lion
  **les** to them; to you (*formal pl.*) (*pron.*)
el/la **lesionado(a)** injured person
la **letra** letter (of alphabet)
**levantar** to lift, to raise
  **levantarse** to get up, I: 12.1; to rise up (against)
  **levantarse el sol** to rise (sun)
el/la **libertador(a)** liberator
la **libra** pound
**libre** free, I: 5.1
  **al aire libre** outdoor (*adj.*)
el **libro** book, I: 3.1
la **licencia** driver's license, II:11.1
  **la licencia de conductor** driver's license, **5.2**
el **liceo** high school
el **lienzo** canvas (painting)
la **liga** league
  **las Grandes Ligas** Major Leagues
**ligero(a)** light (cheerful); light (weight), LC2
los **ligeros** hand weights, **5.3**
la **lima** lime, II: 10.1
  **limeño(a)** from Lima (Peru)
el **límite de velocidad** speed limit, **5.2**
el **limón** lemon, II: 10.1
la **limonada** lemonade, BV
el **limonero** lemon tree
**limpiar** to clean, I: 6.2
  **limpiar el cuarto** to clean the room, II: 6.2
  **limpiar en seco** to dry clean, II: 12.**1**
**limpio(a)** clean
la **limusina** limousine
**lindo(a)** pretty, I: 1.1
la **línea** line
  **la línea aérea** airline
  **la línea ecuatorial** equator
  **la línea paralela** parallel line
  **la línea telefónica** telephone line

el **lípido** lipid, fat
**líquido(a)** liquid
**lírico(a)** lyric
la **lista** list
**listo(a)** ready; clever, II: 5.1; intelligent, **6.1**
la **litera** berth, I: 13.2; II: 1.2
**literal** literal
**literario(a)** literary
la **literatura** literature, I: 2.1
el **litro** liter
la **llama** flame, LC4; LC8
la **llamada larga** long-distance call, II: 3.2
la **llamada telefónica** telephone call, II: 3.2
   **hacer una llamada telefónica** to make a (telephone) call, I: 3.2
   **poner la llamada** to put the call through
**llamado(a)** called
**llamar** to call; to telephone, II: 3.2
**llamarse** to be named, to call oneself, I: 12.1
**llamativo(a)** loud, flashy (related to colors), **3.3**
el **llanero** plainsman
la **llaneza** simplicity, LC7
la **llanta** tire, II: 11.1
   **la llanta de recambio (repuesto)** spare tire, II: 11.1
la **llanura** plain, II: 7.2; **1.1; 3.1**
   **la llanura de color pardo** brown plain
la **llave** key, II: 6.1
la **llegada** arrival, arriving, I: 11.1
**llegar** to arrive, I: 4.1
**llenar** to fill, fill out
   **llenar un crucigrama** to do a crossword puzzle, II: 5.1
   **llenar el formulario** to fill out the form, II: 8.2
**lleno(a)** full
**llevar** to carry, I: 3.1; to wear, I: 3.2; to bring, I: 6.1; to bear; to have (subtitles, ingredients, etc.); to take, I: 8.1
   **llevar a cabo** to carry out, 5.3
**llorar** to cry, LC1; LC4
**llover (ue)** to rain
   **Llueve.** It's raining., I: 9.1
la **lluvia** rain
**lluvioso(a)** rainy, **2.1**
**lo** it; him *(m. sing.) (pron.)*
**lo que** what, that which
el **lobo** wolf
el **lobo marino** sea lion, **3.1**
**local** local, I: 13.2; II: 1.2

la **localidad** seat (in a theater), **7.2**
la **loción: la loción bronceadora** suntan lotion, I: 9.1
**loco(a)** insane
el **lodo** mud
   **la ola de lodo** mudslide, **8.3**
**lógico(a)** logical
**lograr** to achieve, to attain, **7.3**
el **lomo** back (of an animal), **4.3**
**los** them
el **loto** lotto
la **lozanía** luxuriance, LC5
las **luces** headlights, II: 11.1
**luchar** to fight, **1.1**
**luego** later; then, BV
   **¡Hasta luego!** See you later!, BV
el **lugar** place
   **tener lugar** to take place, I: 8.1
**lujo: de lujo** deluxe
**lujoso(a)** luxurious
la **luna** moon
la **luna de miel** honeymoon
**lunares: con lunares** with polka dots
el **lunes** Monday, BV
**lustroso(a)** shining, bright
la **luz** light
   **la luz roja** red light, II: 11.2

la **madera** wood, **2.1; LC7**
el **madero** log, beam, LC7
la **madre** mother, I: 6.1
**madrileño(a)** native of Madrid
la **madrina** godmother
el/la **maestro(a)** teacher
**magnífico(a)** magnificent
**magrebí** related to three North African countries: Morocco, Algeria, and Tunisia, **1.3**
el **maíz** corn, I: 14.2; II: 2.2; **2.1**
**majestuoso(a)** majestic
**mal** bad, I: 14.2; II: 2.2
   **estar de mal humor** to be in a bad mood, I: 8.1
   **Hace mal tiempo.** The weather's bad., I: 9.1
la **maldad** evil
la **maleta** suitcase, I: 11.1
el/la **maletero(a)** trunk (of a car), I: 11.1; porter, I: 13.1; II: 1.1
**malgastar** to waste
**malhumorado(a)** bad-tempered
**malo(a)** bad, I: 2.1
   **sacar una nota mala** to get a bad grade, I: 4.2

la **mamá** mom
el **mambo** mambo
**mandar** to send, II: 3.1; to order
**manear** to wield, LC8
**manejar** to drive, I: 11.1; to handle, **6.3**
la **manera** way, manner, I: 1.1
   **de ninguna manera** by no means, I: 1.1
la **manga** sleeve, II: 4.1; **3.2**
   **de manga corta (larga)** short- (long-) sleeved, II: 4.1
el **mango** mango, **6.1**
la **manguera** hose, **7.3**
el **maní** peanut
la **mano** hand, I: 7.1; 5.3
   **dar la mano** to shake hands
la **mano de obra** workforce, **8.1**
la **manta** blanket, II: 6.2
el **mantel** tablecloth, I: 14.1; II: 2.1
**mantener** to maintain
   **mantenerse en forma** to keep in shape
la **mantequilla** butter, II: 10.2
la **manzana** apple, I: 5.2
el **manzano** apple tree, II: 9.2
**mañana** tomorrow, BV
   **¡Hasta mañana!** See you tomorrow!, BV
la **mañana** morning
   **de la mañana** A.M. (time), I: 2.2
   **por la mañana** in the morning
el **mapa** map, **1.2**
el **maquillaje** makeup, I: 12.1
   **ponerse el maquillaje** to put one's makeup on, I: 12.1
**maquillarse** to put one's makeup on, I: 12.1
la **máquina** machine, device
   **la máquina de lavar** washing machine, II: 12.1
   **prender la máquina** to turn (a device) on, II: 3.1
el **mar** sea, I: 9.1
   **el mar Caribe** Caribbean Sea
**maravilloso(a)** marvelous
el **marcador** marker, I: 3.1
**marcar** to dial, II: 3.2
   **marcar el número** to dial the number, II: 3.2
   **marcar un tanto** to score a point, I: 7.1
**marchar** to march
el **marfil** ivory
la **marginalidad** marginality, **6.3**
el **marido** husband, I: 6.1

H31

el/la **marino(a)** sailor
**marino(a)** marine, sea *(adj.)*, **3.1**
el **mariscal** blacksmith
los **mariscos** shellfish, I: 5.2
el **mármol** marble (stone), LC8
**marrón: de color marrón**
brown, I: 3.2
el **martes** Tuesday, BV
**marzo** March, BV
**más** more, I: 2.2
**más tarde** later
**más o menos** more or less
la **masa** mass; dough, LC8
la **máscara de oxígeno** oxygen
mask, II: 7.1
la **mascota** pet, **4.3**
la **mata: mata de berenjenas**
eggplant bush, LC8
**matar** to kill
las **matemáticas** mathematics,
I: 2.1
la **materia** matter, subject;
material
**la materia prima** raw
material
el **material** supply, I: 3.1;
material
**la material prima** raw
material, **2.1**
los **materiales escolares** school
supplies, I: 3.1
el **matrimonio** marriage, **4.3**
**máximo(a)** maximum, II: 11.2
**la velocidad máxima** speed
limit, II: 11.2
el/la **maya** Maya
**mayo** May, BV
la **mayonesa** mayonnaise, II: 4.2
**mayor** greater, greatest, **3.2;**
elderly, older, **2.3**
**la mayor parte** the greater
part, the most
la **mayoría** majority
la **mazorca de maíz** ear of corn,
**7.1**
**me** me
el/la **mecánico(a)** mechanic
la **medalla** medal
**media** average
**y media** half-past (time)
**mediano(a)** medium, II: 4.1
la **medianoche** midnight
**mediante** by means of, **6.3**
las **medias** stockings, pantyhose
el **medicamento** medicine
(drugs), I: 8.2
la **medicina** medicine
(discipline), I: 8.2; medicine
el/la **médico(a)** doctor, I: 8.2
la **medida** measurement
el **medio** medium, means

el **medio de transporte**
means of transportation
el **medio oeste** midwest (region),
**8.1**
**medio(a)** half, II: 5.2; average
**media hora** half an hour
el **medio ambiente** environment
el **mediodía** noon
**medir (i, i)** to measure
la **meditación** meditation
la **mejilla** cheek, II: 8.1
los **mejillones** mussels, II: 10.2
**mejor** better
**el/la mejor** the best
**melancólico(a)** melancholic
el **melocotón** peach, II: 10.1
la **memoria** memory
**mencionar** to mention
**menor** lesser, least
la **menora** menorah, II: 13.2
**menos** less, fewer
**a menos que** unless
**menos cuarto** a quarter to
(the hour)
el **mensaje** message, II: 3.2
**dejar un mensaje** to leave a
message, II: 3.2
la **mensualidad** monthly
installment
**mentiroso(a)** lying
el **mentón** chin, LC6
el **menú** menu, I: 5.1
el **mercadeo** marketing
el **mercado** market, I: 5.2
la **mercancía** merchandise, II: 14.1
el **merengue** merengue
la **merienda** snack, I: 4.2
**tomar una merienda** to have
a snack, I: 4.2
la **mermelada** jam, marmalade
el **mes** month, BV
la **mesa** table, I: 5.1; LC7; plateau
la **mesera** waitress, I: 5.1
el **mesero** waiter, I: 5.1
la **meseta** plateau, II: 7.2
la **mesita** tray table, II: 7.1
**Mesoamérica** Mesoamerica, **5.1**
la **mesquita** mosque (Islam)
el/la **mestizo(a)** mestizo
la **meta** goal, **3.3**
el **metabolismo** metabolism
el **metal: instrumentos de metal**
brass (instruments in
orchestra)
**meter** to put, place, I: 7.1; to
put in, insert, II: 3.1
**meter un gol** to score a
goal, I: 7.1
el/la **meteorólogo(a)** meteorologist,
**8.2**
el **método** method

la **métrica** metrics
el **metro** subway, I: 10.1; **1.2;**
meter, II: 7.2
**mexicano(a)** Mexican, I: 1.1
**mexicanoamericano(a)**
Mexican American
la **mezcla** mixture
**mi** my
**mí** me
el **microbio** microbe
el **micrófono** microphone, **8.2**
**microscópico(a)** microscopic
el **microscopio** microscope
el **miedo** fear
**tener miedo** to be afraid
la **miel** honey, LC5
el **miembro** member, I: 4.2
**mientras** while, **2.2**
el **miércoles** Wednesday, BV
la **migración** migration
**mil** (one) thousand, I: 3.2
el **militar** soldier
la **milla** mile
el **millón** million
el/la **millonario(a)** millionaire
la **milpa** cornfield, LC4
el/la **mimo** mime, II: 5.2
la **miniatura** miniature
la **miniaturización**
miniaturization
el **ministerio** ministry
el **minusválidos** disabled,
handicapped
el **minuto** minute
la **mira** purpose, **6.3**
**mirar** to look at, watch, I: 3.1
**mirarse** to look at oneself,
I: 12.1
**¡Mira!** Look!
el/la **mirón(ona)** spectator
la **misa** mass (Catholic), LC8
la **miseria** poverty
**mismo(a)** same, I: 2.1; myself,
yourself, him/her/itself,
ourselves, yourselves,
themselves
el **misterio** mystery
**misterioso(a)** mysterious
la **mitad** half
**mítico(a)** mythical
la **mitología** mythology
**mixto(a)** co-ed (school)
la **mochila** backpack, I: 3.1; **1.2;**
knapsack, I: 12.2
la **moción** motion
la **moda** style
**de moda** in style
la **modalidad** mode, type
el/la **modelo** model
el **modem** modem
la **moderación** moderation

**modernizado(a)** modernized
**moderno(a)** modern
la **modestia** modesty
la **modificación** modification
el **modo** manner, way
   el **modo de expresión** means of expression
la **mola** type of blouse, **4.1**
el **molcajete** grindstone, LC8
el **molino de viento** windmill
el **momento** moment
el **monarca** monarch
la **monarquía** monarchy, **1.1**
el **monasterio** monastery
la **moneda** coin, currency, II: 3.2; **4.2**
el **monitor** monitor, computer screen, II: 3.1
el **mono** monkey, II: 5.2
**monocelular** single-celled
el **monstruo** monster
la **montaña** mountain, I: 9.2
   la **montaña submarina** underwater mountain
la **montaña rusa** roller coaster, II: 5.2
**montañoso(a)** mountainous
**montar (caballo)** horseback ride
el **monte** mountain, **3.**
el **monto** sum, fare (taxi), **1.2; 4.2**
el **monumento** monument
**morar** to reside, to live, LC7
**mortal** mortal
**moreno(a)** dark, brunette, I: 1.1
**morir (ue, u)** to die
el/la **moro(a)** Moor
**morrón: el pimiento morrón** sweet pepper
la **mortalidad** mortality
el **mostrador** counter, I: 11.1
**mostrar (ue)** to show, **5.3**
el **motivo** reason, motive; theme
el **motor** motor
**mover (ue)** to move
el **movimiento** movement
el/la **mozo(a)** porter (train station) I: 13.1; II: 1.1; bellhop (hotel), II: 6.1
**mozo(a)** young
la **muchacha** girl, I: 1.1
el **muchacho** boy, I: 1.1
**mucho(a)** a lot; many, I: 2.1
   **Mucho gusto.** Nice to meet you.
**mudarse** to move
el **mudo** mute, LC1; LC7
los **muebles** furniture
la **muela** back tooth, LC7
la **muerte** death
la **muestra** sign, sample **5.3**

la **mujer** wife, I: 6.1
la **muleta** crutch, II: 8.2
la **multa** fine
**multinacional** multinational
la **multiplicación** multiplication
**multiplicar** to multiply
**mundial** worldwide, (related to the) world, **6.3**
   la **Copa mundial** World Cup
   la **Serie mundial** World Series
el **mundo** world
   **todo el mundo** everyone
la **muñeca** wrist, II: 4.1
el **mural** mural, I: 10.2
el/la **muralista** muralist
la **muralla** wall
**muscular** muscular
el **músculo** muscle, **5.3**
el **museo** museum, I: 10.2
la **música** music, I: 2.2
el/la **músico(a)** musician
**mustio(a)** gloomy, sad, LC7
**mutuo(a)** mutual
**muy** very, BV
   **muy bien** very well, BV

**nacer** to be born, II: 13.1
**nacido(a)** born
**nacional** national
la **nacionalidad** nationality, I: 1.2
   **¿de qué nacionalidad?** what nationality?
**nada** nothing, I: 5.2
   **De nada.** You're welcome., BV
   **Nada más.** Nothing else., I: 5.2
   **Por nada.** You're welcome., BV
el/la **nadador(a)** swimmer, **6.3**
**nadar** to swim, I: 9.1
**nadie** no one
el **nado** swimming, **6.3**
   **el torneo de nado (natación)** swim meet
la **naranja** orange, II: 5.2
el **naranjo** orange tree
el **narcótico** narcotic
la **nariz** nose, II: 8.1
la **narración** narration
**narrar** to narrate
la **natación** swimming, I: 9.1; **6.3**
   **el torneo de natación (nado)** swim meet
**natural: los recursos naturales** natural resources, I: 2.1
   **las ciencias naturales** natural sciences
la **naturaleza** nature
**naufragar** to be shipwrecked, **1.3**

la **navaja** razor, I: 12.1
**navegar** to navigate
   **navegar por la red** to surf the Net
la **Navidad** Christmas, II: **13.2**
   el **árbol de Navidad** Christmas tree, II: 13.2
   **¡Feliz Navidad!** Merry Christmas!, II: 13.2
el **navío** ship, LC1
la **neblina** fog, mist, **1.1**
**necesario(a)** necessary
la **necesidad** necessity
**necesitar** to need, I: 3.1
**necio(a)** foolish, LC1
el **nectar** nectar, LC5
**negativo(a)** negative
**negro(a)** black, I: 3.2
**nervioso(a)** nervous, I: 8.1
el **neumático** tire, II: 11.1
**nevado(a)** snow-covered, **2.1**
**nevar (ie)** to snow, I: 9.2
la **nevera** refrigerator, II: 10.1
el **nido** nest, LC3
la **nieta** granddaughter, I: 6.1
el **nieto** grandson, I: 6.1
la **nieve** snow, I: 9.2
el **nilón** nylon, **3.2**
**ninguno(a)** not any, none
   **de ninguna manera** by no means, I: 1.1
el/la **niño(a)** child
   **los niños desamparados** homeless children
el **nivel** level
   **el nivel del mar** sea level
**no** no, BV
   **No hay de qué.** You're welcome., BV
   **no hay más remedio** there's no other alternative
**noble** noble
la **noche** night, evening
   **Buenas noches.** Good night., BV
   **de la noche** P.M. (time), I: 2.2
   **esta noche** tonight, I: 9.2
   **por la noche** in the evening, at night
la **Nochebuena** Christmas Eve, II: 13.2
la **Nochevieja** New Year's Eve, II: 13.2
**nocturno(a)** nocturnal, night-time
**nombrar** to mention
el **nombre** name
   **¿A nombre de quién?** In whose name?, I: 14.2; II: 2.2
la **noria** Ferris wheel, II: 5.2
**normal** regular (gas), II: 11.1

el **nordeste** northeast (region), **8.1**

el **noroeste** northwest (region), **8.1**

el **norte** north

**norteamericano(a)** North American

el/la **norteño(a)** person from the north, northerner, **8.1**

**nos** (to) us

**nosotros(as)** we, I: 2.2

la **nostalgia** nostalgia

la **nota** grade, I: 4.2

**la nota buena (alta)** good (high) grade, I: 4.2

**la nota mala (baja)** bad (low) grade, I: 4.2

**sacar una nota buena (mala)** to get a good (bad) grade, I: 4.2

**notable** notable

**notar** to note

las **noticias** news, I: 6.2; **8.2**

el **noticiero** news report, **8.2**

los **novatos** novices, **5.3**

**novecientos(as)** nine hundred, I: 3.2

la **novela** novel

el/la **novelista** novelist

**noveno(a)** ninth, I: 6.2

**noventa** ninety, I: 2.2

la **novia** bride, II: 13.1; fiancée, girlfriend

**noviembre** November, BV

el **novio** groom, II: 13.1; fiancé, boyfriend

los **novios** bride and groom, newlyweds, II: 13.1

la **nube** cloud, I: 9.1

**Hay nubes.** It's cloudy., I: 9.1

**nublado(a)** cloudy, I: 9.1

el **nudo** knot, **2.1**

**nuestro(a)** our

las **nuevas** news, LC2

**nueve** nine, BV

**nuevo(a)** new

**de nuevo** again

el **número** number, I: 1.2; size (shoes), I: 3.2

**el número de teléfono** telephone number, II: 3.2

**el número del asiento** seat number, I: 11.1

**el número del vuelo** flight number, II: 11.1

**el número equivocado** wrong number

**numeroso(a)** numerous

**nunca** never

**nupcial** nuptial, wedding

la **nutrición** nutrition

**o** or

**o sea** in other words

el **objetivo** objective

el **objeto** object

la **obligación** obligation

**obligatorio(a): el curso obligatorio** required course

la **obra** work

**la obra de arte** work of art

**la obra dramática** play

**la obra teatral** play, I: 10.2

el/la **obrero(a)** worker, II: 9.1

la **observación** observation

el/la **observador(a)** observer

**observar** to observe

el **obstáculo** obstacle

**obtener** to obtain

**obvio(a)** obvious

la **ocasión** occasion

el **ocaso** end, death, setting, LC5

**occidental** western

el **océano** ocean

**ochenta** eighty, I: 2.2

**ocho** eight, BV

**ochocientos(as)** eight hundred, I: 3.2

**octavo(a)** eighth, I: 6.2

**octubre** October, BV

**ocupado(a)** taken, I: 5.1; busy (phone); occupied, II: 7.1

**ocurrir** to happen

el **odio** hate, **3.1**

el **oeste** west

**oficial** official

la **oficina** office, II: 9.1

el **oficio** trade, profession II: 14.1

**ofrecer** to offer, II: 14.2

la **oftalmología** ophthalmology

el/la **oftalmólogo(a)** ophthalmologist

el **oído** ear, II: 4.1

**oír** to hear

**oír el tono** to hear the dial tone, II: 3.2

**ojalá** I hope, II: 14.1; **6.3**

la **ojeada** glimpse

el **ojo** eye, I: 8.2

la **ola** wave, I: 9.1; **5.3**

el **óleo** oil (religious)

la **oliva: el aceite de oliva** olive oil

el **olivar** olive grove, **1.1**

la **olla** pot, II: 10.1

**once** eleven, BV

la **oncología** oncology

el/la **oncólogo(a)** oncologist

la **onda** wave (water), **5.3**

la **onza** ounce

**opaco(a)** opaque

**opcional: el curso opcional** elective course

la **ópera** opera

el/la **operador(a)** operator

**operar** to operate

la **opereta** operetta

**opinar** to think, to express an opinion, II: 10.2

la **opinión** opinion

la **oportunidad** opportunity

**oprimir** to push; to press, **4.2;** to oppress, **7.1**

**opuesto(a)** opposite

**oralmente** orally

la **orden** order (restaurant), I: 5.1

el **ordenador** computer, II: 3.1

la **oreja** ear, II: 4.1

el **orfanato** orphanage

el **organillo** organ

el **organismo** organism

**organizar** to organize

el **órgano** organ

**oriental** eastern

el **origen** origin

**original: en versión original** in its original (language) version, I: 10.1

la **orilla** bank (of a river, lake, etc.), **1.1**

**a orillas de** on the shores of

el **oro** gold, **2.1**

**de oro** (made of) gold, II: 4.1

la **orquesta** orchestra, II: 13.1

**la orquesta sinfónica** symphony orchestra

la **ortiga** nettle

la **ortopedia** orthopedics

**osado(a)** daring

**oscurecer** to darken

**oscuro(a)** dark

la **ostra** oyster, II: 10.2

**otavaleño(a)** of or from Otavalo (Ecuador)

el **otoño** autumn, BV

**otro(a)** other, another

la **oveja** sheep, **3.1**

el **oxígeno** oxygen

**¡Oye!** Listen!

**pacer** to graze, **3.1**

la **paciencia** patience

el/la **paciente** patient

**pacífico(a)** calm, peaceful, **3.1**

el **padre** father, I: 6.1

**el padre (religioso)** father

(religious)

**los padres** parents, I: 6.1

el **padrino** godfather; best man, II: 13.1

**los padrinos** godparents

**pagar** to pay, I: 3.1; **1.2**

**pagar en la caja** to pay at the cashier, I: 3.1

**pagar al contado** to pay in full, **4.2**

**pagar a cuotas (a plazos)** to pay in installments, **4.2**

**pagar la factura** to pay the bill, II: 6.1

la **página** page

**la página Web** Web page

el **pago** payment

**el pago mensual** monthly payment

el **país** country, I: 11.2; countryside, **1.1**

**el país extranjero** foreign country

el **paisaje** landscape

la **paja** straw, II: 13.2

**la choza de paja** straw hut, **4.1**

el **pájaro** bird

el **paje** page (wedding)

la **palabra** word

**de palabra** spoken, LC2

el **palacio** palace

la **palma** palm tree

el **palo** pole, LC3

el **pan** bread, II: 4.2

**el pan dulce** sweet roll, I: 5.1

**el pan tostado** toast, I: 5.2

la **panadería** bakery, II: 4.2

**panameño(a)** Panamanian, I: 2.1

**panamericano(a)** Pan American

el **panqueque** pancake

la **pantalla** screen (movies), I: 10.1; computer monitor, II: 3.1; **4.2; 8.2**

**la pantalla de salidas y llegadas** arrival and departure screen, I: 11.1

el **pantalón** pants, trousers, I: 3.2; **3.2**

**el pantalón corto** shorts, I: 3.2

el **pañuelo** handkerchief, II: 4.1

la **papa** potato, I: 5.1; **2.1**

**las papas fritas** French fries, I: 5.1

el **papá** dad

el **papagayo** parrot, LC8

la **papaya** papaya, II: 10.2; **6.1**

el **papel** paper, I: 3.1; role, part, II: 5.1

**el papel higiénico** toilet paper, I: 12.2

**la hoja de papel** sheet of paper, I: 3.1

la **papelería** stationery store, I: 3.1

el **papelógrafo** flipchart, **7.3**

el **paquete** package, I: 5.2

**par: número par** even number

el **par** pair, II: 4.1

**el par de tenis** pair of tennis shoes, I: 3.2

**para** for

**¿Para cuándo?** For when?, I: 14.2; II: 2.2

el **parabrisas** windshield, II: 11.1

la **parada** stop, I: 13.2; II: 1.2

**la parada de bus** bus stop, II: 9.1

el **parador** inn

**el parador (del gobierno)** hotel (government-run), **1.1**

el **paraíso** paradise; top gallery (of a theater), **7.2**

**parar** to stop, to block, I: 7.1

**parcial: a tiempo parcial** part-time *(adj.)*, II: 14.2

**pardo(a)** brown

**de color pardo** brown, **1.1**

**parear** to pair, match

**parecer** to look like; to seem, II: 8.1

**parecerse a** to look like, **1.1**

**parecido(a)** similar

la **pared** wall

la **pareja** couple; **4.3**

el/la **pariente** relative, I: 6.1

el **parque** park, II: 5.2

**el parque de atracciones** amusement park, II: 5.2

el **parquímetro** parking meter, II: 11.2

el **párrafo** paragraph

la **parrilla** grill, II: 10.1

**parroquial** parochial, **4.3**

la **parte** part, II: 8.1

**¿De parte de quién?** Who's calling?, II: 3.2

**la mayor parte** the greatest part, the most

**la parte superior** upper part

**por todas partes** everywhere

**particular** private, I: 6.2

**la casa particular** private house, I: 6.2

**particularmente** especially

la **partida** departure

el **partido** game, match, I: 7.1

el **pasado** the past

**pasado(a)** past; last

**el (año) pasado** last (year)

el/la **pasajero(a)** passenger, I: 11.1; **1.2**

el **pasaporte** passport, I: 11.1

el **pasador** lace, shoelace, **3.2**

**pasar** to pass, I: 7.2; to spend; to happen

**Lo están pasando muy bien.** They're having a good time., I: 12.2

**pasar por** to go through by, I: 11.1

**pasar el tiempo** to spend time, I: 5.1

**¿Qué te pasa?** What's the matter (with you)?, I: 8.1

el **pasatiempo** hobby, II: 5.1

el **pase** pass (permission)

**pasear a caballo** to go horseback riding

el **pasillo** aisle, I: 13.2; II: 1.2; **1.3**

**un pasillo amplio (estrecho)** wide (narrow) corridor

el **paso** step

la **pasta (crema) dentífrica** toothpaste, I: 12.2

el **pastel** pastry, II: 4.2; cake, II: 13.1

la **pastelería** bakery, II: 4.2

la **pastilla** pill, I: 8.2

**la pastilla de jabón** bar of soap, I: 12.2

la **pata** paw, LC3

la **patata** potato, II: 10.1

la **patera** small boat, raft, **1.3**

el **patinaje lineal** roller blading

el **patio de butacas** orchestra seat, **7.2**

el **patrón** pattern

el/la **patrón(ona)** patron saint; patron (of the arts)

la **patrulla** patrol, **1.3**

**pavimentado(a)** paved

el **pavimento** pavement

el **payaso** clown, II: 5.2; **8.2**

el **peaje** toll, II: 11.2; **1.2**

**la garita de peaje** tollbooth, II: 11.2

el **peatón** pedestrian, II: 9.1

el **pecado** sin

el **pecho** chest, II: 8.1; **5.3**

el **pedacito** little piece, II: 10.2

el **pedazo** piece

el/la **pediatra** pediatrician

la **pediatría** pediatrics

el **pedido** order, request, **1.3**

**pedir (i, i)** to ask for, I: 14.1; II: 2.1

**pedir la cuenta** to ask for the bill, II: 6.1

**pedir prestado** to borrow

el **peinado** hairdo

**peinarse** to comb one's hair, I: 12.1

el **peine** comb, I: 12.1
**pelar** to peel, II: 10.2; **1.1**
la **pelea** fight, argument, **5.3**
**pelear** to fight, LC3
la **película** film, movie, I: 6.2
  **ver una película** to see a
    film, I: 10.1
el **peligro** danger
**peligroso(a)** dangerous
el **pelo** hair, I: 12.1
la **pelota** ball (tennis, baseball,
  etc.), I: 7.2; **4.1**
  **botar la pelota** to throw the
    ball, **4.1**
  **la pelota vasca** jai alai
el/la **pelotari** jai alai player
la **peluca** wig
la **peluquería** hair salon, II: 12.1
el/la **peluquero(a)** hair stylist, II: 12.1
la **pena** grief; LC1; LC3
el **penacho** plume, LC8
el **pendiente** earring, II: 4.1
el **pendón** banner
la **península** peninsula
el **pensamiento** thought
**pensar (ie)** to think
la **pensión** boarding house, I: 12.2
la **peña** boulder, LC2
**peor** worse, worst
  **el/la peor** the worst
el **pepino** cucumber, II: 10.1
**pequeño(a)** small, I: 2.1
la **pera** pear, II: 9.2
el **peral** pear tree, II: 9.2
la **percha** clothes hanger, II: 6.2
la **percusión** percussion
**perder (ie)** to lose, I: 7.1; to
  miss, I: 10.2
  **perder el autobús (la**
    **guagua, el camión)** to
    miss the bus, I: 10.2
**perdón** excuse me
el/la **peregrino(a)** pilgrim
**perezoso(a)** lazy, I: 1.1
**perfeccionar** to perfect
el **periódico** newspaper, I: 6.2
el **período** period
el **permiso de conducir** driver's
  license, II: 11.1
**permitir** to permit, I: 11.1
**pero** but
el **perrito** puppy
el **perro** dog, I: 6.1
la **persona** person, I: 1.2
el **personaje** character
el **personal** personnel, II: 14.2
la **personalidad** personality
**personalmente** personally
**pertenecer** to belong
**peruano(a)** Peruvian
la **pesa** weight

**pesado(a)** heavy
  **los pesados** heavy weights, **5.3**
**pesar** to weigh, II: 12.2
la **pescadería** fish market, II: 4.2
el **pescado** fish, I: 5.2
la **peseta** former Spanish unit of
  currency
el **peso** peso (monetary unit of
  several Latin American
  countries), BV; weight
la **petición** petition
el **petróleo** petroleum, oil
**petrolero(a)** oil (relating to)
el **pez** fish (live), LC3
el **piano** piano
la **picadura** sting, II: 8.1
**picante** spicy, **4.1**
**picar** to sting, II: 8.1; to dice,
  II: 10.2; **1.1**
  **ajo picado** chopped garlic
el **pico** peak, II: 7.2
  **y pico** just after (time)
el **pie** foot, I: 7.1; down payment
  **a pie** on foot, I: 4.1
  **al pie de** at the foot of
  **de pie** standing
la **piedra** stone
la **pierna** leg, I: 7.1; **5.3**
la **pieza** room; piece
la **píldora** pill, I: 8.2
los **pilotes** stilts, **7.1**
el/la **piloto** pilot, I: 11.2
la **pimienta** pepper, I: 14.1; II: 2.1
el **pimiento** bell pepper, II: 10.2
el **pimiento morrón** sweet pepper
el **pin** pin number (automatic
  teller), **4.2**
**pinchado(a)** flat
el **pincel brush,** paintbrush
el **pingüino** penguin, **3.1**
la **pinta** pint
  **pinta: tener buena pinta** to
    look good (food), II: 4.2
**pintar** to paint, II: 14.1
el/la **pintor(a)** painter
**pintoresco(a)** picturesque, II: 9.1
la **pintura** painting
la **pinza** clothespin, LC7
la **piña** pineapple, **6.1**
la **piragua** crushed ice with
  syrup over it, II: 5.2
los **pirineos** Pyrenees
la **pirueta** pirouette
la **piscina** swimming pool, I: 9.1
el **piso** floor, I: 6.2; **2.1;**
  apartment
la **pista** (ski) slope, I: 9.2;
  runway, II: 7.2
el/la **pítcher** pitcher, I: 7.2
la **pizarra** chalkboard, I: 4.2; **6.3**
  **la pizarra de corcho**

  corkboard, LC8
el **pizarrón** chalkboard, I: 4.2
la **pizca** pinch
la **pizza** pizza, BV
la **placa** license plate
la **plaga** plague, menace
la **plancha de vela** sailboard, I: 9.1
  **practicar la plancha de vela**
    to go windsurfing, I: 9.1
**planchar** to iron, II: 12.1; **3.2**
**planear** to plan
el **plano** plan, map, II: 9.1
la **planta** floor, I: 6.2; plant
  **la planta baja** ground floor,
    I: 6.2
**plástico(a)** plastic, II: 4.2
  **la bolsa de plástico** plastic
    bag, II: 4.2
la **plata** money (income), LC6;
  silver, **2.1**
el **plátano** banana, plantain, I: 5.2
la **platea** orchestra
  **el palco de platea** orchestra
    pit, **7.2**
**platicar** to chat; talk, **5.3**
el **platillo** home plate, I: 7.2;
  saucer, I: 14.1; II: 2.1
el **plato** plate, dish, I: 14.1; II: 2.1;
  (satellite), **8.2**
la **playa** beach, I: 9.1
**playera: la toalla playera**
  beach towel, I: 9.1
la **plaza** seat, I: 13.2; II: 1.2; town
  square, II: 9.1; **2.1**
  **la plaza central** town
    square
**plazo: a corto (largo) plazo**
  short- (long-)term, **4.2**
  **un préstamo de largo**
    **(corto) plazo** long-
    (short-) term loan
la **plegaria** prayer, LC5
**pleno: en pleno + (noun)** in
  the middle of (noun)
el **pliegue** pleat, crease, **3.3**
el/la **plomero(a)** plumber, II: 14.1
**plomo: con plomo** leaded
  (gasoline), II: 11.1
  **sin plomo** unleaded, II: 11.1
la **pluma** pen, I: 3.1
la **población** population, people
**poblar (ue)** to populate, **8.1**
**pobre** poor
el/la **pobre** the poor boy (girl)
el/la **pobretón(ona)** poor man
  (woman)
**poco(a)** little, few, I: 2.1
  **un poco (de)** a little
el **poder** power
**poder (ue)** to be able, I: 7.1
**poderoso(a)** powerful

el **poema** poem

la **poesía** poetry

el/la **poeta** poet

el/la **policía** police officer, **2.2**
**policíaco: novela policíaca** detective fiction, mystery

el **poliéster** polyester, **3.2**
**político(a)** political

el **pollo** chicken, I: 5.2

el **polvo** dust, LC1

el **poncho** poncho, shawl, wrap
**poner** to put, I: 11.1
**poner en un yeso** to put a cast on, II: 8.2
**poner la mesa** to set the table, I: 14.1; II: 2.1
**ponerse** to put on, I: 12.1
**ponerse el maquillaje** to put one's makeup on, I: 12.1
**ponerse la ropa** to dress oneself, to put on clothes, I: 12.1
**popular** popular, I: 2.1

la **popularidad** popularity
**por** for
**por aquí** over here
**por ciento** percent
**por colmo** to make matters worse, **6.2**
**por ejemplo** for example
**por eso** therefore, for this reason, that's why
**por favor** please, BV
**por fin** finally
**por hora** per hour
**por la noche** in the evening
**por lo general** in general
**Por nada.** You're welcome., BV
**por poco** almost, **6.1**
**por tierra** overland
**¿por qué?** Why?

el **porche** porch

el **pordiosero** beggar

el **poroto** string bean
**porque** because
**portátil** portable

el/la **porteño(a)** inhabitant of Buenos Aires

la **portería** goal line, I: 7.1

el/la **portero(a)** goalkeeper, goalie, I: 7.1
**poseer** to possess

la **posesión** possession

la **posibilidad** possibility
**posible** possible

la **posición** position

el **pósito** grain bin, LC2

la **postal** postcard, II: 12.2

el **poste: el poste de teléfono** telephone pole, **8.3**

el **postre** dessert, I: 5.1

el **pozo** well, LC1

el/la **practicante** nurse practitioner
**practicar** to practice
**practicar el surfing (la plancha de vela, etc.)** to go surfing (windsurfing, etc.), I: 9.1

el **precio** price
**precioso(a)** precious, beautiful

la **precipitación** precipitation, **2.1**
**preciso(a)** precise
**precolombino(a)** pre-Columbian

la **predicción** prediction
**predominar** to predominate

el **predominio** predominance
**preferir (ie, i)** to prefer

el **prefijo de país** country code, II: 3.2
**pregonar** to proclaim, LC7

la **pregunta** question
**preguntar** to ask (a question)

el **premio: el Premio Nóbel** Nobel Prize
**prender** to turn on, II: 3.1
**prender la máquina** to turn (a device) on, II: 3.1

la **preparación** preparation
**preparar** to prepare

la **presencia** presence

la **presentación** presentation
**presentar** to show (movie); to present
**presente** present (adj.)

el/la **presidente** president

la **presión** pressure, II: 11.1
**la presión arterial** blood pressure, II: 8.2
**prestado: pedir prestado** to borrow

el **préstamo** loan, **4.2**
**un préstamo de largo (corto) plazo** long- (short-) term loan
**prestar: prestar atención** to pay attention, I: 4.2

el **prestigio** prestige
**prevalecer** to prevail
**primario(a): la escuela primaria** elementary school

la **primavera** spring, BV
**primero(a)** first, BV
**en primera (clase)** first-class, I: 13.1; II: 1.1
**los primeros auxilios** first aid

el/la **primo(a)** cousin, I: 6.1
**primordial** fundamental

la **princesa** princess
**principal** main, principal
**principalmente** mainly

el/la **principiante** beginner, I: 9.2

**prisa: a toda prisa** as fast as possible
**privado(a)** private
**la casa privada** private house, I: 6.2
**probable** probable
**probarse (ue)** to try on, II: 4.1

el **problema** problem
**procesar** to process

la **procesión** procession

el **proceso** process
**proclamar** to proclaim
**proclive** inclined, **6.3**
**procurar** to strive for, LC3
**pródigo** prodigal

la **producción** production
**producido(a)** produced
**producir** to produce

el **producto** product, I: 5.2
**los productos congelados** frozen food, I: 5.2

la **profesión** profession, II: 14.1

el/la **profesor(a)** teacher, professor, I: 2.1
**profundo(a)** deep

el **prognóstico** prediction
**el prognóstico del tiempo** weather forecast, **8.2**

el **programa** program

el/la **programador(a) de informática** computer programmer, II: 14.1
**progresivo(a)** progressive

el **progreso** progress
**prohibido(a)** forbidden, II: 11.2

la **promesa** promise

la **promoción** promotion
**promover (ue)** to promote

el **pronombre** pronoun

el **pronóstico** forecast

el **pronto** down payment
**pronto: ¡Hasta pronto!** See you soon!, BV

la **propaganda** publicity, advertising

la **propina** tip, I: 14.1; II: 2.1

el/la **propietario(a)** owner
**propio(a)** (one's) own

el **propósito** intention, aim

la **prosa** prose
**prosperar** to prosper
**próspero(a): ¡Próspero Año Nuevo!** Happy New Year, II: 13.2

el/la **protagonista** protagonist

la **protección** protection
**protector(a): la crema protectora** sunblock, I: 9.1

la **proteína** protein
**protestar** to protest

el **protoplasma** protoplasm

el/la **proveedor(a)** provider
**proveer** to provide, **8.3**
la **provisión** provision
**próximo(a)** next, I: 13.2; II: 1.2;
close
  **en la próxima parada** at
    the next stop, I: 13.2; II: 1.2
**proyectar** to project, I: 10.1
el **proyecto** project
la **prudencia** prudence
el/la **psiquíatra** psychiatrist
la **psiquiatría** psychiatry
**publicar** to publish
el **público** audience, I: 10.2
el **pueblo** town, II: 9.2; 2.3
  **los pueblos jóvenes**
    shantytowns (Peru)
el **puente** bridge
  **el puente aéreo** direct flight
    between two cities, **1.2**
el **puerco** pork
la **puerta** gate, I: 11.1; door, II: 6.1
  **la puerta de salida**
    departure gate, I: 11.1
el **puerto** harbor, port, 1.1
**puertorriqueño(a)** Puerto Rican
**pues** well
la **puesta: la puesta del sol** sunset
el **puesto** market stall, II: 4.2;
  position, II: 14.2
la **pulgada** inch
**pulir** to polish, LC7
el **pulmón** lung, LC8
la **pulpería** grocery store, LC3
**pulsar: pulsar el botón** to
  push the button, II: 3.1; **4.2**
la **pulsera** bracelet, II: 4.1
el **pulso: tomar el pulso** to take
  one's pulse, II: 8.2
el **punto** stitch, II: 8.1; 3.2; dot,
  point
    **en punto** on the dot, sharp,
      I: 4.1
    **los puntos cardinales**
      cardinal points
    **poner puntos** to give
      (someone) stitches
    **tela de punto** stitch (knit)
      fabric, **3.2**
**puntual** punctual
**puntualizar** to give a detailed
  account of
el **puré de papas** mashed potatoes
**puro(a)** pure

## Q

**que** who, that
**¿qué?** what? how?

**qué** what; how, BV
**¡Qué absurdo!** How absurd!
**¡Qué enfermo(a) estoy!** I'm
  so sick!
**¿Qué tal?** How are you?, BV
**¿Qué te pasa?** What's the
  matter (with you)?, I: 8.2
**quechua** Quechuan
**quedar** to remain, I: 7.1
  **quedar: No me queda(n)**
    **bien.** It (They) doesn't
    (don't) look good on (fit)
    me., II: 4.1
los **quehaceres** chores
**quemado(a)** well-done, **6.2**
  **la carne quemada (bien**
    **hecha)** well-done meat
**querer (ie)** to want, wish; to
  love
el **queso** cheese, I: 5.1
  **el queso blanco** white
    cheese, **6.2**
  **el queso manchego** Spanish-
    style cheese
el **quetzal** quetzal (currency of
  Guatemala); type of bird, LC8
el **quicio de la puerta** door
  hinge , LC1
**¿quién?** who?, I: 1.1
  **¿De parte de quién?** Who is
    calling?, II: 3.2
**¿quiénes?** who? *(pl.)*, I: 2.1
la **química** chemistry, I: 2.2
**químico(a)** chemical
**quince** fifteen, BV
la **quinceañera** fifteen-year-old
  (girl)
**quinientos(as)** five hundred,
  I: 3.2
la **quinta** villa, LC3
**quinto(a)** fifth, I: 6.2
el **quiosco** newsstand, I: 13.1;
  II: 1.1
el **quipu** a system of cords and
  knots used by indigenous
  people of Perú to count, **2.1**
el **quirófano** operating room
**Quisiera...** I would like . . . ,
  I: 14.2; II: 2.2
**quitar** to take off, remove,
  II: 10.2; **2.2**
**quizá(s)** perhaps, II: 14.2

## R

el **radiador** radiator, II: 11.1
**radicarse** to settle, **8.1**
la **radiografía** X-ray, II: 8.2
la **ráfaga** gust (of wind), **3.1**

la **raíz** root, LC3
**rallar** to grate, II: 10.2
la **rama** branch, LC3
el **ramo** bouquet, LC4
la **ranura** disk drive, II: 3.1; slot,
  II: 3.2
**rápidamente** quickly
**rápido** quickly
la **raqueta** racket (sports), I: 9.1
**raro(a)** rare
el **rascacielos** skyscraper, II: 9.1; **9.1**
el **rastro** rake, LC2
el **rato** while
el **ratón** mouse (computer), I: 3.1
la **raya** part (in hair), II: 12.1; stripe
  **rayado(a) (de rayas)**
    striped, **3.2**
      **una blusa rayada (de rayas)**
        striped blouse
los **rayos equis** X-rays
la **razón** reason
**razonable** reasonable
la **reacción** reaction
**real** royal
**realista** realistic
el/la **realista** realist
**realizar** to fulfill, carry out, **6.3**
**realmente** really
**reanudar** to resume, **8.3**
la **rebanada** slice, II: 4.2; **1.1**
**rebanar** to slice, II: 10.2; **1.1**
el **rebaño** flock, **3.1**
  **un rebaño de ovejas** flock of
    sheep
**rebasar** to overtake, to pass
  (traffic), **5.2**
la **rebeldía** rebelliousness
**rebosar** to overflow, **6.1**
**rebotar** to rebound
la **recámara** bedroom, I: 6.2
el **recaudo** message, LC2
la **recepción** front desk (hotel),
  II: 6.1; admissions (hospital),
  I: 8.2; reception (party)
el/la **recepcionista** hotel clerk, II: 6.1
el/la **receptor(a)** catcher, I: 7.2
la **receta** prescription, I: 8.2;
  recipe, II: 10.2
**recetar** to prescribe, I: 8.2
**rechazar** to reject, to resist, **4.3**
**recibir** to receive, I: 5.1
el **reciclaje** recycling
**recién** recently
**reciente** recent
**recitar** to recite
**reclamar** to claim (luggage),
  I: 11.2
el **reclamo de equipaje** baggage
  claim, I: 11.2
el **recluso** inmate, **6.3**
**reclutar** to recruit

**recoger** to pick up
  **recoger el equipaje** to claim one's luggage, I: 11.2
la **recomendación** recommendation
**recomendar (ie)** to recommend
**reconocer** to recognize
**recordar (ue)** to remember
**recorrer** to travel through, **1.2**
el **recorrido** trip, distance traveled
  **de largo recorrido** long distance
el **recorte: recorte de periódico** newspaper clipping, LC8
**recostar (ue)** to lean (against), LC8
el **recreo** recreation
el **rectángulo** rectangle
el **recuerdo** memory, recollection
la **recuperación: la sala de recuperación** recovery room
el **recurso: los recursos naturales** natural resources
  **el departamento de recursos humanos** human resources department, II: 14.2
la **red** net, network I: 9.1
  **navegar por la red** to surf the Net
**reducido(a)** reduced (price)
**reducir** to set (bone), II: 8.2
**reemplazar** to replace
**referir (ie, i)** to refer
**reflejar** to reflect
el **reflejo** reflection
**reflexionar** to reflect
la **reforestación** reforestation
el **refresco** drink, beverage, I: 5.1
el **refrigerador** refrigerator, II: 10.1
el **refugio** refuge
**regalar** to give
el **regalo** gift, I: 6.1
la **región** region
**regional** regional
el **regionalismo** regionalism
**registrar** to register
la **regla** rule
**regresar** to return
el **regreso** return
  **el viaje de regreso** return trip, trip back
**regular** regular, average, I: 2.2
la **reina** queen, **1.1**
**reinar** to reign, **1.1**
**reír** to laugh
la **relación** relation
**relacionado(a)** related
el **relámpago** lightning, **8.3**

**relativamente** relatively
**religioso(a)** religious
**rellenar** to fill
el **reloj** watch, II: 4.1; clock, II: 13.2
**remar** to row, II: 5.**2**
el **remedio** solution
**remoto(a)** remote
**remozado(a)** rejuvenated, **6.3**
el **rencor** rancor
**rendir (i, i)** to subdue, LC1
**renegar (ie)** to deny, **2.3**
**renombrado(a)** well-known
**renovado(a)** renewed, renovated
**rentar** to rent
**renunciar** to renounce, give up
**reparar** to repair
**de repente** suddenly
**repentinamente** suddenly
**repetir (i, i)** to repeat; to take seconds (meal)
el **reportaje** report
**reposar** to rest on, **6.1**
la **representación** performance (theater), I: 10.2
  **dar una representación** to put on a performance, I: 10.2
el/la **representante** representative
**representar** to represent
**representativo(a)** representative
la **república** republic
la **República Dominicana** Dominican Republic
la **repulsión** repulsion, **3.1**
**requerible** required, **6.3**
**requerir (ie, i)** to require, II: 14.1
el **requisito** requirement
**resbalarse** to slide, **5.3**
**rescatar** to rescue, **1.3; 8.3**
la **reservación** reservation, II: 6.1
**reservado(a)** reserved, I: 13.2; II: 1.2
**reservar** to reserve, I: 14.2; II: 2.2
**resfriado(a): estar resfriado(a)** to have a cold, I: 8.1
la **residencia: la residencia para estudiantes** student housing, dormitory, II: 3.2
el/la **residente** resident
**residir** to reside
el **residuo** residue
**resistir** to resist
la **resolución** resolution
**resolver (ue)** to solve
el **respaldo** back (of seat), II: 7.1
**respetar** to respect, **2.3**
la **respiración** breathing

**respirar** to breathe
**responder** to respond
la **responsabilidad** responsibility
**responsabilizarse** to make oneself responsible
la **respuesta** answer
**restar** to subtract
el **restaurante** restaurant, I: 14.1; II: 2.1
**restaurar** to restore
**restituir** to return, to give back
el **resto** rest, remainder, residue, **5.1**
los **restos** remains
el **resultado** result
la **retina** retina
el **retintín** jingle
**retirar del fuego** to remove from the heat (stove), II: 10.1
el **retraso: con retraso** with a delay, late, I: 13.2; II: 1.2; **1.2**
el **retrato** portrait; photograph, LC8
**retroceder** backup (in a car), **5.2**
**reubicarse** to relocate, **2.3; 4.1**
la **reunión** gathering
**reunirse** to get together
**revelar** to reveal
**revisar** to inspect, I: 11.1; to check
  **revisar el boleto** to check the ticket, I: 11.1
  **revisar el aceite** to check the oil (car), II: 11.1
el/la **revisor(a)** (train) conductor, I: 13.2; II: 1.2
la **revista** magazine, I: 6.2
la **revolución** revolution
**revolver (ue)** to turn around; to stir, II: 10.1
el **rey** king, **1.1**
los **Reyes Magos** Three Wise Men, II: 13.2
  **el Día de los Reyes** Epiphany (January 6), II: 13.2
el **rezo** prayer
**rico(a)** rich; delicious, I: 14.2; II: 2.2; **6.2**
el/la **rico(a)** rich person
el **riesgo** risk, **5.2; 7.3**
**riguroso(a)** rigorous
el **río** river, II: 7.2
el **ritmo** rhythm
el **rito** ritual, **8.1**
el **ritual** ritual
el **rival** rival
**robar** to rob, **2.2**
el **robo** robbery, **2.2**
la **robustez** robustness

la **roca** rock, **1.3**
**rociar** to sprinkle, LC5
**rodar (ue)** to roll
**rodear** to surround
la **rodilla** knee, I: 7.1; LC1
**rogar (ue)** to beg, to plead; **4.3**
**rojo(a)** red, I: 3.2
el **rol** role
el **rollo de papel higiénico** roll of toilet paper, I: 12.2
el/la **romano(a)** Roman
**romántico(a)** romantic
el **romero** rosemary, LC8
**romperse** to break, II: 8.1
la **ropa** clothing, I: 3.2
**la ropa interior** underwear, II: 4.1
**la ropa para caballeros (señoras)** men's (women's) clothing, II: 4.1
**la ropa sucia** dirty laundry, II: 12.1
**la tienda de ropa** clothing store, I: 3.2
la **rosa** rose
**rosado(a)** pink, I: 3.2
el **rostro** face, LC8
el **rótulo** sign, II: 11.2
el **rubí** ruby
**rubio(a)** blond(e), I: 1.1
**rudo(a)** severe, course, LC5
las **ruedas: la silla de ruedas** wheelchair, II: 8.2
la **ruina** ruin
el **rumbo** bearing, direction, LC1; LC4
el **rumor** rumor
la **ruta** route
la **rutina** routine, I: 12.1
**la rutina libre** freestyle, **6.3**
**rutinario(a)** routine (adj.)

## S

el **sábado** Saturday, BV
la **sabana** savanna, **3.1**
la **sábana** sheet, II: 6.2
el/la **sabelotodo** know-it-all
**saber** to know (how), I: 11.2
**sabio(a)** wise
**sabroso(a)** delicious
el **sacapuntas** pencil sharpener, **6.3**
**sacar** to get, I: 4.2; to take out, II: 3.1
**sacar un billete** to buy a ticket
**sacar una nota buena (mala)** to get a good (bad) grade, I: 4.2

el **sacerdote** priest
el **saco** jacket, II: 4.1; **3.2**
**el saco cruzado** twill jacket, **3.2**
**el saco de dormir** sleeping bag, I: 12.2
**sacrificar** to sacrifice
el **sacrificio** sacrifice
**sagrado(a)** sacred, LC4
la **sal** salt, I: 14.1; II: 2.1
la **sala** room; living room, I: 6.2
**la sala de clase** classroom, I: 4.1
**la sala de consulta** doctor's office
**la sala de emergencia** emergency room, II: 8.1
**la sala de espera** waiting room, I: 13.1; II: 1.1
**la sala de juegos** game arcade, II: 5.1
**la sala de recuperación** recovery room
**la sala de salida** departure area, I: 11.1
**la sala de urgencias** emergency room
el **salario** salary
la **salchicha** sausage, II: 10.1
el **saldo** balance (bank), **4.2**
la **salida** departure, leaving, I: 11.1; exit, II: 11.2
**la hora de salida** departure hour, I: 13.1; II: 1.1
**la pantalla de llegadas y salidas** arrival and departure screen, I: 11.1
**la sala de salida** departure area, I: 11.1
**la salida de emergencia** emergency exit, II: 7.1
**salir** to leave, I: 10.1; to go out; to turn out
**salir a tiempo** to leave on time, I: 11.1
**salir bien (en un examen)** to do well (on an exam), I: 10.1
**salir tarde** to leave late, I: 11.1
el **salón** hall, II: 13.1; room
**el salón de clase** classroom, I: 4.1
**saltar** to jump
el **salto** jump, leap, **5.3**; waterfall, **7.1**
la **salud** health
**saludar** to greet
el **saludo** greeting, BV
**salvaje** wild
**salvar** to save

**salvo(a)** safe
la **sandalia** sandal, II: 4.1
la **sandía** watermelon, II: 10.2; **3.1**
el **sándwich** sandwich, BV
la **sangre** blood
**sano(a)** healthy
el **santo** saint
el **santuario** sanctuary
el/la **sartén** frying pan, II: 10.1
**satisfacer** to satisfy
**satisfecho(a)** satisfied, II: 14.1
el **saxofono** saxophone
**sazonar** to season
el **secador** hair dryer, II: 12.1
**secar** to dry, II: 12.2
la **sección de (no) fumar** (no) smoking section, I: 11.1
**seco(a)** dry
el/la **secretario(a)** secretary, II: 14.1
el **secreto** secret
la **secuela** result, **7.3**
**secundario(a)** secondary
**la escuela secundaria** high school, I: 1.1
**sed: tener sed** to be thirsty, I: 14.1; II: 2.1
la **seda: seda dental** dental floss, LC7
el **sedán** sedan, II: 11.1
la **sede** seat (of government)
el/la **sefardí** Sephardi, Jewish person expelled from Spain during the Spanish Inquisition
**seguir (i, i)** to follow, to continue, II: 11.2
**Sigue derecho.** Go straight.
**según** according to
**segundo(a)** second, I: 6.2
**el segundo tiempo** second half (soccer), I: 7.1
**en segunda (clase)** second-class, I: 13.1; II: 1.1
la **seguridad** security, II: 7.1
**el control de seguridad** security (airport), I: 11.1
el **seguro** insurance, **5.2**
**seguro(a): estar seguro(a)** to be sure
**seis** six, BV
**seiscientos(as)** six hundred, I: 3.2
la **selección** selection
**seleccionar** to select
**sellar** to seal, to stamp, **7.1**
el **sello** stamp, II: 5.1
la **selva** jungle, **5.1**
**la selva tropical (lluviosa)** rainforest
el **semáforo** traffic light, II: 9.1; **5.2**
la **semana** week, BV

**el fin de semana** weekend, BV
**el fin de semana pasado** last weekend
**la semana pasada** last week, I: 9.2
**sembrar** to sow, plant, II: 9.2
**semejante** similar
el **semestre** semester
el/la **senador(a)** senator
la **sencillez** simplicity
**sencillo(a)** easy, simple
**el billete sencillo** one-way ticket, I: 13.1; II: 1.1
**el cuarto sencillo** single room, II: 6.1
la **senda** path, II: 5.2; LC7
**caminar por la senda** to walk along the path, II: 5.2
las **sentadillas** sit-ups, **5.3**
**sentar (ie)** to fit, **3.2**
**La camisa te sienta bien.** The shirt fits you well.
**sentarse (ie)** to sit down, I: 12.1
el **sentido** meaning, significance; direction, II: 11.2
**en cada sentido** in either direction, II: 11.2
**una calle de sentido único** one-way street, II: 11.2
**el sentido contrario** opposite way, II: 11.2
**sentir (ie, i)** to be sorry
**sentirse (ie, i) bien (mal)** to feel well (ill), II: 8.1
la **señal de no fumar** no smoking sign, II: 7.1
la **señal de tráfico (tránsito)** traffic sign, **5.2**
el **señor** sir, Mr., gentleman, BV
la **señora** Ms., Mrs., madam, BV
la **señorita** Miss, Ms., BV
la **separación** separation
**separado(a)** separated
el **sepelio** burial, **4.3**
**septiembre** September, BV
**séptimo(a)** seventh, I: 6.2
la **sequía** drought, **7.1**
**ser** to be
**ser una lástima** to be a pity
el **ser: el ser humano** human being
**el ser viviente** living creature, being
la **serie** series
**la Serie mundial** World Series
**serio(a)** serious, I: 1.1
**en serio** seriously
la **serpiente** snake, serpent, **5.1**
el **servicio** service, tip, I: 5.1
**¿Está incluido el servicio?** Is the tip included?, I: 5.1
el **servicio de primeros auxilios**

first aid service, paramedics, II: 8.1
la **servilleta** napkin, I: 14.1; II: 2.1
**servir (i, i)** to serve, I: 14.1; II: 2.1
**¿En qué puedo servirle?** How may I help you?, II: 4.1
**sesenta** sixty, I: 2.2
la **sesión** show (movies), I: 10.1
**setecientos(as)** seven hundred, I: 3.2
**setenta** seventy, I: 2.2
**severo(a)** severe
el **sexo** sex
**sexto(a)** sixth, I: 6.2
el **show** show
**si** if
**sí** yes
el **SIDA** AIDS
la **siembra** sowing
**siempre** always, I: 7.1
**de siempre y para siempre** eternally, forever
la **sien** temple (of head), LC6
la **sierra** sierra, mountain range, LC7
**siete** seven, BV
el **sigilo** seal
la **sigla** acronym (AAA, NATO), abbreviation, **4.3**
el **siglo** century, **1.1**
el **significado** meaning
**significante** meaningful
**significar** to mean
**significativo(a)** significant
**siguiente** following
la **silla** chair
la **silla de ruedas** wheelchair, II: 8.2
el **sillón** armchair, II: 6.2; dentist's chair, LC7
**silvestre** wild
**similar** similar
**simpático(a)** nice, I: 1.2
**simple** simple
**sin** without
**sin escala** nonstop
**sincero(a)** sincere, I: 1.2
**singles** singles, I: 9.1
el **síntoma** symptom, I: 8.2
el **sirope** syrup
el/la **sirviente(a)** servant
el **sistema** system
**el sistema métrico** metric system
el **sitio** place
la **situación** situation
**situar** to situate
**situarse** to be situated, **2.1**
**soberbio(a)** arrogant, proud

**sobre** on top of; over; on, about
**sobre todo** especially
el **sobre** envelope, II: 12.2
**sobrepasar** to surpass
**sobresaltar** to jump up
**sobrevolar** to fly over, II: 7.2
la **sobrina** niece, I: 6.1
el **sobrino** nephew, I: 6.1
**social: las ciencias sociales** social sciences
la **sociedad** society
la **sociología** sociology
**socorrer** to help
el/la **socorrista** paramedic, II: 8.1; rescue worker, **8.3**
el **socorro** help
el **sofá** sofa, II: 6.2
la **soga** rope, cord, LC3
el **sol** Peruvian coin; sun, I: 9.1
**Hace (Hay) sol.** It's sunny., I: 9.1
**tomar el sol** to sunbathe, I: 9.1
**solamente** only
la **solapa** lapel, **3.2**
el/la **soldado** soldier, **1.1**
**solemne** solemn
**soler (ue)** to be accustomed to, tend to, **2.1; 4.1**
**solicitar** to apply for, **1.3**
la **solicitud de empleo** job application, II: 14.2
**solitario(a)** solitary, lone
**sólo** only
**solo(a)** alone
**a solas** alone
**el café solo** black coffee, I: 5.1
**soltar (ue)** to let go, to set free, LC3
**soltero(a)** single, bachelor
la **solución** solution
la **sombra** shade, LC4
el **sombrero** hat
**someter** subdue
**someterse** to surrender, **6.1**
**sonar (ue)** to ring, II: 3.2
el **sonido** sound
la **sonrisa** smile, **2.3**
la **sonrisita** little smile
la **sopa** soup, I: 5.1
el **soporte** support, **8.3**
el **sorbete** sherbet, sorbet
el/la **sordo(a)** deaf person
**sorprender** to surprise
**sostener** to support
**su** his, her, their, your
**súbito** sudden, **8.3**
**subir** to go up, I: 6.2; to board, to get on; to take up
**subir al tren** to get on, to board the train, I: 13.1; II: 1.1

subterráneo(a) underground

el **subtítulo** subtitle, I: 10.1
con subtítulos with
subtitles, I: 10.1

el **suburbio** suburb
**subyugar** to subjugate, **2.1**
**suceder** to happen, to occur, **5.3**
**suceso: el buen suceso** great
event, **1.3**
**sucio(a)** dirty
la ropa sucia dirty laundry,
II: 12.1

la **sucursal** branch (office)
**sudamericano(a)** South
American
**sudar** to sweat, LC2

el **sudeste** southeast (region), **8.1**

el **sudoeste** southwest (region), **8.1**

el **sudor** sweat, LC2

el **suegro** father-in-law

la **suela** sole (shoes), **3.2; 5.3**
la suela de goma rubber sole

el **suelo** ground, LC3; floor

el **suelto** change, II: 12.2; **4.2**

el **sueño** dream

la **suerte** luck
¡Buena suerte! Good luck!

el **suéter** sweater, II: 4.1; **3.2**
un suéter de lana wool
sweater
**suficiente** enough
**sufrir** to suffer

la **sugerencia** suggestion
**sugerir (ie, i)** to suggest

la **Suiza** Switzerland
**sujetar** subject, LC1
**sumar** to add
**suministrar** to provide, **8.3**
**súper** super (gas), II: 11.1
**superar** to surpass, **8.1**

la **superficie** surface
**superior: la escuela superior**
high school

el **supermercado** supermarket,
I: 5.2

la **superstición** superstition
**supuesto: por supuesto** of
course

el **sur** south
**sureste** southeast (region), **8.1**

el **surf de nieve** snowboarding
**surfear (los canales)** to
channel surf, **8.2**

el **surfing** surfing, I: 9.1
practicar el surfing to surf,
I: 9.1
**surgir** to arise, **7.1**

el **suroeste** southwest (region), **8.1**

el **surtido** assortment
**sus** their, your (pl.), I: 6.1
**suspirar** to sigh

la **sustancia: la sustancia
controlada** controlled
substance

la **sutura** stitch

el **T-shirt** T-shirt, I: 3.2

la **tabla** board (surfboard), **5.3**
la tabla hawaiana surfboard,
I: 9.1

el **tablero** board, I: 7.1;
gameboard, II: 5.1
**el tablero de llegadas**
arrival board, I: 13.1; II: 1.1
**el tablero de salidas**
departure board, I: 13.1;
II: 1.1
**el tablero indicador**
scoreboard, I: 7.1

la **tableta** pill, I: 8.2
**taciturno(a)** taciturn, LC2

el **taco** taco, BV

el **tacón** heel, II: 4.1; **3.2**
de tacón alto high-heeled
botas de tacón alto high-
heeled boots
zapatos de tacón alto high-
heeled shoes
**taíno(a)** Taino

la **tajada** slice, II: 4.2
**tal: ¿Qué tal?** How are you?, BV

el **talento** talent, II: 14.1

la **talla** size (clothing), I: 3.2
**tallado(a)** carved

el **taller** workshop, LC3

el **talón** luggage claim ticket, I: 11.1

el **talonario** checkbook, **4.2**

el **tamal** tamale, BV

el **tamaño** size, I: 3.2
**también** also
**tampoco** either
**tan** so
**tan… como** as . . . as, II: 8.2

el **tango** tango

el **tanque** gas tank, II: 11.1
llenar el tanque de gasolina
to fill the tank with gas,
II: 11.1
**el tanque de gasolina** diesel
truck, **7.3**

el **tanto** point, I: 7.1
marcar un tanto to score a
point
**tanto(a)** so much
**tanto(a)… como** as much
. . . as
**tantos(as)… como** as many
. . . as, II: 8.2

**tapar** to cover, II: 10.2

el **tapón** traffic jam, **1.2**

la **taquilla** box office, I: 10.1
**tardar** to take time
tarda el viaje the trip takes
(+ time)
**tarde** late

la **tarde** afternoon
Buenas tardes. Good
afternoon., BV
esta tarde this afternoon, I: 9.2
por la tarde in the afternoon

la **tarea** task
hacer las tareas to do one's
homework, II: 3.1

la **tarifa** fare, rate

la **tarjeta** card, I: 11.1; **4.2;**
registration card (hotel), II: 6.1
**la tarjeta bancaria** bankcard
**la tarjeta de crédito** credit
card, I: 14.1; II: 2.1; **5.2**
**la tarjeta de embarque**
boarding pass, I: 11.1
**la tarjeta de identidad
estudiantil** student I.D.
card
**la tarjeta postal** postcard,
II: 12.2
**la tarjeta telefónica**
telephone card, II: 3.2

el **tarro: el tarro de agua** water
bottle, 7.3

la **tasa** rate
**la tasa de cambio** exchange
rate, II: 12.2
**la tasa de desempleo**
unemployment rate

el **taxi** taxi, I: 11.1; **1.2**

el **taxímetro** taxi meter, **1.2**

la **taza** cup, I: 14.1; II: 2.1
**te** you

el **té** tea, I: 5.1
el té helado iced tea, I: 5.1
**teatral** theatrical, I: 10.2

el **teatro** theater, I: 10.2
salir del teatro to leave the
theater, I: 10.2

el **techo** roof, **4.1**

la **tecla** key (on keyboard), II: 3.2

el **teclado** keyboard, II: 3.1;
telephone keypad, II: 3.2

el/la **técnico(a)** technician, II: 8.2

la **tecnología** technology

el/la **tejedor(a)** weaver, **2.1**
**tejer** to weave, **2.1**

el **tejido** weave, **2.1**

la **tela** fabric, **3.2**
**tela de algodón** cotton fabric
**tela de ante (gamuza)** fabric
made of suede
**tela de cuero** leather fabric

**tela de dénim** denim fabric
**tela de lana** wool fabric
**tela de punto** knit fabric
la **telecomunicación**
telecommunication, II: 3.1
**telefonear** to telephone
**telefónico(a)** (related to the)
telephone
la **línea telefónica**
telephone line
la **llamada telefónica**
telephone call, II: 3.2
el **teléfono** telephone
el **teléfono de botones** push-
button telephone, II: 3.2
el **teléfono celular** cellular
telephone, II: 3.2
el **teléfono público** public
(pay) telephone, II: 3.2
**hablar por teléfono** to talk
on the phone
el **poste de teléfono**
telephone pole, **8.3**
la **telenovela** soap opera, **8.2**
el **telesilla** chairlift, I: 9.2
el **telesquí** ski lift, I: 9.2
el/la **televidente** television viewer, **8.2**
la **televisión** television, I: 6.2
el **televisor** television set, II: 6.2;
**8.2**
el **telón** curtain (stage), I: 10.2; **7.2**
el **tema** theme, subject
**temer** to fear
**temible** fearful, terrible, **5.1**
el **temor** fear, LC6
la **temperatura** temperature, I: 9.2
la **tempestad** storm
**templado(a)** temperate
**temprano** early, I: 12.1
la **tendencia** tendency
el **tenedor** fork, I: 14.1; II: 2.1
**tener (ie)** to have, I: 6.1
**tener un accidente** to have
an accident, II: 8.1
**tener... años** to be . . . years
old, I: 6.1
**tener buena pinta** to look
good, II: 4.2
**tener cuidado** to be careful
**tener hambre** to be hungry,
I: 14.1; II: 2.1
**tener lugar** to take place,
occur, II: 8.1
**tener miedo** to be afraid
**tener que** to have to
**tener sed** to be thirsty,
I: 14.1; II: 2.1
el **tenis** tennis, I: 9.1
los **tenis** tennis shoes, I: 3.2; **5.3**
el **par de tenis** pair of tennis
shoes, I: 3.2

el/la **tenista** tennis player
la **tensión arterial** blood
pressure, II: 8.2
**tercer(o)(a)** third, I: 6.2
la **terminal: la terminal de
pasajeros** passenger
terminal, II: 7.2
**terminar** to end, finish, II: 3.1
el **término** term
el **termo** thermos, **7.3**
la **ternera** veal, I: 14.2; II: 2.2
la **terraza** terrace (sidewalk café)
el **terremoto** earthquake, **4.1**
**terrible** terrible
el **territorio** territory
el **terror** terror, fear
el **tesoro** treasure
el **tétano** tetanus
la **tía** aunt, I: 6.1
**tibio(a)** luke warm, LC7
el **ticket** ticket, I: 9.2
el **tiempo** time; weather, I: 9.1;
half (game)
**a tiempo** on time, I: 11.1
**a tiempo completo
(parcial)** full- (part-) time
*(adj.)*, II: 14.2
el **segundo tiempo** second
half (game), I: 7.1
**pasar el tiempo** to spend
(pass) time, II: 5.1
la **tienda** store, I: 3.2
la **tienda de abarrotes**
grocery store, II: 4.2
la **tienda de departamentos**
department store
la **tienda de ropa** clothing
store, I: 3.2
la **tienda de ropa para
caballeros** men's clothing
store, II: 4.1
la **tienda de ropa para
señoras** women's clothing
store, II: 4.1
la **tienda de ultramarinos**
grocery store, II: 4.2
la **tienda de videos** video
store
**tierno(a)** tender
la **tierra** land
**por tierra** by land, overland
el **tigre** tiger
las **tijeras** scissors, II: 12.1
el **tilde** accent
**tímido(a)** timid, shy, I: 1.2
la **tintorería** dry cleaner, II: 12.1
el/la **tintorero(a)** dry cleaner, II: 12.1
el **tío** uncle, I: 6.1
los **tíos** aunt and uncle, I: 6.1
el **tiovivo** merry-go-round, II: 5.2
**típicamente** typically

**típico(a)** typical
el **tipo** type
el **tipo de cambio** exchange rate,
II: 12.2; **4.2**
el **tique** ticket, II: 9.1
**tirar** to kick, I: 7.1; to throw
**tirar el balón** to kick (throw)
the ball, I: 7.2
el **título universitario** university
degree, II: 14.1
la **toalla** towel, II: 6.2
la **toalla playera** beach
towel, I: 9.1
el **tobillo** ankle, II: 8.1
**tocar** to touch; to play (music)
**tocar la bocina** to honk the horn
**todavía** yet, still
**todo: todo el mundo** everyone
**todos(as)** everybody, I: 2.2;
everything, all
**por todas partes**
everywhere
el **todoterreno** SUV, **5.2**
la **toma** capture, **6.1**
**tomar** to take, I: 4.1
**tomar agua (leche, café)** to
drink water (milk, coffee)
**tomar apuntes** to take notes,
I: 4.2
**tomar el bus (escolar)** to
take the (school) bus, I: 4.1
**tomar el desayuno** to eat
breakfast, I: 12.1
**tomar una ducha** to take a
shower, I: 12.1
**tomar fotos** to take photos
**tomar una merienda** to have
a snack, I: 4.2
**tomar el pulso** to take one's
pulse, II: 8.2
**tomar una radiografía** to
take an X-ray
**tomar un refresco** to have
(drink) a beverage
**tomar el sol** to sunbathe,
I: 9.1
**tomar la tensión (presión)
arterial** to take one's
blood pressure, II: 8.2
**tomar un vuelo** to take a
flight, I: 11.1
el **tomate** tomato
el **tomo** volume
la **tonalidad** tonality
la **tonelada** ton
el **tono** dial tone, II: 3.2; hue
**tonto(a)** foolish
el **tórax** thorax, **5.3**
**torcerse (ue)** to twist, II: 8.1
la **tormenta** storm, **8.3**
el **torneo** tournament

**el torneo de nado (natación)** swim meet

el **torniquete** turnstile, II: 9.1

la **toronja** grapefruit, II: 10.1

el **torpe** stupid person, LC1

**torpe** stupid

la **torre: la torre de control** control tower, II: 7.2

la **torta** cake, sandwich, II: 13.1

la **tortilla** tortilla, I: 5.1

la **tórtola** turtle dove

la **tos: tener tos** to have a cough, I: 8.1

**tosco(a)** course, rough

**toser** to cough, I: 8.1

la **tostada** toast

**tostadito(a)** sunburned, tanned

**tostado(a): el pan tostado** toast, I: 5.2

**tostar** to toast

el **tostón** fried, plantain slice

**totalmente** totally, completely

**tóxico(a)** toxic

el/la **trabajador(a)** worker

**trabajar** to work, I: 3.2

**trabajar a tiempo completo** to work full-time, II: 14.2

**trabajar a tiempo parcial** to work part-time, II: 14.2

el **trabajo** work; job, II: 14.2

**el trabajo a tiempo completo (parcial)** full-time (part-time) job, II: 14.2

la **tradición** tradition

**tradicional** traditional

**traducir** to translate

**traer** to bring, I: 14.1; II: 2.1

el **tráfico** traffic

**tragar** swallow, LC6

la **tragedia** tragedy

el **traidor** traitor

el **traje** suit, I: 3.2; **3.3**

**el traje de baño** bathing suit, I: 9.1

**el traje de gala** evening gown, dress

el **tramo** stretch

la **trampa** trap, LC3

**tranquilo(a)** peaceful; calm; quiet

**transbordar** to transfer, I: 13.2; II: 1.2

**transformar** to transform

**transmitir** to send, to transmit, II: 3.1; **8.2**

**transpirar** to transpire, LC2

el **transporte** transportation

el **trapo** rag, LC7

**tras** after

**trasladar** to transfer, move, **4.1**

el **tratamiento** treatment

**tratar** to treat; to try

el **trayecto** stretch (of road)

**trece** thirteen, BV

la **tregua** truce, **2.3**

**treinta** thirty, BV

**treinta y uno** thirty-one, I: 2.2

el **tren** train, I: 13.2; II: 1.2

**el tren directo** nonstop train, I: 13.2; II: 1.2

**el tren local** local train, I: 13.2; II: 1.2

**el tren subterráneo** underground train

la **trenza** braid

**tres** three, BV

**trescientos(as)** three hundred, I: 3.2

la **tribu** tribe

el **tribunal** court, II: 14.1

el **tributario** tributary (of a river)

el **trigo** wheat, II: 9.2

la **tripulación** crew, I: 11.2

**triste** sad, I: 8.1

**triunfante** triumphant

**trocarse** to change

el **trocito** piece, II: 10.2

el **trombón** trombone

la **trompeta** trumpet

**tropical** tropical

el **trozo: trocito** small piece, **1.1**

el **trono** throne

la **tropa** troop, 1.1

**tu** your

**tú** you

el **tubo de escape** exhaust pipe

el **tubo de pasta (crema) dentífrica** tube of toothpaste, I: 12.2

**tumultuoso(a)** tumultuous, LC2

**turbio(a)** confused, obscure, LC7

la **turbulencia** turbulence, II: 7.2

el/la **turista** tourist, I: 10.2

**u** or (used instead of **o** before words beginning with **o** or **ho**)

**ubicarse** to be located, **2.3; 6.3**

**Ud., usted** you, I: 3.2

**Uds., ustedes** you, I: 2.2

**último(a)** last

**ultramarinos: la tienda de ultramarinos** grocery store, II: 4.2

**un(a)** a, an, I: 1.1

la **una** one o'clock, I: 2.2

**único(a)** only; unique

la **unidad: la unidad de cuidado intensivo** intensive care unit

el **uniforme** uniform

**unirse** to join

la **universidad** university

**universitario(a)** (related to) university

**uno** one, BV

**unos(as)** some

**urbano(a)** urban

**urgencias: la sala de urgencias** emergency room

la **urología** urology

el/la **urólogo(a)** urologist

**usado(a)** used

**usar** to wear (size), I: 3.2; to use

el **usuario** user, **1.3**

**utilizar** to use

las **uvas** grapes, II: 10.1

la **vaca** cow, II: 9.2

la **vacación** vacation, II: 6.2

**vacío(a)** empty

el/la **vago(a)** loafer, idler, wanderer

el **vagón** train car, I: 13.1; II: 1.1

la **vainilla: de vainilla** vanilla (*adj.*), I: 5.1

la **vainita** string bean

**¡Vale!** OK!

la **valentía** valor, bravery, LC6

**valer** to be worth

**valeroso(a)** brave

**valiente** brave

**valientemente** valiantly

la **valla** fence, LC1

el **valle** valley, II: 7.2

el **valor** value, worth

**el valor real** true value

**vamos** let's go

la **variación** variation

**variado(a)** varied

**variar** to vary, change

la **variedad** variety

**vario(a)** various

el **varón** male

**vasco(a)** Basque

**la pelota vasca** jai alai

el **vaso** (drinking) glass, I: 12.1

**vasto(a)** vast

el **váter** toilet, II: 6.2

el/la **vecino(a)** neighbor

la **vegetación** vegetation

el **vegetal** vegetable, I: 5.2

el/la **vegetariano(a)** vegetarian

**veinte** twenty, BV

**veinticinco** twenty-five, BV

**veinticuatro** twenty-four, BV
**veintidós** twenty-two, BV
**veintinueve** twenty-nine, BV
**veintiocho** twenty-eight, BV
**veintiséis** twenty-six, BV
**veintisiete** twenty-seven, BV
**veintitrés** twenty-three, BV
**veintiuno** twenty-one, BV
la **vela** candle, II: 13.1; sail, **5.3**
**velar** to hold a wake, LC8
el **velatorio** wake (of a funeral)
la **velocidad** speed, II: 11.2
  **la velocidad máxima** speed limit, II: 11.2
el **velorio** wake (of a funeral), **4.3**
la **vena** vein
**vencer** to conquer, to defeat, LC1
el **vendaje** bandage, II: 8.2
  **poner un vendaje** to put a bandage on, II: 8.2
el/la **vendedor(a)** salesperson, II: 11.1
  **vender** to sell, I: 5.2
el **veneno** poison
**venenoso(a)** poisonous
**venezolano(a)** Venezuelan
**venir** to come, I: 11.1
  **el viernes (sábado, etc.) que viene** next Friday (Saturday, etc.)
la **venta** sale, II: 14.1; inn, **1.2**
la **ventaja** advantage
la **ventanilla** ticket window, I: 9.2; window (airplane), II: 7.1; teller's window, II: 12.2
**ver** to see; to watch, I: 5.1
**veraniego(a)** summer (adj.), **1.1**
  **una casa veraniega** summer house
el **verano** summer, BV
el **verbo** verb
la **verdad** truth
  **¡Verdad!** That's right (true)!
**verdadero(a)** true, real
**verde** green, I: 3.2
  **la judía verde** green bean, I: 5.2
la **verdulería** greengrocer store, II: 4.2
la **verdura** vegetable
**verificar** to check, I: 13.1; II: 1.1
la **versión: en versión original** in (its) original version, I: 10.1
el **verso** verse
**vertical** vertical
**vestido(a)** dressed
el **vestido** dress, II: 4.1
  **los vestidos** clothes (pl.)
el **vestigio** vestige

**vestirse (i, i)** to get dressed
el **vesturario** costumes (in a play), **7.2**
el/la **veterinario(a)** veterinarian
la **vez** time
  **a veces** at times, sometimes, I: 7.1
  **de vez en cuando** now and then
  **en vez de** instead of
  **una vez más** one more time, again
la **vía** track, I: 13.1; II: 1.1
**viajar** to travel
  **viajar en avión** to travel by plane, I: 11.1
el **viaje** trip
  **el viaje de novios** honeymoon
  **el viaje de regreso** return trip
  **hacer un viaje** to take a trip, I: 11.1
el/la **viajero(a)** traveler
la **víbora** viper, LC3
**viceversa** vice versa
el **vicio** vice
  **víctima** victim, II: 8.1; **2.2**
**victorioso(a)** victorious
la **vida** life
  **la vida escolar** school life
el **video** video
**viejo(a)** old, I: 6.1
el/la **viejo(a)** old person
el **viento** wind
el **viernes** Friday, BV
el **vigor** vigor
**vil** vile
**villa: villa miseria** shantytown (Arg.)
el **vinagre** vinegar
el **vínculo** bond, **8.1**
el **viñedo** vineyard, **3.1**
la **viola** viola
la **violencia** violence
**violento(a)** violent, **2.3**
el **violín** violin
la **virtud** virtue, LC6
**visible** visible
**visitar** to visit
la **víspera de Año Nuevo** New Year's Eve, II: 13.2
la **vista** view
**vital** vital
la **vitamina** vitamin
la **vitrina** shop window, II: 4.1
la **viuda** widow, **2.3**
la **vivienda** housing
**viviente: el ser viviente** living creature, being
**vivir** to live, I: 5.2
**vivo(a)** living, alive

la **vocal** vowel
  **volar (ue)** to fly, II: 7.2
el **volcán** volcano, **2.3**
  **volcánico(a)** volcanic, **2.3**
el **voleibol** volleyball
  **voltearse** to roll over, **5.3**
el/la **voluntario(a)** volunteer
  **volver (ue)** to return, I: 7.1
  **volver a casa** to return home, I: 10.2
la **voz** voice
  **en voz alta** aloud
el **vuelo** flight, I: 11.1; 1.1
  **el número del vuelo** flight number, I: 11.1
  **tomar un vuelo** to take a flight, I: 11.1
  **el vuelo directo** direct flight, II: 7.2
  **el vuelo nacional** domestic flight
la **vuelta: dar la vuelta** to turn around

**y** and, BV
  **y cuarto** a quarter past (the hour)
  **y media** half past (the hour)
  **y pico** just after (the hour)
**ya** now, already
la **yarda** yard
la **yema** yolk
la **yerba** herb, LC6
**yerto(a)** stiff, LC7
el **yeso** cast, II: 8.2
**yo** I, I: 1.1
el **yogur** yogurt

la **zanahoria** carrot, I: 5.2
la **zapatería** shoe store, II: 4.1; **3.2**
el **zapato** shoe, I: 3.2; **3.2**
  **zapatos de tacón alto** high-heeled shoes
la **zona** zone, area, neighborhood
  **la zona comercial** business zone, II: 9.1
  **la zona industrial** industrial area, II: 9.1
  **la zona residencial** residential area, II: 9.1
el **zumo de naranja** orange juice (Spain)
  **zurdo(a)** left-handed, **6.3**

The English-Spanish Dictionary contains all productive and receptive vocabulary from Levels 1, 2 and 3. The numbers following each productive entry indicate the chapter and lesson in which the word is introduced. For example, **3.2** in dark print means that the word was taught in this textbook **Capítulo 3, Lección 2.** A reference to LC means the word was taught in this textbook in the Literary Companion section. A light print number preceded by I means that the word was introduced in **¡Buen viaje!,** Level 1. A light print number preceded by II means that the word was introduced in **¡Buen viaje!,** Level 2. BV refers to the introductory **Bienvenidos** lessons in Level 1. If there is no number following an entry, this means that the word or expression is there for receptive purposes only.

## A

**a, an** un(a), I: 1.1
**abdication** la abdicación
**abdomen** el abdomen, **5.3**
**aboard, on board** a bordo de
to **abound** abundar, **5.3**
**about** sobre; acerca de; (time) a eso de, II: 4.1
**above** encima; por encima de, I: 9.1
**abroad** en el extranjero
**abstract** abstracto(a)
**abundant** caudal(oso)
  **abundant river** un río caudal(oso)
**abuse** el abuso
**academic** académico(a)
**academy** la academia
to **accelerate** acelerar
**accent** el tilde
to **accept** aceptar
**access** el acceso
**accident** el accidente, II: 8.1
to **accommodate** acomodar
**accompaniment** el acompañamiento
to **accompany** acompañar, **6.2**
**according to** según
**account (bank)** la cuenta
  **checking account** la cuenta corriente, II: 12.2
  **savings account** la cuenta de ahorros
**accountant** el/la contable, II: 14.1
to **be accustomed to** soler (ue), **2.1; 4.1**
**ache** el dolor, I: 8.1
to **ache: My . . . ache(s).** Me duele(n)… , II: 8.2
to **achieve** lograr, **7.3**
**acronym** la sigla, **4.3**
**acrylic** el acrílico

**action** la acción
**active** activo(a)
**activity** la actividad
**act** el acto
**actor** el actor, I: 10.2
**actress** la actriz, I: 10.2
to **adapt** adaptar
to **add** sumar; agregar, añadir, II: 10.2
**addiction** la adicción
**addition: in addition to** además de
**address** la dirección
to **address** dirigirse a
**adequate** adecuado(a), **3.3**
to **adjust** ajustar
**adjustment** el ajuste, el arreglo, **5.1**
to **admire** admirar
**admission ticket** la entrada, I: 10.1; **7.2**
to **admit** admitir, II: 8.2
**adolescence** la adolescencia
**adolescent** el/la adolescente
**adorable** adorable
**adoration** la adoración
to **adore** adorar
to **adorn** adornar
**advance** el avance
**advanced** adelantado(a), **5.1**
**advantage** la ventaja
**adventure** la aventura
**adversity** la adversidad
**advertisement** el anuncio, II: 14.2
**advertising** la propaganda
**advice** el consejo, **2.3;** el aviso, LC2
to **advise** aconsejar; avisar
**aerobic** aeróbico(a)
to **affect** impresionar
**African** africano(a)
**African American** afroamericano(a)
**after** después (de), I: 5.1; tras
**afternoon** la tarde

**Good afternoon.** Buenas tardes., BV
**in the afternoon** por la tarde
**this afternoon** esta tarde, I: 9.2
**again** de nuevo
**against** contra, I: 7.1
**age** la edad
  **How old are you?** ¿Cuántos años tienes?
**agency** la agencia
  **employment agency** la agencia de empleos
**agent** el/la agente, I: 11.1
  **customs agent** el/la agente de aduana, I: 11.2
**aggressive** belicoso(a), **3.1**
**aging person** el/la envejeciente
**agony** la agonía, LC5
**agreed, fine** conforme, I: 14.2
**agreement** el acuerdo, **5.3**
**agricultural** agrícola
**ahead** adelante
**AIDS** el SIDA
**air** el aire, II: 11.1
**air conditioning** el aire acondicionado, II: 6.2
**air traffic controller** el/la controlador(a), II: 7.2
**airline** la línea aérea
**airmail** el correo aéreo, II: 12.2
**airplane** el avión, I: 11.1
  **small airplane** la avioneta, II: 7.2
**airport** el aeropuerto, I: 11.1; **1.2**
**aisle** el pasillo, I: 13.2; II: 1.2
**album** el álbum
**alcohol** el alcohol
**alcoholism** el alcoholismo
**algebra** el álgebra, I: 2.2
**alive** vivo(a)
**all** todos(as)
**allegory** la alegoría
**allergy** la alergia, I: 8.2
**alley** la callejuela

**paving stone alley**
la callejuela de adoquines,
**4.1**

**alliance** la alianza

to **allow** consentir (ie, i); dejar

**ally** el/la aliado(a), **5.1**

**almond** la almendra, **1.1**

**almost** casi; por poco, **6.1**

**alone** solo(a); a solas

**along** a lo largo

**aloud** en voz alta

**already** ya

**also** también

**altar** el altar, LC8

to **alternate** alternar

**although** aunque

**altitude** la altitud, la altura,
II: 7.2

**always** siempre, I: 7.1

**ambassador** el/la embajador(a)

**ambulance** la ambulancia, II: 8.1

**American** americano(a), I: 1.1

**amount** la cantidad

**ample** amplio(a), **1.3**

**amusement** la diversión

**amusement park** el parque
de atracciones, II: 5.2

**amusement park ride**
la atracción, II: 5.2

**amusing** divertido(a)

**analysis** el análisis

**analytical** analítico(a)

to **analyze** analizar

**ancestor** el antepasado, LC4

**anchor (boat)** la ancla, **8.2**

**news anchor** el/la ancla, **8.2**

**woman news anchor**
la mujer ancla, **8.1**

**anchovy** la anchoa

**ancient** antiguo(a), II: 5.1

**and** y, BV

**Andalusian** andaluz(a)

**Andean** andino(a)

**anecdote** la anécdota

**angelical** angelical, LC5

**angry** enfadado(a); iracundo(a)

**animal** el animal

**farm animal** el animal
doméstico, II: 9.2

**ankle** el tobillo, II: 8.1

**anniversary** el aniversario

to **announce** anunciar

**announcement** el anuncio,
II: 7.1; la esquela, LC8

**another** otro(a)

**another's** ajeno(a), LC5

to **answer** contestar, II: 3.2

**answer** la respuesta

**answering machine** el
contestador automático, II: 3.2

**Antarctic** la Antártida

**antibiotic** el antibiótico, I: 8.2

**antiquated** anticuado(a)

**antiquity** la antigüedad

**any** cualquier

**apartment** el apartamento, el
departamento, I: 6.2; el piso

**apartment house** la casa
de apartamentos
(departamentos), I: 6.2

**apostle** el apóstol

to **appear** aparecer

**appearance** la apariencia

**appendicitis** la apendicitis

to **applaud** aplaudir, I: 10.2

**applause** el aplauso, I: 10.2

**to receive applause** recibir
aplausos, I: 10.2

**apple** la manzana, I: 5.2

**apple tree** el manzano, II: 9.2

**application (job)** la solicitud
(de empleo)

to **apply (for a job)** solicitar
trabajo, **1.3**

to **appreciate** agradecer, **7.3**

to **approach** acercarse (a)

**appropriate** apropiado(a)

**April** abril, BV

**aptitude** la aptitud

**aqueduct** el acueducto

**Arab** el/la árabe

**archaeological**
arqueológico(a)

**archaeologist** el/la
arqueólogo(a)

**archbishop** el arzobispo

**archeology** la arqueología

**archipelago** el archipiélago

**architect** el/la arquitecto(a),
II: 14.1

**archpriest** el arcipreste

**area** el área (f.); la zona

**area code** la clave de área, II: 3.2

**Argentine** argentino(a), I: 2.1

**argument** la disputa

**arid** arido(a), **5.1**

**arid desert** el desierto árido

to **arise** surgir, **7.1**

**arithmetic** la aritmética, I: 2.2

**arm** el brazo, I: 7.1; **5.3**

**armchair** el sillón, II: 6.2;
(dentist's chair), LC7

**army** el ejército

**around** alrededor de, I: 6.2

**arrival** la llegada, I: 11.1

**arrival and departure screen**
la pantalla de llegadas y
salidas, I: 11.1

to **arrive** llegar, I: 4.1

**arrogant** altivo(a), arrogante;
soberbio(a)

**art** el arte (f.), I: 2.2

**fine arts** las bellas artes

**artichoke** la alcachofa, I: 14.2;
II: 2.2

**artifact** el artefacto

**artisan** (adj.) artesano(a)

**artist** el/la artista, I: 10.2

**artistic** artístico(a)

**as** como, I: 1.2

**as . . . as** tan... como, II: 8.2

**as many . . . as** tantos(as)...
como, II: 8.2

**as much . . . as** tanto(a)... como

**ash** la ceniza, **2.3**

to **ask (a question)** preguntar;
**(questions)** hacer preguntas,
II: 14.2

to **ask for** pedir (i, i), I: 14.1

**to ask for the bill** pedir
la cuenta, II: 6.1

to **ask questions** hacer
preguntas, II: 14.2

**asleep** dormido(a)

**aspect** el aspecto

**aspirin** la aspirina, I: 8.2

to **assist** atender (ie), II: 4.1

**assortment** el surtido

to **assure** asegurar

**astray** el extravío, **4.3**

**to go astray** extraviarse, **4.3**

**astute** astuto(a)

**at** a

**at that time** en aquel entonces

**athlete** el/la atleta

**athletic** atlético(a)

**atmosphere** el ambiente;
la atmósfera

to **attack** atacar

**attack** el ataque

to **attend** asistir

**attention: to pay attention**
prestar atención, I: 4.2

**attractive** atractivo(a)

**audacious** audaz

**audience** el público, I: 10.2

**August** agosto, BV

**aunt** la tía, I: 6.1

**aunt and uncle** los tíos, I: 6.1

**authentic** auténtico(a)

**author** el/la autor(a), I: 10.2

**authority** la autoridad

**automatic teller** el cajero
automático, **4.2**

**automatically**
automáticamente

**automobile** el automóvil

**autumn** el otoño, BV

**available** disponible

**avenue** la avenida, II: 9.1

**average** medio(a); regular, I: 2.2

**aversion** la aversión, **3.1**

**aviation** la aviación

avocado el aguacate, II: 10.2
to **avoid** evitar, **6.2**

**B**

**baby** el/la bebé
**bachelor's degree**
el bachillerato
**back (body)** la espalda, **3.3**;
(of an animal) el lomo, **4.3**
**back (of seat)** el respaldo, II: 7.1
**background (ancestry)**
la ascendencia
**backpack** la mochila, I: 3.1; **1.2**
to **back up (in a car)** retroceder, **5.2**
**bacteria** la bacteria
**bad** malo(a), I: 2.1; mal,
I: 14.2; II: 2.2
**to be in a good (bad) mood**
estar de buen (mal)
humor, II: 8.1
**bad-tempered**
malhumorado(a)
**bag** la bolsa, I: 5.2
**cloth shopping bag** el capacho
**plastic bag** la bolsa de
plástico, II: 4.2
**baggage** el equipaje, I: 11.1
**baggage claim** el reclamo de
equipaje, I: 11.2
**carry-on baggage** el
equipaje de mano
**bakery** la panadería, la
pastelería, II: 4.2
**balance (bank)** el saldo, **4.2**
to **balance** balancear
**balcony** el balcón, **2.1**
**ball (soccer, basketball)** el
balón I: 7.1;
(baseball, tennis) la
pelota, I: 7.2; **4.1**
**to throw the ball** botar
la pelota
**balloon** el globo, II: 5.2
**ballpoint pen** el bolígrafo, I: 3.1
**banana** el plátano, I: 5.2;
la banana, II: 10.2
**band (music)** la banda
**bandage** el vendaje, II: 8.2
**to put a bandage on** poner
un vendaje, II: 8.2
**bandit** el bandido
**bank (of a river)** la orilla
**bank** el banco, II: 12.2
**bank statement** el estado
del banco
**banking** (adj) bancario(a), **4.2**
**bankcard** la tarjeta bancaria
**banner** el pendón

**baptism** el bautizo
**bar: bar of soap** la barra
(pastilla) de jabón, I: 12.2
**barbecue** el churrasco, **6.2**
**barber** el barbero, II: 12.1
**bargain** la ganga
to **base** basar
**base** la base, I: 7.2
**baseball** el béisbol, I: 7.2
**baseball field** el campo de
béisbol, I: 7.2
**baseball game** el juego de
béisbol, I: 7.2
**baseball player** el/la
beisbolista; el/la jugador(a)
de béisbol, I: 7.2
**based (on)** basado(a)
**basic** básico(a)
**basket (basketball)** el canasto
la canasta, el cesto, I: 7.2;
(jai alai) la cesta
**basketball** el baloncesto,
el básquetbol, I: 7.2
**basketball court** la cancha
de básquetbol, I: 7.2
**to put in (make) a basket**
encestar, I: 7.2
**Basque** vasco(a)
**bat** el bate, I: 7.2
**bath** el baño
**to take a bath** bañarse, I: 12.1
**bathing suit** el bañador, el
traje de baño, I: 9.1
**bathroom** el baño, el cuarto
de baño, I: 6.2
**bathtub** la bañera, II: 6.2
**batter** el/la bateador(a), I: 7.2
**battery** la batería
**battle** la batalla
**bay** la bahía
to **be** ser, I: 1.1; estar, I: 4.1
**to be afraid** tener miedo
**to be in a good (bad) mood**
estar de buen (mal) humor
**to be happy (sad)** estar
contento(a) (triste)
**to be hungry** tener hambre,
I: 14.1; II: 2.1
**to be married** estar casado(a)
**to be sick** estar enfermo(a)
**to be thirsty** tener sed,
I: 14.1; II: 2.1
**to be tired** esta cansado(a)
**to be . . . years old** tener...
años, I: 6.1
**to be able** poder (ue), I: 7.1
to **be accustomed to, tend to**
soler (ue), **2.1; 4.1**
to **be alarmed** alarmarse
to **be based** basarse
to **be born** nacer, II: 13.1

to **be called** llamarse, I: 12.1
to **be familiar with** conocer, I: 11.1
to **be frightened** asustarse
to **be glad about** alegrarse de,
II: 13.1
to **be going to (do something)**
ir a + infinitive
to **be important** importar
to **be named** llamarse, I: 12.1
to **be sorry** sentir (i, i)
to **be worth** valer
**beach** la playa, I: 9.1
**beach resort** el balneario, I: 9.1
**beach towel** la toalla playera,
I: 9.1
**bean** el frijol, la habichuela, I: 5.2
**black bean** la habichuela
negra, el frijol negro, II: 10.2
**rice with beans** el arroz
con frijoles (habichuelas),
**6.1**
**string (green) bean** la
habichuela tierna
to **bear** llevar
**beard** la barba
**bearing** el rumbo, LC1; LC4
to **beat** batir, LC5
**beau, heartthrob** el galán
**beautiful** bello(a),
hermoso(a), I: 1.1; precioso(a)
**beauty** la belleza
**because** porque
to **become enamored of**
(to fall for) flechar
**bed** la cama, II: 8.1
**to go to bed** acostarse (ue),
I: 12.1
**to make the bed** hacer la
cama, II: 6.2
**to stay in bed** guardar cama,
I: 8.1
**bedroom** el cuarto de dormir;
el cuarto, el dormitorio, la
recámara, I: 6.2; la
habitación, II: 6.1
**bee** la abeja, II: 8.1; LC5
**beef** la carne de res, I: 14.2; II: 2.2
**before** antes de, I: 5.1
**beforehand** antemano
to **beg** rogar (ue)
to **begin** comenzar (ie); empezar
(ie), I: 7.1
**beginner** el/la principiante,
I: 9.2
**beginning: at the beginning**
al principio
**beginning of the school**
year la apertura de clases
to **behave** comportarse
**behavior** la actuación
**behind** atrás; detrás de, II: 5.2

to **believe** creer, I: 8.2
**bell pepper** el pimiento, II: 10.2
**bellhop** el botones, II: 6.1
to **belong** pertenecer
**below** debajo (de), II: 7.1
**below zero** bajo cero, I: 9.2
**belt** el cinturón, II: 4.1; **3.2**
  **seat belt** el cinturón de seguridad, II: 7.1
**benefit** el beneficio
**berth** la litera, I: 13.2; II: 1.2
**beside** al lado de, II: 5.2
**besides** además
**best man** el padrino, II: 13.1
**better, best** mejor
**between** entre, I: 7.1
**beverage** el refresco, I: 5.1; la bebida, II: 7.1
**biblical** bíblico(a)
to **bicycle** ir en bicicleta, I: 12.2
**bicycle** la bicicleta
**big** gran, grande
**bilingual** bilingüe
**bill** la factura, II: 6.1; **4.2;** (money) el billete, II: 12.2; **4.2;** (check) la cuenta, I: 5.1
  **large (small) denomination bill** un billete grande (pequeño)
**biography** la biografía
**biological** biológico(a)
**biologist** el/la biólogo(a)
**biology** la biología, I: 2.2
**bird** el ave (f.), LC2; el pájaro
**birthday** el cumpleaños, I: 6.1
**bitterness** la amargura
**black** negro(a), I: 3.2
**blacksmith** el mariscal
**blanket** la frazada, la manta, II: 6.2
**bleach** el blanqueador
to **bless** bendecir, LC5
**blessing** la bendición
**block (city)** la cuadra, II: 11.2
to **block** bloquear, parar, I: 7.1
**blond(e)** rubio(a), I: 1.1
**blood** la sangre
**blood pressure** la presión arterial, la tension arterial, II: 8.2
**blouse** la blusa, I: 3.2; **3.2**
**blue** azul , I: 3.2
  **dark blue** azul oscuro
**blue jeans** el blue jean, I: 3.2
to **blur** empañar, LC7
to **board** embarcar, I: 11.2; subir, I: 13.1; II: 1.1; abordar
to **board the train** subir al tren, I: 13.1; II: 1.1
**board** el tablero, I: 7.1; (surfboard) la tabla, **5.3**

**arrival board** el tablero de llegadas, I: 13.1; II: 1.1
**boarding house** la pensión, I: 12.2
**boarding pass** la tarjeta de embarque, I: 11.1
**departure board** el tablero de salidas, I: 13.1; II: 1.1
**scoreboard** el tablero indicador, I: 7.1
**boat** el bote, II: 5.2; (small boat, raft) la patera, **1.3**
**body** el cuerpo, II: 8.1
to **boil** hervir (ie, i), II: 10.1
**boiling** la ebullición
**bold** atrevido(a), LC3
**bond** el vínculo, **8.1**
**bone** el hueso, II: 8.2
  **to set the bone** reducir el hueso, II: 8.2
**book** el libro, I: 3.1
**boot** la bota, I: 9.2; **3.2**
  **high-heeled boots** botas de tacón alto
to **border** bordear
**border** el borde, LC7; la frontera
**border** (adj.) fronterizo(a), **8.1**
to **bore** aburrir
**boring** aburrido(a), I: 2.1
**born** nacido(a)
to **borrow** pedir prestado
**boss** el/la jefe(a)
**bottle** la botella, II: 4.2
  **bottle of mineral water** la botella de agua mineral, I: 12.2
**boulder** la peña, LC2
**boulevard** el bulevar, II: 9.1
**bounce** el brinco, **5.3**
  **to be bounced off** dar unos brincos
**bouquet** el ramo, LC4
**box office** la taquilla, I: 10.1
**boy** el muchacho, I: 1.1; el chico
**boyfriend** el novio
**bracelet** la pulsera, II: 4.1
**braid** la trenza
to **brake** poner los frenos
**brakes** los frenos, II: 11.1
**branch (of menora)** el brazo, II: 13.2
**branch (office)** la sucursal; la filial
**branch (tree)** la rama, LC3
**brass (instruments in orchestra)** instrumentos de metal
**brave** valeroso(a); valiente
**bread** el pan, II: 4.2
to **break** romperse, II: 8.1

to **break in (horses)** jinetear
**breakdown** la avería
**breakfast** el desayuno, I: 5.2
**breath** el aliento, LC6
to **breathe** respirar
**breathing** la respiración
**bricklayer** el/la albañil, II: 14.1
**bride** la novia, II: 13.1
**bridge** el puente
**brief** breve
**bright** brillante
**brightness** el brillo, LC4
to **bring** llevar, I: 6.1; traer, I: 14.1; II: 2.1
**broken branch** el gajo, LC3
**broken down** averiado(a)
**bronze** el bronce, I: 10.2
**brooch** el pasador, **3.2**
**brook** el arroyo
**broth** el caldo, LC5
**brother** el hermano, I: 6.1
**brown** de color marrón, I: 3.2; pardo(a); de color pardo, **1.1**
**brunette** moreno(a), I: 1.1
**brush** el cepillo, I: 12.2; (paint) el pincel
to **brush one's hair** cepillarse, I: 12.1
to **brush one's teeth** cepillarse los dientes, lavarse los dientes, I: 12.1
to **buckle** abrochar, **5.2**
**building** el edificio, II: 9.1
**burial** el entierro, el sepelio, **4.3**
**burner (stove)** la hornilla, II: 10.1
to **bury** enterrar (ie)
**bus** el bus, I: 4.1; el autobús, I: 10.1; (Mexico) el camión, I: 10.1; (Puerto Rico, Cuba) la guagua, I: 10.1
  **bus stop** la parada de bus, II: 9.1
  **school bus** el bus escolar, I: 4.1
**business** el comercio; la empresa, II: 14.1
**business district** la zona comercial, II: 9.1
**businessperson** el/la comerciante, II: 14.1; el/la empresario(a)
**busy (phone)** ocupado
**but** pero
**butcher shop** la carnicería, II: 4.2
**butter** la mantequilla, II: 10.2
**button** el botón, II: 3.1; (clothing) **3.2;** (on a machine), **4.2**
**buttoned** abrochado(a), **3.3**
to **buy** comprar, I: 3.1
**buying** la compra, II: 14.1

**by no means** de ninguna manera, I: 1.1
**by the way** a propósito

## C

**cabin** la cabina, II: 7.1; la choza, LC2; **(of a boat)** la camarote, LC8
**cabinet** el gabinete
  **dentist's cabinet** el gabinete del dentista, LC7
**cactus** el cacto, **5.1**
**cadaver** el cadáver
**café** el café, I: 5.1; la confitería
  **outdoor café** el café al aire libre
**cafeteria** la cafetería
**cage** la jaula, II: 5.2; LC3
**cake** el bizcocho, la torta, el pastel, II: 13.1
to **calculate** calcular
**calculator** la calculadora, I: 3.1
**calculus** el cálculo, I: 2.2
to **call oneself, be named** llamarse, I: 12.1
to **call; to telephone** llamar, II: 3.2
    **Who is calling?** ¿De parte de quién?, II: 3.2
**call** la llamada (telefónica), II: 3.2
    **long-distance call** la llamada larga, II: 3.2
**called** llamado(a)
**calm** tranquilo(a); pacífico(a), **3.1**
**calorie** la caloría
**camel** el camello, II: 13.2
**camera** la cámara, **8.2**
**campaign** la campaña
**can** el bote, la lata, I: 5.2
**Canadian** canadiense
**cancelled** anulado(a), **1.2**
**candid** franco(a)
**candidate** el/la aspirante, el/la candidato(a), II: 14.2
**candle** la vela, II: 13.1; la candela, LC4
  **wax candle** el cirio, LC8
**canned** enlatado(a)
**canoe** la canoa
**canvas (painting)** el lienzo
**canyon** el cañón
**cap** la gorra, I: 3.2
**capital** la capital
**captain (airplane)** el/la comandante, I: 11.2
**capture** la toma, **6.1**
**car** el carro, el coche, I: 4.1
  **by car** en carro, I: 4.1

**dining car** el coche-comedor, el coche-cafetería, I: 13.2
**sleeping car** el coche-cama, I: 13.2
**sports car** el carro deportivo, II: 11.1
**train car** el coche, I: 13.2
**carbohydrate** el carbohidrato
**card** la tarjeta, I: 11.1; **4.2**
  **bankcard** la tarjeta bancaria
  **credit card** la tarjeta de crédito, I: 14.1; II: 2.1
  **registration card (hotel)** la tarjeta, la ficha, II: 6.1
  **student I.D. card** la tarjeta de identidad estudiantil
  **telephone card** la tarjeta telefónica, II: 3.2
**cardinal points** los puntos cardinales
**cardiologist** el/la cardiólogo(a)
**cardiology** la cardiología
**care** el cariño, **5.3**
  **intensive care** el cuidado intensivo
**career** la carrera
**careful!** ¡cuidado!
  **to be careful** tener cuidado
**carefully** con cuidado
**carefully** detenidamente, **7.3**
to **caress** acariciar
**Caribbean** el Caribe
  **Caribbean Sea** el mar Caribe
**caricaturist** el/la caricaturista
**carmine** el carmín, LC5
**carousel horse** el caballito, I: 5.2
**carpenter** el/la carpintero(a), II: 14.1
**carrot** la zanahoria, I: 5.2
to **carry** llevar, I: 3.1
to **carry out** efectuar; llevar a cabo, **5.3**
**cart** el carrito, II: 4.2
**carved** tallado(a)
  **carved animal** el animal tallado, **4.1**
**case** el caso, II: 7.1
**cash** el dinero en efectivo, II: 12.2; **4.2**
**cash register** la caja, I: 3.1
to **cash the check** cobrar el cheque, II: 12.2; **4.2**
**cashier** el/la cajero(a), II: 14.1
**casserole** la cacerola, LC7
**cassette** el casete, I: 4.2
**cast** el yeso, II: 8.2
**cast (of a play)** el elenco, **7.2**
**Castillian** castellano(a)
**castle** el castillo
**cat** el/la gato(a), I: 6.1
to **catch** atrapar, I: 7.2

**catcher** el/la cátcher, el/la receptor(a), I: 7.2
**category** la categoría
**cathedral** la catedral
**catholic** católico(a)
**cattle** el ganado, la ganadería, II: 9.2; **3.1**
**cauliflower** la coliflor, II: 10.1
to **cause** causar, **2.3**; **4.1**
**cause** la causa
**ceasing** el cese, **8.1**
  **ceasefire** el cese de fuego
**CD-ROM** el CD-ROM, II: II: 3.1
to **celebrate** celebrar, II: 13.1; festejar, **4.3**
**celebration** la celebración
**cell phone** el teléfono celular, II: 3.2
**cellular** celular
**centaur** el centauro, **5.1**
**center** el centro
**central** central
**Central America** la América Central
**century** el siglo, **1.1**
**cereal** el cereal, I: 5.2
**ceremony** la ceremonia
**certain** cierto(a)
**Certainly!, Of course!** ¡Claro!
**chain (necklace)** la cadena, II: 4.1; **(shackles), 6.1**
  **gold chain** la cadena de oro, II: 4.1
**chair** la silla
  **armchair** el sillón, II: 6.2
**chairlift** el telesilla, I: 9.2
**chalkboard** la pizarra, **6.3**; el pizarrón, I: 4.2
**champion** el/la campeón(ona), II: 5.1
**championship** el campeonato, **6.3**
**change** el cambio, II: 12.2; **(money)** el suelto, **4.2**
to **change** variar; cambiar, II: 12.2; **(money), 4.2**; **(seats)** trocarse
  **to change the towels** cambiar las toallas, II: 6.2
  **to change trains (transfer)** transbordar, I: 13.2; II: 1.2
**channel (TV)** el canal
  **to channel surf** surfear las canales, **8.2**
**Chanukah** Hanuka, II: 13.2
  **Happy Chanukah!** ¡Feliz Hanuka!, II: 13.2
**chapter** el capítulo
**character** el carácter; el personaje
**characteristic** la característica

to **charge** cobrar
**charge (money)** el cargo, **4.2; 5.2**
**charming** encantador(a)
to **chat** charlar
**chauffeur** el chófer
**cheap** barato(a), I: 3.2
**check (money)** el cheque, **4.2**
**check (plaid)** a cuadros
to **check luggage** facturar el equipaje, I: 11.1
to **check out** abandonar el cuarto, II: 6.1
to **check the oil** revisar el aceite, II: 11.2
to **check the ticket** revisar el boleto, I: 11.1
**checkbook** la chequera; el talonario, **4.2**
**checkered** de cuadros, **3.2**
**checkered scarf** una bufanda de cuadros
**checkers** las damas, II: 5.1
**checking account** la cuenta corriente, II: 12.2; **4.2**
**cheek** la mejilla, II: 8.1
**cheese** el queso, I: 5.1
**white cheese** el queso blanco, **6.2**
**chemical** químico(a)
**chemistry** la química, I: 2.2
**chess** el ajedrez, II: 5.1
**chest** el pecho, II: 8.1; **5.3**
**chicken** el pollo, I: 5.2
**chief** el cacique, **6.1**
**child** el/la niño(a)
**childlike** filial, LC1
**children** los hijos, I: 6.1
**chilean** chileno(a)
**chili pepper** el ají
**chills** los escalofríos, I: 8.1; LC6
**chimney** la chimenea
**chin** el mentón, LC6
**chocolate** *(adj.)* de chocolate, I: 5.1
**choir** el coro
**cholesterol** el colesterol
to **choose** escoger
**chop** la chuleta, II: 10.1
**chores** los quehaceres
**chorus** el coro
**Christian** cristiano(a)
**Christmas** la Navidad, II: 13.2
**Merry Christmas!** ¡Feliz Navidad!, II: 13.2
**Christmas Eve** la Nochebuena, II: 13.2
**Christmas tree** el árbol de Navidad, II: 13.2
**church** la iglesia, **4.3**
**circle** el círculo

to **circulate** circular
**circumspection** la circunspección, LC8
**citizen** el/la ciudadano, **6.1**
**citric** cítrico(a)
**city** la ciudad, II: 9.1
**walled city** una ciudad amurallado(a)
**city hall** la alcaldía, II: 14.1
**city hall employee** el/la funcionario(a), II: 14.1
to **claim (luggage)** reclamar, I: 11.2
**to claim one's luggage** recoger el equipaje, I: 11.2
**clam** la almeja, I: 14.2; II: 2.2
**clarinet** el clarinete
**clarity** la claridad
**clasp** el cierre, **3.2**
**class** la clase, el curso, I: 2.1
**first class** primera clase, I: 13.1; II: 1.1
**second class** segunda clase, I: 13.1
**classic** clásico(a)
to **classify** clasificar
**classroom** la sala de clase, el salón de clase, I: 4.1
**claw** la garra
**eagle claw** la garra de águila, LC8
**clean** limpio(a)
to **clean** limpiar, II: 6.2
**to clean the room** limpiar el cuarto, II: 6.2
**clear** claro(a); **(weather)** despejado(a), **2.3**
**clergy** el clero
**clerk** el/la dependiente(a); el/la empleado(a), I: 3.1
**clever** listo(a), II: 5.1
**click** el clic
**climate** el clima
**clinic** la clínica
**close** cercano(a); próximo(a), **7.1**
to **close** cerrar (ie)
**to close the wound** cerrar la herida, II: 8.2
**closet** el armario, II: 6.2
**clothes** *(pl.)* la ropa, los vestidos
**to put on (one's) clothes** ponerse la ropa, II: 12.1; vestirse (i, i)
**clothes hanger** el colgador, la percha, II: 6.2
**clothespin** la pinza, LC7
**clothing** la ropa, I: 3.2; la indumentaría, **3.1**
**clothing store** la tienda de

ropa, I: 3.2
**men's clothing store** la tienda de ropa para caballeros, II: 4.1
**women's clothing store** la tienda de ropa para señoras, II: 4.1
**cloud** la nube, I: 9.1
**cloudy** nublado(a), I: 9.1
**It's cloudy.** Hay nubes., I: 9.1
**clove (of garlic)** el diente (de ajo)
**clown** el payaso, II: 5.2; **8.2**
**club** el club, I: 4.2
**Spanish Club** el Club de español, I: 4.2
**co-ed (school)** mixto(a)
**coast** la costa
**coat** el abrigo, II: 4.1
**coati** el cuatí, LC3
**cockpit** la cabina de mando (vuelo), II: 7.1
**coconut** el coco, II: 10.2; **6.1**
**code** el código, **4.2**
**area code** la clave de área, II: 3.2
**country code** el prefijo de país, II: 3.2
**coffee** el café, BV
**black coffee** el café solo, I: 5.1
**coffee with milk** el café con leche, I: 5.1
**coin, currency** la moneda, II: 3.2; **4.2**
**coincidence** la coincidencia
**cold (illness)** el catarro, I: 8.1
**It's cold.** Hace frío., I: 9.2
**to have a cold** tener catarro, estar resfriado(a), I: 8.1
**collaborator** el/la colaborador(a)
to **collect** coleccionar, II: 5.1
**collection** el conjunto; la colección; la colecta
**collector** el/la coleccionista, II: 5.1; **(financial)** el/la cobrador(a) **3.2**
**Colombian** colombiano(a), I: 1.1
**colonial** colonial, **2.1**
**colony** la colonia
**color** el color, I: 3.2
**What color is it?** ¿De qué color es?, I: 3.2
**colored** de color
**comb** el peine, I: 12.1
to **comb one's hair** peinarse, II: 12.1
to **come** venir, I: 11.1
**to come (go) on stage** entrar en escena, I: 10.2
**comedy** la comedia

**comfort** la comodidad
**television commercial** el anuncio televiso
**commission** la comisión
**committee** el comité
**common** común
to **communicate with each other** comunicarse, II: 3.1
**communication** la comunicación
**community** la comunidad
**compact disc CD** el disco compacto, I: 4.2
**company** la compañía
to **compare** comparar
**comparison** la comparación
**compartment** el compartimento, I: 13.2; II: 1.2
   **overhead compartment** el compartimiento superior, el compartimiento sobre la cabeza, I: 7.1
to **compete** competir (i, i)
**competition** la competencia; la competición
to **complete** completar
**completely** totalmente
**compliment: to pay someone a compliment** echarle flores
to **compose** componer
**composition** la composición
**computer** el ordenador, la computadora, II: 3.1
**computer programmer** el/la programador(a) de informática, II: 14.1
**computer science** la informática, I: 2.2
**concert** el concierto, I: 2.1
**conclusion** el desenlace
**condition** la condición
**condominium** el condominio, II: 9.1
**conduct** la conducta
   **with regard to conduct** conductual, **6.3**
**conductor (train)** el/la revisor(a), I: 13.2; II: 1.2
**confidence** la confianza, **5.3**
to **confirm** confirmar
to **confront** confrontar
**confused** turbio(a), LC7
**confusing** confuso(a)
to **congratulate** felicitar, **4.3**
   **Congratulations!** ¡Enhorabuena!, ¡Felicitaciones!, II: 13.1
to **connect** conectar; enlazar, **1.2**
**connection** la conexión
to **conquer** conquistar; vencer
**conqueror** el conquistador

**conquest** la conquista
**consequence** la consecuencia
**consequently** por consiguiente
to **consider** considerar
to **consist of** consistir (en)
**constitutional** constitucional
to **construct** construir
to **consult** consultar, I: 13.1; II: 1.1
to **consume** consumir
**consumer** el/la consumidor(a)
**consumption** el consumo
**contagious** contagioso(a)
to **contain** contener (ie)
**contemporary** contemporáneo(a)
**content** contento(a), **3.3**
**contest** la competición
**continent** el continente
**contingency** la contingencia
to **continue** continuar, I: 7.2; seguir (i, i), II: 11.2
**contract** el contrato, **5.2**
**contrary: on the contrary** al contrario
to **contrast** contrastar
to **contribute** aportar, contribuir, **8.3**
to **control** controlar
**control tower** la torre de control, II: 7.2
**convenient** conveniente
**convent** el convento
**conversation** la conversación
to **convert** convertir (ie, i)
**convertible** el convertible, el descapotable, II: 11.1
to **convince** convencer
to **cook** cocinar, II: 10.1; cocer (ue), LC8
**cook** el/la cocinero(a), I: 14.1; II: 2.1; **1.1**
**cooking** la cocción
**coordination** la coordinación
**copilot** el/la co-piloto, I: 11.2
to **copy** copiar
**copy** la copia
**cord** la cuerda, **2.1**
**corkboard** la pizarra de corcho, LC8
**corn (Mex.)** el elote; el choclo; el maíz, I: 14.2; II: 2.2; **2.1**
**cornea** la córnea
**corner** la esquina, II: 9.1
**cornfield** la milpa, LC4
**correspondence** la correspondencia
**corridor** el pasillo, I: 13.2; II: 1.2; **1.3**
to **cost** costar (ue), I: 3.1
   **how much do(es) it (they)**

**cost?** ¿Cuánto cuesta(n)?
**Costa Rican** costarricense
**costumes (in a play)** el vestuario, **7.2**
**cotton** el algodón, II: 12.1
**cough** la tos, I: 8.1
   **to have a cough** tener tos, I: 8.1
to **cough** toser, I: 8.1
to **count** contar (ue), **2.1**
**counter** el mostrador, I: 11.1
**country** el país, I: 11.2; el campo, II: 9.2
   **foreign country** el país extranjero
**countryside** el país, **1.1** el paisaje
**coup (overthrow of a government)** el golpe
**coupe** el cupé, I: 11.1
**couple** la pareja, **4.3**
**couplet** la copla
**course** el curso, I: 2.1
   **elective course** el curso opcional
   **required course** el curso obligatorio
**course** tosco(a)
**court** la corte, el tribunal, II: 14.1
**court** la cancha, I: 7.2
   **basketball court** la cancha de básquetbol, I: 7.2
   **enclosed court** la cancha cubierta, I: 9.1
   **outdoor court** la cancha al aire libre, I: 9.1
   **tennis court** la cancha de tenis, I: 9.1
**courteous** atento(a); cortés
**courtesy** la cortesía, BV
**courtship** el cortejo, **4.3**
**cousin** el/la primo(a), I: 6.1
**cove** la caleta, **7.1**
to **cover** cubrir; tapar, II: 10.2
**covered** cubierto(a), **2.3**
**covering (clothing)** el foro, **3.2**
**cow** la vaca, II: 9.2
**coward** el/la cobarde, LC6
**cracker** la galleta, LC6
**crane (construction)** la grúa, LC8
to **crash** chocar, **1.3**
**crease** el pliegue, **3.3**
to **create** crear
**creature** la criatura
   **mythical creature** una criatura mítica
**credit card** la tarjeta de crédito, I: 14.1; II: 2.1; **5.2**
**Creole** criollo(a)

**crew** la tripulación, I: 11.2
**crime** el crimen, **2.2**
**crop** la cosecha, II: 9.2
to **cross** atravesar (ie); cruzar, II: 9.1
**crossing** el cruce, II: 11.2
**crosswalk** el cruce de peatones, II: 9.1
**crossword puzzle** el crucigrama, II: 5.1
  **to do a crossword puzzle** llenar un crucigrama, II: 5.1
**crown** la corona, **1.1**
**cruelty** la crueldad
**crutch** la muleta, II: 8.2
to **cry** llorar, LC1; LC4
to **crystallize** cristalizarse, LC5
**cub** el cachorro, LC3
**Cuban** cubano(a)
**Cuban American** cubanoamericano(a)
**cucumber** el pepino, II: 10.1
to **culminate** culminar, **4.3**
to **cultivate** cultivar, II: 9.2; **2.3**
**cultivation** el cultivo, **6.1**
**cultural** cultural
**cultured** culto(a)
**cup** la taza, I: 14.1; II: 2.1; la copa, LC3
**cure** la cura
**curtain (stage)** el telón, I: 10.2; **7.2**
**cushion** la cabezal, LC7
**custom** la costumbre
**customer** el/la cliente, I: 5.1
**customs** la aduana, I: 11.2
**customs agent** el/la agente de aduana, II: 11.2
to **cut** cortar, II: 8.1; **1.1**
**cutter** la fresa, LC7
**cycling** el ciclismo

**dad** el papá
**daily** diario(a); cotidiano(a), LC1
to **dance** bailar, I: 4.2
**dance** el baile
**dance** la danza
**danger** el peligro
**dangerous** peligroso(a)
**daring** osado(a)
**dark** oscuro(a)
to **darken** oscurecer
**dark-haired** moreno(a), I: 1.1
**data** los datos, II: 3.1
to **date** datar
**date** la fecha, BV

**What is today's date?** ¿Cuál es la fecha de hoy?, BV
**daughter** la hija, I: 6.1
**dawn** el amanecer
**day** el día, BV
  **What day is it (today)?** ¿Qué día es (hoy)?, BV
**death** la muerte; el deceso, el fallecimiento, **4.3**
to **debilitate** debilitar
**debt** la deuda, **7.1**
to **debut** debutar, **4.3**
**debutante** la debutante, **4.3**
**decade** la década
**decadence** la decadencia
**deceased** el/la difunto(a), **4.3**
**December** diciembre, BV
**deception** el engaño, LC6; la decepción
to **decide** decidir
**decisive** decisivo(a)
to **declare** declarar
to **decline** declinar
to **decorate** decorar
**decorated** decorado(a)
**decoration** la decoración
to **dedicate** dedicar, II: 14.1
**deep** profundo(a); hondo(a), LC3
to **defeat** derrotar; vencer, LC1
to **defend** defender (ie)
to **define** definir
**definition** la definición
to **deflate** desinflarse, **7.3**
**deforestation** la deforestación, **5.1**
**degree (temperature)** el grado, I: 9.2
**delay** la demora; el retraso, **1.2**
  **with a delay** con una demora, I: 11.1; con retraso, I: 13.2; II: 1.2
**delicate** delicado(a)
**delicious** rico(a), I: 14.2; II: 2.2; **6.2**; delicioso(a), sabroso(a)
to **delight** encantar
to **deliver** entregar
**deluxe** de lujo
to **demand** exigir
**demography** la demografía
to **demonstrate** demostrar (ue)
**denim** el dénim, **3.2**
  **denim fabric** tela de dénim
**density** la densidad
**dental floss** la seda dental, LC7
**dentist** el/la dentista
to **deny** renegar (ie), **2.3**
**department** el departamento, II: 14.2
  **department of human resources** el

departamento de recursos humanos, II: 14.2
**department store** la tienda de departamentos
**departure** la salida, I: 11.1; la partida
  **departure area** la sala de salida, I: 11.1
  **departure gate** la puerta de salida, I: 11.1; la puerta de embarque
**departure hour** la hora de salida, I: 13.1; II: 1.1
to **depend (on)** depender (ie) (de)
**deposit** el depósito
  **to make a deposit** ingresar
**dermatologist** el/la dermatólogo(a)
**dermatology** la dermatología
**descendant** el/la descendiente
to **describe** describir
**desert** el desierto, **5.1**
  **arid desert** el desierto árido
**design** el diseño
**designer** el/la diseñador(a)
**dessert** el postre, I: 5.1
**destination** el destino, I: 11.1
**destruction** la destrucción, **2.3**; **4.1**
**detail** el detalle
**detective** policíaco(a)
**detergent** el detergente, II: 4.2
to **determine** determinar
**detour** el desvío, **8.3**
**developed** desarrollado(a)
**development** el desarrollo
**device** el aparato, II: 3.1
to **devote oneself to** dedicarse, II: 14.1; **6.1**
to **devour** devorar, **5.1**
**diagnosis** la diagnosis, I: 8.2
**dial (of telephone)** el disco, II: 3.2
to **dial** marcar (el número), II: 3.2
**dial tone** el tono, II: 3.2
**dialogue** el diálogo
**diamond** el diamante
to **dice** picar, II: 10.2; **1.1**
to **die** morir (ue, u); fallecer, **4.3**; LC8
**diesel fuel** gasoil
**diesel truck** el tanque de gasolina, **7.3**
**diet** la dieta
**difference** la diferencia
**different** diferente
**difficult** difícil, duro(a), I: 2.1
**difficulty** la dificultad
to **dig** excavar
to **dine, have dinner** cenar
  **dining car** el coche-comedor,

el coche-cafetería, I: 13.2

**dining room** el comedor, I: 6.2

**dinner** la cena, I: 5.2

**diplomatic** diplomático(a)

**direct** directo(a)

to **direct** dirigir

**direction** la dirección; el sentido, II: 11.2

  **in each direction** en cada sentido, II: 11.2

  **in the opposite direction** en el sentido contrario, II: 11.2

**director** el/la director(a)

**dirty** sucio(a), II: 11.1

  **dirty laundry** la ropa sucia, II: 12.1

**disabled** minusválido(a)

**disadvantage** la desventaja

to **disappear** desaparecer, **5.1**

**disappointment** el desengaño, LC7

**disaster** el desastre

**disastrous** desastroso(a)

**discount** el descuento

to **discover** descubrir

to **discuss** discutir; platicar, **5.3**

to **disembark** desembarcar, I: 11.2

**dish** el plato, I: 14.1; II: 2.1; **(satellite), 8.2**

**disillusionment** la desilusión

**disk, diskette** el disquete, I: 3.1

**disk drive** la ranura, II: 3.1

**dislike** la antipatía

**disoriented** desorientado(a)

**dispute** la disputa

to **dissipate** desvanecer, **2.3**

**distance** la distancia

**distant** apartado(a), **6.1**

**distilled** destilado(a)

**distinct** distinto(a)

**distinguished** ilustre

to **distract** distraer

to **distribute** distribuir, II: 7.1

**distribution** la distribución

**dive (water)** el clavado, **6.3**

to **dive** bucear, I: 9.1

to **divide** dividir

**diving** el buceo, I: 9.1

**division** la división

**divorce: to get divorced** divorciarse

to **do** hacer

  **to do homework** hacer las tareas, II: 3.1

  **to do well (on an exam)** salir bien (en un examen)

**doctor** el/la doctor(a); el/la médico(a), I: 8.2

**doctor's office** la consulta (el consultorio) del médico, I: 8.2; la sala de consulta

**document** el documento, II: 3.1

**documentation** la documentación; la cédula, **4.3**

**dog** el perro, I: 6.1

**dollar** el dólar, II: 11; **4.2**

to **dominate** dominar

**domination** el dominio

**Dominican** dominicano(a), I: 2.1

**Dominican Republic** la República Dominicana

**dominos** el dominó, II: 5.1

to **donate** donar, **2.3**

**donkey** el asno

**door** la puerta, II: 6.1

**dose** la dosis, I: 8.2

**dot** el punto

  **on the dot, sharp** en punto, I: 4.1

**doubles** dobles, I: 9.1

to **doubt** dudar

**doubt** la duda

**doubtful** dudoso(a)

**dough** la masa, la colchita, LC8

**down payment** el enganche; el pronto, el pie

**downpour** el chaparrón, **3.1**

**downtown** el centro; en el centro (de la ciudad)

**dozen** la docena, II: 4.2

to **drag** arrastrar, LC2

to **draw** dibujar, LC8

**drawer** la gaveta, LC7

**drawing** el dibujo

**dream** el sueño

**dress** el vestido, II: 4.1

to **dress oneself, to put on clothes** ponerse la ropa, I: 12.1

  **to get dressed** vestirse (i, i )

**dressed (in)** vestido(a) (de)

to **dribble** driblar, I: 7.2

to **drink** beber, I: 5.1

  **to drink a beverage** tomar un refresco

  **to drink water (milk, coffee)** tomar agua (leche, café)

**drink** el refresco, I: 5.1; la bebida, II: 7.1

to **drive** conducir, manejar

**driver** el/la conductor(a), II: 11.1

**driver's license** la licencia, el permiso de conducir, II: 11.1; la licencia de conductor, **5.2**

**drop** la gota, LC5

**drought** la sequía, **7.1**

**drug** la droga

**drug addiction** la drogadicción

**druggist** el/la farmacéutico(a), I: 8.2

**drugstore** la farmacia, I: 8.2

to **dry** secar, II: 12.2

**dry** seco(a)

to **dry clean** limpiar en seco, II: 12.1

**dry cleaner** el/la tintorero(a), II: 12.1

**dry cleaners** la tintorería, II: 12.1

**dubbed** doblado(a), I: 10.1

**during** durante

**dusk** anochecer

**dust** el polvo, LC1

**DVD player** la grabadora DVD, **8.2**

# E

**e-mail, electronic mail** el correo electrónico, II: 3.1

**each** cada, I: 1.2

  **in each direction** en cada sentido, II: 11.2

**eagle** el águila (f.), **5.1**

**ear** la oreja, II: 4.1; el oído, II: 8.1

**ear of corn** la mazorca de maíz, **7.1**

**early** temprano, I: 12.1

to **earn** ganar

  **to earn one's living** ganar la vida

**earphones** los audífonos, los auriculares, II: 7.1

**earring** el arete, **5.3;** el pendiente, II: 4.1

**earthquake** el terremoto, **4.1**

**easel** el caballete

**east** el este

**eastern** oriental

**easy** fácil, I: 2.1; sencillo(a)

to **eat** comer, I: 5.1

  **to eat breakfast** desayunarse, tomar el desayuno, I: 12.1

  **to eat dinner** cenar

**ecological** ecológico(a)

**ecology** la ecología

**economical** económico(a), I: 12.2

**economics** la economía

  **home economics** la economía doméstica, I: 2.2

**economy** la economía

**Ecuadorean** ecuatoriano(a), I: 2.1

to **educate** educar

**education** la educación
  **physical education** la educación física, I: 2.2
**effect** el efecto
**egg** el huevo, I: 5.2
  **egg white** la clara, LC5
**eggplant** la berenjena, I: 14.2; II: 2.2; **1.1**
  **eggplant bush** la mata de berenjenas, LC8
**eight** ocho, BV
**eight hundred** ochocientos(as), I: 3.2
**eighteen** dieciocho, BV
**eighth** octavo(a), I: 6.2
**eighty** ochenta, I: 2.2
**either** tampoco
**elbow** el codo, II: 8.1; LC1
**elderly** mayor, **2.3**
**elective course** el curso opcional
**electric** eléctrico(a)
**electrician** el/la electricista, II: 14.1
**electricity** la electricidad
**electronic** electrónico(a)
**electronic mail** el correo electrónico, II: 3.1
**elegance** la elegancia
**elegant** elegante, II: 13.1
**element** el elemento
**elementary school** la escuela primaria
to **elevate** elevar
**elevated** elevado(a)
**elevation** la elevación
**elevator** el ascensor, I: 6.2; el elevador, II: 6.1
**eleven** once, BV
to **eliminate** eliminar
to **elude** eludir
**emerald** la esmeralda
**emergency** la emergencia, II: 7.1
**emergency exit** la salida de emergencia, II: 7.1
**emergency room** la sala de emergencia, la sala de urgencias, II: 8.1
**emission** la emisión, **8.2**
to **emit** emitir
**emotion** la emoción
**emotional** emocional
to **emphasize** dar énfasis; enfatizar
to **employ** emplear
**employee** el/la dependiente(a), el/la empleado(a), I: 3.1
**empty** vacío(a)
**enchilada** la enchilada, BV
**end** el fin; el ocaso, LC5

**at the end (of)** al final (de); a fines de
to **end** terminar, II: 3.1
to **endorse** endosar, II: 12.2
**enemy** el/la enemigo(a)
**energy** la energía
**engagement** el compromiso
**engine** el motor
**engineer** el/la ingeniero(a), II: 14.1
**engineering** la ingeniería
**English** el inglés, I: 2.2
to **enjoy** disfrutar; gozar
to **enjoy oneself** divertirse (ie, i), I: 12.2
**enormous** enorme
**enough** bastante, I: 1.1; suficiente
to **enter** entrar, I: 4.1
**entertaining** entretenido(a)
**enthusiastic** entusiasmado(a)
  **to become enthusiastic** entusiasmarse
**entire** entero(a)
**entrance** la entrada, II: 5.2
**entrepreneur** el/la empresario(a)
**envelope** el sobre, II: 12.2
**environment** el ambiente; el medio ambiente
to **envy** envidiar, LC6
**episode** el episodio
**epoch** la época, **2.1**
**equal** igual; par
**equation** la ecuación
**equator** la línea ecuatorial
**equilibrium** el equilibrio
**equipment** el equipo
**equivalent** el equivalente
**eraser** la goma de borrar, I: 3.1
**erroneous** erróneo(a)
**escalator** la escalera mecánica, II: 9.1
to **escape** escapar
**especially** especialmente; particularmente; sobre todo
**essential** esencial
to **establish** establecer, **1.1;** fundar
**establishment** el establecimiento
**eternal** eterno(a)
**eternally** de siempre y para siempre
**ethnic** étnico(a)
**euro** euro (currency)
**Europe** la Europa
**European** europeo(a)
to **evade** evadir
**even** aun
**evening** la noche

**evening gown** el traje de gala
  **in the evening** por la noche
**event** el suceso, **1.3**
  **great event** el buen suceso
**every** cada, I: 1.2
**everybody** todos(as), I: 2.2
**everyone** todo el mundo
**everything** todos(as)
**everywhere** por todas partes
**evil** la maldad
**exact** exacto(a)
**exactly** exactamente
to **exaggerate** exagerar
**exaggerated** exagerado(a)
**exam** el examen, I: 4.2
to **examine** examinar, I: 8.2
**example: for example** por ejemplo
to **excavate** excavar
**excavation** la excavación
to **exceed** exceder
**excellent** excelente
**exception** la excepción
to **exchange** cambiar, II: 12.2; **4.2**
**exchange: exchange rate** el tipo (la tasa) de cambio, II: 12.2; **4.2**
**exchange student** el/la estudiante de intercambio
to **exclaim** exclamar
**exclusively** exclusivamente
**excuse me** perdón
**exercise** el ejercicio, **5.3**
to **exercise** hacer los ejercicios
to **exercise (a body part)** ejercitar, **5.3**
**exhaust pipe** el tubo de escape
**exhibition (art)** la exposición (de arte), I: 10.2; la exhibición
to **exist** existir
**existence** la existencia
**exit** la salida, II: 11.2
**expedition** la expedición
**expensive** caro(a), I: 3.2
**experience** la experiencia
to **experiment** experimentar
**expert** el/la experto(a), I: 9.2
to **explain** explicar, I: 4.2
**explorer** el/la explorador(a)
**explosion** la explosión
to **export** exportar
to **express an opinion** opinar, II: 10.2
**expression** la expresión
  **means of expression** el modo de expresión
**expressway** la autopista, II: 11.2
**extension** la extensión

to **extract** extraer, LC5
**extraordinary** extraordinario(a)
**extreme** extremo(a)
**exuberant** exuberante
**eye** el ojo, I: 8.2

**fabric** la tela, **3.2**
**fabulous** fabuloso(a)
**face** la cara, la faz, I: 12.1; LC5; el rostro, LC8
**face down** boca abajo, II: 3.1
**face up** boca arriba, II: 3.1
to **facilitate** facilitar
**factory** la fábrica, II: 9.1
**factory worker** el/la obrero(a), II: 9.1
to **fail** fracasar, **3.3**
**failed** fallado(a), LC5
**faithful** fiel
**fall** la caída, **7.1**
to **fall** caerse
to **fall asleep** dormirse, I: 12.1
**false** falso(a)
**fame** la fama
**family** la familia, I: 6.1
**family (related to the)** familiar
**famous** famoso(a), I: 1.2; célebre
**fan (sports)** el/la aficionado(a)
**fantastic** fantástico(a), I: 1.2
**far** lejos, II: 12.2
**far away** a lo largo, **1.1**
**fare** la tarifa; **(taxi)** el monto, **1.2**
**farm** la finca, II: 9.2
**farm animals** los animales domésticos, II: 9.2
**farmer** el/la agricultor(a)
to **fascinate** fascinar
**fast: as fast as possible** a toda prisa
to **fasten** abrocharse, II: 7.1
**fastener** el cierre, **3.2**
**fat** gordo(a), I: 1.2
**fat** la grasa
**father** el padre, I: 6.1
**father-in-law** el suegro
**fatigue** la fatiga
**fault** el defecto
**fauna** la fauna, **5.1**
**favorite** favorito(a)
**fax** el facsímil, el fax, II: 3.1
**fear** el miedo; el terror; el temor, LC6
to **fear** temer
**fearful** temible, **5.1**

**feat** la hazaña, LC1; LC6
**February** febrero, BV
to **feel** sentirse (ie, i), II: 8.1
**fence** la valla, la cerca, LC1
**Ferris wheel** la noria, II: 5.2
to **fete** festejar
**fever** la fiebre, I: 8.1
**to have a fever** tener fiebre, I: 8.1
**few** poco(a), I: 2.1
**fewer** menos
**fiancé(e)** el/la novio(a)
**fiction** la ficción
**fictitious** ficticio(a)
**field** el campo, II: 9.2
**baseball field** el campo de béisbol, I: 7.2
**soccer field** el campo de fútbol, I: 7.1
**fifteen** quince, BV
**fifteen-year-old (girl)** la quinceañera
**fifth** quinto(a), I: 6.2
**fifty** cincuenta, I: 2.2
**fig** el higo, LC3
**fig tree** la higuera, LC3
**fight** la pelea, **5.3**
to **fight** luchar, **1.1;** pelear, LC3
**figurative** figurativo(a)
**figure** la figura
to **fill** rellenar
to **fill out** llenar, II: 5.1
to **fill out the form** llenar el formulario, II: 8.2
**fillet** el filete
**film** la película, I: 6.2; el film, I: 10.1
**to see a film** ver una película, I: 10.1
to **film** filmar
**finally** por fin
**finances** las finanzas
**financial** financiero(a)
to **find** encontrar (ue), **4.3;** hallar
**fine** bien, BV
**fine** la multa
**finger** el dedo, II: 4.1
to **finish** terminar, II: 3.1
**fire** el fuego, II: 10.2
**firmness** la firmeza
**first** primero(a), BV
**first aid service** el servicio de primeros auxilios, II: 8.1
**first class** en primera (clase), I: 13.1
**fish (food)** el pescado, I: 5.2
**fish (live)** el pez, LC3
**fish market** la pescadería, II: 4.2
to **fit** caber; sentar (ie), **3.2**
**It (They) do(es)n't fit me.** No me queda(n) (sienta)

bien., II: 4.1
**five** cinco, BV
**five hundred** quinientos(as), I: 3.2
to **fix** fijar
**fixed** fijo(a)
**flag** la bandera
**Mexican flag** la bandera mexicana, **5.1**
**flame** la llama, LC4; LC8
**flamenco** flamenco(a)
**traditional flamenco singing** el cante jondo
**flashy (person)** cursi, **3.3**
**flat (tire)** pinchado(a)
**flaw** el defecto
to **flee** huir, **1.1**
**flight** el vuelo, I: 11.1; **1.2**
**direct flight** el vuelo directo
**direct flight service** el puente aéreo, **1.2**
**domestic flight** el vuelo nacional
**flight number** el número del vuelo, I: 11.1
**to take a flight** tomar un vuelo, I: 11.1
**flight attendant** el/la asistente de vuelo, I: 11.2
**flipchart** el papelógrafo, **7.3**
**flock** el rebaño, **3.1**
**flood** la inundación, **8.3**
**floor** el piso, **2.1;** la planta, I: 6.2; **(ground)** el suelo, LC3
**ground floor** la planta baja, I: 6.2
**flower** la flor
**wildflower** la flor silvestre, **5.1**
**flu** la gripe, I: 8.1
**flute** la flauta
**fluvial, from a river** fluvial, **7.1**
to **fly** volar (ue), II: 7.2
to **fly over** sobrevolar, II: 7.2
**fog** la neblina, **1.1**
**folder** la carpeta, I: 3.1
**folk healer** el/la curandero(a)
to **follow** seguir (i, i)
**following** siguiente
**fond of** aficionado(a) a, I: 10.1
**food** la comida, I: 5.2; el alimento, el comestible, I: 14.2; II: 2.2
**foolish** tonto(a); necio(a), LC1
**foot** el pie, I: 7.1
**on foot** a pie, I: 4.1
**footwear** el calzado, **3.2**
**footwear store** una tienda de calzado
**for** de, BV; para; por
**for example** por ejemplo

**for when?** ¿para cuándo?,
I: 14.2; II: 2.2
**forbidden** prohibido(a), II: 11.2
**forecast** el pronóstico
**forehead** la frente, II: 8.1; LC2
**foreign** extranjero(a)
**foreign country** el país
extranjero, I: 11.2
**foreign currency** las divisas,
**8.3**
**foreign exchange office** la
casa de cambio, II: 12.2; **4.2**
**foreigner** el/la extranjero(a)
**forever** de siempre y para
siempre
**fork** el tenedor, I: 14.1; II: 2.1
**form** el formulario, II: 8.2
to **form** formar
**fortification** la fortificación
**fortress** el alcazar
**fortunate** afortunado(a)
**fortune** la buenaventura
**forty** cuarenta, I: 2.2
to **found** fundar, **8.1**
**foundation** la fundación
**four** cuatro, BV
**four hundred**
cuatrocientos(as), I: 3.2
**fourteen** catorce, BV
**fourth** cuarto(a), I: 6.2
**fracture** la fractura, II: 8.1
**fragment** el fragmento
**frank** franco(a)
**frankness** la franqueza
**free** libre, I: 5.1
**freestyle (swimming)** la
rutina libre, **6.3**
**freezer** el congelador, II: 10.1
**French** el francés, I: 2.2
**French fries** las papas fritas,
I: 5.1
**frequently** frecuentemente,
con frecuencia, II: 3.2
**fresh** fresco(a), II: 4.2
**Friday** el viernes, BV
**fried** frito(a), I: 5.1
**friend** el/la amigo(a), I: 1.1;
el/la compañero(a), I: 1.2;
la comadre, LC8
**frightful** espantoso(a)
**from** de, BV; desde
**from (time) to (time)**
de… a…, I: 2.2
**front** delantero(a)
**in front of** delante de, I: 10.1
**frontier** *(adj.)* fronterizo(a), **8.1**
**frozen** congelado(a), II: 4.2
**frozen food** los productos
congelados, I: 5.2
**fruit** la fruta, I: 5.2
**fruit store** la frutería, II: 4.2

to **fry** freír (i, i), I: 14.1; II: 2.1
**frying pan** el/la sartén, II: 10.1
**fuel** el combustible, **7.3**
**full** lleno(a)
**full (train)** completo(a),
I: 13.2
**full-time job** un trabajo a
tiempo completo, II: 14.2
to **fulfill** realizar, **6.3**
**fun** divertido(a)
**function** la función, I: 10.2
**functioning** el funcionamiento
**fund** el fondo
**fundamental** primordial
**funny** cómico(a), gracioso(a),
I: 1.1
**furious** furioso(a)
**furniture** los muebles
**furtively** furtivamente
**fury** la furia
**fusion** la fusión
**future** el futuro

## G

**galaxy** la galaxia
**gallant** gallardo(a)
**galleon** el galeón, **6.1**
**top gallery (of a theater)**
el gallinero, el paraíso, **7.2**
**gallon** el galón
**game** el juego; (match)
el partido, I: 7.1; (of
dominos, etc.) la partida
**baseball game** el juego
de béisbol, I: 7.2
**Olympic Games** los
Juegos Olímpicos
**tennis game** el juego
de tenis, I: 9.1
**video game** el juego
de video, II: 5.1
**game arcade** la sala de juegos,
II: 5.1
**game board** el tablero, II: 5.1
**game piece** la ficha, II: 5.1
**garage** el garaje, I: 6.2
**garden** el jardín, I: 6.2
**garden (small)** la huerta, **3.1**
**garlic** el ajo, I: 14.2; II: 2.2; **1.1;**
LC8
**gas can** el envase, **7.3**
**gas station** la gasolinera, I: 11.1
**gas tank** el tanque, II: 11.1
**gasoline** la gasolina, II: 11.1
**regular (super) gasoline**
normal (súper), II: 11.2
**(un)leaded** con (sin) plomo,
II: 11.1

**gate** la puerta, I: 11.1
**gathering** la reunión
**gaucho** el gaucho, **3.1**
**generally** en general;
generalmente
**in general, usually** por lo
general
**generation** la generación
**generous** generoso(a), I: 1.2
**genre** el género
**gentleman** el caballero, II: 4.1
**geography** la geografía, I: 2.2
**geometric** geométrico(a)
**geometry** la geometría, I: 2.2
**German (language)** el
alemán, I: 2.2
**gesture** el gesto
to **get** sacar, I: 4.2; conseguir (i, i)
to **get a good (bad) grade** sacar
una nota buena (mala), I: 4.2
to **get, buy a ticket** sacar un
billete
to **get engaged** comprometerse
to **get off** bajar, I: 13.2; II: 1.2
to **get off the train** bajar(se)
del tren, I: 13.2; II: 1.2
to **get on** subir, I: 13.2; abordar
to **get on the train** subir al tren,
I: 13.1; II: 1.1
to **get together** reunirse
to **get up** levantarse, I: 12.1
**giant** el gigante
**gift** el regalo, I: 6.1
**girl** la muchacha, I: 1.1; la
chica
**girlfriend** la novia
to **give** dar, I: 4.2
**to give back** devolver (ue)
**to give a detailed account of**
puntualizar
**to give (throw) a party** dar
una fiesta, I: 4.2
**to give (someone) a present**
regalar
**to give (someone) a shot
(an injection)** poner una
inyección
**to give a test** dar un examen,
I: 4.2
to **give up** renunciar
**glacier** el glaciar, **3.1**
**glass (drinking)** el vaso,
I: 12.1
**glimpse** la ojeada
**gloomy** mustio(a), LC7
**glove** el guante, I: 7.2
to **go** ir, I: 4.1
**let's go** vamos
**to go back** volver (ue), I: 7.1
**to go back home** volver (ue)
a casa, I: 10.2

**to go by bicycle** ir en bicicleta, I: 12.2

**to go by car** ir en carro (coche), I: 4.1

**to go by train** ir en tren

**to go on a trip** viajar, I: 11.1

**to go on foot** ir a pie, I: 4.1

**to go shopping** ir de compras, I: 5.2

**to go through** pasar por, I: 11.1

to **go down** bajar, I: 9.2

to **go surfing (windsurfing, etc.)** practicar el surfing (la plancha de vela, etc.), I: 9.1

to **go swimming** nadar, I: 9.1

to **go to bed** acostarse (ue), I: 12.1

to **go over/through** recorrer, **1.2**

to **go up** subir, I: 6.2

**goal** la meta, **3.3**

**goal line** la portería, I: 7.1

**goalkeeper, goalie** el/la portero(a), I: 7.1

**godfather** el padrino, II: 13.1

**godmother** la madrina

**godparents** los padrinos

**gold** el oro, **2.1**

**gold chain** una cadena de oro, II: 4.1

**golden** dorado(a); áureo(a), LC5

**good** buen; bueno(a), I: 1.2

**Good afternoon.** Buenas tardes., BV

**Good evening.** Buenas noches., BV

**Good heavens!, You bet!** ¡hombre!

**Good morning. Hello.** Buenos días., BV

**to be in a good mood** estar de buen humor, I: 8.1

**good-bye** adiós, ¡Chao!, BV

**goods and services** los bienes y servicios

**Gosh!** ¡Dios mío!

**gossip item** el chisme

**government** el gobierno, II: 14.1

**federal government** el gobierno federal

**municipal government** el gobierno municipal, II: 14.1

**state government** el gobierno estatal

**governor** el/la gobernador(a)

**grade** el grado; la nota, **I: 4.2**

**high grade** la nota alta, I: 4.2

**low grade** la nota baja, I: 4.2

**to get a good (bad) grade** sacar una nota buena (mala), I: 4.2

**graduate** el/la diplomado(a); el/la egresado(a), **3.3**

to **graduate** graduarse

**grain** el cereal, II: 9.2

**grain** el grano

**grain bin** el pósito, LC2

**gram** el gramo

**grammar** la gramática

**granddaughter** la nieta, I: 6.1

**grandfather** el abuelo, I: 6.1

**grandmother** la abuela, I: 6.1

**grandparents** los abuelos, I: 6.1

**grandson** el nieto, I: 6.1

**grapefruit** la toronja, II: 10.1

**grapes** las uvas, II: 10.1

**grass** la hierba, **3.1**

to **grate** rallar, II: 10.2

**grave (serious)** grave

**gray** gris, I: 3.2

to **graze** pacer, **3.1**

**great** gran, grande

**greater, greatest** mayor

**greater part, the most** la mayor parte

**Greek** el/la griego(a)

**green** verde, I: 3.2

**green bean** la judía verde, I: 5.2

**greengrocer store** la verdulería, II: 4.2

to **greet** saludar

**greeting** el saludo, BV

**grief** la pena, LC1; LC3

**grill** la parrilla, II: 10.1

**grindstone** el molcajete, LC8

**grocery store** el colmado, la tienda de abarrotes, la tienda de ultramarinos, II: 4.2; la pulpería, LC3

**groom** el novio, II: 13.1

**ground** el suelo

**group** el grupo

to **grow** cultivar, II: 9.2; **2.1**

to **grow up** crecer, **3.1**

**growth** el crecimiento

**guarantee** la garantía

to **guarantee** garantizar

to **guard** guardar, II: 7.1

**Guatemalan** guatemalteco(a)

**guava** la guayaba

**guava shell (peel)** el casco de guayaba, **6.2**

**guerrilla band** la guerrilla

to **guess** adivinar

to **guess right** acertar (ie)

**guest** el/la invitado(a); el/la huésped, II: 6.1

**guidance counselor** el/la consejero(a) de orientación

**guide** el/la guía

**guitar** la guitarra

**gulf** el golfo

**gums (of the mouth)** las encías, LC7

**gust (of wind)** la ráfaga, **3.1**

**gymnasium** el gimnasio

**gynecologist** el/la ginecólogo(a)

**gynecology** la ginecología

**hair** el pelo, II: 12.1; el cabello, II: 12.1

**hair dryer** el secador, II: 12.1

**hair salon** la peluquería, II: 12.1

**hair stylist** el/la peluquero(a), II: 12.1

**haircut** el corte de pelo, II: 12.1

**hairdo** el peinado

**half** la mitad

**half** medio(a), I: 5.2

**half an hour** media hora

**half-past (time)** y media

**half (game)** el tiempo

**second half (game)** el segundo tiempo, I: 7.1

**hall** el salón, II: 13.1

**ham** el jamón, I: 5.1

**smoked ham** el jamón serrano, **1.1**

**hamburger** la hamburguesa, I: 5.1

**hammock** la hamaca, **4.1**

**hand** la mano, I: 7.1; **5.3**

**to hand out** distribuir, II: 7.1

**to shake hands** dar la mano

**hand weights** los ligeros, **5.2**

**handkerchief** el pañuelo, II: 4.1

to **handle** manejar, **6.3**

**handrail** la barra de sujeción, **1.3**

**handsome** guapo(a), I: 1.1

to **hang, hang up** colgar (ue), **4.1**

to **happen** ocurrir, suceder; pasar

**happiness** la alegría; la felicidad

**happy** contento(a), I: 8.1; alegre

**Happy birthday!** ¡Feliz cumpleaños!, II: 13.1

**harbor** el puerto, **1.1**

**hard** duro(a), I: 2.1

**hardworking** ambicioso(a), I: 1.1

**harmonious** armonioso(a)

to **harvest** cosechar, II: 9.2

**harvest** la cosecha, II: 9.2

**corn harvest** la cosecha del maíz, LC4

**hat** el sombrero; la gorra, I: 3.2

**hate** el odio, **3.1**

to **have** tener (ie), I: 6.1
  **to have (subtitles, ingredients, etc.)** llevar
  **to have a cold** tener catarro, estar resfriado(a), I: 8.1
  **to have a cough** tener tos, I: 8.1
  **to have a headache** tener dolor de cabeza, I: 8.1
  **to have a snack** tomar una merienda, II: 4.2
  **to have a sore throat** tener dolor de garganta, I: 8.1
  **to have to** tener que
to **have just (done something)** acabar de, II: 8.1
**he** él, I: 1.1
**head** la cabeza, I: 7.1
**headache** el dolor de cabeza, I: 8.1
**health** la salud
**healthy** sano(a)
to **hear** oír
  **to hear the dial tone** oír el tono, II: 3.2
**heart** el corazón
**heat: on low heat** a fuego lento
**heavy** pesado(a)
**heel** el tacón, II: 4.1; **3.2**
  **high-heeled** de tacón alto
  **high-heeled boots** botas de tacón alto
  **high-heeled shoes** zapatos de tacón alto
**height** la altura, II: 7.2
**helicopter** el helicóptero, II: 7.2
**Hello!** ¡Hola!, BV
  **Hello! (answering the telephone–Spain)** ¡Diga!, I: 14.2; II: 2.2
to **help** ayudar, I: 13.1; dar auxilio; socorrer
**help** el socorro, la ayuda
**hemisphere: northern hemisphere** el hemisferio norte
  **southern hemisphere** el hemisferio sur
**hen** la gallina, II: 9.2; LC3
**hen house** el gallinero, LC3
**her** la
**her** su
**herb** la yerba, LC6
**here** aquí
  **Here is (are) . . .** Aquí tiene (tienes, tienen)
**hero** el/la héroe
**heroic** heróico(a)
**hidden** escondido(a)
to **hide** esconder

**high** alto(a), I: 4.2; elevado
**high school** el liceo; la escuela secundaria, I: 1.1; la escuela superior
**highway** la carretera, **1.2; 5.2;** la autovía, la autopista, II: 11.2
**hike: to take a hike** dar una caminata, I: 12.2
**hill** la colina, **1.1;** el cerro, **3.1;** la cuesta, LC2
**him** lo
  **to him, to her; to you** le
**hinge (of a door)** el quicio de la puerta, LC1
**his** su
**Hispanic** hispano(a), hispánico(a)
**historian** el/la historiador(a)
**historical** histórico(a)
**history** la historia, I: 2.2
to **hit** golpear, I: 9.2
to **hit (baseball)** batear, I: 7.2
**hobby** el pasatiempo, el hobby, I: 5.1
**hole** el agujero
**home** la casa, I: 6.2; el hogar, **3.3**
  **at home** en casa
  **country home** la casa de campo, II: 9.2
**home economics** la economía doméstica, I: 2.2
**home plate** el platillo, I: 7.2
**home run** el jonrón, I: 7.2
**honest** honesto(a), I: 1.2
**honesty** la honestidad
**honey** la miel, LC5
**honeymoon** la luna de miel
to **honk the horn** tocar la bocina
**honor** el honor
  **maid of honor** la dama de honor, II: 13.1
**hood (automobile)** el capó, II: 11.1
to **hope** esperar, **2.3**
  **I hope** ojalá, II: 14.1; **6.3**
**horn** el claxon, la bocina, II: 11.1
**horse** el caballo, LC1
**horseback: to go horseback riding** pasear a caballo; montar a caballo
**hose** la manguera, **7.3**
**hospital** el hospital, II: 8.1
**hostile** desafecto, **6.1**
**hot (climate)** caluroso(a), **2.1**
  **It's hot.** Hace calor., I: 9.1
**hotel** el hotel, II: 6.1
  **hotel (government-run)** el parador (del gobierno), **1.1**
  **inexpensive hotel** el hostal, I: 12.2

**hour** la hora
  **departure hour** la hora de salida
**house** la casa, I: 6.2
  **apartment house** la casa de apartamentos (departamentos), I: 6.2
  **private house** la casa privada (particular), I: 6.2
**house of representatives** el congreso de diputados
**housing** la vivienda
**how?** ¿qué?, BV; ¿cómo?, I: 1.1
  **How absurd!** ¡Qué absurdo!
  **How are you?** ¿Qué tal?, BV
  **How is . . . ?** ¿Cómo está...?, I: 8.1
  **How may I help you?** ¿En qué puedo servirle?, II: 4.1
  **How much do(es) . . . cost?** ¿Cuánto cuesta(n)... ?, I: 3.1
  **How much is (are) . . . ?** ¿A cuánto está(n)... ?, I: 5.2
**how many?** ¿cuántos(as)?, I: 2.1
**how much?** ¿cuánto?, I: 3.1
to **hug** abrazar, LC1
**huge** agigantado(a), **8.3**
**human being** el ser humano
**humble** humilde
**humid** húmedo(a)
to **hunger for** apetecer
**hungry: to be hungry** tener hambre, I: 14.1; II: 2.1
**hunt** la caza, **5.1**
**hurricane** el huracán, **6.1**
to **hurry** apresurarse, LC7
to **hurt** doler (ue), I: 8.2
  **My . . . hurt(s) me** Me duele(n)..., I: 8.2
to **hurt oneself** hacerse daño, lastimarse, II: 8.1
**husband** el marido, el esposo, I: 6.1
**husky** fornido(a)
**hut** el bohío, **4.1; 7.1;** la choza
  **straw hut** una choza de paja, **4.1**
**hydrofoil** el aerodeslizador; el hidrofoil
**hygiene** la higiene
**hypermarket** el hipermercado, II: 4.2

**I** yo, I: 1.1
**ice cream** el helado, I: 5.1
  **chocolate ice cream** el

helado de chocolate, I: 5.1
**vanilla ice cream** el helado de vainilla, I: 5.1
**icon** el icono
**idea** la idea
**ideal** ideal, I: 1.2
**idealist** el/la idealista
to **identify** identificar
**if** si
to **ignore** ignorar, LC2
**illiterate person** el/la analfabeto(a), **6.3**
**illness** la enfermedad
**illusion** la ilusión
**illustrious** ilustre
**image** la imagen
**imaginary** imaginario(a)
**imagination** la imaginación
to **imagine** imaginar
**imagined, dreamed of** imaginado(a) immediate inmediato(a)
**immediately** enseguida, I: 5.1; inmediatamente
**immense** inmenso(a)
**imperative** el imperativo
**imperial** imperante, **7.1**
**implementation** la implementación
to **imply that** dar a entender
**impolite** descortés, **6.2**
**important** importante
**impossible** imposible
**in** en
   **in case of** en caso de, II: 7.1
   **in general** por lo general
   **in itself** en sí
   **in regard to** en cuanto a
to **inaugurate** inaugurar
**Inca** el/la inca
**inch** la pulgada
**inclination** la inclinación
**inclined** proclive, **6.3**
to **include** incluir, I: 5.1; **8.3**
to **increase** aumentar
**incredible** increíble
**independence** la independencia
**indispensable** indispensable, imprescindible, **6.3**
**Indian** indio(a)
to **indicate** indicar, I: 11.1
**indication** la indicación
**indigenous** indígena
   **indigenous (person)** el/la indígena, **2.1**
**indispensable** indispensable
**individual** el individuo
**individual: individual sport** el deporte individual
**industrial** industrial

**inexpensive** barato(a), I: 3.2
to **influence** impresionar
**influence** la influencia
to **inform** informar, I: 13.2; II: 1.2
**information** la información; los datos, I: 3.1
**ingredient** el ingrediente
**inhabitant** el/la habitante, **2.3**
**inheritance** la herencia
**inhospitable** inhospitable
to **initiate** iniciar
**injection** la inyección, I: 8.2
   **to give (someone) an injection** poner una inyección
to **injure** lastimar, herir (i, i), **5.3;** LC4
**inmate** el recluso, **6.3**
**inn** el parador; el albergue; la venta, **1.2**
**inning** la entrada, I: 7.2
**innocent** inocente
**innovation** la innovación
**inquisition: the Spanish Inquisition** la Inquisición, **8.1**
**insane** loco(a)
to **insert** meter, II: 3.1; introducir, II: 3.2; **4.2**
**insolent** insolente
to **inspect** inspeccionar, I: 11.1
**inspection** el control, I: 11.1
**installation** la instalación
**installments: in installments** a plazos
**instant** el instante
**instantaneous** instantáneo(a)
**instead of** en vez de
**instruction** la instrucción, **4.2**
**instrument** el instrumento
**insufficiency** la insuficiencia
**insufficient** insuficiente
**insurance** el seguro, **5.2**
**integral** íntegro(a)
to **integrate** integrar, **6.3**
**intelligent** inteligente, I: 2.1; listo(a), **6.2**
**intention** la intención, el propósito
**interest** el interés
   **interest rate** la taza de interés, **4.2**
to **interest** interesar
**interesting** interesante, I: 2.1
**intermission** el descanso, el intermedio, **7.2**
**international** internacional
**Internet** Internet, II: 3.1
**interpretation** la interpretación
**interpreter** el/la intérprete
to **interrupt** interrumpir

**interruption** la interrupción
**intersection** el cruce, la bocacalle, II: 11.2
to **intervene** intervenir
to **interview** entrevistar
**interview** la entrevista, II: 14.2; **8.2**
**interviewer** el/la entrevistador(a), II: 14.2
**intrepid** intrépido(a)
**introduction** la introducción
to **invade** invadir, **1.1**
**invader** el/la invasor(a), **1.1**
**invention** el invento
**investigation** la investigación
**invitation** la invitación
to **invite** invitar, I: 6.1
**invoice** la factura, II: 6.1
**involved in** involucrado(a), **5.3**
to **iron** planchar, II: 12.1; **3.2**
**irrigation** la irrigación
**island** la isla
**it** la, lo
**Italian** italiano(a)
**itinerant** ambulante
**ivory** el marfil

**jacket** la chaqueta, I: 3.2; **3.2;** el saco, II: 4.1
**jaguar** el jaguar, **5.1**
**jai alai** la pelota vasca
**jai alai player** el/la pelotari
**jam** la mermelada
**January** enero, BV
**jar** el frasco, II: 4.2
**jeans** el blue jean, II: 3.2
**jet** el avión de reacción, el jet, II: 7.2
**jewel** la joya, II: 4.1; **1.1**
**jewelry store** la joyería, II: 4.1
**Jewish** hebreo(a), II: 13.2
   **Jewish people** los judíos
**job** el trabajo
**job application** la solicitud de empleo, II: 14.2
   **full- (part-) time job** el trabajo a tiemp completo (parcial), II: 14.2
to **join** enlazar; juntarse, unirse, **5.1**
**judge** el/la juez, II: 14.1
**judgement** el juicio
   **in the judgement of** a juicio de, **3.3**
**juice** el jugo
   **orange juice** el jugo de naranja, I: 12.1

**July** julio, BV
**jump** el salto, **5.3**
to **jump** saltar
**June** junio, BV
**jungle** la jungla; la selva, **5.1**
  **rainforest** la selva tropical (lluviosa)
**just: just after (time)** y pico
  **to have just (done something)** acabar de (+ infinitivo), II: 8.1

to **keep** guardar, II: 3.1
to **keep in shape** mantenerse en forma
**key** la tecla, II: 3.2; la llave, II: 6.1
**keyboard** el teclado, II: 3.1
to **keyboard** entrar los datos, II: 3.1
to **kick** tirar, I: 7.1
  **to kick (throw) the ball** tirar el balón, I: 7.2
to **kill** matar
**kilogram** el kilo, I: 5.2
**kilometer** el kilómetro
**kilometers (distance in)** el kilometraje
  **unlimited kilometers** el kilometraje ilimitado, **5.2**
**kind** la clase
**king** el rey, **1.1**
  **The Three Kings (Wise Men)** Los Reyes Magos, II: 13.2
to **kiss** besar, LC1
**kitchen** la cocina, I: 6.2
**knapsack** la mochila, I: 12.2
**knee** la rodilla, I: 7.1; LC1
**knife** el cuchillo, I: 14.1; II: 2.1
**knight: knight errant** el caballero andante
**knot** el nudo, **2.1**
to **know** conocer, I: 11.1
to **know (how)** saber, I: 11.2
**knowledge** el conocimiento, **6.3**

**laboratory** el laboratorio
**lack** la falta
**lady-in-waiting** la dama
**lake** el lago, II: 5.2
  **lake (river) house** un bohío lacustre
    **on the shore of a river or lake** lacustre, **7.1**
**lamb** el cordero, I: 14.2; II: 2.2
**lame** cojo(a)
**lame person** el/la cojo(a), LC1
**lament** el lamento
**lance** la lanza
to **land** aterrizar, I: 11.2
**land** la tierra
  **by land** por tierra
**landing** el aterrizaje, II: 7.2
**landlord** el amo, LC2
**landscape** el paisaje
**lane (of highway)** el carril, II: 11.2
**language** la lengua, I: 2.2; el lenguaje; el idioma
**lapel** la solapa, **3.2**
**large** gran, grande
  **larger** mayor, **3.2**
to **last** durar, II: 13.2
**last** pasado(a); último(a)
**last (year)** el (año) pasado
**late** tarde; con una demora, I: 11.1; con retraso, I: 13.2; II: 1.2
**later** luego, BV; después; más tarde
  **See you later!** ¡Hasta luego!, BV
**Latin** el latín, II: 2.2
**Latin** *(adj.)* latino(a)
**Latin America** Latinoamérica, I: 1.1
**Latin American** Latinoamericano(a)
to **laugh** reír
to **launch** lanzar
**laundromat** la lavandería
**laundry** el lavado, II: 12.1
  **dirty laundry** la ropa sucia, II: 12.1
**lavatory** el aseo, el lavabo, II: 7.1
**lawyer** el/la abogado(a), II: 14.1
**lawyer's office** el bufete del abogado, II: 14.1
**lazy** perezoso(a), I: 1.1
to **lead, go (one street into another)** desembocar, II: 9.1; ecabezar, **6.3**
**leaded (gasoline)** con plomo, II: 11.1
**leaf** la hoja, LC3; LC8
**league** la liga
  **Major Leagues** las Grandes Ligas
**lean (weight)** enjuto(a), LC7
to **lean (against)** recostar (ue), LC8
to **learn** aprender, I: 5.1

**leather** el cuero, **3.2**
  **leather fabric** tela de cuero
to **leave (something)** dejar, I: 14.1; II: 2.1
  **to leave a tip** dejar una propina, I: 14.1; II: 2.1
to **leave** salir, I: 10.1
  **to leave late** salir tarde, I: 11.1
  **to leave on time** salir a tiempo, I: 11.1
  **to leave the theater** salir del teatro, I: 10.2
**lecture** la conferencia
**left** izquierdo(a), I: 7.1
  **to the left** a la izquierda, II: 5.2
**left-handed** zurdo(a), **6.3**
**leg** la pierna, I: 7.1; **5.3**
**lemon** el limón, II: 10.1
**lemon tree** el limonero
**lentil** la lenteja
**less** menos
**lesser, least** menor
**lesson** la lección, I: 4.2
to **let** dejar
to **let go (set free)** soltar (ue), LC3
**letter (of alphabet)** la letra
**letter** la carta, II: 12.2
**letter of recommendation** la carta de recomendación
**lettuce** la lechuga, I: 5.2
**level** el nivel
**liberator** el/la libertador(a)
**license plate** la placa
**life** la vida
  **school life** la vida escolar
**life jacket** el chaleco salvavidas, II: 7.1; **5.3**
to **lift** levantar; alzar, LC7; LC8
**light** la luz, II: 11.1
  **red light** la luz roja, II: 11.2
**light (cheerful)** ligero(a)
**light (weight)** ligero(a), LC2
to **light** encender (ie), II: 13.2
**lighting** el alumbrado, la iluminación, **7.1**
**lightning** el relámpago, **8.3**
**like** como, I: 1.2
to **like, to be pleasing** gustar
**lime** la lima, II: 10.1
**line (queue)** la cola, I: 10.1; la fila, II: 5.2
  **to stand (wait) in line** hacer cola, I: 10.1
**line** la línea
  **parallel line** la línea paralela
  **telephone line** la línea telefónica

to **line up** hacer cola, I: 10.1
**lion** el león
**lip** el labio, II: 8.1
**liquid** líquido(a)
**list** la lista
to **listen (to)** escuchar, I: 4.2
  **Listen!** ¡Oye!
**liter** el litro
**literal** literal
**literary** literario(a)
**literature** la literatura, I: 2.1
**little** poco(a), I: 2.1
  **a little** un poco (de)
**live** en vivo, **8.2**
to **live** vivir, I: 5.2
  **living: to earn one's living** ganar la vida
**living room** la sala, I: 6.2
**loan** el préstamo, **4.2**
  **long- (term-) loan** un préstamo de largo (corto) plazo
**lobster** la langosta, I: 14.2; II: 2.2
**local** local, I: 13.2; II: 1.2
to **locate** ubicar
  **to be located** ubicarse, **2.3; 6.3**
to **lodge** alojarse; hospedarse
**log** el madero, LC7
**logical** lógico(a)
**long** largo(a), I: 3.2
**long-term** a largo plazo, **4.2**
  **un préstamo de largo plazo** long-term loan
to **look at** mirar, I: 3.1
  **Look!** ¡Mira!
to **look at oneself** mirarse, I: 12.1
to **look for** buscar, I: 3.1
to **look good (food)** tener buena pinta, II: 4.2
to **look like** parecer (a), II: 8.1; **1.1**
**loose** flojo(a)
to **loosen** aflojar, **8.3**
to **lose** perder (ie), I: 7.1
  **to get lost** extraviarse, **4.3**
**lotto** el loto
**loud (colors)** llamativo(a), **3.3**
**love** el amor
to **love** querer; amar; encantar
**low** bajo(a), I: 4.2
to **lower** bajar, I: 9.2
**luck** la suerte
  **Good luck!** ¡Buena suerte!
**lucky** dichoso(a), LC4
**luggage** el equipaje, I: 11.1
  **carry-on luggage** el equipaje de mano, I: 11.1
  **to check luggage** facturar el equipaje, I: 11.1
  **to claim luggage** reclamar

**luke warm** tibio(a), LC7
**lunch** el almuerzo, I: 5.2
  **to have, eat lunch** tomar el almuerzo, almorzar (ue)
**lung** el pulmón, LC8
**luxuriance** la lozanía, LC5
**luxurious** lujoso(a)
**lying** mentiroso(a)
**lyric** lírico(a)

**macaw** el guacamayo, **5.1**
**made** hecho(a)
**magazine** la revista, I: 6.2
**magnificent** magnífico(a)
**maid** la camarera, II: 6.2
**maid of honor** la dama de honor, II: 13.1
**mail** el correo, II: 12.2
  **air mail** el correo aéreo, II: 12.2
  **e-mail** el correo electrónico, II: 3.1
  **regular mail** el correo ordinario, II: 12.2
to **mail the letter** echar la carta (en el buzón), II: 12.2
**mailbox** el buzón, II: 12.2
**main** principal
**mainly** principalmente
to **maintain** mantener
**majestic** majestuoso(a)
**majority** la mayoría
to **make** hacer
  **to make a telephone call** hacer una llamada telefónica, II: 3.2
  **to make the bed** hacer la cama, II: 6.2
  **make matters worse** por colmo, **6.2**
to **make up** formar
**makeup** el maquillaje, I: 12.1
  **to put one's makeup on** maquillarse, poner el maquillaje, I: 12.1
**male** el varón
**man** el hombre; el caballero, II: 4.1
**manager** el/la gerente, II: 14.1
**mango** el mango, **6.1**
**manner** el modo; la manera, I: 1.1
**manufactured** fabricado(a)
**many; a lot** muchos(as), I: 2.1
**map** el mapa; el plano, II: 9.1; **1.2**
**marble (stone)** el mármol, LC8
**marble (toy)** la canica, LC1

**March** marzo, BV
to **march** marchar
**marginality** la marginalidad, **6.3**
**marine** *(adj.)* marino(a), **3.1**
**marker** el marcador, I: 3.1
**market** el mercado, I: 5.2
  **meat market** la carnicería, II: 4.2
to **match (clothes)** hacer juego, **3.2**
**marketing** el mercadeo
**marmalade** la mermelada
**marriage** el matrimonio, **4.3**
  **to get married** casarse, II: 13.1
**marvelous** maravilloso(a)
**mass** la masa
**mass (Catholic)** la misa, LC8
to **match** parear
**material** el material
  **raw material** la material prima, **2.1**
**mathematics** las matemáticas, I: 2.1
**matter** la materia
**maximum** máximo(a), II: 11.2
**May** mayo, BV
**Maya** el/la maya
**mayonnaise** la mayonesa
**mayor** el alcalde, II: 14.1; la alcaldesa
**me** *(pron.)* me
  **to me** a mí
**meal** la comida, I: 5.2
  **to prepare the meal** preparar la comida
to **mean** significar
**meaning** el significado; el sentido
**meaningful** significante
**means** el medio
  **by means of** mediante, **6.3**
**means of expression** el modo de expresión
**means of transportation** el medio de transporte
to **measure** medir (i, i)
**measurement** la medida
**meat** la carne, I: 5.2
**mechanic** el/la mecánico(a)
**medal** la medalla
**medical office** el consultorio, I: 8.2
**medicine (discipline)** la medicina, I: 8.2
**medicine (drugs)** el medicamento, I: 8.2
**meditation** la meditación
**medium** mediano(a), II: 4.1
**medium** el medio
to **meet** encontrarse (ue)
**melancholic** melancólico(a)

**member** el miembro, I: 4.2
**memory** la memoria; el recuerdo
**men: men's clothing store**
a tienda de ropa para
caballeros, II: 4.1
**menace** la plaga
**menorah** la menora, II: 13.2
to **mention** mencionar
**menu** el menú, I: 5.1
**merchandise** la mercancía,
I: 14.1
**merengue** el merengue
**merry-go-round** el tiovivo,
II: 5.2
**Mesoamerica** Mesoamérica, **5.1**
**message** el mensaje, II: 3.2;
el recaudo, LC2
**messenger** el chasqui
**mestizo** el/la mestizo(a)
**metabolism** el metabolismo
**meteorologist** el/la
meteorólogo(a), **8.2**
**meter** el metro
**meter (taxi)** el taxímetro, **1.2**
**method** el método
**metrics** la métrica
**metro entrance** la boca del
metro, II: 9.1
**Mexican** mexicano(a), I: 1.1
**Mexican American**
mexicanoamericano(a)
**microbe** el microbio
**microphone** el micrófono, **8.2**
**microscope** el microscopio
**microscopic** microscópico(a)
**microwave oven** el horno de
microondas, II: 10.1
**middle: in the middle of**
**(noun)** en pleno + *noun*
**middle school** la escuela
intermedia
**midnight** la medianoche
**midwest (region)** el medio
oeste, **8.1**
**migration** la migración
**mile** la milla
**milk** la leche
**million** el millón
**millionaire** el/la millonario(a)
**mime** el/la mimo, II: 5.2
**miniature** la miniatura
**miniaturization**
la miniaturización
**ministry** el ministerio
to **mint** acuñar
**minute** diminuto(a)
**minute** el minuto
**mirror** el espejo, I: 12.1
to **miss** perder (ie), I: 10.2
**to miss the bus** perder
el autobús (la guagua,

el camión), I: 10.1
**Miss, Ms.** la señorita, BV
**mist** la neblina, **1.1**
**mixture** la mezcla
**mode** la modalidad
**model** el/la modelo
**modem** el módem
**moderation** la moderación
**modern** moderno(a)
**modernized** modernizado(a)
**modesty** la modestia
**modification** la modificación
**mom** la mamá
**moment** el momento
**monarch** el monarca
**monarchy** la monarquía, **1.1**
**monastery** el monasterio
**Monday** el lunes, BV
**money** el dinero, I: 14.1;
II: 2.1; **4.2;** LC6
**money (income)** la plata, LC6
**money changer** el/la
cambista, II: 12.2
**money order** el giro de
dinero, **8.3**
**monitor** el monitor, II: 3.1
**monkey** el mono, II: 5.2
**monster** el monstruo
**month** el mes, BV
**monthly installment**
la mensualidad
**monument** el monumento
**mood** el humor, I: 8.1
**to be in a bad (good) mood**
estar de mal (buen) humor,
I: 8.1
**moon** la luna
**Moor** el/la moro(a)
**more** más, I: 2.2
**more or less** más o menos
**moreover** además
**morning** la mañana
A.M. **(time)** de la mañana
**in the morning** por
la mañana
**mortal** mortal
**mortality** la mortalidad
**mortgage** la hipoteca, **4.2**
**mosque** la mesquita (Islam)
**mother** la madre, I: 6.1
**motion** la moción
**motive** el motivo
**motor** el motor
**mountain** la montaña, I: 9.2;
el monte, **3.1**
**underwater mountain**
la montaña submarina
**mountain range** la sierra;
la cordillera, II: 7.2; LC7
**mountainous** montañoso(a)
**mouse** el ratón, II: 3.1

**mouth** la boca, I: 8.2
**mouth (of a river)**
la desembocadura, **7.1**
to **move** mover (ue), mudarse;
**(residence)** trasladar, **4.1**
to **move away** largarse, LC8
**movement** el movimiento
**movie** la película, I: 6.2
**movie theater** el cine, I: 10.1
**moving** conmovedoro(a)
**Ms., Mrs., madam** la señora, BV
**much; a lot** mucho(a), I: 2.1
**mud** el lodo
**mudslide** la ola de lodo, **8.3**
**multinational** multinacional
**multiplication** la
multiplicación
to **multiply** multiplicar
**mural** el mural, I: 10.2
**muralist** el/la muralista
**muscle** el músculo, **5.3**
**muscular** muscular
**museum** el museo, I: 10.2
**mushroom** el hongo, **2.3**
**music** la música, I: 2.2
**musical instrument**
el instrumento musical
**musician** el/la músico(a)
**mussels** los mejillones,
II: 10.2
**must** deber
**mute** el mudo, LC1; LC7
**mutual** mutuo(a)
**my** mi
**mysterious** misterioso(a)
**mystery** el misterio
**mythical** mítico(a)
**mythology** la mitología

**name** el nombre
**in whose name?** ¿a nombre
de quién?, I: 14.2; II: 2.2
**last name** el apellido
**nap: to take a nap** echar
(tomar) una siesta
**napkin** la servilleta, I: 14.1;
II: 2.1
**narcotic** el narcótico
to **narrate** narrar
**narration** la narración
**narrow** estrecho(a), II: 4.1;
angosto(a), II: 9.1
**narrow street** la callecita,
II: 9.1
**national** nacional
**nationality** la nacionalidad,
I: 1.2

**what nationality?** ¿de qué nacionalidad?
**native** indígena
**native person** el/la indígena
**natural resources** los recursos naturales, I: 2.1
**natural sciences** las ciencias naturales
**nature** la naturaleza
**navegable** navegable
to **navigate** navegar
**near** cerca de, I: 6.2
**nearby** cercano(a)
**necessary** necesario(a)
**necessity** la necesidad
**neck** el cuello, II: 4.1
**nectar** el néctar, LC5
to **need** necesitar, I: 3.1; hacer falta, **3.2**
**needle** la aguja, LC8
**negative** negativo(a)
**neighbor** el/la vecino(a)
**neighborhood** el barrio, II: 9.1; la zona
**nephew** el sobrino, I: 6.1
**nervous** nervioso(a), I: 8.1
**nest** el nido, LC3
**net** la red, I: 9.1
  **Net (Internet)** net
**nettle** la ortiga
**never** jamás; nunca
**new** nuevo(a)
**newlyweds** los novios, II: 13.**1**
**New Year** el Año Nuevo, II: 13.2
  **Happy New Year!** ¡Próspero Año Nuevo!, II: 13.2
  **New Year's Eve** la Nochevieja, la víspera de Año Nuevo, II: 13.2
**news** las noticias, I: 6.2; **8.2;** las nuevas, LC2
  **news report** el noticiero, **8.2**
**newspaper** el periódico, I: 6.2
  **newspaper clipping** el recorte de periódico, LC8
**newsstand** el quiosco, I: 13.1; II: 1.1
**next** próximo(a), I: 13.2; I: 1.2
  **at the next stop** en la próxima parada, I: 13.2; I: 1.2
**nice** simpático(a), I: 1.2
**niece** la sobrina, I: 6.1
**night** la noche
  **Good night.** Buenas noches., BV
  **in the evening, at night** por la noche
  **last night** anoche, I: 9.2

**P.M. (time)** de la noche
**nine** nueve, BV
**nine hundred** novecientos(as), I: 3.2
**nineteen** diecinueve, BV
**ninety** noventa, I: 2.2
**ninth** noveno(a), I: 6.2
**no** no, BV
**no one** nadie
**no smoking sign** la señal de no fumar, II: 7.1
**Nobel Prize** el Premio Nóbel
**noble** noble
**nocturnal** nocturno(a)
**none, not any** ninguno(a)
  **by no means** de ninguna manera, I: 1.1
**nonstop** sin escala
**noon** el mediodía
**north** el norte
**North America** la América del Norte
**North American** norteamericano(a)
**northeast (region)** el nordeste, **8.1**
**northerner** el/la norteño(a), **8.1**
**northwest (region)** el noroeste, **8.1**
**nose** la nariz, II: 8.1
**nostalgia** la nostalgia
**notable** notable
to **note** notar
**notebook** el cuaderno, I: 3.1
**notes: to take notes** tomar apuntes, I: 4.2
**nothing** nada, I: 5.2
  **Nothing else.** Nada más., I: 5.2
to **notice** advertir (ie, i), **8.3**
**novel** la novela
**novelist** el/la novelista
**November** noviembre, BV
**novices** los novatos, **5.3**
**now** ahora, I: 4.2; ya
  **now and then** de vez en cuando
  **nowadays, these days** hoy (en) día
**number** el número, I: 1.2; la cifra, **8.3**
  **flight number** el número del vuelo, I: 11.1
  **local number** el número local
  **seat number** el número del asiento, I: 11.1
  **telephone number** el número de teléfono
  **wrong number** el número equivocado

**numerous** numeroso(a)
**nuptial, wedding** nupcial
**nurse** el/la enfermero(a), II: 8.2; el/la practicante
**nutrition** la nutrición
**nylon** el nilón, 3.2

**oats** la avena, LC8
**obituary** la esquela, **4.3**
**object** el objeto
**objective** el objetivo, **3.3**
**obligation** la obligación
**observation** la observación
to **observe** observar
**observer** el/la observador(a)
**obstacle** el obstáculo
to **obtain** obtener
**obvious** obvio(a)
**occasion** la ocasión
**occupied, taken** ocupado(a), I: 5.1
to **occur** suceder, **5.3**
**ocean** el océano
**October** octubre, BV
**odd: odd number** el número impar
**of** de, BV
  **Of course!** ¡Cómo no!; por supuesto
  **of the, from the** del
**off-track** despistado(a), **7.3**
to **offer** ofrecer, II: 14.2
**office** la oficina, II: 9.1
**official** oficial
**often** con frecuencia, a menudo, II: 3.2
**oil** el aceite, I: 14.2; el óleo
**oil (relating to)** petrolero(a)
**OK, all right; in agreement** de acuerdo; ¡vale!
**old** viejo(a), anciano(a), I: 6.1; antiguo(a), II: 5.1
  **older** mayor, **2.3**
**old person** el/la anciano(a); el/la viejo(a)
**olive oil** el aceite de oliva
**olive grove** el olivar, **1.1**
**on** en; sobre
**on foot** a pie, I: 4.1
**on the dot, sharp** en punto, I: 4.1
**once and for all** definitivamente
**oncologist** el/la oncólogo(a)
**oncology** la oncología
**one** uno, BV
  **one o'clock** la una

one-way street la calle de
sentido único, II: 11.2
one-way ticket el billete
sencillo, I: 13.1; II: 1.1
one hundred cien(to), I: 3.2
onion la cebolla, II: 10.1
only único(a); sólo; solamente
opaque opaco(a)
to open abrir, I: 8.2
open-mouthed
boquiabierto(a)
opening la apertura
opera la ópera
to operate operar
operating room el quirófano
operator el/la operador(a)
operetta la opereta
ophthalmologist
el/la oftalmólogo(a)
ophthalmology la
oftalmología
opinion la opinión
opportunity la oportunidad
opposite opuesto(a);
contrario(a)
the opposite lo contrario
the opposite direction
el sentido contrario,
II: 11.2
the opposite of contrario
de
to oppress oprimir, 7.1
or o; u (used instead of o
before words beginning
with o or ho)
orally oralmente
orange (fruit) la china; la
naranja, I: 5.2
orange anaranjado(a), I: 3.2
orange juice el jugo de
naranja, I: 12.1; el zumo de
naranja
orange tree el naranjo
orchard el/la huerto(a), II: 9.2
orchestra la platea
el palco de platea orchestra
pit, 7.2
symphony orchestra
la orquesta sinfónica
orchestra seat la butaca, el
patio de butacas, 7.2
order (restaurant) la orden,
I: 5.1; el pedido, 1.3
to order mandar; (restaurant)
pedir (i, i)
organ el órgano
organism el organismo
to organize organizar
origin el origen
ornament el adorno
orthopedic surgeon el/la

cirujano(a) ortopédico(a),
II: 8.2
orthopedics la ortopedia
other otro(a)
ounce la onza
our nuestro(a)
outdoor (adj.) al aire libre
outdoor café (market, etc.)
el café (mercado, etc.) al aire
libre
outfielder el/la jardinero(a),
I: 7.2
outfit la indumentaría, 3.1
outskirts los alrededores;
las afueras, II: 9.1
oven el horno, II: 10.1
over sobre
overcoat el abrigo, II: 4.1
to overflow rebosar, 6.1
overland por tierra
to overtake adelantar, II: 11.2;
(traffic) rebasar, 5.2
to owe deber
own: one's own propio(a)
owner el/la dueño(a), 4.3; 6.1
ox el buey, LC2
oxygen el oxígeno
oxygen mask la máscara
de oxígeno, II: 7.1
oyster la ostra, II: 10.2

to pack one's suitcase hacer
la maleta
package el paquete, I: 5.2
pact el convenio, 5.3
page la página
pain el dolor, I: 8.1
I have a pain in my . . .
Tengo dolor de..., I: 8.2
to paint pintar, II: 14.1
paintbrush el pincel
painter el/la pintor(a)
painting el cuadro, I: 10.2;
la pintura
pair el par, II: 4.1
pair of tennis shoes el par
de tenis, I: 3.2
palace el palacio
palette knife la espátula
palm tree la palma
pamphlet el folleto
Panamanian panameño(a),
I: 2.1
Pan American panamericano(a)
pancake el panqueque
pants el pantalón, I: 3.2; 3.2
papaya la papaya, II: 10.2; 6.1

paper el papel, I: 3.1
sheet of paper la hoja
de papel, I: 3.1
toilet paper el papel
higiénico, I: 12.2
paradise el paraíso
paramedics el servicio de
primeros auxilios, los
socorristas, II: 8.1
paragraph el párrafo
parents los padres, I: 6.1
to park aparcar, estacionar
park el parque, II: 5.2
parka el anorak, I: 9.2
parking el estacionamiento
parking lot el aparcamiento
parking meter el parquímetro
parochial parroquial, 4.3
parrot el papagayo, LC8
part (in hair) la raya, I: 12.1
part la parte
the greatest part, the most
la mayor parte
upper part la parte superior
party la fiesta, II: 13.1
to give (throw) a party dar
una fiesta, I: 4.2
pass (permission) el pase
to pass pasar, I: 7.2; (car)
adelantar, II: 11.2; (traffic)
rebasar, 5.2
passenger el/la pasajero(a),
I: 11.1; 1.2
passionate apasionado(a)
passport el pasaporte, I: 11.1
passport inspection el control
de pasaportes, I: 11.1
past pasado(a)
pastry el pastel, II: 4.2
path el camino; la senda,
II: 5.2; LC7
to walk along the path
caminar por la senda,
II: 5.2
patience la paciencia
patient el/la paciente
patrol la patrulla, 1.3
patron el/la patrón(na)
patron saint el patrón;
la patrona
pattern el patrón
paved pavimentado(a)
pavement el pavimento
paving stone el adoquín
paving stone alley
la callejuela de adoquines,
4.1
paw la pata, LC3
to pay pagar, I: 3.1; 1.2
to pay at the cashier pagar
en la caja, I: 3.1

**to pay attention** hacer caso; prestar atención, II: 4.2
**to pay the bill** pagar la factura, II: 6.1
**to pay in full** pagar al contado, **4.2**
**to pay in installments** pagar a cuotas (a plazos), **4.2**
**payment** el pago
  **monthly payment** el pago mensual
**pea** el guisante, I: 5.2
**Peace Corps** el Cuerpo de Paz
**peaceful** tranquilo(a)
**peak** el pico, II: 7.2
**peanut** el cacahuete (cacahuate); el maní
**pear** la pera, II: 9.2
**pear tree** el peral, II: 9.2
**pedestrian** el peatón, II: 9.1
**pedestrian street** la calle peatonal, II: 9.1
**pediatrician** el/la pediatra
**pediatrics** la pediatría
to **peel** pelar, II: 10.2; **1.1**
**pen** la pluma, I: 3.1
**pencil** el lápiz, I: 3.1
  **pencil holder** la lapicera, **3.3**
  **pencil sharpener** el sacapuntas, **6.3**
**penguin** el pingüino, **3.1**
**peninsula** la península
**penny** el centavo
**people** la gente
**pepper** la pimienta, I: 14.1; II: 2.1
  **bell pepper** el pimiento, II: 10.2
**percent** por ciento
**percussion** la percusión
to **perfect** perfeccionar
**performance** la función, **(theater)** la representación, I: 10.2
**perhaps** quizás, II: 14.2
**period** el período
**period of time** la época
to **permit** permitir, I: 11.1
**person** la persona, I: 1.2
**personality** la personalidad
**personally** personalmente
**Peruvian** peruano(a)
**pet** la mascota, **4.3**
**petition** la petición
**petroleum** el petróleo
**pharmacist** el/la farmacéutico(a), I: 8.2
**phone** el teléfono
  **cell phone** el teléfono celular, II: 3.2
  **pay phone** el teléfono

público, II: 3.2
**phone book** la guía telefónica, II: 3.2
**phone call** la llamada telefónica, II: 3.2
**push-button phone** el teléfono de botones, II: 3.2
**photo** la foto
**photograph** la fotografía; el retrato, LC8
**photographer** el/la fotógrafo(a)
**phrase** la frase
**physics** la física, I: 2.2
**piano** el piano
to **pick up** recoger
to **pick up (the telephone)** descolgar (ue), II: 3.2
**pickpocket** el/la carterista, **2.2**
**picturesque** pintoresco(a), I: 9.1
**piece** el pedazo, I: 12.1; el trocito, I: 10.2; **1.1**
  **little piece** el pedacito, II: 10.2
**pig (pork)** el cerdo, I: 14.2; II: 2.2
  **roast suckling pig** el lechón asado, **6.1**
**pilgrim** el/la peregrino(a)
**pill** la pastilla, la píldora, la tableta, I: 8.2
**pillow** la almohada, II: 6.2; **1.1**
**pilot** el/la piloto, I: 11.2
**pin number (automatic teller)** el pin, **4.2**
**pinch** la pizca
**pineapple** la piña, **6.1**
**pink** rosado(a), I: 3.2
**pint** la pinta
**piping (embroidery)** el cordoncillo
**pirouette** la pirueta
**pitcher** el/la lanzador(a), el/la pítcher, I: 7.2
**pity** la lástima
**pizza** la pizza, BV
to **place** colocar; meter, I: 7.1
**place** el lugar; el sitio
**placement** la colocación
**plague** la plaga
**plaid** a cuadros
**plain** la llanura, II: 7.2; **1.1; 3.1**
**plainsman** el llanero
**plan** el plano, II: 9.1
to **plan** planear
**plant** la planta
to **plant** sembrar, II: 9.2
**plantain** el plátano, I: 5.2
  **fried plantain slice** el tostón
**plastic** plástico(a), II: 4.2

**plate** el plato, I: 14.1; II: 2.1
**plateau** la mesa; la meseta, II: 7.2
  **high plateau** el altiplano, II: 7.2
to **play (music)** tocar
**play** la obra teatral, I: 10.2; la obra dramática
to **play** jugar (ue), I: 7.1
  **to play baseball (soccer, basketball, etc.)** jugar (al) béisbol (fútbol, baloncesto, etc.), I: 7.1
**player** el/la jugador(a), I: 7.1
**playwright** el/la dramaturgo(a)
**plaza** la plaza, **2.1**
to **plead** rogar (ue)
**pleasant** agradable, **2.3**
**please** por favor, BV; favor de, I: 11.2
**pleasure** el gusto
**pleat** el pliegue, **3.3**
**plentiful** abundante
**plot** el argumento
to **plow** labrar, LC2
**plum** el ciruelo, LC3
**plumber** el/la fontanero(a), el/la plomero(a), II: 14.1
**plume** el penacho, LC8
**pocket** el bolsillo, II: 4.1; **2.2; 3.2**
**poem** el poema
**poet** el poeta
**poetry** la poesía
**point** el tanto, I: 7.1; el punto
**poisonous** venenoso(a)
**pole** el palo, LC3
**police** el policía, **2.2**
  **police officer** el/la guardia; el/la agente de policía; el/la policía, **2.2**
  **police station** la comisaría, **2.2**
to **polish** pulir, LC7
**polite** atento(a)
**political** político(a)
**political science** las ciencias políticas
**polka dots: with polka dots** con lunares
to **pollute** contaminar
**polluted** contaminado(a)
**pollution** la contaminación
**polyester** el poliéster, **3.2**
**poncho** el poncho
**pool** la alberca, **1.1**
**poor** pobre
  **poor boy (girl)** el/la pobre
  **poor man (woman)** el/la pobretón(ona)

**popular** popular, I: 2.1
**popularity** la popularidad
to **populate** poblar (ue), **8.1**
**population, people** la
población
**porch** el porche
**pork** el puerco
**port** el puerto, **1.1**
**portable** portátil
**porter** el/la maletero(a),
el/la mozo(a), I: 13.1; II: 1.1
**portrait** el retrato
**position** la posición; el
puesto, II: 14.2
to **possess** poseer
**possession** la posesión
**possibility** la posibilidad
**possible** posible
**post office** el correo, II: 12.2
**postcard** la postal, la tarjeta
postal, II: 12.2
**poster** el afiche, **7.3**
**pot** la cazuela, la olla, II: 10.1
**potato** la papa, I: 5.1; **2.1;**
la patata
**mashed potatoes** el
pure de papas
**pothole** el bache
**pound** la libra
**power** el poder
**powerful** poderoso(a)
**practically** casi
to **practice** practicar
to **pray** rogar (ue), **4.3**
**prayer** la plegaria, LC5; el
rezo
**pre-Columbian**
precolombino(a)
**precious** precioso(a)
**precipitation** la precipitación, **1.2**
**precise** preciso(a)
**prediction** la predicción;
el prognóstico
**weather forecast**
el prognóstico del
tiempo, **8.2**
**predominance** el predominio
to **predominate** predominar
to **prefer** preferir (ie, i)
**prenuptial** antenupcial
**preparation** la preparación
to **prepare** preparar
to **prescribe** recetar, I: 8.2
**prescription** la receta, I: 8.2
**presence** la presencia
to **present** presentar
**present** *(adj.)* presente
**at the present time**
actualmente
**presentation** la presentación
**president** el/la presidente

to **press** oprimir, pulsar, **4.2**
**pressure** la presión, II: 11.1
**prestige** el prestigio
**pretty** bello(a), bonito(a),
hermoso(a), lindo(a),
I: 1.1; **2.1**
to **prevail** prevalecer
**price** el precio
to **prick** picar, I: 8.1
**priest** el sacerdote; el cura,
LC5
**princess** la princesa
**principal** el/la director(a)
**principal** principal
**printed** estampado(a), **3.3**
**printer** la impresora, II: 3.1
**prison** la cárcel, **6.3**
**private** particular, I: 6.2;
privado(a)
**private house** la casa
particular, la casa
privada, I: 6.2
**probable** probable
**problem** el problema
**process** el proceso
to **process** procesar
**procession** la procesión
to **proclaim** proclamar;
pregonar
**produced** producido(a)
**product** el producto, I: 5.2
**production** la producción
**profession** la profesión, II: 14.1
**professor** el/la profesor(a),
I: 2.1
**program (TV)** la emisión,
I: 6.2; el programa
**sports program** la emisión
deportiva, I: 6.2
**progress** el progreso
**progressive** progresivo(a)
**project** el proyecto
to **project** proyectar, I: 10.1
**promiscuity** la promiscuidad
**promise** la promesa
to **promote** promover (ue)
**promotion** la promoción
**pronoun** el pronombre
**prose** la prosa
to **prosper** prosperar
**prosperous** próspero(a)
**protagonist** el/la protagonista
**protection** la protección
**protein** la proteína
to **protest** protestar
**protoplasm** el protoplasma
to **provide** proveer; suministrar, **8.3**
**provider** el/la proveedor(a)
**provision** la provisión
**prudence** la cordura, LC8;
la prudencia

**psychiatrist** el/la psiquíatra
**psychiatry** la psiquiatría
**public** público(a)
**publicity** la propaganda
to **publish** publicar
**Puerto Rican**
puertorriqueño(a)
to **pull out (up)** arrancar, LC8
**pulse** el pulso, II: 8.2
**punctual** puntual
to **punish** castigar, **6.1**
**punishment** el castigo
**puppy** el perrito
**pure** puro(a)
**purpose** la mira, **6.3**
to **push** oprimir; pulsar, II: 3.1;
empujar, II: 4.2; **2.2**
to **put** poner, I: 11.1; colocar
to **put a cast on** poner en un
yeso, II: 8.2
to **put in** meter, II: 3.1
to **put on** ponerse, I: 12.1
**to put on a performance** dar
una representación, I: 10.2
**to put on makeup** ponerse
el maquillaje, I: 12.1
**Pyrenees** los pirineos

**qualification** la calificación
**quality** la calidad
**quarrel** la disputa
**quarry** la cantera, LC2
**quarter** el cuarto, I: 2.2
**quarter after (the hour)**
y cuarto
**quarter to (the hour)**
menos cuarto
**queen** la reina, **1.1**
**question** la pregunta
**questionnaire** el cuestionario
**quickly** rápidamente; rápido
**quiet** tranquilo(a)
**quipu** el quipu, **2.1**
**quite** bastante, I: 1.1

**race** la carrera
**racket (sports)** la raqueta, I: 9.1
**radiator** el radiador, II: 11.1
**rag** el trapo, LC7
**railroad** el ferrocarril, I: 13.1,
II: 1.1
**railway platform** el andén,
I: 13.1; II: 1.1

**rain** la lluvia

to **rain** llover (ue)

**It's raining.** Llueve., I: 9.1

**raincoat** el impermeable, la gabardina, II: 4.1

**rainforest** la selva tropical

**rainy** lluvioso(a), **2.1**

to **raise** criar, II: 9.2;

**rake** el rastro, LC2

**ranch** la hacienda; **(Argentina)** la estancia

**rancor** el rancor

**rare** raro(a)

**rate** la tarifa; la tasa

**exchange rate** el tipo de cambio, la tasa de cambio, II: 12.2

**unemployment rate** la tasa de desempleo

**rather** bastante, I: 1.1

**razor** la navaja, I: 12.1

to **reach** alcanzar, **2.3**

**reaction** la reacción

to **read** leer, I: 5.1

**reading** la lectura

**ready** listo(a)

**realist** el/la realista

**realistic** realista

**really** realmente

**reason** el motivo; la razón

**reasonable** razonable

**rebelliousness** la rebeldía

to **rebound** rebotar

to **receive** recibir, I: 5.1

**recent** reciente

**recently** recién

**reception** la recepción, II: 6.1

**receptionist** el/la recepcionista, II: 6.1

**recipe** la receta

to **recite** recitar

**reckless** aturdido(a), LC6

to **recognize** reconocer

**recollection** el recuerdo

to **recommend** recomendar (ie)

**recommendation** la recomendación

to **reconcile** conciliar

to **record** grabar, **8.2**

**recreation** el recreo

to **recruit** reclutar

**rectangle** el rectángulo

**recycling** el reciclaje

**red** rojo(a), I: 3.2

to **reduce (dislocated bone)** reducir, II: 8.2

**reduced (price)** reducido(a)

to **refer** referir (ie, i)

to **reflect** reflejar; reflexionar

**reflection; reflex** el reflejo

**reforestation** la reforestación

**refrigerator** el refrigerador, la nevera, II: 10.1

**refuge** el refugio

**region** la región

**regional** regional

**regionalism** el regionalismo

to **register** registrar

**registration card** la ficha, II: 6.1

**regular (gasoline)** normal, II: 11.1

to **reign** reinar, **1.1**

to **reject** rechazar, resistir, **4.3**

**rejuvenated** remozado(a), **6.3**

**related** relacionado(a)

**relation** la relación

**relative** el/la pariente, I: 6.1; el familiar, **4.3**

**relatively** relativamente

**religious** religioso(a)

to **relocate** reubicar; reubicarse, **2.3**

to **remain** quedar, I: 7.1

**remainder** el resto

**remains** los restos

to **remember** recordar (ue)

**remote** alejado(a); remoto(a)

**remote control** el control remoto, **8.2**

to **remove** quitar, **2.2**

**renewed** renovado(a)

to **renounce** renunciar

to **rent** alquilar, II: 5.2; rentar

to **repair** reparar

to **repeat; to take seconds (meal)** repetir (i, i)

to **replace** reemplazar

**report** el informe; el reportaje; **(police)** la denuncia, **2.2**

to **represent** representar

**representative** el/la representante

**representative** representativo(a)

**republic** la república

**repulsion** la repulsión, **3.1**

**request** el pedido, **1.3**

to **require** requerir (ie, i)

**required** requerible, **6.3**

**requirement** el requisito

to **rescue** rescatar, **1.3; 8.3**

**rescue worker** el socorrista, **8.3**

**researcher** el/la investigador(a)

**reservation** la reservación, II: 6.1

to **reserve** reservar, I: 14.2; II: 2.2

**reserved** reservado(a), I: 13.2; II: 1.2

to **reside** morar, LC7; residir

**residence** la residencia

**resident** el/la residente

**residue** el residuo

to **resist** resistir

**resolution** resolución

**resort** la estación, I: 10.1

to **respect** respetar, **2.3**

**respiration** la respiración

to **respond** responder

**responsibility** la responsabilidad

**to make oneself responsible** responsabilizarse

**rest** demás; el resto, **5.1**

to **rest** descansar, **5.2**

to **rest on** reposar, **6.1**

**restaurant** el restaurante, I: 14.1; II: 2.1

to **restore** restaurar

**result** el resultado; la secuela, **7.3**

to **resume** reanudar, **8.3**

**retina** la retina

to **return** regresar; volver (ue), I: 7.1; **4.3**

**to return home** volver a casa, I: 10.2

to **return (something)** devolver (ue), I: 7.2

**return** el regreso

**return trip, trip back** el viaje de regreso

to **reveal** revelar

**reverse** inverso(a)

**revolution** la revolución

**rhythm** el ritmo

**rib** la costilla, II: 10.1

**ribbon** la cinta

**rice** el arroz, I: 5.2

**rice with beans** el arroz con frijoles (habichuelas), **6.1**

**rich** rico(a), I: 14.2; II: 2.2; con mucha plata

**to get rich** enriquecerse, **7.1**

**rich person** el/la rico(a)

**ride** la atracción, II: 5.2

**right** el derecho

**right** derecho(a), I: 7.1

**to the right** a la derecha, II: 5.2

**right: that's right (true)!** ¡verdad!

**right away** enseguida, I: 5.1

**rigorous** riguroso(a)

**ring** el anillo, II: 4.1

to **ring** sonar (ue), II: 3.2

to **rinse out** enjuagar, LC7

to **rise** ascender

to **rise (bread)** empanizar, LC5

risk riesgo, **5.2; 7.3**
rite el rito, **8.1**
ritual el rito, el ritual
rival el rival
river el río, II: 7.2
riverlike fluvial, **7.1**
to roast asar, II: 10.1
roasted asado(a)
to rob robar, **2.2**
robbery el robo, **2.2**
robustness la robustez
rock la roca, **1.3**
role el rol; el papel
roll of toilet paper el rollo de
  papel higiénico, I: 12.2
to roll rodar (ue)
to roll over voltearse, **5.3**
roller blading el patinaje
  lineal
roller coaster la montaña
  rusa, II: 5.2
Roman el/la romano(a)
romantic romántico(a)
roof el techo, **4.1**
room el cuarto, la sala, I: 6.2;
  la pieza
  double room el cuarto
    doble, II: 6.1
  recovery room la sala de
    recuperación
  single room el cuarto
    sencillo, II: 6.1
  waiting room la sala de
    espera, I: 13.1; II: 1.1
rooster el gallo, LC3
root la raíz, LC3
  to put down roots echar
    raíces
rope la soga, LC3
rose la rosa
rosemary el romero, LC8
rough áspero(a); fragoso(a), LC7
round-trip (ticket) de ida y
  vuelta, I: 13.1; II: 1.1
route la ruta
routine la rutina, I: 12.1
routine (*adj.*) rutinario(a)
row (of seats) la fila, I: 10.1
to row remar, II: 5.2
royal real
rubber (shoe soles) la goma, **3.2**
  rubber soles la suela de
    goma
ruby el rubí
rude grosero(a), ineducado(a)
rug la alfombra, **1.1**
ruin la ruina
to ruin arruinar, LC5
rule la regla
rumor el rumor
to run correr, I: 7.2; LC6

runway la pista
rural rural

## S

sacred sagrado(a), LC4
sacrifice el sacrificio
to sacrifice sacrificar
sad triste, I: 8.1
safe salvo(a)
saffron el azafrán
sail la vela, **5.3**
sail (of a windmill) el aspa
sailboard la plancha de vela,
  I: 9.1
sailor el/la marino(a)
saint el santo
salad la ensalada, I: 5.1
salary el salario
sale la venta, II: 14.1
salesperson el/la
  dependiente(a), II: 4.1;
  el/la vendedor(a), II: 11.1
salt la sal, I: 14.1; II: 2.1
same mismo(a), I: 2.1
sanctuary el santuario
sand la arena, I: 9.1
sandal el huarache; la
  alpargata; la sandalia, II: 4.1
sandwich el sándwich, BV;
  el bocadillo, I: 5.1
sash la faja
satellite dish la antena
  parabólica, **8.2**
satisfied satisfecho(a), II: 14.1
to satisfy satisfacer
Saturday el sábado, BV
saucepan la cacerola, II: 10.2
saucer el platillo, I: 14.1;
  II: 2.1
sausage (pork and garlic)
  el chorizo, la salchicha,
  II: 10.1
savanna la sabana, **3.1**
to save ahorrar; conservar;
  salvar; guardar, II: 3.1
savings account la cuenta
  de ahorros
to saw aserrar, LC7
sawdust el aserrín, LC7
saxophone el saxofono
to say decir
scales la báscula, I: 11.1
scar la cicatriz, LC6
scarce escaso(a), **2.1**
to scare asustar, **8.3**
scarf la bufanda, II: 4.1; **3.2**
scene la escena
scenery, set (theater)

el escenario, I: 10.2; la
  decoración, el decorado, el
  escenografía, **7.2**
schedule el horario, I: 13.1;
  II: 1.1
  school schedule el horario
    escolar
scholarship la beca
school el colegio, la escuela,
  I: 1.1; la academia
  elementary school la
    escuela primaria
  high school la escuela
    secundaria, I: 1.1; la
    escuela superior
  middle school la escuela
    intermedia
school (of a university)
  la Facultad
school (related to) escolar,
  I: 2.1
school bus el bus escolar,
  I: 4.1
school life la vida escolar
school schedule el horario
  escolar
school supplies los materiales
  escolares, I: 3.1
science las ciencias, I: 2.2
science fiction la ciencia
  ficción
scientific científico(a)
scientist el/la científico(a)
scissors las tijeras, II: 12.1
to score a goal meter un gol, I: 7.1
to score a point marcar un tanto,
  I: 7.1
scoreboard el tablero
  indicador, I: 7.1
screen la pantalla, I: 10.1;
  **4.2; 8.2**
  arrival and departure
    screen la pantalla de
    salidas y llegadas, I: 11.1
sculptor el/la escultor(a),
  I: 10.2
sculpture la escultura
sea el mar, I: 9.1
sea level el nivel del mar
sea lion el lobo marino, **3.1**
seal (animal) el elefante
  marino, **3.1**
seal el sigilo
to seal sellar, **7.1**
search: in search of en busca de
season la estación, BV
to season sazonar
seasoning el condimento
seat el asiento, I: 11.1; la
  plaza, I: 13.2; II: 1.2; (theater)
  la localidad, **7.2**

**seat (of government)** la sede
**seat (theater)** la butaca, I: 10.1
**seat belt** el cinturón de
  seguridad, II: 7.1; **5.2**
**seat number** el número del
  asiento, I: 11.1
**second** segundo(a), I: 6.2
**second class** en segunda
  (clase), I: 13.1; II: 1.1
**second half (soccer)** el
  segundo tiempo, I: 7.1
**secondary** secundario(a)
**secret** el secreto
**secretary** el/la secretario(a),
  II: 14.1
**secretly** a escondidas, **8.1;**
  clandestinamente
to **secretly take** escamotear
**security** la seguridad, II: 7.1
**security check** el control
  de seguridad, I: 11.1
**sedan** el sedán, II: 11.1
**see: See you later!** ¡Hasta
  luego!, BV
  **See you soon!** ¡Hasta
    pronto!, BV
  **See you tomorrow!**
    ¡Hasta mañana!, BV
to **see** ver, I: 5.1
  **to see a show** ver un
    espectáculo, I: 10.2
to **seem** parecer, II: 8.1
to **select** seleccionar
**selection** la selección
**self-portrait** el autorretrato
to **sell** vender, I: 5.2; despachar,
  II: 8.2
**semester** el semestre
**senator** el/la senador(a)
to **send** enviar; mandar,
  transmitir, II: 3.1
**sentence** la frase
**separated** separado(a)
**separation** la separación
**Sephardi** el/la sefardí, **8.1**
**September** septiembre, BV
**series** la serie
  **World Series** la Serie mundial
**serious** serio(a), I: 1.1; grave
**servant** el/la sirviente
to **serve** servir (i, i), I: 14.1; II:
  2.1
  **How may I help you?** ¿En
    qué puedo servirle?, II: 4.1
**service** el servicio, I: 5.1
**service station** la estación de
  servicio, la gasolinera,
  II: 11.1
**set** el conjunto, **7.2; (of a play)**
  la decoración, el decorado,
  la escenografía, **7.2**

to **set out for** encaminarse a,
  LC3
to **set the bone** reducir el hueso,
  II: 8.2
to **set the table** poner la mesa,
  I: 14.1; II: 2.1
to **settle** radicarse, **8.1**
**seven** siete, BV
**seven hundred**
  setecientos(as), I: 3.2
**seventeen** diecisiete, BV
**seventh** séptimo(a), I: 6.2
**seventy** setenta, I: 2.2
**severe** severo(a); rudo(a), LC5
to **sew** coser
**sewing** la costura
**sex** el sexo
**shack** la chabola; el bohío, **4.1**
**shade** la sombra, LC4
to **shake hands** dar la mano;
  estrechar la mano, LC8
**shampoo** el champú, I: 12.2
**shantytown** la villa miseria
  (Arg.); el pueblo jóven (Peru)
**shape** la forma
to **share** compartir, **3.3**
to **shatter** destrozar, LC5
to **shave** afeitarse, I: 12.1
**shaving cream** la crema
  de afeitar, I: 12.1
**shawl** el poncho
**she** ella, I: 1.1
**sheep** la oveja, **3.1**
**sheet** la sábana, II: 6.2
**sheet of paper** la hoja de
  papel, I: 3.1
**shell** el casco
  **guava shell (peel)** el casco
    de guava, **6.2**
**shellfish** los mariscos, I: 5.2
**sherbet, sorbet** el sorbete
**shh!** ¡chist!
to **shine** brillar, I: 9.1
**shining** lustroso(a)
**ship** el navío, LC1
to **be shipwrecked** naufragar, **1.3**
**shirt** la camisa, I: 3.2; **3.2**
  **long-sleeved shirt** la camisa
    de mangas largas, II: 4.1
  **short-sleeved shirt** la camisa
    de mangas cortas, II: 4.1
**shoe** el zapato, I: 3.2; **3.2**
  **high-heeled shoes** zapatos
    de tacón alto
  **tennis shoes** los tenis, **5.3**
**shoelace** el cordón, el pasador
  **3.2**
**shoeless** descalzo(a), LC3
**shoe store** la zapatería, II: 4.1;
  **3.2**
to **shop** ir de compras, II: 5.2;

hacer las compras, II: 4.2
  **shop window** el
    escaparate, la vitrina,
    II: 4.1
**shopping: to go shopping**
  hacer las compras, II: 4.2; ir
  de compras, II: 5.2
**shopping mall** la galería
  comercial
**shore** la orilla, **1.1**
**short** bajo(a), I: 1.1; corto(a),
  I: 3.2
  **short- (long-) term** a corto
    (largo) plazo, **4.2**
  **short- (long)- term loan** un
    préstamo de corto (largo)
    plazo
**shortage** la escasez, **7.3**
**shorts** el pantalón corto, I: 3.2
**shot: to give (someone) a shot**
  poner una inyección
**should** deber
**shoulder (body)** el hombro,
  II: 8.1; **5.3**
**shoulder (road)** el arcén, **5.2**
to **show (movie)** presentar;
  mostrar (ue), **5.3**
**show (movies)** la sesión,
  I: 10.1
**show** el espectáculo, I: 10.2;
  el show
**shower** la ducha, I: 12.1
  **to take a shower** tomar
    una ducha, I: 12.1
**shrimp** los camarones, I: 14.2;
  II: 2.2; las gambas, II: 10.2
to **shrink** encogerse, **3.2**
**shuttle (airport)** el autocar, **1.2**
**shy** tímido(a), I: 1.2
**sick** enfermo(a), I: 8.1
**sick person** el/la enfermo(a),
  I: 8.1
**side** *(adj.)* lateral, I: 13.2;
  II: 1.2
**side** el borde; el lado
**sidewalk** la acera, II: 9.1
to **sigh** suspirar
**sign** el rótulo, II: 11.2; la
  muestra, el indicio, **5.3**
  **traffic sign** la señal de
    tránsito
to **sign** firmar, II: 12.2; **5.2**
**significance** el sentido,
  II: 11.2
**significant** significativo(a)
**silver** la plata, **2.1**
**similar** parecido(a); similar;
  semejante
to **be similar to** asemejarse a, **7.1**
**simple** sencillo(a); simple
**simplicity** la llaneza, LC7;

la sencillez
**sin** el pecado, **3.3**
to **sin** pecar, **3.3**
**since** como; desde
**sincere** franco(a); sincero(a),
I: 1.2
to **sing** cantar, I: 4.2
**singing** el canto
**single** soltero(a)
**singles** singles, I: 9.1
to **sink** hundirse, **6.1**
**sir, Mr., gentleman** el señor,
BV
**sister** la hermana, I: 6.1
to **sit down** sentarse (ie), I: 12.1
**sit-ups** las sentadillas, **5.3**
to **situate** situar
**to be situated** situarse, **2.1**
**situation** la situación
**six** seis, BV
**six hundred** seiscientos(as),
I: 3.2
**sixteen** dieciséis, BV
**sixth** sexto(a), I: 6.2
**sixty** sesenta, I: 2.2
**size (shoes)** número, I: 3.2
**size** el tamaño, la talla, I: 3.2
**What size (shoe) do you
wear (take)?** ¿Qué número
calza Ud.?, II: 3.2
**What size (clothing) do you
wear (take)?** ¿Qué tamaño
(talla) usa Ud.?, II: 3.2
**ski** el esquí
to **ski** esquiar, I: 9.2
**ski lift** el telesquí, I: 9.2
**ski pole** el bastón, I: 9.2
**ski resort** la estación de
esquí, I: 9.2
**ski slope** la pista, I: 9.2
**skier** el/la esquiador(a), I: 9.2
**skiing** el esquí, I: 9.2
**skirt** la falda, I: 3.2
**sky** el cielo, I: 9.1, **2.3**
**clear sky** un cielo despejado
**skyscraper** el rascacielos,
II: 9.1; **4.1**
to **sleep** dormir (ue, u)
**to fall asleep** dormirse
(ue, u), I: 12.1
**sleeping bag** el saco
de dormir, I: 12.2
**sleeve** la manga, II: 4.1; **3.2**
**long- (short-) sleeved** de
mangas largas (cortas),
II: 4.1
**slice** la rebanada, **1.1;** la
tajada, II: 4.2
to **slice** rebanar, II: 10.2; **1.1**
to **slide** resbalarse, **5.3**
**slope** la ladera

**mountain side** la ladera de
la montaña, **7.1**
**slot** la ranura, II: 3.1
**slow** lento(a), II: 10.2; **6.2**
**slowly** despacio; lentamente
**small** pequeño(a), I: 2.1
**smile** la sonrisa, **2.3**
**little smile** la sonrisita
**smoke** el humo
**smoking: (no) smoking area**
la sección de (no) fumar,
I: 11.1
**snack** la merienda, I: 4.2
**to have a snack** tomar una
merienda, I: 4.2
**snake** la serpiente, **5.1**
to **sneeze** estornudar, I: 8.1
**snout** el hocico, LC3
**snow** la nieve, I: 9.2
**snow-covered** nevado(a), **2.1**
to **snow** nevar (ie), I: 9.2
**snowboarding** el surf de
nieve
**so** así
**so, so much** tan, tanto(a)
**soap** el jabón, I: 12.2
**bar of soap** la barra
(pastilla) de jabón, I: 12.2
**soap opera** la telenovela, **8.2**
**soccer** el fútbol, I: 7.1
**soccer field** el campo de
fútbol, I: 7.1
**social sciences** las ciencias
sociales, I: 2.2
**society** la sociedad
**sociology** la sociología
**socks** los calcetines, I: 3.2
**soda** el cola, I: 5.1
**sofa** el sofá, II: 6.2
**sold out** agotado(a), **7.2**
**soldier** el militar; el/la
soldado, **1.1**
**sole (shoes)** la suela, **3.2; 5.3**
**rubber sole** la suela de
goma
**solemn** solemne
**solitary, lone** solitario(a)
**solution** el remedio; la
solución
to **solve** resolver (ue)
**some** algunos(as), I: 4.1;
unos(as)
**someone** alguien
**something** algo, I: 5.2
**sometimes** de vez en cuando;
a veces, I: 7.1
**son** el hijo, I: 6.1
**song** la canción
**soon** dentro de poco
**sore throat** el dolor de
garganta, I: 8.1

**sorrow** el hiel, LC5
**sorry: to be sorry** sentir (ie, i)
**soul** el alma, LC6
**sound** el sonido
**soup** la sopa, I: 5.1
**sour** agrio(a), **2.1**
**source** la fuente
**south** el sur
**South America** la América del
Sur
**South American**
sudamericano(a)
**southeast (region)** el sureste, **8.1**
**southern** austral, **3.1**
**southwest (region)** el
sudoeste; el suroeste, **8.1**
to **sow** sembrar, II: 9.2
**sowing** la siembra
**space** el espacio
**spaghetti** el espagueti
**Spain** la España, I: 1.2
**Spanish** (*adj.*) español(a)
**Spanish American**
hispanoamericano(a)
**Spanish (language)** el
español, I: 2.2
**Spanish speaker** el/la
hispanohablante
**Spanish-speaking**
hispanohablante
**Spanish-speaking countries**
los países de habla española
**Spanish-style** a la española
**spare tire** la llanta de
recambio (repuesto), II: 11.1
**spark** la chispa, LC4
to **speak** hablar, I: 3.1; conversar
**special** especial
**specialist** el/la especialista,
II: 14.1
to **specialize** especializar
**specialty** la especialidad
**spectator** el/la espectador(a),
I: 7.1; el/la mirón(ona)
**speed** la velocidad, II: 11.2
**speed limit** el límite de
velocidad, **5.2**
to **spend** pasar; gastar
to **spend time** pasar el tiempo,
II: 5.1
**spice** la especia
**spicy** picante, **4.1**
to **spill** derramar
**spirit** el espíritu
**spit cup** la escupidera, LC7
**spoken** de palabra, LC2
**spontaneous** espontáneo(a)
**spoon** la cuchara
**wooden spoon** la cuchara de
palo, LC8
**spoonful** la cucharada, LC5

**sport** el deporte, I: 7.1
  **individual sport** el deporte individual
  **(related to) sports** deportivo(a), I: 6.2
  **sports program (TV)** la emisión deportiva, I: 6.2
  **team sport** el deporte de equipo
**spring** la primavera, BV
to **sprinkle** rociar, LC5
to **squeeze** apretar (ie), **3.2**
**squid** los calamares, II: 10.2
**squire, knight's attendant** el escudero
**stadium** el estadio, I: 7.1
**stage** el escenario, **7.2**
**stage: to come (go) on stage** entrar en escena, I: 10.2
**stairway** la escalera, I: 6.2
**stall** el puesto, II: 4.2
**stamp** el sello, la estampilla, II: 5.1
to **stand on line** hacer cola
**standing** de pie
**stanza** la estrofa
**star** la estrella
to **start** entablar
  **to start the day** amanecer, LC7
**state** el estado
**station** la estación, I: 10.1
**stitch** el punto, **3.2**
  **stitch (knit) fabric** tela de punto
**subway station** la estación del metro, II: 10.1, la estación de ferrocarril, I: 13.1; II: 1.1
**stationery store** la papelería, I: 3.1
**statistic** la estadística
**statue** la estatua, I: 10.2
**stay** la estadía
to **stay** alojarse
to **stay in bed** guardar cama, I: 8.1
**steak** el biftec, I: 14.2; II: 2.2
**by stealth** a hurtadillas, LC6
**step** el paso
**stereo** estereofónico(a)
**stew** el guisado, LC8
**stiff** yerto(a), LC7
**still** todavía
**stilts** los pilotes, **7.1**
**sting** la picadura, II: 8.1
to **stir** revolver (ue), II: 10.1
**stitch** el punto, la sutura, II: 8.1
**stoicism** el estoicismo
**stomach** el estómago, I: 8.1
**stomachache** el dolor de

estómago, I: 8.1
**stone** la piedra
**stop** la parada, I: 13.2; II: 1.2
to **stop** bloquear, parar, I: 7.1
**stopover** la escala, II: 7.2
**store** la tienda, I: 3.2
to **store** almacenar
**storm** la tormenta, **8.3**, LC1; la tempestad
**stormy** borrascoso(a), **3.1**
**story** el cuento; la historia
  **short story** la historieta
**stove** la estufa, II: 10.1
**stove burner** la hornilla, II: 10.1
**straight** derecho, II: 11.2
  **to go straight** seguir derecho, II: 11.2
to **strain** colar, LC5
**strange** extravagante
**strategy** la estrategia
**straw** la paja, II: 13.2
**stream** el arroyo
**street** la calle, I: 6.2
  **one-way street** la calle de sentido único, II: 11.2
  **pedestrian street** la calle peatonal
**strength** la fortaleza
**stretch (of road)** el trayecto; el tramo
to **stretch** estirar, LC1
**stretcher** la camilla, II: 8.1
**stretches** los estiramientos, **5.3**
**strike (work)** la huelga
  **on strike** en huelga, **1.2**
to **strike twelve** dar las doce, II: 13.2
**string (instrument)** la cuerda
**string bean** la judía verde; el poroto; la vainita; el ejote; la chaucha
**striped** a rayas; rayado(a) (de rayos), **3.2**
  **striped blouse** una blusa rayada (de rayas)
to **strive for** procurar, LC3
**strong** fuerte, **4.1**
**structure** la estructura
**student (relating to)** estudiantil
**student** el/la alumno(a), I: 1.1; el/la estudiante
**student housing** la residencia para estudiantes, II: 3.2
**study** el estudio
to **study** estudiar, I: 4.1
**stupendous** estupendo(a)
**stupid** torpe
  **stupid person** el torpe, LC1

**style** el estilo; la moda
  **in style** de moda
to **subdue** someter; rendir (i, i), LC1
**subject** la asignatura, I: 2.1; la materia; el tema
  **subject area (school)** la disciplina, I: 2.2
to **subject** sujetar, LC1
to **subjugate** subyugar, **2.1**
**substance: controlled substance** la sustancia controlada
**subterranean** subterráneo(a)
**subtitle** el subtítulo, I: 10.1
  **with subtitles** con subtítulos, I: 10.1
to **subtract** restar
**suburb** el suburbio; la colonia
**subway** el metro, I: 10.1; **1.3**
**subway station** la estación de metro, I: 10.1
**success** el éxito
**suckling pig** el lechón; el cochinillo
**sudden** súbito, **8.3**
**suddenly** repentinamente; de repente; de golpe, LC5
**suede** ante, gamuza, **3.2**
to **suffer** sufrir
to **suffice** bastar, **5.3**
**sugar** el azúcar, II: 10.1
to **sugar** azucarar, LC5
**sugarcane** la caña de azúcar, **6.1**
to **suggest** sugerir (ie, i)
**suggestion** la sugerencia
**suit** el traje, I: 3.2; **3.2**
**suitcase** la maleta, I: 11.1
**sum** el monto, **1.1; 4.2**
**summer** el verano, BV
**summer** (adj.) veraniego(a), **1.1**
  **summer house** la casa veraniega
to **sunbathe** tomar el sol, I: 9.1
**sunblock** la crema protectora, I: 9.1
**sunburned, tanned** tostadito(a)
**Sunday** el domingo, BV
**sunglasses** las gafas de sol, los anteojos de sol, I: 9.1
**suntan lotion** la loción bronceadora, I: 9.1
**sunny: It's sunny.** Hace (Hay) sol., I: 9.1
**sunset** la puesta del sol
**supermarket** el supermercado, I: 5.2

**supermarket cart** el carrito, II: 4.2
**superstition** la superstición
**support** el soporte, **8.3**
to **support** sostener; apoyar, **2.1**
**sure** seguro(a)
to **surf** practicar el surfing (la tabla hawaiana), I: 9.1
  **to surf the Net** navegar por la red
**surface** la superficie
**surfboard** la tabla hawaiana, I: 9.1
**surfing** el surfing, I: 9.1
**surgeon** el/la cirujano(a), II: 8.2
to **surpass** superar, **8.1**; sobrepasar
to **surprise** sorprender
to **surrender** someterse, **6.1**
to **surround** rodear
**survey** la encuesta
**SUV** el todoterreno, **5.2**
to **swallow** tragar, LC6
**sweat** el sudor, LC2
to **sweat** sudar, LC2
**sweater** el suéter, II: 4.1; **3.2**
  **wool sweater** un suéter de lana
**sweet** dulce, **3.1**
**sweet roll** el pan dulce, I: 5.1
**sweetheart, lover** el/la enamorado(a)
to **swim** nadar, I: 9.1
**swim meet** el torneo de nado (natación)
to **swim underwater** bucear, I: 9.1
**swimmer** el/la nadador(a), **6.3**
**swimming** la natación, el nado, I: 9.1; **6.3**
**swimming pool** la alberca, la piscina, I: 9.1
**swollen** hinchado(a), II: 8.1; LC7
**symptom** el síntoma, I: 8.2
**syrup** el sirope
**system** el sistema
  **metric system** el sistema métrico

**T-shirt** la camiseta, el T-shirt, I: 3.2
**table** la mesa, I: 5.1; LC7
**table soccer** el futbolín, II: 5.1
**tablecloth** el mantel, I: 14.1; II: 2.1

**tablespoon** la cuchara, I: 14.1; II: 2.1
**taciturn** taciturno(a), LC2
**taco** el taco, BV
**tail** la cola, LC3
to **take** tomar, I: 4.1
  **to take notes** tomar apuntes, I: 4.2
  **to take one's blood pressure** tomar la tensión (presión) arterial, II: 8.2
  **to take one's pulse** tomar el pulso, II: 8.2
  **to take out** sacar, II: 3.1
  **to take photos** tomar fotos
  **to take place** tener lugar, II: 8.1; efectuarse, **4.3**
  **to take the luggage down** bajar las maletas, II: 6.1
  **to take the (school) bus** tomar el bus (escolar), I: 4.1
  **to take a walk** dar un paso, LC6
to **take charge** encargarse
to **take off** quitar, II: 10.2
  **to take off (airplane)** despegar, II: 11.2
  **to take off the fire** retirar del fuego, II: 10.1
to **take time** tardar
**takeoff (of an airplane)** el despegue, I: 7.2
**talent** el talento
to **talk** hablar, I: 3.1; conversar
**tall** alto(a), I: 1.1; high, **3.1**
**tamale** el tamal, BV
**tan** bronceado(a)
**tank** el tanque, II: 11.1; (gas station) el depósito, **7.3**
**task** la tarea
**tasteless** disgustado(a), LC8
**taxi** el taxi, I: 11.1; **1.2**
**tea** el té, I: 5.1
  **iced tea** el té helado, II: 5.1
to **teach** enseñar, I: 4.1
**teacher** el/la maestro(a); el/la profesor(a), I: 2.1
**team** el bando; el equipo, I: 7.1
**team sport** el deporte de equipo, I: 7.2
**tear** la lágrima, LC7
**tearoom** la confitería
**teaspoon** la cucharita, I: 14.1; II: 2.1
**technician** el/la técnico(a), II: 8.2
**technology** la tecnología
**teenager** el/la adolescente
**telecommunication** la

telecomunicación
to **telephone** telefonear
  **to talk on the phone** hablar por teléfono
**telephone** el teléfono
  **cell phone** el teléfono celular, II: 3.2
  **public (pay) telephone** el teléfono público, II: 3.2
  **push-button telephone** el teléfono de botones, II: 3.2
  **(related to the) telephone** telefónico(a)
**telephone book** la guía telefónica, II: 3.2
**telephone call** la llamada telefónica, II: 3.2
**telephone keypad** el teclado, II: 3.2
**telephone line** la línea telefónica
**telephone pole** el poste de teléfono, **8.3**
**telephone receiver** el auricular, II: 3.2
**television** la televisión, I: 6.2
**television set** el televisor, II: 6.2; **8.2**
**television viewer** el/la televidente, **8.2**
**teller** el/la cajero(a), II: 12.2
**teller's window** la ventanilla, II: 12.2
**temperate** templado(a)
**temperature** la temperatura, I: 9.2
**temple (head)** la sien, LC6
**ten** diez
**tendency** la tendencia
**tender** tierno(a)
**tennis** el tenis, I: 9.1
  **pair of tennis shoes** el par de tenis, I: 3.2
**tennis player** el/la tenista
**tennis shoes** los tenis, I: 3.2
**tenth** décimo(a), I: 6.2
**term** el término
**terminal** el terminal
  **passenger terminal** el terminal de pasajeros, II: 7.2
**terrace (sidewalk café)** la terraza
**terrible** terrible
**terrifying** aterrador(a)
**territory** el territorio
**terror** el terror
**test** el examen, I: 4.2
**tetanus** el tétano
**Thank you.** Gracias., BV
**that** aquel, aquella; ese(a)

**that (one)** eso

**the** la, el, I: 1.1

**theater** el teatro, I: 10.2

**theatrical** teatral, I: 10.2

**their** su, sus, I: 6.1

**them** las, los

  **to them; to you** (formal pl.) (pron.) les

**theme** el motivo; el tema

**then** luego, BV; entonces

**there** allí, allá

**there is, there are** hay, BV

**therefore, for this reason, that's why** por eso

**thermos** el termo, 7.3

**these** estos(as)

**they** ellos(as), I: 2.1

**thick** espeso(a), 7.1

**thin** delgado(a); flaco(a), I: 1.2

**thing** la cosa

to **think** pensar (ie); opinar, II: 10.2

**third** tercer(o)(a), I: 6.2

**thirsty: to be thirsty** tener sed, I: 14.1; II: 2.1

**thirteen** trece, BV

**thirty** treinta, BV

**thirty-one** treinta y uno, I: 2.2

**this** este(a)

**this (one)** esto

**thistle** el cardo

**thorax** el tórax, 5.3

**those** aquellos(as), esos(as)

**thought** el pensamiento

**thousand** mil, I: 3.2

**thread** el hilo, LC8

**three** tres, BV

**three hundred** trescientos(as), I: 3.2

**Three Wise Men** los Reyes Magos, II: 13.2

**throat** la garganta, I: 8.1

**throne** el trono

to **throw** echar, LC6; lanzar, I: 7.1; tirar; botar, 4.1; arrojar, LC1

  **to throw (kick) the ball** tirar el balón, I: 7.2

**Thursday** el jueves, BV

**thus** así

**ticket** el boleto, el ticket, I: 9.2; el billete, I: 11.1; el tique, II: 9.1

  **luggage claim ticket** el talón, I: 11.1

  **one-way ticket** el billete sencillo, I: 13.1; II: 1.1

  **round-trip ticket** el billete de ida y vuelta, I: 13.1; II: 1.1

  **ticket window** la boletería, 7.2; la ventanilla, I: 9.2

**tie (clothing)** la corbata, I: 3.2; 3.2

**tie** el lazo

**tied (score)** empatado(a), I: 7.1

  **The score is tied.** El tanto queda empatado., I: 7.1

**tiger** el tigre

**time** la hora; el tiempo, II: 9.1

  **At what time?** ¿A qué hora?

  **on time** a tiempo, I: 11.1

  **What time is it?** ¿Qué hora es?

**time** la vez

  **at times, sometimes** a veces, I: 7.1

  **at that time** en aquel entonces

  **one more time, again** una vez más

**time zone** el huso horario

**timid** tímido(a), I: 1.2

**tiny** diminuto(a)

**tip** el servicio, I: 5.1; la propina, I: 14.1; II: 2.1

  **Is the tip included?** ¿Está incluido el servicio?, I: 5.1

**tire** el neumático, la goma, la llanta, II: 11.1

  **flat tire** la llanta pinchada

  **spare tire** la llanta de recambio (repuesto), II: 11.1

**tired** cansado(a), I: 8.1

**to** a

**toast** la tostada; el pan tostado, I: 5.2

to **toast** tostar

**today** hoy, BV

**together** juntos(as)

**toilet** el inodoro, el váter, II: 6.2

**toilet paper** el papel higiénico, I: 12.2

to **tolerate** consentir (ie, i)

**toll** el peaje, II: 11.2; 1.2

**toll booth** la garita de peaje, II: 11.2

**tomato** el tomate

**tomorrow** mañana, BV

**ton** la tonelada

**tonality** la tonalidad

**tonight** esta noche, I: 9.2

**too much** demasiado

**tool** la herramienta, LC3

**tooth** el diente

  **back tooth** la muela, LC7

  **tooth decay** la caries, LC7

**toothbrush** el cepillo de dientes, I: 12.2; LC7

**toothpaste** la pasta (crema) dentífrica, I: 12.2; LC7

**top** la cumbre, LC8

**tortilla** la tortilla, I: 5.1

**totally** totalmente

**touch** el contacto

to **touch** tocar

**tour** la gira, I: 12.2

**tour guide** el/la guía

**tourist** el/la turista, I: 10.2

**tournament** el torneo

**toward** en dirección a; hacia

**towel** la toalla, I: 9.1; II: 6.2

  **beach towel** la toalla playera, I: 9.1

**tower** la torre

  **control tower** la torre de control, II: 7.2

**town** el pueblo, II: 9.2; 2.3

**town square** la plaza, II: 9.1

**toxic** tóxico(a)

**toy** el juguete, LC8

**track** la vía, I: 13.1; II: 1.1

**trade** el oficio, II: 14.1

**tradition** la tradición

**traditional** tradicional

**traffic** el tráfico

  **traffic jam** el embotellamiento, el tapón, 1.2

**traffic light** el semáforo, II: 9.1; 5.2

**traffic sign** la señal de tráfico (tránsito), 5.2

**tragedy** la tragedia

**trail** el camino

**train** el tren, I: 13.2; II: 1.2

  **local train** el tren local, I: 13.2

  **nonstop train** el tren directo, I: 13.2; II: 1.2

  **underground train** el tren subterráneo

**train car** el coche, el vagón, I: 13.1; II: 1.1

  **cafeteria (dining) car** el coche-cafetería, el coche-comedor, I: 13.2; II: 1.2

  **sleeping car** el coche-cama, I: 13.2

**train conductor** el/la revisor(a), I: 13.2; II: 1.2

**train station** la estación de ferrocarril, I: 13.1; II: 1.1

**training** el entrenamiento

**traitor** el traidor

to **transfer** transbordar, I: 13.2; II: 1.2; trasladar

to **transform** convertir (ie, i); transformar

to **translate** traducir

to **transmit** transmitir, II: 3.1; **8.2**

to **transpire** transpirar, LC2

**transportation** el transporte

**trap** la trampa, LC3

to **trap** atrapar, **8.3**

to **travel** circular; recorrer; viajar

to **travel by air** viajar en avión,
I: 11.1

**traveler** el/la viajero(a)

**traveler's check** el cheque
de viajero, II: 12.2

**tray** la bandeja, II: 7.1

**tray table** la mesita, II: 7.1

**treacherous** aleve, LC5

**treasure** el tesoro

**treat** tratar

**treatment** el tratamiento; la
cura

**tree** el árbol

**triangle** el triángulo

**tribe** la tribu

**tributary (of a river)**
el tributario

**trip** el viaje

  **return trip** el viaje de
  regreso

  **to take a trip** hacer un
  viaje, I: 11.1

**trip (distance traveled)**
el recorrido

**triumphant** triunfante

**trombone** el trombón

**troop** la tropa, **1.1**

**tropical** tropical

**trousers** el pantalón, I: 3.2

**trousseau** el ajuar de novia

**truce** la tregua, **2.3**

**true** verdadero(a)

**truck** el camión, **5.2**

**truck driver** el/la
camionero(a), **5.2; 8.3**

**trumpet** la trompeta

**trunk (of a car)** el/la
maletero(a), I: 11.1;
la maletera, I: 13.1; II: **1.1**;
el baúl, II: 11.1

to **try** tratar

to **try on** probarse (ue), II: 4.1

**tube of toothpaste** el tubo de
pasta (crema) dentífrica,
I: 12.2

**Tuesday** el martes, BV

**tumultuous** tumultuoso(a), LC2

**tuna** el atún, I: 5.2

**turbulance** la turbulencia,
II: 7.2

to **turn** doblar, II: 11.2; girar, LC7

to **turn around** revolver (ue),
II: 10.1

to **turn off** apagar, II: 3.1

to **turn on** prender, II: 3.1

**turning signal** la direccional,
II: 11.1; el intermitente, **5.2**

**turnstile** el torniquete, II: 9.1

**turtle dove** la tórtola

**twelve** doce, BV

**twenty** veinte, BV

**twenty-eight** veintiocho, BV

**twenty-five** veinticinco, BV

**twenty-four** veinticuatro, BV

**twenty-nine** veintinueve, BV

**twenty-one** veintiuno, BV

**twenty-seven** veintisiete, BV

**twenty-six** veintiséis, BV

**twenty-three** veintitrés, BV

**twenty-two** veintidós, BV

**twin** el/la gemelo(a)

**twist** torcer (ue), II: 8.1

**two** dos, BV

**two hundred** doscientos(as),
I: 3.2

**type** el tipo; la modalidad

**typical** típico(a)

## U

**ugly** feo(a), I: 1.1

**unbuttoned** desabrochado(a),
**3.3**

**uncle** el tío, I: 6.1

**under** debajo (de)

**undershirt** la camiseta, I: 3.2

to **understand** comprender, I: 5.1

**understanding** el entendimiento

to **undertake (a journey)**
emprender, **6.1**

**undertaking** la empresa, **7.1**

**underwater swimming**
el buceo, I: 9.1

**underwear** la ropa interior,
II: 4.1

**undeserved** inmerecido(a), LC5

**unfaithful** infiel

**unforgettable** inolvidable, **7.1**

**uniform** el uniforme

**union** el enlace

**unique** único(a)

**unit** la unidad

**United States** los Estados
Unidos

  **from the United States**
  estadounidense

**university** la universidad

  **related to university**
  universitario(a)

**university degree** el título
universitario, II: 14.1

**unjust** injusto(a)

**unleaded** sin plomo, II: 11.1

**unless** a menos que

**unpleasant** desagradable

**until** hasta, BV

**urban** urbano(a)

**urologist** el/la urólogo(a)

**urology** la urología

**us** nos

to **use** utilizar

**used** usado(a)

**user** el usuario, **1.3**

**usually** generalmente

## V

**vacation** la vacación, II: 6.2

**valiantly** valientemente

**valley** el valle, II: 7.2

**valor** la valentía, LC6

**value** el valor

**vanilla** *(adj.)* de vainilla, I: 5.1

**variation** la variación

**varied** variado(a)

**variety** la variedad

**various** varios(as)

to **vary** variar

**vast** vasto(a)

**veal** la ternera, I: 14.2; II: 2.2

**vegetable** el vegetal, I: 5.2;
la legumbre

**vegetable garden** el/la
huerto(a), II: 9.2

**vegetation** la vegetación

**vegetarian** el/la
vegetariano(a)

**vein** la vena

**Venezuelan** venezolano(a)

**verse** el verso

**version: in its original
(language) version** en
versión original, I: 10.1

**very** muy, BV

**vest** el chaleco

**vestige** el vestigio

**veterinarian** el/la
veterinario(a)

**vice** el vicio

**vice versa** viceversa

**victim** la víctima, II: 8.1; **2.2**

**victorious** victorioso(a)

**video** el video

**video store** la tienda de
videos

**view** la vista

**vigor** el vigor

**vile** vil

**villa** la quinta, LC3

**village** el pueblo, **2.3**

**vinegar** el vinagre

**vineyard** el viñedo, **3.1**

violence la violencia
violent violento(a), **2.3**
violin el violín, I: 2.1
viper la víbora, LC3
virtue la virtud, LC6
to visit visitar
vitamin la vitamina
voice la voz
volcanic volcánico(a), **2.3**
volcano el volcán, **2.3**
volleyball el voleibol
volume el tomo
volunteer el/la voluntario(a)
vowel la vocal

wagon el carro, LC2
to wait (for) esperar, I: 11.1
waiter, waitress el/la
camarero(a), el/la mesero(a),
I: 5.1
waiting room la sala de
espera, I: 13.1; II: 1.1
wake (of a funeral) el velorio,
el velatorio, **4.3**
wake (of a storm) la estela, **4.1**
to hold a wake velar, LC8
to wake up despertarse (ie),
I: 12.1
to walk ir a pie, I: 4.1; andar;
caminar, II: 9.1
to take a walk dar un
paseo, II: 5.2
wall la muralla; la pared
walled amurallado(a), **7.1**
walled city una ciudad
amurallado(a)
wallet la cartera, **2.2**
to want desear, I: 3.2; **4.3**; querer
(ie)
I would like . . . Quisiera...,
I: 14.2; II: 2.2
war la guerra, **1.1**
warlike belicoso(a), **3.1**
warm (weather) cálido(a), **7.1**;
LC8
warmup el calentamiento, **5.3**
to warn advertir (ie, i)
to wash oneself lavarse, I: 12.1
washbasin el lavabo, II: 6.2
washing machine la máquina
de lavar
waste los desechos
to waste desperdiciar, LC4;
malgastar
watch el reloj, II: 4.1
to watch mirar, I: 3.1
water el agua (f.), I: 9.1

mineral water el agua
mineral, I: 12.2
running water el agua
corriente
water bottle el tarro de
agua, **7.3**
to water-ski esquiar en el agua,
I: 9.1
water-skiing el esquí
acuático, I: 9.1
watercolor la acuarela
watermelon la sandía,
II: 10.2; **3.1**
wave la ola, la onda, I: 9.1; **5.3**
way el modo; la manera, I: 1.1
we nosotros(as), I: 2.2
weak flojo(a), LC5
weapon el arma (f.)
to wear llevar, I: 3.2
to wear (size) usar, I: 3.2; (shoe
size) calzar, I: 3.2
weather el tiempo, I: 9.1
It's cold. Hace frío., I: 9.2
It's hot. Hace calor., I: 9.1
It's sunny. Hace sol., I: 9.1
The weather is bad. Hace
mal tiempo., I: 9.1
The weather is nice. Hace
buen tiempo., I: 9.1
weather forecast el
prognóstico del tiempo, **8.2**
weave el tejido, **2.1**
to weave tejer, **2.1**
weaver el/la tejedora, **2.1**
Web page la página Web
wedding la boda, II: 13.1; **4.3**
Wednesday el miércoles, BV
week la semana, BV
last week la semana pasada,
I: 9.2
weekend el fin de semana, BV
last weekend el fin de
semana pasado
to weigh pesar
weight la pesa; el peso
heavy weights los pesados, **5.3**
welcome dar la bienvenida,
I: 11.2
You're welcome. De nada.,
Por nada., No hay de
qué., BV
welcoming (personality)
acogedor, **2.3**
well (water) el pozo, LC1
well bien, BV; pues
very well muy bien, BV
well-done bien hecho(a),
quemado(a), **6.2**
well-done meat la carne
bien hecha (quemada)
well-known renombrado(a)

well-off acomodado(a), **2.1**
west el oeste
western occidental
whale la ballena, **3.1**
what, that which lo que
what? ¿qué?, BV
What's the matter
(with you)? ¿Qué te pasa?,
I: 8.2
wheat el trigo, II: 9.2
wheelchair la silla de ruedas,
II: 8.2
when cuando, I: 4.2
when? ¿cuándo?, I: 4.1
where donde, I: 1.2
where? ¿adónde?, I: 1.1;
¿dónde?, I: 1.2
which?, what? ¿cuál?, BV
while el rato; mientras, **2.2**
white blanco(a), I: 3.2
who? ¿quién?, I: 1.1; (pl.)
¿quiénes?, I: 2.1
Who is calling? ¿De parte
de quién?, II: 3.2
whole entero(a)
why? ¿por qué?
wide ancho(a); amplio(a), **1.3**
widow la viuda, **2.3**
to wield manear, LC8
wife la mujer, la esposa, I: 6.1
wig la peluca
wild salvaje, silvestre
to win ganar, I: 7.1
wind el viento
windmill el molino de viento
window (post office, etc.)
la ventanilla; (shop)
el escaparate, la vitrina,
II: 4.1
windshield el parabrisas,
II: 11.1
winter el invierno, BV
wire el alambre, LC3
wise sabio(a)
The Three Wise Men Los
Reyes Magos, II: 13.2
to wish desear, I: 3.2
with con
within dentro de
without sin
woman la dama
wood la madera, **2.1**; LC7
wool la lana, II: 12.1; **3.2**
wool fabric tela de lana
word la palabra
work el trabajo
to work trabajar, I: 3.2
to work full time trabajar
a tiempo completo, II: 14.2
to work part time trabajar
a tiempo parcial, II: 14.2

**work** la obra
**work of art** la obra de arte
**worker** el/la trabajador(a);
el/la obrero(a), II: 9.1
**workforce** la mano de obra,
**8.1**
**workshop** el taller, LC3
**world** el mundo
**World Cup** la Copa mundial
**World Series** la Serie mundial
**worldwide, (related to the
world)** mundial, **6.3**
**worse, worst** peor, el/la peor
**wound** la herida, II: 8.1
**wounded person** el/la
herido(a)
**wrapped** envuelto(a)
**wrinkle** la arruga
to **wrinkle** arrugar; arrugarse, **3.2**
**wrist** la muñeca, II: 4.1
to **write** escribir, I: 5.1
**writing pad** el bloc, I: 3.1
**wrong** erróneo(a)

**X-ray** la radiografía, los rayos
equis, II: 8.2

**yard** la yarda
**year** el año, BV
to be . . . **years old**
tener...años, I: 6.1; cumplir...
años
**last year** el año pasado, I: 9.2
**this year** este año, I: 9.2
**yellow** amarillo(a), I: 3.2
**yes** sí
**yesterday** ayer, I: 9.2
**day before yesterday**
anteayer
**yesterday afternoon** ayer
por la tarde, I: 9.2
**yesterday morning** ayer por
la mañana, I: 9.2
**yet** aún; todavía
**yogurt** el yogur
**yolk** la yema
**you** tú; Ud., usted, I: 3.2;
Uds., ustedes, I: 2.2
**You're welcome.** De nada.,
No hay de qué., BV
**young** joven, I: 6.1; mozo(a)
**as a young person** de joven
**your** tu; su, sus, I: 6.1
**youth** la juventud

**youth, young person** el/la
joven, I: 10.1
**youth hostel** el albergue
juvenil, el albergue para
jóvenes (juvenil), I: 12.2

**zero** cero, BV
**zipper** la cremallera, **3.2; on
pants** la bragueta, **3.2**
**zone** la zona
**commercial zone** la zona
comercial, II: 9.1
**industrial zone** la zona
industrial, II: 9.1
**residential zone** la zona
residencial, II: 9.1
**zoo** el parque zoológico,
II: 5.2

# Index

**adjectives** shortened forms, 332 (7); comparative and superlative: irregular forms, 295 (6)

**adverbs** ending in **-mente**, 384(8)

**affirmative words** expressing affirmative and negative ideas, 139 (9)

**-ar verbs** preterite tense, 14 (19); present subjunctive, 95 (2); imperfect tense, 71 (2); imperative, 226 (5); imperfect subjunctive, 201 (4); future tense, 175 (4); conditional tense, 177 (4); present perfect, 223 (5); pluperfect tense, 255 (5); conditional perfect, 257 (5); future perfect, 258 (7); present perfect subjunctive, 309 (6); pluperfect subjunctive, 309 (6)

**aunque** usng the subjunctive with, 307 (6)

**comparative** see **adjectives**

**conditional perfect tense** regular and irregular verbs, 257 (5)

**conditional tense** regular and irregular verbs, 177 (4)

**decir** imperative, 226 (5); imperfect subjunctive, 201 (4); future tense, 175 (4); conditional tense, 177 (4)

**definite article** special uses, 333 (7); addressing and referring to people, 334 (7); with days of the week, 335 (7); with reflexive verbs, 336 (7)

**direct object pronouns** referring to people and things already mentioned, 187 (4); with indirect object pronouns, 189 (4); placement with infinitive and gerund, 240 (5); placement with imperative, 241 (5)

**-er verbs** preterite tense, 14 (1); present subjunctive, 95 (2); imperfect tense 71 (2); imperative, 226 (5); future tense, 175 (4); conditional tense, 177 (4); present perfect, 223 (5); pluperfect tense, 255 (5); conditional perfect, 257 (5); future perfect, 258 (5); present perfect subjunctive, 309 (6); pluperfect subjunctive, 309 (6)

**estar** present subjunctive, 95 (2); contrasting location and origin, 124 (3); distinguishing between characteristics and conditions, 125 (3); special uses of **ser** and **estar**, 126 (3); imperfect subjunctive, 201 (4)

**faltar** expressing what you need, 138 (3)

**future tense** regular and irregular verbs, 175 (4)

**gustar** expressing what you like, 138 (3)

**haber** used to form present perfect tense, 223 (5); used to form pluperfect tense, 255 (5); used to form conditional perfect, 257 (5); used to form future perfect, 258 (8); used to form present perfect subjunctive, 309 (6); used to form pluperfect subjunctive, 309 (6)

**hacer** imperative, 226 (5); expressing duration of time, 363 (7); imperfect subjunctive, 201 (4); future tense, 175 (4); conditional tense, 177 (4)

**imperative** giving commands, 226 (5)

**imperfect progressive tense** see **present participle**

**imperfect tense** review of regular, irregular, and stem-changing verbs, 71 (2); expressing recurring vs. completed actions in the past, 80 (2); expressing two actions in the same sentence, 82 (2)

**indefinite article** telling one's profession, 337 (7)

**indefinite ideas** expressing with -**quiera**, 259 (5)

**indirect object pronoun** expressing surprise, interest, annoyance, 137 (3); expressing what you like or need, 138 (3); referring to people and things already mentioned, 189 (4); with direct object pronouns, 239 (5); placement with infinitive and gerund, 240 (5); placement with imperative, 241 (5)

**ir** present subjunctive, 95 (2); imperative, 226 (5); imperfect subjunctive, 201 (4)

**-ir verbs** preterite tense, 14 (1); present subjunctive, 95 (2); imperfect tense, 71 (2); imperative, 226 (5); imperfect subjunctive, 201 (4); future tense, 175 (4); conditional tense, 177 (4); present perfect, 223 (5); pluperfect tense, 255 (5); conditional perfect, 257 (5); future perfect, 258 (5); present perfect subjunctive, 309 (6); pluperfect subjunctive, 309 (6)

**irregular verbs** preterite tense: **buscar**, 14 (1); **dar**, 14 (1); **empezar**, 14 (1); **jugar**, 14 (1), **ver**, 14 (1); present subjunctive: **conocer**, 95 (2); **dar**, 95 (2); **estar**, 95 (2); **ir**, 95 (2); **poner**, 95 (2); **saber**, 95 (2); **salir**, 95 (2); **ser**, 95 (2); imperfect tense: **ir**, 72 (2); **ser**, 72 (2); **querer**, 72 (2); **ver**, 72 (2); imperative: **conducir**, 226 (5); **decir**, 226 (5); **hacer**, 226 (5); **ir**, 226 (5); **poner**, 226 (5); **salir**, 226 (5); **ser**, 226 (5); **tener**, 226 (5); **venir**, 226 (5); imperfect subjunctive: **andar**, 201 (4); **conducir**, 201 (4); **decir**, 201 (4); **estar**, 201 (4); **hacer**, 201 (4); **ir**, 201 (4); **leer**, 201 (4); **oír**, 201 (4); **poder**, 201 (4); **poner**, 201 (4); **querer**, 201 (4); **saber**, 201 (4); **ser**, 201 (4); **tener**, 201 (4); **traer**, 201 (4); **venir**, 201 (4); future tense: **decir**, 175 (4); **hacer**, 175 (4); **poder**, 175 (4); **poner**, 175 (4); **querer**, 175 (4); **saber**, 175 (4); **salir**, 175 (4); **tener**, 175 (4); **valer**, 175 (4); **venir**, 175 (4); conditional tense: **decir**, 177 (4); **hacer**, 177 (4); **poder**, 177 (4); **poner**, 177 (4); **querer**, 177 (4); **saber**, 177 (4); **salir**, 177 (4); **tener**, 177 (4); **valer**, 177 (4); **venir**, 177 (4); present perfect: **abrir**, 223 (5); **cubrir**, 223 (5); **descubrir**, 223 (5); **escribir**, 223 (5); **freír**, 223 (5); **hacer**, 223 (5); **morir**, 223 (5); **pedir**, 223 (5); **poner**, 223 (5); **romper**, 223 (5); **ver**, 223 (5); **volver**, 223 (5)

**negative words** expressing affirmative and negative ideas, 139 (3)

**para** contrasting **por** and **para**, 357 (7); with expressions of time, 359 (7); with the infinitive, 360 (7); other uses, 361 (7)

# Credits